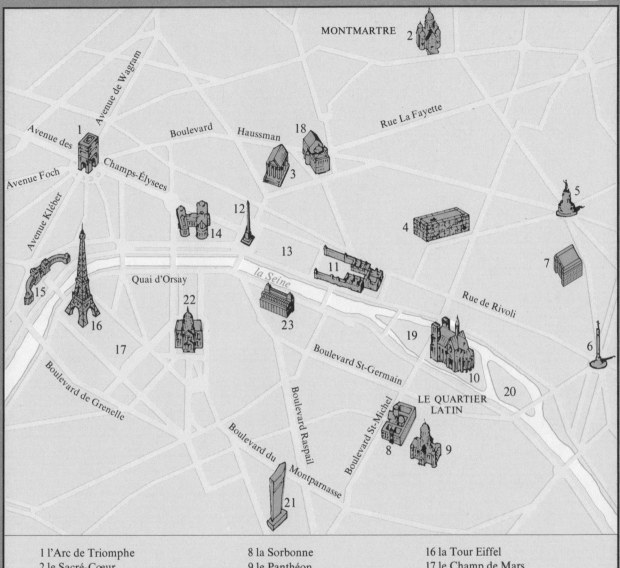

MONTMARTRE

Avenue de Wagram

Avenue des

Champs-Élysees

Avenue Foch

Avenue Kléber

Boulevard   Haussman

Rue La Fayette

Quai d'Orsay

la Seine

Rue de Rivoli

Boulevard St-Germain

Boulevard de Grenelle

Boulevard du

Boulevard Raspail

Boulevard St-Michel

Montparnasse

LE QUARTIER LATIN

1 l'Arc de Triomphe	8 la Sorbonne	16 la Tour Eiffel
2 le Sacré-Cœur	9 le Panthéon	17 le Champ de Mars
3 la Madeleine	10 Notre-Dame	18 l'Opéra
4 le Centre Pompidou (Beaubourg)	11 le Louvre	19 Île de la Cité
5 la Place de la République	12 la Place de la Concorde	20 Île St-Louis
6 la Place de la Bastille	13 le Jardin des Tuileries	21 la Tour Montparnasse
7 le Musée Picasso	14 le Grand Palais	22 les Invalides
	15 le Palais de Chaillot	23 le Musée d'Orsay

PARIS MONUMENTAL

ENTRE

INSTRUCTOR'S ANNOTATED EDITION

ENTRE AMIS

AN INTERACTIVE APPROACH
TO FIRST-YEAR FRENCH

Michael D. Oates
University of Northern Iowa

Larbi Oukada
Indiana University, Indianapolis

Rick Altman
University of Iowa

Houghton Mifflin Company   Boston
Dallas   Geneva, Illinois   Palo Alto
Princeton, New Jersey

Components of *Entre amis:*

- Student Text with Homework Cassette
- Instructor's Annotated Edition
- *Cahier d'activités:* Workbook/Lab Manual/Video Workbook
- Instructor's Resource Manual with Tapescripts and Answer Keys
- Test Bank
- Test Bank Data Disk
- Audio Program (parts 1 and 2)
- Overhead Transparencies and Realia Bank
- Videocassette
- Computer Study Modules

Printed in the U.S.A.
Student Text ISBN: 0-395-51354-5
Instructor's Annotated Edition ISBN: 0-395-51355-3

ABCDEFGHIJ-D-9543210

Contents in Brief

To the Instructor

Entre amis is a new introductory French program designed for use at both two-year and four-year colleges and universities. From the start, students are continuously involved in developing and reinforcing their ability to use French to communicate. The *Entre amis* program is the result of extensive field testing (over fifty classes at three universities) which has helped to make it effective—interesting and enjoyable for language learners and fun for instructors.

Features of the text

Entre amis is a communicative, function-based, multimedia program that thoroughly integrates culture and language while encouraging active student participation in all four language skills. It is learner-centered, fostering a secure climate for classroom interaction and encouraging risk taking and initiative in communication. Students are given many opportunities to converse with one another as well as to interact with their instructor.

Communication-enhancing strategies of both a linguistic and a pragmatic nature are included throughout the program. A unique feature of the program is the strong focus on culture, especially body language and gestures. Physical gestures and cultural information form integral parts of each chapter and are closely tied to the communicative functions taught. There are 41 gestures described and illustrated throughout the text and reinforced on the videocassette.

Text chapters are organized according to the tasks that students learn to perform and are fleshed out by the grammar, vocabulary, and cultural information related to them. Care has been taken to provide clearly written grammatical and cultural guidelines. This blend of function and structure results in an orderly progression from known to unknown and enhances both performance and accuracy.

One or more readings *(Lectures)* are included at the end of every chapter. These are often adapted from authentic French materials of a variety of types: newspaper articles, essays, poems, and weather reports. They are accompanied by pre- and post-reading activities to help students understand and internalize the material. The readings and the exercises selected are both interesting and challenging. Being slightly above students' productive language level, they are designed to stimulate contextual guessing, cognate recognition, and use of background knowledge to develop and strengthen students' reading skills.

Special enrichment sections called *Escales* appear after Chapters 4, 8, 12, and 15. These sections each describe a different place in the francophone world: Québec, Sénégal, Morocco, and Martinique. They feature detailed descriptions of selected persons or places related to the topic of the *Escale*. Maps, photos, and realia are included to further enhance students' familiarity with and interest in the French-speaking world.

Entre amis is printed in full color, a feature that not only enhances the art program but also helps clarify the book's organization. Color is used to highlight important grammar points as well as to code certain sections, such as *Il y a un geste* (always in a peach-colored box), and *Entre amis* (always in a light purple box). The text is extensively illustrated with full-color photos and realia.

Components of the program

Student Text

The student text is divided into fifteen chapters, plus a brief preliminary chapter. The chapters are organized by groups of functions taught within the framework of a broader theme, such as *Vos activités*, which includes relating past events, describing study habits, and describing weekend activities. The students always have a communicative reason for needing to learn new grammar. For a more detailed explanation of the organization of the student text, see *To the Student,* pp. xii–xv. The student text is accompanied by a shrink-wrapped Homework Cassette.

Instructor's Annotated Edition

The Instructor's Annotated Edition contains the student text with marginal annotations (in English) throughout, providing cultural and phonetic information, follow-up activities, and teaching tips. The introduction to the

Instructor's Annotated Edition provides information about the entire *Entre amis* program.

Instructor's Resource Manual

This manual contains detailed lesson plans for the first ten days of class. It features chapter-by-chapter suggestions for teaching, with mini-quizzes on selected topics. Also included are suggestions for teaching with the video-cassette, instructions for teaching assistants, first-day handouts, and sample schedules for semester- or quarter-system courses.

In addition, the Instructor's Resource Manual contains the complete tapescript for the recording program, the transcript for the video program, and the answer key to the *Cahier d'activités.*

Test Bank

The Test Bank provides two tests for each chapter of the book. The tests combine discrete-point and open-ended (contextualized-writing) questions. The pages are perforated for easy copying. Explicit guidelines are provided for testing students' oral ability through paired interaction. Also included: scoring suggestions, a script for the listening comprehension part of the tests, and the answer key for the tests.

Test Bank Data Disk

The Test Bank Data Disk is available for IBM and IBM-compatible PCs and the Macintosh. It contains all the material from the printed Test Bank in ASCII files, allowing instructors to modify the tests easily to suit their individual needs.

Overhead Transparencies

There are four full-color overhead transparencies of maps and approximately sixty transparency masters of line art and realia illustrating virtually all of the *Prise de contacts, Buts communicatifs,* and general themes of each chapter.

Entre amis Videocassette

The hour-long *Entre amis* videocassette includes a "catalogue" of the French gestures used in the textbook; skits in which French actors have improvised scenes based on the contexts, gestures, and content of the text; and authentic material from French and Belgian television. This combination will both challenge your students' listening comprehension and provide them with real-life examples of the ways native speakers interact.

Video workbook activities correlated with the videocassette are included in the *Cahier d'activités*. The complete transcript of the video is included in the Instructor's Resource Manual.

Computer Study Modules

The computer program consists of two parts: *Flash* and *Foundation*. *Flash* provides a variety of flashcard-type exercises, entirely in French, to practice vocabulary and grammar. *Foundation* contains fill-in and multiple-choice exercises practicing vocabulary, grammar, and reading comprehension. The computer program is available for IBM and IBM-compatible PCs and the Macintosh.

Homework Cassette

Each Student Text is packaged with a Homework Cassette, which includes recordings of the *Conversations (Lettres)*, examples from the *Prononciation* sections of each chapter, and an original vignette that can be used for additional listening practice. Cloze exercises based on the vignette are included in the *Cahier d'activités*.

Cahier d'activités

All three student components—the Workbook, the Lab Manual, and the Video Workbook—have been bound together in one volume for the convenience of the student. Although *Entre amis* can be used alone, the *Cahier d'activités* is a valuable supplement. The Workbook activities have been structured to elicit written expressions and to focus students' attention on structural accuracy and spelling. The Lab Manual contains listening comprehension activities correlated to side B of the Audiocassettes. The Video Workbook contains activities correlated to the Videocassette. Pages in the *Cahier* have been perforated so they can be handed in for correction. The answer keys for all three sections are provided in the Instructor's Resource Manual.

Audio Program

The Audio Program is divided into in two parts: Part 1 for Chapters P–7, and Part 2 for Chapters 8–15. There is about an hour of recorded material for each chapter. Side A of each cassette is coordinated with the text. It includes the presentation material for each *But communicatif*, modeled with pauses for repetition. Side B has original activities that encourage students to put the material they have been studying into use through listening, speaking, reading, and writing. Students use the Lab Manual to complete these activities, which are coordinated to the functions studied in the *Buts communicatifs*. The Homework Cassette is also included with the Audio Program.

ENTRE AMIS

ENTRE AMIS

AN INTERACTIVE APPROACH
TO FIRST-YEAR FRENCH

Michael D. Oates
University of Northern Iowa

Larbi Oukada
Indiana University, Indianapolis

Rick Altman
University of Iowa

Houghton Mifflin Company   Boston
Dallas   Geneva, Illinois   Palo Alto
Princeton, New Jersey

Acknowledgments

We, the authors, are deeply indebted to the editorial staff of Houghton Mifflin for giving us the opportunity to develop and produce the text. Their encouragement and guidance made *Entre amis* possible and allowed us to continue to improve the text through field testing and the editing process.

We would like to mention the help we received from Sharon Bellamy, Christine Bernard, Ann Donovan, Cathy Elwell, Catherine Fouchard, Beverly Hasenbalg, Liliane Krasean, Jo Ann McNatt, Muriel Moreau, Nelly Perez, Melanie Peterson, Germaine Phillips, Eric Preterre, Alexandre Piscevic, Kathleen Reams, Caroline Rogeon, Nathalie Ruaux, Melissa Walljasper, Kristin Voigt, and Colette Walther who used *Entre amis* in a field-testing version in their classes. Our colleagues at UNI and IUPUI allowed us to develop the text in our classes and provided valuable suggestions. We would like to publicly thank James Beaudry, Jacques Dubois, and André Walther.

A special thank-you is due to Daniel Marciano, Christine Bernard, Jo Ann McNatt, Patricia Westphal, Roxana Nagosky, and Rosalie Vermette, who provided proofreading, encouragement, and valuable comments.

We would also like to express our sincere appreciation to the following people for their in-depth reviews of portions of the manuscript:

Leonard Bloom, University of Bridgeport, CT
Thomas J. Cox, San Diego State University, CA
Raymond Eichmann, University of Arkansas, AK
Edith Flourie, San Diego Mesa College, CA
Nicole Fouletier-Smith, University of Nebraska, NE
Gilberte Furstenberg, Massachusetts Institute of Technology, MA
Joel Goldfield, Plymouth State College, NH
David Green, Concordia College, MN
Elizabeth Guthrie, University of California—Irvine, CA
Sara Hart, Shoreline Community College, WA
Carol Herron, Emory University, GA
Jean-Pierre Heudier, Southwest Texas State University, TX
Elaine K. Horwitz, University of Texas—Austin, TX
Nelle N. Hutter, Iowa State University, IA
Thomas E. Kelly, Purdue University, IN
Katherine Kulick, College of William and Mary, VA
Laurey K. Martin, University of Wisconsin—Madison, WI
M.J. Muratore, University of Missouri—Columbia, MO
Norman A. Poulin, University of Southern Mississippi, MS
Jonathan M. Rosenthal, Franklin and Marshall College, PA
Susan Schunk, University of Akron, OH

Cover photo by Owen Franken
Illustrations by G.S. Weiland
Sketches for *Il y a un geste* sections by Elizabeth Williams
Credits for photos, text, and realia are found following the Index at the end of the book.

Printed in the U.S.A.
Library of Congress Catalog Number: 90-83055
Student Text ISBN: 0-395-51354-5
ABCDEFGHIJ-D-9543210

Contents

CHAPITRE DEUX

Qu'est-ce que vous aimez?

CHAPITRE TROIS

La famille

CHAPITRE QUATRE   *L'identité*

Escale 1   **LE QUÉBEC   142**

Contents   **xxiii**

To the Student

Entre amis is a first-year college French program centered around the needs of a language learner like you. Among these needs is the ability to communicate in French and to develop insights into French culture and language. You will have many opportunities to hear French spoken and to interact with your instructor and classmates. Likewise, your ability to read and write French will improve with practice. The functions and exercises are designed to enable you to share information about your life—your interests, your family, your tastes, your plans.

Helpful hints

While you will want to experiment with different ways of studying the material you will learn, a few hints, taken from successful language learners, are in order:

En français, s'il vous plaît! Try to use what you are learning with anyone who is able to converse in French. Greet fellow students in French and see how far you can go in conversing with each other.

Enjoy it. Be willing to take off the "wise-adult" mask and even to appear silly to keep the communication going. Everybody makes mistakes. Try out new words, use new gestures, and paraphrase, if it helps. Laugh at yourself; it helps.

Bring as many senses into play as possible. Study out loud, listen to the taped materials, use a pencil and paper to test your recall of the expressions you are studying. Anticipate conversations you will have and prepare a few French sentences in advance. Then try to work them into your conversations.

Nothing ventured, nothing gained. One must go through lower-level stages before reaching a confident mastery of the language. Study and practice, including attentive listening, combined with meaningful interaction with others will result in an ability to use French to communicate.

Where there's a will, there's a way. Be resourceful in your attempt to communicate. Seek alternative ways of expressing the same idea. For instance, if you are stuck in trying to say, «Comment vous appelez-vous?»

("What is your name?"), don't give up your attempt and end the conversation. Look for other ways of finding out that person's name. You may want to say, «Je m'appelle John/Jane Doe. Et vous?» or «John/Jane Doe» (pointing to yourself). «Et vous?» (pointing to the other person). There are often numerous possibilities!

Use your imagination. Some of the exercises will encourage you to play a new role. Add imaginary details to these situations, to your life story, etc., to enliven the activities.

Organization of the Text

The text is divided into fifteen chapters with a brief preliminary chapter plus four *Escales* that provide a glimpse of some of the many places where French is spoken outside of France. Each chapter is organized around a central cultural theme with three major divisions: **Coup d'envoi, Buts communicatifs,** and **Révision et Intégration.**

Coup d'envoi

This section starts the cycle of listening, practicing, and personalizing which will make your learning both rewarding and enjoyable. You will often be asked to reflect and to compare French culture with your own culture.

Prise de contact is a short presentation of key phrases, often illustrated. In this section you are encouraged to participate and respond to simple questions about your family, your life, or your recent activities.

Conversation/Lettre typically shows a language learner in France, adapting to French culture. You will often find this person in situations with which you can identify: introducing himself or asking for directions, for example. Then you will be asked what you would do or say in a similar situation. This section is recorded on the homework cassette so that you can listen to it at home as often as you need to.

The *À propos* section describes particular aspects of French culture. These cultural sections will help you understand why, for example, the French do not usually say "thank you" when responding to a compliment or why family meals are more structured and significant in France than they are in the United States.

The *Il y a un geste* section is a special feature of *Entre amis* and an integral part of every chapter. It consists of drawings and descriptions of common French gestures. The primary purpose of the gestures is to reinforce the meaning of the expressions associated with them that you will learn and use throughout the year. The section is always printed on a light peach background.

The *Entre amis* section gives you a chance to speak French one-on-one with a friend in class. You are given a skit or other role-playing activity that duplicates a real-life situation (ordering a meal in a café, finding out what your partner did yesterday, etc.). This section appears several times in each chapter and is printed on a light purple background.

The *Prononciation* section helps you to imitate correctly general features of French pronunciation as well as specific sounds. It is important that your speech be readily understandable so that you can communicate more easily with people in French. The Homework Cassette contains a section that practices the pronunciation lesson for each chapter.

Buts communicatifs

As was the case in the **Coup d'envoi** section, each of the **Buts communicatifs** sections begins with a presentation, including key phrases that you will use to interact with your instructor and classmates. Material from the **Coup d'envoi** is recycled in the **Buts communicatifs**. The section is divided according to specific tasks (from three to five per chapter), such as asking for directions, describing your weekend activities, and finding out where things are sold. Within this context, there are grammar explanations, exercises, vocabulary, and role-playing activities. The vocabulary is taught in groups of words directly related to each of the functions you are learning. All of these words are then listed at the end of each chapter in the *Vocabulaire actif* section. Each section of the **Buts communicatifs** ends with an *Entre amis* activity that encourages you to put to use what you have just learned.

Révision et Intégration

This final section includes one or more reading selections *(Lectures)*. These readings are usually adapted from authentic French materials, such as excerpts from newspapers and magazines. There are activities both before and after each reading to relate the material to your own experience and to help increase your understanding. A list of all the active vocabulary of the chapter is included at the end of this section and is set off by a light peach band.

Escales

These special enrichment sections, which come at intervals throughout the book, describe life in different areas where French is the native language

(Québec, Sénégal, Morocco, and Martinique). Included in each *Escales* is a map to help you situate the region being discussed, as well as photographs and realia.

Appendices

The reference section contains verb charts, French-English and English-French vocabularies, and an index.

Ancillaries

Cahier d'activités

The *Cahier d'activités* combines a Workbook, Lab Manual, and Video Workbook in one component, making it less expensive and more convenient for you. Each of the three items is organized to correspond to the text chapters. The workbook activities supplement the vocabulary and grammar exercises in the text; they provide supplemental written practice for the material in each chapter. The lab manual activities are correlated with side B of each audiocassette. The imaginative video workbook activities are coordinated with the Videocassette created specially to accompany *Entre amis*.

Audio Program

A Homework Cassette is packaged with each textbook. It contains the *Conversation* (or *Lettre*) for each chapter, examples from the *Prononciation* section, and an original vignette (short skit). Exercises to accompany the vignette are found in the *Cahier d'activités*. You will find that listening regularly as you study reinforces what you have just covered in class.

A set of audiocassettes containing the Audio Program is also available to you. The cassette format makes it convenient for you to listen to French: at home, in your car, or in your dorm. They are divided into two parts: Part One is for Chapters P–7, and Part Two is for Chapters 8–15. They contain about 60 minutes of material for each chapter. Side A of each cassette is coordinated with the text, containing the presentation material for each function. Side B is coordinated with the lab manual activities and contains original activities that encourage you to put French to use through listening, speaking, reading, and writing.

CHAPITRE PRÉLIMINAIRE

Au départ

Buts communicatifs

Understanding basic
   classroom commands
Understanding numbers
Understanding basic
   expressions of time
Understanding basic weather
   expressions
Recognizing French first
   names

Buts communicatifs

See the Instructor's Manual for detailed suggestions on teaching this lesson.

Grasping the meaning of spoken French is fundamental to learning to communicate in French. Developing this skill will require patience and perseverance, but your success will be enhanced if you associate a mental image (e.g., of a picture, an object, a gesture, an action, the written word) with the expressions you hear. This preliminary chapter will focus on establishing the association of sound and symbol in a few basic contexts: classroom expressions, numbers, time, weather, and people's names.

1. Understanding Basic Classroom Commands

Dans la salle de classe

■ Listen carefully and watch the physical response of your teacher to each command. Once you have learned to associate the actions with the French sentences, you may be asked to practice them.

Levez-vous!
Allez à la porte!
Ouvrez la porte!
Sortez!
Frappez à la porte!
Entrez!
Fermez la porte!
Allez au tableau!
Prenez la craie!
Écrivez votre nom!
Mettez la craie sur la table!
Donnez la craie à ... !
Donnez-moi la craie!
Asseyez-vous!

Point out that accents are part of spelling in French, but that they may be omitted on capital letters.

IL Y A UN GESTE

Frapper à la porte. When knocking on a door (**toc, toc, toc**), the French often use the back of the hand (open or closed). Seeing someone knock on the door with a closed fist in the North American fashion could easily be misinterpreted by the French as implying that the person is angry.

2. Understanding Numbers

0 1 2 3 4 5 6 7 8 9

Les nombres

0	zéro	10	dix	20	vingt
1	un	11	onze	21	vingt et un
2	deux	12	douze	22	vingt-deux
3	trois	13	treize	23	vingt-trois
4	quatre	14	quatorze	24	vingt-quatre
5	cinq	15	quinze	25	vingt-cinq
6	six	16	seize	26	vingt-six
7	sept	17	dix-sept	27	vingt-sept
8	huit	18	dix-huit	28	vingt-huit
9	neuf	19	dix-neuf	29	vingt-neuf

IL Y A UN GESTE

Compter avec les doigts. When counting, the French normally begin with the thumb, then the index finger, etc. For instance, the thumb, index, and middle fingers are held up to indicate the number three, as a child might indicate when asked his/her age.

3. Understanding Basic Weather Expressions

Quel temps fait-il?

4. Understanding Basic Expressions of Time

Quelle heure est-il?

Il est une heure.

Il est une heure dix.

Il est une heure
et quart.

Il est une heure
et demie.

Il est deux heures
moins le quart.

Il est deux heures
moins dix.

Il est deux heures.

Il est trois heures.

Il est midi.

Il est midi et demi.

Il est minuit.

Il est minuit et demi.

Chapitre Préliminaire

Use the first group of names for listening comprehension practice. Have students identify the words as masculine (left hand) or feminine (right hand). The same phonetic principle will be used for the adjectives in Chs. 1, 3, & 4.

Les prénoms français

■ Some names have corresponding feminine and masculine forms.

1. Often, the feminine form ends in a consonant sound while the masculine form ends in a vowel sound.

Féminins		*Masculins*	
Françoise	Louise	François	Louis
Jeanne	Martine	Jean	Martin
Laurence	Simone	Laurent	Simon

2. In other cases, feminine and masculine forms are pronounced the same way even though they are written in a different manner.

Féminins		*Masculins*	
Andrée	Michèle	André	Michel
Danielle	Pascale	Daniel	Pascal
Frédérique	Renée	Frédéric	René

■ Other common names:

Féminins	*Masculins*
Catherine	Alain
Chantal	Christophe
Christine	David
Isabelle	Éric
Karine	Étienne
Marie	Jacques
Marie-Claire	Jean-Luc
Marie-Thérèse	Jean-Michel
Monique	Nicolas
Nathalie	Olivier
Sophie	Patrick
Stéphanie	Philippe
Sylvie	Pierre
Valérie	Stéphane
Véronique	Thierry

Vocabulaire: Quelques expressions pour la salle de classe

Attention Professeurs !

Pardon?	*Pardon?*
Comment?	*What (did you say)?*
Répétez, s'il vous plaît.	*Please repeat.*
Encore.	*Again.*
En français.	*In French.*
Ensemble.	*Together.*
Tout le monde.	*Everybody, everyone.*

Fermez le livre.	*Close the book.*
Écoutez.	*Listen.*
Répondez.	*Answer.*
Commencez.	*Begin.*
Continuez.	*Continue.*
Arrêtez.	*Stop.*
Décrivez ...	*Describe ...*
Lisez.	*Read.*
Regardez.	*Look.*

Practice the expressions **Comment dit-on ... ?** and **Que veut dire ... ?** to check on the meaning of words already introduced.

Comment dit-on «*the teacher*»?	*How do you say "the teacher"?*
On dit «le professeur».	*You say "le professeur."*

Que veut dire «le tableau»?	*What does "le tableau" mean?*
Ça veut dire «*the chalkboard*».	*It means "the chalkboard."*

Je ne sais pas.	*I don't know.*
Je ne comprends pas.	*I don't understand.*

Chapitre Préliminaire

IL Y A UN GESTE

Comment? Pardon? An open hand, cupped behind the ear, indicates that the message should be repeated.

Bonjour!

Buts communicatifs
Greeting others
Exchanging personal
  information
Identifying nationality
Describing physical
  appearance

Structures utiles
Les pronoms sujets
Le verbe **être**
L'accord des adjectifs
La négation
L'accord des adjectifs (suite)

Culture
Monsieur, Madame et
  Mademoiselle
Le premier contact
Le prénom

Coup d'envoi

Les présentations

See the Instructor's Manual for detailed suggestions on how to teach this lesson.

Mademoiselle Becker

Je m'appelle°
  Lori Becker.
J'habite à° Boston.
Je suis° américaine.
Je suis célibataire°.

Monsieur Davidson

Je m'appelle
  James Davidson.
J'habite à San Francisco.
Je suis américain.
Je suis célibataire.

My name is

I live in
I am
single

Madame Martin

Je m'appelle
  Anne Martin.
J'habite à Marseille.
Je suis française.
Je suis mariée.

Monsieur Martin

Je m'appelle
  Pierre Martin.
J'habite à Marseille.
Je suis français.
Je suis marié.

✤ **Et vous?** Qui êtes-vous?°

And you? Who are you?

Dans un hôtel à Paris

In the **hôtel Arcade** there is a buffet system for meals, with self-seating. The main desk is near the restaurant.

Deux hommes sont au restaurant de l'hôtel Arcade à Paris.

PIERRE MARTIN:	Bonjour°, Monsieur! Vous permettez?°	*Hello/May I?*
	(*Il touche la chaise libre.°*)	*He touches the empty chair.*
JAMES DAVIDSON:	Bonjour! Certainement. Asseyez-vous!	
PIERRE MARTIN:	Vous êtes anglais?°	*Are you English?*
JAMES DAVIDSON:	Non, je suis américain. Permettez-moi de me présenter.° Je m'appelle James Davidson.	*Let me introduce myself.*
PIERRE MARTIN:	Martin, Pierre Martin.	
	(*À ce moment, la réceptionniste arrive.*)	
LA RÉCEPTIONNISTE:	Le téléphone, Monsieur Davidson. C'est pour vous.° Votre communication de Californie.°	*It's for you./Your call from California.*
JAMES DAVIDSON:	Excusez-moi, s'il vous plaît, Monsieur.	
PIERRE MARTIN:	Certainement. Au revoir, Monsieur.	
	(*Ils se serrent la main.°*)	*They shake hands.*
JAMES DAVIDSON:	Bonne journée°, Monsieur.	*Have a good day.*
PIERRE MARTIN:	Merci°, vous aussi°.	*Thank you/also, too*

✤ **Jouez ces rôles.** Role-play the conversation with a partner. Use your own identities.

The answer to the cultural question is **b.**

✦ Why does Pierre Martin say **Bonjour, Monsieur** instead of just **Bonjour**?

a. He likes variety; either expression will do.
b. **Bonjour** alone is less polite than **Bonjour, Monsieur**.
c. He is trying to impress James Davidson.

Only one answer is culturally accurate. Read the information below to find out which one.

Monsieur, Madame et Mademoiselle.

A certain amount of formality is in order when initial contact is made with French speakers. It is more polite to add **Monsieur, Madame,** or **Mademoiselle** when addressing someone than simply to say **Bonjour**. James Davidson catches on toward the end of the conversation when he remembers to say **Bonne journée, Monsieur.**

Le premier contact (Breaking the ice).

Pierre Martin asks if he can sit at the empty seat. However, the French are usually more reticent than Americans to "break the ice." This may present a challenge to the language learner who wishes to meet others, but as long as you are polite, you should not hesitate to begin a conversation.

Le prénom (first name).

Although different from American standards, it is not unusual to have the French give their last name first, especially in professional situations. Americans are generally much quicker than the French to begin to use another's first name. Rather than instantly condemning the French as "colder" than Americans, the wise strategy would be to refrain from using the first name when you meet someone. It is important to adapt your language usage to fit the culture. "When in Rome, do as the Romans do."

I L   Y   A   U N   G E S T E

Le contact physique. James Davidson and Pierre Martin shake hands during their conversation, a normal gesture for both North Americans and the French when meeting someone. However, the French would normally shake hands with friends, colleagues, and their neighbors each time they meet and, if they chat for a while, at the end of their conversation as well. Physical contact plays a very important role in French culture and forgetting to shake hands with a friend would be rude.

Le téléphone. The French indicate that there is a telephone call by spreading the thumb and little finger of one hand and holding that hand near the ear.

❖ **À vous.** How would you respond to the following?

1. Je m'appelle Brigitte. Et vous?
2. Vous êtes français(e)?
3. J'habite à Paris. Et vous?

4. Excusez-moi, s'il vous plaît.
5. Bonne journée.

Model the **Entre amis** activity with a student first. Then have students stand and interact.

E N T R E   A M I S Permettez-moi de me présenter

1. Greet your partner.
2. Find out if s/he is French.
3. Give your name and tell where you live.
4. Can you say anything else? (Be sure to shake hands when you say good-bye.)

Prononciation

In 1066, the duke of Normandy (William the Conqueror) and his army defeated the English at the battle of Hastings. A French aristocracy ruled England for the next several centuries.

Point out that in French, **-in, -ain,** and **-ent** are nasal *vowel* sounds, even though in writing they end with consonants.

L'accent et le rythme

■ There are an enormous number of related words in English and French. We inherited most of these after the Norman Conquest, but many are recent borrowings. With respect to pronunciation, these are the words that tend to reveal an English accent the most quickly.

Compare:

Anglais	*Français*
CER-tain	cer-TAIN
CER-tain-ly	cer-taine-MENT
MAR-tin	Mar-TIN
a-MER-i-can	a-mé-ri-CAIN

■ Even more important than mastering any particular sound is the development of correct habits in three areas of French intonation.

1. *Rhythm:* French words are spoken in groups, and each syllable but the last is said very evenly.
2. *Accent:* In each group of words, the last syllable is lengthened, thus making it the only accented syllable in the group.
3. *Syllable formation:* Spoken French syllables end in a vowel sound much more often than English ones do.

Counting is an excellent way to develop proper French rhythm and accent. Repeat after your instructor:

un DEUX	un deux TROIS	un deux trois QUATRE
mon-SIEUR	s'il vous PLAÎT	le té-lé-PHONE
mer-CI	cer-taine-MENT	A-sse-yez-VOUS
fran-ÇAIS	té-lé-PHONE	Mon-sieur Mar-TIN

Les consonnes finales

■ A final (written) consonant is normally not pronounced in French.

François	permettez	s'il vous plaît
Georges	français	trois
Il fait froid	et quart	deux

■ There are some words whose final consonant is always pronounced (many words ending in **c, f, l,** or **r,** for instance).

Frédéri*c*	neu*f*	Miche*l*	bonjou*r*

■ Before a vowel sound at the beginning of the following word, the final -s or -x of certain words (**vous, trois, deux**) is pronounced as [**z**] and is spoken with the next word. This is called **liaison.**

vous [z]êtes   deux [z]hommes

■ When a consonant is followed by -e within the same word, the consonant is always pronounced. A single -s- followed by -e is pronounced as [z].

française   américai*ne*   j'habi*te*   je m'appe*lle*

Buts communicatifs

1. Greeting Others

le jour°/le matin°/l'après-midi°	*day/morning/after-noon*
Bonjour, Monsieur.	
Bonjour, Madame, Mademoiselle.	
Bonjour, Marie.	
Salut°, Marie.	*hi*
le soir°/la nuit°	*evening/night*
Bonsoir°, Monsieur.	*good evening; hello*
Bonsoir, Madame, Mademoiselle.	
Bonsoir, Marie.	
Salut, Marie.	

Remarques:

1. **Bonjour** and **bonsoir** are used for both formal (**Monsieur, Madame,** etc.) and first-name relationships.
2. The family name (**le nom de famille**) is not used in a greeting. For example, when saying hello to Madame Martin, one says **Bonjour, Madame.**
3. **Salut** is used only in first-name relationships.
4. **M., Mme,** and **Mlle** are the abbreviations for **Monsieur, Madame,** and **Mademoiselle.**

1. **Attention au style.** Greet each of the following people at the indicated time of day. Adapt your choice of words to fit the time and the person being greeted. Be careful not to be overly familiar. If there is more than one response possible, give both.

Modèles: Monsieur Talbot (le matin à 8 heures)
Bonjour, Monsieur.

Marie (l'après-midi à 2 heures)
Bonjour, Marie. ou
Salut, Marie.

1. Éric (le soir à 7 heures)
2. Madame Dupont (à midi)
3. Émilie (à minuit)
4. Mademoiselle Monot (le matin à 9 heures)
5. Monsieur Talbot (l'après-midi à 4 heures)
6. another student (la nuit à 1 heure)
7. your French teacher (le matin à 11 heures)
8. your best friend (le soir à 10 heures)
9. the president of your university (à midi)

2. Exchanging Personal Information

Comment vous appelez-vous?°   *What is your name?*
    Je m'appelle Nathalie Lachance.
Où habitez-vous?°   *Where do you live?*
    J'habite à Laval.
    J'habite près de° Montréal.   *near*
Vous êtes célibataire?
    Non, je suis mariée.

 Et vous, Monsieur (Madame, Mademoiselle)?

Remarques:

1. **Je m'appelle** and **Comment vous appelez-vous?** should be memorized for now. Note that in **Comment vous appelez-vous?** there is only one **l**, while in **Je m'appelle**, there are two.
2. Use **J'habite à** to identify the *city* in which you live.
3. Use **J'habite près de** to identify the city you live *near*.

Students will learn in Chapter 5 which prepositions to use with countries.

2. Les inscriptions (*Registration*). You are working at a conference in Geneva. Greet the following people and find out their names and where they live.

Modèle: Monsieur Robert Perrin (Lyon)

—**Bonjour, Monsieur. Comment vous appelez-vous?**
—**Je m'appelle Perrin, Robert Perrin.**
—**Où habitez-vous?**
—**J'habite à Lyon.**

1. Mademoiselle Chantal Rodrigue (Toulouse)
2. Madame Anne Vermette (Montréal)
3. Monsieur Joseph Guy (Lausanne)
4. Madame Marie Roger (Luxembourg)
5. Mademoiselle Jeanne Delon (Paris)
6. Monsieur Yves Gaston (Bruxelles)
7. Mademoiselle Ruth Smith (Londres)
8. le professeur de français
9. le président de la République française

A. Les pronoms sujets

■ The subject pronouns in French are:

singular forms		*plural forms*	
je (j')	*I*	**nous**	*we*
tu	*you*		
vous	*you*	**vous**	*you*
il	*he; it*	**ils**	*they*
elle	*she; it*	**elles**	*they*
on	*one; someone; people; we*		

Teachers may choose to explain the difference between **h muet** and **h aspiré.** Words beginning with **h aspiré** are noted with an asterisk in the French-English Vocabulary at the end of the book.

■ Before a vowel sound at the beginning of the next word, **je** becomes **j'**. This happens with words that begin with a vowel, but also with most words that begin with **h-**, which is silent.

*J'*adore Québec, mais *j'*habite à New York.

See Chapter 3 for a more complete explanation of **tu** and **vous**.

■ **Tu** is informal. It is used to address one person with whom you have a close relationship. **Vous** is the singular form used in other cases. **Vous** is always used to address more than one person.

> **Tu** es à Paris, Michel?
> **Vous** êtes à Lyon, Monsieur?
> Marie! Paul! **Vous** êtes à Bordeaux!

Note: Whether **vous** is singular or plural, the verb form is always plural.

Gender is explained further with the article **le** in Chapter 2.

■ There are two genders in French: masculine and feminine. All nouns have gender, whether they designate people or things. **Il** stands for a masculine person or thing, **elle** for a feminine person or thing. The plural **ils** stands for a group of masculine persons or things, and **elles** stands for a group of feminine persons or things.

> tableau = **il**   porte = **elle**   téléphones = **ils**   tables = **elles**

■ For a group that includes both masculine and feminine nouns (**Nathalie, Karine, Paul et Marie**), **ils** is used, even if only one of the nouns is masculine.

> Karine et Éric? **Ils** sont à Marseille.

■ **On** is an impersonal form used to express generalities or unknowns, much as do the English forms *one, someone, people*. In informal situations, **on** can sometimes be used to mean *we*.

> **On** est à San Francisco.   *We are in San Francisco.*

B. Le verbe *être*

> **Il est** à Québec.
> **Je suis** à Strasbourg.
> **Nous sommes** à Besançon.

■ The most frequently used verb in French is **être** (*to be*).

je	suis	*I am*	nous	sommes	*we are*
tu	es	*you are*	vous	êtes	*you are*
il	est	*he is; it is*	ils	sont	*they are (m. or m. + f.)*
elle	est	*she is; it is*	elles	sont	*they are (f.)*
on	est	*one is; people are; we are*			

■ Before a vowel sound at the beginning of the next word, the silent final consonant of many words (but not all!) is pronounced and is spoken with the next word. This is called **liaison. Liaison** is necessary between a subject pronoun and a verb.

Vous [z]êtes à Montréal.

■ **Liaison** is possible after all forms of **être,** but is common *only* with **est** and **sont.**

Il est [t]à Paris.   Elles sont [t]à Marseille.

3. **Où sont-ils?** (*Where are they?*)   Tell where the following people are. Use a subject pronoun in your answer.

Modèle: tu (Boston)   **Tu es à Boston.**

1. Lori (Los Angeles)
2. Lise et Elsa (Bruxelles)
3. Thierry (Monte Carlo)
4. je (...)
5. Luce et David (Sherbrooke)
6. nous (...)
7. Thérèse et Sylvie (Paris)
8. vous (...)

C. L'accord des adjectifs

■ Most adjectives have two pronunciations: one when they refer to a feminine noun and one when they refer to a masculine noun. From an oral point of view, it is usually better to learn the feminine form first. The masculine pronunciation can often be found by dropping the last consonant sound of the feminine.

Barbara est **américaine.**   Bob est **américain** aussi.
Christine est **française.**   David est **français** aussi.

■ Almost all adjectives change their spelling depending on whether the nouns they refer to are masculine or feminine, singular or plural. These spelling changes may or may not affect pronunciation.

Il est américain.   Elle est américain*e.*
Ils sont américain*s.*   Elles sont américain*es.*

Il est marié.   Elle est marié*e.*
Ils sont marié*s.*   Elles sont marié*es.*

■ The feminine adjective almost always ends in a written -e. A number of masculine adjectives end in -e also. In this case, masculine and feminine forms are identical in pronunciation and spelling.

célibataire   fantastique   optimiste

Le port de Marseille

■ The plural is usually formed by adding a written **-s** to the singular. However, since the final **-s** of the plural is silent, the singular and the plural are pronounced in the same way.

américain   américains̸
américaine   américaines̸

Note: If the masculine singular ends in **-s,** the masculine plural is identical.

un homme français   deux hommes français

■ Adjectives that describe a group of both masculine and feminine nouns take the masculine plural form.

Bill et Judy sont **mariés.**

Vocabulaire: L'état civil *(marital status)*

Femmes	*Hommes*	*Women/men*
célibataire(s)	célibataire(s)	*single*
mariée(s)	marié(s)	*married*
fiancée(s)	fiancé(s)	*engaged*
divorcée(s)	divorcé(s)	*divorced*
veuve(s)	veuf(s)	*widowed*

Fiancé(e) is not legally a marital status.

Note: With the exception of **veuve(s)** [vœv] and **veuf(s)** [vœf], the spelling changes in the adjectives listed above do not affect pronunciation.

4. **Quelle coïncidence!** (*What a coincidence!*) State that the marital status of the second person or group is the same as that of the first.

Modèles: Isabelle est fiancée. Et Marc?   Pierre est marié. Et Chantal et Max?
Il est fiancé aussi.   **Ils sont mariés aussi.**

1. Anne et Paul sont fiancés. Et Marie?
2. Nous sommes mariés. Et Monique?
3. Nicolas est divorcé. Et Sophie et Thérèse?
4. Je suis célibataire. Et Georges et Sylvie?
5. Madame Beaufort est veuve. Et Monsieur Dupont?

5. **Qui est-ce?** (*Who is it?*) Answer the following questions. Try to identify real people or famous fictional characters. Can you name more than one person? Make sure that the verbs and adjectives agree with the subjects.

Modèle: Qui est fiancé?
Olive Oyl est fiancée.   ou   **Olive Oyl et Popeye sont fiancés.**

1. Qui est célibataire?   5. Qui est veuf?
2. Qui est fiancé?   6. Qui est français?
3. Qui est marié?   7. Qui est américain?
4. Qui est divorcé?

6. **Carte de débarquement** (*Arrival form*). When you travel overseas you are usually given an arrival form to fill out. Provide the information requested in the form below.

Carte de débarquement

—Nom de famille: _____
—Prénom(s): _____
—Âge: _____ ans
—Nationalité: _____
—État civil: _____
—Adresse: _____
                    _____
—Code postal: _____
—Numéro de téléphone: _____
—Motif du voyage: _____ touristique   _____ professionnel
                            _____ transit   _____ visite privée

---

3. Identifying Nationality

Quelle est votre nationalité?°
  Moi, je suis canadienne.

    What is your nationality?

❖ **Et vous?** Vous êtes chinois(e)°?
     Pas du tout!° Je suis ...

     Chinese
     Not at all!

The signs are those used by the **Fédération internationale de l'automobile.**

Senegal and Morocco are two of the French-speaking countries treated in the Escales sections of this text.

	Féminin	*Masculin*	
GB	anglaise	anglais	*English*
F	française	français	*French*
J	japonaise	japonais	*Japanese*
SN	sénégalaise	sénégalais	*Senegalese*
USA	américaine	américain	*American*
MA	marocaine	marocain	*Moroccan*
MEX	mexicaine	mexicain	*Mexican*
CDN	canadienne	canadien	*Canadian*
I	italienne	italien	*Italian*

S	suédoise	suédois	*Swedish*
D	allemande	allemand	*German*
E	espagnole	espagnol	*Spanish*
B	belge	belge	*Belgian*
SU	russe	russe	*Russian*
CH	suisse	suisse	*Swiss*

Remarque: In written French, some feminine adjectives are distinguishable from their masculine forms not only by a final -e, but also by a doubled final consonant.

un homme canadien   *a Canadian man*
une femme canadie**nne**   *a Canadian woman*

7. **Quelle est votre nationalité?** The customs agent needs to know each person's nationality. Your partner will play the role of the customs agent and ask the question. You take the role of each of the following people, and answer.

Modèles: Madame Jones et Mademoiselle Jones (GB)
—**Quelle est votre nationalité?**
—**Nous sommes anglaises.**

Maria Gomez (MEX)
—**Quelle est votre nationalité?**
—**Je suis mexicaine.**

1. Madame Laplante (CDN)
2. Monsieur et Madame Smith (USA)
3. Mademoiselle Nakasone (J)
4. Madame Colon et Mademoiselle Colon (E)
5. Mademoiselle Balke (D)
6. Monsieur Senghor (SN)
7. Madame Volaro (I)
8. Mademoiselle Dubois (F)
9. votre professeur de français
10. vous

Extension: Students give
their last names first
(**Je m'appelle Lapointe,
Brigitte Lapointe**)
and/or choose a marital
status (**Je suis
célibataire**).

8. **Qui êtes-vous?** (*Who are you?*) Assume the identity of each one of the following people and introduce yourself, indicating name, nationality, and the city you are from.

Modèle: Mademoiselle Brigitte Lapointe/Paris (F)
Je m'appelle Brigitte et je suis française. J'habite à Paris.

1. Monsieur Pierre La Vigne/Québec (CDN)
2. Madame Margaret Jones/Manchester (GB)
3. Mademoiselle Elaina Smirnov/Moscou (SU)
4. Monsieur Yves Peron/Angers (F)
5. Monsieur Yasuhiro Saya/Tokyo (J)
6. Madame Mary O'Leary/Boston (USA)
7. Monsieur Ahmed Zoubir/Casablanca (MA)
8. votre professeur de français
9. vous

D. La négation

James Davidson **n'**est **pas** français. Il est américain.
Il **n'**habite **pas** à Paris. Il habite à San Francisco.

■ Two words, **ne** and **pas,** are used to make a sentence negative: **ne** precedes the conjugated verb and **pas** follows it.

Guy et Zoé **ne** sont **pas** mariés.   *Guy and Zoé aren't married.*
Il **ne** fait **pas** très beau.   *It's not very nice out.*

■ Remember that both **ne** and **pas** are necessary in standard French to make a sentence negative.

> **ne** + conjugated verb + **pas**

■ **Ne** becomes **n'** before a vowel sound.

Je **n'**habite **pas** à Paris.   *I don't live in Paris.*
Nathalie **n'**est **pas** française.   *Nathalie is not French.*

Begin exercise 9 as a
full-class activity, then
put students in groups.

9. **Vous êtes français(e)?** Choose a new nationality and have other students try to guess what it is. If the guess is incorrect, use the negative to respond. If it is correct, say so.

Modèle: —Vous êtes belge?
—**Non, je ne suis pas belge.**   ou
—**Oui, je suis belge.**

10. **Ils sont français?** Ask your partner whether the following people are French. Choose the correct form of **être** and make sure that the adjective agrees. Your partner will first respond with a negative, and then state the correct information.

Modèle:

—Elles sont françaises?
—Non, elles ne sont pas françaises. Elles sont anglaises.

1.

2.

3.

4.

5.

6.

7.

8.

ENTRE AMIS Une fausse identité: Qui suis-je? *(A false identity: Who am I?)*

1. Pick a new identity (nationality, home town, marital status) but don't tell your partner what you have chosen.
2. Your partner will try to guess your new nationality by asking you questions.
3. Your partner will guess your new marital status.
4. Your partner will guess which city you live in.

4. Describing Physical Appearance

Voilà° Christine.	Voilà le père Noël.	*there is; here is*
Elle est jeune°.	Il est assez° vieux°.	*young/rather/old*
Elle est assez grande°.	Il est assez petit°.	*tall/short; small*
Elle n'est pas grosse°.	Il n'est pas très° mince°.	*fat/very/thin*
Elle est assez jolie°.		*pretty*

 Et vous? Vous êtes ...

jeune	*ou*	vieux (vieille)?	
petit(e)	*ou*	grand(e)?	
gros(se)	*ou*	mince?	
beau (belle)	*ou*	laid(e)?°	*attractive or ugly*
Décrivez votre meilleur(e) ami(e).°			*Describe your best friend.*

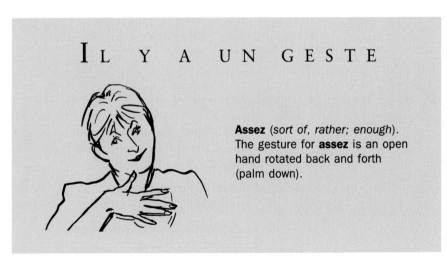

IL Y A UN GESTE

Assez (*sort of, rather; enough*). The gesture for **assez** is an open hand rotated back and forth (palm down).

Buts communicatifs

E. L'accord des adjectifs (suite)

Adjective placement and the special masculine forms **bel** and **vieil** are taught in Chapter 4. Until Chapter 4 students use adjectives as predicate adjectives only.

■ The masculine forms of some adjectives are not like their feminine forms in either pronunciation or spelling, and so they must be memorized.

belle   **beau**   vieille   **vieux**

■ The masculine plural of some adjectives is formed by adding -x. Pronunciation of the plural form remains the same as the singular.

Robert et Paul sont très beaux.

■ Masculine singular adjectives that end in -s or -x keep the same form (and pronunciation) for the masculine plural.

Bill est **gros**. Roseanne et John sont **gros** aussi.
Je suis **vieux**. Georges et Robert sont très **vieux**.

■ Résumé:

féminin		masculin	
singulier	*pluriel*	*singulier*	*pluriel*
petite	petites	petit	petits
grande	grandes	grand	grands
jolie	jolies	joli	jolis
belle	belles	beau	beaux
laide	laides	laid	laids
jeune	jeunes	jeune	jeunes
vieille	vieilles	vieux	vieux
mince	minces	mince	minces
grosse	grosses	gros	gros

11. **Oui, il n'est pas très grand.** The French often tone down what they wish to say by stating the opposite with a negative and the word **très**. Agree with each of the following descriptions by saying the opposite in a negative sentence.

Modèle: Michael J. Fox est petit.
Oui, il n'est pas très grand.

1. Abraham et Sarah sont vieux.
2. Madonna est mince.
3. Goofy est laid.
4. Minnie Mouse est petite.
5. Dumbo l'éléphant est gros.
6. L'oncle Sam est vieux.
7. James et Lori sont jeunes.

12. **Décrivez ...** Describe the following people. If you don't know what they look like, guess. Pay close attention to adjective agreement.

Modèle: Décrivez James Davidson. **Il est grand, jeune et assez beau.**

Remind students that **assez** is useful when making a judgment. Also suggest that they can use a negative with **très** if they wish.

1. Décrivez votre meilleur(e) ami(e).
2. Décrivez votre professeur de français.
3. Décrivez une actrice.
4. Décrivez un acteur.
5. Décrivez Minnie Mouse et Daisy Duck.
6. Décrivez le (la) président(e) de votre université.
7. Décrivez-vous.

Drill **Je suis d'accord** and **Je ne suis pas d'accord** before doing this **Entre amis** activity.

E N T R E   A M I S   Je suis d'accord/Je ne suis pas d'accord (*I agree/I disagree*)

1. Choose a famous person and describe him/her.
2. If your partner agrees with each description s/he will say so.
3. If your partner disagrees, s/he will correct you.

Révision et Intégration

A. **Il y a plus d'une façon** (*There's more than one way*).

1. Give two ways to say hello in French.
2. Give two ways to find out someone's name.
3. Give two ways to find out where someone lives.
4. Give two ways to find out someone's nationality.

B. **Non, pas du tout.** Respond to the following questions in the negative and then give the correct answer. Invent the correct answer if you wish. Use subject pronouns.

Modèles: Vous êtes Mme Perrin?
Non, pas du tout, je ne suis pas Mme Perrin; je suis Mlle Smith.

Madame Perrin est française?
Non, pas du tout, elle n'est pas française; elle est canadienne.

1. Monsieur et Madame Dupont sont divorcés?
2. Madame Perche est veuve?
3. Tu es suisse?
4. Paul et Mireille sont fiancés?
5. Vous êtes Monsieur et Madame Chavin?
6. Solange est italienne?
7. Vous (*pl.*) êtes belges?
8. Georges est célibataire?

C. **Décrivez trois personnes.** Choose three people and give as complete a description as you can of each of them. Include at least one famous person.

Modèle: **James Davidson est grand, jeune et assez beau. Il est aussi célibataire.**

D. **À vous.** How would you respond to the following?

1. Bonjour, Monsieur (Madame, Mademoiselle).
2. Vous êtes Monsieur (Madame, Mademoiselle) Dupont?
3. Comment vous appelez-vous?
4. Vous n'êtes pas français(e)?
5. Quelle est votre nationalité?
6. Vous habitez près de Marseille?
7. Où habitez-vous?
8. Vous êtes célibataire?
9. Bonne journée!

If the **Rédaction** is written by pairs of students, they could role-play their dialogues for the class.

E. *Rédaction:* **Une rencontre.** Write at least ten lines in French to describe an encounter between yourself and a French visitor who has just arrived in the city in which you live. Include a description of each person and a dialogue.

Lecture

This first reading is a series of headlines (**manchettes**) taken from the French-language media. It is not vital that you understand every word in order to grasp the general meaning of what you read. The context will often help you guess the meaning. In addition, many words are similar in both French and English: these words are called *cognates*. Pay attention to the context and to cognates to help you read these headlines.

A. **Mots apparentés** (*Cognates*). Scan the headlines on the next page and find at least fifteen cognates.

B. **Sigles** (*Acronyms*). Acronyms are used frequently in French. They are abbreviations made of the first letter of each word in a title and may involve the same letters in their French and English forms. The order of the letters is, however, normally different because adjectives usually follow a noun in French, e.g., **la Croix-Rouge** (*the Red Cross*). Can you guess the meaning of the following French acronyms?

Modèle: ONU (a group of countries)
UN, the United Nations (**Organization**)

1. NATO, 2. USSR, 3. AIDS, 4. EEC. Americans may know the EEC better as the "Common Market."

1. OTAN (an alliance)
2. URSS (a country)
3. SIDA (a disease)
4. CEE (twelve European countries)

Révision et Intégration   **29**

Manchettes

1. **Le président américain propose une réduction des armements classiques de l'OTAN**

2. *Le festival international de Louisiane:*
   Quatre jours de fête franco-américaine

3. **Le bannissement de quatre Palestiniens a suscité de vives réactions**

4. **OZONE: DES TROUS DANS LE MANTEAU**

5. *Les dangers d'une baisse du dollar*

6. **Mise au point aux États-Unis d'un test prédicatif pour le cancer héréditaire**

7. WASHINGTON MET EN GARDE L'EUROPE CONTRE UNE DÉNUCLÉARISATION TOTALE

8. *L'Accord des Douze à Bruxelles ouvre la voie au grand marché européen*

9. **Un observatoire national du SIDA va être mis en place**

10. **Ottawa a entrepris de renforcer son dispositif de défense dans le Grand Nord**

11. UN HÉROS INCONNU:
    Le général canadien qui commanda deux forces de maintien de la paix

Give students 2–3 minutes. Tell them to keep rereading the headlines until you stop them.

C. **Les manchettes.** Read the above headlines and decide which ones apply to any of the following categories.

1. Canada
2. the United States
3. European countries
4. politics
5. health and medicine
6. war and peace

D. **Dans ces contextes** (*In these contexts*). Study the above headlines to help you guess the meaning of the following expressions.

1. armements classiques
2. jours de fête
3. dispositif de défense
4. trous

5. baisse
6. pour
7. contre
8. marché

9. mis en place
10. suscité
11. paix

Vocabulaire actif

Le jour et la nuit

à ... heure(s)	*at ... o'clock*	le jour	*day*
à midi	*at noon*	le matin	*morning*
à minuit	*at midnight*	la nuit	*night*
l'après-midi *m.*	*afternoon*	le soir	*evening*

Personnes

un acteur/une actrice	*actor/actress*	un(e) meilleur(e) ami(e)	*best friend*
une femme	*woman*	une personne	*person (male or female)*
un homme	*man*	un professeur	*teacher (male or female)*

D'autres noms

un hôtel	*hotel*	un prénom	*first name*
la nationalité	*nationality*	une table	*table*
un nom	*name*	un tableau	*chalkboard*
un nom de famille	*family name*	un téléphone	*telephone*
une porte	*door*	l'université *f.*	*university*

Adjectif

votre   *your*

Adjectifs de nationalité

allemand(e)	*German*	espagnol(e)	*Spanish*	russe	*Russian*
américain(e)	*American*	français(e)	*French*	sénégalais(e)	*Senegalese*
anglais(e)	*English*	italien(ne)	*Italian*	suédois(e)	*Swedish*
belge	*Belgian*	japonais(e)	*Japanese*	suisse	*Swiss*
canadien(ne)	*Canadian*	marocain(e)	*Moroccan*		
chinois(e)	*Chinese*	mexicain(e)	*Mexican*		

État civil

célibataire	*single*	marié(e)	*married*
divorcé(e)	*divorced*	veuf (veuve)	*widowed*
fiancé(e)	*engaged*		

Description physique

beau (belle)	*handsome (beautiful)*	laid(e)	*ugly*
grand(e)	*big, tall*	mince	*thin*
gros(se)	*fat; large*	petit(e)	*small, short*
jeune	*young*	vieux (vieille)	*old*
joli(e)	*pretty*		

Nombres

un	*one*
deux	*two*
trois	*three*
quatre	*four*

Pronoms sujets

je	*I*	nous	*we*
tu	*you*	vous	*you*
il	*he, it*	ils	*they*
elle	*she, it*	elles	*they*
on	*one, people, we, they*		

D'autres pronoms

moi	*me*
qui	*who*

Verbe

être	*to be*

Adverbes

assez	*sort of, rather; enough*	non	*no*
aussi	*also, too*	où	*where*
certainement	*surely, of course*	oui	*yes*
merci	*thank you*	très	*very*
ne ... pas	*not*		

Prépositions

à   *at, in, to*
de   *from, of*
en   *in*
près de *near*

Conjonctions

et *and*
ou *or*

Salutations et adieux

Au revoir.   *Good-bye.*
Bonjour.   *Hello.*
Bonne journée. *Have a good day.*
Bonsoir.   *Good evening.*
Salut!   *Hi!*

D'autres expressions utiles

Asseyez-vous.   *Sit down.*
C'est ...   *It is ...; This is ...*
C'est pour vous.   *It's for you.*
Comment vous appelez-vous?   *What is your name?*
entre amis   *between friends*
Excusez-moi.   *Excuse me.*
J'habite ...   *I live, I reside ...*
Je m'appelle ...   *My name is ...*
Je ne suis pas d'accord.   *I disagree.*
Je suis d'accord.   *I agree.*
Madame (Mme)   *Mrs.*
Mademoiselle (Mlle)   *Miss*
Monsieur (M.)   *Mr.; sir*
Où habitez-vous?   *Where do you live?*
Pas du tout!   *Not at all!*
Permettez-moi de me présenter. *Allow me to introduce myself.*
Quelle est votre nationalité?   *What is your nationality?*
s'il vous plaît   *please*
Voilà ...   *There is (are) ..., here is (are) ...*
votre communication de ...   *your call from ...*
Vous aussi.   *You too.*
Vous habitez ...   *You live, you reside ...*
Vous permettez?   *May I?*

Qu'est-ce que vous aimez?

Buts communicatifs
Asking and responding to
  "How are you?"
Giving and responding to
  compliments
Offering, accepting, and
  refusing
Expressing likes and dislikes

Structures utiles
Les verbes en **-er**
L'article défini: **le, la, l'** et **les**
Les questions avec réponse
  oui ou **non**

Culture
Les compliments
Merci
Le kir

Coup d'envoi

Quelque chose à boire?

See the Instructor's Manual for detailed suggestions on how to present this material.

Vous voulez ...°	*You want ...*
une tasse° de café?	*cup*
un verre° de coca°?	*glass / Coca-Cola*
un verre de vin°?	*wine*
une tasse de thé°?	*tea*
Oui, je veux bien.°	*Gladly.; Yes, thanks.*
Non, merci.°	*No, thanks.*
Vous aimez ...°	*You like ...*
le café?	
le coca?	
le vin?	
le thé?	
Oui, j'aime ...°	*Yes, I like (love) ...*
Non, je n'aime pas ...°	*No, I don't like ...*

✚ **Et vous?** Voulez-vous boire quelque chose?°
Oui, je voudrais ...°

Do you want to drink something? / Yes, I'd like ...

Une soirée à Besançon

Tony Carter étudie le français à Besançon. Mais il vient de° Seattle. Au cours d'une soirée°, il aperçoit° Karine Aspel, qui est assistante au laboratoire de langues.

he comes from / during a party / notices

TONY:	Quelle° bonne surprise! Comment allez-vous?°	*What a / How are you?*
KARINE:	Ça va bien°, merci. Et vous-même°?	*Fine / yourself*
TONY:	Très bien. Vous travaillez beaucoup, n'est-ce pas?°	*work a lot, don't you?*
KARINE:	Dix heures par semaine au labo.° Et puis° je donne° aussi des cours° de conversation.	*10 hours per week at the lab / then / give / courses*
TONY:	Votre prénom, c'est Karine, je crois°.	*I believe*
KARINE:	Oui, je m'appelle Karine Aspel.	
TONY:	Et moi, Tony Carter.	
KARINE:	Vous êtes américain? Votre français est excellent.	
TONY:	Merci beaucoup.	
KARINE:	Mais c'est vrai!° Vous êtes d'où?°	*But it's true! / Where are you from?*
TONY:	Je viens de° Seattle, dans l'état de Washington. Au fait°, voulez-vous boire quelque chose? Un coca?	*I come from / By the way*
KARINE:	Merci°, je n'aime pas beaucoup le coca.	*No thanks*
TONY:	Alors°, un kir, peut-être°?	*Then / perhaps*
KARINE:	Je veux bien. Un petit kir, pourquoi pas°? J'adore la crème de cassis°.	*why not* / *I love blackcurrant liqueur.*
	(Tony donne un verre de kir à Karine.)	
TONY:	À votre santé°, Karine.	*To your health*
KARINE:	À la vôtre°. Et merci, Tony.	*To yours*

➕ **Jouez ces rôles.** Role-play the above conversation with a partner. Use your own identities. Choose something else to drink.

✦ Why does Karine Aspel say **Mais, c'est vrai!** when Tony Carter says **Merci beaucoup?**

a. She misunderstood what he said.
b. She doesn't mean what she said.
c. She feels that Tony doesn't really believe her when she tells him his French is good.

Les compliments

While certainly not adverse to being complimented, the French may respond by playing down a compliment, which may be a way of encouraging more of the same. This is especially true with respect to the use of **merci.**

While Americans are taught from an early age to respond *thank you* to compliments, **merci,** when used in response to a compliment, is often perceived by the French as saying "you don't mean it." It is for this reason that Karine Aspel responds **Mais, c'est vrai,** insisting that her compliment was true. It is culturally more accurate, therefore, and linguistically enjoyable, to develop a few rejoinders such as **Oh, vraiment?** (*Really?*) or **Vous trouvez?** (*Do you think so?*), which one can employ in similar situations. In this case, a really French response on Tony's part might be **Comment? Je parle assez mal. Mon accent n'est pas très bon.** (*What? I speak pretty poorly. My accent's not very good.*)

Merci

The word **merci** is, of course, one of the best ways of conveying politeness and, by all means, to be encouraged. Its usage, however, differs from that of English in at least one important way: when one is offered something to eat, to drink, etc., the response **merci** is somewhat ambiguous and is often a way of saying *no, thank you.* One would generally say **je veux bien** or **s'il vous plaît** to convey the meaning *yes, thanks.* **Merci** is however the proper polite response once the food, the drink, etc., has actually been served.

Le kir

A popular drink in France, three parts white wine and one part blackcurrant liqueur, **kir** owes its name to **le Chanoine Kir,** a French priest and former mayor of Dijon. It is often served as an **apéritif** (*before dinner drink*).

I L   Y   A   U N   G E S T E

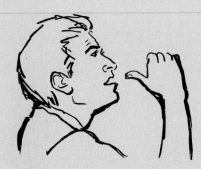

Quelque chose à boire? A fist is made with the thumb extended to somewhat resemble a bottle. Then the thumb is pointed toward the mouth as an invitation to have something to drink.

Non, merci. The French often raise the index finger and move it from side to side to indicate *no*. They also may indicate *no* by raising a hand, palm outward, or by shaking their heads as do English speakers. In France, however, the lips are usually well rounded and often are pursed when making these gestures.

À votre santé. The glass is raised when saying *To your health*. Among friends, the glasses are lightly touched as well.

The French often say **Tchin-tchin** as their glasses touch.

❖ **À vous.** How would you respond to the following questions?

1. Comment allez-vous?
2. Vous n'êtes pas français(e)?
3. Votre prénom, c'est ... ?
4. Vous êtes d'où?
5. Voulez-vous boire quelque chose?

E N T R E   A M I S   À une soirée *(At a party)*

1. Greet another "invited guest."
2. Find out his/her name.
3. Find out his/her nationality.
4. Find out where s/he comes from.
5. What else can you say?

Prononciation

L'alphabet français

■ English and French share the same 26-letter Latin alphabet, and although this is useful, it is also potentially troublesome.

■ First, French and English words with identical meanings may not be spelled the same. French spellings must, therefore, be memorized.

adresse   personne   appartement

■ Second, because the alphabet is the same, it is tempting to pronounce French words as if they were English. Be very careful, especially when pronouncing cognates, not to transfer English pronunciation to the French words.

téléphone   conversation   professeur

■ Knowing how to say the French alphabet is not only important in spelling out loud. It is also essential when saying the many acronyms used in the French language.

le TGV   les USA   la SNCF

TGV = Train à grande vitesse, a very fast French train; **La SNCF = La Société nationale des chemins de fer,** the French railroad system.

	prononciation		*prononciation*
A	*ah*	N	*enne*
B	*bé*	O	*oh*
C	*sé*	P	*pé*
D	*dé*	Q	*ku*
E	*euh*	R	*erre*
F	*effe*	S	*esse*
G	*jé*	T	*té*
H	*ashe*	U	*u*
I	*i*	V	*vé*
J	*ji*	W	*double vé*
K	*ka*	X	*iks*
L	*elle*	Y	*i grec*
M	*emme*	Z	*zed*

Throughout the text keep asking students how to spell words.

Comment est-ce qu'on écrit **merci**?
Merci s'écrit M-E-R-C-I.

How do you spell "merci"?
"Merci" is spelled M-E-R-C-I.

Coup d'envoi   **39**

Accents

■ French accents are part of spelling and must be learned. They can serve:

1. to indicate how a word is pronounced

    ç → [s]: français
    é → [e]: marié
    è → [ɛ]: très
    ê → [ɛ]: être
    ë → [ɛ]: Noël

2. or to distinguish between meanings

    ou   *or*   la   *the (feminine)*
    où   *where*   là   *there*

■ The accents are:

    ´   **accent aigu**   américain; téléphone
    `   **accent grave**   à; très; où
    ^   **accent circonflexe**   âge; êtes; s'il vous plaît; hôtel; sûr
    ¨   **tréma**   Noël; coïncidence
    ¸   **cédille**   français

    Crème s'écrit C–R–E accent grave–M–E.

✤ **Quelques sigles.** Read out loud the letters that make up the following acronyms.

  1. **SVP**   S'il vous plaît
  2. **RSVP**   Répondez, s'il vous plaît
  3. **La SNCF**   La Société nationale des chemins de fer (*French railroad system*)
  4. **La RATP**   La Régie autonome des transports parisiens (*Paris subway and bus system*)
  5. **Les BD**   Les bandes dessinées (*comic strips*)
  6. **Les USA**   Les United States of America (= *Les États-Unis*)
  7. **La BNP**   La Banque nationale de Paris
  8. **La CEE**   La Communauté économique européenne (*the Common Market*)
  9. **La CGT**   La Confédération générale du travail (*a French labor union*)
 10. **BCBG**   Bon chic bon genre (*a French yuppy*)

✤ **Comment est-ce qu'on écrit ... ?** Your partner will ask you to spell the words below. Give the correct spelling.

Modèle: être

VOTRE PARTENAIRE: **Comment est-ce qu'on écrit «être»?**
VOUS: **«Être» s'écrit E accent circonflexe–T–R–E.**

For items 4, 5, 11, & 12, you may wish to teach students to say **deux l, deux s,** and **deux n.**

Teach the words **apostrophe** and **trait d'union** in preparation for items 10 and 12.

1. français	5. professeur	9. téléphone
2. monsieur	6. vieux	10. j'habite
3. belge	7. hôtel	11. canadienne
4. mademoiselle	8. très	12. asseyez-vous

Buts communicatifs

1. Asking and Responding to "How are you?"

Questions

more formal Comment allez-vous?
Vous allez bien?

first-name basis Comment ça va?° *How's it going?*
Ça va?

Réponses

Je vais très bien°, merci. *I'm fine.*
Ça va bien. *Very good.*
Comme ci, comme ça.° *So-so.*
Pas très bien.° *Not very well.*
Assez mal.° *Rather poorly.*
Je suis fatigué(e).° *I'm tired.*
Je suis un peu malade.° *I'm a little sick.*

Remarque: It is very important to try to tailor your language to fit the situation. For example, with a friend or another student, you would normally ask **Ça va?** or **Comment ça va?** For someone whom you address as **Monsieur, Madame,** or **Mademoiselle,** you would normally say **Comment allez-vous?**

I L Y A U N G E S T E

The gesture for **assez** is explained in Ch. 1, p. 25.

Comme ci, comme ça. The gesture for **Comme ci, comme ça** (**Couci-couça** in familiar French speech) is very similar to **assez**. Open one or both hands, palms down, and slightly rotate them. This is often accompanied by a slight shrug, and the lips are pursed.

1.

Attention au style.   Greet the following people and find out how they are.

Modèle: Monsieur Talbot (le matin à 8 h)
Bonjour, Monsieur. Comment allez-vous?

Have students work with partners and practice responses as well.

1. Paul (le soir à 7 h)
2. Madame Dupont (à midi)
3. Karine (à minuit)
4. Mademoiselle Monot (le matin à 9 h 30)
5. Monsieur Talbot (l'après-midi à 4 h)
6. le professeur de français (le matin à 11 h)
7. votre meilleur(e) ami(e) (le soir à 10 h)
8. le (la) président(e) de votre université (à midi)

2.

Vous allez bien?   Ask the following people how they are doing. Be careful to choose between the familiar and the formal questions. Your partner will provide the other person's answer.

Modèle: Marie (a little sick)
VOUS: **Comment ça va, Marie?**
MARIE: **Oh! je suis un peu malade.**

1. Madame Philippe (tired)
2. Paul (rather poorly)
3. Monsieur Dupont (sick)
4. Mademoiselle Bernard (very well)
5. Anne (so-so)
6. votre professeur de français (...)
7. votre meilleur(e) ami(e) (...)
8. le (la) président(e) de l'université (...)

ENTRE AMIS Au café

Practice the following situation with as many members of the class as possible. You are in a sidewalk café at one o'clock in the afternoon.

1. Greet your partner in a culturally appropriate manner.
2. Inquire how s/he is doing.
3. Offer him/her something to drink.
4. What else can you say?

2. Giving and Responding to Compliments

COMME UN POISSON DANS L'EAU

Quelques° compliments	*some*
Vous parlez très bien le français.°	*You speak French very well.*
Vous dansez très bien.	
Vous chantez° bien.	*sing*
Vous skiez vraiment° bien.	*really*
Vous nagez comme un poisson.°	*You swim like a fish.*

Quelques réponses	
Vous trouvez?°	*Do you think so?*
Pas encore.°	*Not yet.*
Ah! vraiment?°	*Really?*
Oh! quelquefois peut-être.°	*Sometimes perhaps.*
Oh! pas toujours.°	*Not always.*
Oh! je ne sais pas.°	*I don't know.*

Remarque: There are several ways to express an idea. For instance, there are at least three ways to compliment someone's French:

Votre français est excellent.	*Your French is excellent.*
Vous parlez bien le français.	*You speak French well.*
Vous êtes bon (bonne) en français.	*You are good in French.*

3. **Un compliment.** Give a compliment to each of the people pictured below. Another student will take the role of the person in the drawing and will provide a culturally appropriate rejoinder.

Modèle:

—Vous parlez bien le français.
—Vous trouvez? Oh! je ne sais pas.

1.
2.
3.
4.

A. Les verbes en -er

■ All verb infinitives are made up of a **stem** and an **ending.** To use verbs in the present tense, one removes the ending from the infinitive and adds new endings to the resulting stem. Verbs that use the same endings are often classifed according to the last two letters of their infinitive. By far the most common class of verbs is the group ending in **-er.**

parler (*to speak*)	stem	endings
je	parl	e
tu	parl	es
il/elle/on	parl	e
nous	parl	ons
vous	parl	ez
ils/elles	parl	ent

tomber (*to fall*)	stem	endings
je	tomb	e
tu	tomb	es
il/elle/on	tomb	e
nous	tomb	ons
vous	tomb	ez
ils/elles	tomb	ent

■ Whether you are talking to a friend (**tu**), or about yourself (**je**), or about one or more other persons (**il, elle, ils, elles**), the verb is pronounced the same because the endings are silent.

Tu **danses** avec Amy?	*Are you dancing with Amy?*
Je ne **danse** pas du tout.	*I don't dance at all.*
Il **danse** bien, non?	*He dances well, doesn't he?*
Éric et Lucie **dansent**.	*Éric and Lucie are dancing.*

■ If you are using the **nous** or **vous** form, the verb is pronounced differently. The **-ez** ending is pronounced [e] and the **-ons** ending is pronounced [ɔ̃].

Vous **dansez** avec Marc?	*Do you dance with Marc?*
Nous ne **dansons** pas très souvent.	*We don't dance very often.*

■ Remember that the present tense has only *one* form in French, while it has several forms in English.

je danse	*I dance, I do dance, I am dancing*
j'habite	*I live, I do live, I am living*

■ Before a vowel sound, the final **-n** of **on** and the final **-s** of **nous, vous, ils,** and **elles** are pronounced and linked to the next word.

On [n]écoute la radio?	*Is someone listening to the radio?*
Nous [z]étudions le français.	*We are studying French.*
Vous [z]habitez ici?	*Do you live here?*

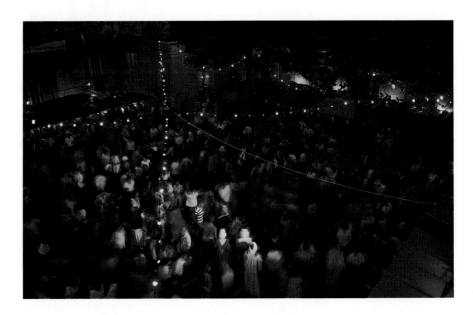

Vocabulaire: Activités

chanter	*to sing*
chercher (mes amis)	*to look for (my friends)*
danser	*to dance*
écouter (la radio)	*to listen (to the radio)*
étudier (le français)	*to study (French)*
jouer (au tennis)	*to play (tennis)*
manger	*to eat*
nager	*to swim*
parler (français)	*to speak (French)*
patiner	*to skate*
pleurer	*to cry*
regarder (la télé)	*to watch, to look at (TV)*
skier	*to ski*
travailler (beaucoup)	*to work (a lot)*
voyager	*to travel*

Note: Verbs ending in -ger add an -e- before the ending in the form used with **nous: nous mangeons, nous nageons, nous voyageons.**

4. **Comparaisons.** Tell what the following people do and then compare yourself to them. Use **Et moi aussi, ...** or **Mais moi, ...** to tell whether or not the statement is also true for you.

Modèle: Pierre et Anne/habiter à Marseille
Ils habitent à Marseille. Mais moi, je n'habite pas à Marseille.

1. vous/nager comme un poisson
2. Tony/parler bien le français
3. Monsieur et Madame Dupont/danser très bien
4. tu/étudier le français
5. vous/chanter vraiment bien
6. tu/regarder souvent la télévision
7. le professeur/skier mal
8. Karine et Patrick/travailler beaucoup
9. Sébastien/tomber souvent

5. **Non, pas du tout.** Respond to each question with a negative and follow up with an affirmative answer using the words in parentheses. Supply your own affirmative response for items 6 and 7.

Modèle: Je danse mal? (bien)
Non, pas du tout. Vous ne dansez pas mal; vous dansez bien.

1. Vous écoutez la radio? (le professeur)
2. Le professeur voyage beaucoup? (travailler)
3. Je chante très mal? (assez bien)
4. Vous chantez avec le professeur? (parler français avec le professeur)
5. Nous étudions un peu? (beaucoup)
6. Vous habitez à Paris? (...)
7. Nous étudions l'espagnol? (...)

Vocabulaire: Quelques amis *(Some friends)*

mon ami	*my (male) friend*
mon amie	*my (female) friend*
mes amis	*my friends*
ma mère	*my mother*
mon père	*my father*
le professeur	*the (male or female) teacher*
les étudiants	*the students*

6. **Mes amis.** Tell about your family and your acquaintances by choosing an item from each list to create as many factual sentences as you can. You may make any of them negative.

Modèle: **Nous ne dansons pas mal.**

See the Instructor's Manual for detailed suggestions for this exercise.

	chanter bien
	travailler beaucoup
	écouter souvent la radio
les étudiants	étudier le français
le professeur	skier bien
je	danser mal
nous	patiner beaucoup
ma mère	habiter en France
mon père	parler français
mes amis	nager souvent
	voyager
	pleurer souvent
	regarder souvent la télévision

7. **Tu parles bien le français!** Pay compliments to the following friends. Use **tu** for each individual; use **vous** for more than one person.

Modèles: Éric skie bien.
Tu skies bien!

Yann et Sophie dansent bien.
Vous dansez bien!

Explain that, although it is not being practiced here, it is also possible to have a first-name relationship with some people and still use the pronoun **vous.** This will be explained in Ch. 3, p. 83.

1. Laurence est très jolie.
2. Christophe parle très bien l'espagnol.
3. David est bon en français.
4. François et Michel parlent bien l'anglais.
5. Ils travaillent beaucoup aussi.
6. Anne et Marie sont bonnes en maths.
7. Elles chantent bien aussi.
8. Olivier est très beau.
9. Luc skie comme un champion olympique.

8. **Identification.** Answer the following questions as factually as possible.

Modèle: Qui parle bien le français?
Le professeur parle bien le français.
Mes amis parlent bien le français.

1. Qui étudie le français?
2. Qui ne nage pas bien?
3. Qui ne skie pas du tout?
4. Qui chante très bien?

5. Qui n'étudie pas souvent?
6. Qui regarde souvent la télévision?
7. Qui écoute souvent la radio?
8. Qui étudie les mathématiques?

ENTRE AMIS Avec un(e) ami(e)

Practice the following situation with as many members of the class as possible.

1. Pay your partner a compliment.
2. Your partner will give a culturally appropriate response to the compliment and then pay you a compliment in return.
3. Give an appropriate response.

Pour offrir une boisson° · *To offer a drink*

Voulez-vous boire quelque chose?
Voulez-vous un verre d'orangina°? · *orange soda*
Voulez-vous un verre de (d') ... ?
      bière°? · *beer*
      eau°? · *water*
      jus d'orange°? · *orange juice*
      lait°? · *milk*

Voulez-vous une tasse de ... ?
      café?
      chocolat chaud°? · *hot chocolate*

Pour accepter ou refuser quelque chose° · *To accept or refuse something*

Je veux bien.
Volontiers.° · *Gladly.*
S'il vous plaît.
Oui, avec plaisir.° · *Yes, with pleasure.*
Oui, c'est gentil à vous.° · *Yes, that's nice of you.*

Merci.° · *No, thank you.*
Non, merci.° · *No, thank you.*

Note: Les jeunes Américains aiment beaucoup le lait. Mais, en général, les jeunes Français n'aiment pas le lait.

9. **Voulez-vous boire quelque chose?** Use the list of words to create a dialogue in which one person offers something to drink and the other responds appropriately.

Modèles: Coca-Cola
—**Voulez-vous un verre de coca?**
—**Volontiers.**

coffee
—**Voulez-vous une tasse de café?**
—**Non, merci.**

1. water
2. tea
3. orange soda
4. wine
5. milk
6. orange juice
7. hot chocolate
8. coffee
9. beer

10. **Qu'est-ce que vous voulez?** (*What do you want?*) Examine the drink menu of **La Bague d'or** (*The Golden Ring*) and order something.

Modèles: **Je voudrais une tasse de thé.**
Je voudrais un verre de coca-cola, s'il vous plaît.

LA BAGUE D'OR
Brasserie alsacienne

BOISSONS	Prix courants
Vin rouge	5,15 F
Riesling (Vin d'Alsace)	8,20 F
Jus de fruits	7,00 F
Bière (pression)	4,00 F
Café	3,10 F
Thé	4,00 F
Chocolat chaud	5,25 F
Coca-cola	7,00 F
Orangina	5,00 F
Eau minérale (Perrier)	3,00 F

Service (15%) compris

B. L'article défini: *le, la, l'* et *les*

■ You have already learned that all nouns in French have gender—that is, they are classified grammatically as either masculine or feminine. You also know that you need to remember the gender for each noun you learn. One of the functions of French articles is to mark the gender (masculine or feminine) and the number (singular or plural) of a noun.

forms of the definite article	when to use	examples
le	before a masculine noun	**le** thé
la	before a feminine noun	**la** bière
l'	before a masculine or feminine noun that begins with a vowel sound	**l'**eau
les	before all plural nouns, masculine or feminine	**les** boissons

■ When they are used to refer to specific things or persons, **le, la, l'**, and **les** all correspond to the English definite article *the.*

Le professeur écoute **les** étudiants.	*The teacher listens to the students.*
L'université de Paris est excellente.	*The University of Paris is excellent.*

■ **Le, la, l'**, and **les** are also used in a general way before nouns, even when in English the word *the* would not be used.

Le lait est bon pour **la** santé.	*Milk is good for your health.*
Elle regarde souvent **la** télé.	*She often watches TV.*
J'étudie **le** chinois.	*I'm studying Chinese.*

■ All languages are masculine. Many are derived from the adjective of nationality. All verbs except **parler** require **le** before the name of a language. With **parler**, **le** is normally kept if there is an adverb directly after the verb, but is normally omitted if there is no adverb directly after the verb.

Ils **étudient le** russe.	*They are studying Russian.*
Ma mère **parle bien le** français.	*My mother speaks French well.*
Mon père **parle** français **aussi.**	*My father speaks French too.*

11. **Beaucoup d'activités.** Describe what people do (or do not do) by combining elements from each column. Use the appropriate definite article wherever necessary. You may make any sentence negative.

Modèles: **Nous écoutons la radio.**
Les étudiants n'écoutent pas le professeur.

je		
le professeur	étudier	français
tu	écouter	femmes
vous	regarder	radio
les femmes	parler	anglais
les hommes	parler bien	professeur
nous	parler avec	étudiants
les étudiants	chanter avec	hommes
mon ami(e)	danser avec	espagnol
ma mère		télévision
mon père		

12. **Nous parlons français.** Evaluate the language ability of people you know by combining items from each list. If you are unsure, guess.

Modèle: **Mes amis ne parlent pas du tout le japonais.**

mon ami(e)		très bien	l'anglais
je		bien	le russe
mon professeur		assez bien	l'espagnol
nous	parler	un peu	le français
mes amis		mal	l'italien
ma mère		ne ... pas du tout	le japonais
mon père			l'allemand

ENTRE AMIS Une réception

You are at a reception at the French consulate.

1. Greet your partner and find out his/her name.
2. Offer him/her something to drink.
3. S/he will accept appropriately.
4. Toast each other.
5. Compliment each other on your ability in French.
6. Respond appropriately to the compliment.

4. Expressing Likes and Dislikes

Qu'est-ce que° tu aimes, Sophie?   Qu'est-ce que tu n'aimes pas?   *what*

J'aime beaucoup le vin blanc°.   Je n'aime pas le vin rosé.   *white wine*

J'aime un peu l'eau minérale.   Je déteste° le coca.   *hate*

J'adore voyager.   Je n'aime pas beaucoup travailler.

J'aime bien danser.   Je n'aime pas du tout chanter.

❖ **Et vous?** Qu'est-ce que vous aimez?
Qu'est-ce que vous n'aimez pas?

Remarques:

1. When there are two verbs in succession, the second is not conjugated. It remains in the infinitive form.

Mon ami **déteste nager** dans l'eau froide.	*My friend hates to swim in cold water.*
Les étudiants **aiment parler** français.	*The students like to speak French.*
Francis **désire danser.**	*Francis wants to dance.*

2. The use of **le, la, l',** and **les** to express a generality occurs particularly after verbs expressing preferences.

Marie adore **le** chocolat chaud.	*Marie loves hot chocolate.*
Elle aime **les** boissons chaudes.	*She likes hots drinks.*
Mais elle déteste **la** bière.	*But she hates beer.*
Et elle n'aime pas **l'**eau minérale.	*And she doesn't like mineral water.*

13. **Qu'est-ce qu'ils aiment?** Tell, as truthfully as possible, what the following people like and don't like by combining items from each of the three lists. Guess, if you don't know for certain. How many sentences can you create?

Modèles: **Mes amis détestent le lait.**
Je n'aime pas du tout skier.

mes amis	adorer	skier
le professeur	aimer beaucoup	travailler
je	aimer un peu	la bière
nous	ne pas aimer du tout	le français
	détester	la télévision
		chanter
		patiner
		danser
		le lait
		l'université
		voyager
		nager
		tomber

14. **Vous aimez danser?** Use the words below to interview the person sitting next to you. Find out if s/he likes to dance, to swim, etc. Use **aimer** in every question.

Modèle: dance

VOUS: **Vous aimez danser?**

VOTRE PARTENAIRE: **Oui, j'aime (beaucoup) danser.** ou
Non, je n'aime pas (beaucoup) danser.

1. sing
2. swim
3. watch television
4. ski
5. study

6. study French
7. work
8. travel
9. play tennis
10. speak French

Vocabulaire: Quelques boissons populaires

le café	*coffee*
le chocolat chaud	*hot chocolate*
le citron pressé	*lemonade*
l'eau minérale *f.*	*mineral water*
le jus d'orange	*orange juice*
le thé	*tea*
le coca	*Coca-Cola*
la limonade	*lemon-lime soda*
l'orangina *m.*	*an orange soda*
la bière	*beer*
le kir	*kir*
le vin	*wine*

Popular mineral waters are **Vichy, Évian, Vittel, Perrier.**

Note: La limonade française est très différente de la limonade américaine. Elle ressemble beaucoup à la boisson **7-UP.** La boisson américaine *lemonade* est **le citron pressé** en France.

15. **Vous aimez le café?** Interview another person to find out which drinks s/he likes or dislikes, then be prepared to report as many answers as you can remember.

16. **En général, les étudiants ...** Decide whether you agree (**C'est vrai**) or disagree (**C'est faux**) with the following statements. If you disagree, correct the statement.

Modèle: En général, les étudiants détestent voyager.
C'est faux. En général, ils aiment beaucoup voyager.

1. En général, les étudiants n'aiment pas du tout danser.
2. En général, les étudiants détestent la pizza.
3. En général, les étudiants aiment beaucoup étudier.
4. En général, les étudiants n'aiment pas beaucoup regarder la télévision.
5. En général, les étudiants aiment nager.
6. En général, les étudiants aiment skier.
7. En général, les étudiants aiment beaucoup patiner.
8. En général, les étudiants détestent chanter.
9. En général, les étudiants aiment parler français avec le professeur.
10. En général, les étudiants désirent habiter à New York.

17. **Comment trouvez-vous le café français?** *(What do you think of French coffee?)* Your partner will ask you to give your opinion about something you have tasted. Use **aimer, adorer,** or **détester** in an answer that reflects your own opinion. Or make up an imaginary opinion. You might also say **Je ne sais pas, mais ...** and offer an opinion about something else that is related, instead.

Modèle: les tamalis mexicains

VOTRE PARTENAIRE: **Comment trouvez-vous les tamalis mexicains?**
VOUS: **J'aime beaucoup les tamalis mexicains.** ou
Je ne sais pas, mais j'adore les enchiladas.

Teach students to respond **Moi aussi** or **Moi non plus** if they agree with their partner's opinion.

1. le thé anglais
2. le chocolat suisse
3. la pizza italienne
4. l'eau minérale française
5. le jus d'orange de Floride
6. le café de Colombie
7. la limonade française
8. la bière allemande
9. le vin français

C. Les questions avec réponse *oui* ou *non*

■ In spoken French, by far the most frequently used way of asking a question that can be answered *yes* or *no* is by simply raising the voice at the end of the sentence.

Vous parlez français?	*Do you speak French?*
Tony habite ici?	*Does Tony live here?*
Karen est américaine?	*Is Karen American?*
Hélène danse bien?	*Does Hélène dance well?*

■ **Est-ce que** is often placed at the beginning of a sentence to form a question. It becomes **Est-ce qu'** before a vowel sound.

Est-ce que vous parlez français?	*Do you speak French?*
Est-ce que Tony habite ici?	*Does Tony live here?*
Est-ce que Karen est américaine?	*Is Karen American?*
Est-ce qu'Hélène danse bien?	*Does Hélène dance well?*

Have students give the probable response to these questions: **Mais oui, je parle français,** etc.

■ The phrase **n'est-ce pas?** (*right?*, *aren't you?*, *doesn't he?*, etc.), added at the end of a sentence, expects an affirmative answer.

Tu parles français, **n'est-ce pas?**	*You speak French, don't you?*
Tony habite ici, **n'est-ce pas?**	*Tony lives here, doesn't he?*
Karen est américaine, **n'est-ce pas?**	*Karen is American, isn't she?*
Hélène danse bien, **n'est-ce pas?**	*Hélène dances well, doesn't she?*

■ Another question form, which is used more often in written French than in speech and which is characteristic of a more formal speech style, is *inversion* of the verb and its *pronoun* subject. When inversion is used, there is a hyphen between the verb and the pronoun.

Parlez-vous français?	*Do you speak French?*
Chantez-vous bien?	*Do you sing well?*
Êtes-vous américain(e)?	*Are you American?*

Note: If the third person (**il, elle, on, ils, elles**) is used in inversion, there is always a [t] sound between the verb and the subject pronoun. If the verb ends in a vowel, a written **-t-** is added between the final vowel of the verb and the initial vowel of the pronoun. If the verb ends in **-t**, no extra **-t-** is necessary.

Danse-**t**-il?	*Is he dancing?*
Aime-**t**-elle voyager?	*Does she like to travel?*

But:	Dansen**t-ils?**	*Are they dancing?*
	Est-**elle** française?	*Is she French?*
	Sont-**ils** américains?	*Are they American?*

For Recognition Only:

■ If the subject is a noun, the inversion form can be produced by adding the pronoun of the same number and gender after the verb.

noun + verb + pronoun

Inversion with a noun subject is made active in Ch. 5, pp. 173 & 174.

Karen est-elle américaine?	*Is Karen American?*
Thierry aime-t-il la bière?	*Does Thierry like beer?*
Nathalie et Stéphane aiment-ils danser?	*Do Nathalie and Stéphane like to dance?*

18. **Comment?** *(What did you say?)* We are often obliged to repeat a question when someone doesn't hear or understand us. For each question with inversion, ask a question beginning with **Est-ce que** and a question ending with **n'est-ce pas.**

Modèles: Aimez-vous l'eau minérale?
VOTRE PARTENAIRE: **Comment?**
VOUS: **Est-ce que vous aimez l'eau minérale?**
VOTRE PARTENAIRE: **Comment?**
VOUS: **Vous aimez l'eau minérale, n'est-ce pas?**

Paul désire-t-il une tasse de café?
VOTRE PARTENAIRE: **Comment?**
VOUS: **Est-ce qu'il désire une tasse de café?**
VOTRE PARTENAIRE: **Comment?**
VOUS: **Il désire une tasse de café, n'est-ce pas?**

1. Peggy désire-t-elle un verre de lait?
2. Serge et Anne aiment-ils le thé?
3. Travailles-tu ici?
4. Vos parents et vous habitez-vous à Chicago?
5. Chantal étudie-t-elle le français?
6. Monique et Anne désirent-elles un verre d'eau?
7. Aiment-elles le chocolat chaud?
8. Étudiez-vous beaucoup?
9. Christophe parle-t-il bien?
10. Désirez-vous danser?

19. **Une enquête entre amis** *(A survey among friends).* Use the following list to determine the likes and dislikes of two classmates. Be prepared to report back the results of your "survey" to the class. Are there any items on which all the students agree completely?

Modèles: skier —Est-ce que tu aimes skier?
—Oui, j'adore skier.

le jogging —Est-ce que tu aimes le jogging?
—Non, je n'aime pas le jogging. ou
Non, je déteste le jogging. Je n'aime pas les sports.

1. parler français
2. parler avec le professeur de français
3. voyager
4. regarder la télévision
5. chanter en français
6. la politique
7. l'université
8. étudier le français
9. nager dans l'eau froide
10. travailler beaucoup

20. **Les Dupont.*** Here are a few facts about the Dupont family. Interview a classmate to find out if this information is also true for him/her.

Modèle: Gérard et Martine Dupont sont français.
VOUS: **Es-tu français(e) aussi?**
VOTRE PARTENAIRE: **Non, je ne suis pas français(e).**

1. Gérard et Martine sont mariés.
2. Martine adore voyager.
3. Les Dupont habitent à Marseille.
4. Gérard Dupont aime la limonade.
5. Martine Dupont parle un peu l'anglais.
6. Monsieur et Madame Dupont aiment beaucoup danser.
7. Les Dupont voyagent beaucoup.

E N T R E   A M I S   À un bal

*Practice the following situation with as many members of the class as possible. You are at a dance and are meeting people for the first time. Use **vous**.*

1. Say good evening and introduce yourself.
2. Find out if your partner likes to dance.
3. Ask your partner if s/he wants to dance. (S/he does.)
4. Tell your partner that s/he dances well.
5. Find out what your partner likes to drink.
6. Offer your partner something.
7. Toast each other.
8. Compliment each other on your ability in French.
9. Respond appropriately to the compliment.

---

*An -s is not added to family names in French; the article **les** indicates the plural.

Révision et Intégration

A. **Trouvez quelqu'un qui ...** *(Find someone who ...).* Interview your class-mates in French to find someone who ...

Modèle: speaks French   **Est-ce que tu parles français?**

1. likes coffee
2. swims often
3. doesn't like beer
4. sings poorly

5. studies a lot
6. doesn't ski
7. is tired
8. hates to work

9. likes to travel
10. cries sometimes
11. skates

B. **À vous.** How would you respond to the following questions and comments?

1. Parlez-vous français?
2. Comment allez-vous?
3. Où habitez-vous?
4. Voulez-vous boire quelque chose?
5. Si oui, qu'est-ce que vous désirez boire?
6. Vous parlez très bien le français!
7. Vous étudiez l'espagnol, n'est-ce pas?
8. Aimez-vous voyager?
9. Est-ce que vous aimez danser?
10. Qu'est-ce que vous n'aimez pas?

E N T R E   A M I S   Un(e) invité(e) belge

The family next door has a French-speaking exchange student from Belgium living with them. They have invited you to meet their guest. Initiate and maintain a conversation. You must find out five things about this person.

C. *Rédaction:* **Mon cher** *(dear)* **professeur de français.** Write a letter to your French teacher, who is not feeling very well. Try to cheer him/her up: greet him/her; convince him/her that you like French; tell him/her that you study a lot; pay him/her a few compliments. Close with **Bien amicalement** *(Yours truly).*

The following reading selection is taken directly from the *Gab*, a weekly newspaper published in Besançon. It is not vital that you understand every word.

A. **Étude du vocabulaire.** There are words in French that we refer to as **faux amis** *(false friends, false cognates)*, since they mean something different from the English word they seem to resemble. Study the following sentences and match the **faux ami**, in bold print, with the correct meaning in English: *understanding, reading, sensitive.*

La lecture est mon passe-temps préféré.
Florence est timide et très **sensible.**
Nous aimons les professeurs **compréhensifs.**

B. **Quelques questions importantes.** List (in English or in French) five questions that you would like answered before you accept a blind date. Then read the advertisement **Seul(e) et las(se) de l'être.**

SEUL(E) ET LAS(SE) DE L'ÊTRE*

VOUS ASPIREZ À NOUER UNE RÉLATION SENTIMENTALE DURABLE
Simplement, facilement, vous pouvez connaître quelqu'un
qui comme vous est motivé par une vie de couple stable.
Depuis 1975
ANDRÉE MOUGENOT CONSEILLÈRE DIPLOMÉE
10 RUE DE LA RÉPUBLIQUE BESANÇON
fait des heureux
*Retournez tout simplement le bon ci-dessous, vous recevrez gratuitement sans aucune
marque extérieure un exemple de proposition de mise en relation.*

JE SUIS
Nom et prénom.. Célibataire ☐ Veuf(ve) ☐ Divorcé(e) ☐
Adresse J'aime recevoir ☐ Sortir ☐ Danser ☐
.... Le sport ☐ La nature ☐ Bricoler ☐
Age .... Taille .... Jardiner ☐ Voyager ☐ La lecture ☐
Profession .... La musique ☐

JE CHERCHE
Célibataire ☐ Veuf(ve)☐ Divorcé(e) ☐ Simple☐ Gai(e)☐ Loyal(e)☐ Calme ☐
Âgé de .... ans à......... Amusant(e) ☐ Tendre ☐ Sensible ☐
Études souhaitées .... Compréhensif(ve) ☐ Affectueux(se) ☐
Profession souhaitée Sincère ☐ Tolérant(e) ☐ Conciliant(e) ☐
.... Passionné(e) ☐Dynamique☐

Autres caractéristiques ....
....

Alone and tired of it. *Le Gab* n° 648 (Besançon)

Have students try to translate the words in Exercise C.

C. **Familles de mots** *(Word families).* Can you guess the meanings of the following words? One member of each word family is found in the reading.

1. comprendre, compréhensif, compréhensive, la compréhension
2. recevoir, une réception
3. sortir, une sortie
4. lire, un lecteur, une lectrice, la lecture

D. **Autoportrait** *(Self-portrait).* Describe *yourself* using five adjectives from the **Je cherche** section of the reading.

Modèle: célibataire, loyal(e), ...

E. **Une description personnelle.** Provide the information requested in the following form.

♥♥

Je suis _____

J'aime _____

Je cherche un(e) ami(e) _____

Vocabulaire actif

Quelque chose à boire

la bière	*beer*	le jus d'orange	*orange juice*
une boisson	*drink*	le kir	*kir*
le café	*coffee*	le lait	*milk*
le chocolat chaud	*hot chocolate*	la limonade	*lemon-lime soda*
le citron pressé	*lemonade*	l'orangina	*orangina (an orange soda)*
le coca	*Coca-Cola*	le thé	*tea*
la crème de cassis	*blackcurrant liqueur*	le vin (rouge, blanc, rosé)	*(red, white, rosé) wine*
l'eau (f.) (minérale)	*(mineral) water*		

D'autres noms

un cours	*course; class*	la pizza	*pizza*	une tasse	*cup*
un état	*state*	un poisson	*fish*	la télévision (la télé)	*television (TV)*
une heure	*hour*	la politique	*politics*	un verre	*glass*
le jogging	*jogging*	la radio	*radio*		

Adjectifs

bon (bonne)	*good*	excellent(e)	*excellent*	froid(e)	*cold*
chaud(e)	*hot*	fatigué(e)	*tired*	malade	*sick*
cher (chère)	*dear*	faux (fausse)	*false; wrong*	vrai(e)	*true*

Articles définis

le, la, l', les *the*

Pronoms

quelque chose *something*   quelqu'un *someone*

Verbes de préférence

adorer	*to adore; to love*	désirer	*to want*
aimer	*to like; to love*	détester	*to hate; to detest*

D'autres verbes

chanter	*to sing*	jouer (au tennis)	*to play (tennis)*	skier	*to ski*
chercher	*to look for*	manger	*to eat*	tomber	*to fall*
danser	*to dance*	nager	*to swim*	travailler	*to work*
donner	*to give*	parler	*to speak*	trouver	*to find; to be*
écouter	*to listen to*	patiner	*to skate*		*of the opinion*
étudier	*to study*	pleurer	*to cry*	voyager	*to travel*
habiter	*to live; reside*	regarder	*to watch; to look at*		

Adverbes

alors	*then, therefore, so*	ici	*here*	quelquefois	*sometimes*
beaucoup	*a lot*	mal	*poorly, badly*	souvent	*often*
bien	*well; fine*	peut-être	*maybe; perhaps*	un peu	*a little bit*
en général	*in general*	pourquoi	*why*	vraiment	*really*
ensemble	*together*	puis	*then; next*		

Prépositions

avec	*with*	dans	*in*
comme	*like; as*	pour	*for; in order to*

Conjonction

mais *but*

Pour demander à quelqu'un comment il va

Comment allez-vous?	*How are you?*	Assez bien.	*Fairly well.*
Vous allez bien?	*Are you well?*	Je suis fatigué(e).	*I am tired.*
(Comment) ça va?	*How is it going?*	Je suis un peu malade.	*I am a little sick.*
Je vais très bien.	*I'm fine.*	Pas très bien.	*Not very well.*
Ça va bien.	*(I'm) fine.*	Assez mal.	*Rather poorly.*
Comme ci, comme ça.	*So-so.*		

Pour répondre à un compliment

Vous trouvez?	*Do you think so?*	Quelquefois peut-être.	*Sometimes perhaps.*
Pas encore.	*Not yet.*	Pas toujours.	*Not always.*
Ah! vraiment?	*Really?*	Je ne sais pas.	*I don't know.*

Pour offrir, accepter et refuser quelque chose

Voulez-vous boire quelque chose?	*Do you want to drink something?*	Oui, avec plaisir.	*Yes, with pleasure.*
Je veux bien.	*Gladly. Yes, thanks.*	Oui, c'est gentil à vous.	*Yes, that's nice of you.*
Volontiers.	*Gladly.*	Merci.	*No, thank you.*
S'il vous plaît.	*Please.*	Non, merci.	*No, thank you.*
		Je voudrais ...	*I would like ...*

D'autres expressions utiles

Comment?	*What (did you say?)*	je crois	*I believe*
est-ce que ... ?	*(question marker)*	Je ne sais pas.	*I don't know.*
n'est-ce pas?	*right? are you? don't they? etc.*	Je viens de ...	*I come from ...*
Comment est-ce qu'on écrit ... ?	*How do you spell ... ?*	... s'écrit ...	*... is spelled ...*
Comment trouvez-vous ... ?	*What do you think of ... ?*	par semaine	*per week*
Qu'est-ce que tu aimes?	*What do you like?*	les étudiants	*the students*
Qu'est-ce que vous voulez?	*What do you want?*	ma mère	*my mother*
Vous êtes d'où?	*Where are you from?*	même(s)	*-self (-selves)*
Quelle bonne surprise!	*What a good surprise!*	mes amis	*my friends*
À votre santé!	*(Here's) to your health!*	mon ami(e)	*my friend*
À la vôtre!	*(Here's) to yours!*	mon père	*my father*
Au fait ...	*By the way ...*		
Bien amicalement	*Yours truly*		
des cours de conversation	*conversation courses*		

La famille

Buts communicatifs

Identifying family and friends
Sharing numerical
  information
Talking about people and
  things at home

Structures utiles

L'article indéfini: **un, une** et
  des
Les nombres de 0 à 29
Le verbe **avoir**
Les nombres de 30 à 79
Les expressions **il y a** et **voilà**
Les adjectifs possessifs **mon,
  ton, notre** et **votre**
La négation + **un** (**une, des**)
La possession avec **de**
Les adjectifs possessifs **son** et
  leur

Culture

La langue et la culture
Les pronoms **tu** et **vous**
Pour gagner du temps

Coup d'envoi

Une photo de ma famille

christophe

Monique

Paul

Marie

MARIE:	Avez-vous des frères ou des sœurs?°	*Do you have any brothers or sisters?*
CHRISTOPHE:	J'ai° un frère et une sœur.	*I have*
MONIQUE:	J'ai une sœur, mais je n'ai pas de° frère.	*I don't have any*
PAUL:	Moi, je n'ai pas de frère ou de sœur.	
MARIE:	Voilà° ma famille. Ma sœur s'appelle° Chantal et mon frère s'appelle Robert. Mes parents s'appellent Bernard et Sophie.	*Here is / My sister's name is*

✤ **Et vous?** Avez-vous des frères ou des sœurs?
Avez-vous une photo de votre famille?
Qui est sur la photo?°

Who is in the picture?

L'arrivée à la gare

Lori Becker est une étudiante américaine qui vient en France pour passer un an° dans une famille française. Elle descend du train à la gare° Saint-Laud à Angers. Madame Delille et sa fille, Émilie, attendent° son arrivée.

°year
°railroad station

°are waiting for

MME DELILLE: Mademoiselle Becker?

LORI: Oui. Bonjour, Madame. Vous êtes bien Madame Delille?° — *You're Mme Delille, aren't you?*

MME DELILLE: Oui. Bonjour, Mademoiselle. Vous êtes fatiguée, sans doute°? — *probably*

LORI: Pas trop°. J'ai dormi° un peu dans le train. — *too much/I slept*

MME DELILLE: Et voilà ma fille, Émilie.

LORI: Bonjour, Émilie. Tu as quel âge?° — *How old are you?*
(*L'enfant lève le pouce et deux doigts.°*) — *The child holds up her thumb and two fingers.*

MME DELILLE: Elle a trois ans.

LORI: C'est une petite fille charmante.° — *She's a charming little girl./a little later*
(*un peu plus tard°*)

MME DELILLE: Vous avez des frères ou des sœurs?

LORI: J'ai deux frères mais je n'ai pas de sœur.

MME DELILLE: Et comment s'appellent vos frères?° — *And what are your brothers' names?*

LORI: Ils s'appellent Paul et Thomas. Vous avez d'autres enfants°, Madame Delille? — *other children*

MME DELILLE: Oui, nous avons sept enfants.

LORI: Comment? Combien?° — *How many?*

MME DELILLE: Sept.

LORI: Mon Dieu°! Vraiment? — *God*

MME DELILLE: Pourquoi? Qu'est-ce qu'il y a?° — *What's the matter?*

LORI: Euh ... rien°. J'aime beaucoup les enfants. — *nothing*

❖ **Jouez ces rôles.** Role-play the conversation exactly as it is with a partner. Once you have practiced it several times, role-play the conversation using one partner's identity in place of Lori's.

The answer to the first cultural question is c. The answer to the second cultural question is b.

❖ Why does Lori say **"Mon Dieu!"**?

a. She is swearing.
b. She is praying.
c. This expression is not offensive in French. It is used to express surprise.

❖ Why does Lori use **tu** with Émilie Delille?

a. They have really met before and are good friends.
b. The French almost always use **tu** with a child.
c. Lori considers Émilie an inferior.

La langue et la culture

Each language has its own unique way of expressing reality. The fact that French uses the verb **avoir** (*to have*) when expressing age, whereas English uses the verb *to be*, is only one of many examples that prove that languages are not copies of each other. Similarly, the expression **Mon Dieu!** (*Wow!*) is milder in French than its literal English equivalent *My God!* The French way is not right or wrong, nor is it more or less logical than its English counterpart.

Les pronoms *tu* et *vous*

French has two pronouns that mean *you* and that can be used to address an individual. The choice reflects the nature of the relationship, including degree of formality and respect. **Tu** is typically used when speaking to one's blood relatives as well as to close friends, fellow students, children, and animals. **Vous** is normally used when speaking to someone who does not meet the above criteria (e.g., in-laws, employers, teachers, or business acquaintances). It expresses a more formal relationship or a greater social distance than **tu**. In addition, **vous** is always used to refer to more than one person.

Visitors to French-speaking countries would be well advised to use **vous** even if first names are being used, unless they are invited to use the **tu** form. In the *Conversation*, Lori correctly uses **vous** with Madame Delille and **tu** with Émilie.

Pour gagner du temps (*To stall for time*)

A helpful strategy for the language learner is to acquire and use certain expressions and gestures that allow him or her to "buy time" to think without destroying the conversational flow or without resorting to English. Like the cup of coffee we sip during a conversation to give us a chance to organize our thoughts, there are a number of useful expressions for "buying time" in French. The number one gap-filler is **euh,** which is the French equivalent of the English *uh* or *umm*.

Vocabulaire: Pour gagner du temps (*To stall for time*)

alors	*then; therefore, so*	euh	*uh; umm*
ben	*well*	hein?	*huh?*
comment?	*what (did you say)?*	mais ...	*but ...*
eh bien	*well then*	tiens!	*well, well!*
et ...	*and ...*	voyons	*let's see*

IL Y A UN GESTE

Euh. **Euh** rhymes with **deux**. It is pronounced with the lips well rounded. The sound is often drawn out. Its purpose is to fill a conversational void until the speaker finds something to say.

✤ **À vous.** How would you respond to the following?

1. Comment s'appellent vos parents?
2. Vous avez des frères ou des sœurs?
3. Si oui, comment s'appellent-ils (elles)?
4. Où habitent-ils (elles)?

ENTRE AMIS Des frères ou des sœurs?

1. Introduce yourself and tell what you can about yourself.
2. Find out what you can about your partner.
3. Find out if your partner has brothers or sisters.
4. If so, find out their names.

Prononciation

The first presentation of
this material was in
Chapter 1.

L'Accent et le rythme (suite)

■ Remember: When pronouncing French sentences, it is good practice to
pay particular attention to the facts that: (1) French rhythm is even (just
like counting), (2) syllables normally end in a vowel sound, and (3) the
final syllable of a group of words is lengthened.

❖ Count before repeating each of the following expressions.

un, deux, trois, quatre, cinq, SIX

Je suis a-mé-ri-CAIN.
Elle est cé-li-ba-TAIRE.
Vous tra-va-illez beau-COUP?

un, deux, trois, quatre, cinq, six, SEPT

Je m'a-ppelle Ka-rine As-PEL.
Vous ha-bi-tez à Pa-RIS?
des cours de con-ver-sa-TION
Je n'aime pas beau-coup le VIN.

Les sons [e], [ɛ], [ə], [a], [wa]

■ The following words contain some important and very common vowel
sounds.

❖ Practice saying these words after your instructor, paying particular attention to the highlighted vowel sound.

[e] □ écriv*ez*, z*é*ro, répét*ez*, écout*ez*, nationalit*é*, t*é*léphone, divorc*é*

□ ouvr*ez*, entr*ez*, ferm*ez*, ass*ez*, assey*ez*-vous, excus*ez*-moi

□ présent*er*, habit*er*, écout*er*, arrêt*er*, commenc*er*, continu*er*

□ *et*

[ɛ] □ p*e*rsonne, prof*e*sseur, hôt*e*l, univ*e*rsité, *e*spagnol, *e*lle, canadi*e*nne

□ cr*è*me, fr*è*re, ch*è*re, discr*è*te

□ *ê*tre, *ê*tes

□ angl*ai*se, franç*ai*se, célibat*ai*re, l*ai*de, cert*ai*nement

Words with [ɛ] in open
syllables are omitted,
e.g., **est, très, sais.**
Instructors can decide
whether they wish to
stress the [e]/[ɛ]
contrast in open
syllables.

[ə] □ l*e*, l*e*vez-vous, pr*e*nez, r*e*gardez, qu*e*, d*e*, j*e*, n*e*, votr*e* santé, m*e*

Note: encor*e*, heur*e*, femm*e*, homm*e*, un*e*, ami*e*, famill*e*, entr*e* amis

[a] □ l*a*, *a*llez, *a*mie, *a*méric*a*in, *a*ssez, m*a*tin, c*a*n*a*dien, qu*a*tre, s*a*lut, d'*a*ccord

  □ *à*, voil*à*

[wa] □ Franç*oi*s, m*oi*, tr*oi*s, v*oi*là, Madem*oi*selle, au rev*oi*r, bons*oi*r

  □ v*o*yage

■ Now go back and look at how these sounds are spelled and in what kinds of letter combinations they appear. What patterns do you notice?

■ It is always particularly important to pronounce **la** [la] and **le** [lə] correctly, since each marks a different gender and the meaning of a word may depend on which is used.

la tour = *tower*   **la tour** Eiffel
le tour = *tour, turn*   **le Tour** de France

Buts communicatifs

1. Identifying Family and Friends

Point out that the singular **s'appelle-t-il (elle)** and the plural **s'appellent-ils (elles)** are pronounced the same way.

—Je vous présente° mon amie, Anne Martin.   *I present to you*
  Elle a° une sœur qui habite près d'ici.   *has*
—Comment s'appelle-t-elle?
—Elle s'appelle Catherine. Et elle a des cousins
  qui habitent à Angers.
—Comment s'appellent-ils?
—Ils s'appellent Delille.

✜ **Et vous?** Présentez un(e) ami(e).

Remarque: When you use **qui,** the verb that follows agrees with the person(s) to whom **qui** refers.

Elle a des cousins qui **habitent** à Angers.

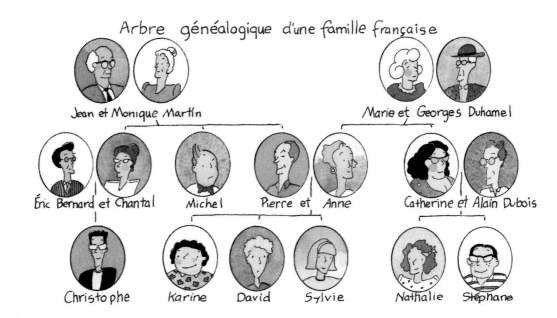

Arbre généalogique d'une famille française

Jean et Monique Martin

Marie et Georges Duhamel

Éric Bernard et Chantal   Michel   Pierre et Anne   Catherine et Alain Dubois

Christophe   Karine   David   Sylvie   Nathalie   Stéphane

Vocabulaire: Une famille française

des parents	*parents; relatives*
un mari et une femme	*a husband and a wife*
un père et une mère	*a father and a mother*
un(e) enfant	*a child (male or female)*
un fils et une fille	*a son and a daughter*
un frère et une sœur	*a brother and a sister*
des grands-parents	*grandparents*
un grand-père	*a grandfather*
une grand-mère	*a grandmother*
des petits-enfants	*grandchildren*
un petit-fils et une petite-fille	*a grandson and a granddaughter*
un oncle et une tante	*an uncle and an aunt*
un neveu et une nièce	*a nephew and a niece*
un(e) cousin(e)	*a cousin (male or female)*
des beaux-parents	*stepparents (or in-laws)*
un beau-père	*a stepfather (or father-in-law)*
une belle-mère	*a stepmother (or mother-in-law)*
un beau-frère	*a stepbrother (or brother-in-law)*
une belle-sœur	*a stepsister (or sister-in-law)*

Point out that there is no **-e** on **grand** in the word **grand-mère**.

Notes:

1. Most plurals of nouns are formed by adding **-s.** In compound words for family members, an **-s** is added to both parts of the term: **des grand*s*-père*s*, des belle*s*-mère*s*.**
2. The words **neveu** and **beau** form their plurals with an **-x: des neveu*x*, des beau*x*-frères.**
3. The word **fils** is invariable in the plural: **des fils, des petits-fils.**

A. L'article indéfini: *un, une* et *des*

■ The French equivalent of the English article *a (an)* is **un** for masculine nouns and **une** for feminine nouns.

un frère	**un** train	**un** orangina
une sœur	**une** table	**une** limonade

■ The final **-n** of **un** is normally silent. Liaison is required when **un** precedes a vowel sound.

un [n]étudiant

■ The consonant **-n-** is always pronounced in the word **une.** If it precedes a vowel sound, it is linked to that vowel.

une femme [yn fam]   *But:* une étudiante [y ne ty djãt]

■ The plural of **un** and **une** is **des.**

singulier:	un frère	une sœur
pluriel:	**des** frères	**des** sœurs

■ **Des** corresponds to the English *some* or *any*. However, these words are often omitted in English. **Des** is not omitted in French.

J'ai **des** amis à Paris.   *I have (some) friends in Paris.*

■ Liaison is required when **des** precedes a vowel sound.

des [z]étudiants
des [z]enfants

■ In a series, the article *must* be repeated before each noun.

un homme et **une** femme	*a man and (a) woman*
une mère et **des** enfants	*a mother and (some) children*

1. **Présentations.** How would you introduce the following people?

Modèle: Mademoiselle Blondel/F/frère à New York
Je vous présente Mademoiselle Blondel.
Elle est française.
Elle a un frère qui habite à New York.

1. Madame Brooks/GB/sœur à Toronto
2. Mademoiselle Jones/USA/parents près de Chicago
3. Monsieur Callahan/CDN/frère à Milwaukee
4. Monsieur Lefont/B/fils près d'ici
5. Madame Perez/MEX/petits-enfants près d'El Paso
6. Mademoiselle Keita/SN/cousins à New York
7. un ami
8. une amie
9. votre père ou votre mère

2. **Quelque chose à boire?** Order the following items.

Modèle: citron pressé
Je voudrais un citron pressé, s'il vous plaît.

1. tasse de thé
2. café
3. bière
4. verre d'eau
5. jus d'orange
6. tasse de chocolat chaud
7. coca
8. limonade
9. orangina

B. Les nombres de 0 à 29

0	zéro	10	dix	20	vingt
1	un	11	onze	21	vingt et un
2	deux	12	douze	22	vingt-deux
3	trois	13	treize	23	vingt-trois
4	quatre	14	quatorze	24	vingt-quatre
5	cinq	15	quinze	25	vingt-cinq
6	six	16	seize	26	vingt-six
7	sept	17	dix-sept	27	vingt-sept
8	huit	18	dix-huit	28	vingt-huit
9	neuf	19	dix-neuf	29	vingt-neuf

HUIT, MON NUMERO DE CHARME

■ All numbers are invariable except **un.** Remember to replace the number **un** with **une** before a feminine noun, even in a compound number.

un oncle	trois oncles	vingt et un cousins
une tante	trois tantes	**vingt et une** cousines

■ When numbers from 1 to 10 stand alone, the final consonants of **un, deux,** and **trois** are silent, but all others are pronounced. The -**x** at the end of **six** and **dix** is pronounced [s].

	un	deux	trois				
But:	quatre	cinq	six	sept	huit	neuf	dix

■ Certain numbers have a different pronunciation when they precede a noun:

□ The final consonant of **six, huit,** and **dix** is not pronounced before a consonant.

six personnes	huit jours	dix verres

□ When the following noun begins with a vowel sound, the final consonant is always pronounced and linked to the noun. Note that with **quatre,** both final consonants are linked and the final -**e** is not pronounced.

un [n]homme	cinq [k]hommes	huit [t]hommes
deux [z]hommes	six [z]hommes	neuf [f]hommes
trois [z]hommes	sept [t]hommes	dix [z]hommes
quatre [tR]hommes		vingt [t]hommes

□ The **-f** in **neuf** is pronounced as [v] only before the words **ans** (*years*) and **heures** (*hours*).

	neuf [v]ans	neuf [v]heures
But:	neuf [f]enfants	neuf [f]hommes

■ The final **-t** in **vingt** is silent when the number stands alone, but is pronounced in the compound numbers built on it.

vingt	[vɛ̃]
vingt et un	[vɛ̃ te ɛ̃]
vingt-deux	[vɛ̃t dø]

C. Le verbe *avoir*

J'ai des cousins à Marseille.
Tu as des amis à Paris?
Nous avons un neveu qui habite près de Chicago.

avoir (*to have*)			
j'	ai	nous	avons
tu	as	vous	avez
il/elle/on	a	ils/elles	ont

■ Liaison is required in **on a, nous avons, vous avez, ils ont,** and **elles ont.**

on [n]a
nous [z]avons

■ Do not confuse **ils ont** and **ils sont.** In liaison, the **-s** in **ils** is pronounced [z] and is linked to the following verb.

	Ils [z]ont des enfants.	*They **have** children.*
But:	Ils sont charmants.	*They **are** charming.*

■ Use **Je n'ai pas de (d')** ... to say *I don't have a ...* or *I don't have any ...*

After **pas de,** either the singular or the plural is acceptable: **Je n'ai pas de frère./Je n'ai pas de frères.**

Je n'ai pas de père.	*I don't have a father.*
Je n'ai pas de frère.	*I don't have any brothers.*
Je n'ai pas d'enfants.	*I don't have any children.*

3. **Combien de parents?** Tell how many relatives the following people have. Combine items from each list to create as many factual sentences as you can. You may make any sentence negative.

Modèles: **Ma tante a cinq enfants.**
Nous n'avons pas d'enfant.

je		cousin(s)
nous		cousine(s)
mes parents		neveu(x)
ma grand-mère	avoir	nièce(s)
mon grand-père		sœur(s)
ma tante		frère(s)
mon oncle		tante(s)
		oncle(s)
		petit(s)-fils
		petite(s)-fille(s)
		beau(x)-frère(s)
		belle(s)-sœur(s)
		enfant(s)

4. **Un recensement** (*A census*). The following people are being interviewed by the census taker. Follow the model with a partner to complete each interview.

Modèle: Mademoiselle Messin/2 sœurs, 0 frères/Jeanne et Perrine
LE RECENSEUR: **Avez-vous des frères ou des sœurs, Mademoiselle?**
MLLE MESSIN: **J'ai 2 sœurs mais je n'ai pas de frère.**
LE RECENSEUR: **Comment s'appellent-elles?**
MLLE MESSIN: **Elles s'appellent Jeanne et Perrine.**

1. Monsieur Dupont/2 enfants: 2 filles, 0 fils/Anne et Marie
2. Marc/2 frères, 0 sœur/Henri et Luc
3. Madame Martin/1 enfant: 1 fils, 0 fille/Mathieu
4. Monsieur Marot/2 enfants: 1 fils, 1 fille/Christophe et Hélène
5. Marie/1 frère, 1 sœur/Robert et Louise
6. vos parents
7. votre meilleur(e) ami(e)
8. vos grands-parents
9. vous

5. **La famille de David.** Use the genealogical chart on page 73 to create sentences describing David's family ties.

Modèle: **David a des parents qui s'appellent Pierre et Anne.**

Have students look back at the family tree, p. 73, and tell about Anne Martin's family ties in order to practice additional terms such as **fils, fille, belle-sœur,** etc.

ENTRE AMIS Ta famille

1. Find out if your partner has brothers or sisters.
2. If so, find out their names.
3. Find out where they live.
4. Find out if your partner has children.
5. If so, find out their names.
6. Introduce your partner to another person. Tell
   as much as you can about your partner and
   his/her family.

2. Sharing Numerical Information

Quel âge ont tes parents, Christelle?   Ils ont quarante-sept ans et
                                            quarante-cinq ans.

Quel âge a ta sœur?   Elle a dix-huit ans.
Quel âge as-tu?   J'ai vingt ans.

✤ **Et vous?** Quel âge ont les membres de votre famille? Quel âge avez-vous?

Buts communicatifs   79

Remarques:

1. The verb **avoir** is used when asking or giving someone's age.

Quel âge **a** ta petite amie? *How old is your girlfriend?*
Quel âge **a** ton meilleur ami? *How old is your best friend?*

2. In inversion, remember to insert a **-t-** before **il, elle,** and **on.**

Quel âge ont-elles? *How old are they?*
But: Quel âge a-t-elle? *How old is she?*

3. The word **an(s)** must be used when giving someone's age.

J'ai vingt et un **ans.** *I am twenty-one.*

D. Les nombres de 30 à 79

Have students count from 30 to 79 by 3; have them try to guess the age of some famous people (under 80).

If numbers above 79 are needed, teach them for recognition.

30	trente	50	cinquante	70	soixante-dix
31	trente et un	51	cinquante et un	71	soixante et onze
32	trente-deux	52	cinquante-deux	72	soixante-douze
33	trente-trois	53	cinquante-trois	73	soixante-treize
etc.		etc.		74	soixante-quatorze
40	quarante	60	soixante	75	soixante-quinze
41	quarante et un	61	soixante et un	76	soixante-seize
42	quarante-deux	62	soixante-deux	77	soixante-dix-sept
43	quarante-trois	63	soixante-trois	78	soixante-dix-huit
etc.		etc.		79	soixante-dix-neuf

6. **Parlez-moi de votre famille** (*Tell me about your family*). Describe the people listed below. Use the model as a guide. If you don't have a brother, etc., say so.

Modèle: un frère
J'ai un frère qui s'appelle Bill.
Il habite à Boston.
Il est grand et assez beau.
Il a vingt-trois ans.

1. une sœur
2. un frère
3. un oncle
4. une tante
5. des cousins
6. une cousine
7. des amis
8. un(e) camarade de chambre
9. un(e) petit(e) ami(e)
10. des parents

E. Les expressions *il y a et voilà*

Voilà la famille Laplante.
Il y a **combien de** personnes dans la famille Laplante?
Il y a quatre personnes.
Il y a **combien de** garçons et **combien de** filles?
Il y a deux filles mais **il n'y a pas de** garçon.

Voilà is often used in place of **voici**. Neither of them can be used in negative or interrogative sentences.

■ **Voilà** can mean either *there is (are)* or *here is (are)*. **Il y a** means *there is (are)*. While **voilà** and **il y a** are both translated *there is* or *there are* in English, they are used quite differently.

■ **Voilà** and **voici** (*here is, here are*) point something out. They bring it to another person's attention. There is usually an accompanying physical movement—a nod of the head or a pointing of the finger.

Voici mon fils et ma fille.	*Here are my son and daughter.*
Voilà ma voiture.	*There's my car.*

■ **Il y a** simply states that something exists or tells how many there are.

Il y a un livre sur la table.	*There is a book on the table.*
Il y a cinq filles et deux garçons dans la famille Delille.	*There are five girls and two boys in the Delille family.*

■ The negative of **il y a un (une, des)** is **il n'y a pas de.**

Il n'y a pas de voiture ici.	*There aren't any cars here.*
Il n'y a pas de cours aujourd'hui.	*There isn't any class today.*

Attention: Do not use **de** if **il n'y a pas** is followed by a number.

Il n'y a pas trois filles; il y a cinq filles.	*There aren't three girls; there are five girls.*

Buts communicatifs

■ There are several ways to use **il y a** in a question.

Il y a un livre sur la table?
Est-ce qu'il y a un livre sur la table? } *Is there a book*
Y a-t-il un livre sur la table? } *on the table?*

■ **Il y a** is often used with **combien de.**

Il y a combien de garçons?
Combien de garçons **est-ce qu'il y a?**
Combien de garçons **y a-t-il?**

7. **Les Delille.** Complete the following sentences using either **il y a** or **voilà**.

Modèle: _____Voilà_____ ma fille qui s'appelle Émilie.

1. _____ deux enfants dans votre famille?
2. Non, Mademoiselle, _____ sept enfants.
3. _____ une photo de ma famille.
4. _____ ma mère. Elle est jolie, n'est-ce pas?
5. _____ combien de filles dans votre famille?
6. Où sont-elles? Ah! _____ vos filles!

8. **À vous.** Answer the following questions as factually as possible.

1. Quel âge avez-vous?
2. Combien de personnes y a-t-il dans votre famille?
3. Quel âge ont les membres de votre famille?
4. Combien d'étudiants y a-t-il au cours de français? Combien d'hommes et combien de femmes y a-t-il?
5. Quel âge a votre professeur de français? (Imaginez!)
6. Il y a combien d'enfants dans la famille de votre meilleur(e) ami(e)? Quel âge ont-ils?

F. Les adjectifs possessifs *mon, ton, notre* et *votre*

—Comment s'appellent **tes** parents?
—**Mes** parents s'appellent Marcel et Jacqueline.
—Combien d'enfants y a-t-il dans **ta** famille?
—Il y a trois enfants dans **ma** famille: deux garçons et une fille.
—Quel âge a **ton** frère? Quel âge a **ta** sœur?
—**Mon** frère a dix-huit ans et **ma** sœur a douze ans.
—Où habitent **vos** grands-parents?
—**Nos** grands-parents habitent à Saumur.

adjectifs possessifs			
en anglais	*masculin*	*féminin*	*pluriel* *(m. et f.)*
my	**mon**	**ma**	**mes**
your	**ton**	**ta**	**tes**
our	**notre**	**notre**	**nos**
your	**votre**	**votre**	**vos**

(masculin: père; féminin: mère; pluriel: parents)

■ Possessive adjectives agree in gender and number with the nouns they modify (the "possessions"). **Notre** and **votre** are used for both masculine and feminine singular nouns.

Denise, **ton** père est gentil.   *Denise, your father is nice.*
Alain, **ta** mère est gentille aussi!   *Alain, your mother is nice also!*
Nathalie, **tes** parents sont   *Nathalie, your parents are*
    très gentils aussi.   *very nice too.*

■ In the singular, **ma** and **ta** become **mon** and **ton** when used directly before a feminine word beginning with a vowel sound.

ma meilleure amie   *But:* **mon** amie

Explain that this happens in order to allow a smoother pronunciation of the two words together.

■ Liaison occurs if the word following **mon, ton, mes, tes, nos,** or **vos** begins with a vowel sound.

mon petit ami   vos bons amis
But: mon [n]ami   vos [z]amis

■ As with **quatre,** the final -e of **notre** and **votre** is not pronounced before a vowel sound, but the final consonants are linked to the next word.

notre [tR]ami

9.

Qui? Try to identify people from among your friends and relatives who "fit" the following questions. Use possessive adjectives in each response. Be sure that verbs agree with subjects, and that adjectives agree with nouns.

Modèle: Qui chante bien?
Mes parents chantent bien. ou **Notre professeur chante bien.**

1. Qui est grand?   4. Qui adore le sport?
2. Qui parle français?   5. Qui n'aime pas beaucoup la bière?
3. Qui ne skie pas?   6. Qui désire être professeur?

Buts communicatifs   **83**

10. **À vous.** Show a real (or imaginary) picture of your family and point out parents, brothers, sisters, cousins, uncles, and aunts. Give each person's age as well.

Modèle: **Voilà ma sœur, Kristen. Elle a seize ans.**

E N T R E   A M I S   Dans ta famille

1. Ask your partner how many people there are in his/her family.
2. Find out their names.
3. Find out how old they are.
4. Find out where they live.

3. Talking about People and Things at Home

Qu'est-ce qu'il y a ...
      dans votre maison°?   *house*
      dans votre appartement°?   *apartment*
      dans votre chambre°?   *bedroom*
      dans votre garage?
Il y a ...

11. **Les renseignements** (*Information*). Olivier is giving some information about people in his neighborhood. Help him to complete the sentences. Use the verb **avoir** and a number. Where no number is indicated, use **un, une,** or **des** as appropriate.

Modèle: Les Dupont/deux enfants/chat
Les Dupont ont deux enfants et un chat.

1. Charles/radio antique
2. Je/enfants extraordinaires
3. Les Dubois/trois télévisions/stéréo/ordinateur
4. Madame Delille/mari/sept enfants
5. Nous/petit appartement/voiture
6. Monsieur Martin/femme/deux enfants
7. Mes grands-parents/grande maison/quatre chambres
8. Les Delille/chat/chien/deux réfrigérateurs/cuisinière à gaz/lave-vaisselle
9. Madame Davis/voiture japonaise/vélo français

G. La négation + *un* (*une, des*)

You may wish to explain that this happens with direct objects only.

You may wish to present the **ni ... ni ...** construction for recognition.

■ After a negation, **un** (**une, des**) usually becomes **de** (**d'**).

Vous avez **un** ordinateur?	Non, je n'ai pas **d'**ordinateur.
Vous avez **une** voiture?	Non, je n'ai pas **de** voiture.
Vous avez **des** frères ou **des** sœurs?	Non, je n'ai pas **de** frère ou **de** sœur.

Note: This rule does not apply after **être**.

Christophe n'est pas **un** enfant.
La voiture n'est pas **une** Ford.
Ce ne sont pas **des** amis.

■ Also, **le, la, l', les** and the possessive adjectives (**mon, ma, mes**, etc.), do not change after a negation.

> Je n'aime pas **le** thé.   Mon frère n'aime pas **notre** chien.

■ When contradicting a negative statement or question, use **si** instead of **oui**.

Il n'y a pas de sandwichs ici.	**Si,** il y a des sandwichs.
Vous n'avez pas d'ordinateur?	**Si,** j'ai un ordinateur.
Vous n'aimez pas le café?	**Si,** j'aime le café.

12. **Le riche et le pauvre.** Guy has everything, but Philippe has practically nothing. Explain how they differ.

Modèle: voiture
Guy a une voiture, mais Philippe n'a pas de voiture.

1. appartement
2. machine à laver
3. petite amie
4. ordinateur
5. amis
6. voiture
7. chien
8. lave-vaisselle
9. mobylette

13. **Bavardages** (*Gossip*). Someone has made up gossip about you and your neighbors. Correct these falsehoods.

Modèle: Monsieur Dupont a des filles.
Pas du tout! Il n'a pas de fille.

1. Les Dupont ont un lave-vaisselle.
2. Marie a un petit ami.
3. Nous avons un ordinateur.
4. Vous détestez le café.
5. Monsieur Martin a des enfants.
6. Christophe et Alice ont un chien.
7. Votre voiture est une Renault.
8. Vous avez un(e) fiancé(e) qui habite à Paris.
9. Le professeur de français a une moto.

14. As-tu ... ?   Your partner will interview you according to the model. If you really do have the item in question, say so. If not, give a negative answer and then name something that you do have.

Modèle: une voiture
   VOTRE PARTENAIRE: **As-tu une voiture?**
                VOUS: **Non, je n'ai pas de voiture mais j'ai une moto.**

Follow up: Do as a chain drill. See Instructor's Resource Manual for a description.

1. une moto japonaise
2. une maison
3. un chien
4. un cousin à Lyon
5. un ordinateur
6. un fauteuil
7. des amis qui habitent à Paris
8. des parents à Marseille
9. un frère (une sœur) qui parle français
10. un ami qui chante très mal

15. Si ou non?   Respond to the following statements. Be careful to use **si** if you wish to contradict a negative statement.

Modèle: Vous n'avez pas de frère.
   Si, j'ai un frère (des frères).   ou
   Non, je n'ai pas de frère.

1. Vous n'avez pas de sœur.
2. Vous n'habitez pas dans un appartement.
3. Vous n'avez pas de stéréo.
4. Vous n'étudiez pas beaucoup.
5. Le professeur n'est pas gentil.
6. Madame Delille n'a pas beaucoup d'enfants.
7. Il n'y a pas de radio dans votre chambre.
8. Vous ne parlez pas anglais.

16. À vous.   Answer the following questions.

1. Combien de filles y a-t-il dans votre famille?
2. Combien de garçons y a-t-il?
3. Y a-t-il un fauteuil dans votre chambre?
4. Combien de chaises y a-t-il dans votre chambre?
5. Y a-t-il un chien ou un chat dans votre maison?
6. Qu'est-ce qu'il y a dans votre chambre?
7. Qu'est-ce qu'il y a dans le garage du professeur? (Imaginez!)

H. La possession avec *de*

C'est le mari **de** Mme Delille. *It's Mme Delille's husband.*
Ce n'est pas la maison **de** René. *It's not René's house.*
C'est la maison **des** parents **de** René. *It's René's parents' house.*

■ The preposition **de** (**d'**) is used to indicate possession or relationship. French has no possessive -'s ending: *Marie's sister* has to be expressed in French as *the sister of Marie.*

la sœur **de** Marie *Marie's sister*
la voiture **d'**Alain *Alain's car*

■ When the word referring to the "owner" is not a proper name, an article or a possessive adjective precedes it.

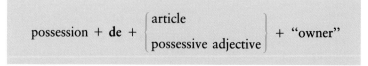

possession + **de** +	article / possessive adjective	+ "owner"

la chambre de **la** grand-mère *the grandmother's room*
la moto de **mon** ami *my friend's motorcycle*

■ The preposition **de** contracts with the articles **le** and **les**, but there is no contraction with the articles **la** and **l'**.

de + le	→ **du**	du professeur
de + les	→ **des**	des étudiants
de + la	→ **de la**	de la femme
de + l'	→ **de l'**	de l'enfant

C'est une photo **du** professeur.   *It's a picture of the teacher.*
C'est la maison **des** parents d'Éric.   *It's Éric's parents' house.*
C'est la chat **de la** mère de Céline.   *It's Céline's mother's cat.*
C'est la voiture **de l'**oncle de Pascal. *It's Pascal's uncle's car.*

17.

Nos possessions. Complete the following sentences by filling in the blanks.

Ask students to explain the choices they make.

1. Le vélo ____ Laurence est dans le garage.
2. La voiture ____ père ____ Anne est bleue.
3. La photo ____ oncle et ____ tante ____ Guy est sur le bureau ____ grands-parents ____ Guy.
4. Le chat ____ frère ____ Chantal est sur le lit ____ parents ____ Chantal.
5. Où est la calculatrice ____ sœur ____ Sandrine?
6. C'est la stéréo ____ enfants ____ professeur.
7. La moto ____ mon frère est dans notre garage.

18.

J'ai trouvé une radio (*I found a radio*).   A number of objects have been found. Ask a question to try to identify the owners. Your partner will answer negatively and will decide who *is* the owner.

Modèle: J'ai trouvé une radio. (Jeanne)
     VOUS: **J'ai trouvé une radio. C'est la radio de Jeanne?**
   VOTRE PARTENAIRE: **Non, ce n'est pas la radio de Jeanne.**
       C'est la radio de Kevin.

Tell students to use names of students in class for the real owner.

1. J'ai trouvé une voiture. (Madame Dufour)
2. J'ai trouvé une radio. (professeur)
3. J'ai trouvé un chat. (Karine)
4. J'ai trouvé une moto. (l'ami de Michèle)
5. J'ai trouvé un chien. (les parents de Denis)
6. J'ai trouvé une calculatrice. (Frédérique)
7. J'ai trouvé un vélo. (la sœur de Sophie)

Buts communicatifs   **89**

19. **Où est-ce?** Patrick's family has a number of possessions. Ask where each item is.

Modèle: La sœur de Patrick a un vélo.   **Où est le vélo de la sœur de Patrick?**

1. Les sœurs de Patrick ont une télévision.
2. Le frère de Patrick a une voiture.
3. L'oncle de Patrick a un chien.
4. Les cousins de Patrick ont une stéréo.
5. Les enfants de Patrick ont un ordinateur.
6. La cousine de Patrick a un appartement.
7. Les parents de Patrick ont une voiture allemande.
8. Le père de Patrick a un bureau.
9. La tante de Patrick a un petit chat.
10. Les parents de Patrick ont une belle maison.

I. Les adjectifs possessifs *son* et *leur*

As-tu une photo de la famille de Léa?	Voilà une photo de **sa** famille.
Où est le père de Léa?	Voilà **son** père.
Où est la mère de Léa?	Voilà **sa** mère.
Où sont les grands-parents de Léa?	Voilà **ses** grands-parents.
Où est la fille de M. et Mme Dupont?	Voilà **leur** fille. C'est Léa!
Où sont les cousins des Dupont?	Voilà **leurs** cousins.

adjectifs possessifs			
en anglais	masculin	féminin	pluriel (m. et f.)
his/her their	son leur } père	sa leur } mère	ses leurs } parents

■ **Son, sa,** and **ses** can mean either *his* or *her.* As with **mon, ma,** and **mes,** the choice of form depends on whether the "possession" is masculine or feminine, singular or plural. It makes no difference what the gender of the "owner" is.

son lit *his bed* or *her bed*
sa chambre *his room* or *her room*
ses chaises *his chairs* or *her chairs*

■ **Leur** and **leurs** mean *their* and are used when there is more than one "owner." Both forms are used for either masculine or feminine "possessions."

leur lit **leur** chambre **leurs** lits **leurs** chambres

Note: Be sure not to use **ses** when you mean **leurs.**

ses parents *his parents* or *her parents*
leurs parents *their parents*

■ In the singular, **sa** becomes **son** when used directly before a feminine word beginning with a vowel sound.

sa meilleure amie *But:* **son** amie

■ Liaison occurs if the word following **son, ses,** or **leurs** begins with a vowel sound.

son petit ami   ses bons amis   leurs parents
But: son [n]ami   ses [z]amis   leurs [z]amis

■ Sometimes the identity of the "owner" would be unclear if a possessive adjective were used. In such cases, it is better to use the possessive construction with **de.**

Pierre et Marie habitent
avec **sa** mère. (*Pierre's mother? Marie's mother?*)
Pierre et Marie habitent
avec **la** mère **de Marie.** (*clearly Marie's mother*)

20. **La chambre de qui?** Clarify the identity of the "owner" in each of the following phrases by completing the following expressions with the appropriate form of **de** + *article défini*.

Modèle: sa chambre. La chambre de qui? La chambre __du__ frère de Marc.

1. leur photo. La photo de qui?   La photo ____ enfants de ma tante.
2. son nom. Le nom de qui?   Le nom ____ jeune fille.
3. sa moto. La moto de qui?   La moto ____ mari d'Anne.
4. leurs livres. Les livres de qui?   Les livres ____ étudiants.
5. son chien. Le chien de qui?   Le chien ____ oncle d'Isabelle.
6. sa maison. La maison de qui?   La maison ____ ami de Laurent.
7. ses amies. Les amies de qui?   Les amies ____ sœur de Denis.
8. son chat. Le chat de qui?   Le chat ____ petite amie de Jean-Luc.
9. sa voiture. La voiture de qui?   La voiture ____ étudiante riche.
10. son bureau. Le bureau de qui?   Le bureau ____ professeur.

21. **Comment s'appellent-ils?** Ask the names of the following people, using a possessive adjective in each question. Your partner will supply the answer.

Modèles: le cousin de Nathalie? (Stéphane)

vous: **Comment s'appelle son cousin?**
votre partenaire: **Il s'appelle Stéphane.**

les cousines de Nathalie? (Christelle et Sandrine)

vous: **Comment s'appellent ses cousines?**
votre partenaire: **Elles s'appellent Christelle et Sandrine.**

Follow up: (1) Have students translate the possessive adjectives. (2) Close books and reverse the process.

1. le père de Nathalie? (Michel)
2. la sœur d'Éric? (Isabelle)
3. la mère d'Éric et d'Isabelle? (Monique)
4. les frères de Nathalie? (Christophe et Sébastien)
5. les sœurs de Nathalie? (Sylvie et Céline)
6. le chien de Nathalie? (Fidèle)
7. les grands-parents de Nathalie? (Marie et Pierre Coifard; Louis et Jeanne Dupuis)
8. les parents de votre meilleur(e) ami(e)?
9. les amis de vos parents?

CELEBRITES

PERES ET ENFANTS : LA FETE !

22. **Encore des photos de famille.** You are showing a number of family pictures to a friend. Answer your friend's questions by pointing people out in the pictures.

Modèle: Où est le mari de ta sœur?
Voilà son mari.

Follow up: Have students draw their family trees and describe them to a partner.

1. Où sont les parents de ton beau-frère?
2. Où est le frère de ta tante?
3. Où est la femme de ton cousin?
4. Où est la sœur de ton père?
5. Où sont les enfants de ta cousine?
6. Où est le mari de ta cousine?
7. Où sont les parents de tes cousins?
8. Où est le fils de ton cousin?
9. Où sont les sœurs et les frères de ta mère?
10. Où est la maison de tes grands-parents?

23. **Où sont-ils?** Answer the questions using possessive adjectives.

Modèle: Où est le fils des Dupont? (dans sa chambre)
Leur fils est dans sa chambre.

1. Où est la fille des Dupont? (dans sa chambre)
2. Où sont les enfants des Dupont? (dans leurs chambres)
3. Où est l'appartement des Dupont? (à Paris)
4. Où est la voiture de Madame Dupont? (dans le garage)
5. Où est la cousine de Monsieur Dupont? (à Nantes)
6. Où sont les chiens des Dupont? (à la maison)

24. **À vous.** Answer the questions using possessive adjectives.

Modèle: Où est la maison de votre ami(e)?
Sa maison est à Denver.

1. Où sont les maisons de vos amis?
2. Comment s'appelle votre meilleur(e) ami(e)?
3. Quel âge a votre ami(e)?
4. Combien de personnes y a-t-il dans la famille de votre ami(e)?
5. Comment s'appellent les parents de votre ami(e)?
6. Où est-ce que les parents de votre ami(e) habitent?
7. Qu'est-ce qu'il y a dans la maison des parents de votre ami(e)?

ENTRE AMIS Ton (ta) meilleur(e) ami(e)

1. Find out the name of your partner's best friend.
2. Find out where that friend lives.
3. Find out if that friend has a house, an apartment, a car, etc.
4. Find out all that you can about that friend's family, e.g., if s/he has brothers or sisters; their names, ages, etc.

Révision et Intégration

If students write this description, put them in pairs and have each one guess what the other wrote.

A. **Ma chambre.**   Décrivez votre chambre. Qu'est-ce qu'il y a dans votre chambre?

B. **Trouvez quelqu'un qui ...**   Interview your classmates in French to find someone who ...

Modèle: speaks French   **Est-ce que tu parles français?**

1. has a computer
2. has no brothers or sisters
3. has a dog or a cat or a fish
4. likes children a lot
5. is 21 or older
6. has a sister named Nicole
7. has a brother named Christopher
8. lives in an apartment
9. has grandparents who live in another state or province

C. **À vous.**   Answer the following questions.

1. Combien d'étudiants y a-t-il au cours de français?
2. Combien de personnes y a-t-il dans votre famille?
3. Comment s'appellent deux de vos ami(e)s?
4. Où habitent-ils?
5. Quel âge ont-ils?
6. Sont-ils étudiants? Si oui, ont-ils une chambre à l'université? Étudient-ils le français ou une autre langue?
7. Avez-vous des amis qui ont un appartement? Si oui, qu'est-ce qu'il y a dans leur appartement?

8. Avez-vous un ami qui est marié? Si oui, comment s'appelle sa femme? Quel âge a-t-elle?
9. Avez-vous une amie qui est mariée? Si oui, comment s'appelle son mari? Quel âge a-t-il?
10. Avez-vous des amis qui ont des enfants? Si oui, combien d'enfants ont-ils? Comment s'appellent leurs enfants? Quel âge ont-ils?

E N T R E   A M I S   Un(e) de mes ami(e)s

Show your partner a picture of one of your friends and describe that person as completely as possible. Include information concerning name, age, physical description, address, and marital status. Talk about your friend's family, friends, and possessions.

D. *Rédaction:* **Votre correspondant(e).** Write a letter to a pen pal in Québec to describe your family. Begin your letter with the word **Cher(Chère)** (*Dear*) and end with **Bien amicalement** (*Yours truly*).

Lecture

A. **Prédictions.** Study the picture above and the title and first line of the reading on the next page. Can you predict what the reading is about?

B. À votre avis (*In your opinion*). Try to answer the following questions before reading the article.

1. Do French students normally have part-time jobs?
2. Which foreign language do most French students study?
3. What do university students do after class in France?
4. What might one watch on French TV at 10:00 P.M.?
5. Can you mention a few uses for foreign-language skills?
6. Why would a French family have foreign students living with them?
7. Are there graduate assistants at your university? If so, what do they do?

C. Les adverbes. Many adverbs in English end with the suffix **-ly.** Similarly, many French adverbs are formed by adding the ending **-ment** to an adjective. Scan the reading to find three such adverbs.

Deux Étudiants

Point out that the noun for *Frenchman* or *Frenchwoman* is simply the nationality written with a capital letter.

Marie Dubonnet est une jeune Française de 19 ans qui habite avec ses parents près de l'université de Besançon où elle étudie. Ses parents ont une grande maison et Marie est leur fille unique.[1] Ils ont des chambres libres[2] et c'est pourquoi il y a très souvent des étudiants français ou étrangers[3] qui habitent chez les Dubonnet.

Il est assez rare que les étudiants travaillent en France. Pourtant,[4] Marie a un petit job, le soir, entre[5] 5 heures et 7 heures. Elle garde les enfants d'un couple qui travaille. À l'université, elle a décidé d'étudier l'anglais, qui est la langue choisie par[6] la majorité des étudiants français. Marie désire être interprète et voyager beaucoup. Elle ne veut pas du tout être professeur.

Par contre,[7] un des jeunes étrangers qui habitent avec la famille Dubonnet désire vivement[8] être professeur. Il s'agit de[9] James Davidson, 22 ans. Il est américain et ses parents habitent à San Francisco.

James est assistant d'anglais à la faculté des lettres[10] de l'université de Besançon. Il donne dix heures de cours de conversation anglaise par semaine et Marie Dubonnet est dans un de ses groupes. Comme les autres étudiants, James et Marie sont souvent au café après[11] leurs cours. Ils parlent de beaucoup de choses et sont très contents d'être ensemble. Quelquefois, mais rarement, ils regardent ensemble les informations[12] à 10 heures du soir à la télévision, mais ils sont obligés de passer[13] beaucoup de temps[14] à étudier.

---

1. *only* 2. *free; vacant* 3. *foreign* 4. *However* 5. *between* 6. *chosen by* 7. *on the other hand* 8. *eagerly* 9. *It's* (lit. *It's a matter of*) 10. *College of Liberal Arts* 11. *after* 12. *news* 13. *spend* 14. *time.*

D. **Reprise.** Go back to exercise B and answer the questions based on what you have read.

E. **Vrai, faux, ou je ne sais pas.** Decide if each of the following statements is true, false, or if it was impossible to tell from the reading. If any of the statements are false, correct them.

1. Dans cette lecture, les Dubonnet sont une famille nombreuse.
2. Marie étudie le français.
3. James désire être professeur.
4. Ses parents sont anglais.
5. Les deux étudiants travaillent.
6. Beaucoup d'étudiants travaillent en France.
7. Marie n'aime pas parler anglais.
8. Marie et James sont célibataires.
9. Marie travaille deux heures par jour.
10. La majorité des étudiants français étudient l'anglais.
11. Marie et James sont fiancés.
12. Ils regardent souvent la télévision ensemble.

F. **Questions.** Answer the following questions in French.

1. Comment s'appellent les parents de Marie?
2. Quel âge a Marie?
3. Marie a combien de frères et de sœurs?
4. Pourquoi y a-t-il des étudiants qui habitent chez les Dubonnet?
5. Pourquoi James est-il en France?
6. Où est-ce que Marie et James travaillent?
7. Quand (*when*) sont-ils au café?
8. Quand regardent-ils la télévision?

Have students work in pairs to summarize the reading.

G. **Familles de mots.** One member of each of the following word families is found in the reading. Can you guess the meaning of these words?

1. libérer, libre, la liberté
2. étudier, un étudiant, une étudiante, des études
3. travailler, un travailleur, une travailleuse, le travail
4. voyager, un voyageur, une voyageuse, un voyage

H. **Comparaisons culturelles.** What similarities or differences between students in France and students in North America can you deduce from what you have read?

Vocabulaire actif

Possessions

un appartement	*apartment*	un livre	*book*
un bureau	*desk*	une machine à laver	*washing machine*
une calculatrice	*calculator*	une maison	*house*
une chaise	*chair*	une mobylette	*moped, motorized bicycle*
une chambre	*bedroom*	une moto	*motorcycle*
un chat	*cat*	un ordinateur	*computer*
un chien	*dog*	un réfrigérateur	*refrigerator*
une cuisinière	*stove*	un sofa	*sofa*
un fauteuil	*armchair*	une stéréo	*stereo*
un garage	*garage*	un vélo	*bicycle*
un lave-vaisselle	*dishwasher*	une voiture	*automobile*
un lit	*bed*		

La famille

un beau-frère	*stepbrother (or brother-in-law)*	un grand-père	*grandfather*
un beau-père	*stepfather (or father-in-law)*	des grands-parents (*m. pl.*)	*grandparents*
des beaux-parents (*m. pl.*)	*stepparents (or in-laws)*	un mari	*husband*
		une mère	*mother*
une belle-mère	*stepmother (or mother-in-law)*	un neveu	*nephew*
une belle-sœur	*stepsister (or sister-in-law)*	une nièce	*niece*
un(e) cousin(e)	*cousin*	un oncle	*uncle*
un(e) enfant	*child*	des parents (*m. pl.*)	*parents; relatives*
une famille	*family*	un père	*father*
une femme	*wife*	une petite-fille	*granddaughter*
une fille	*daughter*	un petit-fils	*grandson*
un fils	*son*	des petits-enfants (*m. pl.*)	*grandchildren*
un frère	*brother*	une sœur	*sister*
une grand-mère	*grandmother*	une tante	*aunt*

D'autres personnes

un(e) camarade de chambre	*roommate*	un garçon	*boy*
un(e) enfant	*child*	un(e) petit(e) ami(e)	*boyfriend/girlfriend*
un(e) étudiant(e)	*student*	une petite fille	*little girl*
une fille	*girl*		

D'autres noms

l'âge (*m.*)	*age*	un membre	*member*
un an	*year*	une photo	*photograph*
la gare	*(train) station*	un train	*train*

Adjectifs possessifs

mon, ma, mes	*my*	notre, nos	*our*
ton, ta, tes	*your*	votre, vos	*your*
son, sa, ses	*his; her*	leur, leurs	*their*

Nombres

zéro	*zero*	dix	*ten*	vingt	*twenty*
un/une	*one*	onze	*eleven*	vingt et un	*twenty-one*
deux	*two*	douze	*twelve*	vingt-deux	*twenty-two*
trois	*three*	treize	*thirteen*	trente	*thirty*
quatre	*four*	quatorze	*fourteen*	quarante	*forty*
cinq	*five*	quinze	*fifteen*	cinquante	*fifty*
six	*six*	seize	*sixteen*	soixante	*sixty*
sept	*seven*	dix-sept	*seventeen*	soixante-dix	*seventy*
huit	*eight*	dix-huit	*eighteen*	soixante et onze	*seventy-one*
neuf	*nine*	dix-neuf	*nineteen*	soixante-douze	*seventy-two*

D'autres adjectifs

autre	*other*
charmant(e)	*charming*
gentil(le)	*nice*

Articles indéfinis

un/une	*a, an*
des	*some; any*

Verbes

avoir	*to have*
passer (un an)	*to spend (a year)*

Adverbes

combien (de)	*how many; how much*
encore	*still; again; more*
trop (de)	*too much; too many*

Préposition

sur	*on*

Conjonction

si	*if*

Expressions utiles

Comment s'appelle-t-il (elle)?	*What's his (her) name?*
Comment s'appellent-ils (elles)?	*What are their names?*
Il (elle) s'appelle ...	*His (her) name is ...*
Ils (elles) s'appellent ...	*Their names are ...*
il y a	*there is (are)*
Je vous présente ...	*Let me introduce you to ...*
Qu'est-ce qu'il y a ... ?	*What is there ... ?*
Qu'est-ce qu'il y a?	*What's the matter?*
Quel âge avez-vous? (a-t-il?, etc).	*How old are you? (is he?, etc.)*
sans doute	*probably*
Si!	*Yes!*
sur la photo	*in the picture*
voici	*here is; here are*

L'identité

Buts communicatifs
Describing personal attributes
Describing clothing
Describing people and things
Describing what you do at
  home
Identifying someone's
  profession

Structures utiles
Quelques groupes d'adjectifs
Ne ... jamais
Les adjectifs de couleur
L'adjectif démonstratif
La place de l'adjectif
Le verbe **faire**
Les mots interrogatifs **qui,**
  que et **quel**

Culture
Au pair
Le franglais

Coup d'envoi

**Qu'est-ce que c'est?
(Quel est ce vêtement?°)**

What is this article of clothing?

C'est ...

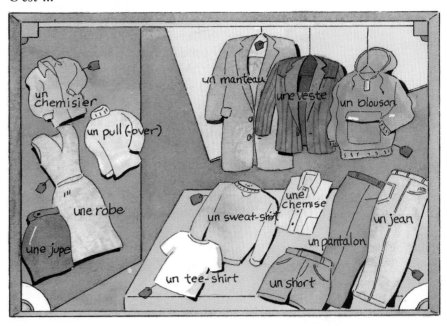

Ce sont° ...

These are

✤ **Et vous?** Qu'est-ce que vous portez?°
Moi, je porte ...

What are you wearing?

Lettre

Une lettre au professeur

Lori Becker adresse une lettre à son professeur américain, Madame Walter.

Angers, le 2 octobre

Chère Madame,

Me voilà en France! Je suis jeune fille au pair[1] chez[2] les Delille, une famille qui habite à Angers. Cela me donne[3] beaucoup de travail parce que[4] les Delille ont sept enfants! Mais ils sont tous[5] très gentils dans cette[6] famille et je suis vraiment contente d'être là[7]. Je garde deux des enfants pendant que[8] leurs parents travaillent et je fais[9] aussi un peu de ménage[10]. Mais c'est Mme Delille qui fait la cuisine[11] et les enfants font la vaisselle[12] après[13] le dîner.

Ces[14] enfants sont des «professeurs de français» formidables[15]. Ils me posent souvent des questions[16] pour tester mon vocabulaire. Ils me demandent[17], par exemple, «Qu'est-ce que c'est?», «Comment est-ce qu'on écrit ... ?», etc. Comme ça[18], je fais beaucoup de progrès. Il faut[19] travailler mais je m'amuse beaucoup[20].

J'ai remarqué que[21] les jeunes Français s'habillent[22] comme les jeunes Américains. Ils portent souvent un pull, un tee-shirt ou un sweat-shirt. Et tout le monde[23] porte un jean.

Je vous remercie de tout ce que vous avez fait[24] pour moi. On me dit[25] quelquefois «Bravo, Lori» et «Tu parles bien le français.» Quelle chance[26] pour moi d'être ici!

Bien amicalement, votre étudiante,

Lori Becker

tee-shirt = [ti/œrt] and **sweat-shirt** = [switʃ/œrt].

1. *nanny* 2. *at the house of* 3. *that gives me* 4. *because* 5. *all* 6. *this* 7. *here* 8. *while* 9. *do* 10. *housework* 11. *does the cooking* 12. *do the dishes* 13. *after* 14. *these* 15. *great* 16. *often ask me questions* 17. *They ask me* 18. *that way* 19. *It is necessary* 20. *I have a lot of fun* 21. *I noticed that* 22. *dress* 23. *everybody* 24. *Thank you for all you have done* 25. *They tell me* 26. *What luck*

✦ **Compréhension.** Taking turns, read the following statements with your partner. Decide whether they are true (**C'est vrai**) or false (**C'est faux**). If a sentence is false, correct it.

1. Lori Becker habite à Angers.
2. Elle habite chez ses parents.
3. Elle travaille pour les Delille.
4. Elle fait la cuisine et la vaisselle.
5. Elle n'aime pas les questions des enfants.
6. Les vêtements des jeunes Français sont très différents des vêtements des jeunes Américains.
7. Lori aime être en France.

The answer to the cultural question is **c**.

✤ Pourquoi est-ce que Lori fait le ménage et garde les enfants de Madame Delille?

a. Elle est masochiste.
b. Elle est très gentille et désire aider (*help*) la famille Delille.
c. Il y a souvent des jeunes filles qui habitent avec une famille française et qui travaillent pour payer leur chambre et leurs repas (*meals*).

Au pair

Many young women from foreign countries work as **jeunes filles au pair** in France. They are able to spend a year abroad by agreeing to work in a French home. In exchange for room and board, but only a token salary, they do some light housework and help to take care of the children. Lori is **au pair chez les Delille.**

Le franglais

Borrowing inevitably takes place when languages come in contact. The Norman conquest in 1066 introduced thousands of French words into English and many English words have been borrowed by the French. While some of these French cognates are obvious in meaning (**le chewing-gum, un tee-shirt, un sweat-shirt**), others may surprise you: **un smoking,** for instance, means *a tuxedo*. Official measures have been adopted in France to try to stem the flow of English expressions. Currently, for example, the term **le logiciel** is being encouraged rather than the English cognate **le software**.

Le bonheur d'être en sweat.

IL Y A UN GESTE

Bravo! The "thumbs up" gesture is used in French to signify approval.

À vous. Describe to your partner what your classmates are wearing.

Modèle: VOTRE PARTENAIRE: **Qu'est-ce que Sean porte aujourd'hui** (*today*)?
                   VOUS: **Il porte ...**

ENTRE AMIS J'aime beaucoup vos chaussures. Elles sont très belles.

1. Compliment your partner on some article of clothing s/he is wearing.
2. S/he should respond in a culturally appropriate manner.
3. Point to two other articles of clothing and ask what they are.
4. If s/he doesn't know, s/he should say **Je ne sais pas.**
5. If s/he *is* able to name the articles, be sure to say that s/he speaks French well.

Les voyelles nasales: [ɛ̃], [ɑ̃] et [ɔ̃]

■ Note the pronunciation of the following words:

[ɛ̃] □ *im*possible, *im*probable, *in*telligent, c*in*quante, v*in*, v*in*gt, m*in*ce

□ s*ym*pathique, s*ym*phonie, s*yn*thèse

□ f*aim,* améric*ain,* maroc*ain,* mexic*ain,* tr*ain*

□ h*ein*

□ canadi*en,* itali*en,* bi*en,* je vi*en*s, chi*en,* combi*en,* ti*en*s

[ɑ̃] □ ch*am*bre, *an,* fr*an*çais, ch*an*ter, m*an*ger, gr*an*d, pend*an*t, étudi*an*te, t*an*te, dem*an*dent

□ *en*sem*b*le, m*em*bre, par ex*em*ple, *en,* *en*core, comm*en*t, souv*en*t

Exception: exam*en* [ɛgzamɛ̃]

[ɔ̃] □ t*om*ber, c*om*bien, n*om,* prén*om,* *on,* *on*t, c*on*versation, n*on,* *on*cle, *on*ze

■ Now go back and look at how these sounds are spelled and in what kinds of letter combinations they appear. What patterns do you notice?

■ Unless the letters **m** and **n** are directly followed by a written vowel, they are not normally pronounced. They serve instead to indicate that the preceding vowel is nasal.

c*in*quante   *en*sem*b*le   c*om*bien

Note: When written **m** or **n** (or **mm** or **nn**) *is* followed by a written vowel, the preceding vowel is *not* nasal. Practice saying the following words after your teacher, paying particular attention to the highlighted vowel sound. In these words, the highlighted vowel sound is *not* nasal.

*a*mi	crè*m*e	li*m*onade	co*mm*e	*u*ne
*a*méricain	mê*m*e	chi*n*ois	co*mm*ent	*u*niversité
Mad*a*me	*ai*me	pati*n*er	télépho*n*e	br*u*ne
ex*a*men	améric*ai*ne	cuisi*n*ière	bo*nn*e	l*u*nettes
c*a*nadien	cert*ai*nement	cousi*n*e	perso*nn*e	f*u*me

✤ In each of the following pairs of words, one of the words contains a nasalized vowel and one does not. Pronounce each word correctly.

1. impossible/immobile
2. minuit/mince
3. faim/aime
4. marocain/marocaine
5. canadienne/canadien
6. une/un
7. ambulance/ami
8. anglaise/année
9. crème/membre
10. dentiste/Denise
11. combien/comment
12. bonne/bon

Buts communicatifs

1. Describing Personal Attributes

Bring in magazine pictures to cue some of these words.

Comment est votre meilleur(e) ami(e)? Est-il (elle) ...

calme	ou	nerveux (nerveuse)?	
charmant(e)	ou	désagréable?	
discret (discrète)	ou	bavard(e)°?	*talkative*
généreux (généreuse)	ou	avare°?	*miserly*
gentil(le)	ou	méchant(e)°?	*mean*
heureux (heureuse)	ou	triste°?	*sad*
intelligent(e)	ou	stupide?	
intéressant(e)	ou	ennuyeux (ennuyeuse)°?	*boring*
optimiste	ou	pessimiste?	
patient(e)	ou	impatient(e)?	
travailleur (travailleuse)	ou	paresseux (paresseuse)°?	*lazy*

✤ **Et vous?** Comment êtes-vous? Comment sont vos professeurs?

IL Y A UN GESTE

Ennuyeux. The gesture for **ennuyeux** is made by rubbing the knuckles back and forth on the side of the jaw. This rubbing of the "beard" is used to indicate that something is so boring that one could grow a beard while it is happening.

Paresseux. The thumb and index fingers of one hand "caress" an imaginary hair in the palm of the other hand. This gesture signifies that someone is so lazy that a hair could grow in his/her palm.

You may also wish to teach the expressions **la barbe** and **Il a un poil dans la main.**

1. **La famille de Sandrine.** Correct the following false impressions, beginning with **Mais pas du tout!** Make sure each adjective agrees with the noun it modifies.

Modèle: Le frère de Sandrine est désagréable.
Mais pas du tout! Il est charmant.

1. Sandrine est paresseuse.
2. Ses parents sont ennuyeux.
3. Leurs enfants sont très stupides.
4. La mère de Sandrine est triste et pessimiste.
5. Ses frères sont désagréables.
6. La sœur de Sandrine est méchante.
7. Son père est impatient.
8. Sa famille est bavarde.

A. Quelques groupes d'adjectifs

Remind students that adjectives ending in **-x** in the masculine singular keep the same form and pronunciation in the masculine plural.

féminin	*masculin*
discrète(s)	discret(s)
ennuyeuse(s)	ennuyeux
généreuse(s)	généreux
heureuse(s)	heureux
nerveuse(s)	nerveux
paresseuse(s)	paresseux
travailleuse(s)	travailleur(s)
gentille(s)	gentil(s)
intellectuelle(s)	intellectuel(s)
active(s)	actif(s)
sportive(s)	sportif(s)
naïve(s)	naïf(s)
veuve(s)	veuf(s)

Some feminine adjectives differ from the masculine by a double final consonant as well as by a final **-e.**

Final consonants **c, f, l,** & **r** are usually pronounced: **chic, sportif, intellectuel, travailleur.**

■ The -l in the masculine form **gentil** is not pronounced. The final consonant sound of the feminine form **gentille** is [j], like the English **y** in *yes*.

gentil   [ʒɑ̃ti]   gentille   [ʒɑ̃tij]

■ In written French, some feminine adjectives (ending in -e- + consonant + -e) are distinguishable from their masculine forms not only by a final -e, but also by a grave accent on the -e- before the consonant.

chère   cher   discrète   discret

■ Some French adjectives are invariable. There is no change to indicate gender or number.

deux femmes **snob**   des chaussures **chic**

2. **Qui est comme ça?** Answer the following questions. Make sure each adjective agrees with the subject.

Modèle: Qui est patient dans votre famille?
Ma mère est patiente.
Mes sœurs sont patientes aussi.

If Exercise 2 is assigned as written homework, remind students to add an **-s** in the plural, unless the word ends in **-s** or **-x.**

1. Qui est travailleur dans votre famille?
2. Qui est bavard dans votre cours de français?
3. Qui est quelquefois triste?
4. Qui est généreux et optimiste?
5. Qui est sportif?
6. Qui est discret?
7. Qui est snob?
8. Comment sont vos parents?
9. Avez-vous des amis qui sont intellectuels? Si oui, comment s'appellent-ils?
10. Et vous? Comment êtes-vous?

3. **Un test de votre personnalité.** Complete the questionnaire by answering **oui** or **non**. Then read the analysis that follows and write a paragraph to describe yourself.

	oui	*non*
1. Vous parlez beaucoup avec certaines personnes, mais vous refusez de parler avec tout le monde.	——	——
2. Vous aimez beaucoup les sports, mais vous détestez étudier et travailler.	——	——
3. Vous détestez jouer, danser ou chanter avec les autres, mais vous aimez bien étudier.	——	——
4. Vous avez beaucoup d'argent (*money*), mais vous ne donnez pas d'argent à vos amis.	——	——
5. Vous n'avez pas d'argent, mais vous n'êtes jamais (*you are never*) triste.	——	——
6. Votre conversation est agréable et vous parlez avec tout le monde.	——	——
7. Vous étudiez beaucoup, vous aimez parler français et vous pensez que (*think that*) votre professeur de français est charmant.	——	——

paresseux

SPORTIF

intellectuel

Une analyse de vos réponses

1. Si vous répondez **oui** au numéro 1, vous êtes extroverti(e) et bavard(e), mais vous êtes aussi un peu snob.
2. Si vous répondez **oui** au numéro 2, vous êtes sportif (sportive), mais paresseux (paresseuse) aussi. Vous n'avez probablement pas de bonnes notes (*good grades*).
3. Un **oui** au numéro 3, et vous êtes introverti(e), mais aussi travailleur (travailleuse). Vous avez probablement des notes excellentes.
4. Un **oui** au numéro 4, et vous êtes avare et pessimiste. Vous n'avez probablement pas beaucoup d'amis.
5. Si vous répondez **oui** au numéro 5, vous êtes optimiste et heureux (heureuse), mais peut-être aussi un peu naïf (naïve).
6. Si vous répondez **oui** au numéro 6, vous n'êtes pas du tout ennuyeux (ennuyeuse). Vos amis sont contents d'être avec vous.
7. Enfin (*finally*), si votre réponse est **oui** au numéro 7, vous êtes certainement très intelligent(e), charmant(e) et intéressant(e). Les professeurs de français adorent les étudiant(e)s comme vous.

B. *Ne ... jamais*

Mon amie **n'**est **jamais** méchante.	*My friend is never mean.*
Mon petit ami **ne** porte **jamais** de chaussettes.	*My boyfriend never wears socks.*

■ **Ne ... jamais** (*never*) is placed around the conjugated verb just like **ne ... pas**. It is one of the possible answers to the question **Quand?** (*When?*).

Quand est-ce que tu étudies?
Je **n'**étudie **jamais**!

Note: **Jamais** can be used alone to answer a question.

Quand est-ce que tu pleures?
Jamais!

Vocabulaire: Adverbes qui répondent à *Quand?*

aujourd'hui	*today*	souvent	*often*
maintenant	*now*	quelquefois	*sometimes*
toujours	*always*	rarement	*rarely*
d'habitude	*usually*	(ne ...) jamais	*never*
généralement	*generally*		

4. **Comment sont-ils?** Describe the following people with as many true sentences as you can create. Use items from the lists below (or their opposites). Make all necessary changes, paying special attention to the form of the adjectives.

Modèle: **Mes parents ne sont jamais impatients.**
Ils sont toujours patients.

Follow up with a stand-up drill. Each student has to give an example: **Mon oncle est généreux; il n'est jamais avare.** See Instructor's Manual for a description of a stand-up drill.

mes parents		méchant
je	ne ... jamais	triste
mon petit ami	rarement	paresseux
ma petite amie	quelquefois	bavard
mes amis	souvent	impatient
mon professeur	d'habitude	pessimiste
nous (les étudiants)	toujours	ennuyeux
le (la) président(e) de l'université		désagréable
		avare

5. **Cinq personnes que j'aime.** Write a description of five people you like. How much can you tell about each one?

As a warm-up after students have written the assignment, read one or more of the descriptions and see how many details students can remember.

Modèle: **Charles Thomas est mon ami.**
Charles est petit et un peu gros.
Il est très gentil et intelligent.
Mais il est aussi un peu paresseux.
Voilà pourquoi il n'est pas du tout sportif.

E N T R E   A M I S   Qui est la personne sur la photo?

1. Show your partner a picture (real or imaginary) of someone.
2. Identify that person (name, age, address).
3. Describe his/her personality.
4. Give a physical description as well.
5. Tell what the person is wearing in the picture.

2. Describing Clothing

une cravate — une chemise

une montre

une ceinture

un complet

des chaussettes (f.)

des chaussures (f.)

des lunettes (f.) — un chapeau

un foulard

des gants (m.)
un imperméable

des bottes (f)

Voilà Jean-Pierre.
Qu'est-ce qu'il porte?

Il porte un complet, une chemise,
  une cravate, une montre, une ceinture,
  des chaussettes et des chaussures.

Voilà Marie-Claire.
Qu'est-ce qu'elle porte?

Elle porte un chapeau, un foulard,
  un imperméable, des gants et des bottes.
  Elle porte aussi des lunettes.

   ❖   **Et vous?** Qu'est-ce que vous portez aujourd'hui?

---

6. **Qu'est-ce que c'est?** Identify the following items.

Modèles:

—Qu'est-ce que c'est?
—C'est une ceinture.

—Qu'est-ce que c'est?
—Ce sont des chaussures.

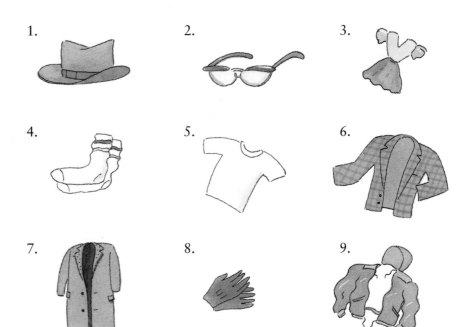

1. 2. 3.

4. 5. 6.

7. 8. 9.

7. **Qu'est-ce qu'ils portent?** Combine words from each column to create as many factual sentences as you can.

Modèles: **Le professeur ne porte jamais de jean.**
Je porte souvent un tee-shirt.

Have students describe the clothing preferences of their classmates.

nous			jean
je			robe
les étudiants		ne ... jamais	sweat-shirt
le professeur	porter	rarement	pull
mon ami(e)		quelquefois	veste
les jeunes filles		souvent	chaussettes
les garçons		d'habitude	short
		toujours	tee-shirt
			lunettes
			chapeau
			blouson

Point out that **Il est** often precedes an adjective, and **c'est** often precedes a noun.

C. Les adjectifs de couleur

De quelle couleur est le pantalon de Jean-Pierre?
Il est **gris.** C'est un pantalon **gris.**

De quelle couleur est sa chemise?
Elle est **bleue.** C'est une chemise **bleue.**

De quelle couleur sont ses chaussures?
Elles sont **noires.** Ce sont des chaussures **noires.**

✤ **Et vous?** De quelle couleur sont vos vêtements?

Vocabulaire: Quelques couleurs

	Féminin	Masculin		Féminin	Masculin
⬜	blanche	blanc	⬛	bleue	bleu
⬛	brune	brun	⬜	jaune	jaune
⬛	grise	gris	⬛	noire	noir
⬛	verte	vert	⬛	orange	orange
⬛	violette	violet	⬛	rose	rose
⬜	beige	beige	⬛	rouge	rouge

Note: Plurals of colors are formed by adding **-s.** Exceptions in this list are **gris,** which already ends in **-s,** and **orange,** which is invariable: **des éléphants** *gris;* **des cheveux** *orange.*

8.

De quelle couleur sont leurs vêtements? Ask your partner about the color of the following articles of clothing.

Modèles:

Follow up: Use real names and clothing of students in the class.

les chaussures de Jérôme (brun)
        VOUS: **De quelle couleur sont ses chaussures?**
VOTRE PARTENAIRE: **Elles sont brunes. Ce sont des chaussures brunes.**

le pull de Martine (bleu)
        VOUS: **De quelle couleur est son pull?**
VOTRE PARTENAIRE: **Il est bleu. C'est un pull bleu.**

1. la cravate de Denis (jaune et bleu)
2. la robe de Françoise (vert)
3. la veste de Jean (gris)

4. l'imperméable d'Annette (blanc)
5. les chaussettes (*f.*) d'un(e) étudiant(e) dans la salle de classe
6. la chemise d'une autre personne
7. les chaussures (*f.*) de votre partenaire
8. les vêtements (*m.*) du professeur

Confortable is not used to describe how a person feels. It is used to describe a thing: **une chemise confortable, une vie confortable.**

Vocabulaire: Pour décrire (*to describe*) les vêtements

bizarre	*weird, funny-looking*
bon marché	*inexpensive*
cher (chère)	*expensive*
chic	*stylish*
confortable	*comfortable*
élégant(e)	*elegant*
ordinaire	*ordinary, everyday*
propre	*clean*
sale	*dirty*
simple	*simple, plain*

Note: **Chic** and **bon marché** are invariable. They do not change in the feminine or in the plural: **Ce sont des chaussures *chic,* mais elles sont *bon marché.***

An alternate gesture is to rub the thumb, index, and middle fingers together.

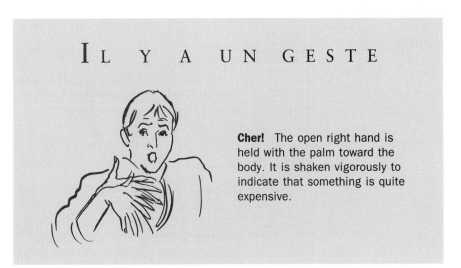

I L Y A U N G E S T E

Cher! The open right hand is held with the palm toward the body. It is shaken vigorously to indicate that something is quite expensive.

9. **Comment sont leurs vêtements?** Ask your partner what the following articles of clothing are like.

Modèle: la robe de Simone (cher)
                     VOUS: **Comment est sa robe?**
    VOTRE PARTENAIRE: **Elle est chère. C'est une robe chère.**

Item 2: Explain the pronunciation of **clown** = [klun].

1. la veste de Martin (élégant)
2. les chaussures d'un clown (bizarre)
3. le sweat-shirt de la fille de Monsieur Dupont (propre)
4. la robe de Pascale (chic)
5. les tennis (*m. pl.*) d'un(e) étudiant(e) dans la salle de classe
6. l'imperméable de l'inspecteur Colombo
7. les vêtements du professeur
8. vos vêtements

10. **À vous.** Answer the following questions.

1. Qu'est-ce que vous portez aujourd'hui?
2. De quelle couleur sont vos vêtements?
3. Décrivez les vêtements que vous portez.
4. Décrivez les vêtements d'un(e) autre étudiant(e).
5. Qu'est-ce que le professeur porte d'habitude?
6. De quelle couleur sont ses vêtements?
7. Qui ne porte pas de jean au cours de français?
8. Qui porte rarement des chaussures bon marché?
9. Qu'est-ce que les étudiants portent pour skier ou pour patiner?

Do this in class as a paired writing exercise. Read the paragraphs out loud and have the class guess who is being described.

11. **Qui est-ce?** Describe as completely as possible the clothing of a fellow classmate.

Modèle: **Cette personne porte un pull jaune et un pantalon vert. Elle porte des chaussures brunes. Elle ne porte pas de chaussettes. Ses vêtements ne sont peut-être pas très élégants mais ils sont propres.**

Put students back-to-back when phoning. Have them copy down each other's description. Follow up with a fashion show: One student reads the description and the other stands and models: **Karen porte …**

E N T R E   A M I S   Au téléphone

You are meeting a friend for dinner in twenty minutes.

1. Call to find out what s/he is wearing.
2. Find out the colors of his/her clothing.
3. Describe what you are wearing as completely as possible.

D. L'adjectif démonstratif

Cette femme est très intelligente.	*That (this) woman is very intelligent.*
Ce vin est excellent!	*This (that) wine is excellent.*
Vous aimez **cet** appartement?	*Do you like this (that) apartment?*
Qui sont **ces** deux personnes?	*Who are those (these) two people?*

	singulier	*pluriel*
masculin:	ce (cet)	ces
féminin:	cette	ces

■ The demonstrative adjectives are the equivalent of the English adjectives *this (that)* and *these (those)*.

ce garçon	*this boy*	or	*that boy*
cet ami	*this (male) friend*	or	*that (male) friend*
cette amie	*this (female) friend*	or	*that (female) friend*
ces amis	*these friends*	or	*those friends*

■ **Cet** is used before masculine singular words that begin with a vowel sound. It is pronounced exactly like **cette**.

cet homme	*this man*	or	*that man*
cet autre professeur	*this other teacher*	or	*that other teacher*

■ If the context does not distinguish between the meanings *this* and *that* or *these* and *those*, it is possible to make the distinction by adding **-ci** (for *this/these*) or **-là** (for *that/those*) to the noun.

J'aime beaucoup cette chemise-**ci**.	*I like this shirt a lot.*
Ces femmes-**là** sont françaises.	*Those women are French.*

12.

Au grand magasin (*At the department store*). While shopping, you over-hear a number of comments but are unable to make out all the words. Try to complete the following sentences using one of the demonstrative adjectives **ce, cet, cette,** or **ces,** as appropriate.

1. Vous aimez ＿＿ chaussures? Oui, mais je déteste ＿＿ chemise.
2. ＿＿ pantalon est beau. Mais ＿＿ jupes sont très chères.
3. ＿＿ jean est trop petit pour ＿＿ homme-là.
4. Je ne sais pas comment s'appelle ＿＿ vêtement-là.
5. ＿＿ robes sont jolies, mais ＿＿ sweat-shirt est laid.
6. J'aime beaucoup ＿＿ pull-là, mais je trouve ＿＿ veste trop longue.

13.

Non, je n'aime pas ça. Your shopping has made you tired and grouchy. Respond to your friend's questions or comments by saying that you dislike the item(s) in question. Use a demonstrative adjective in each response and invent a reason for your disapproval.

Modèle: Voilà une robe rouge.
Je n'aime pas beaucoup cette robe; elle est trop chère.

Brainstorm with the class for possible reasons for disliking items before putting students in pairs.

1. Voilà une belle cravate.
2. Voilà un ordinateur!
3. Oh! la petite calculatrice!
4. C'est un beau chapeau!
5. Tu aimes les chaussures vertes?
6. Voilà des chaussettes blanches intéressantes.
7. J'adore le chemisier bleu.
8. Tu aimes la veste de ce monsieur?

3. Describing People and Things

De quelle couleur sont les yeux° et les cheveux° de Michèle?   *eyes/hair*
Elle a les yeux bleus.
Elle a les cheveux blonds.

De quelle couleur sont les yeux et les cheveux de Thierry?
Il a les yeux verts et les cheveux roux°.   *red*

De quelle couleur sont les yeux et les cheveux de Monsieur Monot?
Il a les yeux noirs, mais il n'a pas de cheveux.
Il est chauve°.   *bald*

✤ **Et vous?**   De quelle couleur sont vos yeux et vos cheveux?

Buts communicatifs   **119**

Remarques:

1. Use the definite article **les** with the verb **avoir** to describe the color of a person's hair and eyes.

    Thierry **a les** yeux verts et **les** cheveux roux.

The singular **cheveu** refers to a single strand of hair.

2. The word **cheveu** is almost always used in the plural, which is formed by adding **-x.**

    Michèle a **les cheveux** blonds.

3. Note that the adjective used to describe red hair is **roux (rousse)**, never **rouge.**

    Il a les cheveux **roux.**   Notre petite-fille est **rousse.**

---

14. **Leurs yeux et leurs cheveux.** Complete the following sentences with a form of the verb **être** or **avoir**, as appropriate.

1. Mon père ____ les yeux bleus. Il ____ chauve.
2. Brigitte et Virginie ____ les cheveux roux.
3. Vous ____ les yeux noirs.
4. De quelle couleur ____ les yeux de votre mère?
5. Elle ____ les yeux verts.
6. Mes oncles ____ les cheveux blonds, mais ils ____ aussi un peu chauves.
7. Mes sœurs ____ les yeux bleus.

15. **De quelle couleur ... ?** Ask and answer questions with a partner based on the list below. If you don't know the answer, guess.

Modèles: vos yeux

VOUS: **De quelle couleur sont vos yeux?**
VOTRE PARTENAIRE: **J'ai les yeux verts.**

Follow up: Have students report as many of their partner's answers as they can.

les cheveux de votre oncle

VOUS: **De quelle couleur sont les cheveux de votre oncle?**
VOTRE PARTENAIRE: **Il n'a pas de cheveux. Il est chauve.**

1. vos yeux
2. vos cheveux
3. les yeux de votre meilleur(e) ami(e)
4. les cheveux de votre meilleur(e) ami(e)
5. les yeux et les cheveux d'un(e) autre étudiant(e)
6. les cheveux de vos grands-parents
7. les yeux et les cheveux de vos frères et sœurs (ou de vos amis)
8. les yeux et les cheveux du professeur de français

ENTRE AMIS Dans ma famille

1. Find out how many people there are in your partner's family.
2. Find out their names and ages.
3. Find out the color of their hair.
4. Find out their eye color.

E. La place de l'adjectif

un livre **intéressant**	*an interesting book*
une femme **charmante**	*a charming woman*
un **bon** livre	*a good book*
l'**autre** professeur	*the other teacher*

■ Most adjectives (including colors and nationalities) follow the noun they modify.

un homme **charmant**	un garçon **bavard**
une femme **intelligente**	une fille **sportive**
une robe **bleue**	une voiture **française**

■ Certain very common adjectives, however, normally precede the noun.

1. Some that you already know are:

autre	grand	joli
beau	gros	petit
bon	jeune	vieux

2. Two others that usually precede the noun are:

masculin singulier	féminin singulier	masculin pluriel	féminin pluriel	équivalent anglais
mauvais	**mauvaise**	**mauvais**	**mauvaises**	*bad*
nouveau	**nouvelle**	**nouveaux**	**nouvelles**	*new*

Point out that students have already learned the special form **cet** to replace **ce** before a noun beginning with a vowel sound.

3. **Beau, vieux,** and **nouveau** each have a special masculine singular form (**bel, vieil, nouvel**) for use when they precede a noun beginning with a vowel sound. These special forms are pronounced exactly like the feminine forms.

    un **bel** homme   un **vieil** ami   un **nouvel** appartement

4. Adjectives ending in a silent consonant are linked by liaison to words beginning with a vowel sound. When linked, a final -**s** or -**x** is pronounced [z] and a final -**d** is pronounced [t].

    un mauvais [z]hôtel   deux vieux [z]amis   un grand [t]hôtel

C'EST BEAU

For Recognition Only

■ In formal spoken and written French, **des** is replaced by **de** if a plural adjective comes *before* the noun.

	des professeurs intelligents	des voitures françaises
Mais:	de bons professeurs intelligents	d'autres voitures françaises

■ A few adjectives can be used either before or after the noun. Their position determines the exact meaning of the adjective.

un **ancien** professeur	*a former teacher*
un château **ancien**	*an ancient castle*
le **pauvre** garçon	*the unfortunate boy*
le garçon **pauvre**	*the boy who has no money*

16.   **C'est vrai.**   Restate the following sentences.

Modèles: Les chaussures de Monsieur Masselot sont sales.
C'est vrai. Il a des chaussures sales.

L'appartement de Monsieur Masselot est vieux.
C'est vrai. Il a un vieil appartement.

1. L'appartement de Monsieur Masselot est beau.
2. Les enfants de Monsieur Masselot sont jeunes.
3. La femme de Monsieur Masselot est intelligente.
4. Les parents de Monsieur Masselot sont charmants.
5. Le chat de Monsieur Masselot est gros.
6. Le chien de Monsieur Masselot est méchant.
7. La voiture de Monsieur Masselot est mauvaise.
8. L'ordinateur de Monsieur Masselot est nouveau.

9. L'appartement de Monsieur Masselot est grand.
10. Le réfrigérateur de Monsieur Masselot est petit.
11. La cravate de Monsieur Masselot est bleue.
12. Les chaussettes de Monsieur Masselot sont bizarres.

17. **Quelques compliments.** Select items from each of the lists to pay a few compliments. How many compliments can you create? Make all necessary changes.

Modèles: **C'est une jolie robe.**
Tu as des chaussures chic.

Remind students of the French reaction to compliments. As an extension, have them respond to their partner's compliments.

You may require students to use **de** instead of **des** before plural adjectives that precede nouns. If you do, remind them that this is a more formal style.

		robe	joli
		maison	élégant
		appartement	bon
tu as	un	vêtements	magnifique
c'est	une	chemise	intéressant
ce sont	des	chemisier	superbe
		chaussettes	beau
		chaussures	formidable
		jean	chic

18. **Une identité secrète.** Choose the name of someone famous that everyone will recognize. The other students will attempt to guess the identity of this person by asking questions. Answer only **oui** or **non.**

Modèle: **C'est une femme?**
Est-ce qu'elle est belle?
A-t-elle les cheveux roux?
Est-ce qu'elle porte souvent des vêtements élégants?
etc.

Warm-up: Describe a student (clothing, hair, eyes, etc.) and ask the class to guess his/her identity.

E N T R E   A M I S   Mon ami(e)

Interview your partner to find out as much as you can about his/her best friend's personality and physical appearance. Inquire also about the clothing that the friend usually wears.

4. Describing What You Do at Home

Que fais°-tu chez toi°, Catherine? *do/at home*
    Je regarde la télé ou j'écoute la radio.
    J'étudie et je fais mes devoirs°. *my homework*
    Je fais souvent la cuisine°. *the cooking*
    Je parle avec mes parents.
    Je fais quelquefois la vaisselle°. *the dishes*
    Je fais rarement le ménage°. *housework*

✤ **Et vous?** Que faites-vous chez vous?

F. Le verbe *faire*

Je déteste **faire** les courses, mais j'aime **faire** la liste.	*I hate doing the shopping, but I like making the list.*
Ma mère **fait** les provisions.	*My mother does the shopping.*
Mes sœurs **font** la cuisine.	*My sisters do the cooking.*
Et c'est moi qui **fais** la vaisselle.	*And I'm the one who does the dishes.*

faire (*to do; to make*)			
je	**fais**	nous	**faisons**
tu	**fais**	vous	**faites**
il/elle/on	**fait**	ils/elles	**font**

■ The -ai- in **nous faisons** is pronounced [ə] as in **le, de,** etc.

■ The plural **les devoirs** means *homework.* The singular **la vaisselle** means *the dishes.*

Je fais toujours **mes devoirs.**	*I always do my homework.*
Je ne fais jamais **la vaisselle.**	*I never do the dishes.*

■ There are a number of idiomatic uses of the verb **faire.**

Je ne **fais** jamais **la sieste.**	*I never take a nap.*
Veux-tu **faire une promenade?**	*Would you like to take a walk (ride)?*
Quel temps fait-il?	*What is the weather like?*
Il fait chaud.	*It's hot out.*
Faites attention!	*Pay attention!* or *Watch out!*

■ A question using **faire** does not necessarily require the verb **faire** in the response.

Que **faites**-vous?
Je patine, je chante, je regarde la télé, j'écoute la radio, etc.

19. **Nous faisons beaucoup de choses.** Use the list below to create as many factual sentences as you can.

Modèles: **Mon petit ami ne fait jamais de promenade.**
Ma mère ne fait jamais la sieste.
Nous faisons souvent les courses.

mes amis			la vaisselle
mon petit ami		toujours	la sieste
ma petite amie		d'habitude	les courses
ma mère	faire	souvent	la cuisine
mon père		quelquefois	une promenade
nous (ma famille)		rarement	le ménage
je		ne ... jamais	les provisions
			attention

20. **À vous.** Answer the following questions.

1. Faites-vous toujours vos devoirs pour le cours de français?
2. Quand faites-vous la sieste?
3. Faites-vous une promenade après le dîner?
4. Est-ce que c'est le mari ou la femme qui fait d'habitude le ménage aux USA?
5. Qui aime faire les courses dans votre famille?
6. Aimez-vous faire la cuisine? Si non, qu'est-ce que vous aimez faire?
7. Aimez-vous la cuisine italienne?
8. Qui fait d'habitude la cuisine dans votre famille?
9. Qui fait d'habitude les provisions pour votre famille?

E N T R E   A M I S   Chez toi

1. Find out where your partner lives.
2. Find out who does the grocery shopping and who does the cooking at his/her house.
3. Ask if s/he likes French cooking.
4. Find out what s/he does or doesn't like to do.

---

5. Identifying Someone's Profession

—Qu'est-ce que tu veux faire dans la vie,° Chantal?
—Je voudrais être reporter. Et toi?
—Je ne sais pas encore.°

What do you want to do in life?

I don't know yet.

✦ **Et vous?** Qu'est-ce que vous voulez faire dans la vie?

Professions are listed in separate columns for masculine and feminine forms.

Most of the vocabulary used in this activity should remain passive. Individual words should, however, be activated to fit your specific classroom needs.

Aimez-vous les mots et les langues?
Voulez-vous être ...

interprète°	interprète	*translator, interpreter*
journaliste	journaliste	
reporter	_____	
écrivain°	_____	*writer*

Ask students to tell which professions they think are the most interesting: **À mon avis, les professions les plus intéressantes sont ...**

Est-ce que vous aimez le commerce?
  Voulez-vous être ...

homme d'affaires°	femme d'affaires°	*businessman/ businesswoman*
secrétaire	secrétaire	
vendeur°	vendeuse	*salesperson*
cadre°	_____	*executive*

Vous aimez les sciences?
  Voulez-vous être ...

chercheur°	chercheuse	*researcher*
dentiste	dentiste	
infirmier°	infirmière	*nurse*
pharmacien	pharmacienne	
ingénieur°	_____	*engineer*
médecin°	_____	*physician*

Êtes-vous bon(ne) en maths?
  Voulez-vous être ...

comptable°	comptable	*accountant*
informaticien°	informaticienne	*data processor*
programmeur°	programmeuse	*computer programmer*
banquier	_____	

Désirez-vous aider les autres?
  Voulez-vous être ...

assistant social°	assistante sociale	*social worker*
avocat°	avocate	*lawyer*
homme politique°	femme politique	*politician*
fonctionnaire°	fonctionnaire	*civil servant*
instituteur°	institutrice	*primary school teacher*
agent de police	_____	
pasteur°	_____	*protestant minister*
prêtre°	_____	*priest*
professeur°	_____	*lycée or university teacher/rabbi*
rabbin°	_____	
_____	religieuse°	*nun*
_____	ménagère°	*housewife*

Aimez-vous le travail manuel°?
  Voulez-vous être ...

manual work

cuisinier°	cuisinière	*cook*
ouvrier°	ouvrière	*laborer*
agriculteur°	_____	*farmer*
garagiste°	_____	*auto mechanic*
menuisier°	_____	*carpenter*

Vous aimez les arts ou les sports?
   Voulez-vous être ...

acteur	actrice	
architecte	architecte	
artiste	artiste	
athlète	athlète	
chanteur	chanteuse	
danseur	danseuse	
musicien	musicienne	
peintre°	peintre	*painter*
sculpteur	_____	

Remarques:

1. There are two ways to identify someone's profession:

Nouns of profession, nationality, and religion all act like adjectives when used this way.

□ One can use a name or a subject pronoun + **être** + profession, without any article.

Céline **est chanteuse.**	*Céline is a singer.*
Je **suis pharmacienne.**	*I am a pharmacist.*
Il **est garagiste.**	*He is an auto mechanic.*

□ For *he, she,* and *they,* one can also say **c'est** (**ce sont**) + indefinite article + profession.

C'est un cadre.	*He (she) is an executive.*
Ce n'est pas un employé;	*He isn't an employee;*
c'est le patron.	*he's the boss.*
Ce sont des fonctionnaires.	*They are civil servants.*

2. To give more detail, one can use a possessive adjective or an article with an adjective. **C'est** (**ce sont**), not **il/elle est** (**ils/elles sont**), is used.

C'est ton secrétaire?	*Is he your secretary?*
Monique est une athlète excellente.	*Monique is an excellent athlete.*
Ce sont des chefs français.	*They are French chefs.*

3. Certain professions are used only with masculine articles and adjectives (**un, mon, ce**). For a woman, one can either use the masculine articles and adjectives or add the word **femme** before these words.

Elle est médecin.   C'est **un** médecin.   C'est **une femme** médecin.

128   **Chapitre 4**

21. **Qu'est-ce qu'il faut faire?** (*What do you have to do?*) The following sentences tell what preparation is needed for different careers. Complete the sentences with the name of the appropriate career(s).

Modèle: Il faut étudier la biologie pour être **médecin, dentiste** ou **infirmier.**

Point out the very useful structure Il **faut** + **infinitive** (see p. 102) and drill it with different verbs before doing the exercise.

1. Il faut étudier la pédagogie pour être ...
2. Il faut étudier le droit (*law*) pour être ...
3. Il faut étudier la comptabilité pour être ...
4. Il faut étudier le commerce pour être ...
5. Il faut étudier le journalisme pour être ...
6. Il faut étudier l'agriculture pour être ...
7. Il faut étudier l'informatique (*computer science*) pour être ...
8. Il faut étudier la chimie (*chemistry*) pour être ...
9. Il faut parler deux ou trois langues pour être ...
10. Il faut désirer aider les autres pour être ...
11. Il faut avoir une personnalité agréable pour être ...
12. Il faut faire très bien la cuisine pour être ...
13. Il faut taper (*type*) rapidement pour être ...

22. **Cinq personnes que je connais** (*Five people I know*). Give a description of five people you know. How much can you tell about each one? Be sure to include information about what they do and what they want to do.

Modèle: **Anne Smith est étudiante. C'est une jeune fille travailleuse et très gentille. Elle a les cheveux roux et les yeux verts. Elle étudie le français parce qu'elle désire être femme d'affaires. Elle fait bien la cuisine et elle adore la cuisine française.**

Buts communicatifs

23. **Un petit sketch.** In groups of three, read or role-play the following sketch and then answer the questions at the end.

Madame Bernard et son fils, Jean, font les courses.
Voilà Madame Moineau qui arrive.

MME BERNARD: Tiens, c'est Madame Moineau. Bonjour, Madame.

MME MOINEAU: Quelle bonne surprise, Madame Bernard!
Bonjour, Monsieur. C'est votre fils évidemment,
Madame. C'est le portrait de son père.

MME BERNARD: Oui, je vous présente mon fils, Jean.

JEAN BERNARD: Bonjour, Madame.

MME BERNARD: Nous faisons les courses en famille. Mon fils ne
travaille pas aujourd'hui.

MME MOINEAU: Vous travaillez au (*at the*) garage Peugeot, n'est-
ce pas?

JEAN BERNARD: Non, je travaille maintenant aux (*at the*)
Nouvelles Galeries, Madame.

MME MOINEAU: Ah! Et qu'est-ce que vous faites?

JEAN BERNARD: Je suis vendeur.

MME BERNARD: Et vos enfants, Madame Moineau? Que font-ils?

MME MOINEAU: Ma fille est infirmière et mon fils est étudiant en
médecine.

JEAN BERNARD: Excusez-moi, s'il vous plaît, mais j'ai rendez-vous
(*I have an appointment*) à 2 heures.

MME MOINEAU: Certainement, jeune homme. Bonne journée!

JEAN BERNARD: Vous aussi, Madame. Au revoir, Madame. Au
revoir, Maman.

Questions

1. Combien d'enfants Madame Moineau a-t-elle?
2. Que font ses enfants?
3. Où Jean Bernard travaille-t-il?
4. Qu'est-ce qu'il fait?
5. Est-ce que Jean ressemble à sa mère?
6. Que font Jean et sa mère aujourd'hui?
7. Qu'est-ce que Jean fait cet après-midi?

Qui and que will be studied in detail in Chapter 15. For the present, students need only make the distinctions explained here.

G. Les mots interrogatifs *qui, que* et *quel*

Qui fait la cuisine dans votre famille?	*Who does the cooking in your family?*
Que faites-vous après le dîner?	*What do you do after dinner?*
À **quelle** heure dînez-vous?	*At what time do you eat dinner?*

■ **Qui** (*who, whom*) is a pronoun. Use it in questions as the subject of a verb or as the object of a verb or preposition.

Qui est-ce?	*Who is it?*
Qui regardez-vous?	*At whom are you looking?*
Avec **qui** parlez-vous?	*With whom are you talking?*

Point out that **que** can also mean *that*, as in **j'ai remarqué que ...**

■ **Que** (*what*) is also a pronoun. Use it in questions as the object of a verb. It will be followed either by inversion of the verb and subject or by **est-ce que**. There are therefore two forms of this question: **Que ... ?** and **Qu'est-ce que ... ?**

Que font-ils? **Qu'est-ce qu'**ils font? }	*What do they do?*

■ **Quel** (*which, what*) is an adjective. It is always used with a noun and agrees with the noun. Its forms are **quel, quelle, quels, quelles.**

Quel temps fait-il?	*What is the weather like?*
Quelles actrices aimez-vous?	*Which actresses do you like?*

Be sure students understand that translating English expressions literally may get them into trouble. Point out that it is better to memorize certain common expressions such as **Quel âge avez-vous?** and **Comment vous appelez-vous?**

Note: The noun may either follow **quel** or be separated from it by the verb **être.**

Quels vêtements portez-vous?	*Which clothes are you wearing?*
Quelle est votre **adresse**?	*What is your address?*

24.

Quelles questions!   Ask questions using the appropriate form of **quel** with the words provided below.

Modèle: profession
Quelle est votre profession?

Point out the use of **quelle** as an exclamation in the exercise title.

Follow up: Have students use exercises 24 & 25 to interview first the teacher (with books open) and then another student (with books closed).

1. heure/maintenant
2. à/heure/vous mangez
3. temps
4. nationalité
5. âge
6. vêtements/vous portez/quand il fait chaud
7. numéro (*m.*)/de téléphone
8. de/couleur/yeux

Buts communicatifs   **131**

25. *Qui, que* ou *quel?*   Complete the following sentences.

1. ___ fait le ménage chez toi?
2. ___ font vos parents?
3. ___ âge ont vos amis?
4. De ___ couleur sont les cheveux du professeur?
5. Avec ___ parlez-vous français?
6. À ___ heure dînez-vous d'habitude?
7. ___ désirez-vous faire dans la vie?
8. ___ faites-vous après le dîner?

26. À vous.   Answer the following questions.

1. Avez-vous des frères ou des sœurs? Si oui, que font-ils à la maison? Qu'est-ce qu'ils désirent faire dans la vie?
2. Que voulez-vous faire dans la vie?
3. Qu'est-ce que vous étudiez ce semestre?
4. Qu'est-ce que votre meilleur(e) ami(e) désire faire dans la vie?
5. Qui fait la cuisine chez vous?
6. À quelle heure faites-vous vos devoirs d'habitude?
7. Que font vos amis après le dîner?
8. Qui ne fait jamais la vaisselle?

27. Une nouvelle identité.   Give yourself a new identity and give the information requested in the form below as completely as possible.

AIR FRANCE
économique

Pour mieux vous servir, aidez-nous à vous mieux connaître.

Nom du passager _____

Adresse personnelle _____

_____ Pays _____

Ville _____ N° Tél. _____

Entreprise _____

_____ N° Tél. _____

Adresse professionnelle _____

Pays _____ Ville _____

Profession _____

Vol Air France N° _____ du _____
(mois et jour)

Tell students to use the new identity from Exercise 27.

E N T R E   A M I S   Dans un avion (*In an airplane*)

1. Greet the person sitting next to you on the plane.
2. Find out his/her name and address.
3. Find out what s/he does.
4. What can you find out about his/her family?
5. Find out what the family members do.

Révision et Intégration

A. **Portraits personnels.** Answer the following questions.

1. Décrivez les membres de votre famille.
2. Décrivez votre meilleur(e) ami(e).
3. Décrivez une personne dans la salle de classe. Demandez à votre partenaire de deviner (*guess*) l'identité de cette personne.

B. **Trouvez quelqu'un qui ...** Interview your classmates in French to find someone who ...

Modèle: wants to be a doctor

VOUS: **Est-ce que tu désires être médecin?**

UN(E) AUTRE ÉTUDIANT(E): **Oui, je désire être médecin.** ou
Non, je ne désire pas être médecin.

1. likes to wear jeans and a sweatshirt
2. is wearing white socks now
3. never wears a hat
4. has green eyes
5. likes to cook
6. hates to do housework
7. wants to be a teacher
8. takes a nap in the afternoon

C.

La fin du voyage (*The end of the trip*). Describe the drawing below as completely as possible.

Modèle: **Il y a un petit homme qui porte un chapeau.**

Vocabulaire supplémentaire

une brosse à cheveux	*hairbrush*
une brosse à dents	*toothbrush*
un peigne	*comb*
un rasoir	*razor*
un tube de dentifrice	*tube of toothpaste*
des ciseaux (*m. pl.*)	*scissors*
une serviette	*briefcase*
une valise	*suitcase*

D.

À vous. Answer the following questions.

1. De quelle couleur sont les vêtements que vous portez aujourd'hui?
2. Qu'est-ce que vos amis portent d'habitude en classe?
3. Quels vêtements aimez-vous porter quand il fait chaud?
4. De quelle couleur sont les yeux et les cheveux de votre meilleur(e) ami(e)?

Item 3: Remind students of the idiomatic use of **faire** in weather expressions: **Il fait chaud.** This will be taught in more detail in Ch. 7.

5. Qui a les yeux bleus et les cheveux bruns?
6. Que faites-vous à la maison?
7. Que font les autres membres de votre famille chez vous?
8. Que voulez-vous faire dans la vie?
9. Qu'est-ce que votre meilleur(e) ami(e) désire faire?

E N T R E A M I S   Une recommandation

*You have agreed to recommend one of your friends
for a job **au pair**. A prospective employer calls you.
Answer his/her questions, giving ...*

1. a positive character reference
2. a physical description
3. one or more of your friend's career goals

E.   *Rédaction:* **Deux de mes camarades.**   Using Lori Becker's letter (p. 102) as a model, write a letter to your pen pal in Québec to describe two of your classmates who are also studying French. Be sure to mention what they do (and don't do). Indicate their career goals as well (guess if you don't know).

Lecture

Offres d'emplois	
1 Bébé, un an et demi, cherche fille au pair de nationalité américaine ou canadienne, expérience avec enfants. Appelez Cunin en fin de matineé 43.07.47.26.	**2** Professeurs anglophones pour enseigner l'anglais aux lycéens étrangers en France, école internationale, château. Deux sessions: du 30 juin au 21 juillet; du 25 juillet au 14 août. Tél. 41.93.21.62.
3 Nous recherchons des secrétaires bilingues. Appelez l'Agence bilingue Paul Grassin au 42.76.10.14.	**4** Famille offre logement et repas en échange de baby-sitting le soir et certains week-ends. Les journées sont libres. Écrivez BP 749, 49000 Angers.

Typical salaries in francs per month: (1) 400 F, (2) 5.000–6.000 F, (3) 5.000 F, (4) 0 F.

A.   **Les petites annonces** (*The want ads*).   Scan the classified ads above to find out what kind of job each one is advertising. Guess which one would pay the most.

You may want students to give their reasons in English to check their comprehension.

B.

Cela vous intéresse? (*Does this interest you?*) Reorder the classified ads on page 135 according to how much they appeal to you (which ones you would apply for and in what order). Be prepared to explain your reasons.

C.

Votre petite annonce. Write a classified ad to say you are looking for work in France. Mention your personal description and experience and include the fact that you speak French. Be sure to tell how you can be contacted.

Lecture

A.

Un coup d'œil (*a glance*) **sur la lecture.** Scan the following reading until you find one similarity between the presidencies of France and the United States. Then reread the selection thoroughly to find other similarities.

Le président de la République française

Un président de la République, qu'est-ce que c'est?

En France on est président pour sept ans. Mais beaucoup de gens[1] trouvent que ce temps est trop long et désirent réduire[2] cette période à 5 ans. En tout cas[3], pour être candidat, il faut d'abord être français. Il faut ensuite avoir au moins[4] vingt-trois ans et ne pas avoir été condamné[5] par la justice. Il faut finalement payer 10.000 F quand on annonce sa candidature.

Comment le président est-il élu[6]?

Verify the current exchange rate and tell your students the dollar equivalent for 10.000 F.

Tous les Français âgés de dix-huit ans ou plus ont le droit[7] de voter pendant les élections présidentielles. Le président est toujours élu par une majorité des électeurs. Souvent les Français votent deux fois:[8] il y a une première élection pour sélectionner les deux candidats finalistes et une deuxième élection pour décider qui va être président.

Que fait le président?

C'est le président qui nomme le premier ministre, le chef[9] du gouvernement. Le président est le chef des armées. Il dirige aussi la diplomatie, c'est-à-dire[10] les discussions et les relations de la France avec les autres pays,[11] il signe les lois,[12] et il donne des conseils[13] quand il y a des problèmes entre les institutions du gouvernement. Le président a aussi des pouvoirs[14] spéciaux dans des cas particuliers, par exemple en temps de guerre.[15]

adapté du *Journal des Enfants (L'Alsace)*

1. *people* 2. *reduce* 3. *in any case* 4. *at least* 5. *have been sentenced* 6. *elected*
7. *the right* 8. *twice* 9. *head* 10. *that is to say* 11. *countries* 12. *laws* 13. *advice*
14. *powers* 15. *in wartime*

B. **Les adverbes de transition.** Use the context of the following paragraph to guess the meanings of the italicized adverbs.

> Je n'ai pas ma calculatrice! Où est-elle? *D'abord*, je cherche la calculatrice dans ma chambre. Elle n'est pas là. *Et puis*, je cherche la calculatrice dans la cuisine. Elle n'est pas là. *Ensuite*, je cherche la calculatrice dans mon bureau. Elle n'est pas là. *Finalement*, je trouve ma calculatrice. Elle est sur le fauteuil!

C. What are the main themes in the reading selection?

D. **Vrai ou faux?** Decide whether the following statements are true or false. If a statement is false, correct it.

1. On est président de la République pendant cinq ans.
2. Il faut être français pour être président de la France.
3. Il faut avoir 23 ans pour être président de la France.
4. En France il faut avoir 21 ans pour voter.
5. Les Français votent souvent deux fois dans la même (*same*) élection.
6. Le Président est le chef du gouvernement français.
7. Le Président dirige la diplomatie et c'est le chef des armées.

François Mitterrand, président de la République

E. **Familles de mots.** One member of each of the following word families was in the reading. Now that you have read the selection, can you guess the meanings of the others in the same family?

1. diriger, un directeur, une directrice, la direction
2. élire, élu, un électeur, une électrice, une élection
3. décider, une décision
4. réduire, une réduction
5. nommer, un nom, une nomination
6. conseiller, un conseiller, une conseillère, un conseil
7. pouvoir, le pouvoir

F. **Faites une liste.** With your partner, list the similarities and differences that you found between the French presidency and that of the United States.

G. **Opinions.** Discuss the following questions.

1. Why do you think some people would like to shorten the length of the presidential period in France? What are the advantages and disadvantages of a shorter presidential term?
2. Are there any aspects of the French presidential system that you would like to see instituted in the United States? Which ones? Why?
3. Which system do you like better in general? Why?

Vocabulaire actif

Quelques professions

un cadre	*executive*
un(e) employé(e)	*employee*
un(e) fonctionnaire	*civil servant*
un homme d'affaires/une femme d'affaires	*businessman/businesswoman*
un homme politique/une femme politique	*politician*
un infirmier/une infirmière	*nurse*
un médecin	*doctor*
un ouvrier/une ouvrière	*laborer*
un(e) patron(ne)	*boss*
un vendeur/une vendeuse	*salesman/saleswoman*

Vêtements

des baskets (*m. pl.*)	*high-top sneakers*	un jean	*(pair of) jeans*
un blouson	*windbreaker, jacket*	une jupe	*skirt*
des bottes (*f.*)	*boots*	des lunettes (*f. pl.*)	*eyeglasses*
une ceinture	*belt*	un manteau	*coat*
un chapeau	*hat*	une montre	*watch*
des chaussettes (*f.*)	*socks*	un pantalon	*(pair of) pants*
des chaussures (*f.*)	*shoes*	un pull-over (un pull)	*sweater*
une chemise	*shirt*	une robe	*dress*
un chemisier	*blouse*	un short	*(pair of) shorts*
un complet	*suit*	un sweat-shirt	*sweatshirt*
une cravate	*tie*	un tee-shirt	*tee-shirt*
un foulard	*scarf*	des tennis (*m. pl.*)	*tennis shoes*
des gants (*m.*)	*gloves*	une veste	*sportcoat*
un imperméable	*raincoat*	un vêtement	*an article of clothing*

D'autres noms

une adresse	*address*	une note	*note; grade, mark*
les cheveux (*m. pl.*)	*hair*	un numéro de téléphone	*telephone number*
une chose	*thing*	une promenade	*walk; ride*
une couleur	*color*	les provisions (*f. pl.*)	*groceries*
les courses (*f. pl.*)	*errands, shopping*	la sieste	*nap*
la cuisine	*cooking; food*	le temps	*weather*
les devoirs (*m. pl.*)	*homework*	le travail manuel	*manual work*
le dîner	*dinner*	la vaisselle	*dishes*
un magasin	*store*	la vie	*life*
le ménage	*housework*	les yeux (*m. pl.*)	*eyes*

Adjectifs démonstratifs

ce / cet (cette)	*this; that*
ces	*these; those*

Adjectifs de couleur

beige	*beige*	noir(e)	*black*
blanc (blanche)	*white*	orange	*orange*
bleu(e)	*blue*	rose	*pink*
blond(e)	*blond*	rouge	*red*
brun(e)	*brown*	roux (rousse)	*red(-haired)*
gris(e)	*grey*	vert(e)	*green*
jaune	*yellow*	violet(te)	*purple*

Pour décrire les vêtements

bon marché	*inexpensive*	confortable	*comfortable*
cher (chère)	*dear; expensive*	propre	*clean*
chic	*chic; stylish*	sale	*dirty*

Description personnelle

avare	*miserly*	intéressant(e)	*interesting*
bavard(e)	*talkative*	naïf (naïve)	*naive*
calme	*calm*	sportif (sportive)	*athletic*
chauve	*bald*	travailleur (travailleuse)	*hard-working*
discret (discrète)	*discreet; reserved*	méchant(e)	*nasty; mean*
ennuyeux (ennuyeuse)	*boring*	nerveux (nerveuse)	*nervous*
extroverti(e)	*outgoing*	paresseux (paresseuse)	*lazy*
généreux (généreuse)	*generous*	triste	*sad*
heureux (heureuse)	*happy*		

D'autres adjectifs

formidable	*great, fantastic*
mauvais(e)	*bad*
nouveau/nouvel (nouvelle)	*new*

Pronoms

cela (ça)	*that*
toi	*you*
tout le monde	*everybody*

Verbes

aider	*to help*	faire les provisions	*to do the grocery shopping*
demander	*to ask*	faire la sieste	*to take a nap*
dîner	*to eat dinner*	porter	*to wear; to carry*
faire	*to do; to make*	poser une question	*to ask a question*
faire attention	*to pay attention*	remarquer	*to notice*
faire une promenade	*to take a walk; to take a ride*		

Adverbes

aujourd'hui	*today*	là	*there*
comment	*how; what*	maintenant	*now*
d'habitude	*usually*	quand	*when*
généralement	*generally*	rarement	*rarely*
jamais (ne ... jamais)	*never*	toujours	*always*

Prépositions

après   *after*
chez   *at the home of*

Conjonctions

parce que   *because*
pendant que   *while*
que   *that*

Mots interrogatifs

que ... ?   *what ... ?*
qu'est-ce que ... ?   *what ... ?*
quel(le) ... ?   *which ... ?*

Expressions utiles

chez toi   *at your house*
Comment est (sont) ... ?   *What is (are) ... like?*
De quelle couleur est (sont) ... ?   *What color is (are) ... ?*
en classe   *in class; to class*
Il fait chaud.   *It's hot out.*
Il faut ...   *It is necessary ...*
J'ai rendez-vous.   *I have an appointment (meeting).*
Quel temps fait-il?   *What is the weather like?*
Quelle chance!   *What luck!*
Qu'est-ce que c'est?   *What is this?*

Escale 1

LE QUÉBEC

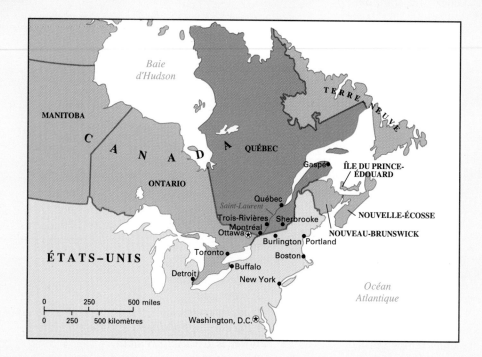

STATUT LÉGAL:	province canadienne
LANGUE OFFICIELLE:	français (langue unique de 60% de la population; 35% parle français et anglais)
MONNAIE:	dollar canadien
CAPITALE:	Québec
CENTRES URBAINS PRINCIPAUX:	Montréal, Québec, Trois-Rivières
SUPERFICIE:	1.540.680 km², (la plus vaste des 10 provinces canadiennes; équivalente à celle de l'Alaska; 2 fois plus grande que le Texas)
POPULATION:	6.540.276 (= 1/4 de la population canadienne; équivalente à celle de la Caroline du Nord)
RELIGION:	catholique (88%)
INDUSTRIES:	exploitation minière, asbeste, hydroélectricité, pêche, agriculture, industrie forestière
CLIMAT:	tempéré, type continental, pas très humide; 4 saisons très marquées
FLEUVE PRINCIPAL:	Saint-Laurent

1. **Vrai ou faux?** Dites si les phrases suivantes sont vraies ou fausses. Si une phrase est fausse, corrigez-la.

Remind students that the province is called **Le Québec,** but the capital city is **Québec,** with no article.

1. Le Québec est un pays indépendant.
2. La capitale du Québec est Montréal.
3. Le Québec est une des dix provinces canadiennes.
4. La capitale du Canada est au Québec.
5. Le Québec est plus grand que l'état de New York.
6. La population du Québec est plus grande que la population de l'état de New York.
7. L'anglais et le français sont les langues officielles du Québec.
8. La capitale du Québec s'appelle aussi «Québec».
9. Le plus grand fleuve du Québec s'appelle le Saint-Laurent.

2. **Que savez-vous?** Nommez ...

1. les états américains qui sont près du Québec.
2. les provinces canadiennes voisines du Québec.
3. une ville américaine directement au sud de Montréal.
4. une ville américaine directement au sud de Québec.
5. la grande baie au nord-ouest du Québec.

Le Château Frontenac, Montréal

143

L'HISTOIRE DU QUÉBEC

Découverte et colonisation

C'est en 1535 que l'explorateur français Jacques Cartier découvre le fleuve Saint-Laurent et la terre qui l'entoure. Cartier prend possession de cette terre nouvelle au nom du roi de France. En 1608, Samuel de Champlain construit une habitation sur un roc qui forme une citadelle naturelle près du Saint-Laurent. C'est la première communauté française en Amérique du Nord, et Champlain est le fondateur de la Nouvelle-France. Cette première ville s'appelle Québec.

En conséquence de la guerre de Sept Ans en Europe, les Anglais font la guerre contre les Français au Canada. En 1759, l'armée anglaise est finalement victorieuse sur les plaines d'Abraham à Québec. Montréal tombe aussi quelques semaines plus tard. En 1763 la France signe le traité de Paris et abandonne à l'Angleterre ses colonies situées à l'est du Mississippi. En plus, les Anglais obligent un grand nombre des Français qui habitent le Québec et l'Acadie (aujourd'hui, le Nouveau-Brunswick) à quitter le Canada. Beaucoup de ces francophones s'installent en Louisiane, une autre colonie française. Ce sont les descendants de ces Acadiens-là qu'on appelle aujourd'hui les «Cajuns».

En 1867, le Québec et trois autres provinces forment le nouveau «Dominion du Canada», une nouvelle nation indépendante. En 1912, le Québec double sa superficie avec l'addition de tout le territoire à l'est de la Baie d'Hudson.

Deux cents ans de domination anglaise

De 1763 à 1867, le Québec est une colonie anglaise. Alors, les Français du Québec se sentent toujours sous la domination des Anglais. Leur vie est agricole et ils sont catholiques; ce sont les Anglais protestants qui ont le pouvoir politique et économique. Même après l'indépendance du Canada, les francophones restent une minorité au Canada et ils participent très peu au gouvernement. Ils gagnent le droit de garder leur propre langue et leurs écoles catholiques et ils sauvegardent leur culture française avec des familles nombreuses; une famille de vingt enfants n'est pas rare. Le résultat: à la fin du dix-huitième siècle il y a seulement 10.000 francophones au Canada. Ils sont 7.250.000 aujourd'hui! Mais pendant ce temps, le pouvoir reste toujours chez les anglophones, qui contrôlent le gouvernement et 95 pour cent des entreprises au Québec.

La fin du vingtième siècle

Au vingtième siècle, il se passe chez les Québécois francophones une prise de conscience et une période active qu'on appelle la «Révolution tranquille». En 1969, le Parlement canadien déclare le français une des deux langues officielles du Canada, avec l'anglais. Mais pour le peuple québécois, c'est trop peu et trop tard. Depuis presque deux siècles ils ont l'impression qu'on les considère comme une minorité sans importance. Ils désirent vivement avoir les mêmes possibilités éducatives, professionnelles, etc., que les Anglais. Entre 1974 et 1985, le parti québécois est le parti majoritaire au Parlement québécois. En 1977, la Loi 101 fait du français la seule langue officielle au Québec. Si une entreprise a plus de cinquante employés, il faut

La cathédrale de Notre-Dame,
Montréal

utiliser le français pour toute correspondance commerciale. Les écoles vont être presque toutes francophones. Même les enseignes des magasins doivent être en français. En 1980, par contre, les Québécois rejettent l'indépendance dans un référendum provincial.

Quel sera l'avenir de cette belle province? Travailleurs, fiers de leur passé et de leur langue française, les Québécois doivent conserver leur identité culturelle et linguistique et leur réputation d'un peuple accueillant.

3. Avez-vous compris? Répondez.

1. Quelle est la date de l'établissement de la première colonie française en Amérique du Nord? Est-ce que cette date est avant ou après l'arrivée des Pèlerins à Plymouth, en Nouvelle-Angleterre?
2. Quel pays a pris possession du Québec après la guerre de Sept Ans?
3. Est-ce que la population francophone augmente ou diminue pendant les dix-neuvième et vingtième siècles?
4. Quelle est la langue officielle du Canada: l'anglais? le français? les deux?
5. Depuis combien de temps (*For how long*) le français est-il la seule langue officielle du Québec?

La ville de Montréal est le centre de la francophonie en Amérique du Nord; deux tiers (2/3) de la population parle français comme langue maternelle. Montréal, où habitent vingt pour cent de la population québécoise, se situe sur une île. C'est la deuxième ville du Canada, après Toronto. Et c'est la deuxième ville francophone du monde, après Paris.

Chaque année, beaucoup de touristes visitent Montréal, une ville à la fois moderne et historique. Au centre de la ville, le Vieux-Montréal est un hommage au passé. Ses églises, ses restaurants et ses vieilles maisons attirent beaucoup de visiteurs.

Mais Montréal est aussi une ville très moderne. Sous les gratte-ciel du centre-ville existe toute une ville souterraine de restaurants, boutiques, cinémas, cafés, et même un métro!

4. À vous. Répondez.

1. Quelle est la plus grande ville francophone du monde? Et la deuxième?
2. Est-ce qu'il y a un métro dans votre ville?
3. Imaginez la raison pour laquelle il existe une «ville souterraine» à Montréal. Est-ce qu'il y a des magasins et des restaurants souterrains dans votre ville?

Parlez-vous québécois?

La France a abandonné le Québec à l'Angleterre il y a 200 ans. À cause de cette longue séparation de la France, la langue qu'on parle au Québec aujourd'hui n'est pas identique à celle qu'on parle à Paris. Voici quelques exemples des différences entre le français parisien et le «québécois».

En France on dit ...	*Au Québec on dit ...*
le week-end	la fin de semaine
s'amuser	avoir du fun
les myrtilles	les bleuets[1]
une voiture	un char
l'essence	le gaz
faire des achats	magasiner
bavarder	jaser
faire de l'autostop	faire du pouce[2]
un hot-dog	un chien chaud

1. petit fruit bleu trouvé surtout en Nouvelle-Angleterre et au Québec.
2. chaque personne a un *pouce* et quatre doigts sur la main.

Quoi de neuf?

Buts communicatifs
Expressing future time
Telling time
Explaining your schedule
Locating places

Structures utiles
À + article défini
Le verbe **aller**
L'heure
Les jours de la semaine
Quelques prépositions de lieu
Les prépositions de lieu avec
  une ville ou un pays
Les mots interrogatifs **où** et
  quand

Culture
Quelques malentendus
  culturels
Le commencement et la fin
  d'une conversation

Coup d'envoi

Qu'est-ce que vous allez faire?

Qu'est-ce que tu vas faire° le week-end
prochain°, Sylvie?

    Je vais sortir vendredi° soir.

    Je vais danser parce que j'adore danser.

    Je vais déjeuner dimanche° avec
    mes amis.

    Je vais aller à la bibliothèque.°

    Je vais étudier et faire mes devoirs.

    Mais je ne vais pas rester° dans ma
    chambre tout le week-end°.

*What are you going
to do/next weekend*

*I'm going to go out
on Friday*

*I'm going to have
lunch on Sunday*

*I'm going to go to the
library.*

to stay
the whole weekend

✤ **Et vous?** Qu'est-ce que vous allez faire le week-end prochain? Où allez-
vous étudier?

Une sortie

C'est vendredi après-midi. Lori rencontre° son　　meets
amie Denise après son cours de littérature
française.

LORI: Salut, Denise. Comment vas-tu?

DENISE: Bien, Lori. Quoi de neuf?°　　*What's new?*

　　(*Elles s'embrassent° trois fois°.*)　　*kiss / times*

LORI: Pas grand-chose°, mais c'est vendredi et je ne vais　　*not much*
　　pas passer° tout le week-end dans ma chambre.　　*spend*
　　Tu as envie d'aller au cinéma?°　　*Do you feel like going*
　　　　　　　　　　　　　　　　　　　　　　to the movies?

DENISE: Quand ça?

LORI: Ce soir ou demain° soir?　　*tomorrow*

DENISE: Ce soir je ne suis pas libre°. Mais demain　　*free*
　　peut-être. Tu vas voir° quel film?　　*to see*

LORI: Cela m'est égal.° Il y a toujours un bon　　*I don't care.*
　　film au cinéma Variétés.

DENISE: D'accord°, très bien. À quelle heure?　　*okay*

LORI: Vers 7 heures et demie, si ça va.°　　*Around 7:30, if that's*
　　Rendez-vous devant° le cinéma.　　*okay. / in front of*

DENISE: C'est parfait°.　　*perfect*

LORI: Bonne soirée, Denise, et à demain soir.

DENISE: Merci, Lori. Au revoir!

✧　**Jouez ces rôles.** Répétez la conversation avec votre partenaire. Utilisez vos
noms et le nom d'un cinéma près de chez vous.

À propos

The answer to the cultural question is **b.**

✤ Pourquoi est-ce que Lori et Denise s'embrassent trois fois?

a. Elles sont superstitieuses.
b. À Angers on embrasse ses amis trois fois.
c. En France on embrasse tout le monde.

Quelques malentendus culturels

A possible misunderstanding may result from the use of expressions that seem to be equivalent in two languages. In parts of the United States, for example, the expression *see you later* is used as an alternate to *good-bye*, without necessarily implying any real meeting in the near future. This has proven to be frustrating for French visitors, for whom *see you later* is interpreted as meaning *see you soon*. Likewise, any North American who uses the French expression **À tout à l'heure** should realize that this implies that the people in question will be meeting again very soon.

This example is perhaps a useful springboard to understanding one of the basic differences between North Americans and the French: while typically more hesitant to extend an invitation to their home and certainly more reluctant to chat with strangers, once an invitation is extended or a conversation begun, the French take it seriously. North Americans may complain about not being invited to French homes right away, but they themselves have readily and casually extended invitations to "come and see us" and have then been surprised when French acquaintances write to say they are actually coming.

Le commencement et la fin d'une conversation

While *good afternoon* can be used as a greeting in English, its literal French translation (**bon après-midi**) is used only when taking leave of someone. When saying hello, the only common expressions in French are **bonjour, bonsoir,** and **salut.** When saying good-bye, however, the range of possible expressions is much more extensive as can be seen in the list below.

à bientôt	*see you soon*
à demain	*see you tomorrow*
à la prochaine	*until next time, be seeing you*
à tout à l'heure	*see you in a little while*
au plaisir (de vous revoir)	*(I hope to) see you again*
au revoir	*good-bye, see you again*
bon après-midi	*have a good afternoon*
bonne journée	*have a good day*
bonne nuit	*pleasant dreams (lit. good night)*
bonne soirée	*have a good evening*
bonsoir	*good evening, good night*
salut	*bye(-bye) (fam.)*

IL Y A UN GESTE

La bise. The French kiss their friends and relatives on both cheeks. This is referred to as **faire la bise.** The number of times that their cheeks touch varies, however, from one region to another: twice in Besançon, three or four times in Angers, and four times in Quimper! In Paris, the number varies from two to four, most likely because people have moved to the capital from different regions.

Cela m'est égal. A shrug is used with the expression **Cela (Ça) m'est égal.** The lips are pursed and the hands are opened, palms up, to convey the meaning *It's all the same to me.*

Au revoir. When waving good-bye, the open palm, held at about ear level, is normally turned toward the person to whom one is waving. It is often moved toward the other person.

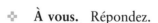

❖ **À vous.** Répondez.

1. Comment allez-vous?
2. Allez-vous rester dans votre chambre ce soir?
3. À quelle heure allez-vous faire vos devoirs?
4. Qu'est-ce que vous allez faire demain soir?
5. Avez-vous envie d'aller au cinéma?

> ## ENTRE AMIS Le week-end prochain
>
> 1. Greet your partner.
> 2. Find out how s/he is doing.
> 3. Find out what s/he is going to do this weekend.
> 4. Find out if s/he wants to go to a movie.
> 5. If so, agree on a time.
> 6. Be sure to vary the way you say good-bye.

Prononciation

Les syllabes ouvertes

■ There is a strong tendency in French to end spoken syllables with a vowel sound. It is therefore important to learn to link a pronounced consonant to the vowel that follows it.

il a	[i la]	votre ami	[vɔ tʀa mi]
elle a	[ɛ la]	femme américaine	[fa ma me ʀi kɛn]

Reminder: The above is also true in the case of liaison. Liaison must occur in the following situations:

	Alone	*With liaison*
1. when a pronoun is followed by a verb	nous	nous [z]a vons
	vous	vous [z]êtes
	ils	ils [z]ha bitent
2. when a verb and pronoun are inverted	est	est- [t]elle
	ont	ont- [t]ils
	sont	sont- [t]ils
3. when an article or adjective is followed by a noun	un	un [n]homme
	des	des [z]en fants
	deux	deux [z]heures
	trois	trois [z]ans
	mon	mon [n]a mi
	petit	petit [t]a mi
4. after one-syllable adverbs or prepositions	très	très [z]im por tant
	en	en [n]A mé rique
	dans	dans [z]une fa mille

Buts communicatifs

1. Expressing Future Time

Qu'est-ce que tu vas faire samedi° prochain, Julien?	*Saturday*
D'abord° je vais jouer au tennis avec mes amis.	*first (of all)*
Ensuite° nous allons étudier° à la bibliothèque.	*next / we're going to study*
Je n'aime pas manger seul°, alors après°, nous allons dîner ensemble au restaurant universitaire.	*alone / so after(wards)*
Enfin°, nous allons regarder la télé.	*finally*

✧ **Et vous?** Qu'est-ce que vous allez faire?

Note: Le restaurant universitaire, qu'on appelle d'habitude **le Resto U**, est très bon marché. C'est parce que la France subventionne (*subsidizes*), en partie, les repas (*meals*) des étudiants. Si on a une carte d'étudiant, on bénéficie d'une réduction du prix des repas.

A. À + article défini

Céline ne travaille pas **à la** bibliothèque.	*Céline doesn't work at the library.*
Elle travaille **au** restaurant universitaire.	*She works in the dining hall.*

■ The preposition à can mean *to, at,* or *in,* depending on the context. When used with **la** and **l'**, it does not change, but when used with **le** and **les,** it is contracted to **au** and **aux.**

à	+	le	**au**	au restaurant
à	+	les	**aux**	aux toilettes
à	+	la	**à la**	à la maison
à	+	l'	**à l'**	à l'hôtel

■ Liaison occurs when **aux** precedes a vowel sound.

aux [z]États-Unis

Vocabulaire: Quelques endroits *(A few places)*

un aéroport	*airport*
une banque	*bank*
un bâtiment	*building*
une bibliothèque	*library*
un bistro	*bar and café*
une boulangerie	*bakery*
un bureau de poste	*post office*
un bureau de tabac	*tobacco shop*
une cafétéria	*cafeteria*
un campus	*campus*
un centre commercial	*shopping center, mall*
un cinéma	*movie theater*
un couloir	*hall, corridor*
une école	*school*
une église	*church*
un endroit	*place*
une épicerie	*grocery store*
une gare	*railroad station*
un gymnase	*gymnasium*
un hôtel	*hotel*
une librairie	*bookstore*
une pharmacie	*pharmacy*
une piscine	*swimming pool*
une résidence (universitaire)	*dormitory*
un restaurant	*restaurant*
une salle de classe	*classroom*
les toilettes *(f. pl.)*	*restroom*
une ville	*city*

hotel ibis

1. Qu'est-ce que c'est? Identifiez les endroits suivants.

Modèle:

C'est une église.

1.

2.

3.

4.

5.

6.

2. Où allez-vous? Posez la question. Votre partenaire va répondre selon le modèle (*according to the model*).

Modèle: restaurant (bibliothèque)
—**Allez-vous au restaurant?**
—**Non, je ne vais pas au restaurant; je vais à la bibliothèque.**

1. bureau de poste (pharmacie)
2. église (centre commercial)
3. restaurant (cinéma)
4. librairie (bibliothèque)
5. hôtel (appartement de ma sœur)
6. cours de français (maison de mes parents)
7. gare (aéroport)

3. **Qu'est-ce que vous allez faire?** Indiquez vos projets avec **Je vais à** + article défini et les mots donnés (given). Utilisez aussi les mots **d'abord, ensuite** et **après.**

Modèle: restaurant, centre commercial, cinéma
D'abord je vais au restaurant, ensuite je vais au centre commercial et après je vais au cinéma.

1. école, bibliothèque, épicerie
2. banque, centre commercial, aéroport
3. bureau de poste, pharmacie, librairie
4. église, résidence, piscine

E N T R E   A M I S   D'abord, ensuite, après

1. Tell your partner that you are going to go out.
2. S/he will try to guess three places where you are going.
3. S/he will try to guess in what order you are going to the three places.

B. Le verbe *aller*

Je vais en classe à 8 heures.	*I go to class at eight o'clock.*
Allez-vous en ville ce soir?	*Are you going into town this evening?*
Les petits Français ne **vont** pas à l'école le mercredi.	*French children don't go to school on Wednesday.*

aller (to go)			
je	**vais**	nous	**allons**
tu	**vas**	vous	**allez**
il/elle/on	**va**	ils/elles	**vont**

■ The fundamental meaning of **aller** is *to go.*

Où **vas-tu?**   *Where are you going?*

■ The verb **aller** is also used to inquire and tell about health and well-being.

Comment allez-vous?	*How are you?*
Je vais bien, merci.	*I'm fine, thanks.*
Ça va, merci.	*Fine, thanks.*

■ The verb **aller** is also very often used with an infinitive to indicate the future, especially the near future.

Qu'est-ce que **tu vas faire** ce soir?	*What are you going to do this evening?*
Je vais étudier, comme d'habitude.	*I'm going to study, as usual.*
Nous allons passer un test demain.	*We are going to take a test tomorrow.*

Point out the idiomatic expression **passer un test** in the third example.

Note: In the negative of this construction, **ne ... pas** is placed around the verb **aller,** not around the infinitive.

Thierry **ne va pas déjeuner** demain.	*Thierry won't eat lunch tomorrow.*

4. **Comment vont-ils?**   Utilisez le verbe **aller** pour poser des questions. Votre partenaire va répondre.

Modèle: VOUS: **Comment va ton frère?**
VOTRE PARTENAIRE: **Il va très bien, merci.** ou
Quel frère? Je n'ai pas de frère.

Review the possible answers (taught in Ch. 2) before doing the exercise.

		tes parents
		ton père
		ta mère
		ta sœur
comment	aller	ton frère
		ton ami(e) qui s'appelle ...
		tes cousins
		ton professeur de français
		tu

158   *Chapitre 5*

Vocabulaire: Quelques expressions de temps (futur)

tout à l'heure	*in a little while*
dans une heure	*one hour from now*
ce soir	*tonight*
avant le dîner	*before dinner*
après le dîner	*after dinner*
demain	*tomorrow*
demain matin	*tomorrow morning*
dans trois jours	*three days from now*
le week-end prochain	*next weekend*
la semaine prochaine	*next week*

5. **Que vont-ils faire la semaine prochaine?** Qu'est-ce qu'ils vont faire et qu'est-ce qu'ils ne vont pas faire la semaine prochaine? Créez (*create*) des phrases.

Modèle: **La semaine prochaine, mes parents vont regarder la télévision, mais ils ne vont pas skier.**

		dîner au restaurant
		regarder la télévision
		aller aux cours
		passer un test
mes parents		jouer au tennis
mon père		étudier à la bibliothèque
ma mère	(ne ... pas) aller	déjeuner au restaurant
mes amis		faire un voyage en Suisse
nous		travailler beaucoup
je		avoir un «A» au test
		nager à la piscine
		parler français

6. **À vous.** Répondez.

1. Quand allez-vous regarder la télévision?
2. Quand allez-vous sortir avec vos amis?
3. Quand allez-vous passer un test?
4. Quand est-ce que vous allez manger?
5. Où allez-vous déjeuner demain midi?
6. Où et à quelle heure allez-vous dîner demain soir?
7. Allez-vous dîner seul(e) ou avec une autre personne?
8. Quand allez-vous étudier? Avec qui?
9. Qu'est-ce que vous allez faire samedi soir prochain?
10. Qu'est-ce que vous allez faire dimanche après-midi?

Before putting students in pairs, have them write three things they are going to do this weekend.

E N T R E   A M I S   Est-ce que tu vas jouer au tennis?

1. Tell your partner that you are not going to stay in your room this weekend.
2. S/he will try to guess three things you are going to do.
3. S/he will try to guess in what order you will do them.

2. Telling Time

Quelle heure est-il° maintenant?
    Il est 10 heures et demie.°
    Je vais au cours de français à 11 heures.
    Je déjeune à midi.
    Je vais à la bibliothèque à une heure.
    Je vais au gymnase à 4 heures.

What time is it?
It's half past ten.

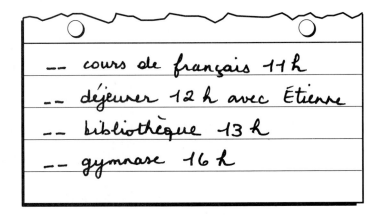

-- cours de français 11 h
-- déjeuner 12 h avec Étienne
-- bibliothèque 13 h
-- gymnase 16 h

❖ **Et vous?** À quelle heure déjeunez-vous?
       À quelle heure allez-vous à la bibliothèque?
       À quelle heure allez-vous au gymnase?
       À quelle heure allez-vous au cours de français?
       Quelle heure est-il maintenant?

Remarque: The word **heure** has more than one meaning.

J'étudie trois **heures** par jour.	*I study three hours a day.*
De quelle **heure** à quelle **heure**?	*From what time to what time?*
De 15 **heures** à 18 **heures**.	*From three until six o'clock.*

C. L'heure

■ You have already learned to tell time in a general way. Now that you know how to count to 60, you can be more precise. There are two methods of telling time. The first is an official 24-hour system, which can be thought of as a digital watch on which the hour is always followed by the minutes. The other is an informal 12-hour system that includes the expressions **et quart** (*quarter past, quarter after*), **et demi(e)** (*half past*), **moins le quart** (*quarter to, quarter till*), **midi,** and **minuit.**

Système officiel	*Système ordinaire*
neuf heures une	neuf heures une
neuf heures quinze	neuf heures et quart
neuf heures trente	neuf heures et demie
neuf heures quarante-cinq	dix heures moins le quart
douze heures trente	midi et demi
treize heures trente	une heure et demie
dix-huit heures cinquante et une	sept heures moins neuf
vingt-trois heures quarante-cinq	minuit moins le quart

Point out the plural -s on all times except **une heure.**

■ In both systems, the feminine number **une** is used to refer to hours and minutes because both **heure** and **minute** are feminine.

1 h 21	**une** heure vingt et **une**

■ In the 12-hour system, **moins** is used to give the time from 1 to 29 minutes *before* the hour. For 15 minutes *before* or *after* the hour, the expressions **moins le quart** and **et quart**, respectively, are used. For 30 minutes past the hour, one says **et demie.**

9 h 40	dix heures **moins** vingt
9 h 45	dix heures **moins le quart**
10 h 15	dix heures **et quart**
10 h 30	dix heures **et demie**

Note: After **midi** and **minuit,** which are both masculine, **et demi** is spelled without a final -e: midi **et demi.**

■ The phrases **du matin, de l'après-midi,** and **du soir** are commonly used in the 12-hour system to specify A.M. or P.M. when it is not otherwise clear from the context.

trois heures **du matin** (3 h)   dix heures **du matin** (10 h)
trois heures **de l'après midi** (15 h)   dix heures **du soir** (22 h)

7. **Quelle heure est-il?** Donnez les heures suivantes. S'il y a deux possibilités, donnez les deux.

Modèle: 13 h 35
Il est treize heures trente-cinq.
Il est deux heures moins vingt-cinq de l'après-midi.

Have students count from 1 to 24 with the word **heure**(s): **une heure, deux heures,** etc.

1. 2 h 20	6. 1 h 33
2. 4 h 10	7. 22 h 05
3. 15 h 41	8. 3 h 45
4. 1 h 17	9. 11 h 15
5. 6 h 55	10. 10 h 30

8. **Décalages horaires** (*Differences in time*). Vous êtes à Paris et vous voulez téléphoner à des amis. Mais quelle heure est-il chez vos amis? Demandez à votre partenaire.

Décalages horaires
(calculés par rapport à l'heure de Paris)

Anchorage	- 10	Nouméa	+10
Athènes	+ 1	Nome	- 10
Bangkok	+ 6	New York	- 6
Chicago	- 7	Papeete	- 11
Denver	- 8	Rome	0
Halifax	- 5	San Francisco	- 9
Le Caire	+ 1	Santiago	- 5
Londres	- 1	Séoul	+ 7
Manille	+ 7	Sydney	+ 9
Mazatlan	- 8	Téhéran	+ 3
Mexico	- 7	Tokyo	+ 8
Montréal	- 6	Vancouver	- 9

Modèle: 3 h du matin à Paris. Et à Bangkok?

VOUS: **S'il est trois heures du matin à Paris, quelle heure est-il à Bangkok?**

VOTRE PARTENAIRE: **Il est neuf heures du matin à Bangkok.**

Have students use an atlas to identify the countries where these cities are found.

1. 23 h à Paris. Et à Anchorage?
2. 6 h du matin à Paris. Et à Montréal?
3. 4 h de l'après-midi à Paris. Et à Londres?
4. 18 h 30 à Paris. Et à Séoul?
5. 2 h de l'après-midi à Paris. Et à Mexico?
6. 3 h 20 du matin à Paris. Et à Chicago?
7. 15 h 45 à Paris. Et à New York?
8. 11 h du matin à Paris. Et à Tokyo?

9. À vous. Répondez.

1. Quelle heure est-il maintenant?
2. À quelle heure déjeunez-vous d'habitude?
3. Allez-vous faire vos devoirs ce soir? Si oui, de quelle heure à quelle heure?
4. Combien d'heures étudiez-vous par jour?
5. À quelle heure allez-vous dîner ce soir?
6. Allez-vous sortir ce soir? Si oui, à quelle heure? Avec qui?
7. Allez-vous regarder la télévision ce soir? Si oui, de quelle heure à quelle heure? Quelles émissions (*programs*) allez-vous regarder?

BATEAUX-MOUCHES®
PARIS

ENTRE AMIS À l'aéroport

1. Ask your partner what time it is.
2. Ask if s/he is going to Paris. (S/he is.)
3. Ask what time it is in Paris.
4. Ask at what time s/he is going to arrive in Paris.
5. Find out what s/he is going to do in Paris.

3. Explaining Your Schedule

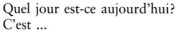

Quel jour est-ce aujourd'hui?
C'est ...

lundi°		*Monday*
mardi°		*Tuesday*
mercredi		
jeudi°		*Thursday*
vendredi		
samedi		
dimanche		

Quel jour est-ce demain?

D. Les jours de la semaine

■ Days of the week are not capitalized in French.

■ The calendar week begins on Monday and ends on Sunday.

lundi	mardi	mercredi	jeudi	vendredi	samedi	dimanche
				1	2	3
4	5	6	7	8	9	10
11	12	13	14	15	16	17
18	19	20	21	22	23	24
25	26	27	28	29	30	

JUIN

■ When referring to a specific day, neither an article nor a preposition is used.

Demain, c'est **vendredi.**	*Tomorrow is Friday.*
C'est **vendredi** demain.	*Tomorrow is Friday.*
J'ai envie de sortir **vendredi** soir.	*I feel like going out Friday evening.*
J'ai l'intention d'étudier **samedi.**	*I plan to study Saturday.*

■ To express the meaning *Saturdays, every Saturday, on Saturdays,* etc., the article **le** is used with the name of the day.

Je n'ai pas de cours **le samedi.**	*I don't have class on Saturdays.*
Le mardi, mon premier cours est à 10 heures.	*On Tuesdays, my first class is at ten o'clock.*

■ Similarly, to express the meaning *mornings, every morning, in the morning,* etc., with parts of the day, **le** or **la** is used before the noun.

Le matin, je vais au cours de français.	*Every morning, I go to French class.*
L'après-midi, je vais à la bibliothèque.	*Afternoons, I go to the library.*
Le soir, je fais mes devoirs.	*In the evening, I do my homework.*
La nuit, je suis au lit.	*At night, I'm in bed.*

10. **Le samedi soir.** Qu'est-ce qu'ils ont envie de faire le samedi soir? Utilisez l'expression **avoir envie de** dans chaque phrase (*each sentence*).

Modèles: **Le samedi soir les étudiants ont envie de sortir.**
Le samedi soir nous n'avons pas envie d'étudier.

les étudiants
le professeur   (ne ... pas) avoir envie de
je
nous

sortir
étudier
danser
aller à la bibliothèque
aller au cinéma
rester à la maison
dîner avec des amis
manger une pizza
faire le ménage
faire les courses
travailler
écouter la radio
regarder la télévision

11. À vous. Répondez.

Point out that the answers in this exercise are of a general nature and will therefore include the article **le** plus the day(s) of the week.

1. Quels sont les jours où vous allez au cours de français?
2. À quelle heure avez-vous ce cours?
3. Quels sont les jours où vous n'avez pas de cours?
4. Qu'est-ce que vous avez l'intention de faire le week-end prochain?
5. Allez-vous quelquefois au gymnase? Si oui, quels jours et à quelle heure?
6. À quelle heure avez-vous votre premier cours le mardi?
7. Quand est-ce que vous allez à la bibliothèque?
8. Quand écoutez-vous la radio?
9. Quand avez-vous envie de regarder la télévision?

Vocabulaire: Quelques cours

l'art (*m.*)	*art*
la chimie	*chemistry*
le commerce	*business*
la comptabilité	*accounting*
la gestion	*management*
la gymnastique	*gymnastics*
l'histoire (*f.*)	*history*
l'informatique (*f.*)	*computer science*
la littérature	*literature*
les mathématiques (*f. pl.*)	*math*
la musique	*music*
la pédagogie	*education, teacher preparation*
la philosophie	*philosophy*
la psychologie	*psychology*
les sciences (*f. pl.*)	*science*
les sciences économiques (*f. pl.*)	*economics*
les sciences politiques (*f. pl.*)	*political science*

12. **Mon emploi du temps** (*My schedule*). Indiquez votre emploi du temps pour ce semestre. Indiquez le jour, l'heure et le cours.

Modèle: **Le lundi à dix heures, j'ai un cours de français.**
Le lundi à onze heures, j'ai un cours de mathématiques.
Le lundi à une heure, j'ai un cours d'histoire.

13. **As-tu un cours de commerce?** Essayez de deviner (*try to guess*) deux des cours de votre partenaire. Demandez ensuite quels jours et à quelle heure votre partenaire va à ces cours. Votre partenaire va répondre à vos questions.

Modèle: **As-tu un cours d'histoire?**
Quels jours vas-tu à ce cours?
À quelle heure vas-tu à ce cours?

E N T R E   A M I S   Ton emploi du temps

1. Find out what time it is.
2. Find out what day it is today.
3. Find out what classes your partner has today.
4. Find out when your partner goes to the library.
5. Find out if your partner works and, if so, on what days.
6. Find out if your partner feels like going to the movies tonight.

Où se trouve° la souris?　　　　　　　　　　　　　*is located*

La souris est loin
du fromage.

La souris est près
du fromage.

La souris est devant
le fromage.

La souris est derrière
le fromage.

La souris est sur
le fromage.

La souris est sous
le fromage.

La souris est dans
le fromage.

Où se trouve le fromage?
Le fromage est dans
la souris.

E. Quelques prépositions de lieu

Les toilettes se trouvent **dans** le couloir.	*The restroom is in the hall.*
Les toilettes sont **à côté de** la salle de classe.	*The restroom is next to the classroom.*
Le cinéma se trouve **au** centre commercial.	*The movie theater is at the mall.*
L'aéroport est **loin du** campus.	*The airport is far from the campus.*
La boulangerie est **près du** bureau de poste.	*The bakery is near the post office.*
La piscine est **derrière** la bibliothèque.	*The swimming pool is behind the library.*

à	*at; in; to*		**dans**	*in*	
à côté de	*beside*		**entre**	*between; among*	
derrière	*behind*	≠	**devant**	*in front of*	
loin de	*far from*	≠	**près de**	*near*	
sous	*under*	≠	**sur**	*on*	

Remind students about the contractions with **de** that they learned in Ch. 3.

■ **À côté, loin,** and **près** can all drop the **de** and stand alone.

Nous habitons **à côté** d'une église. *We live next to a church.*
But: **L'église est à côté.** *The church is next door.*

14. **Où se trouvent ces endroits?** Répondez à la question posée par (*asked by*) votre partenaire.

Modèle: La bibliothèque (près/bâtiment des sciences)
VOTRE PARTENAIRE: **Où se trouve la bibliothèque?**
VOUS: **Elle est près du bâtiment des sciences.**

1. le bâtiment administratif (près/bibliothèque)
2. la pharmacie (à côté/église)
3. les résidences universitaires (sur/campus)
4. le restaurant universitaire (dans/résidence)
5. le cinéma (à/centre commercial)
6. le bureau de poste (derrière/pharmacie)
7. le centre commercial (loin/campus)
8. les toilettes (devant/salle de classe)

15. **En ville.** Regardez le plan (*map*) de la ville. Demandez où se trouvent les endroits suivants. Votre partenaire va expliquer où ils se trouvent.

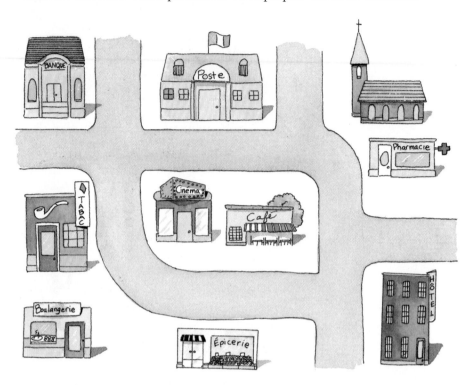

Modèle: cinéma

VOUS: **Où se trouve le cinéma, s'il vous plaît?**
VOTRE PARTENAIRE: **Il est à côté du café. Il est devant l'épicerie.**

Follow up: Do this exercise for your own town.

1. café
2. épicerie
3. église
4. boulangerie
5. bureau de poste

6. bureau de tabac
7. banque
8. cinéma
9. pharmacie
10. hôtel

16. **Votre campus.** Faites rapidement le plan de votre campus. Expliquez où se trouvent cinq endroits différents.

Modèle: **Voilà la résidence qui s'appelle Brown Hall. Elle est près de la bibliothèque.**

> **ENTRE AMIS** Vous êtes un(e) nouvel(le) étudiant(e)
>
> 1. Find out where the shopping center is.
> 2. Find out where the dining hall is.
> 3. Find out if your partner is going to study this evening.
> 4. Find out where the library is.

F. Les prépositions de lieu avec une ville ou un pays

■ Use **à** to say that you are in a city or are going to a city.

> Je suis **à** Paris.   Je vais **à** New York.

Note: In cases where the name of a city contains the definite article (**Le Mans, Le Caire, La Nouvelle-Orléans**), the article is retained and the normal contractions occur where necessary.

> Emmanuelle habite **à La Nouvelle-Orléans.**
> Nous allons **au Mans.**

■ To say you are in or going to an American *state* or a Canadian *province,* use **dans l'état de** or **dans la province de.**

> J'habite **dans l'état de** New York.
> Je voyage **dans la province de** Terre-Neuve.

Terre-Neuve = Newfoundland.

The use of the preposition **de** with countries is introduced in Ch. 7.

■ To say you are in or going to a *country,* the preposition varies. Use **en** before feminine countries or countries that begin with a vowel sound, use **au** before masculine countries, and use **aux** when the name of the country is plural.

> **en** France   **au** Canada   **aux** États-Unis
> **en** Israël   **au** Mexique

Note: Most countries ending in **-e** are feminine. An exception is **le Mexique.**

Quelques langues et quelques pays			
On parle ...	allemand	**en ...**	Allemagne
	anglais		Angleterre
	français et flamand		Belgique
	chinois		Chine
	espagnol		Espagne
	français		France
	anglais et irlandais		Irlande
	italien		Italie
	russe		Russie
	suédois		Suède
	français, allemand et italien		Suisse
On parle ...	français et anglais	**au ...**	Canada
	japonais		Japon
	français et arabe		Maroc
	espagnol		Mexique
	français et wolof		Sénégal
On parle ...	anglais, espagnol et français	**aux ...**	États-Unis

■ When talking about more than one country, use a preposition before each one.

>On parle français **en** France, **en** Belgique, **au** Canada, **au** Maroc, **au** Sénégal, etc.

■ When there is no preposition with a country, state, or province, the definite article must be used.

>**La France** est un beau pays.   J'adore **le Canada.**

Note: **Israël** is an exception.

>**Israël** est à côté de la Syrie.

17. **Où habitent-ils?** Dans quel pays les personnes suivantes habitent-elles?

Modèle: Vous êtes français.
Vous habitez en France.

1. Lucie est canadienne.
2. Les Dewonck sont belges.
3. Phoebe est anglaise.
4. Pepe et María sont mexicains.
5. Yao est japonaise.

6. Yolande est sénégalaise.
7. Sean et Deirdre sont irlandais.
8. Caterina est italienne.
9. Hassan est marocain.
10. Nous sommes américains.

18. **Qui sont ces personnes? Où habitent-elles?** Vous êtes à l'aéroport d'Orly et vous écoutez des touristes de divers pays. Devinez leur nationalité et où ils vont.

Modèle: Il y a deux hommes qui parlent espagnol.
Ils sont peut-être espagnols ou mexicains.
Ils vont probablement en Espagne ou au Mexique.

1. Il y a un homme et une femme qui parlent français.
2. Il y a deux enfants qui parlent anglais.
3. Il y a une jeune fille qui parle russe.
4. Il y a trois garçons qui parlent arabe.
5. Il y a une personne qui parle suédois.
6. Il y a un homme qui parle allemand.
7. Il y a deux couples qui parlent flamand.
8. Il y a deux jeunes filles qui parlent italien.
9. Il y a un homme et une femme qui parlent japonais.

G. Les mots interrogatifs *où* et *quand*

■ A question using **quand** or **où** is formed like any other question, using inversion or **est-ce que.**

Où habitent-ils?   Quand arrive-t-elle?
Où est-ce qu'ils habitent?   Quand est-ce qu'elle arrive?

Note: In **Quand est-ce que**, the -d is pronounced [t]. When **quand** is followed by inversion, there is no liaison.

■ With a *noun* subject, the inversion order is *noun + verb + subject pronoun.*

Où tes parents habitent-ils?
Quand ta sœur arrive-t-elle?

Remind students that if a third-person verb ends in a vowel, a **-t-** is added between the verb and the pronoun (Ch. 2).

■ In addition, if there is only one verb and no object, the noun subject and the verb may be inverted.

> Où **habitent tes parents?**
> Quand **arrive ta sœur?**

19. **Où et quand?** Pour chaque phrase, posez une question avec **où.** Votre partenaire va inventer une réponse. Ensuite, posez une question avec **quand.** Votre partenaire va inventer une réponse à cette question aussi.

Modèle: Mon frère va faire un voyage.

> VOUS: **Où est-ce que votre frère va faire un voyage?**
> VOTRE PARTENAIRE: **Il va faire un voyage en France.**
> VOUS: **Quand est-ce qu'il va faire ce voyage?**
> VOTRE PARTENAIRE: **Il va faire ce voyage la semaine prochaine.**

1. Je vais dîner.
2. Mon cousin travaille.
3. Mes amis étudient.
4. Mon amie a envie de nager.
5. Nous allons au cinéma.

20. **À vous.** Répondez.

1. Où les étudiants de votre université habitent-ils?
2. Où se trouve la bibliothèque sur votre campus?
3. Quels bâtiments se trouvent près de la bibliothèque?
4. Où se trouve la salle de classe pour le cours de français?
5. Quand avez-vous votre cours de français?
6. Où les étudiants dînent-ils d'habitude le dimanche soir?
7. Où allez-vous vendredi prochain? Pourquoi?

ENTRE AMIS Un pays où on ne parle pas anglais

1. Tell your partner you are going to a country where English is not spoken.
2. S/he will try to guess where.
3. S/he will try to guess which language(s) are spoken there.
4. S/he will ask when you are going to that country.

Révision et Intégration

A. **Au revoir.** Combien de synonymes de l'expression **au revoir** savez-vous (*do you know*)?

B. **Les pays.** Répondez.

1. Pouvez-vous nommer (*Can you name*) cinq pays où on parle français?
2. Nommez deux pays en Europe, deux pays en Asie et deux pays en Afrique.
3. Dans quels pays se trouvent ces villes: Dakar? Genève? Trois-Rivières? Lyon? Montréal? Prairie du Chien? Rabat? Bruxelles? Des Moines? Bâton Rouge?

C. **À vous.** Répondez.

1. Qu'est-ce que vous avez envie de faire ce week-end? (trois choses)
2. Qu'est-ce que vous allez probablement faire?
3. Qu'est-ce que vos amis aiment faire le samedi soir?
4. Qu'est-ce que vous faites le lundi? (trois choses)
5. Quels sont les jours où vous allez à votre cours de français?
6. À quelle heure allez-vous à ce cours?
7. Dans quel bâtiment avez-vous ce cours? Où se trouve ce bâtiment?
8. Quel jour aimez-vous le mieux (*the best*)? Pourquoi?

ENTRE AMIS Une enquête (*A survey*)

Interview your classmates to find ...

1. someone who has a dog or a cat
2. someone who takes a nap in the afternoon
3. the person who has the most brothers or sisters
4. someone who likes to do the housework
5. the person who lives the farthest from school
6. a person who is going to do something interesting on Friday evening
7. a person who is going to do something boring on Friday evening
8. someone who does homework on Friday night

D. *Rédaction:* L'université Laval à Québec. You are going to go to Québec City. Write another letter to your pen pal there. Be sure to include a number of questions that will help you learn something about that city and the campus of Laval University. Mention your own schedule and try to find out something about your friend's.

Lecture

A. Les langues. Identifiez un pays (ou des pays) où on parle les langues suivantes.

Modèle: le japonais
    VOTRE PARTENAIRE: **Où est-ce qu'on parle japonais?**
    VOUS: **On parle japonais au Japon.**

1. le français
2. l'anglais
3. l'espagnol
4. le russe
5. le chinois

B. Savez-vous ... ? (*Do you know ... ?*) Avant de lire, essayez de répondre (*try to answer*) aux questions suivantes.

1. Où se trouve le bâtiment de l'Organisation des Nations Unies?
2. Quels pays sont membres du Conseil de Sécurité de l'ONU?
3. Quelles langues parle-t-on pendant les réunions du Conseil de Sécurité?

Give students a specific amount of time to read and to re-read the article. Tell them to put a real or imaginary line under words they don't know, but to keep reading.

L'anniversaire de l'ONU

NEW YORK: le 24 octobre. On célèbre aujourd'hui l'anniversaire de l'Organisation des Nations Unies. Fondée en 1945, cette organisation sert à développer la coopération entre les pays membres et à proposer des solutions aux problèmes sociaux, culturels et humanitaires.

La France et le français jouent un rôle très important à l'ONU. Le français est l'une des six langues officielles. Les cinq autres sont l'anglais, le chinois, l'espagnol, le russe et l'arabe. Mais pendant les réunions du Conseil de Sécurité on parle seulement deux langues: l'anglais et le français. Alors notre français a encore beaucoup de prestige.

C'est le Conseil de Sécurité de l'ONU qui a la responsabilité de maintenir la paix à travers le monde.[1] Pour accomplir cette mission, le Conseil recrute des forces de surveillance. Chacun des pays membres fournit un contingent de soldats et l'ONU les expédie[2] dans des pays où il y a des conflits. Les cinq membres permanents du Conseil de Sécurité sont la Chine, les États-Unis, la France, la Grande-Bretagne et l'URSS.

Si, pendant un voyage aux États-Unis, vous passez par la ville de New York, ne manquez[3] pas d'aller visiter le bâtiment des Nations Unies. Il est situé à côté de l'East River.

Bon anniversaire aux Nations Unies!

1. throughout the world   2. sends   3. miss

C. **Vrai ou faux?** Décidez si les phrases suivantes sont vraies ou fausses. Si une phrase est fausse, corrigez-la (*correct it*).

1. L'espagnol est une des six langues officielles des Nations Unies.
2. On parle espagnol pendant les réunions du Conseil de Sécurité.
3. Le bâtiment des Nations Unies se trouve à New York.
4. La Russie est un des cinq membres permanents du Conseil de Sécurité.
5. Le Japon est un des cinq membres permanents du Conseil de Sécurité.

D. **Questions.** Répondez.

1. Quelles sont les langues officielles de l'ONU?
2. Quel âge a l'ONU?
3. Quelle est la date de l'anniversaire des Nations Unies?
4. Pourquoi y a-t-il une Organisation des Nations Unies?

E. **Discussions.** Répondez.

1. Est-ce que l'auteur est français? Expliquez votre réponse.
2. Est-ce que l'ONU fait bien son travail?
3. À votre avis (*in your opinion*), quels autres pays devraient être (*should be*) membres du Conseil de Sécurité?

Vocabulaire actif

Cours

la chimie	*chemistry*	l'informatique (*f.*)	*computer science*
le commerce	*business*	la littérature	*literature*
la comptabilité	*accounting*	la pédagogie	*education, teacher preparation*
la gestion	*management*	les sciences (*f. pl.*)	*science*
la gymnastique	*gymnastics*	les sciences économiques (*f. pl.*)	*economics*

Endroits

un aéroport	airport	une église	church
une banque	bank	un endroit	place
un bâtiment	building	une épicerie	grocery store
une bibliothèque	library	un gymnase	gymnasium
un bistro	bar and café; bistro	une librairie	bookstore
une boulangerie	bakery	un pays	country
un bureau de poste	post office	une pharmacie	pharmacy
un bureau de tabac	tobacco shop	une piscine	swimming pool
une cafétéria	cafeteria	une résidence (universitaire)	dormitory
un campus	campus	un restaurant	restaurant
un centre commercial	shopping center, mall	une salle de classe	classroom
un cinéma	movie theater	les toilettes (f. pl.)	restroom
un couloir	hall; corridor	une ville	city
une école	school		

Jours de la semaine

lundi (m.)	Monday
mardi (m.)	Tuesday
mercredi (m.)	Wednesday
jeudi (m.)	Thursday
vendredi (m.)	Friday
samedi (m.)	Saturday
dimanche (m.)	Sunday

Divisions du temps

l'heure (f.)	(clock) time
une minute	minute
une semaine	week
un week-end	weekend

Langues

l'arabe	Arabic
le flamand	Flemish
le wolof	Wolof

Pays

l'Allemagne (f.)	Germany	les États-Unis (m. pl.)	United States	le Maroc	Morocco
l'Angleterre (f.)	England	la France	France	le Mexique	Mexico
la Belgique	Belgium	l'Irlande (f.)	Ireland	la Russie	Russia
le Canada	Canada	Israël (m.)	Israel	le Sénégal	Senegal
la Chine	China	l'Italie (f.)	Italy	la Suède	Sweden
l'Espagne (f.)	Spain	le Japon	Japan	la Suisse	Switzerland

D'autres noms

un emploi du temps	schedule	un rendez-vous	appointment; date
un film	film, movie	une souris	mouse
le fromage	cheese	un voyage	trip, voyage

Adjectifs

libre	free	prochain(e)	next
parfait(e)	perfect	seul(e)	alone; only
premier (première)	first		

Verbes

aller	to go	déjeuner	to have lunch
aller en ville	to go into town	faire un voyage	to take a trip
avoir envie de	to want to; to feel like	passer (un test)	to take (a test)
avoir l'intention de	to plan to	rester	to stay

Adverbes

avant	before	enfin	finally
d'abord	at first	ensuite	next, then
demain	tomorrow		

Expressions de lieu

à côté	next door; to the side	entre	between, among
à côté de	next to, beside	loin de	far from
derrière	behind	sous	under
devant	in front of		

Autre préposition

vers (8 heures)   *approximately, around (8 o'clock)*

Expressions de temps

Quelle heure est-il?	*What time is it?*
Quel jour est-ce?	*What day is it?*
Il est ... heure(s).	*It is ... o'clock.*
Il est midi (minuit).	*It is noon (midnight).*
et demi(e)	*half past*
et quart	*quarter past, quarter after*
moins le quart	*quarter to, quarter till*
ce soir	*tonight*
dans une heure (trois jours, etc.)	*one hour (three days, etc.) from now*
tout à l'heure	*in a little while*
tout le week-end	*all weekend (long)*

D'autres expressions utiles

Cela (ça) m'est égal.	*I don't care.*
D'accord.	*Okay.*
Je vais sortir.	*I'm going to go out.*
Où se trouve (se trouvent) ... ?	*Where is (are) ... ?*
pas grand-chose	*not much*
Quoi de neuf?	*What's new?*
si ça va	*if that's okay*

Vos *activités*

Buts communicatifs
Relating past events
Describing your study habits
Describing your weekend
  activities

Structures utiles
Le passé composé avec **avoir**
Les verbes **écrire** et **lire**
Ne ... rien
Jouer de et **jouer à**
Temps, heure et **fois**
Les pronoms accentués
Les verbes **dormir, partir** et
  sortir

Culture
La famille et la maison
Relativité culturelle: La
  maison

Coup d'envoi

Qu'avez-vous fait hier?

Qu'est-ce que tu as fait hier,° Sébastien?

What did you do yesterday?

Point out the use of **à** before an object with **téléphoner.**

    J'ai téléphoné à deux amis.
    J'ai fait mes devoirs.
    J'ai étudié pendant° trois heures.   *for*
    J'ai déjeuné à midi et j'ai dîné à
      7 heures du soir.
    J'ai regardé un peu la télévision.
    Mais je n'ai pas fait le ménage.
    Et je n'ai pas passé d'examen°.   *test*

✤ **Et vous?** Qu'est-ce que vous avez fait?

Une lettre à des amis

*Lori a écrit une lettre à deux de ses camarades du
cours de français aux États-Unis.*

Angers, le 15 décembre

Chers John et Cathy,

Merci beaucoup de vos lettres. Que le temps passe vite![1] Je suis en
France depuis déjà trois mois.[2] Vous avez demandé si j'ai le temps[3] de
voyager. Oui, mais je suis très active et très occupée. J'ai toujours tant[4]
de choses à faire. C'est la vie, n'est-ce pas?

Dimanche dernier,[5] j'ai accompagné ma famille française à Saumur
chez les parents de Mme Delille. Nous avons passé trois heures à table!
Cette semaine, j'ai lu une pièce[6] de Molière pour mon cours de littérature et j'ai écrit une dissertation.[7] J'ai aussi fait le ménage et j'ai gardé[8]
les enfants pour Mme Delille. Samedi, heureusement,[9] j'ai fait la grasse
matinée![10]

Vous avez demandé si j'ai remarqué[11] des différences entre la France
et les États-Unis. Beaucoup. Chez les Delille, par exemple, les portes à
l'intérieur de la maison sont toujours fermées,[12] les toilettes ne sont pas
dans la salle de bain[13] et les robinets[14] sont marqués «C» et «F». J'ai
déjà oublié[15] deux fois[16] que «C» ne veut pas dire «cold». Aïe!

Dites bonjour[17] pour moi à Madame Walter, s.v.p.
Bonnes vacances!

Votre amie «française»,

Lori

*1. How time flies! 2. I've already been in France for three months 3. time 4. so
many 5. last 6. I read a play 7. I wrote a (term) paper 8. watched, looked after 9. fortunately 10. I slept in 11. I noticed 12. closed 13. bathroom 14. faucets 15. I already
forgot 16. times 17. say hello*

Compréhension. Décidez si les phrases suivantes sont vraies ou fausses. Si
une phrase est fausse, corrigez-la.

1. Lori a déjà passé trois mois en France.
2. En France on passe beaucoup de temps à table.
3. Lori a beaucoup de temps libre.
4. On ferme les portes dans une maison française.
5. «C» sur un robinet veut dire «chaud».
6. «F» sur un robinet veut dire «français».

✤ Pourquoi est-ce que les portes sont fermées à l'intérieur d'une maison française?

a. Les Français désirent être différents des autres.
b. Les Français préfèrent l'ordre et l'intimité (*privacy*).
c. Les Français ont peur des voleurs (*are afraid of thieves*).

La famille et la maison

Living in France has meant more to Lori than just learning the French language. She has also had the opportunity to become part of a French family and has had to learn to cope with a number of cultural differences. According to the French proverb, **Charbonnier est maître chez lui,** "A man's home is his castle" (lit., *A coalminer is master in his own house*). This proverb gives an insight into French attitudes about the home. There is no need in French for a separate word to distinguish between *house* and *home*. Both are **la maison,** and **la maison** is seen as a refuge from the storm of the world outside, a place to find comfort and solace and to put order into one's existence.

Given the French attitude about **la maison,** it is not surprising to find social and architectural indications of that need for order. There is a set time for meals, and family members are expected to be there. There is an order to a French meal that is quite different from the everything-on-one-plate-at-one-time eating style prevalent in English-speaking North America. The walls around French houses, the shutters on the windows, and the closing of the doors inside the home are other examples of the French desire for order and clearly established boundaries. What an honor, therefore, when one is invited into a French home as a guest!

Relativité culturelle: La maison

The home is undoubtedly the scene of the greatest number of cultural contrasts. There are, therefore, some potentially troublesome adjustments.

The answer to the cultural question is **b.**

À propos

In France	*In North America*
Doors are closed, especially the bathroom door, even when no one is in the room.	Doors inside a house are often left open.
Since the toilet is often not in the bathroom, one has to be more specific about whether one is looking for **la salle de bain** or **les toilettes.**	Since the toilet, tub, and shower are all in the bathroom, one person may inconvenience the rest of the family.
Hands can be scalded trying to test "cold" water from a faucet marked "C."	Turning on a faucet marked "C" will not make the water get hot (**chaud**) no matter how long one waits.
There are no screens on windows.	Screens on windows don't allow the wide-open feeling one gets from French windows.

IL Y A UN GESTE

J'ai oublié! The palm of the hand is raised against the temple. This gesture conveys the meaning that you have forgotten something or have made a mistake.

C'est la vie. A gesture often accompanies the expression **C'est la vie:** the shoulders are shrugged, and the head is slightly tilted to one side. Sometimes the lips are pursed as well, and the palms are upturned. The idea is *That's life and I can't do anything about it.*

Aïe! The exclamation **aïe!** (*ouch!*) is used to express pain, disappointment, or shock. You usually grit your teeth when saying **aïe!**

✧ **À vous.** Donnez une réponse personnelle.

1. Où avez-vous dîné hier soir?
2. Combien de temps avez-vous passé à table?
3. Qu'est-ce que vous avez fait après le dîner?

ENTRE AMIS Hier

1. Ask what your partner did yesterday.
2. S/he will tell you at least two things.
3. Choose one of the things s/he did and find out as much as you can about it (at what time, where, etc.).

Les sons [u] et [y]

■ Because of differences in meaning in words such as **tout** and **tu**, it is very important to distinguish between the vowel sounds [u] and [y]. The following words contain these two important vowel sounds. Practice saying these words after your teacher, paying particular attention to the highlighted vowel sound.

[**u**] □ bonj*ou*r, r*ou*ge, c*ou*rs, éc*ou*ter, j*ou*er, tr*ou*ver, v*ou*lez, je v*ou*drais, t*ou*-j*ou*rs, beauc*ou*p, p*ou*rquoi, s*ou*vent, c*ou*sin, c*ou*sine, d*ou*te, *ou*vrier, bl*ou*son, f*ou*lard, c*ou*leur, c*ou*rse, n*ou*veau, auj*ou*rd'hui, c*ou*loir, s*ou*s, t*ou*t, *ou*blié

□ *où*

[**y**] □ j*u*s, *u*ne, ét*u*dier, ét*u*diants, t*u*, b*u*reau, calc*u*latrice, voit*u*re, s*u*r, j*u*pe, l*u*nettes, p*u*ll-over, n*u*méro, difficult*é*, br*u*ne, st*u*pide, campus, *u*niversi-taire, m*u*sique, R*u*ssie, min*u*te, d*u*, occ*u*pé, j'ai l*u*, littérat*u*re

■ The [u] sound, represented by written **ou** or **où,** is close to the sound in the English word *tooth.*

n*ou*s   r*ou*ge   *où*

■ The [y] sound is represented by a single written **-u-.** There is, however, no English "equivalent" for this French sound. To produce it, round your lips as if drinking through a straw; then, without moving your lips, pronounce the vowel in the word **ici.**

d*u*   *u*ne   sal*u*t   v*u*e

Note: In the expression j'ai **eu** (*I had*) the word **eu** is pronounced [y].

✤ In each of the following pairs of words, one of the words contains the [u] sound, the other the [y] sound. Pronounce each word correctly.

1. sur/sous
2. jour/jupe
3. vous/vu
4. pure/pour
5. tout/tu
6. russe/rousse
7. roux/rue
8. ou/eu

Buts communicatifs

1. Relating Past Events

Avez-vous déjà° skié cette année°?   *already/year*
    Oui, j'ai déjà skié.
    Non, je n'ai pas encore skié.

	oui	*non*
Avez-vous déjà chanté en français?	____	____
Avez-vous déjà dansé la valse?	____	____
Avez-vous déjà mangé des crêpes?	____	____
Avez-vous déjà joué au tennis?	____	____
Avez-vous déjà travaillé dans un restaurant?	____	____
Avez-vous déjà fumé° un cigare? *smoked*	____	____
Avez-vous déjà été absent(e) ce semestre?	____	____
Avez-vous déjà eu 25 ans?	____	____
Avez-vous déjà fait vos devoirs pour demain?	____	____

A. Le passé composé avec *avoir*

Hier soir, **Michel a regardé** la télévision.	*Last night, Michel watched television.*
Et puis **il a fait** ses devoirs.	*And then he did his homework.*
Pendant combien de temps **a-t-il étudié?**	*How long did he study?*
Il a étudié pendant deux heures.	*He studied for two hours.*

■ The passé composé (*compound past*) is used to tell about or narrate specific events that have already taken place. Depending on the context, its English translation may be any one of several possibilities.

J'ai mangé une pomme.   { *I ate an apple.*
                               I did eat an apple.
                               I have eaten an apple.

Verbs taking the auxiliary **être** will be studied in Ch. 7.

■ The passé composé is formed with the present tense of an auxiliary verb (normally **avoir**) and a past participle.

manger (*au passé composé*)			
j'ai	**mangé**	nous avons	**mangé**
tu as	**mangé**	vous avez	**mangé**
il/elle/on a	**mangé**	ils/elles ont	**mangé**

The conjugation of regular **-re** and **-ir** verbs will be taught in Chs. 9 and 12 respectively.

■ The past participles of all **-er** verbs are pronounced the same as the infinitive. They are spelled by replacing the **-er** ending of the infinitive with **-é.**

étudier + -é → **étudié**
manger + -é → **mangé**
jouer + -é → **joué**

■ The past participles of many verbs that *don't* end in **-er** must be memorized.

eu (avoir)   **été** (être)   **fait** (faire)

J'**ai eu** la grippe pendant trois jours!	*I had the flu for three days!*
Anne et Guy **ont fait** la cuisine ensemble.	*Anne and Guy did the cooking together.*

■ In the negative, **ne ... pas** (**ne ... jamais**) is placed around the auxiliary verb.

ne (n') + auxiliary verb + **pas** (**jamais**) + past participle

Il **n'a pas** écouté la radio.	*He didn't listen to the radio.*
Nous **n'**avons **pas** fait de promenade.	*We didn't take a walk.*
La plupart des étudiants **n'**ont **jamais** fumé de cigare.	*Most students have never smoked a cigar.*

Point out that **la plupart de** is usually used with plural nouns and takes a plural verb. The only common exception is **la plupart du temps.**

Buts communicatifs   **187**

Refer students back to the explanation of the formation of questions in Ch. 2 if necessary.

■ Questions in the passé composé are formed the way they are in the present tense. Note, however, that in all cases of inversion, only the auxiliary verb and the subject pronoun are involved. The past participle follows the inverted pronoun.

Il a fait ses devoirs?
Est-ce qu'il a fait ses devoirs?
A-t-il fait ses devoirs?
Marc a-t-il fait ses devoirs?

Has he (Marc) done his homework?

1.

Mais il a fait ça hier. Demandez si David fait les choses suivantes aujourd'hui. Votre partenaire va répondre que David a fait ces choses hier.

Modèle: parler avec ses parents
        VOUS: **Est-ce que David parle avec ses parents aujourd'hui?**
VOTRE PARTENAIRE: **Non, mais il a parlé avec ses parents hier.**

1. travailler
2. jouer au tennis
3. être absent
4. avoir une lettre de ses grands-parents
5. dîner avec Véronique
6. manger une pizza
7. faire la vaisselle
8. regarder la télé

2.

Véronique. Pierre aime Véronique et il pose des questions parce qu'elle a dîné avec David hier soir. Répondez à ses questions selon le modèle.

Modèle: Véronique a-t-elle dîné seule? (avec David)
Non, elle n'a pas dîné seule; elle a dîné avec David.

1. Ont-ils dîné au restaurant? (chez David)
2. David a-t-il fait la cuisine? (la vaisselle)
3. Ont-ils mangé un sandwich? (une pizza)
4. Véronique a-t-elle détesté la pizza? (aimé)
5. Ont-ils dansé après le dîner? (regardé la télévision)
6. Avez-vous aimé cet exercice? (détesté)

3.

La plupart des étudiants. Qu'est-ce que la plupart des étudiants ont fait hier? Décidez.

Remind students to use plural verb forms with **la plupart de**.

Add the question: **Et vous? Avez-vous fumé une cigarette hier?** Have students answer **Moi aussi** or **Moi non plus** if the answer is the same for them.

Modèle: fumer une cigarette
VOTRE PARTENAIRE: **Est-ce que la plupart des étudiants ont fumé une cigarette hier?**
        VOUS: **Non, la plupart des étudiants n'ont pas fumé de cigarette.**

1. chanter en français
2. être malade
3. travailler
4. avoir la grippe
5. regarder la télévision
6. pleurer
7. faire le ménage
8. étudier

Vocabulaire: Expressions de temps (passé)

Remind students that **tout à l'heure** can also refer to the future: *in a little while.*

tout à l'heure	*a little while ago*
ce matin	*this morning*
hier soir	*last night*
hier	*yesterday*
hier matin	*yesterday morning*
lundi dernier	*last Monday*
le week-end dernier	*last weekend*
la semaine dernière	*last week*
le mois dernier	*last month*
l'année dernière	*last year*
il y a deux (trois, etc.) ans	*two (three, etc.) years ago*
il y a longtemps	*a long time ago*
la dernière fois	*the last time*
pendant les vacances	*during vacation*

Notes:

1. **Il y a,** used with an expression of time, means *ago*: **il y a deux mois** (*two months ago*); **il y a trois ans** (*three years ago*).
2. In general, the word **an** is used when counting the number of years: **un an, deux ans,** etc. The word **année** is used when referring to a specific year: **cette année, l'année dernière,** etc.

4.

Il y a combien de temps? Qu'avons-nous fait? Que n'avons-nous pas fait? Utilisez un élément de chaque colonne pour composer des phrases affirmatives ou négatives.

Modèles: **Mes parents ont fait un voyage il y a deux ans.**
Mes parents n'ont jamais parlé français.

	skier	
	faire un voyage	ne ... jamais
je	avoir des vacances	il y a ...
mes parents	dîner au restaurant	... dernier (dernière)
mon meilleur ami	avoir une lettre	pendant les vacances
ma meilleure amie	être absent(e)(s)	hier (...)
nous	faire la vaisselle	ce matin
	parler français	tout à l'heure
	étudier pendant trois heures	

5. **La dernière fois.** Demandez quand votre partenaire a fait ces choses pour la dernière fois. Il (elle) va répondre.

Modèle: être absent(e)

VOUS: **Quelle est la dernière fois que vous avez été absent(e)?**

VOTRE PARTENAIRE: **J'ai été absent(e) la semaine dernière.**   ou
Je n'ai jamais été absent(e).

Do this exercise in pairs. Follow up by having the class interview the instructor.

1. étudier seul(e)
2. fumer
3. passer un examen
4. être malade
5. téléphoner à un ami
6. avoir «A» à l'examen
7. passer trois heures à table
8. nager à la piscine
9. manger une pizza

6.   **À vous.**   Répondez.

1. Pendant combien de temps avez-vous étudié hier soir?
2. Pendant combien de temps avez-vous regardé la télévision?
3. Quelle est la dernière fois que vous avez téléphoné à un(e) ami(e)? Pendant combien de temps avez-vous parlé au téléphone?
4. Quelle est la dernière fois que vous avez eu la grippe? Pendant combien de temps avez-vous été malade?
5. Quelle est la dernière fois que vous avez été absent(e)?
6. Pendant combien de jours avez-vous été absent(e) ce semestre?

ENTRE AMIS   Hier soir

1. Find out where your partner ate last night.
2. Find out if s/he watched TV.
3. Ask if s/he listened to the radio.
4. Find out if s/he did her homework.
5. If so, find out where.
6. If so, find out how long s/he studied.

2. Describing Your Study Habits

	oui	*non*
J'aime étudier seul(e).	___	___
Je fais mes devoirs à la bibliothèque.	___	___
J'écris° souvent des dissertations. *write*	___	___
Je passe au moins° trois heures à étudier. *at least*	___	___
Je lis° au moins un livre par semaine. *read*	___	___
J'écoute la radio pendant que j'étudie.	___	___
Je regarde la télé pendant que j'étudie.	___	___

Remarque: Use **passer** + unit(s) of time + **à** + infinitive to express how long you spend doing something.

Nous **avons passé deux heures à manger.** *We spent two hours eating.*

D'habitude, Marc **passe quatre heures à faire** ses devoirs. *Marc usually spends four hours doing his homework.*

B. Les verbes *écrire* et *lire*

J'aime **lire** les romans policiers.
J'ai passé trois heures à **lire** hier soir.

Quelles langues **lisez-vous?**
Éric lit le journal pendant
qu'il mange.
Mes parents n'**écrivent** pas souvent.
À qui **écrivez-vous** régulièrement?

Comment est-ce qu'**on écrit**
le mot «lisent»?

I like to read detective stories.
*I spent three hours reading
last night.*

What languages do you read?
*Éric reads the newspaper
while he eats.*
My parents don't write often.
*To whom do you write
regularly?*

*How do you spell the word
"lisent"?*

écrire (*to write*)	
j'	écris
tu	écris
il/elle/on	écrit
nous	écrivons
vous	écrivez
ils/elles	écrivent
passé composé: **j'ai écrit**	

lire (*to read*)	
je	lis
tu	lis
il/elle/on	lit
nous	lisons
vous	lisez
ils/elles	lisent
passé composé: **j'ai lu**	

■ Note the pronunciation distinction between the third person singular and plural forms.

il écrit [ekRi]
ils [z]écrivent [ekRiv]

elle lit [li]
elles lisent [liz]

■ The verb **décrire** (*to describe*) is conjugated like **écrire**.

Nous **décrivons** nos familles au professeur.

38, AV. HOCHE, 75008 PARIS. TEL : (16.1).42.89.05.98

Vocabulaire: Des choses à lire ou à écrire

une bande dessinée	*comic strip*
une carte postale	*postcard*
une dissertation	*(term) paper*
un journal	*newspaper*
une lettre	*letter*
un livre	*book*
un magazine	*magazine*
une pièce	*play*
un poème	*poem*
un roman	*novel*
un roman policier	*detective story*

Note: The plural of **journal** is **journaux: Je lis deux** *journaux* **par jour.**

7. **Qu'est-ce qu'ils lisent? Qu'est-ce qu'ils écrivent?** Faites des phrases complètes avec les éléments donnés.

Modèles: **Mon amie Christelle lit deux romans par semaine.**
Mes parents n'écrivent jamais de dissertation.

		bande dessinée		
mon ami(e) ...		carte postale		
je		livre		jour
nous		roman		semaine
les professeurs	écrire	magazine	par	mois
mes parents	lire	journal		semestre
mon camarade de chambre		lettre		an
ma camarade de chambre		poème		
		pièce		
		dissertation		

C. *Ne ... rien*

■ The opposite of **quelque chose** is **ne ... rien** (*nothing, not anything*).

Mangez-vous **quelque chose?**	*Are you eating something?*
Non, je **ne** mange **rien.**	*No, I am not eating anything.*

■ **Ne ... rien** works like **ne ... pas** and **ne ... jamais;** that is, **ne** and **rien** are placed around the conjugated verb. This means that in the passé composé, **ne** and **rien** surround the auxiliary verb and the past participle follows **rien.**

Je **ne** vais **rien** écrire.	*I'm not going to write anything.*
Je **n'**ai **rien** écrit hier soir.	*I didn't write anything last night.*

■ **Rien** can follow a preposition.

Je **n'**ai pensé **à rien.**   *I didn't think about anything.*
Je **ne** pense **à rien.**   *I'm not thinking about anything.*

■ Unlike English, French allows the use of more than one negative word in a sentence.

Il **ne** fait **jamais rien!**   *He never does anything!*

The use of **rien** as a subject will be studied in Ch. 15.

■ Like **jamais, rien** can be used alone to answer a question.

Qu'est-ce que tu as lu? **Rien.**

For Recognition Only

■ **Quelque chose** and **rien** can be made slightly more specific by the addition of **de** + *masculine adjective* or of **à** + *infinitive.* The two constructions can even be combined.

Jean lit **quelque chose** *d'intéressant.*	Éric **ne** lit **rien** *d'intéressant.*
Il a **quelque chose** *à lire.*	Il **n'**a **rien** *à lire.*
Il a **quelque chose** *d'intéressant à lire.*	Il **n'**a **rien** *d'intéressant à lire.*

8.   **Une personne paresseuse.**   Éric ne fait rien. Répondez aux questions suivantes avec le mot **rien.**

Modèles: Qu'est-ce qu'il fait le vendredi soir?   **Il ne fait rien.**
Qu'est-ce qu'il a fait vendredi dernier?   **Il n'a rien fait.**
Qu'est-ce qu'il va faire vendredi prochain?   **Il ne va rien faire.**

1. Qu'est-ce qu'il étudie à la bibliothèque?
2. Qu'est-ce qu'il écrit pour son cours de français?
3. Qu'est-ce qu'il lit pendant le week-end?
4. Qu'est-ce qu'il va faire cet après-midi?
5. Qu'est-ce qu'il va écrire ce soir?
6. Qu'est-ce qu'il va lire pour ses cours?
7. Qu'est-ce qu'il a écrit pendant les vacances?
8. Qu'est-ce qu'il a lu l'année dernière?
9. Qu'est-ce qu'il a mangé ce matin?

9. **Ces travailleurs.** Sylvie et David sont très travailleurs et ils n'ont pas eu le temps la semaine dernière de faire des choses amusantes. Posez une question au passé composé. Votre partenaire va utiliser **rien** dans sa réponse.

Modèle: regarder quelque chose à la télé

vous: **Est-ce qu'ils ont regardé quelque chose à la télé?**

votre partenaire: **Non, ils n'ont rien regardé.**

Redo Ex. 9 in the near future with **aller: Est-ce qu'ils vont regarder quelque chose? Non, ils ne vont rien regarder.**

1. écouter quelque chose à la radio
2. écrire des poèmes
3. chanter quelque chose ensemble
4. lire un roman policier
5. faire quelque chose en ville

10. **À vous.** Répondez.

1. Qu'est-ce que vous lisez le matin d'habitude?
2. Qu'est-ce que vous avez écrit la semaine dernière?
3. Qu'avez-vous lu hier soir?
4. Avez-vous écouté la radio ce matin? Si oui, pendant combien de temps?
5. Avez-vous des amis qui regardent la télé pendant qu'ils étudient?
6. Qu'est-ce que vous regardez à la télévision pendant que vous étudiez?
7. Combien de temps passez-vous d'habitude à préparer vos cours?
8. Lisez-vous souvent des magazines? Si oui, quels magazines?
9. Combien de dissertations écrivez-vous par semestre?

E N T R E   A M I S   Es-tu très bon(ne) en français?

1. Find out if your partner reads and writes French.
2. Find out how long s/he studied last night.
3. Find out what s/he studied last night.
4. Ask your partner how to spell some word in French.
5. Compliment your partner on his/her French.

3. Describing Your Weekend Activities

Qu'est-ce que vous faites pendant le week-end?

		oui	non
Je passe le week-end à étudier.		___	___
Je reste dans ma chambre.		___	___
Je pars° du campus.	leave	___	___
Je sors° avec mes amis.	go out	___	___
Je vais au cinéma.		___	___
Je joue du piano.		___	___
Je joue au golf.		___	___
Je dors° beaucoup.	sleep	___	___
Je fais la grasse matinée le samedi.		___	___

D. *Jouer de* et *jouer à*

Vocabulaire: Quelques instruments de musique

un accordéon	*accordion*
une batterie	*drums*
une flûte	*flute*
une guitare	*guitar*
un piano	*piano*
un saxophone	*saxophone*
une trompette	*trumpet*
un violon	*violin*

Note: To play a musical instrument is expressed by **jouer de** + definite article + musical instrument. The definite article is retained in the negative before the name of the instrument.

Mon frère **joue du** saxophone, mais il ne **joue** pas **de la** guitare.	*My brother plays the saxophone but he doesn't play the guitar.*
De quoi **jouez**-vous?	*What (instrument) do you play?*
Moi, je ne **joue de** rien.	*I don't play anything.*

Vocabulaire: Quelques jeux (*Several games*)

le basket-ball (le basket)	*basketball*
le bridge	*bridge*
les cartes (*f. pl.*)	*cards*
les dames (*f. pl.*)	*checkers*
les échecs (*m. pl.*)	*chess*
le football (le foot)	*soccer*
le football américain	*football*
le golf	*golf*
le hockey	*hockey*
la pétanque	*lawn bowling (bocce)*
le rugby	*rugby*
le tennis	*tennis*

Point out that in **le hockey** the article does not change to **l'**. The **h aspiré** is explained in the pronunciation section of Ch. 10.

Note: La pétanque est un jeu de boules très populaire en France. On joue à la pétanque à l'extérieur, par exemple près des cafés. Pour marquer des points, il faut placer les boules le plus près possible du cochonnet (*small wooden ball*).

■ *To play a game* is expressed by **jouer à** + definite article + game.

—Mon amie **joue au** golf le lundi, elle **joue à la** pétanque le mercredi et elle **joue aux** cartes le vendredi soir. Mais elle ne **joue** jamais **aux** échecs.
—À quoi **jouez**-vous?
—Moi, je ne **joue à** rien.

11. **Tout le monde joue.** À quoi jouent-ils? De quoi jouent-ils? Faites des phrases complètes avec les éléments donnés.

Modèles: **Les Canadiens jouent au hockey.**
Ma sœur ne joue pas de l'accordéon.

Follow up by creating "illogical" sentences, e.g., **Michael Jordan joue du violon.** Have students correct them.

les Français			la pétanque
Jack Nicklaus			l'accordéon
Larry Bird			le piano
ma sœur			les cartes
mon frère		de	le saxophone
les violonistes	(ne ... pas) jouer	à	le basket-ball
les Américains			la guitare
les Canadiens			les échecs
un accordéoniste			le violon
Jean-Pierre Rampal			le golf
je			le hockey
mon ami(e) ...			la flûte

12. À vous. Répondez.

1. Quel est votre instrument de musique préféré?
2. Quel est votre sport préféré?
3. Jouez-vous d'un instrument de musique? Si oui, de quoi jouez-vous?
4. Êtes-vous sportif (sportive)? Si oui, à quoi jouez-vous?
5. Avez-vous des amis qui jouent aux cartes? Si oui, à quel jeu de cartes jouent-ils?
6. Avez-vous des amis qui jouent d'un instrument de musique? Si oui, de quoi jouent-ils?

CONSERVATOIRE
NATIONAL SUPÉRIEUR DE
Musique
P A R I S

ENTRE AMIS Tu joues?

1. Find out if your partner plays a musical instrument.
2. If so, find out how well s/he plays.
3. Find out which games your partner plays.
4. Invite him/her to play one of the games.
5. Agree on a day and a time.
6. Tell your partner "I'll see you soon."

E. *Temps, heure* et *fois*

■ Depending on the context, the French use different words to express what, in English, could always be expressed by the word *time*.

□ **L'heure,** as you already know, means *clock time.*

Quelle **heure** est-il?   *What time is it?*

Reminder: **Heure** can also mean *hour* and *o'clock.*

J'ai étudié pendant trois **heures.**   *I studied for three hours.*
Il est deux **heures.**   *It is two o'clock.*

□ **La fois** means *time* in a countable or repeated sense.

Combien de **fois** par an?   *How many times per year?*
la dernière **fois**   *the last time*

□ **Le temps** means *time* in a general sense.

Je n'ai pas **le temps** d'étudier.   *I don't have time to study.*
Avez-vous **le temps** de voyager?   *Do you have time to travel?*
Combien de **temps** avez-vous?   *How much time do you have?*

Reminder: **Temps** can also mean *weather*.

Quel **temps** fait-il aujourd'hui?   *What's the weather like today?*

13.   **Hier soir.**   Utilisez **temps, heure** ou **fois** pour compléter ce dialogue.

1. J'ai passé quatre ___ à faire mes devoirs.
2. Avez-vous eu assez de ___ pour regarder la télévision?
3. Non, parce que mes parents ont téléphoné trois ___ .
4. À quelle ___ ont-ils téléphoné la première ___ ?
5. À six ___ .
6. Combien de ___ par mois allez-vous chez vos parents?
7. Trois ou quatre ___ .
8. Avez-vous dîné hier soir? Oui, à sept ___ .
9. Combien de ___ avez-vous passé à table?
10. Une ___ .

14. À vous. Répondez.

1. Combien de temps passez-vous à faire vos devoirs d'habitude?
2. Pendant combien d'heures avez-vous étudié hier soir? Combien de temps avez-vous passé à faire vos devoirs pour le cours de français?
3. À quelle heure avez-vous dîné? Combien de temps avez-vous passé à table?
4. Combien de temps par semaine passez-vous avec votre meilleur(e) ami(e)?
5. Combien de fois par mois allez-vous au cinéma?
6. Combien de temps avez-vous passé à la bibliothèque la semaine dernière?
7. Combien de fois par semaine jouez-vous aux cartes?
8. Combien de fois par semaine jouez-vous d'un instrument de musique?
9. Combien de fois par mois faites-vous la grasse matinée?

E N T R E   A M I S   La curiosité

1. Find out what your partner does on the weekend.
2. Find out how much time s/he spends studying.
3. Find out if s/he plays a musical instrument. If so, what instrument and how often.

Students will learn in Ch. 11 to use stress pronouns in comparisons: **Il est plus grand que moi.**

F. Les pronoms accentués

■ *Stress pronouns* (**les pronoms accentués**) are used in certain circumstances where a subject pronoun cannot be used. Each stress pronoun has a corresponding subject pronoun.

je	→	**moi**	nous	→	**nous**
tu	→	**toi**	vous	→	**vous**
il	→	**lui**	ils	→	**eux**
elle	→	**elle**	elles	→	**elles**

■ Stress pronouns are used in the following circumstances:

□ to stress the subject of a sentence

Moi, je n'aime pas le café. *I don't like coffee.*
Ils aiment le thé, **eux.** *They like tea.*

Moi, je choisis le soleil !

□ in a compound subject

Mes parents et **moi,** nous *My parents and I live here.*
  habitons ici.
Lui et **elle** ont deux enfants. *He and she have two children.*

□ after a preposition

chez **moi** *at my house*   pour **lui** *for him*
entre **nous** *between us*   sans **elles** *without them*

Note: A stress pronoun after the expression **être à** indicates possession.

Ce livre est **à moi.** *This book belongs to me.*
Il est **à toi,** ce pull? *Is this sweater yours?*

□ after **c'est** and **ce sont**

C'est **moi.** *It is I (me).*
Ce n'est pas **elle.** *It is not she (her).*

Note: **C'est** is used with **nous** and **vous.** **Ce sont** is used only with **eux** and **elles.**

C'est nous. *It is we (us).*
Ce sont eux. *It is they (them).*

□ alone or in phrases without a verb

Lui! *Him!*
Et **toi?** *And you?*
Elle aussi. *So does she. So has she. So is she. She too.*
Moi non plus. *Me neither. Nor I.*

□ with the suffix **-même(s)**

toi-même *yourself*
eux-mêmes *themselves*

15. **Eux aussi.** La famille de Paul fait exactement ce qu'il fait (*what he does*). Utilisez un pronom accentué pour répondre à la question. Si la première phrase est affirmative, répondez affirmativement. Si la première phrase est négative, répondez négativement.

Modèles: Paul a fait le ménage. Et sa sœur?
Elle aussi.

Paul n'a pas regardé la télévision. Et son frère?
Lui non plus.

1. Paul n'a pas lu le journal ce matin. Et ses sœurs?
2. Paul écrit des lettres. Et ses parents?
3. Paul ne fait jamais la grasse matinée. Et sa sœur?
4. Il a déjà mangé. Et son frère?
5. Paul n'aime pas les cigares. Et ses parents?
6. Il va souvent au cinéma le vendredi soir. Et sa sœur?

16. **Au restaurant.** Répondez à la question. Utilisez **être à** et un pronom accentué dans chaque réponse.

Modèle: C'est votre chapeau, Madame?   **Oui, ce chapeau est à moi.**

1. C'est le restaurant de Monsieur Coutand?   4. C'est ta chaise?
2. C'est notre table?   5. Ce sont nos verres?
3. C'est la table de tes amis?   6. C'est ma tasse?

17. **À vous.** Répondez aux questions suivantes. Utilisez un pronom accentué dans chaque réponse.

1. Faites-vous la cuisine vous-même?
2. Déjeunez-vous d'habitude avec ou sans votre meilleur(e) ami(e)?
3. Avez-vous dîné chez cet(te) ami(e) hier soir?
4. Avez-vous passé les dernières vacances chez vos parents?
5. Vos amis et vous, allez-vous souvent au cinéma?
6. Vos amis parlent-ils quelquefois en français?
7. Faites-vous vos devoirs avec ou sans vos amis?

G. Les verbes *dormir, partir* et *sortir*

Je ne **dors** pas bien.	*I don't sleep well.*
Quand **partez-vous** en vacances?	*When are you leaving on vacation?*
Avec qui Annie **sort-elle** vendredi?	*With whom is Annie going out on Friday?*

dormir *(to sleep)*	partir *(to leave)*	sortir *(to go out)*
je **dors**	je **pars**	je **sors**
tu **dors**	tu **pars**	tu **sors**
il/elle/on **dort**	il/elle/on **part**	il/elle/on **sort**
nous **dormons**	nous **partons**	nous **sortons**
vous **dormez**	vous **partez**	vous **sortez**
ils/elles **dorment**	ils/elles **partent**	ils/elles **sortent**

■ Note the pronunciation distinction between the third person singular and plural forms.

elle dort [doR]   il part [paR]   elle sort [sɔR]
elles dorment [dɔRm]   ils partent [paRt]   elles sortent [sɔRt]

■ The past participle of **dormir** is **dormi**.

J'ai **dormi** pendant huit heures.

Note: **Partir** and **sortir** use **être** as the auxiliary in the passé composé and will be studied in the past tense in Chapter 7.

18. **Notre vie à l'université.** Utilisez les phrases suivantes pour poser des questions à votre partenaire.

Modèle: tu/sortir souvent
       VOUS: **Est-ce que tu sors souvent?**
VOTRE PARTENAIRE: **Oui, je sors souvent.** ou
              Non, je ne sors pas souvent.

1. tu/dormir quelquefois pendant les cours
2. tes professeurs/dormir pendant les cours
3. tu/sortir le vendredi soir avec tes amis
4. tes amis et toi/partir du campus le week-end
5. les étudiants/sortir tous les soirs (*every night*)
6. le professeur de français/partir souvent en vacances

19. **La vie des étudiants.** Répondez aux questions suivantes.

1. Combien d'heures dormez-vous d'habitude par nuit?
2. Pendant combien de temps avez-vous dormi hier soir?
3. Qui ne dort pas le samedi matin?
4. Qui fait la grasse matinée?

Buts communicatifs

5. Qui dort mal avant un examen important? Pourquoi?
6. Les étudiants sortent-ils quelquefois pendant la semaine? Si oui, où vont-ils? Si non, pourquoi pas?
7. Où les étudiants partent-ils le week-end s'ils ne restent pas sur le campus?
8. Quand allez-vous partir en vacances cette année?

ENTRE AMIS Le week-end prochain

1. Ask your partner what s/he usually does on weekends.
2. Find out what s/he is doing next Saturday.
3. S/he will say s/he is not doing anything.
4. Ask if s/he wants to go out.
5. Give information as to where you are going and at what time.

Révision et Intégration

A. **Mon week-end.** Décrivez votre week-end habituel. Que faites-vous d'habitude?

B. **Notre vie à l'université.** Posez des questions. Votre partenaire va répondre. Attention au présent et au passé composé.

Modèle: parler français avec tes amis pendant le cours de français

VOUS: **Est-ce que tu parles français avec tes amis pendant le cours de français?**

VOTRE PARTENAIRE: **Oui, je parle français avec eux.** ou
Non, je ne parle pas français avec eux.

1. dormir bien quand il y a un examen
2. aller souvent à la bibliothèque après le dîner
3. écouter la radio quelquefois pendant que tu étudies
4. être absent(e) le mois dernier
5. jouer aux cartes avec tes amis le week-end dernier

6. faire la grasse matinée samedi dernier
7. faire la vaisselle d'habitude après le dîner
8. sortir avec tes amis ce soir

C. **Trouvez quelqu'un qui ...** Interviewez les autres étudiants pour trouver quelqu'un qui ...

1. écoute la radio pendant qu'il étudie
2. joue de la guitare
3. lit un journal le matin
4. a déjà écrit une dissertation ce semestre
5. a dîné au restaurant la semaine dernière
6. a eu la grippe l'année dernière
7. va sortir vendredi prochain
8. ne sort jamais le dimanche soir

D. **À vous.** Répondez.

1. Qu'est-ce que vous allez faire ce week-end s'il fait beau?
2. Qu'est-ce que la plupart des étudiants font le vendredi soir?
3. Avez-vous regardé la télévision hier soir? Si oui, combien de temps avez-vous passé devant la télévision?
4. Quelle est la dernière fois que vous avez dîné au restaurant? Combien de temps avez-vous passé à table?
5. Combien de fois avez-vous été malade cette année?
6. Jouez-vous d'un instrument de musique? Si oui, de quel instrument jouez-vous?
7. À quoi joue-t-on au Canada et aux États-Unis? Jouez-vous aussi à ce(s) sport(s)?

E N T R E   A M I S   Les résolutions du Nouvel An

Make a list of five things you have done in the past year and a list of five things you are going to do differently next year. Your partner(s) will try to guess what you have written by asking specific questions.

E. *Rédaction:* **Une lettre à ma famille française.** Imagine that you have been accepted as an exchange student to spend next summer (**l'été prochain**) with a French family. Write a letter to your host family. Introduce yourself and tell them about your past and about your life at the university. Be sure to talk about your study habits and your weekend activities.

A. **Étude du vocabulaire.** Study the following sentences and match the word in bold print with its correct English equivalent: *to clean up, to move, the south of France, meals, knife, trees, fingers, all.*

1. Je ne sais pas **tous** les mots français.
2. Un homme attaque deux jeunes filles au **couteau.**
3. Quand on est paralysé, on n'est pas capable de **bouger.**
4. Les enfants comptent souvent sur les **doigts** pour faire l'addition.
5. Marseille est dans le **Midi.**
6. Pour **nettoyer** la maison, il faut faire le ménage.
7. Il y a beaucoup d'**arbres** dans une forêt.
8. Le déjeuner et le dîner sont des **repas.**

B. **Un coup d'œil sur les lectures.** Skim each of the following selections to find: (1) an example of personal charity and (2) the reward that was given.

Un homme courageux

Point out the locations of Paris and Toulon on the map inside the front cover.

PARIS: Aziz Soubhane a 17 ans. Il est marocain, mais il habite en France depuis sept ans et fait ses études au Lycée d'enseignement professionnel privé de Notre-Dame, à la Loupe, en Eure-et-Loir.

Aziz a désarmé un homme qui attaquait au couteau deux jeunes filles anglaises dans le métro. Aziz a été le seul à bouger; les autres passagers n'ont pas levé le petit doigt.

Pour son courage, Aziz a reçu le «Prix servir» du Rotary-club de Paris et un chèque de 10 000 francs. C'est l'adjoint au maire[1] de Paris qui a donné le prix à Aziz.

Ce jeune homme est un très bon exemple pour nous.

adapté du *Journal des Enfants* (*L'Alsace*)

1. *deputy mayor*

Les soldats ont planté des arbres

TOULON: L'été dernier, des feux ont détruit[1] une grande partie de la forêt dans le Midi de la France. Le 29 décembre, on a vu[2] des soldats américains aider tous les volontaires de la région à nettoyer la forêt et à replanter des arbres. En une journée, ils ont replanté 5 000 arbres près de la ville d'Hyères, dans la région du Var.

Le 2 janvier, le maire de la ville a donné un grand méchoui[3] (un repas où on mange du mouton) à tous les volontaires. Les 165 soldats américains sont en escale à Toulon en ce moment. Ils ont profité de leur temps libre pour aider les Français.

adapté du *Journal des Enfants* (*L'Alsace*)

1. *fires destroyed* 2. *saw* 3. *a North African specialty in which a whole lamb is roasted over an open pit of live coals for several hours*

C. **Vrai ou faux?** Si une phrase est fausse, corrigez-la.

1. Aziz n'est pas français.
2. Il étudie dans une école publique.
3. Les soldats américains ont aidé les Français.
4. Les soldats ont été obligés d'aider les Français.
5. Les soldats ont travaillé une semaine.

D. Questions. Répondez.

1. Qui sont les «bons Samaritains» dans ces deux articles?
2. Qu'est-ce qu'Aziz a fait? Et les soldats américains?
3. Est-ce que les autres personnes dans le métro ont aidé Aziz?
4. Qui a travaillé avec les soldats américains?
5. Qu'est-ce qu'on a donné à Aziz après son acte de courage?
6. Qu'est-ce qu'on a donné aux soldats après leur travail?

E. **Familles de mots.** Essayez de deviner le sens des mots suivants.

1. détruire, la destruction
2. donner, un don, un donneur, une donneuse
3. enseigner, l'enseignement (*m.*), un enseignant, une enseignante
4. voir, vu, la vue, une vision

F. Discussion.

1. Identify three aspects of French culture mentioned in these newspaper articles that are similar to or different from American culture.
2. Are North African people and their cultures viewed favorably or unfavorably in these articles? Explain your answer.

Vocabulaire actif

Instruments de musique

un accordéon	*accordion*	une guitare	*guitar*	une trompette	*trumpet*
une batterie	*drums*	un piano	*piano*	un violon	*violin*
une flûte	*flute*	un saxophone	*saxophone*		

Jeux

le basket-ball (le basket)	*basketball*	les échecs (*m. pl.*)	*chess*	le hockey	*hockey*
le bridge	*bridge*	le football (le foot)	*soccer*	un jeu	*game*
les cartes (*f. pl.*)	*cards*	le football américain	*football*	la pétanque	*lawn bowling*
les dames (*f. pl.*)	*checkers*	le golf	*golf*	le rugby	*rugby*

Choses à lire ou à écrire

une bande dessinée	*comic strip*	une lettre	*letter*	un poème	*poem*
une carte postale	*postcard*	un magazine	*magazine*	un roman	*novel*
une dissertation	*(term) paper*	un mot	*word*	un roman policier	*detective story*
un journal	*newspaper*	une pièce	*play*		

Divisions du temps

une année	*year*	un mois	*month*	le temps	*time; weather*
une fois	*one time*	un semestre	*semester*	les vacances (*f. pl.*)	*vacation*

D'autres noms

un examen	*test, exam*	une cigarette	*cigarette*	une salle de bain	*bathroom*
un exercice	*exercise*	la grippe	*flu*	la valse	*waltz*
un cigare	*cigar*	un robinet	*faucet*		

Adjectifs

dernier (dernière)	*last*	fermé(e)	*closed*	occupé(e)	*busy*

Verbes

accompagner	*to accompany*	fumer	*to smoke*
décrire	*to describe*	lire	*to read*
dormir	*to sleep*	oublier	*to forget*
écrire	*to write*	partir	*to leave*
être à	*to belong to*	préparer (un cours)	*to prepare (a lesson)*
faire la grasse matinée	*to sleep in, sleep late*	sortir	*to go out*
fermer	*to close*	téléphoner (à qqn)	*to telephone (someone)*

Adverbes

au moins	*at least*	longtemps	*a long time*
déjà	*already*	récemment	*recently*
heureusement	*fortunately*	rien (ne ... rien)	*nothing, not anything*
hier	*yesterday*	tant	*so much; so many*
hier soir	*last night*	tout à l'heure	*a little while ago; in a little while*

Pronoms accentués

moi	*I, me*	nous	*we, us*
toi	*you*	vous	*you*
lui	*he, him*	eux	*they, them*
elle	*she, her*	elles	*they, them (female)*

Prépositions

par	*per; by; through*
pendant	*for; during*
sans	*without*

Expressions de temps

il y a ... ans (mois, etc.).	*... years (months, etc.) ago.*
Je suis ici depuis ... mois (heures, etc.).	*I've been here for ... months (hours, etc.).*
Pendant combien de temps ... ?	*How long ... ?*
tous les soirs	*every night*

D'autres expressions utiles

À quoi jouez-vous?	*What (game, sport) do you play?*
Aïe!	*Ouch!*
à l'intérieur de	*inside of*
à table	*at dinner, at the table*
à un examen	*on an exam*
au téléphone	*on the telephone*
Bonnes vacances!	*Have a good vacation!*
C'est la vie!	*That's life!*
De quoi jouez-vous?	*What (instrument) do you play?*
en vacances	*on vacation*
la plupart (de)	*most (of)*
moi non plus	*nor I, me neither*
par exemple	*for example*
Pourquoi pas?	*Why not?*
... veut dire ...	*... means ...*

Où êtes-vous allé(e)?

Buts communicatifs
Relating past events
  (continued)
Describing your background
Stating what you just did

Structures utiles
Le passé composé avec **être**
Le pronom **y**
Le verbe **venir**
Les prépositions de lieu avec
  une ville ou un pays (suite)
Les mois de l'année, les
  saisons, le temps
Venir de + infinitif

Culture
L'amabilité
Relativité culturelle: Le
  contact avec les autres

Coup d'envoi

J'ai fait un voyage

Où es-tu allée l'été° dernier, Stéphanie?   *summer*
    Je suis allée en Europe.
Parle-moi de ce voyage, s'il te plaît.
    Eh bien! Je suis arrivée à Londres
    le 15 juin°.   *June*
    J'ai passé quinze jours en Angleterre.
    Puis je suis partie pour Paris
    le premier juillet°.   *July first*
    Je suis restée chez des amis qui habitent
    à Paris.
    Nous sommes sortis ensemblc et nous
    avons visité quelques musées°.   *a few museums*
    Enfin je suis revenue° le 10 août°.   *I came back / August*

✚   **Et vous?** Qu'est-ce que vous avez fait l'été dernier?

Mademoiselle Thompson est arrivée à Angers

The vocabulary in this conversation will reappear in Ex. 3 (p. 219). Be sure students remember it.

Mademoiselle Thompson est partie de Paris pour aller à Angers et elle est descendue° du train à la gare Saint-Laud. Elle demande des renseignements° à un agent de police.

got off
information

MLLE THOMPSON:	Pardon, Monsieur l'agent.°
AGENT DE POLICE:	À votre service, Mademoiselle.
MLLE THOMPSON:	Je cherche l'hôtel de Champagne.
AGENT DE POLICE:	Vous ne connaissez° pas la ville?
MLLE THOMPSON:	Non, je viens d'arriver.°
AGENT DE POLICE:	Vous êtes arrivée par le train?
MLLE THOMPSON:	Oui.
AGENT DE POLICE:	Bien. L'hôtel n'est pas loin de la gare. Vous allez tout droit° au feu°. Puis vous tournez° à droite° dans la rue° Denis-Papin. Vous allez voir° votre hôtel.
MLLE THOMPSON:	Encore un renseignement, s'il vous plaît?
AGENT DE POLICE:	Mais certainement, Mademoiselle.
MLLE THOMPSON:	Il y a un bureau de poste près d'ici?
AGENT DE POLICE:	Regardez là-bas°, à gauche°. C'est tout près°.
MLLE THOMPSON:	Merci, Monsieur. Vous êtes très aimable°.
AGENT DE POLICE:	Mais je vous en prie.° Je suis là pour ça.

Excuse me, officer.

know
I have just arrived.

straight ahead/traffic light
turn/right/street
you'll see

over there/on the left
very near
kind
Don't mention it.

✤ **Jouez ces rôles.** Répétez la conversation avec votre partenaire. Vous cherchez la pharmacie.

À propos

The answer to the cultural question is **c.**

✤ Pourquoi est-ce que l'agent de police répond **À votre service** et **Mais je vous en prie** à Mademoiselle Thompson?

a. Les agents de police sont toujours polis (*polite*).
b. Il pense que Mademoiselle Thompson est française.
c. Il désire aider Mademoiselle Thompson parce qu'elle est polie.

L'amabilité (Kindness)

The policeman is very helpful to Miss Thompson. Despite common stereotypes, the French are quite willing to help strangers in need of assistance and are ordinarily pleasant in doing so. While they have occasionally been accused of being haughty and unreceptive to contact with foreigners, this reputation is probably unfair. It is generally tourists who stay only a few days in a very large city, such as Paris, who come away with this impression.

Nevertheless, there are undeniable differences in national character. For many Americans, for example, saying hello to strangers and ready use of first names are normal ways of acting. The forming of deep, personal friendships, however, is another matter, and many foreigners claim that it is hard to do this with Americans. For the French, while surface contacts are more formal, once personal relationships are established, they are normally long-lasting.

Relativité culturelle: Le contact avec les autres

Although often quite minor, cultural differences can be very irritating to visitors who are already struggling with the language and who are often frustrated in their attempts to convey all that they would like to say. There are, therefore, some potentially troublesome adjustments.

In France	*In North America*
People seem reticent to break the ice and chat with new acquaintances; they don't smile at people they don't know.	In spite of instant warm receptions, close relationships seem very hard to establish. Friendliness seems to be only on the surface.
People shake hands with friends or kiss them every time they meet.	Friends don't shake hands or kiss each time they meet.
There are many acquaintances with whom it is incorrect to use **tu,** even if you address them by their first names.	First names are used in the vast majority of contacts, both personal and professional, and there is no way, with the word *you,* to distinguish between different types of relationships.

I L   Y   A   U N   G E S T E

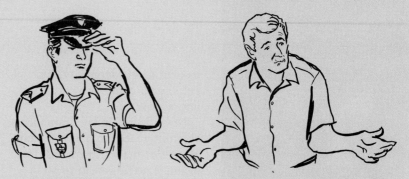

À votre service. A polite policeman indicates a willingness to be of service by a tip of his cap or at least a nod of his head.

Je vous en prie. With palms open and fingers spread, the hands are held at the waist level and the shoulders are shrugged. This indicates that you are pleased to oblige or be of service and that it is not worth mentioning. The lips are extended and well rounded.

À vous. Répondez.

1. Pardon. Où est le bureau de poste, s'il vous plaît?
2. Il y a une pharmacie près d'ici?
3. Merci beaucoup. Vous êtes très aimable.

Point out that these are two ways to respond to the word **merci.** Others are given in Ch. 13.

E N T R E   A M I S   Vous cherchez un bâtiment

1. Stop your partner and tell him/her which building you are looking for.
2. Get directions.
3. Find out also where the restroom is.
4. Say thank you and add that s/he is very kind.

Prononciation

Les sons [ɔ] et [o]

- French has an open [ɔ] sound and a closed [o] sound. The following words contain these sounds.

+ Practice saying the words after your instructor, paying particular attention to the highlighted sound.

[ɔ] □ orange, bonne, comme, alors, sommes, connaissez, encore, poste, personnes, accordéon, hockey, postale, dormir, sortir, notre, note, jogging

[o] □ radio, piano, mot, vos, gros

□ chose, quelque chose, rose

□ hôtel, à la vôtre, drôle

□ chaud, faux, au fait, d'autres, au moins, à gauche, il faut, faux, fausse, jaune

□ eau, beaucoup, beau, chapeau

+ Now go back and look at how these sounds are spelled and in what kinds of letter combinations they appear. What patterns do you notice?

- The sound [ɔ] is almost always followed by a pronounced consonant.

  téléphone   adore   postale   note   dorment   mode   octobre

- The sound [o] is used in several circumstances.

o as the word's final sound	piano, mot
o + [z]	chose, rose
ô	hôtel, vôtre
au	au fait, il faut
eau	l'eau, beaucoup

+ Say the following pairs of words, making sure to pronounce the [ɔ] and [o] sounds correctly.

1. nos/notre
2. robinet/rose
3. votre/vôtre
4. chaud/chocolat
5. beau/bonne

Buts communicatifs

1. Relating Past Events (*continued*)

Tu es sortie vendredi dernier, Nathalie?
     Oui, je suis sortie.
Où es-tu allée?
     Je suis allée au restaurant et chez des amis.
À quelle heure es-tu rentrée° chez toi?   *did you go back*
     Je suis rentrée à minuit.

✤ **Et vous?** Vous êtes sorti(e) le week-end dernier?
          Si oui, où êtes-vous allé(e)?
          À quelle heure êtes-vous rentré(e)?

A. Le passé composé avec *être*

Êtes-vous **arrivée** par le train?	*Did you arrive by train?*
Non, je **suis venue** en voiture.	*No, I came by car.*
Paul et Karine **sont sortis** hier soir?	*Did Paul and Karine go out last night?*
Oui, mais ils **sont rentrés** à 9 heures.	*Yes, but they came home at nine o'clock.*
Mon père **est né** à Paris en 1935.	*My father was born in Paris in 1935.*
Mais sa famille **est partie** avant la guerre.	*But his family left before the war.*
En 1985 il **est tombé** malade.	*He got sick in 1985.*
Il **est mort** en 1986.	*He died in 1986.*

■ While most verbs use **avoir** to form the passé composé (see Chapter 6), there are a limited number that use **être.** These verbs are intransitive; that is, they do not take a direct object. The most common are listed on the opposite page.

You might want to point out that many of these verbs are general terms of movement or change of condition. You could also say that more specific verbs of movement, such as **nager** or **danser,** take **avoir** in the passé composé.

Certain usage issues have been omitted here for the sake of simplification, e.g., the use of **passer** as an intransitive verb and the use of **monter, descendre, rentrer,** and **sortir** as transitive verbs.

Students will not have to use the present tense of **descendre** until Ch. 9, where regular **-re** verbs are introduced. The present tenses of **naître** and **mourir** are not required in this course.

Vocabulaire: Quelques verbes qui forment le passé composé avec *être*

Infinitif		*Participe passé*
aller	*to go*	allé
venir	*to come*	venu
revenir (ici)	*to come back (here)*	revenu
retourner (là)	*to go back; to return (there)*	retourné
rentrer	*to go (come) back; to go (come) home*	rentré
arriver	*to arrive; to happen*	arrivé
rester (à la maison)	*to stay, remain (at home)*	resté
partir	*to leave*	parti
monter (dans une voiture)	*to go up; to get into (a car)*	monté
descendre (d'une voiture)	*to go down; to get out (of a car)*	descendu
tomber	*to fall*	tombé
entrer (dans la salle)	*to enter (the room)*	entré
sortir (de la salle)	*to go out (of the room)*	sorti
naître	*to be born*	né
mourir	*to die*	mort

■ Past participles used with **être** agree in gender and number with the subject, just as if they were adjectives. To show agreement, add -e (feminine singular), -s (masculine plural), or -es (feminine plural).

Masculin	*Féminin*
Je suis **né** à Paris.	Je suis **née** à Paris.
Tu es **né** à New York.	Tu es **née** à New York.
Il est **né** à Montréal.	Elle est **née** à Montréal.
Nous sommes **nés** à Boston.	Nous sommes **nées** à Boston.
Vous êtes **né(s)** à Angers.	Vous êtes **née(s)** à Angers.
Ils sont **nés** à Halifax.	Elles sont **nées** à Halifax.

■ Most of these verbs are used with a preposition when they precede the name of a place.

Sandrine est entrée **dans** la salle de classe en avance.	*Sandrine went into the classroom early.*
Moi, je suis arrivé **au** cours de français à l'heure.	*I arrived at the French class on time.*
Mais Nicolas est retourné **chez** lui pour son livre. Alors, il est arrivé en retard.	*But Nicolas went back home for his book. So, he came late.*

1. **Le week-end dernier.** Utilisez les expressions suivantes pour parler du week-end dernier. Utilisez la forme négative si vous voulez.

Modèles: **Le professeur est sorti avec des amis.**
Nous ne sommes pas restés à la maison.

je	aller au cinéma
nous	tomber malade(s)
mon ami	rentrer après minuit
mon amie	sortir avec des amis
mes parents	rester à la maison
mon professeur	entrer à la bibliothèque
les étudiants	descendre en ville

2. **Il n'a pas fait ça.** Thierry ne fait jamais rien. Expliquez selon le modèle.

Modèle: Les autres (partir pour le Canada)/Et Thierry?
Les autres sont partis pour le Canada, mais Thierry n'est pas parti pour le Canada.

1. vous (aller au concert)/Et Thierry?
2. nous (sortir hier soir)/Et Thierry?
3. Marie et Monique (arriver à l'heure)/Et Thierry?
4. ses amis (tomber malades)/Et Thierry?
5. Madame Dubuque (monter dans un taxi)/Et Thierry?
6. les étudiants (rester sur le campus)/Et Thierry?

3. **L'histoire de Mademoiselle Thompson.** Racontez (*tell*) comment Mademoiselle Thompson a trouvé son hôtel. Attention au choix (*choice*) entre **avoir** et **être**.

Modèles: passer trois jours à Paris
Elle a passé trois jours à Paris.

partir de Paris
Elle est partie de Paris.

Review the Conversation on p. 212 before doing this exercise in order to remind students of the meanings of **renseignement, tout droit, feu, tourner, à droite,** and **rue.**

1. voyager par le train
2. arriver à Angers
3. descendre du train à la gare Saint-Laud
4. demander des renseignements à un agent
5. aller tout droit au feu
6. tourner à droite dans la rue Papin
7. trouver son hôtel
8. retourner à la gare
9. entrer au bureau de poste

4. **Qu'est-ce que tu as fait la semaine dernière?** Utilisez **tu** et les expressions suivantes pour interviewer votre partenaire.

Modèle: manger une pizza
VOUS: **As-tu mangé une pizza la semaine dernière?**
VOTRE PARTENAIRE: **Oui, j'ai mangé une pizza.** ou
Non, je n'ai pas mangé de pizza.

1. aller au cinéma
2. étudier à la bibliothèque
3. regarder la télévision
4. passer un test
5. tomber malade
6. entrer dans un bistro
7. descendre en ville
8. lire un journal
9. monter dans un avion (*airplane*)

5. **La plupart des étudiants.** Qu'est-ce que la plupart des étudiants ont fait la semaine dernière? Utilisez les expressions suivantes pour la question et pour la réponse.

Modèle: manger une pizza —**Est-ce que la plupart des étudiants ont mangé une pizza la semaine dernière?**
—**Oui, ils ont mangé une pizza.** ou
Non, ils n'ont pas mangé de pizza.

1. retourner chez eux
2. rester dans leur chambre
3. écrire une lettre
4. venir au cours de français
5. travailler

6. sortir avec leurs amis
7. faire leurs devoirs
8. réviser pour un test
9. téléphoner à leurs parents
10. arriver au cours en hélicoptère

6. **À vous.** Répondez.

1. Êtes-vous resté(e) sur le campus le week-end dernier?
2. Qu'est-ce que vous avez fait le week-end dernier?
3. Quelle est la dernière fois que vous êtes sorti(e) avec vos amis? Où êtes-vous allés? Qu'est-ce que vous avez fait? À quelle heure êtes-vous rentrés?
4. Vos parents ont-ils déjà visité votre campus? Si oui, quand sont-ils venus?
5. Êtes-vous d'habitude à l'heure quand vous arrivez au cours?
6. Quelle est la dernière fois que vous êtes arrivé(e) au cours en retard?
7. Qui aime arriver en avance au cours de français?

Item 4: Explain that **visiter** is only used with places, not people.

Vue de Paris la nuit

7. **Le voyage des Masselot.** Racontez l'histoire suivante au passé composé.

Monsieur et Madame Masselot font un voyage à Lyon. D'abord ils sortent de leur appartement et ils traversent (*cross*) la rue Mirabeau. Ensuite ils montent dans un taxi pour aller à la gare. Quand ils arrivent à la gare, ils trouvent leur train et ils cherchent leurs places. Enfin le train part. Ils ne mangent rien pendant le voyage, mais Madame Masselot commande (*orders*) une tasse de café. Après deux heures et demie, leur train arrive à la gare Lyon-Perrache.

E N T R E   A M I S   La dernière fois

1. Find out when the last time was that your partner went out.
2. Ask where s/he went.
3. Find out what s/he did.
4. See how much other information you can obtain.

When presenting **y**, give lots of personal examples: **Il y a un cinéma au centre commercial. J'y vais quelquefois. J'y suis allé(e) samedi dernier,** etc.

B. Le pronom y

Ta sœur est **en France?**	Oui, elle y est.
Va-t-elle souvent **à Paris?**	Non, elle n'y va pas souvent.
Quand vas-tu **en France?**	J'y vais dans un mois.
Ton frère est resté **chez lui?**	Non, il n'y est pas resté.
Est-il allé **au cinéma?**	Oui, il y est allé.
Tu vas rester **dans ta chambre?**	Non, je ne vais pas y rester.

■ **Y** (*there*) is very often used in place of expressions that tell where something is located (**à l'université, dans la voiture,** etc.). The pronoun **y** replaces both the preposition (**à, chez, dans, en, sur,** etc.) and the name of the place.

Nous allons **au cinéma.**   Nous y allons.

■ **Y** is placed directly before the conjugated verb. This means that in the passé composé, it goes in front of the auxiliary.

Nous **y** allons la semaine prochaine.	*We are going there next week.*
Nous n'**y** allons pas demain.	*We are not going there tomorrow.*
J'**y** suis allé.	*I went there.*
Ma mère n'**y** est jamais allée.	*My mother has never gone there.*

■ When there is more than one verb, **y** is placed directly in front of the verb to which it is related (usually the infinitive).

Je vais **y** aller.	*I am going to go there.*
Je ne vais pas **y** rester.	*I am not going to stay there.*
J'ai envie d'**y** passer un mois.	*I feel like spending a month there.*
Je n'ai pas l'intention d'**y** habiter.	*I don't plan to live there.*

Drill **j'y vais** and **je n'y vais pas** first. Then do Ex. 8 in groups as a chain exercise.

8. **Non, je n'y vais pas.** Un(e) étudiant(e) demande **Vas-tu à la pharmacie?** Un(e) autre répond **Non, je n'y vais pas; je vais ... (au centre commercial, à l'église,** etc.**). Inventez beaucoup de questions.

9. **Où es-tu allé(e) hier?** Qu'est-ce que votre partenaire a fait hier? Devinez. Posez les questions au passé composé. Votre partenaire va utiliser **y** dans chaque (*each*) réponse.

Modèle: aller à l'église

VOUS: **Es-tu allé(e) à l'église hier?**

VOTRE PARTENAIRE: **Oui, j'y suis allé(e).** ou
Non, je n'y suis pas allé(e).

1. aller chez le médecin
2. étudier à la bibliothèque
3. nager à la piscine
4. aller à la poste
5. descendre en ville
6. monter dans ta voiture
7. retourner chez tes parents
8. aller au cinéma
9. dîner au restaurant
10. rester chez toi

LA POSTE
BOUGEZ AVEC LA POSTE

10. **Où vas-tu aller demain?** Qu'est-ce que votre partenaire va faire demain? Refaites l'exercice 9, mais posez les questions au futur (avec **aller**). Votre partenaire va utiliser **y** dans chaque réponse.

Modèle: aller à l'église

VOUS: **Vas-tu aller à l'église?**

VOTRE PARTENAIRE: **Oui, je vais y aller.** ou

Non, je ne vais pas y aller.

11. **À vous.** Répondez. Utilisez **y** dans chaque réponse.

1. Êtes-vous sur le campus maintenant?
2. Êtes-vous allé(e) à la bibliothèque hier soir? Si oui, à quelle heure y êtes-vous entré(e)? Combien de temps y êtes-vous resté(e)?
3. Combien de fois par semaine allez-vous au cours de français? Y allez-vous demain?
4. Êtes-vous resté(e) chez vous pendant les dernières vacances?
5. La plupart des étudiants ont-ils dîné au restaurant hier soir?
6. Avez-vous envie d'aller en France un jour? Y êtes-vous déjà allé(e)? Si oui, combien de temps y avez-vous passé?
7. Allez-vous au cinéma ce soir? Si oui, avec qui y allez-vous?

E N T R E A M I S Au campus et à la maison

Use **y**, *if possible, in your answers.*

1. Ask if your partner went to the library last night.
2. Find out if s/he is going there this evening.
3. Find out the same information with respect to the gymnasium, the post office, and the grocery store.
4. Find out if your partner is going home next weekend.
5. Find out when s/he went home last.
6. Find out what s/he did when s/he went home.

---

2. Describing Your Background

D'où viennent ces personnes?

    Alain et Sylvie viennent de Nantes.

    Michael vient d'Angleterre. Il vient de Londres.

    Tom vient des États-Unis et Rose vient du Canada.

    Il vient de l'état d'Iowa et elle vient de la province d'Ontario.

✤ **Et vous?** D'où venez-vous?

C. Le verbe *venir*

Est-ce que **Monique vient** de France?	*Does Monique come from France?*
Non, **elle vient** du Canada.	*No, she comes from Canada.*
Elle est devenue médecin.	*She became a doctor.*
Elle n'est pas ici mais **elle revient** à 6 heures.	*She isn't here but she's coming back at six o'clock.*

venir (*to come*)			
je	**viens**	nous	**venons**
tu	**viens**	vous	**venez**
il/elle/on	**vient**		
ils/elles	**viennent**		
passé composé: je **suis venu(e)**			

Point out the nasal vowel sound [ɛ̃] in the singular form **viens/vient** and the open [ɛ] followed by a pronounced [n] in the plural **viennent**. This distinction between nasals and non-nasals was introduced in the pronunciation section of Ch. 4.

■ Note the pronunciation distinction between the third person singular and plural forms.

vient   [vjɛ̃]   viennent   [vjɛn]

■ The verbs **revenir** (*to come back*) and **devenir** (*to become*) are conjugated like **venir**.

12.

Tout le monde est parti. Demandez quand ils reviennent. Votre partenaire va répondre.

Modèle: tu (à 15 h 30)
              VOUS: **Quand est-ce que tu reviens?**
   VOTRE PARTENAIRE: **Je reviens à quinze heures trente.**

1. Stéphanie (à 12 h 45)
2. Colette et Karine (à midi)
3. nous (la semaine prochaine)
4. tu (ce soir)

5. le patron (demain matin)
6. vos amis (mercredi)
7. vous (dans une heure)

D. Les prépositions de lieu avec une ville ou un pays (suite)

D'où viennent vos parents?   *Where do your parents come from?*
Mon père est originaire **du** Canada.   *My father is a native of Canada.*
Ma mère vient **des** États-Unis.   *My mother comes from the United States.*

Je viens **de** Bruxelles.   *I come from Brussels.*
Monsieur et Madame Luc viennent **de** France.   *Monsieur and Madame Luc come from France.*

■ You have already learned to use prepositions to express *to* or *at* with a city, state, province, or country (See Chapter 5). When telling where a person is *from*, some form of **de** is used.

☐ **de** with cities:
    de Paris, **d'**Angers

☐ **de** with feminine countries or countries that begin with a vowel sound:
    de France, **d'**Iran

☐ **du** with masculine countries:
    du Mexique, **du** Canada

☐ **des** with plural countries:
    des États-Unis

Buts communicatifs   **225**

■ Use **de l'état de** or **de la province de** to say which U.S. state or Canadian province someone is from.

> Mon meilleur ami vient **de l'état d'**Arizona.
> Je viens **de la province de** Québec.

See Ch. 5 for a list of countries already studied.

■ Use the expression **d'où** with **venir** to inquire where someone comes from.

> **D'où vient** Guy—du Canada ou de France?

	Je viens ...	J'habite .../Je vais ...
ville	de	à
pays féminin ou pays qui commence par une voyelle	de	en
pays masculin	du	au
pays pluriel	des	aux
état	de l'état de	dans l'état de
province	de la province de	dans la province de

> Je viens d'Atlanta. Je vais **à** New York.
> María vient d'Espagne. Elle habite **en** France.
> Emilio téléphone **du** Mexique **au** Canada.
> Nous venons **des** États-Unis. Nous allons **aux** Pays-Bas en vacances.
> John vient **de l'état de** Nebraska mais il habite **dans l'état d'**Arizona.
> Denise vient **de la province d'**Ontario, mais elle habite **dans la province de** Québec.

Point out to students that one can also say **la Hollande** for **les Pays-Bas**. The term **les Pays-Bas** reappears in the reading in this chapter.

13. **André va voyager.** Il a l'intention de donner de ses nouvelles (*keep in touch*) à ses parents et à ses amis. Qu'est-ce qu'il va faire?

Modèle: écrire/Italie   **Il va écrire d'Italie.**

1. téléphoner/Allemagne
2. poster une lettre/Moscou
3. écrire une carte postale/Japon
4. téléphoner/Mexique
5. écrire/état de New York
6. écrire un message/province d'Ontario
7. poster une cassette/Liverpool

14. **André est retourné chez lui.** Il a contacté ses parents et ses amis pendant son voyage. Qu'est-ce qu'il a fait?

Modèle: écrire/Rome
Il a écrit de Rome.

1. téléphoner/Berlin
2. poster une lettre/Russie
3. écrire une carte postale/Tokyo
4. téléphoner/Mexico
5. écrire/États-Unis
6. écrire un message/Canada
7. poster une cassette/Angleterre

Remind students that **le Mexique** is the country. **Mexico** is used only for *Mexico City*.

15. **D'où viennent-ils?** La liste des passagers du vol (*flight*) Air France n° 0748 inclut des personnes de différents pays. Expliquez d'où viennent ces personnes et où elles habitent maintenant.

Modèle: Sandrine (Paris/New York)
Sandrine vient de Paris, mais elle habite à New York maintenant.

1. Ralph (Canada/États-Unis)
2. Alice (Belgique/France)
3. Helmut et Ingrid (Allemagne/Italie)
4. William (Angleterre/Irlande)
5. José et María (Mexique/États-Unis)
6. Nancy (Iowa/Connecticut)
7. Gertrude (Ontario/Manitoba)
8. Judy et Bill (Michigan/Allemagne)
9. James (Californie/New Jersey)
10. Pierre (France/Canada)

16. **À vous.** Répondez.

1. De quelle ville venez-vous?
2. De quelle(s) ville(s) viennent vos parents?
3. D'où vient votre meilleur(e) ami(e)?
4. D'où viennent vos grands-parents?
5. D'où vient votre professeur de français? (Devinez.)
6. D'où viennent deux autres étudiants du cours de français?

Vocabulaire: Les mois de l'année, les saisons, le temps

Les mois de l'année	Les saisons	Le temps
janvier	l'hiver	Il fait froid.
février		Il neige.
mars		Il fait du vent.
avril	le printemps	Il pleut.
mai		Il fait frais.
juin		
juillet	l'été	Il fait beau.
août		Il fait chaud.
septembre		
octobre	l'automne	Il fait encore beau.
novembre		Il commence à faire froid.
décembre		

Note: The opposite of **il fait beau** is **il fait mauvais**. The negation of **il fait du vent** is **il ne fait pas *de* vent**.

E. Les mois de l'année, les saisons, le temps

■ Names of months begin with lower-case letters in French. Use the preposition **en** before the months to mean *in*.

    en février   **en** août   **en** septembre

■ Use **en** also with all seasons except **le printemps**.

    en été   **en** automne   **en** hiver
But: **au** printemps

Point out that there are two ways of expressing dates in English (*May third, the third of May*) while there is only one way in French.

■ The French represent the date by giving the day first, then the month.

Le bébé est né **le premier mai**.	*The baby was born on the first of May.*
Mon anniversaire est **le dix février**.	*My birthday is the tenth of February.*
Lucie est née **le vingt-cinq avril**.	*Lucie was born on April twenty-fifth.*

Note: Use **le premier** (*... first, the first of ...*), but then **le deux, le trois,** etc.

Le palais de Versailles en hiver

17. **En quelle saison sont-ils nés?** Expliquez quand et en quelle saison les personnes suivantes sont nées.

Modèle: Monique (15/4)
Elle est née le quinze avril. Elle est née au printemps.

Follow up: Have students tell their birthdays.

1. Martin Luther King, fils (15/1)
2. Véronique (3/9) et Michel (23/9)
3. Anne (25/8) et Stéphanie (2/11)
4. Christophe (18/10)
5. George Washington (22/2)

18. **Quelle est la date?** Votre partenaire va poser une question. Donnez la réponse.

Modèle: Noël   VOTRE PARTENAIRE: **Quelle est la date de Noël?**
                    VOUS: **C'est le vingt-cinq décembre.**

1. ton anniversaire
2. l'anniversaire de ton (ta) meilleur(e) ami(e)
3. le Jour de l'An (*New Year's Day*)
4. le commencement du printemps
5. le commencement de l'été
6. le commencement de l'automne
7. le commencement de l'hiver
8. le commencement des vacances d'été à votre université
9. la fête nationale (*national holiday*) américaine
10. la fête nationale canadienne
11. la fête nationale française

(9) le 4 juillet   (10) le 1er juillet
(11) le 14 juillet

19. **Quel temps fait-il?** Posez des questions. Si votre partenaire ne sait pas la réponse, il (elle) va deviner.

Modèle: février/chez toi

VOUS: **Quel temps fait il en février chez toi?**
VOTRE PARTENAIRE: **Il fait froid et il neige.**

1. été/chez toi
2. hiver/Montréal
3. automne/Chicago
4. printemps/Washington, D.C.
5. août/Maroc
6. avril/Paris
7. décembre/Acapulco

20. **À vous.** Répondez.

1. En quelle saison êtes-vous né(e)?
2. En quel mois êtes-vous né(e)?
3. En quel(s) mois les membres de votre famille sont-ils nés?
4. En quelle saison est-ce qu'il pleut chez vous?
5. En quelle saison est-ce qu'il commence à faire froid chez vous?
6. Quelle est votre saison préférée? Pourquoi?
7. Qu'est-ce que vous avez fait l'été dernier?

E N T R E A M I S D'où viennent-ils?

1. Find out where your partner comes from.
2. Find out if that is where s/he was born.
3. Find out where your partner lives now.
4. Find out his/her birthdate.
5. Find out if your partner has ever been to France, Canada, or some other French-speaking country.
6. Ask if your partner wants to go to one of those places with you next summer.

3. Stating What You Just Did

Tu as déjà mangé, Thierry?
> Oui, il y a trente minutes. Je viens
> de manger.°   *I just ate.*

Tes amis ont téléphoné?
> Oui, il y a quinze minutes. Ils viennent
> de téléphoner.°   *They just called.*

✤ **Et vous?** Qu'est-ce que vous venez de faire?
> Est-ce que vous venez de parler français?

F. *Venir de* + infinitif

■ **Venir de** followed by an infinitive means *to have just.*

Je **viens d'arriver.**	*I have just arrived.*
Ils **viennent de manger.**	*They just ate.*
Qu'est-ce que tu **viens de faire?**	*What did you just do?*

21. **Qu'est-ce qu'ils ont fait?** Chaque phrase est assez vague. Posez une question qui commence par **Qu'est-ce que** pour demander une précision. Ensuite votre partenaire va suggérer (*suggest*) une réponse à la question.

Modèle: Mes amis viennent de manger quelque chose.
> VOUS: **Qu'est-ce qu'ils ont mangé?**
> VOTRE PARTENAIRE: **Ils ont mangé une pizza.**

1. Pierre vient de lire quelque chose.
2. Nous venons de regarder quelque chose.
3. Je viens d'étudier quelque chose.
4. Mon frère et ma sœur viennent de trouver quelque chose.
5. Je viens d'écrire quelque chose.
6. Nous venons de faire quelque chose.

22. **Elle vient de téléphoner.** Votre camarade de chambre vient de rentrer chez vous. Répondez **oui** à ses questions et utilisez **venir de** dans chaque réponse.

Modèle: Martine a téléphoné? **Oui, elle vient de téléphoner.**

1. Est-elle rentrée chez elle?
2. Est-ce qu'elle a déjà dîné?
3. Vous avez parlé de moi?
4. A-t-elle trouvé ma lettre?
5. Est-ce qu'elle a lu ma lettre?
6. Tu as expliqué pourquoi je n'ai pas téléphoné?

23. **La naissance du bébé** (*The baby's birth*). Vous êtes le frère de Brigitte et vos parents vous téléphonent de la maternité (*maternity hospital*). Vous posez des questions au passé composé. Votre partenaire joue le rôle des parents et utilise **venir de** pour répondre.

Modèle: Brigitte et Jean-Phillipe/partir de chez eux
    LE FRÈRE: **Est-ce que Brigitte et Jean-Phillipe sont partis de chez eux?**
    LES PARENTS: **Oui, ils viennent de partir de chez eux.**

1. Brigitte et Jean-Philippe/aller à la maternité
2. Jean-Philippe/parler à une infirmière
3. le médecin/arriver
4. Brigitte/avoir son bébé
5. Matthieu/naître
6. les autres grands-parents/entrer dans la salle d'attente (*waiting room*)

PRINTEMPS
d'un nouveau BONHEUR,
FETE
    qui éclôt
        dans notre VIE,
C'EST L'ENFANT !

BRIGITTE et
JEAN - PHILIPPE
sont heureux
de vous annoncer
la naissance de
Matthieu
le 17 Mai 1989

Révision et Intégration

A. Les mois et les saisons

1. Nommez les mois de l'année.
2. Nommez les saisons de l'année.
3. Parlez du temps qu'il fait pendant chaque (*each*) saison.
4. Pour chaque saison, mentionnez une activité qu'on fait.

Partners should answer only **oui** or **non** to questions asked.

B. **Le week-end dernier.** Faites une liste de vos activités du week-end dernier. Essayez ensuite de deviner ce que votre partenaire a écrit.

C. À vous. Répondez.

1. Quelle est la date de votre anniversaire?
2. De quel pays venez-vous?
3. Dans quelle ville êtes-vous né(e)?
4. D'où viennent vos parents?
5. Quand les membres de votre famille sont-ils nés?
6. À quelle heure êtes-vous arrivé(e) au cours de français la dernière fois? Y êtes-vous arrivé(e) en retard, à l'heure ou en avance?
7. Êtes-vous déjà allé(e) dans un pays où on parle français? Si oui, où, et avec qui?
8. Qu'est-ce que vous venez d'étudier au cours de français?
9. Avez-vous déjà voyagé par le train ou en avion? Où êtes-vous allé(e)?

E N T R E   A M I S   Une enquête *(A survey)*

Interview other students to find ...

1. someone who was born in another state
2. someone who comes from a large city
3. someone who has been to a French-speaking country
4. someone who spent last summer on campus
5. someone who did not go out last Friday evening
6. someone who stayed in his/her room last night
7. someone who went to the library last night
8. someone who did not watch television last night
9. someone who has just eaten

D. *Rédaction:* **Une lettre.**   Write a letter to the French family with whom you spent the summer to tell them that you just arrived home. Describe your trip home (the name of the hotel you stayed in near the airport, how much time you spent at the airport, when your plane left, etc.). Be sure to thank them.

Lecture

A. **Étude du vocabulaire.**   Study the following sentences and match the word in bold print with its correct English equivalent: *worldwide, the Netherlands, close, level, war, reconciliation, citizens.*

1. Beaucoup de soldats sont morts à la **guerre.**
2. On parle hollandais aux **Pays-Bas.**
3. Les **citoyens** américains votent le mardi.
4. La Première Guerre **mondiale** a commencé en 1914 et s'est terminée en 1918.
5. Il y a eu un **rapprochement** entre l'Est et l'Ouest.
6. Le **niveau** de vie des habitants de certains pays africains est très bas.
7. Le Premier ministre est normalement en collaboration **étroite** avec le Président.

B. **Prédictions.**   Study the map and then read the first sentence of the selection. Can you predict what the article is about?

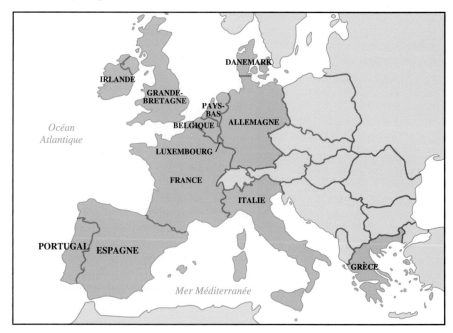

La Communauté économique européenne

C'est pendant la Seconde Guerre mondiale que les gouvernements de la Belgique, du Luxembourg et des Pays-Bas ont institué une union économique entre les trois pays (le Benelux). Ensuite, le 13 septembre 1947, la France et l'Italie ont décidé de constituer une union douanière[1]; un traité a été conclu le 26 mars 1949. Mais les différences sociales et économiques qui existaient entre les deux pays ne permettaient pas d'aller plus loin. Avec la République Fédérale d'Allemagne, ces cinq pays ont signé un traité en 1957 pour former un marché commun. Le traité qui institue la Communauté économique européenne (le Marché commun), signé à Rome le 25 mars 1957, est entré en application le 1er janvier 1958. Cette nouvelle Communauté «a pour mission, par l'établissement d'un marché commun et par le rapprochement progressif des États membres, de promouvoir un développement harmonieux des activités économiques dans l'ensemble de la Communauté, une expansion continue et équilibrée[2] du niveau de vie, et des relations plus étroites entre les États.»

Actuellement[3], la CEE est le premier importateur mondial et aussi le premier exportateur. Elle est composée de douze pays membres dont[4] l'Allemagne, la Belgique, le Danemark, l'Espagne, la France, la Grande-Bretagne, la Grèce, l'Irlande, l'Italie, le Luxembourg, les Pays-Bas et le Portugal. Il n'est cependant[5] pas impossible que d'autres pays décident de se joindre à eux.

Mais quels avantages y a-t-il dans cette union pour les 320 millions de citoyens des pays de la CEE? L'Europe de 1992 leur[6] offre la promesse d'un seul[7] passeport et la possibilité d'un seul système monétaire et d'un vrai marché commun.

1. *customs union*   2. *stable*   3. *today*   4. *including*   5. *however*   6. *to them*   7. *a single*

C.

Qu'avez-vous compris?   With a partner, try to recall as much as you can about the article. What is the main idea of each paragraph? What details support these main ideas?

D.

Questions.   Répondez.

1. Quel est le premier importateur du monde?
2. En quelle année a-t-on signé le Traité de Rome?
3. Quels sont les pays qui ont signé ce traité?
4. Combien de pays sont membres du Marché commun aujourd'hui?
5. Quels sont ces pays?
6. Que veut dire «CEE»?
7. Pourquoi y a-t-il une CEE?

E. **Familles de mots.** Give the probable meanings of the following words.

1. le monde, mondial(e)
2. la douane, douanier (douanière)
3. conclure, la conclusion
4. permettre, la permission
5. promouvoir, la promotion
6. la possibilité, possible

F. **Discussion**

1. What are the likely difficulties of an arrangement such as the European Economic Community? What are the advantages?
2. Compare the EEC with the relationship between North American countries. What similarities and differences can you find?

Vocabulaire actif

Les mois de l'année

janvier *m.*	*January*	juillet *m.*	*July*
février *m.*	*February*	août *m.*	*August*
mars *m.*	*March*	septembre *m.*	*September*
avril *m.*	*April*	octobre *m.*	*October*
mai *m.*	*May*	novembre *m.*	*November*
juin *m.*	*June*	décembre *m.*	*December*

Les saisons de l'année

le printemps	*spring*	l'hiver *m.*	*winter*
l'été *m.*	*summer*	une saison	*season*
l'automne *m.*	*fall*		

D'autres noms

un agent de police	*policeman*	une guerre	*war*
un anniversaire	*birthday*	le monde	*world*
un avion	*airplane*	un musée	*museum*
un bébé	*baby*	une place	*seat*
la fête nationale	*national holiday*	un renseignement	*item of information*
un feu	*traffic light*	une rue	*street*

Adjectifs

aimable	*kind; nice*
chaque	*each*

Verbes

arriver	*to arrive; to happen*	poster	*to mail*
commander	*to order*	rentrer	*to go (come) back; to go (come) home*
commencer	*to begin*	retourner	*to go back; to return*
descendre	*to go down; to get out of*	revenir	*to come back*
devenir	*to become*	tourner	*to turn*
entrer	*to enter*	traverser	*to cross, to go across*
monter	*to go up; to get into*	venir	*to come*
mourir	*to die*	venir de ...	*to have just ...*
naître	*to be born*		

Adverbes

enfin	*finally*
puis	*then; next*

Pronom

y	*there*

Expressions météorologiques

Il fait froid.	*It's cold.*	Il fait mauvais.	*The weather is bad.*
Il fait chaud.	*It's hot (warm).*	Il fait du vent.	*It's windy.*
Il fait frais.	*It's cool.*	Il pleut.	*It's raining.*
Il fait beau.	*It's nice out.*	Il neige.	*It's snowing.*

Expressions utiles

à droite (de)	*to the right (of)*
à gauche (de)	*to the left (of)*
à l'heure	*on time*
à votre service	*at your service*
dans la rue Papin	*on Papin Street*
D'où venez-vous?	*Where do you come from?*
en avance	*early*
en retard	*late*
en voiture	*by car*
Il commence à faire froid.	*It's starting to get cold.*
Je vous en prie.	*Don't mention it; You're welcome; Please do.*
là-bas	*over there*
par le train	*by train*
Parlez-moi de ce voyage.	*Tell me about this trip.*
tout droit	*straight ahead*
tout près	*very near*
Vous allez voir ...	*You are going to see ...*
Vous ne connaissez pas la ville?	*Don't you know the city?*

On mange bien en France

But communicatifs
Ordering a French meal
Discussing quantities
Expressing an opinion
Expressing a preference

Structures utiles
L'article partitif
Ne ... plus
Le verbe **prendre**
Les expressions de quantité
Le verbe **boire**
Quelques expressions avec
  avoir
Les verbes comme **préférer**

Culture
L'apéritif
L'art d'apprécier le vin
Tout se fait autour d'une
  table
Un repas français
Sans façon
Relativité culturelle: Les
  repas

Coup d'envoi

Quelque chose à manger?

Tu as faim,° Bruno?	*Are you hungry*
Qu'est-ce que tu vas prendre?°	*What are you going*
Qu'est-ce qu'il y a?	*to have?*
Il y a ...	
du pain°.	*bread*
des hors-d'œuvre°.	*appetizers*
de la soupe.	
du poisson.	
de la viande°.	*meat*
des légumes°.	*vegetables*
de la salade.	
du fromage.	

✤ **Et vous?** Qu'est-ce que vous allez prendre?
            Je voudrais ...
            Merci, je n'ai pas faim.

Une réception à l'université

Tony Carter et Karine Aspel prennent l'apéritif°   are having a drink
chez Madame Cuvier, secrétaire de la faculté des
lettres°.   College of Humanities

MME CUVIER:	Que voulez-vous boire, Tony? J'ai du vin, de la limonade, du jus de pomme°, de la bière ... *apple*
TONY:	Quel choix!° Comment s'appelle ce vin? *What a choice!*
MME CUVIER:	C'est du beaujolais. Et voilà une bouteille° de bordeaux. *bottle*
TONY:	Puis-je essayer° le beaujolais, s'il vous plaît? *May I try*
MME CUVIER:	Certainement, voilà.
	(Il lève° son verre et elle verse° du vin.) *lifts/pours*
TONY:	Merci beaucoup.
MME CUVIER:	Je vous en prie. Alors, Karine? Qu'est-ce que vous allez prendre?
KARINE:	Je crois que° je voudrais de l'eau minérale. *I think that* Puis-je me servir?° *May I serve myself?*
MME CUVIER:	Mais bien sûr°, servez-vous°. *of course/serve yourself*
	(Karine se sert et puis Tony lève son verre.)
TONY:	À votre santé, mes amies.
	(Ils boivent.°) *They drink.*
MME CUVIER:	Que pensez-vous° de ce petit vin, Tony? *What do you think*
TONY:	Il est délicieux.
	(Un peu plus tard)
MME CUVIER:	Encore à boire?° *More to drink?*
TONY:	Non, merci.
KARINE:	Merci. Je n'ai plus soif.° *I'm no longer thirsty.*
MME CUVIER:	C'est vrai?
KARINE:	Oui, vraiment. Sans façon.° *Honestly.*
MME CUVIER:	Alors, je n'insiste pas.° *I won't insist.*

✤ **Jouez ces rôles.** Répétez la conversation avec vos partenaires. Utilisez vos noms et remplacez **beaujolais** et **eau minérale** par d'autres boissons.

The best answer to the cultural question is **a,** but **b** and **c** are not incorrect.

Un repas français (*A French meal*)

A good example of the presence of structure in French lives is the order of a French meal:

les hors-d'œuvre/la soupe (pâté, raw vegetables, onion soup, etc.)

le plat principal (meat or fish, and a vegetable)

la salade (always a green salad with oil and vinegar dressing)

le fromage (small piece of one of the many popular cheeses)

le dessert (fruit, cake, yogurt, etc.).

There are often five separate courses at both lunch and dinner, although these are not necessarily heavy meals. After the **hors-d'œuvre,** the **plat principal** is served. There may be more than one **plat principal** (e.g., fish *and* meat). **La salade** normally comes next, followed by **le fromage** and **le dessert.** In a light meal, either the cheese or the dessert may be omitted. Any variation in the order of the French meal is almost always minor. In some regions, such as **Angers,** the salad is often eaten with the main course. The number of courses in a French

✤ Pourquoi est-ce que Tony lève son verre quand Madame Cuvier va verser du vin?

a. Tony est très poli. Cela fait partie (*is part of*) du savoir-vivre (*code of good manners*).
b. C'est plus facile (*easier*) pour Madame Cuvier.
c. Tony ne veut pas renverser (*knock over*) son verre.

L'apéritif

A before-dinner drink is sometimes offered. This might be **un kir, un porto** (*port wine*), **un jus de pomme,** etc.

L'art d'apprécier le vin

Wine is an integral part of French social life and there are a number of polite gestures, such as lifting one's glass when wine is to be poured, that are associated with wine appreciation.

Tout se fait autour d'une table (*Everything takes place around a table*)

It does not take long in France to realize how much time is spent sitting around a table. Not only is a table the place to enjoy a meal or share a drink, it is also a primary spot for business deals, serious discussion, pleasant companionship, courtship, and child rearing! It is not surprising, therefore, to find that the table has a place of honor in France, whether it is in **la cuisine** (*kitchen*), **la salle à manger** (*dining room*), **le restaurant, le café, le bistro,** or **la cafétéria.**

The difference between **un menu** and **une carte** is explained in Ch. 13.

In France	*In North America*
Eating several courses, even light ones, means that you have to stop after each course and wait for the next. Much more time is spent at the table.	Everything may be served at once and, therefore, much less time is spent at the table.
A green salad is served *after* (occasionally with) the **plat principal.** It is not eaten as a first course.	If there is a salad, it is eaten at the start of the meal.
There is only one type of dressing (oil and vinegar) served with a salad.	There is a variety of salad dressings available. What is referred to as *French dressing* is nothing like what is served with a salad in France.
Milk is not offered as a beverage during meals.	Bread is not always served with the meal.
Coffee is not served during lunch or dinner. It is served, without cream, at the end of these meals.	Coffee is occasionally served right away at the start of the meal.
Café au lait is served only at breakfast. This mixture of 1/2 coffee and 1/2 warm milk is served in a bowl.	Many people put milk in their coffee at every meal.

Table manners are discussed further in Ch. 13.

meal reflects not only the French feeling for structure, but also the French appreciation of savoring each taste individually.

Sans façon

Refusing additional servings is often quite difficult in France. The French are gracious hosts and are anxious that their guests have enough to eat and drink. There is therefore a need to find ways to convey politely that you are full. Do not, incidentally, say **Je suis plein**(e) (literally, *I am full*), since this would convey that you were either drunk or pregnant. When all else fails (e.g., **Merci; Non merci; Vraiment; Je n'ai plus faim/soif; J'ai très bien mangé/bu,** etc.), the expression **Sans façon** (*Honestly; No kidding*) will usually work. Of course, if you feel like having a second serving, you may say **Volontiers!** or **Je veux bien.**

Relativité culturelle: Les repas

Since eating plays such an enormous social role in France, it is important to adapt to the French way of eating. Find listed above some potentially troublesome adjustments for North Americans in France and for people from France in North America.

Il Y A UN GESTE

Quelque chose à manger? The thumb and the first two fingers are pointed toward your mouth to indicate an invitation to have something to eat.

Encore à boire? A fist is made with the thumb extended to somewhat resemble a bottle. Then the thumb is pointed toward a glass as an invitation to have more to drink.

Miam, délicieux! The classical French gesture for expressing appreciation for excellent food or drink is to join the tips of the fingers on one hand and to lightly touch them to the lips. The hand is then drawn away from the lips while the lips form a kiss.

❖ **À vous.** Répondez.

1. Avez-vous soif?
2. Voulez-vous de la limonade? (Répondez affirmativement.)
3. Que pensez-vous de cette limonade?
4. Encore de la limonade?

ENTRE AMIS Tu as faim?

1. Find out if your partner is hungry. (S/he is.)
2. Ask if s/he wants something to eat.
3. S/he will ask what there is.
4. Tell what there is.
5. Find out what s/he is going to have.

Prononciation

Les sons [k], [s], [z], [ʃ], [ʒ] et [ɲ]

■ The following words contain some related French consonant sounds. Practice saying the words after your teacher, paying particular attention to the highlighted sound. As you pronounce the words for one sound, look at how that sound is spelled and in what kinds of letter combinations it appears. What patterns do you notice?

[k]
- □ *café, encore, bicyclette, chic*
- □ *cinq, quelquefois*
- □ *kir, vodka*

[s]
- □ *sa, sur, discret, skier, conversation, valse, fils, mars*
- □ *pressé, poisson*
- □ *citron, exercice, bicyclette*
- □ *ça, français, garçon*
- □ *six, dix, soixante*

[z]
- □ *maison, vase, poison, magasin*
- □ *zéro, seize, magazine*

[ʃ]
- □ *chaud, blanche, méchant*
- □ *short, sweat-shirt*

[ʒ]
- □ *jouer, toujours, déjeuner, déjà*
- □ *orange, général, garage, refrigérateur*

[ɲ]
- □ *espagnol, Allemagne, renseignement*

■ In most situations, -s- is pronounced [s]. But when it appears between two vowels, it is pronounced as [z].

	soir	salade	seul	classe	considération
But:	vase	présente	raison	chose	musée

■ As in English, -c- is usually pronounced [k], but becomes [s] when it precedes the letters -e, -i, or -y. To create the [s] sound of -c- in some words where it is not followed by e, i, or y, it is written as ç.

	encore	cassis	comment	Maroc	crème
But:	France	voici	bicyclette	français	François

■ Finally, as in English, the letter -g- is usually pronounced [g], but becomes [ʒ] when it precedes the letters -e, -i, or -y. To create the [ʒ] sound of -g- in some words where it is not followed by e, i, or y, an -e is added after it.

	regarder	golf	guitare	grippe	église
But:	gentil	orangina	gymnase	mangeons	voyageons

❖ Pronounce the following words correctly.

1. chocolat, commerce, chaussures, citron, bicyclette, ça, garçon, chercher, chance, avec
2. cinq, cinquante, quelques, pourquoi, Belgique, quart, chaque, question, banque
3. kir, vodka, skier, baskets, hockey
4. excellent, saxophone, examen, exercice, six, dix, soixante
5. Sénégal, orange, mangeons, voyageur, garage, gauche, âge, ménage, agent, gymnastique
6. surprise, Suisse, sous, semestre, saison, sieste, poisson, plaisir, ensuite
7. conversation, télévision, fonctionnaire, attention, provisions, dissertation
8. zéro, onze, magazine, douze
9. jupe, jeune, je, janvier, aujourd'hui, déjeuner, déjà
10. espagnol, Allemagne, accompagner, renseignement

Buts communicatifs

1. Ordering a French Meal

Client(e)	Garçon/Serveuse°	waiter/waitress
Qu'est-ce que vous avez comme ...	Il y a ...	
hors-d'œuvre?	des crudités°	raw vegetables
	du pâté°	pâté (meat spread)
	de la salade de tomates	
soupes?	de la soupe de tomates	
	de la soupe à l'oignon	
plats principaux?	de la truite°	trout
	du saumon°	salmon
	du bœuf°	beef
	du porc	
	du poulet°	chicken
légumes?	des haricots verts°	green beans
	des petits pois°	peas
	des épinards°	spinach
	des frites°	French fries
	du riz°	rice
fromages?	de l'emmenthal°	Swiss cheese
	du camembert	
	du chèvre°	goat cheese
	du brie	
desserts?	des fruits	
	de la glace°	ice cream
	de la pâtisserie°	pastry
	de la tarte°	pie
	du gâteau°	cake

✤ **Et vous?** Avez-vous décidé? Qu'est-ce que vous allez commander?
Je vais prendre ...

Remarques:

1. The words **hors-d'œuvre** and **haricot** begin with the letter **h-** but are treated as if they began with a pronounced consonant. Liaison does not take place after words like **les** and **des**, nor is the letter **-e** dropped in words like **le** and **de**.

Nous aimons **les/hors-d'œuvre**.   Il n'y a pas **de haricots**.

2. **Hors-d'œuvre** is invariable in the plural.

un **hors-d'œuvre**   des **hors-d'œuvre**

A. L'article partitif

Apportez-moi **du** pain, s'il vous plaît.	*Please bring me some bread.*
Vous voulez **de la** moutarde?	*Do you want (some) mustard?*
Vous avez **de l'**argent?	*Do you have (any) money?*
Je vais manger **des** frites.	*I'm going to eat (some) French fries.*

■ You have already learned about definite articles and indefinite articles in French. There is a third type of article in French called **l'article partitif** (*the partitive article*) that is used when a noun represents a certain quantity, or a part, of a larger whole. In English, we sometimes use the words *some* or *any* to represent this idea, but sometimes we use no article at all.

Je voudrais **du** gâteau.	*I would like cake (but just some of it).*
Le professeur a **de la** patience.	*The professor has patience (not all the patience in the world, just a portion of it).*
Jean a **des** idées.	*Jean has ideas (but not all the ideas in the whole world).*

partitive article	when to use	examples
du	before a masculine singular noun	**du** pain
de la	before a feminine singular noun	**de la** salade
de l'	before a masculine or feminine singular noun that begins with a vowel sound	**de l'**eau
des	before all plural nouns, masculine or feminine	**des** frites

■ Like the indefinite article, the partitive article usually becomes **de** after a negation.

Est-ce qu'il y a **de l'**eau minérale?	*Is there any mineral water?*
Non, il n'y a **pas d'**eau minérale.	*No, there isn't any mineral water.*

Note: This rule does not apply after **être**.

Ce n'est pas **du** vin, ce n'est pas **de la** limonade, ce n'est pas **de l'**eau. C'est **du** lait.

■ In a series, the article must be repeated before each noun.

Vous voulez **de la** glace, **de la** tarte ou **du** gâteau?

1.

Qu'est-ce que c'est?   Identifiez les choses suivantes.

Modèles:

C'est du pain.

Ce sont des petits pois.

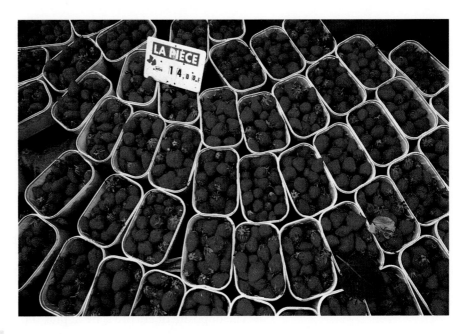

Chapitre 8

2. **Qu'est-ce que vous commandez?** Dites au garçon ou à la serveuse que vous aimez la chose indiquée. Ensuite demandez quels sont les choix. Il (elle) va mentionner deux choix. Décidez.

Modèle: vegetables

> VOUS: **J'aime beaucoup les légumes. Qu'est-ce que vous avez comme légumes?**
>
> GARÇON/SERVEUSE: **Nous avons des petits pois et des épinards.**
>
> VOUS: **Je voudrais des petits pois, s'il vous plaît.**

Remind students that the definite article is used to express a preference and that it does not change after a negation (see Ch. 2).

1. appetizers 3. fish 5. wine 7. desserts
2. meat 4. vegetables 6. cheese

3. **Ils viennent de pique-niquer.** Qu'est-ce qu'ils ont apporté (*brought*)? Qu'est-ce qu'ils n'ont pas apporté?

Modèle: Les Delille (pain, salade)
Les Delille ont apporté du pain, mais ils n'ont pas apporté de salade.

1. Séverine (salade, fromage)
2. Roland (haricots verts, moutarde)
3. Serge et Christelle (fromage, vin rouge)
4. Patricia (poisson, vin blanc)
5. Zoé et Pierre (fruits, pâtisserie)
6. Vous (... , ...)

4. **Un(e) touriste va au restaurant.** Jouez la scène suivante en complétant les phrases avec **du, de la, de l', des, de** ou **d'**.

—Vous avez décidé?
—Oui, je voudrais ____ pâté, ____ truite, ____ frites et ____ épinards.
—Et comme boisson?
—Apportez-moi ____ café, s'il vous plaît.
—Mais c'est impossible! Il n'y a jamais ____ café avec le plat principal.
—Qu'est-ce qu'il y a?
—Nous avons ____ vin ou ____ eau minérale.
—Vous n'avez pas ____ orangina?
—Si, si vous insistez. Et comme dessert?
—Je crois que je voudrais ____ gâteau.
—Nous n'avons pas ____ gâteau. Il y a ____ glace et ____ fruits.
—Merci, je ne vais pas prendre ____ dessert.

B. *Ne ... plus*

■ The opposite of **encore** is **ne ... plus** (*no more, not any more, no longer*).

Avez-vous **encore** soif?	*Are you still thirsty?*
Non, je **n'**ai **plus** soif et je **n'**ai **plus** faim.	*No, I'm not thirsty any more and I'm no longer hungry.*

Remind students that the partitive article becomes **de** after a negation: **plus** *de* glace, **plus** *de* dessert.

■ **Ne ... plus** works like the other negations you have learned; that is, **ne** and **plus** are placed around the conjugated verb. This means that in the passé composé, **ne** and **plus** surround the auxiliary verb and the past participle follows **plus**.

Je regrette; nous **n'**avons **plus** de glace.	*I'm sorry; we have no more ice cream.*
Je **ne** vais **plus** manger de dessert.	*I am not going to eat any more dessert.*
Delphine **n'**a **plus** parlé à Sylvie après leur dispute.	*Delphine didn't talk to Sylvie any more after their argument.*

5. **Encore à manger ou à boire?** Offrez encore à manger ou à boire. Votre partenaire va refuser poliment.

Modèles: bière
—Encore de la bière?
—Sans façon, je n'ai plus soif.

pâtisserie
—Encore de la pâtisserie?
—Merci, je n'ai plus faim.

1. café	4. pâté	7. glace	10. beaujolais
2. eau	5. viande	8. poisson	11. salade
3. limonade	6. frites	9. légumes	12. fromage

250   ***Chapitre 8***

6. **Le restaurant impossible.** Il n'y a plus beaucoup à manger ou à boire. Le garçon (la serveuse) répond toujours **Je regrette** et suggère autre chose. Insistez! Expliquez que vous n'aimez pas ce qu'il (elle) propose.

Modèle: poisson (viande)

> VOUS: **Avez-vous du poisson?**
>
> GARÇON/SERVEUSE: **Je regrette, nous n'avons plus de poisson; mais nous avons de la viande.**
>
> VOUS: **Mais je voudrais du poisson! Je n'aime pas la viande.**

1. coca (vin)
2. soupe (hors-d'œuvre)
3. épinards (frites)
4. truite (saumon)
5. pâté (crudités)
6. pâtisserie (glace)
7. chocolat chaud (café)
8. haricots verts (petits pois)
9. orangina (limonade)

I L   Y   A   U N   G E S T E

L'addition, s'il vous plaît (*Check, please*). When the French want to signal to a waiter or waitress that they want the check, they pretend to be writing on the open palm of one hand. This is discretely held up for the waiter to see.

E N T R E   A M I S   L'addition, s'il vous plaît

You have just finished your meal in a French restaurant. You signal the waiter/waitress.

1. Ask the waiter/waitress for your bill.
2. S/he will verify the items you ordered.
3. Confirm or correct what s/he says.

C. Le verbe *prendre*

Nous prenons souvent l'autobus.	*We often take the bus.*
Je prends un café.	*I'm having a cup of coffee.*
Mes amis ne **prennent** pas le petit déjeuner.	*My friends don't eat breakfast.*
Qui a pris mon crayon?	*Who took my pencil?*

---

prendre (*to take; to eat, drink*)

je	**prends**	nous	**prenons**
tu	**prends**	vous	**prenez**
il/elle/on	**prend**	ils/elles	**prennent**

passé composé: j'**ai pris**

Drill: **Je ne prends pas le petit déjeuner.** (Vous/Nous/Mes parents/ etc.)

■ Note the pronunciation distinction between the third person singular and plural forms.

il prend	[prɑ̃]
ils prennent	[prɛn]

■ The verbs **apprendre** (*to learn*) and **comprendre** (*to understand*) are conjugated like **prendre**.

Quelle langue **apprenez-vous?**	*What language are you learning?*
J'apprends le français.	*I'm learning French.*
Peggy **comprend** bien le français.	*Peggy understands French well.*
Comprennent-ils toujours le professeur?	*Do they always understand the teacher?*
Pardon, **je** n'**ai** pas **compris**.	*Excuse me, I didn't understand.*

Note: *To learn to do something* is **apprendre à** + infinitive.

Nous **apprenons à parler** français.	*We are learning to speak French.*

7. **Les voyageurs.** Les personnes suivantes vont voyager. Expliquez quelle langue elles apprennent.

Modèle: Je vais en France.
Alors j'apprends le français.

1. Mes parents vont en Italie.
2. Mon cousin va en Allemagne.
3. Ma sœur va au Mexique.
4. Mon oncle et ma tante vont en Russie.
5. Mes amis et moi allons en Belgique.
6. Vous allez en Chine.
7. Je vais au Maroc.

8. **La plupart des étudiants.** Interviewez votre partenaire à propos de (*regarding*) la plupart des étudiants de votre cours de français. Attention au présent et au passé composé.

Modèles: apprendre le français
—**Est-ce que la plupart des étudiants apprennent le français?**
—**Bien sûr, ils apprennent le français.**

apprendre le français à l'âge de quinze ans
—**Est-ce que la plupart des étudiants ont appris le français à l'âge de quinze ans?**
—**Non, ils n'ont pas appris le français à l'âge de quinze ans.**

1. prendre quelquefois un verre de vin au petit déjeuner
2. prendre le petit déjeuner ce matin
3. comprendre toujours le professeur de français
4. apprendre l'espagnol à l'âge de cinq ans
5. prendre souvent un taxi
6. prendre un taxi hier
7. comprendre cet exercice

9. **À vous.** Répondez.

1. Vos amis prennent-ils le petit déjeuner d'habitude? Si oui, qu'est-ce qu'ils prennent comme boisson?
2. D'habitude, qu'est-ce que vous prenez comme boisson au petit déjeuner? au déjeuner? au dîner?
3. Qu'est-ce que vous avez pris comme boisson ce matin?
4. Qu'est-ce que la plupart des Français prennent comme boisson au dîner?
5. Qu'est-ce que vous allez prendre si vous dînez dans un restaurant français?
6. Si vous commandez un dessert, que prenez-vous d'habitude?
7. Comprenez-vous toujours un menu français?
8. Avez-vous appris à faire la cuisine?

E N T R E   A M I S Tu comprends les garçons de restaurant?

1. Ask if your partner is learning French.
2. Find out if s/he understands French waiters.
3. Tell him/her you are going to a French restaurant and invite him/her to go with you. (S/he will.)
4. Ask if s/he is hungry.
5. Discuss what you are going to have.

2. Discussing Quantities

Qu'est-ce qu tu manges, Solange?
    Je mange ...
        trop de glace.
        beaucoup de frites.
        assez de poisson.
        un peu de gâteau.
        peu d'épinards.
    Je mange ...
        un morceau° de pizza.   *piece*
        une tranche de jambon°.   *slice of ham*
        une assiette° de crudités.   *plate*
        une boîte de bonbons°.   *box of candy*

✧ **Et vous?** Qu'est-ce que vous mangez?
        Je mange ...
        Qu'est-ce que vous buvez°?   *you drink*
        Je bois° ...   *I drink*

Remarque: The plural of **un morceau** is **des morceaux**.

Thomas a mangé cinq **morceaux** de pizza.

D. Les expressions de quantité

■ You have already been using expressions of quantity through this course. There are two kinds of expressions of quantity: specific measures (**une tasse, un verre,** etc.) and indefinite expressions of quantity (**assez, beaucoup,** etc.).

■ To use these expressions of quantity with nouns, insert **de** (but no article) before the noun.

Une bouteille de vin, s'il vous plaît.	*A bottle of wine please.*
Une douzaine d'œufs, s'il vous plaît.	*A dozen eggs, please.*
Il faut **un kilo de porc.**	*We need a kilo of pork.*
Trois kilos de pommes de terre aussi.	*Three kilos of potatoes also.*
Je voudrais **un morceau de pain.**	*I'd like a piece of bread.*
Ils n'ont pas **beaucoup d'amis.**	*They don't have a lot of friends.*
Combien de frères ou **de sœurs** avez-vous?	*How many brothers and sisters do you have?*

■ **Trop, beaucoup, assez,** and **peu** can be used with either singular or plural nouns. *Un* **peu** can only be used with singular nouns, those that cannot be counted. To express the idea of a small amount with a plural noun (which *can* be counted), use **quelques** (*a few, some*) without **de.**

	Voulez-vous **un peu de** fromage?	*Would you like a little cheese?*
But:	Voulez-vous **quelques** frites?	*Would you like a few French fries?*

■ The indefinite expressions of quantity can also be used with verbs, without the addition of **de.**

Je chante **beaucoup.**	*I sing a lot.*
Rip van Winkle a **trop** dormi.	*Rip van Winkle slept too much.*
Nous avons **assez** travaillé!	*We have worked enough!*

■ To express how much you like or dislike a thing, the definite article (not **de**) is used before the noun.

Je n'aime pas **beaucoup le** lait.	*I don't much like milk.*
Mon frère aime **trop la** glace.	*My brother likes ice cream too much.*

■ **Peu de** can be introduced by the word **très** to make it more emphatic. **Très** cannot be used with the other expressions of quantity.

Il a mangé **très peu de** brocoli.

E. Le verbe *boire*

Quel vin **boit-on** avec du poisson?
Nous buvons un peu de thé.
Nos amis mangent de la salade et **ils boivent** de l'eau.
Hélène a trop **bu!**

boire (*to drink*)			
je	bois	nous	**buvons**
tu	bois	vous	**buvez**
il/elle/on	boit		
ils/elles	boivent		
passé composé: j'ai **bu**			

■ Note the pronunciation distinction between the third person singular and plural forms.

elle boit   [bwa]
elles boivent   [bwav]

10. **Les goûts et les couleurs** (*Tastes and colors*). Faites des précisions en utilisant (*by using*) les expressions de quantité entre parenthèses.

Modèles: Nous buvons du vin. (peu)   Nous aimons les fruits. (beaucoup)
Nous buvons peu de vin.   **Nous aimons beaucoup les fruits.**

1. Ma sœur boit de l'orangina. (trop)
2. Elle aime l'orangina. (beaucoup)
3. Nos parents prennent du café. (un peu)
4. Vous avez de la salade? (assez)
5. Jean n'aime pas le vin. (beaucoup)
6. Il boit de l'eau. (peu)
7. Tu as de l'argent? (un peu)
8. J'aime le poisson. (assez)
9. Du vin blanc, s'il vous plaît. (un verre)
10. Marie désire des hors-d'œuvre. (quelques)
11. Je voudrais de la viande et du vin. (quatre tranches/une bouteille)

11. **Dans ma famille.** Décrivez les habitudes culinaires de votre famille.

Modèles: **Nous mangeons beaucoup de glace.**
Ma sœur boit très peu de lait.

Do in pairs. Follow with a stand-up drill in which each student gives one true example.

mes parents ma sœur mon frère je nous	manger boire	trop beaucoup assez peu très peu jamais	épinards fruits limonade lait glace salade poisson eau chocolat chaud pommes de terre

12. **Sur le campus.** Utilisez une expression de quantité pour répondre à chaque question.

Modèle: Les étudiants ont-ils du temps libre?   **Ils ont très peu de temps libre.**

Poll students after doing Ex. 12: **Combien ont des amis qui boivent du thé?**, etc.

1. Avez-vous des amis à l'université?
2. Est-ce que les étudiants de votre université boivent de la bière?
3. Aiment-ils le coca light?
4. Est-ce que vos amis boivent du thé?
5. Vos amis mangent-ils du fromage?
6. Les étudiants mangent de la pizza, n'est-ce pas?
7. Les étudiants ont-ils des devoirs?

13.

Before doing this exercise, review the use of the definite article as taught in Ch. 2 (pp. 51 & 54) and also the use of **de** after a negation.

The Instructor's Resource Manual contains the answers to this exercise.

L'appétit vient en mangeant (*Eating whets the appetite*). Complétez les paragraphes avec **le, la, l', les, du, de la, de l', des, de** et **d'**.

1. Françoise est au restaurant. Elle va manger ____ hors-d'œuvre, ____ poisson, ____ viande, ____ salade, un peu ____ fromage et beaucoup ____ glace. Elle va boire ____ vin blanc avec ____ poisson et ____ vin rouge avec ____ viande et ____ fromage. Mais elle ne va pas manger ____ soupe parce qu'elle n'aime pas ____ soupe.

2. Monsieur et Madame Blanc ne boivent jamais ____ café. Ils détestent ____ café mais ils aiment beaucoup ____ thé. Quelquefois ils boivent ____ vin, mais jamais beaucoup. Leurs enfants adorent ____ orangina et ____ coca-cola classique. Malheureusement (*unfortunately*), il n'y a jamais ____ orangina ou ____ coca chez eux. Les parents pensent que ____ coca et ____ orangina ne sont pas bons pour les dents (*teeth*). Alors leurs enfants boivent ____ lait ou ____ eau.

Note: Les Québécois disent «déjeuner» pour **petit déjeuner**, «dîner» pour **déjeuner** et «souper» pour **dîner.**

Read these menus to your students and have them guess the meanings of the unfamiliar words: for instance, **beurre** (*butter*), **confiture** (*jam*), **canneberge** (*cranberry*), **pain grillé** (*toast*), **sirop d'érable** (*maple syrup*).

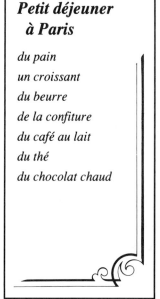

Petit déjeuner à Paris

du pain

un croissant

du beurre

de la confiture

du café au lait

du thé

du chocolat chaud

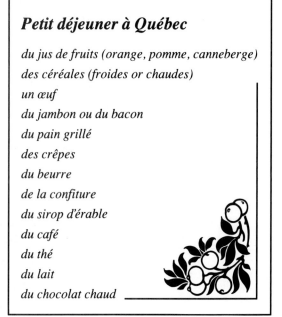

Petit déjeuner à Québec

du jus de fruits (orange, pomme, canneberge)

des céréales (froides or chaudes)

un œuf

du jambon ou du bacon

du pain grillé

des crêpes

du beurre

de la confiture

du sirop d'érable

du café

du thé

du lait

du chocolat chaud

ENTRE AMIS Petit déjeuner chez vous

1. Greet your partner and offer him/her some **café au lait.** (S/he accepts).
2. Tell your partner what you are having for breakfast.
3. Find out if s/he likes the **café au lait.**
4. If so, offer some more. If not, offer something else to drink.

CAFE PERFECTION

---

3. Expressing an Opinion

Que penses-tu de ce fromage, René?
    Miam°, il est délicieux.   *Yum*
Que penses-tu de ces épinards?
    Ils sont assez bons.
Que penses-tu de la pizza aux anchois°?   *anchovies*
    Berk°, elle est affreuse°!   *Yuck/awful*

✤ **Et vous?**

Que pensez-vous du thé au citron? Est-il ... délicieux? bon? affreux?
Que pensez-vous des croissants français? Sont-ils ... délicieux? bons? affreux?
Que pensez-vous de la glace au chocolat? Est-elle ... délicieuse? bonne? affreuse?
Que pensez-vous des soupes froides? Sont-elles ... délicieuses? bonnes? affreuses?

14. **Qu'en penses-tu?** (*What do you think of it/of them?*) Vous êtes à une soirée avec un(e) ami(e). Donnez votre opinion des choses indiquées et demandez l'opinion de votre ami(e).

Modèles: hors-d'œuvre

VOUS: **Je trouve ces hors-d'œuvre assez bons. Qu'en penses-tu?**

VOTRE AMI(E): **Je suis d'accord. Ils sont délicieux.**

pâtisserie

VOUS: **Je trouve cette pâtisserie affreuse! Qu'en penses-tu?**

VOTRE AMI(E): **Mais pas du tout. Elle est excellente.**

Tell students to pretend that they are official food tasters.

1. fromage
2. bière
3. café
4. glace
5. fruits (*m.*)

6. poisson
7. légumes (*m.*)
8. vin
9. viande
10. salade

E N T R E   A M I S   Que penses-tu de ...

1. Give your partner something to eat and drink.
2. Toast your partner.
3. Ask what s/he thinks of the food.
4. Find out what s/he thinks of the drink.
5. Offer some more.

F. Quelques expressions avec *avoir*

■ A number of idiomatic expressions in French use **avoir** with a noun where English would use *to be* with an adjective.

Feelings		*Opinions/Judgments*	
j'ai faim	*I am hungry*	j'ai raison	*I am right*
j'ai soif	*I am thirsty*		*I am wise*
j'ai froid	*I am cold*	j'ai tort	*I am wrong*
j'ai chaud	*I am hot*		*I am unwise*
j'ai sommeil	*I am sleepy*		
j'ai peur	*I am afraid*		

■ **Peur, raison,** and **tort** can be used alone, but are often followed by **de** and an infinitive. **Peur** can also be followed by **de** and a noun.

Paul **a tort de** fumer.	*Paul is wrong to smoke.*
Tu **as raison d'**étudier souvent.	*You are wise to study often.*
Nous **avons peur d'**échouer.	*We are afraid of failing.*
Je **n'ai pas peur des** examens.	*I am not afraid of tests.*

■ When an infinitive is negative, both **ne** and **pas** precede it.

Il a eu tort de **ne pas étudier.**   *He was wrong not to study.*

15. **Explications.** Donnez une explication ou exprimez votre opinion. Complétez les phrases suivantes avec une des expressions idiomatiques avec le verbe **avoir.**

Modèle: Olivier ne porte pas de manteau en novembre. Il ...
Il a chaud.   ou
Il a tort.

1. Je suis fatigué. J' ...
2. Ah! quand nous pensons à une bonne pizza au fromage, nous ...
3. Christelle pense qu'on parle espagnol au Portugal. Elle ...
4. Mon frère ... des gros chiens.
5. Vous pensez que notre professeur est charmant? Ah! vous ...
6. Nous allons boire quelque chose parce que nous ...
7. Cet après-midi je voudrais aller à la piscine. J' ...
8. C'est le mois de décembre et nous ...

16. **Si c'est comme ça** (*If that's the way it is*).   Utilisez une ou deux expressions avec **avoir** pour compléter les phrases suivantes.

Modèle: Si on travaille beaucoup, on ...
Si on travaille beaucoup, on a faim et soif.

1. On a envie de manger quelque chose si on ...
2. Si on ne va pas aux cours, on ...
3. Si on ne porte pas de manteau en décembre, on ...
4. Si on pense que deux fois quatre font quarante-quatre, on ...
5. S'ils font leurs devoirs, les étudiants ...
6. On transpire (*perspire*) si on ...
7. Si on ne boit pas d'eau, on ...
8. Si on pense que les professeurs sont méchants, on ...

17. À vous. Répondez.

1. À quel(s) moment(s) de la journée avez-vous faim? Que faites-vous quand vous avez faim?
2. À quel(s) moment(s) de la journée avez-vous soif ? Que faites-vous?
3. Où vont les étudiants de votre université quand ils ont soif?
4. À quel(s) moment(s) de la journée avez-vous sommeil? Que faites-vous?
5. Pendant quels cours avez-vous envie de dormir?
6. Quel vêtement portez-vous si vous avez froid?
7. Que faites-vous si vous avez chaud?
8. Avez-vous peur d'échouer?
9. Avez-vous peur avant un examen? Si oui, de quels examens avez-vous peur?
10. Vos professeurs ont-ils toujours raison?

18. Microconversation: À table. Madame Verdier est la «mère française» de Paul Thomas. Elle encourage Paul à manger et à boire. Suivez le modèle et faites les changements nécessaires.

Modèle: viande

MME VERDIER:	**Encore de la viande, Paul?**
PAUL:	**Merci, Madame. Je n'ai vraiment plus faim.**
MME VERDIER:	**Mais si! Prenez encore un peu de viande.**
PAUL:	**Non, vraiment. C'était** (It was) **délicieux mais j'ai bien mangé. Sans façon.**
MME VERDIER:	**Très bien. Je n'insiste plus.**

1. vin   4. orangina
2. poisson   5. glace
3. salade   6. café

E N T R E   A M I S   Un examen

1. Tell your partner that there is a test next week.
2. Find out if s/he is afraid.
3. Find out if s/he is going to study this weekend.
4. Depending on the answer, say whether you think s/he is wise or unwise.

4. Expressing a Preference

Quelles sorte de sandwichs préfères-tu, Valérie?
    Je préfère les sandwichs au fromage.
Quelles sorte de pizzas préfères-tu?
    Je préfère les pizzas aux champignons°.   *mushrooms*
Quelle sorte de glace préfères-tu?
    Je préfère la glace à la fraise°.   *strawberry*

✤ **Et vous?** Que préférez-vous?
        Moi, je préfère les sandwichs ...
            au beurre°   *with butter*
            au beurre d'arachide°   *with peanut butter*
            à la confiture°   *with jam*
            au fromage
            au jambon
            au ketchup
            à la mayonnaise
            à la moutarde
            au pâté
        Et je préfère les pizzas ...
            au fromage
            aux champignons
            aux anchois
            à l'ail°   *with garlic*
        Et je préfère la glace ...
            au chocolat
            à la vanille
            à la fraise

Point out that **ail** is pronounced the same as **Aïe!** [aj]

Remarque: Use **à** and the definite article to specify the important ingredients of something.

une omelette **au fromage**	*a cheese omelet*
une crêpe **au beurre et à la confiture**	*a crepe with butter and jam*
une pizza **aux champignons**	*a mushroom pizza*
un sandwich **au beurre d'arachide**	*a peanut butter sandwich*

19. **Quel choix!** Vous êtes dans une pizzeria à Paris. Demandez à la serveuse ou au garçon le choix qu'elle (il) offre. Elle (il) va répondre. Ensuite commandez quelque chose.

Modèle: pizzas

> VOUS: **Quelles sortes de pizzas avez-vous?**
> SERVEUSE/GARÇON: **Nous avons des pizzas au jambon, aux champignons et au fromage.**
> VOUS: **Je voudrais une pizza au fromage et au jambon, s'il vous plaît.**

1. sandwichs
2. omelettes
3. pizzas
4. glaces
5. crêpes

20. **Mes préférences.** Écrivez trois petits paragraphes pour décrire ...

Have students guess each other's choices.

1. les choses que vous aimez beaucoup
2. les choses que vous mangez si vous avez très faim
3. les choses que vous ne mangez jamais

G. Les verbes comme *préférer*

Vous préférez la glace ou la pâtisserie?	*Do you prefer ice cream or pastry?*
Je préfère le chocolat hollandais.	*I prefer Dutch chocolate.*
Espérez-vous aller en France un jour?	*Do you hope to go to France sometime?*
Oui, et **j'espère** aller au Canada aussi.	*Yes, and I hope to go to Canada also.*
Répétez, s'il vous plaît.	*Repeat please.*
Mon fils répète toujours les mêmes phrases!	*My son always repeats the same sentences!*

■ The verbs **préférer** (*to prefer*), **espérer** (*to hope*), **répéter** (*to repeat; to practice*), and **exagérer** (*to exaggerate*) are all conjugated as regular -er verbs except that before a silent ending (as in the present tense of the **je, tu, il/elle/on,** and **ils/elles** forms), the -é- before the ending becomes -è-.

préférer (*to prefer*)

silent endings		*pronounced endings*	
je	**préfère**	nous	**préférons**
tu	**préfères**	vous	**préférez**
il/elle/on	**préfère**		
ils/elles	**préfèrent**		

passé composé: j'ai préféré

21. **Qu'est-ce que tu préfères?** Interviewez une autre personne selon le modèle.

Modèle: aller au cinéma ou faire tes devoirs
VOUS: **Est-ce que tu préfères aller au cinéma ou faire tes devoirs?**
VOTRE PARTENAIRE: **Je préfère faire mes devoirs, naturellement.**
VOUS: **Masochiste!**

Have students report back to their partners as many of their partners' answers as they can remember: **Tu préfères ...,** etc. Then have them prepare a list of the items they agree on: **Nous préférons ...**

1. le samedi soir ou le lundi matin
2. faire la vaisselle ou faire la cuisine
3. New York ou Los Angeles
4. la politique ou les mathématiques
5. partir en vacances ou travailler
6. étudier ou jouer au tennis
7. le cinéma ou le théâtre
8. le petit déjeuner ou le dîner
9. voyager ou rester à la maison
10. les sandwichs ou les omelettes
11. le coca ou le coca light
12. apprendre les mathématiques ou apprendre le français
13. regarder la télévision ou écouter la radio
14. la truite ou les anchois

22. **Microconversation: Vous déjeunez au restaurant.** Qu'est-ce qu'il y a à manger et à boire? Il y a toujours un choix. Vous préférez autre chose, mais il faut choisir (*you have to choose*). Suivez (*follow*) le modèle.

Modèle: le fromage
> VOUS: **Qu'est-ce que vous avez comme fromage?**
> GARÇON: **Nous avons du brie et du gruyère.**
> VOUS: **Je préfère le chèvre. Vous n'avez pas de chèvre?**
> GARÇON: **Je regrette, mais le brie et le gruyère sont très bons.**
> VOUS: **Très bien, je vais prendre un petit morceau de brie, s'il vous plaît.**
>
> (*Un peu plus tard*)
>
> GARÇON: **Comment trouvez-vous le brie?**
> VOUS: **Je pense qu'il est excellent!**

1. les hors-d'œuvre
2. la glace
3. la viande
4. les légumes
5. le fromage
6. les desserts
7. la pizza
8. les sandwichs (*m.*)
9. les omelettes (*f.*)

E N T R E   A M I S   Au snack-bar

1. Find out if your partner is hungry. (S/he is.)
2. Find out if s/he likes sandwiches, pizza, ice cream, etc.
3. Find out what kind of sandwich, etc., s/he prefers.
4. Tell your partner what you are going to order.

Révision et Intégration

A. À la carte

If students do this in writing, they can then try to guess the items on their partner's list.

1. Nommez trois sortes de pizza.
2. Nommez trois sortes de sandwichs.
3. Nommez trois sortes de légumes.
4. Nommez trois sortes de plats principaux.

B. À vous. Répondez.

1. Où allez-vous si vous avez faim ou soif?
2. Aimez-vous les sandwichs? Si oui, quelle sorte de sandwich préférez-vous?
3. Qu'est-ce que vous préférez comme pizza?
4. Si vous allez au restaurant, qu'est-ce que vous commandez d'habitude? Qu'est-ce que vous refusez de manger?
5. Avez-vous pris le petit déjeuner ce matin? Si oui, qu'est-ce que vous avez mangé? Qu'est-ce que vous avez bu?
6. Qu'est-ce que vous buvez le soir d'habitude?
7. Qu'est-ce que vous pensez du vin de Californie? du vin de New York? du vin français?
8. Qu'est-ce que vous pensez du fromage américain? Du fromage français?
9. Que pensez-vous des repas (*meals*) au restaurant universitaire?
10. À quel moment avez-vous sommeil? Pourquoi?
11. Qu'est-ce que vous espérez faire dans la vie?

Canard à l'orange = duck in orange sauce; **omelette norvégienne** = baked Alaska.

Chez Jacques

Menu à 75 francs

assiette de crudités
soupe à l'oignon
tarte à l'oignon
pâté du chef
salade de tomates

bœuf bourguignon
truite aux amandes
canard à l'orange
steak-frites
poulet frites

salade

fromage

omelette norvégienne
mousse au chocolat
tarte maison
glace

Boisson non comprise; service compris

Suggestion: Select an item that has "run out," e.g., **la truite.** When the waiter/waitress tells you (as chef) that someone has selected this item, tell him/her **il n'y a plus de ...** The waiter/waitress then has to inform the "customer."

E N T R E   A M I S   Le menu, s'il vous plaît

You are a waiter (waitress). Use the menu provided and wait on two customers. When you have finished taking their order, tell the chef (the teacher) what they are having.

C. *Rédaction:* **L'espionnage dans un restaurant français.** You are a spy (**espion/espionne**). Working under cover, you have been asked to learn all you can about the couple seated at the table next to you. They are discussing food and drink but may be using a code. Some of their choices seem highly unusual. Take notes and copy down the dialogue that you hear.

Lecture

A. **Imaginez une scène.** Deux personnes prennent le petit déjeuner ensemble. Imaginez cette scène. Répondez aux questions suivantes.

1. Qu'est-ce qu'il y a sur la table?
2. Qui sont les deux personnes?
3. Que font-elles?
4. Que boivent-elles?
5. De quoi est-ce qu'elles parlent?
6. Quel temps fait-il?

Suggestion: Have students memorize the poem. Then use it for a pronunciation check.

Déjeuner du Matin

Il a mis[1] le café
Dans la tasse
Il a mis le lait
Dans la tasse de café
Il a mis le sucre
Dans le café au lait
Avec la petite cuiller[2]
Il a tourné
Il a bu le café au lait
Et il a reposé[3] la tasse
Sans me parler
Il a allumé[4]
Une cigarette
Il a fait des ronds[5]
Avec la fumée
Il a mis les cendres[6]
Dans le cendrier[7]
Sans me parler
Sans me regarder
Il s'est levé[8]
Il a mis
Son chapeau sur sa tête[9]
Il a mis
Son manteau de pluie[10]
Parce qu'il pleuvait[11]
Et il est parti
Sous la pluie
Sans une parole[12]
Sans me regarder
Et moi j'ai pris
Ma tête dans ma main[13]
Et j'ai pleuré.

Jacques Prévert

1. He put   2. spoon   3. He set down   4. He lit   5. rings   6. ashes   7. ashtray   8. he got up   9. head   10. rain   11. it was raining   12. a word   13. hand

Révision et Intégration   **269**

B. Questions. Répondez.

1. Où sont ces personnes?
2. Qui sont les deux personnes? (Imaginez)
3. Quels problèmes possibles ont-elles? (Imaginez)
4. Est-ce que ce poème est triste? Expliquez votre réponse.

Be prepared with props: a cup, a spoon, a cigarette and ashtray, etc.

C. Jouez cette scène. Faites tous les gestes nécessaires et présentez le poème *Déjeuner du Matin* sans parler.

A. Étude du vocabulaire. Study the following sentences and match the word in bold print with its correct English equivalent: *posters, law, killed, die, forbidden, drunk, people.*

1. Le Président va signer la nouvelle **loi** que l'Assemblée a votée.
2. Ce film est **interdit** aux moins de 18 ans.
3. Les **gens** qui boivent trop deviennent quelquefois alcooliques.
4. À la guerre beaucoup de soldats **meurent.**
5. Cet homme a trop bu; il est **ivre.**
6. Mon oncle est mort. Il a été **tué** dans un accident.
7. Danielle a quelques **affiches** de chanteurs rock dans sa chambre.

B. Pourquoi ne pas boire? Scan the following article and find one reason why drinking is dangerous.

Alcool: pas de publicité à la télé

PARIS: Le ministre de la Santé et de la Famille voudrait faire voter une loi qui interdit, à la radio et à la télévision, la publicité sur les boissons alcoolisées. Il pense que ce type de publicité pousse les jeunes à boire de l'alcool. Car[1] souvent les annonces publicitaires donnent une bonne image de l'alcool, alors qu'il fait des ravages et coûte[2] cher à la société. Beaucoup de gens meurent de maladies dues à l'excès de boissons alcoolisées. Les automobilistes ivres, qui sont responsables d'accidents, tuent des gens innocents. Bref, l'alcool, comme la drogue, est un danger pour les jeunes.

La publicité sur l'alcool dans les journaux, au cinéma et sur les affiches va être aussi très surveillée[3]. Elle ne doit pas[4] encourager les jeunes à boire. Cette idée ne plaît pas aux médias car ils perdent[5] de l'argent quand ils ne peuvent pas[6] avoir ces publicités. La loi va être discutée cette année à l'Assemblée nationale.

adapté du *Journal des Enfants (L'Alsace)*

1. because 2. costs 3. watched 4. must not 5. lose 6. cannot

C. **Vrai ou faux?** Décidez si les phrases suivantes sont vraies ou fausses selon la lecture. Si une phrase est fausse, corrigez-la.

1. L'alcool n'est pas dangereux.
2. Beaucoup de gens boivent trop d'alcool.
3. Il y a des gens qui meurent parce que des automobilistes ont trop bu.
4. La publicité pour le vin et la bière encourage les jeunes à boire.
5. Il n'y a pas de publicité pour les boissons alcoolisées dans les journaux.
6. Les médias sont heureux de faire de la publicité pour les boissons alcoolisées.

D. **Questions.** Répondez.

1. Pourquoi le ministre de la Santé est-il contre la publicité pour les boissons alcoolisées?
2. Quels sont deux résultats négatifs de l'utilisation de l'alcool?
3. Y a-t-il de la publicité pour les boissons alcoolisées à la télévision dans votre pays? à la radio? dans les journaux? sur les affiches?
4. Y a-t-il des publicités pour les cigarettes à la télévision dans votre pays? à la radio? dans les journaux? sur les affiches?
5. Pourquoi les médias ne sont-ils pas contents?

E. **Familles de mots.** Essayez de deviner le sens des mots suivants.

1. afficher, une affiche
2. boire, un buveur, une buveuse, une boisson
3. discuter, une discussion
4. mourir, mort(e), la mort

Vocabulaire actif

Boissons

un apéritif *before-dinner drink*	du beaujolais *Beaujolais*	du bordeaux *Bordeaux*

Hors-d'œuvre ou soupe

des crudités (*f. pl.*) *raw vegetables*	de la salade de tomates *tomato salad*	
un hors-d'œuvre *appetizer*	de la soupe *soup*	
du pâté *pâté (meat spread)*		

Viandes

du bœuf	*beef*		du porc	*pork*
du jambon	*ham*		de la viande	*meat*
du poulet	*chicken*			

Poissons

des anchois (*m.*)	*anchovies*	du saumon	*salmon*	de la truite	*trout*

Légumes

de l'ail (*m.*)	*garlic*		un légume	*vegetable*
du brocoli	*broccoli*		un oignon	*onion*
des épinards (*m. pl.*)	*spinach*		des petits pois (*m.*)	*peas*
des frites (*f. pl.*)	*French fries*		une pomme de terre	*potato*
des haricots verts (*m.*)	*green beans*		du riz	*rice*

Fromages

du brie	*Brie*		du chèvre	*goat cheese*
du camembert	*Camembert*		de l'emmenthal	*Swiss cheese*

Desserts

un bonbon	*candy*		de la glace (à la vanille)	*(vanilla) ice cream*
un dessert	*dessert*		de la pâtisserie	*pastry*
des fraises (*f.*)	*strawberries*		une pomme	*apple*
un fruit	*fruit*		de la tarte	*pie*
du gâteau	*cake*			

D'autres choses à manger

du beurre	*butter*		de la moutarde	*mustard*
du beurre d'arachide	*peanut butter*		un œuf	*egg*
des céréales (*f. pl.*)	*cereal*		une omelette	*omelet*
des champignons (*m.*)	*mushrooms*		du pain	*bread*
de la confiture	*jam*		du pain grillé	*toast*
un croissant	*croissant*		de la salade (verte)	*(green) salad*
du ketchup	*ketchup*		un sandwich	*sandwich*
de la mayonnaise	*mayonnaise*		une tomate	*tomato*

Quantités et mesures

une assiette	*plate*		un kilo	*kilogram*
une boîte	*box; can*		un morceau	*piece*
une bouteille	*bottle*		une tranche	*slice*
une douzaine	*dozen*			

D'autres noms

l'addition (*f.*)	*(restaurant) bill, check*	le plat principal	*main course, main dish*
l'argent (*m.*)	*money*	un repas	*meal*
un choix	*choice*	la salle à manger	*dining room*
la cuisine	*kitchen; cooking*	une serveuse	*waitress*
le déjeuner	*lunch*	le théâtre	*theater*
un garçon	*waiter; boy*		
le petit déjeuner	*breakfast*		

Adjectifs

affreux (affreuse) *horrible*   délicieux (délicieuse) *delicious*   quelques *a few; some*

Verbes

apporter	*to bring*	boire	*to drink*
apprendre	*to learn; to teach*	comprendre	*to understand*
avoir chaud	*to be hot*	échouer	*to fail*
avoir faim	*to be hungry*	espérer	*to hope*
avoir froid	*to be cold*	exagérer	*to exaggerate*
avoir peur	*to be afraid*	penser	*to think*
avoir raison	*to be right; to be wise*	préférer	*to prefer*
avoir soif	*to be thirsty*	prendre	*to take; to eat, to drink*
avoir sommeil	*to be sleepy*	répéter	*to repeat; to practice*
avoir tort	*to be wrong; to be unwise*		

Adverbes

naturellement *naturally*   peu (de) *little; few*   plus (ne ... plus) *no more; no longer*

Expressions utiles

à propos de	*regarding, on the subject of*
au contraire	*on the contrary*
Berk!	*Yuck! Awful!*
bien sûr	*of course*
Encore à boire (manger)?	*More to drink (eat)?*
Encore de ... ?	*More ... ?*
Je n'insiste pas.	*I won't insist.*
je regrette	*I'm sorry*
Miam!	*Yum!*
Puis-je essayer ... ?	*May I try ... ?*
Quelle(s) sorte(s) de ... ?	*What kind(s) of ... ?*
Qu'en penses-tu?	*What do you think of it (of them)?*
Qu'est-ce que vous avez comme ... ?	*What do you have for (in the way of) ... ?*
sans façon	*honestly; no kidding*
si vous insistez	*if you insist*

Révision et Intégration

Escale 2

LE SÉNÉGAL

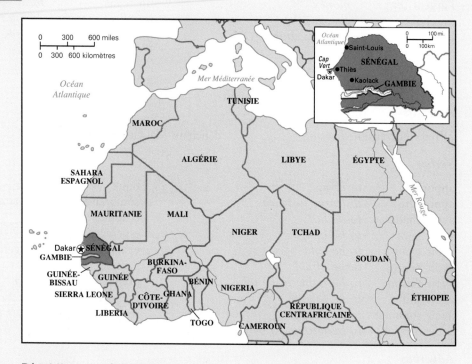

STATUT LÉGAL:	République indépendante
LANGUE OFFICIELLE:	français
AUTRE LANGUE:	wolof (la langue la plus parlée du pays)
MONNAIE:	franc CFA[1]
CAPITALE:	Dakar
AUTRES VILLES:	Thiès, Kaolack, Saint-Louis
SUPERFICIE:	196.722 km^2 (équivalente à celle du Dakota du Sud ou du Nebraska)
POPULATION:	7.360.000 (équivalente à celle de la Caroline du Nord)
RELIGION:	85% musulmane; 5% chrétienne
GROUPES ETHNIQUES PRINCIPAUX:	Wolofs, Serers
EXPORTS PRINCIPAUX:	arachides, huile d'arachide, phosphates, poissons en boîte
CLIMAT:	tropical; 2 saisons prononcées: l'hiver sec et frais et l'été humide
FLEUVES:	le Sénégal, la Gambie, la Casamance

1. CFA = Communauté financière africaine

1. **Vrai ou faux?** Décidez si les phrases suivantes sont vraies ou fausses. Si une phrase est fausse, corrigez-la.

1. Le Sénégal fait partie de la France.
2. La capitale du Sénégal est Dakar.
3. Le Sénégal est plus grand que le Texas.
4. L'agriculture joue un rôle important au Sénégal.
5. Il y a plusieurs grands fleuves au Sénégal.
6. Le français est la langue la plus parlée au Sénégal.

2. **Que savez-vous?** Nommez ...

1. trois pays voisins du Sénégal.
2. un pays dont le Sénégal est le seul voisin.
3. le groupe ethnique principal du Sénégal.
4. la religion principale au Sénégal.

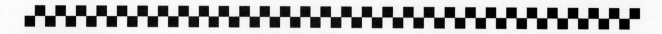

L'histoire du Sénégal

En wolof, la langue régionale la plus parlée du Sénégal, «Su nu Gal» veut dire «nos canoës». Voilà l'origine du nom du pays, «Sénégal». La population du Sénégal moderne date de l'époque pré-historique. Au quinzième siècle, les Portugais ont découvert les grands fleuves de la région, points d'entrée excellents pour l'Afrique occidentale. Les autres nations européennes, y compris la France, ont établi des centres commerciaux dans la région pendant les seizième et dix-septième siècles. Les Européens s'intéressaient à l'or, à l'ivoire et surtout aux esclaves. Ils ont commencé à cultiver des arachides pour nourrir les esclaves avant de les envoyer en Amérique. Aujourd'hui l'arachide et l'huile d'arachide sont parmi les produits principaux du Sénégal.

En 1802, le Sénégal est devenu une colonie française. En 1892, la colonie est un des pays membres de l'Afrique-Occidentale française. Cette fédération se composait des territoires français de la Mauritanie, du Soudan, de la Haute-Volta, de la Guinée, du Niger, de la Côte-d'Ivoire, du Dahomey et du Sénégal.[2] La capitale de la fédération était à Dakar, au Sénégal. Aujourd'hui, ces pays ont toujours des relations étroites entre eux; la plupart d'entre eux utilisent la même monnaie, le franc CFA.

En 1960, le Sénégal a obtenu son indépendance. Moins d'un an après, la République du Sénégal est née. Léopold Sédar Senghor est son premier président. En 1981, Abdou Diouf, l'ancien premier ministre, a succédé à Senghor comme président.

Puisqu'il y a une présence française au Sénégal depuis plus de 300 ans, le français est devenu la langue officielle du pays. Mais il y a beaucoup d'autres langues régionales qui se parlent, comme le wolof.

Quatre-vingt-cinq pour cent des Sénégalais sont musulmans, et beaucoup d'entre eux portent des vêtements traditionnels. Pour les femmes, cela veut dire une longue robe qu'on appelle le *hedjab* et le *tchador* pour couvrir la tête. Pour les hommes, cela veut dire un *boubou,* longue tunique flottante en coton.

Le Sénégal a toujours eu de bonnes relations avec la France, qui continue à offrir de l'aide financière à la nation. Beaucoup de jeunes Sénégalais vont en France pour faire leurs études. D'autres décident d'étudier à l'université de Dakar, une des plus grandes universités en Afrique noire. Il y a 8.000 étudiants à l'université de Dakar qui viennent de tous les pays de l'Afrique occidentale. L'instruction à l'université est gratuite; il faut simplement réussir à un examen d'entrée.

2. Aujourd'hui, le Dahomey s'appelle le Bénin et la Haute-Volta s'appelle Burkina-Faso.

Des femmes sénégalaises en
vêtements traditionnels

3.   **Avez-vous compris?**   Répondez.

1. Que veut dire le nom «Sénégal» en wolof? Imaginez pourquoi on a
   appelé le pays par ce nom.
2. Pendant combien d'années le Sénégal a-t-il été une colonie française?
3. Combien de pays y avait-il dans la fédération de l'Afrique-
   Occidentale française? Quelle était la capitale de la fédération?
4. Comment s'appelle le premier président du Sénégal? et le deuxième?
5. L'université de Dakar est-elle plus grande ou moins grande que votre
   université?

d'arbres. Dakar possède la plupart des services publics dont bénéficient généralement toutes les villes importantes. Cependant, à cause de la croissance[3] urbaine et des énormes quantités d'eau embarquées par les navires[4] qui y font escale, les réserves d'eau sont parfois insuffisantes pour les besoins de la ville.

Dakar est la ville le plus à l'ouest de l'Afrique. Alors, la plupart des vols aériens entre l'Afrique et l'Amérique ou l'Europe passent par Dakar. C'est en plus un grand centre métropolitain et un des ports maritimes les plus importants de l'Afrique occidentale. En fait, Dakar est le centre de l'Afrique occidentale, pas seulement du Sénégal.

Dakar, la capitale du Sénégal, est la ville la plus européenne entre Casablanca (au Maroc) et Abidjan (en Côte-d'Ivoire). On y trouve de grands immeubles modernes, de belles maisons à la française (qui datent de l'époque coloniale) et des avenues bordées

3. une croissance = une augmentation
4. un navire = un grand bateau

4. **À vous.** Répondez.

1. Est-ce que Dakar est une grande ville ou une petite ville?
2. Est-ce qu'il y a des rues bordées d'arbres dans votre ville?
3. Nommez quelques services publics typiques d'une ville importante.
4. Pourquoi les navires ont-ils besoin d'embarquer d'énormes quantités d'eau quand ils arrivent à Dakar?
5. Dakar est la ville le plus à l'ouest de l'Afrique. Nommez un autre pays à la même latitude. Nommez deux autres pays à la même longitude. (Regardez la carte du monde sur la couverture intérieure de votre livre.)

Léopold Senghor est un des fondateurs de la République du Sénégal. Il a été président du Sénégal pendant 21 ans. Mais il est aussi réputé pour sa poésie et ses écrits. C'est lui qui a inventé la notion de la *négritude*[5] et qui l'a développée dans ses poèmes, ses essais et dans le reste de son œuvre.

Senghor est un personnage fascinant. Il n'est pas wolof, comme la plus grande partie de la population sénégalaise. Sa famille est serer, un autre groupe ethnique au Sénégal. En plus, il est catholique, malgré le fait que la vaste majorité des Sénégalais soient musulmans.

Pendant des années, il a travaillé pour l'indépendance du Sénégal. Il a fondé le parti socialiste du Sénégal, un parti très progressiste. Mais, Senghor est aussi un des quarante membres de l'Académie française, une des institutions les plus conservatrices de la France. Un homme politique habile, c'est aussi un des poètes les plus importants de la langue française du vingtième siècle.

5. Selon Senghor, la négritude est l'ensemble des valeurs spirituelles et culturelles de la culture noire africaine.

5. **À vous.** Répondez.

1. Est-ce que Senghor a été président du Sénégal pendant longtemps?
2. Pouvez-vous nommer un autre homme ou une femme politique qui a été poète ou écrivain?
3. Dans quels sens est-ce que Senghor est différent de la majorité des gens de son pays?

Où est-ce qu'on l'achète?

Buts communicatifs
Finding out where things are sold
Describing an illness or injury
Making a purchase

Structures utiles
Les verbes en **-re**
Depuis
Le verbe **acheter**
Les nombres de 80 à l'infini

Culture
La pharmacie
Le tabac
Les petits magasins

Coup d'envoi

Prise de contact

Les achats

Où est-ce qu'on achète° des journaux?	*buy*
On peut° aller ...	*you can*
au bureau de tabac.	
à la gare.	
au kiosque°.	*newsstand*
Où est-ce qu'on achète des vêtements?	
On peut aller ...	
dans une boutique.	
dans un grand magasin°.	*department store*
au marché aux puces°.	*flea market*
Où est-ce qu'on achète quelque chose à manger?	
On peut aller ...	
au marché°.	*(open-air) market*
au supermarché.	
à l'épicerie.	

✤ **Et vous?** Qu'est-ce que vous voulez acheter?
Où allez-vous?

Conversation

À la pharmacie

Joseph Brown est touriste. Il désire acheter un journal américain et il pense qu'on achète des journaux à la pharmacie. Mais en France cela n'est pas possible.

JOSEPH BROWN:	Bonjour, Monsieur. Vous avez le *Herald Tribune?*	
PHARMACIEN:	Comment? Je vous demande pardon.°	*I beg your pardon.*
JOSEPH BROWN:	Je voudrais acheter le *Herald Tribune.*	
PHARMACIEN:	Mais on ne vend° pas de journaux ici, Monsieur.	*sell*
JOSEPH BROWN:	Vous n'en° avez pas?	*any*
PHARMACIEN:	Non, Monsieur. C'est une pharmacie. Nous vendons des médicaments°.	*medicine*
JOSEPH BROWN:	Mais aux États-Unis on peut acheter des journaux à la pharmacie.	
PHARMACIEN:	Désolé°, Monsieur, mais nous sommes en France.	*sorry*
JOSEPH BROWN:	Pouvez-vous me dire° où on peut trouver des journaux, s'il vous plaît?	*Can you tell me*
PHARMACIEN:	C'est très facile°. Il faut aller au bureau de tabac, Monsieur. C'est au coin° de la rue.	*easy* *corner*

Remind students of the gesture for **Comment?** (see the Preliminary Chapter).

❖ **Jouez ces rôles.** Répétez la conversation avec votre partenaire. Utilisez le nom de votre journal préféré.

Les PHARMACIENS de LOUHANS

The answer to the cultural question is **c**.

✤ Pourquoi le pharmacien refuse-t-il de vendre un journal à Joseph Brown?

a. Parce que Monsieur Brown est américain.
b. Parce que le pharmacien ne comprend pas Monsieur Brown quand il parle français.
c. Parce qu'on vend des journaux dans un magasin différent.

La pharmacie

Pharmacists in France don't sell magazines, newspapers, candy, drinks, or greeting cards. They will fill a prescription and are much less reticent than North American pharmacists to suggest treatments for nonserious illnesses, including a cold, a sore throat, and a headache. In this respect French pharmacies are a convenient and helpful solution for travelers who become ill.

Le tabac

One can buy magazines, newspapers, and postcards at the tobacco shop. Among the most popular English language publications available in France are the *International Herald Tribune* and the international edition of *Time* magazine. Since **le bureau de tabac** is under state license, one can also purchase stamps and cigarettes. Smoking is more widespread than in the U.S. While there have been some efforts to suggest that smoking is bad for your health, the state monopoly on the sale of tobacco means that the government does little to restrict the purchase or the use of cigarettes.

Les petits magasins

Although supermarkets are more common than in the past, the tourist in France is struck by the variety of shops that specialize in one type of food. **La boulangerie** (*bakery*), **la pâtisserie** (*pastry shop*), **la boucherie** (*butcher*), **la charcuterie** (*pork butcher, delicatessen*), and **l'épicerie** (*grocery store*) are found in most neighborhoods. Not only, for example, do the French buy fresh bread daily; they will also go out of their way and pay a bit more, if necessary, to get bread that they consider more tasty. The French often use the possessive adjective to refer to **mon boulanger** (*my baker*), a phenomenon that is very rare or nonexistent in North America.

I L   Y   A   U N   G E S T E

Désolé(e). When saying **désolé(e),** the shoulders are hunched and the upturned palms are raised to about chest level. Sarcasm is added to the gesture by also pursing one's lips and raising one's eyebrows.

❖ **À vous.** Entrez dans une pharmacie et essayez d'acheter (*try to buy*) un magazine—*Time, Paris Match, Elle,* etc. Répondez au pharmacien.

Brainstorm for examples before putting students in pairs.

PHARMACIEN: **Bonjour, Monsieur (Madame / Mademoiselle).**
VOUS: _____

PHARMACIEN: **Comment? Je vous demande pardon.**
VOUS: _____

PHARMACIEN: **Mais on ne vend pas de magazines ici.**
VOUS: _____

E N T R E   A M I S   Au tabac

Your partner will take the role of the proprietor of a tobacco shop.

1. Ask if s/he has a certain newspaper or magazine.
2. S/he will say s/he doesn't.
3. Ask if s/he has bread, milk, wine, etc.
4. S/he will say s/he is sorry, but s/he doesn't.
5. Find out where you can find the things you are looking for.
6. Get directions.

Prononciation

Le son [R]

■ The most common consonant sound in French is [R]. While there are acceptable variations of this sound, [R] is normally a friction-like sound made in roughly the same area of the mouth as [g] and [k]. Keeping the tongue tip behind the lower teeth, the friction sound is made when the back of the tongue comes close to the back part of the mouth (pharynx). Use the word **berk!** to practice several times. It might also be helpful to use the following process (1) say "ahhh ...," (2) change "ahhh ..." to "ahrrr ..." by beginning to gargle as you say "ahhh ...," (3) add [g] at the beginning and say **gare** several times, (4) say **garçon**. Then practice the following words.

□ pour, sur, bonjour, bonsoir □ très, trois, crois, droit, frère, écrire

□ garçon, merci, parlez □ votre, quatre, notre, propre, septembre

□ russe, rien, Robert, rouge

Buts communicatifs

1. Finding Out Where Things Are Sold

Qu'est-ce qu'on vend à la pharmacie?
    On y vend ...
        des médicaments
        des cachets d'aspirine°   *aspirin tablets*
        des pastilles°   *lozenges*
        des pilules°   *pills*
        des suppositoires°   *suppositories*
Qu'est-ce qu'on vend au bureau de tabac?
    On y vend ...
        du tabac°   *tobacco*
        un paquet° de cigarettes   *package*
        des timbres°   *stamps*
        des journaux
        des magazines
        des cartes postales°   *postcards*

You might wish to point out that suppositories are a very common remedy in France for various ailments.

Remarque: Contrary to the general rule requiring a pronounced final -c (**avec, chic, Éric,** etc.), **tabac** has a silent final **-c.**

A. Les verbes en -re

Nous **attendons** notre amie avec impatience.	We are anxiously waiting for our friend.
Elle **a rendu** visite à sa grand-mère.	She visited her grandmother.
Vous **entendez** son train?	Do you hear her train?
Répondez à la question, s'il vous plaît.	Answer the question, please.
Je **perds** patience.	I'm losing (my) patience.
La voilà. Elle **descend** du train.	There she is. She's getting off the train.

vendre (*to sell*)

je	**vend**	s	nous	**vend**	ons
tu	**vend**	s	vous	**vend**	ez
il/elle/on	**vend**		ils/elles	**vend**	ent

passé composé: j'**ai vendu**

■ A number of frequently used verbs are conjugated like **vendre.**

Vocabulaire: Quelques verbes réguliers en -re

attendre (un ami)	to wait (for a friend)
descendre	to go down; to get out of
entendre (un bruit)	to hear (a noise)
perdre	to lose
rendre (les devoirs)	to give back (homework)
rendre visite à qqn	to visit someone
répondre (à une question)	to answer (a question)

■ The singular (**je, tu, il/elle/on**) forms of each of these verbs are pronounced alike.

je perds	tu perds	il perd	[pɛR]
je rends	tu rends	elle rend	[Rɑ̃]

■ There is no ending in the **il/elle/on** forms of regular -**re** verbs.

■ The -**d**- in the plural (**nous, vous, ils/elles**) forms is pronounced [d], but in inversion of the **il/elle/on** form, the -**d** is pronounced [t].

	vendons	[vɑ̃dɔ̃]
But:	vend-on	[vɑ̃tɔ̃]

■ Past participles of regular -**re** verbs are formed by adding -**u** to the present tense verb stem.

vend**u**   perd**u**   répond**u**

You could point out the differences in the use or nonuse of prepositions in the English verbs *to visit, to answer,* and *to wait for.*

■ **Rendre visite** and **répondre** are used with the preposition **à** before an object.

J'ai rendu visite à mon frère.   *I visited my brother.*
Anne **répond** toujours **aux** questions   *Anne always answers the*
  du professeur.   *teacher's questions.*

■ **Attendre** does not use a preposition before an object.

J'attends la fin du semestre.   *I am waiting for the end of the semester.*

■ In the expression **perdre patience**, the article or possessive adjective is omitted.

	J'ai **perdu** *mes* devoirs.
But:	Le professeur a **perdu patience** avec moi.

1.

Sur notre campus. Décrivez quelques aspects de la vie sur le campus. Utilisez les expressions suivantes pour faire des phrases affirmatives ou négatives.

Modèle: **Sur notre campus les professeurs ne perdent jamais patience.**

	attendre les vacances avec impatience
on	entendre beaucoup de bruit
je	répondre à beaucoup de questions
nous	perdre patience
les professeurs	rendre toujours les devoirs
les étudiants	vendre des livres
	rendre souvent visite à des amis
	descendre quelquefois en ville

2. **Un petit sketch: Au kiosque.** Lisez ou jouez le sketch suivant et répondez ensuite aux questions.

ALICE:	Madame, est-ce que vous avez le *Herald Tribune?*
LA MARCHANDE:	Non, Mademoiselle. Je n'ai plus de journaux américains.
ALICE:	Où est-ce que je peux acheter un journal américain, s'il vous plaît?
LA MARCHANDE:	Il faut aller à la gare.
ALICE:	Pourquoi à la gare?
LA MARCHANDE:	Parce qu'on vend des journaux internationaux à la gare.
ALICE:	Merci, Madame.
LA MARCHANDE:	À votre service, Mademoiselle.

Questions:

1. Quelle sorte de journal Alice cherche-t-elle?
2. La marchande vend-elle des journaux?
3. A-t-elle le *Herald Tribune?* Expliquez.
4. Où Alice va-t-elle aller? Pourquoi?
5. Où vend-on des journaux dans votre ville? Et des journaux internationaux?
6. Quel journal préférez-vous?

3. À vous. Répondez.

1. Où vend-on des cigarettes dans votre pays?
2. Qu'est-ce que les pharmaciens vendent dans votre pays?
3. D'habitude vendez-vous vos livres?
4. Avez-vous vendu vos livres à la fin du semestre dernier?
5. À qui rendez-vous visite pendant les vacances?
6. Attendez-vous les vacances avec impatience? Pourquoi (pas)?
7. Dans quelles circonstances perdez-vous patience?

E N T R E   A M I S Des achats *(purchases)*

Your partner will take the role of a pharmacist.

1. Find out if s/he has postcards, stamps, cigarettes, bread, meat, cheese, etc. (S/he doesn't.)
2. Find out where these items are sold.
3. Ask directions to one of the stores.

2. Describing an Illness or Injury

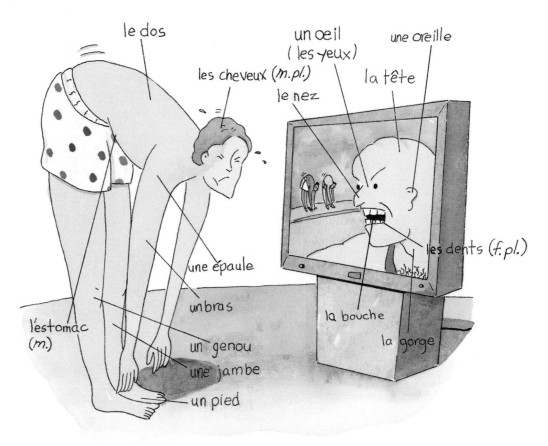

le dos

les cheveux (m.pl.)

un œil (les yeux)

une oreille

le nez

la tête

les dents (f.pl.)

une épaule

l'estomac (m.)

un bras

la bouche

la gorge

un genou

une jambe

un pied

Bruno, qu'est-ce que tu as?° Tu as l'air° malade.
J'ai mal au dos° depuis° hier. J'ai trop
fait de gymnastique.
Oh là là! Moi aussi, mais j'ai mal aux jambes, moi!

What's the matter with you?/You look/ My back hurts/since

✤ **Et vous?** Avez-vous eu la grippe cette année? Avez-vous souvent mal à la tête?
Et les étudiants? S'ils étudient trop, ont-ils mal aux yeux?

Remarques:

1. Like the word **tabac, estomac** has a silent final **-c.**
2. **Si** (*if*) becomes **s'** only before the words **il** and **ils.** Before other words beginning with vowels, it does not elide.

> **Si on** a mal à la tête, on prend des cachets d'aspirine.
> **Si elle** est malade, elle va rester au lit.

But: **S'il** est malade, il va rester au lit.

3. **Avoir mal à** is used with the definite article and a part of the body to express that one has a sore hand, arm, etc.

Mon fils **a mal au bras.**	*My son's arm hurts.*
J'ai **mal à la gorge.**	*I have a sore throat.*
Avez-vous **mal aux dents?**	*Do you have a toothache?*

The masculine form of the adjective is sometimes used with **avoir l'air** to make agreement, not with the subject, but with the word **air.**

4. **Avoir l'air** (*to seem, appear, look*) is often followed by an adjective.

> Hélène **a l'air sportive.**
> Jean-Yves **a l'air fatigué.**

Vocabulaire: Qu'est-ce que vous avez?

Je suis malade.	*I'm sick.*
J'ai de la fièvre.	*I have a fever.*
J'ai un rhume.	*I have a cold.*
J'ai la grippe.	*I have the flu.*
J'ai le nez qui coule.	*I have a runny nose.*
Je tousse.	*I am coughing.*
J'ai mal ...	
à l'estomac.	*I have a stomachache. My stomach hurts.*
aux oreilles.	*My ears hurt.*
au pied.	*I have a sore foot. My foot hurts.*
Je suis ...	
déçu(e).	*I'm disappointed.*
déprimé(e).	*I'm depressed.*
triste.	*I'm sad.*

4. **Ça ne va pas bien.** Complétez les phrases suivantes.

Modèle: Si on a de la fièvre, ...   **Si on a de la fièvre, on est malade.** ou
Si on a de la fièvre, on a peut-être la grippe.

To review the parts of the body, play «**Jacques a dit**» (*Simon says*), using **Touchez** ... Alternate: Play a game of charades in which students act out particular illnesses. The rest of the class has to guess what's wrong.

1. Si on regarde trop la télévision, ...
2. Si on danse trop souvent, ...
3. Si on boit trop, ...
4. Si on a le nez qui coule, ...
5. Si on tousse beaucoup, ...
6. Si on mange trop, ...
7. Si on fume trop, ...
8. Si on écrit trop, ...
9. Si on étudie trop, ...
10. Si on fait une promenade trop longue, ...
11. Si on entend trop de bruit, ...
12. Si on mange trop de bonbons, ...
13. Si on skie mal, ...
14. Si on passe trop d'examens, ...

5. **Pauvres étudiants!** Répondez aux questions suivantes.

You could teach the expression **ça dépend** before doing this exercise in order to give students a way of introducing some of their answers that may not be clear-cut.

1. Que prenez-vous si vous avez la grippe?
2. Restez-vous au lit si vous êtes malade?
3. Qu'est-ce que vous faites si vous avez un rhume?
4. Quand les étudiants ont-ils mal à la tête?
5. Quand les étudiants ont-ils mal aux pieds?
6. Quand les étudiants ont-ils mal à l'estomac?
7. Fumez-vous des cigarettes? Pourquoi ou pourquoi pas?

Buts communicatifs

6. Aïe! Utilisez les expressions suivantes pour faire des phrases, mais ajoutez une explication (*add an explanation*) avec **si** ou **parce que**.

Modèles: Les étudiants ont mal aux yeux s'ils étudient trop.
J'ai mal à la tête parce que je passe trop d'examens.

les étudiants je un(e) de mes ami(e)s	avoir mal	la tête le dos les bras les yeux la main les jambes la bouche les pieds les dents la gorge l'estomac le nez l'épaule le genou	si ... parce que ...

B. *Depuis*

Depuis combien de temps habites-tu ici?	*How long (for how much time) have you been living here?*
J'habite ici **depuis un an.**	*I've been living here for a year.*
Depuis quand étudies-tu le français?	*How long (since when) have you been studying French?*
J'étudie le français **depuis septembre.**	*I've been studying French since September.*

■ Use **depuis combien de temps** or **depuis quand** with the present tense to ask about something that has already begun but is *still continuing*. **Depuis combien de temps** asks for the length of time so far and **depuis quand** asks for the starting date.

$$\text{verb (present tense)} + \textbf{depuis} + \begin{cases} \text{length of time} \\ \text{starting date} \end{cases}$$

Depuis combien de temps ... ?	*For how much time ... ?*
Depuis quand ... ?	*Since when ... ?*

■ In the affirmative, the English translation of the present tense verb and **depuis** is usually *has (have) been ... ing for* a certain length of time or *since* a certain date.

Chantal habite à Chicago.	*Chantal is living in Chicago.*
Chantal **habite** à Chicago **depuis un an.**	*Chantal has been living in Chicago for a year.*
Chantal **habite** à Chicago **depuis février dernier.**	*Chantal has been living in Chicago since last February.*

■ To state that something has *not* happened for a period of time, however, the negative of the passé composé is used with **depuis**.

Je **n'ai pas été** malade **depuis** six mois.	*I haven't been sick for six months.*
Mes parents **n'ont pas écrit depuis** deux semaines.	*My parents haven't written for two weeks.*

Attention: **Depuis** is used to talk about situations that are still going on. To ask or state how much time was spent doing something that has already been *completed*, use **pendant** with the passé composé.

J'étudie depuis deux heures.	*I've been studying for two hours (and I haven't finished yet).*
But: **J'ai étudié pendant** deux heures.	*I studied for two hours (and now I'm finished).*

7. **Ils sont tous malades.** Demandez à chaque personne depuis combien de temps elle est malade. Utilisez **tu** avec les amis (les personnes identifiées par leurs prénoms), **vous** avec les autres personnes. Votre partenaire va prendre le rôle de la personne et va répondre.

Modèles: Virginie (pieds/deux jours)
        VOUS: **Depuis combien de temps as-tu mal aux pieds?**
        VIRGINIE: **J'ai mal aux pieds depuis deux jours.**

Madame Monnier (rhume/huit jours)
        VOUS: **Depuis combien de temps avez-vous un rhume?**
  MADAME MONNIER: **J'ai un rhume depuis huit jours.**

1. Michel (estomac/deux heures)
2. Le professeur (gorge/trois jours)
3. Madame Matté (dents/une semaine)
4. Jeanne (grippe/deux jours)
5. Anne (tête/quinze minutes)
6. Mademoiselle Cochin (yeux/un mois)
7. Monsieur Monneau (fièvre/24 heures)
8. Guy (genou/trois mois)

Buts communicatifs   **293**

8. **Comment allez-vous?** Utilisez les expressions suivantes pour faire des phrases.

Modèles: **Mon frère est malade depuis trois mois.**
Je n'ai pas été malade depuis cinq ans.
Je n'ai pas eu mal à la tête depuis cinq ans.

		malade
je		rhume
ma sœur	(ne ... pas) avoir	fièvre depuis ...
mon frère	(ne ... pas) être	déprimé(e)
un(e) de mes ami(e)s		mal ...
		fatigué(e)

9. **Une interview.** Posez des questions avec **depuis** ou **pendant** selon le cas. Votre partenaire va répondre.

Modèles: parler français
    VOUS: **Depuis combien de temps parles-tu français?**
    VOTRE PARTENAIRE: **Je parle français depuis six mois.**

    regarder la télé hier soir
    VOUS: **Pendant combien de temps as-tu regardé la télé hier soir?**
    VOTRE PARTENAIRE: **J'ai regardé la télé pendant une heure.**

1. étudier le français
2. étudier hier soir
3. habiter à l'adresse que tu as maintenant
4. écouter la radio ce matin
5. être étudiant(e) à cette université
6. faire cet exercice

ENTRE AMIS Tu es malade depuis longtemps?

1. Greet your partner and inquire about his/her health. (S/he is sick.)
2. Find out what the matter is.
3. Find out how long s/he has been sick.
4. Suggest a remedy.

3. Making a Purchase

Où vas-tu, Alain?
    J'ai des courses à faire.°   *I have shopping to do.*
De quoi as-tu besoin?°   *What do you need?*
    J'ai besoin de toutes sortes de choses.°   *I need all kinds of*
    J'ai besoin de pain, de bœuf, de   *things.*
        saucisses°, de légumes et de fruits.   *sausages*
    J'ai besoin d'un livre aussi.
    Je vais acheter° ...   *to buy*
        du pain à la boulangerie,
        du bœuf à la boucherie,
        des saucisses à la charcuterie,
        des légumes et des fruits à l'épicerie,
        et un livre à la librairie.

✤ **Et vous?** De quoi avez-vous besoin?

Remarques:

1. **Avoir besoin** (*to need*) works much like **avoir envie**. It is used with **de** and an infinitive or a noun. If **avoir besoin** is used with a noun, the definite article is usually omitted.

    J'ai besoin d'étudier.   *I need to study.*
    Nous **avons besoin de** légumes et   *We need vegetables and*
      d'eau minérale.   *mineral water.*

2. Use **un** (**une**) with **avoir besoin d'** to say that *one* item is needed.

    Vous **avez besoin d'une** feuille   *You need a sheet of paper.*
    de papier.

Note: À la boucherie, on vend de la viande de bœuf et on vend aussi du mouton. On y trouve des steaks, des rôtis (*roasts*), etc. À la charcuterie, on vend de la viande de porc et on vend aussi du poulet et du lapin (*rabbit*). On y trouve du jambon, des pâtés variés, du bacon, des saucisses, du saucisson (*salami*), etc.

10. **Où faut-il aller?** Où est-ce qu'on trouve les produits suivants? Suivez (*follow*) le modèle.

Modèle: pâté   **Si on a besoin de pâté, il faut aller à la charcuterie.**

After students have worked in pairs, have a stand-up drill. Each student has to say a sentence starting with **SI** ...

1. épinards	5. croissants	9. papier
2. médicaments	6. poulet	10. un livre
3. un kilo d'oranges	7. bonbons	11. vin
4. un rôti de bœuf	8. jambon	12. cigarettes

E N T R E   A M I S   Je viens d'arriver

You are new in town and need some information.
Your partner will play the role of a neighbor.

1. Tell your neighbor that you are going shopping.
2. Tell him/her what you need.
3. Ask where to buy it.
4. Be sure to express your gratitude for your neighbor's help.

C. Le verbe *acheter*

Mon père va **acheter** une autre voiture.
Nous **achetons** nos livres à la librairie.
On **achète** un journal au bureau de tabac.
J'**ai acheté** cinq kilos de pommes de terre.

■ As you have already learned with **préférer,** certain verbs change their spelling of the verb stem of the present tense depending on whether or not the ending is pronounced.

Vous préf**é**rez le blanc ou le rouge?   Je préf**è**re le rouge.

■ The verb **acheter** also contains a spelling change in the verb stem of the present tense. When the ending is not pronounced, the -e- before the -t- becomes -è.

acheter (*to buy*)			
silent endings		*pronounced endings*	
j'	**achète**	nous	**achetons**
tu	**achètes**	vous	**achetez**
il/elle/on	**achète**		
ils/elles	**achètent**		
passé composé: **j'ai acheté**			

11. **Nous achetons tout ça.**   On fait des achats. Utilisez les expressions suivantes pour créer des phrases, à la forme négative, si vous voulez.

Modèles: **J'achète de la glace pour mes amis.**
Nous n'achetons jamais de cigarettes pour nos amis.

Point out that students should use **-même(s)** if they buy something for themselves.

		glace		
je		cigarettes		amis
nous		cachets d'aspirine		classe (*f.*)
le professeur		magazines		parents
mes amis	acheter	pommes	pour	professeur
ma mère		timbres		famille
mon père		pain		moi(-même)
les étudiants		bonbons		nous(-mêmes)
		médicaments		

Buts communicatifs **297**

12. **Pourquoi y vont-ils?** Demandez ce que ces personnes achètent. Votre partenaire va répondre.

Modèle: Je vais au bureau de tabac.

VOUS: **Qu'est-ce que tu achètes au bureau de tabac?**

VOTRE PARTENAIRE: **J'achète des timbres.**

Have students redo this exercise in the passé composé.

1. Je vais à la boucherie.
2. Nous allons à la pharmacie.
3. Mon père va au supermarché.
4. Nous allons dans un grand magasin.
5. Les étudiants vont à la boulangerie.
6. Paul va à l'épicerie.
7. Ces deux femmes vont au bureau de tabac.
8. Marie va à la librairie près de l'université.

You might wish to point out that **payer** takes a direct object, even when the object is a purchase: **Nous payons nos achats** = *We pay for our purchases.*

Vocabulaire: Pour payer les achats

un billet	*bill (paper money)*
la monnaie	*change*
une pièce (de monnaie)	*coin*
un franc	*franc*
un centime	*centime*
un dollar	*dollar*
une carte de crédit	*credit card*
un chèque	*check*
un chèque de voyage	*traveler's check*
coûter	*to cost*
payer	*to pay*

Notes:

1. A **centime** is worth 1/100 of a franc.
2. **Payer** is often found with a spelling change. Before silent endings, the -y- becomes -i-: **je paie, tu paies,** etc. *But:* **nous payons, vous payez.**

13. Un petit sketch: **Au bureau de tabac à la gare.** Lisez ou jouez le sketch. Ensuite répondez aux questions.

Alice parle avec un vendeur de journaux au bureau de tabac à la gare.

ALICE:	Vous vendez des journaux américains?
LE VENDEUR:	Mais oui, Mademoiselle.
ALICE:	Avez-vous le *Herald Tribune?*
LE VENDEUR:	Oui, il en reste un (*there's one left*).
ALICE:	C'est combien, s'il vous plaît?
LE VENDEUR:	Quatre francs cinquante.
ALICE:	J'ai seulement (*only*) un billet de cinquante francs.
LE VENDEUR:	C'est parfait, Mademoiselle. Voici votre monnaie: cinquante centimes qui font cinq francs et ... euh ... dix, vingt, trente, quarante et cinquante francs.
ALICE:	Au revoir, Monsieur. Bonne journée.
LE VENDEUR:	Merci. Vous aussi, Mademoiselle.

Questions

1. Où Alice achète-t-elle son journal?
2. Quel journal achète-t-elle?
3. Combien coûte le journal?
4. Comment paie-t-elle le journal?
5. Est-ce que le vendeur a la monnaie nécessaire?
6. Combien le vendeur rend-il à Alice?

D. Les nombres de 80 à l'infini

80	quatre-vingts	90	quatre-vingt-dix
81	quatre-vingt-un	91	quatre-vingt-onze
82	quatre-vingt-deux	92	quatre-vingt-douze
83	quatre-vingt-trois	93	quatre-vingt-treize
84	quatre-vingt-quatre	94	quatre-vingt-quatorze
85	quatre-vingt-cinq	95	quatre-vingt-quinze
86	quatre-vingt-six	96	quatre-vingt-seize
87	quatre-vingt-sept	97	quatre-vingt-dix-sept
88	quatre-vingt-huit	98	quatre-vingt-dix-huit
89	quatre-vingt-neuf	99	quatre-vingt-dix-neuf

100	cent	1.000	mille
101	cent un	2.000	deux mille
200	deux cents	1.000.000	un million
201	deux cent un	1.000.000.000	un milliard

■ For numbers ending in 1, from 21 to 71, **et** is used. From 81 to 101 **et** is not used.

vingt **et** un

But: quatre-vingt-un

■ **Vingt** and **cent** do not add an -s if they are *followed* by a number.

quatre-vingts personnes   *But:*   quatre-vingt-un

trois cents personnes   *But:*   trois cent cinq

■ **Mille** never adds an **-s.**

mille personnes   deux **mille** personnes

Note: There are two ways to express a particular year.

mille neuf cent quatre-vingt-quinze
dix-neuf cent quatre-vingt-quinze   } 1995

■ The words **million** and **milliard** are nouns. If they are followed by another noun, **de** is inserted between the nouns.

deux millions **de** francs

■ Prices are stated in francs and centimes.

10,50 F = dix francs cinquante (centimes)

Note: In France, commas and periods used with numbers are the reverse of the system used in North America.

L'état a besoin de **2.000.000,00** de francs.

Notes:

1. Il y a quatre paires de chiffres (*numbers*) dans les numéros de téléphone français.
2. En France il y a un **code régional** pour indiquer l'endroit où on habite; chaque département français a un code différent. Le code pour Angers, par exemple, est 49, et pour Besançon le code est 25. Ce numéro se trouve sur les plaques d'immatriculation (*licence plates*) des voitures et forme aussi les deux premiers chiffres du **code postal.**

14.

Les numéros de téléphone. Prononcez les numéros de téléphone suivants.

Modèle: 81.88.40.01   quatre-vingt-un / quatre-vingt-huit / quarante / zéro un

1. 41.93.21.80
2. 77.63.06.97
3. 42.08.98.89
4. 31.86.15.96

5. 71.83.61.91
6. 67.85.76.90
7. 16.10.99.02
8. 51.81.95.12

9. 88.19.82.43
10. 78.87.03.92

15.

Codes postaux et plaques d'immatriculation. La carte suivante indique la ville principale et le code régional des départements. Donnez le code postal approximatif pour les villes suivantes.

Modèle: Nantes

Le code postal pour Nantes est quarante-quatre mille (44000).

Do this in pairs, assigning two or three cities to each team. Use **au nord, au sud, à l'est, à l'ouest,** and **au centre** to help students locate the cities.

1. Dijon
2. Amiens
3. Tours

4. Besançon
5. Angers
6. Le Mans

7. Orléans
8. Nantes
9. Paris

10. Brest
11. Rouen
12. Strasbourg

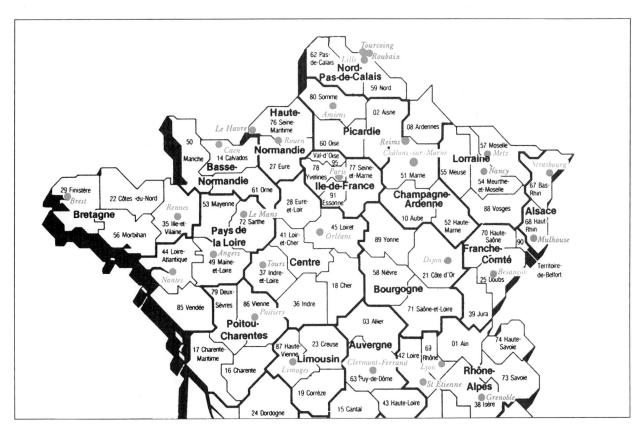

16. **Ça coûte combien?** Demandez combien coûte l'objet. Votre partenaire va donner la réponse en francs et en centimes.

Modèle: bonbons (15 F le paquet)
　　　　　　　VOUS: **Combien coûte un paquet de bonbons?**
　　VOTRE PARTENAIRE: **Les bonbons coûtent quinze francs le paquet.**

Point out the use of the *indefinite* article in the question and the *definite* article in the answer.

1. bordeaux (20,30 F la bouteille)
2. fromage pont l'évêque (39,75 F le kilo)
3. fraises d'Espagne (4,90 F la boîte)
4. orangina (9,25 F la bouteille)
5. jambon de Bayonne (59,90 F le kilo)
6. cigarettes (14,15 F le paquet)
7. pommes de terre nouvelles (3,95 F le kilo)
8. champignons (5,80 F la boîte)
9. œufs (11,40 F la douzaine)
10. pâté (34,85 F le kilo)

17. **Microconversation: Au supermarché.** Vous avez un billet de cent francs. Combien de monnaie le marchand va-t-il vous donner? Suivez le modèle.

Modèle: ce fromage (10,50 F)
　　　　　　VOUS: **Combien coûte ce fromage, s'il vous plaît?**
　　LE MARCHAND: **Dix francs cinquante, Madame (Monsieur/Mademoiselle).**
　　　　　　VOUS: **Je n'ai pas de monnaie. J'ai seulement un billet de cent francs.**
　　LE MARCHAND: **C'est très bien. Voici votre monnaie: quatre-vingt-neuf francs cinquante.**

1. cette bouteille d'eau minérale (2,98 F)
2. cette boîte de sardines (9,95 F)
3. un kilo de haricots verts (12,93 F)
4. un paquet de chewing-gum (3 F)
5. un kilo de pommes (16,30 F)
6. trois kilos de pommes de terre (11,70 F)

18. **En ville.** Vous avez besoin de plusieurs (*several*) choses. Utilisez les deux listes suivantes pour trouver l'adresse et le numéro de téléphone des magasins nécessaires.

Place de la Laiterie		Rue de la Gare	
1 PHARMACIE GODARD	41.87.58.39	1 PHOTO PLUS	41.87.67.31
4 CHEVALIER, Yves		2 MOD COIFFURE	41.88.00.03
bureau de tabac	41.87.48.37	3 RESTAURANT LIBRE SERVICE	
5 BANQUE NATIONALE DE PARIS			41.88.12.56
	41.88.00.23	4 ROCHER	
7 ARMORIC POISSONNERIE	41.88.39.84	charcuterie	41.87.53.41
9 BOUCHERIE DU RONCERAY		5 LE BIARRITZ café	41.88.68.67
	41.87.57.28	6 PHARMACIE DE LA GARE	
11 FAIENCERIE DU RONCERAY			41.87.66.67
	41.87.40.29	7 ROCTON, Jean-Claude	
12 EDOUARD, Paulette		pâtisserie	41.87.41.72
oisellerie	41.87.54.93	8 DESFONTAINES, Claude	
15 SALOUD, Gérard		bureau de tabac	41.87.75.30
assurances	41.87.50.27	9 LE RELAIS hôtel	41.88.42.51
18 COLIN, Jean		10 CINÉMA LE FRANÇAIS	41.87.66.66
boulangerie-pâtisserie	41.88.01.62	10bis LE PEN DUICK	
19 VERNAUDON, Michel		restaurant	41.87.46.59
vêtements	41.87.01.96	11 BAR BRASSERIE LE SIGNAL	
21 DACTYL BURO ANJOU			41.87.49.41
machines bureaux	41.88.59.52		

Modèle: pour acheter des médicaments
Pour acheter des médicaments, l'adresse est un, place de la Laiterie. Téléphonez au quarante et un / quatre-vingt-sept / cinquante-huit / trente-neuf.

Go over this listing with students before attempting the exercise.

Point out that **10 bis** corresponds to **10B**. There are two commercial enterprises in the building.

1. pour acheter des saucisses
2. pour acheter des cigarettes
3. pour acheter du pain
4. pour demander à quelle heure le film va commencer
5. pour avoir une chambre pour la nuit
6. pour acheter des croissants
7. pour réserver une table pour dîner
8. pour acheter un pull ou un pantalon
9. pour acheter du saumon
10. pour acheter des francs si on a des dollars

Item 7: Le Pen Duick (at the Restaurant Libre Service, no reservation is necessary).

Buts communicatifs 303

19. À vous. Répondez.

1. Quelle est votre adresse?
2. Quel est votre code postal?
3. Quel est votre numéro de téléphone?
4. Quel est le numéro de téléphone de votre meilleur(e) ami(e)?
5. En quelle année êtes-vous né(e)?
6. Combien de jours y a-t-il dans une année?
7. Combien de pages y a-t-il dans ce livre de français?
8. Combien de minutes y a-t-il dans un jour?
9. En quelle année Christophe Colomb est-il arrivé au Nouveau Monde?
10. Combien d'étudiants y a-t-il sur ce campus?
11. Environ (*approximately*) combien coûte une Rolls-Royce?
12. Environ combien de personnes habitent aux États-Unis? au Canada?
13. Le soleil (*sun*) se trouve à quelle distance de la terre (*earth*)?

E N T R E   A M I S   Vous achetez un magazine

Your partner takes the role of a merchant.

1. Ask if s/he sells magazines. (S/he does.)
2. Find out the name of the magazines s/he has.
3. Select the one you are going to buy.
4. Find out how much it costs.
5. Pay for it.
6. Make sure you count your change.

Révision et Intégration

A. **Des renseignements.** Préparez une liste de cinq renseignements pour des touristes qui vont en France.

Modèles: **Si on a besoin de pain, on peut aller à la boulangerie.**
En France, on dîne vers huit heures du soir.

B. **À vous.** Répondez.

1. Êtes-vous souvent malade?
2. Que prenez-vous si vous avez la grippe?
3. Que faites-vous quand vous avez mal à la tête?
4. Aimez-vous les cigarettes? Fumez-vous? Si oui, depuis combien de temps? Si non, avez-vous déjà fumé? Pendant combien de temps?
5. Où faites-vous vos provisions? Qu'est-ce que vous y achetez?
6. Quel est votre numéro de téléphone? Depuis combien de temps avez-vous ce numéro?
7. Quel est votre code postal? Depuis combien de temps avez-vous ce code postal?
8. Quelle est votre adresse? Depuis combien de temps y habitez-vous?
9. Combien coûte un billet (*ticket*) de cinéma dans votre ville?
10. Environ combien coûtent les livres pour une année à votre université?

An alternate exercise is to have students work in pairs and try to guess what is on each other's list.

E N T R E   A M I S   Une liste

Prepare a shopping list of five items and indicate the stores where you are going to shop. Then, greet other "shoppers." Find out where they are going and what they are planning to buy.

C. *Rédaction:* **Le guide «Michelin».** Écrivez une page pour aider les touristes francophones qui visitent votre ville. Expliquez où on peut aller pour faire les courses et combien coûtent certains objets.

A. Fumer ou ne pas fumer? Répondez aux questions suivantes avant de lire l'article.

1. Fumez-vous? Si oui, combien de cigarettes par jour?
2. Avez-vous des amis qui fument? Si oui, combien de cigarettes par jour?
3. Est-ce que vous préférez les cigarettes, les cigares, la pipe ou le chewing-gum?
4. Le tabac est-il dangereux pour la santé? Expliquez.
5. Pourquoi les jeunes garçons et filles commencent-ils à fumer?

Le tabac et la mort

LE 17 MAI: Les personnes qui commencent à fumer quand elles sont jeunes sont prédisposées à mourir prématurément, déclare un rapport publié par le Centre National de Recherches sur le Cancer à Tokyo. Depuis 1975, un groupe de médecins du Centre fait une étude sur «Le tabac et la mort», à partir d'un échantillonnage de[1] 265.118 fumeurs de plus de quarante ans.

Il apparaît que[2] le taux[3] de mortalité est de 2.172 pour 100.000 pour ceux[4] qui ont commencé à fumer à l'âge de quatorze ans. Il est de 1.189 pour ceux qui ont goûté[5] leur première cigarette quand ils avaient dix-neuf ans. Enfin, il n'est que de 1.063 pour 100.000, pour ceux qui ont pris l'habitude de fumer entre vingt et vingt-quatre ans. Les médecins affirment que le taux de mortalité pour les fumeurs est deux fois plus élevé que[6] pour les non-fumeurs.

1. from a sample of   2. it seems that   3. rate   4. those   5. tasted   6. higher than

B. Vrai ou faux? Décidez si les phrases suivantes sont vraies ou fausses. Si une phrase n'est pas vraie, corrigez-la.

1. Ces médecins pensent que les cigarettes causent le cancer.
2. Ils ont fait leurs recherches en Chine.
3. Ils ont commencé à faire leurs recherches en 1975.
4. Ceux qui fument ont tendance à mourir plus jeunes que ceux qui ne fument pas.
5. L'âge de la première cigarette est un élément important dans ces recherches.

C. Familles de mots. Essayez de deviner le sens des mots suivants.

1. rapporter, un rapport
2. étudier, un étudiant, une étudiante, une étude
3. fumer, un fumeur, une fumeuse, la fumée

4. goûter, le goût, un goûter
5. rechercher, les chercheurs, les recherches
6. apparaître, une apparition, l'apparence
7. habituer, l'habitude, d'habitude
8. affirmer, une affirmation

Lecture

A. **Étude du vocabulaire.** Étudiez les phrases suivantes et choisissez (*choose*) les mots anglais qui correspondent aux mots français en caractères gras (*bold print*): *birth, more, wrinkles, pregnant, dies, harmful.*

1. Pascale est **enceinte** depuis trois mois. C'est son premier bébé.
2. Le jour de la **naissance** du bébé, le père était très nerveux.
3. Les cigarettes sont **nocives** parce qu'elle causent des maladies.
4. Monsieur Roland a l'air très vieux. Il a beaucoup de **rides.**
5. La victime **meurt** dans l'ambulance en route pour l'hôpital.
6. Une moto est **plus** rapide qu'un vélo.

B. **L'anatomie.** Complétez les phrases suivantes avec la partie du corps appropriée.

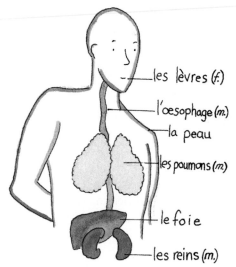

les lèvres (f.)
l'œsophage (m.)
la peau
les poumons (m.)
le foie
les reins (m.)

1. Avec les ___ , on parle et on donne les bises.
2. Les ___ sécrètent l'urine.
3. On respire avec les ___ . Une inflammation des ___ s'appelle «la pneumonie».
4. Ce que vous mangez passe par l' ___ à l'estomac.
5. Si on boit trop d'alcool, on peut avoir des crises de ___ .
6. La ___ est à l'extérieur du corps entier. On peut avoir la ___ blanche, jaune, noire, etc.

Tabac: une fumeuse sur quatre en meurt

Sabine de la Brosse, du magazine «Paris Match», a interviewé le docteur Judith Longstaff, spécialiste de la prévention des cancers dus au tabac.

s.b.: Pouvez-vous nous citer les dangers pour les femmes qui fument?

j.l.: Tout d'abord, elles courent[1] les mêmes risques que l'homme: cancer du poumon, de la gorge, de l'œsophage, des reins, du foie, l'athérosclérose et la bronchite chronique.

Mais il y a aussi des risques propres[2] à la femme qui sont, par exemple, le cancer de l'utérus et un obstacle à sa fertilité. En plus, si elle est enceinte, le tabac exerce un effet majeur sur le fœtus. Il provoque le risque d'une fausse couche[3] et le risque d'avoir un plus petit bébé (200 grammes de moins) que la normale.

Chez l'enfant d'une mère fumeuse, l'effet de la nicotine est prolongé pendant une très longue période après la naissance. Une étude récente a prouvé que dix cigarettes par jour doublent les risques de leucémie pour l'enfant.

Si, après la naissance, la mère continue à fumer, son bébé présente davantage de[4] risques de crise d'asthme, de pneumonie et de bronchite. Le tabac fait vieillir plus vite: les fumeuses ont, en général, une ménopause précoce (deux ans avant les autres). Les goudrons[5] ont un effet nocif sur les hormones, ce qui peut causer l'ostéoporose. La peau se ride et se durcit[6] du fait d'une mauvaise circulation à l'intérieur des petits vaisseaux. Les fumeuses ont plus rapidement de petites rides sur la lèvre supérieure à cause du mouvement des lèvres pendant qu'elles fument. Enfin, la perte en vitamine C, que provoque le tabac,[7] contribue à appauvrir l'épiderme.[8]

adapté de *Paris Match*

1. *run* 2. *specific* 3. *miscarriage* 4. *additional* 5. *tars* 6. *hardens* 7. *which is caused by tobacco* 8. *harm the skin.*

C. **Vrai ou faux?** Décidez si les phrases suivantes sont vraies ou fausses. Si une phrase est fausse, corrigez-la.

1. Il y a des goudrons dans les cigarettes.
2. Une femme qui fume depuis longtemps a l'air vieille prématurément.
3. Une fois que le bébé est né, la mère peut recommencer à fumer.
4. Il y a les mêmes risques pour un homme qui fume que pour une femme.
5. On peut fumer à condition de manger beaucoup d'oranges.

D. **Familles de mots.** Essayez de deviner le sens des mots suivants.

1. perdre, la perte
2. naître, la naissance
3. vieillir, vieux (vieille)
4. appauvrir, pauvre

E. **Les effets du tabac.** Faites une liste des maladies qui sont probablement causées par le tabac ...

1. pour le fumeur/la fumeuse.
2. pour l'enfant d'une fumeuse.

F. **À discuter**

1. À qui cet article est-il destiné? Expliquez.
2. Les cigarettes sont-elles moins dangereuses pour les hommes que pour les femmes? Expliquez.

Vocabulaire actif

Magasins

une boucherie	butcher shop	un marché	(open-air) market
une boutique	(clothing) shop	un marché aux puces	flea market
une charcuterie	pork butcher's; delicatessen	une pâtisserie	pastry shop; pastry
un grand magasin	department store	un supermarché	supermarket
un kiosque	newsstand		

Parties du corps

la bouche	mouth	l'estomac (m.)	stomach	le nez	nose
un bras	arm	un genou	knee	un œil	eye
une dent	tooth	la gorge	throat	une oreille	ear
le dos	back	une jambe	leg	un pied	foot
une épaule	shoulder	une main	hand	la tête	head

À la pharmacie

un cachet d'aspirine	aspirin tablet
un médicament	medicine
une pastille	lozenge
une pilule	pill
un suppositoire	suppository

Argent

un billet	bill (paper money)	un dollar	dollar
une carte de crédit	credit card	un franc	franc
un centime	centime	la monnaie	change
un chèque	check	une pièce (de monnaie)	coin
un chèque de voyage	traveler's check		

D'autres noms

un billet	ticket	le papier	paper
un bruit	noise	un paquet	package
le chewing-gum	chewing gum	un rhume	a cold
un code postal	zip code	un rôti (de bœuf)	roast beef
un coin	corner	une sardine	sardine
une feuille	leaf; sheet (of paper)	une saucisse	sausage
une fièvre	fever	le soleil	sun
la fin	end	le tabac	tobacco; tobacconist's shop
l'impatience (f.)	impatience	la terre	earth
un(e) marchand(e)	merchant	un timbre	stamp

Chapitre 9

Adjectifs

déçu(e)	*disappointed*	facile	*easy*
déprimé(e)	*depressed*	long (longue)	*long*
désolé(e)	*sorry*		

Verbes

acheter	*to buy*	perdre	*to lose*
attendre	*to wait (for)*	perdre patience	*to lose (one's) patience*
avoir besoin de	*to need*	rendre	*to give back*
avoir l'air	*to seem, appear, look*	rendre visite à qqn	*to visit someone*
avoir mal (à)	*to be sore, to have a pain (in)*	répondre (à)	*to answer*
coûter	*to cost*	réserver	*to reserve*
entendre	*to hear*	tousser	*to cough*
essayer	*to try*	vendre	*to sell*
payer	*to pay (for)*		

Adverbes

environ	*approximately*
seulement	*only*

Préposition

depuis	*for; since*

Nombres

quatre-vingts	*eighty*	cent	*one hundred*
quatre-vingt-un	*eighty-one*	mille	*one thousand*
quatre-vingt-dix	*ninety*	un million	*one million*
quatre-vingt-onze	*ninety-one*	un milliard	*one billion*

Expressions utiles

De quoi avez-vous besoin?	*What do you need?*
Il en reste un(e).	*There's one left.*
je peux	*I can*
Je vous demande pardon.	*Please excuse me; I beg your pardon.*
le nez qui coule	*runny nose*
Oh là là!	*Oh dear!*
on peut	*one can*
Pouvez-vous me dire ... ?	*Can you tell me ... ?*
Qu'est-ce que tu as?	*What's the matter (with you)?*
toutes sortes de choses	*all kinds of things*
Vous n'en avez pas?	*Don't you have any?*

Dans la rue et sur la route

Buts communicatifs
Giving reasons; making excuses
Expressing familiarity and judgment
Giving orders and advice
Describing ways of doing things

Structures utiles
Les verbes **vouloir** et **pouvoir**
Le verbe **connaître**
Les pronoms objets directs
L'impératif
Le subjonctif
Les pronoms à l'impératif
Les nombres ordinaux
Le verbe **conduire**
Les adverbes

Culture
Conduire en France
Les expressions de tendresse

Coup d'envoi

Les indications

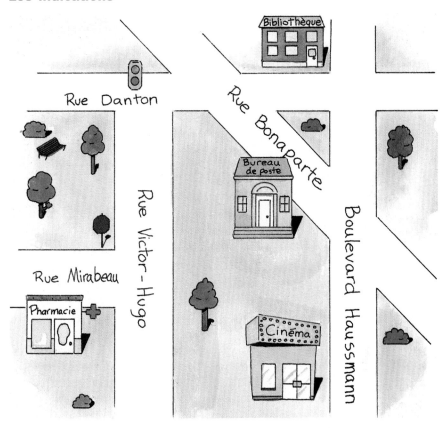

Pardon, pouvez-vous me dire où se trouve la pharmacie?
> Oui, c'est dans la rue Mirabeau.
> Prenez la rue Danton.
> Continuez au feu.
> Puis, tournez à gauche. C'est la rue Victor-Hugo.
> Ensuite, la rue Mirabeau est la première
> rue à droite après le stop°.   *stop sign*

Do this using local landmarks, streets, etc.

Et vous? Pouvez-vous me dire où se trouve le bureau de poste?
> Où se trouve le cinéma, s'il vous plaît?
> Pour la bibliothèque, s'il vous plaît?

Un père très nerveux

*Michel Avoine est très nerveux parce que sa fille
apprend à conduire°.*   *to drive*

CATHERINE: Papa, est-ce que je peux conduire?

MICHEL: Tu veux° conduire, ma chérie°?   *you want / honey*
Eh bien, attache ta ceinture de sécurité°   *seat belt*
et prends le volant°. Mais fais attention!   *steering wheel*

CATHERINE: Chut!° Pas de commentaires, s'il te plaît.   *Shh!*
Laisse-moi tranquille.°   *Leave me alone.*

MICHEL: D'accord, démarre°. Regarde à gauche,   *start*
à droite et dans ton rétroviseur°.   *rearview mirror*
Avance lentement°, ma fille.   *slowly*
Change de vitesse.° Continue tout droit.   *Shift; change speed.*
Ne conduis pas si vite°.   *so fast*

(un peu plus tard)

Ne prends pas le sens interdit°.   *one-way street*
Prends la première rue à gauche.
Et ne regarde pas les garçons qui passent.

CATHERINE: Mais, tais-toi!° Tu n'arrêtes° pas de parler!   *keep quiet! / stop*

MICHEL: Excuse-moi, ma puce°. Je suis un peu nerveux.   *flea*
C'est promis, plus un mot°.   *not one more word*

CATHERINE: Plus un mot, mon œil°! Je te connais° trop bien.   *my eye / I know you*

✤ **Jouez ces rôles.** Répétez la conversation avec votre partenaire. Changez
ensuite de rôle: c'est un fils qui demande à sa maman s'il peut conduire.
Faites les changements nécessaires: par exemple, la mère appelle son fils
«mon chéri» et «mon grand».

À propos

The answer to the first cultural question is **c.**

The answer to the second cultural question is **a.**

✧ Pourquoi est-ce que Michel est nerveux?

a. Sa fille conduit très mal.
b. Tous les pères sont nerveux.
c. On conduit vite en France et il est important d'être prudent.

✧ Michel appelle sa fille «ma puce». Pourquoi?

a. C'est une expression de tendresse (*term of endearment*) et les Français utilisent beaucoup d'expressions de tendresse.
b. Il est sexiste. Les puces sont petites et il pense que sa fille est inférieure.
c. Les Français aiment beaucoup les insectes.

Conduire en France

One of the most unsettling discoveries one makes on a trip to France is the rapid manner in which most people drive. Much has already been written about the French **appétit de la vitesse**. For example, Daninos's Major Thompson (See the **Lecture**, page 343) complains about the "peaceful citizen" who "can change in front of your eyes into a demonic pilot." That this can be the case, in spite of a very demanding driver's license test, a very elaborate and expensive training period in **l'auto-école**, and the fact that one must be eighteen years old to begin to learn to drive, may justify Major Thompson's comment that **Les Français conduisent plutôt bien, mais follement** (*The French drive rather well, but wildly*).

Les expressions de tendresse

Ma chérie, ma puce, mon chéri, and **mon grand** are common terms of endearment, but there are many others. Among couples, **mon chou,** (*honey*, literally *my cabbage*), is very frequent. It is most likely a shortened form of **chou à la crème** (*cream puff*). In French families such expressions seem to be more frequently used than is the case among members of North American families. Terms of endearment are perhaps the verbal equivalent of the greater amount of physical contact found in France.

IL Y A UN GESTE

Chut! The index finger is raised to the lips to indicate that silence is in order.

Tais-toi! The thumb and fingers are alternately opened and closed to tell someone to shut up.

Mon œil! There is a gesture meaning that one does not believe what was said. The index finger is placed under an eyelid and pulls down slightly on the skin.

❖ **À vous.** Votre ami(e) apprend à conduire. Répondez à ses questions.

1. Est-ce que je peux conduire?
2. Tu vas attacher ta ceinture de sécurité?
3. Où allons-nous?
4. Où se trouve cet endroit?

Instruct the student who is "driving" to respond each time with a gesture.

ENTRE AMIS Votre partenaire conduit

1. Tell your partner to take the wheel.
2. Tell him/her to look left and right.
3. Tell him/her to start the car.
4. Tell him/her to move ahead.
5. Tell him/her to take the first street on the right.
6. Ask if s/he is nervous.

La lettre *h*

■ The letter **h** is never pronounced in French. There are, however, two categories of **h-** words:

1. Some **h-** words act *as if they began with a vowel:* These words are said to begin with **h muet** (*mute h*). Elision (dropping a final vowel and replacing it with an apostrophe) and liaison (pronouncing a normally silent final consonant and linking it to the next word) both occur before **h muet,** just as they would with a word beginning with a vowel.

d'habitude	**l'**heure	**j'**habite
un [n]homme	elle est [t]heureuse	deux [z]heures

2. Some **h-** words act *as if they began with a consonant:* These words are said to begin with **h aspiré** (*aspirate h*). Elision and liaison do not occur before **h aspiré.**

pas **de** haricots	**le** huit décembre	**le** hockey
un/hamburger	les/haricots	des/hors-d'œuvre

■ In addition, note that the combination **-th-** is pronounced [t].

thé	**Th**omas	**Th**érèse	biblio**th**èque

La Bibliothèque nationale à Paris

Buts communicatifs

1. Giving Reasons; Making Excuses

Tu vas au bal°, Brigitte? *to the dance*
    Oui, parce que j'ai envie de danser.
    Oui, je veux m'amuser°. *to have fun*
    Oui, je veux être avec mes amis.
    Oui, je ne peux pas° rester dans ma *I am unable to,*
    chambre. *I can't*

 Et vous? Voulez-vous danser?
    Je veux bien! J'adore danser.
    Je regrette. Je ne sais pas danser.
    Non, parce que je suis fatigué(e).
    Oui, mais j'ai besoin d'étudier.
Voulez-vous sortir ce soir? Pourquoi ou pourquoi pas?

Note: Les jeunes Américains sortent souvent en couples. Les jeunes Français n'ont pas cette attitude américaine de *dating*. Ils sortent souvent en groupes, vont au café après un film pour commenter le spectacle et n'ont pas besoin d'arriver au bal avec une personne du sexe opposé.

IL Y A UN GESTE

Invitation à danser. When inviting someone to dance, the index finger is pointed toward the floor and makes a small circular motion.

A. Les verbes *vouloir* et *pouvoir*

Mes amis veulent sortir tous les soirs.	*My friends want to go out every night.*
Mais **ils ne peuvent pas.**	*But they can't.*
As-tu pu parler avec Paul?	*Were you able to talk to Paul?*
J'ai voulu mais **je n'ai pas pu.**	*I wanted to but I wasn't able to.*

vouloir (*to want; to wish*)	
je	**veux**
tu	**veux**
il/elle/on	**veut**
nous	**voulons**
vous	**voulez**
ils/elles	**veulent**
passé composé: j'ai **voulu**	

pouvoir (*to be able; to be allowed*)	
je	**peux**
tu	**peux**
il/elle/on	**peut**
nous	**pouvons**
vous	**pouvez**
ils/elles	**peuvent**
passé composé: j'ai **pu**	

■ **Vouloir** and **pouvoir** are frequently followed by an infinitive.

Qui **veut sortir** ce soir?	*Who wants to go out tonight?*
Je **ne peux pas sortir** ce soir.	*I can't go out tonight.*

■ **Vouloir** can also be used with a noun or pronoun, often to offer something or to make a request.

Voulez-vous **quelque chose** à boire?	*Do you want something to drink?*

Remind students that the phrase **je veux bien** *is often used when accepting an offer.*

Note: When making requests, it is more polite to use **je voudrais** instead of **je veux.**

Je voudrais un verre d'eau.	*I'd like a glass of water.*

BNP VOTRE BANQUE QUAND VOUS VOULEZ ET D'OU VOUS VOULEZ

Buts communicatifs

319

1. **Pourquoi y vont-ils?** Expliquez où vont les personnes suivantes et pourquoi. Utilisez le verbe **aller** et le verbe **vouloir** dans chaque phrase.

Modèle: **Les étudiants vont au bal parce qu'ils veulent danser.**

Follow-up: Make up illogical sentences that students must correct, e.g., **On va au bureau de tabac parce qu'on veut danser.**

| on je nous tu vous les étudiants | aller | à la résidence à la bibliothèque au bal au restaurant aux cours à l'église au bistro à la piscine à la patinoire au cinéma au centre commercial en France à l'aéroport au bureau de tabac | vouloir | étudier regarder les autres acheter quelque chose danser chercher quelqu'un écouter un sermon déjeuner dormir parler français manger boire prendre un avion patiner nager voir un film visiter des monuments apprendre quelque chose |

2. **La boum** (*The party*). Lisez ou jouez le sketch suivant. Répondez ensuite aux questions.

Deux étudiants parlent de leurs activités.

JACQUES: Je peux porter ta veste grise?

CHRISTOPHE: Oui, si tu veux. Pourquoi?

JACQUES: Ce soir je sors.

CHRISTOPHE: Je vais être indiscret. Et tu vas où?

JACQUES: Au bal! Les étudiants organisent une boum.

CHRISTOPHE: Tu y vas avec qui?

JACQUES: J'y vais seul, mais je crois que Sandrine a l'intention d'y aller aussi.

CHRISTOPHE: Et tu vas pouvoir l'inviter (*invite her*) à danser, bien sûr?

JACQUES: Je voudrais bien danser avec elle. Mais elle a beaucoup d'admirateurs.

CHRISTOPHE: Tu as pu danser avec elle la dernière fois?

JACQUES: Non, elle n'a pas voulu. Mais cette fois, ça va être différent.

Questions:

1. Qui va au bal?
2. Avec qui y va-t-il?
3. Quels vêtements veut-il porter?
4. Avec qui Jacques veut-il danser?
5. Pourquoi est-ce qu'il n'a pas pu danser avec Sandrine la dernière fois?

3. **Pourquoi pas?** Utilisez le verbe **pouvoir** à la forme négative et l'expression **parce que** pour expliquer pourquoi quelque chose n'est pas possible.

Modèle: **Tu ne peux pas sortir parce que tu es fatigué(e).**

If you do this in pairs, follow with a stand-up drill. Students must give an example before sitting down.

tu		manger	avoir la grippe
vous		boire	avoir un rhume
mes amis		aller à un	être malade(s)
mon ami(e)	ne pas	concert	être fatigué(e)(s)
je	pouvoir	sortir	ne pas avoir d'argent
nous		dîner	avoir sommeil
les étudiants		voyager	avoir besoin d'étudier
		jouer aux cartes	être occupé(e)(s)
		étudier	ne pas avoir le temps
		venir au cours	avoir mal aux yeux
		danser	avoir mal aux pieds
		regarder la	ne pas être libre(s)
		télévision	ne pas avoir faim
		skier	ne pas avoir soif
		nager	

4. **Qu'est-ce qu'il a?** Raymond répond toujours non. Utilisez les expressions suivantes avec **vouloir** ou **pouvoir** pour expliquer quelle excuse il peut avoir.

Modèle: Si nous l'invitons à manger quelque chose, ...
Si nous l'invitons à manger quelque chose, Raymond va répondre qu'il ne veut pas manger parce qu'il n'a pas faim.

Drill the model sentence before doing the exercise.

1. Si nous l'invitons à boire quelque chose, ...
2. Si nous l'invitons à chanter une chanson (*song*), ...
3. Si nous l'invitons à danser la valse, ...
4. Si nous l'invitons à nager à la piscine, ...
5. Si nous l'invitons à aller à un match de football, ...
6. Si nous l'invitons à skier, ...
7. Si nous l'invitons à dîner chez nous, ...
8. Si nous l'invitons à étudier avec nous, ...

Buts communicatifs   **321**

ENTRE AMIS *Pourquoi pas?*

1. Ask if your partner can go to a movie with you. (S/he can't.)
2. Find out why not.
3. Suggest other activities. How many excuses can s/he find?

2. Expressing Familiarity and Judgment

Tu connais Éric, Céline?
    Oui, je le connais.
Tu connais ses parents?
    Je les connais mais je ne les connais pas très bien.
Tu connais la ville de Boston?
    Non, je ne la connais pas.

❖ **Et vous?** Vous connaissez la ville de Paris?
            Vous connaissez le Québec?

Remarque: **Le** Québec refers to the province of Quebec. *Quebec City* is referred to simply as **Québec.**

Le Vieux-Port de Québec

B. Le verbe *connaître*

Est-ce que **vous connaissez** Paris?	*Do you know Paris?*
Anne ne **connaît** pas cette ville.	*Anne doesn't know that city.*
Je connais cet homme.	*I know that man.*
J'ai connu cet homme à Paris.	*I met that man in Paris.*

connaître
(to know, be acquainted with, be familiar with)

je	**connais**	nous	**connaissons**
tu	**connais**	vous	**connaissez**
il/elle/on	**connaît**	ils/elles	**connaissent**

passé composé: **j'ai connu**

■ There is a circumflex accent on the **-i-** only in the verb stem of the **il/elle/on** form and in the infinitive.

Je **connais** bien la mentalité américaine.
But: Il ne **connaît** pas l'histoire de France.

Students already know the phrase **Je ne sais pas.** A clear distinction will be made between **je sais** and **je connais** in Ch. 12.

■ **Connaître** denotes familiarity and means *to know, be acquainted with (a person, a place, a concept, a thing)*. It is always accompanied by a direct object and cannot stand alone.

Connaissez-vous **les parents de Thomas?**
Do you know Thomas's parents?

Non, mais je connais **leur maison.**
No, but I'm familiar with their house.

Note: In the passé composé, **connaître** denotes a first meeting.

J'ai **connu** Robert en janvier. *I met Robert in January.*

5. **Connaissent-ils ces choses?** Expliquez la familiarité des personnes suivantes avec les choses, les personnes et les endroits indiqués. Utilisez les expressions suivantes pour créer des phrases.

Modèle: **Mes parents ne connaissent pas Paris.**

je		la place de la Concorde
tu		le Sénégal
nous		la ville du Mans
mes parents	(ne ... pas) connaître	le jeu de Scrabble
les étudiants		les pays d'Europe
le professeur		la Côte-d'Ivoire
		le (la) président(e) de l'université
		le musée du Louvre
		les parents de mes amis

C. Les pronoms objets directs

Connais-tu Christelle?	*Do you know Christelle?*
Non, je ne **la** connais pas personnellement.	*No, I don't know her personally.*
Est-ce qu'elle **te** connaît?	*Does she know you?*
Non, elle ne **me** connaît pas.	*No, she doesn't know me.*
Est-ce que tu aimes les sandwichs au fromage?	*Do you like cheese sandwiches?*
Oui, je **les** aime beaucoup.	*Yes, I like them very much.*
As-tu acheté ton livre?	*Did you buy your book?*
Je **l'**ai acheté mais je ne **l'**ai pas encore lu.	*I bought it but I haven't read it yet.*

■ A direct object pronoun replaces a noun that is the direct object of a verb (where no preposition precedes the noun). The noun may be a proper name or a noun preceded by a definite article, a demonstrative adjective, or a possessive adjective. The direct object pronouns are listed in the table below:

me (m')	*me*	**nous**	*us*
te (t')	*you*	**vous**	*you*
le (l')	*him; it*	**les**	*them*
la (l')	*her; it*		

■ Object pronouns are placed directly in front of the verb.

J'aime *Thierry.*	Pourquoi **l'**aimes-tu?
Aimes-tu *les sandwichs?*	Oui, je **les** aime.
Connais-tu *ma mère?*	Non, je ne **la** connais pas.

■ When used with a verb followed by an infinitive, direct object pronouns are put directly in front of the verb to which they are related (usually the infinitive).

Pascale veut faire *ses devoirs.*	Pascale veut **les** faire.
Je vais demander *l'addition.*	Je vais **la** demander.
Nous ne pouvons pas regarder *la télévision.*	Nous ne pouvons pas **la** regarder.
J'ai envie d'écouter *la radio.*	J'ai envie de **l'**écouter.

■ Direct object pronouns can be used with **voici** and **voilà**.

Où est Robert?   *Where is Robert?*
Le voilà!   *There he is!*

■ In the passé composé, object pronouns are placed directly in front of the auxiliary verb.

Marc a acheté *son livre?*   Oui, il l'a acheté.
As-tu aimé *le film?*   Non, je ne l'ai pas aimé.

For Recognition Only:

■ The past participle agrees in gender and number with a *preceding* direct object.

Paul a **fait** *ses devoirs.*   *But:* Paul *les* a faits.
Tu n'as pas **écouté** *la radio.*   *But:* Tu ne *l*'as pas écoutée.

6. **Qui les connaît?** Utilisez les expressions suivantes pour interviewer votre partenaire. Utilisez un pronom dans votre réponse.

Modèles: tu/mes amis
VOUS: **Est-ce que tu connais mes amis?**
VOTRE PARTENAIRE: **Oui, je les connais.** ou
Non, je ne les connais pas.

tes amis/me
VOUS: **Est-ce que tes amis me connaissent?**
VOTRE PARTENAIRE: **Oui, ils te connaissent.** ou
Non, ils ne te connaissent pas.

1. tu/mes parents
2. tes parents/me
3. tes amis/le professeur de français
4. le professeur de français/tes amis
5. tu/les autres étudiants de notre cours de français
6. les autres étudiants de notre cours de français/te
7. le (la) président(e) de notre université/nous
8. nous/le (la) président(e) de notre université

7. **Que pensez-vous de ... ?** Quelle est votre opinion des choix suivants? Utilisez un pronom dans chaque réponse. Si vous préférez autre chose, dites-le (*say so*).

Modèles: Que pensez-vous de la pizza au jambon?
Je l'aime. C'est ma pizza préférée.

Que pensez-vous des omelettes aux anchois?
Berk! Je les déteste. Je préfère les omelettes au gruyère.

Have students ask you the questions first; give your own answers.

1. Que pensez-vous des sandwichs au beurre d'arachide?
2. Que pensez-vous du thé anglais?
3. Que pensez-vous des hamburgers de Burger King?
4. Que pensez-vous des repas au restaurant universitaire?
5. Que pensez-vous des matchs de football à la télévision?
6. Que pensez-vous de la musique classique?
7. Que pensez-vous des chats?
8. Que pensez-vous de la soupe de tomates?
9. Que pensez-vous du golf?

Un jeune musicien joue du violin au bord de la Seine, près de Notre-Dame.

8. **Qu'est-ce que les étudiants veulent faire?** Posez une question avec le verbe **vouloir.** Votre partenaire va utiliser un pronom dans sa réponse.

Modèle: étudier le français

VOUS: **Est-ce que les étudiants veulent étudier le français?**

VOTRE PARTENAIRE: **Oui, ils veulent l'étudier.** ou

Non, ils ne veulent pas l'étudier.

1. faire la vaisselle après le dîner
2. regarder la télévision le soir
3. prendre le petit déjeuner
4. connaître la ville de Paris
5. faire leurs devoirs
6. écouter la radio pendant qu'ils étudient

9. **À vous.** Répondez. Remplacez les mots en italique par un pronom.

Modèle: Aimez-vous *la pizza aux anchois?*

Oui, je l'aime (beaucoup). ou

Non, je ne l'aime pas.

1. Aimez-vous *la pizza aux champignons?*
2. Aimez-vous faire *la vaisselle?*
3. Est-ce que le professeur de français connaît bien *ses étudiants?*
4. Connaissez-vous personnellement *le (la) président(e) de l'université?*
5. Est-ce que le (la) président(e) de l'université *vous* connaît?
6. Écoutez-vous souvent *la radio locale?*
7. Vos amis comprennent-ils bien *le français?*
8. Faites-vous *vos devoirs* tous les soirs?
9. Aimez-vous *les examens?*
10. Allez-vous regarder *la télévision* ce soir?

10. **Pourquoi ou pourquoi pas?** Répondez par **oui** ou **non** et utilisez un pronom objet direct. Ensuite expliquez votre réponse.

Modèle: Allez-vous faire la sieste pendant le cours de français?

Non, je ne vais pas la faire parce que je veux apprendre le français.

1. Préférez-vous faire vos devoirs dans votre chambre ou à la bibliothèque?
2. Les étudiants veulent-ils écouter la musique rock?
3. Aimez-vous étudier le français?
4. Avez-vous souvent envie de faire le ménage?
5. Aimez-vous faire les courses?
6. Pouvez-vous comprendre l'espagnol?
7. Voulez-vous visiter la ville de Paris?

11. Une devinette (*A riddle*). À quoi correspond le pronom? Devinez!

Modèle: On le trouve dans la classe de français.
On trouve le livre de français dans la classe de français. ou
On trouve Mike dans la classe de français.

Do this first in pairs; then redo as a teacher-led exercise to elicit as many answers as possible.

1. On le prend le matin.
2. On la regarde quelquefois.
3. On l'écoute souvent.
4. On peut les faire à la bibliothèque.
5. On le lit pour préparer ce cours.
6. On aime le parler avec le professeur.
7. Les étudiants l'adorent.
8. On la fait après le dîner.
9. On les achète à la librairie.

ENTRE AMIS Une enquête: vous êtes journaliste

Find out the following information. Your partner should use an object pronoun in each answer.

1. Find out if your partner likes milk.
2. Find out if s/he likes sandwiches.
3. Find out if s/he listens to the radio.
4. If so, find out at what time.
5. Find out if s/he watches TV.
6. If so, ask if s/he is going to watch it this evening.

La Presse
LE PLUS GRAND QUOTIDIEN FRANÇAIS D'AMERIQUE

3. Giving Orders and Advice

Quelqu'un parle au chauffeur°:   *driver*
    Démarrez!
    Changez de vitesse!
    Continuez tout droit!
    Prenez à droite!
    Arrêtez au stop!
    Reculez!°   *Back up!*
    Faites attention aux voitures!

Le chauffeur répond:
    Taisez-vous!°   *Keep quiet!*

✤ **Et vous?** Parlez au chauffeur!

D. L'impératif

Regarde!   *Look!*
Regardez!   *Look!*
Regardons!   *Let's look!*

Fais attention!   *Pay attention!*
Faites attention!   *Pay attention!*
Faisons attention!   *Let's pay attention!*

■ The imperative is used to give commands and to make suggestions. The forms are usually the same as the present tense for **tu, vous,** and **nous.**

Note: If the infinitive ends in **-er,** the final **-s** is omitted from the form that corresponds to **tu.**

parler français   tu parle**s** français   *But:* **Parle** français!
aller aux cours   tu va**s** aux cours   *But:* **Va** aux cours!

■ For negative commands, **ne** precedes the verb and **pas** follows it.

    Ne regardez pas la télévision!
    Ne fais pas attention à Papa!

■ **Être** and **avoir** have irregular imperatives:

être	avoir
sois	aie
soyez	ayez
soyons	ayons

Sois gentil!	*Be nice!*
Soyons sérieux!	*Let's be serious!*
Ayez pitié de nous!	*Have pity on us!*
N'**aie** pas peur!	*Don't be afraid!*

12. **Le pauvre professeur.** Les étudiants refusent de faire ce qu'il veut. Utilisez **Mais je ne veux pas ...** et répondez.

Modèle: Écoutez!
Mais je ne veux pas écouter.

Follow with two chain drills: A. One student gives an order to the next, who responds **Mais je ne veux pas ...** Tell students to try to avoid orders that have already been given. B. Reverse the process: the first student says **Je ne veux pas ...** and the next gives the order to do so.

1. Allez en classe!
2. Prenez ce livre!
3. Écrivez votre dissertation!
4. Lisez ce roman!
5. Parlez à votre professeur!
6. Chantez pour la classe!
7. Soyez raisonnable!
8. Arrêtez de parler!
9. Ayez pitié de vos professeurs!
10. Faites attention!
11. Sortez de cette classe!
12. Changez de cours!

13. **Un père exaspéré.** Michel trouve que sa fille n'est pas raisonnable. Il décide que sa fille peut faire ce qu'elle veut.

Modèle: Je veux aller au cinéma.
Alors, va au cinéma!

1. Je ne peux rien manger.
2. Je ne veux pas faire la vaisselle.
3. Je veux regarder la télévision.
4. Je ne veux pas étudier.
5. Je ne peux pas écrire de rédaction.
6. Je ne veux pas avoir de bonnes notes en français.
7. Je ne veux pas être raisonnable.

14. **Un professeur exaspéré.** Le professeur a trop de travail. Il devient fou (*crazy*). Les élèves peuvent faire ce qu'ils veulent.

Modèle: Vous ne voulez pas faire attention?
Alors, ne faites pas attention!

1. Vous ne pouvez pas étudier?
2. Vous ne pouvez pas faire vos devoirs?
3. Vous voulez boire du coca au cours de français?
4. Vous ne voulez pas étudier le passé composé?
5. Vous ne pouvez pas écrire de rédaction?
6. Vous ne voulez pas être à l'heure?
7. Vous voulez partir?

15. **Des touristes.** Vous aidez des touristes francophones près de votre campus. Répondez et expliquez aux touristes où il faut aller.

Modèle: Où est le centre commercial, s'il vous plaît?
Il est près d'ici. Prenez la rue Main. Ensuite tournez à gauche dans la rue Madison.

1. Pouvez-vous me dire où je peux trouver un supermarché?
2. Je voudrais trouver une pharmacie, s'il vous plaît.
3. Y a-t-il un bureau de poste dans cette ville?
4. Y a-t-il un arrêt d'autobus près d'ici?
5. Où sont les toilettes, s'il vous plaît?
6. Connaissez-vous un restaurant près d'ici?

RESTAURANT
citronlime
CUISINE EURASIENNE

4669 ST-DENIS, MTL.   284-3130

E. Le subjonctif: un bref aperçu (*a brief look*)

■ You have learned to use the infinitive after a number of verbal expressions. This happens when both verbs have the same subject or when the first verb is an impersonal expression without **que.**

> **Je veux parler** français.   *I want to speak French.*
> **Il faut étudier.**   *I (you, we, etc.) need to study.*

■ Expressions that are used to give advice to a second person, however, are frequently followed by **que** plus another subject and its verb.

il est essentiel que	*it is essential that*
il est important que	*it is important that*
il est indispensable que	*it is essential that*
il est nécessaire que	*it is necessary that*
il faut que	*it is necessary that; (someone) must*
il ne faut pas que	*(someone) must not*
il vaut mieux que	*it is preferable that; it is better that*
je préfère que	*I prefer that*
je veux que	*I want*
je voudrais que	*I would like*

■ When advice is being given to another person, the second verb is not an infinitive; it is in a form called the *subjunctive*. The stem of the subjunctive is usually the same as the stem of the **ils/elles** form of the present tense. Except for **avoir** and **être**, the endings of the subjunctive are the same for all verbs.

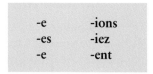

-e	-ions
-es	-iez
-e	-ent

Le prof veut **que nous parlions** français.	*The teacher wants us to speak French.*
Il faut **que nous étudiions.**	*It is necessary that we study. (We have to study.)*

■ The subjunctive forms for **je, tu, il/elle/on,** and **ils/elles** of regular -er verbs sound the same as the present tense. The **nous** and **vous** forms, however, sound slightly different because of the -i- in their endings. For regular -re verbs, only the **ils/elles** form sounds the same as the present tense.

-er verbs (parlent)		
que je	parl	e
que tu	parl	es
qu'il/elle/on	parl	e
que nous	parl	ions
que vous	parl	iez
qu'ils/elles	parl	ent

-re verbs (vendent)		
que je	vend	e
que tu	vend	es
qu'il/elle/on	vend	e
que nous	vend	ions
que vous	vend	iez
qu'ils/elles	vend	ent

The entire subjunctive conjugation of **avoir** and **être** will be given in Ch. 13. Only **ayez** and **soient** are used until then.

■ The subjunctive forms of **avoir** and **être** are very similar to their imperative forms.

Il ne faut pas que vous **ayez** peur.	*You must not be afraid.*
Il est important qu'ils ne **soient** pas en retard.	*It is important that they not be late.*

Remember: The subjunctive is used with expressions for giving advice only after **que** and a change of subjects. When there is no change of subjects, the infinitive is used. After **il est nécessaire** (**important, essentiel, indispensable**), the preposition **de** must be used before an infinitive.

Optional: put students in pairs. Tell them to brainstorm to see how many sentences they can create beginning with **Le professeur veut que ...**

Le professeur veut **que j'écrive** un poème.	*The teacher wants me to write a poem.*
Le professeur veut **écrire** un poème.	*The teacher wants to write a poem.*
Il est nécessaire **que vous restiez** ici.	*It is necessary that you stay here.*
Il est nécessaire **de rester** ici.	*I (we, you, etc.) need to stay here.*

16. **Et moi, qu'est-ce que je veux?** Tout le monde vous demande de faire quelque chose. Décidez si vous êtes d'accord.

Modèle: Votre père veut que vous étudiiez beaucoup.
Très bien, je vais étudier beaucoup. ou
Mais je ne veux pas étudier beaucoup.

1. Vos parents veulent que vous restiez à la maison.
2. Votre mère veut que vous rendiez visite à vos grands-parents.
3. Vos parents ne veulent pas que vous vendiez vos livres.
4. Vos parents ne veulent pas que vous sortiez tous les soirs.
5. Votre professeur veut que vous ayez «A» à votre examen de français.
6. Vos parents ne veulent pas que vous fumiez.
7. Vos professeurs ne veulent pas que vous perdiez vos devoirs.
8. Vos parents veulent que vous attachiez votre ceinture de sécurité.

17. **Conseils aux étudiants de première année.** Ces recommandations de l'administration et des professeurs sont-elles pertinentes? Quelle est votre opinion? Utilisez l'impératif dans chaque réponse et faites tous les changements nécessaires.

Modèle: Il ne faut pas que les étudiants sortent souvent.
C'est un bon conseil. Ne sortez pas souvent! ou
C'est un mauvais conseil. Sortez souvent, si vous voulez.

1. Il est important que les étudiants étudient le français.
2. Il ne faut pas qu'ils soient absents.
3. Il est essentiel qu'ils dorment huit heures par jour.
4. Il faut qu'ils mangent au restaurant universitaire.
5. L'administration veut que les étudiants habitent dans une résidence universitaire.
6. Il vaut mieux qu'ils prennent le petit déjeuner.
7. Il est important qu'ils soient très sérieux.
8. Il est absolument indispensable qu'ils écoutent leurs professeurs.
9. Il vaut mieux qu'ils écrivent régulièrement à leurs parents.
10. Il ne faut pas qu'ils fument en classe.

F. Les pronoms à l'impératif

■ In an affirmative sentence, an object pronoun follows the imperative.

Je peux prendre la voiture?	**Prends-la!**	**Prenez-la!**
Je veux acheter ce livre.	**Achète-le!**	**Achetez-le!**
Je vais porter ces chaussures.	**Porte-les!**	**Portez-les!**
Je vais au cinéma.	**Vas-y!***	**Allez-y!**

Note: Used after a verb, **me** and **te** become **moi** and **toi**.

Regardez-moi! *Look at me!* **Écoute-moi!** *Listen to me!*

■ If the sentence is negative, the object pronoun precedes the verb.

Je ne veux pas acheter ce livre.	**Ne l'achète pas!**	**Ne l'achetez pas!**
Je ne veux pas porter ces chaussures.	**Ne les porte pas!**	**Ne les portez pas!**
Vous me regardez tout le temps.	**Ne me regarde pas!**	**Ne me regardez pas!**
Je ne veux pas aller au cinéma.	**N'y va pas!**	**N'y allez pas!**

Point out that this is the same as the general rule for other forms of the verb.

*The **-s** is used in the **tu** form of the imperative when it is followed by a pronoun beginning with a vowel.

Explain: Votre conscience
est une bonne amie. Alors,
quand elle vous parle,
elle utilise **tu**.

18. **La voix de ma conscience** (*The voice of my conscience*). Qu'est-ce que votre conscience vous dit de faire ou de ne pas faire? Utilisez un pronom objet avec l'impératif.

Modèle: Je vais manger ces bonbons.   **Mange-les!** ou **Ne les mange pas!**

1. Je ne vais pas faire mes devoirs.
2. Je veux prendre la voiture de mon ami(e).
3. Je ne veux pas attacher ma ceinture de sécurité.
4. Je vais boire cette bouteille de vin.
5. Je veux acheter ces vêtements.
6. Je veux faire la sieste.
7. Je peux vendre mon livre de français?
8. Je vais regarder la télévision.
9. Je peux aller au cinéma?

G. Les nombres ordinaux

Prends la **première** rue à gauche.
C'est la **deuxième** fois que je viens en France.
Elle habite dans la **quatrième** maison.
Victor Hugo est né au **dix-neuvième** siècle (*century*).

■ To form most ordinal numbers, one simply adds **-ième** to the cardinal number. The abbreviated form is a numeral followed by a raised **e**.

deux	⟶ **deuxième**	2ᵉ
trois	⟶ **troisième**	3ᵉ
quatre	⟶ **quatrième**	4ᵉ

Buts communicatifs   335

■ There are a few exceptions.

1. The ordinal number for **un** (**une**) is **premier** (**première**). It is the only ordinal number that shows gender agreement with the noun it modifies.

   un (une) $\longrightarrow$ **premier** (**première**) **1er** (**1re**)

Note: For cardinal numbers such as **vingt et un,** the ordinal number is formed according to the normal rule.

   vingt et un $\longrightarrow$ **vingt et unième** **21e**

2. **Cinq** and numbers built on **cinq** add a **-u-** before the ending.

   cinq $\longrightarrow$ **cinq*u*ième** **5e**

3. **Neuf** and numbers built on **neuf** change the **-f-** to **-v-** before the ending.

   neuf $\longrightarrow$ **neu*v*ième** **9e**

4. Cardinal numbers ending in **-e** drop the **-e** before the ending.

   onze $\longrightarrow$ **onzième** **11e**
   douze $\longrightarrow$ **douzième** **12e**
   treize $\longrightarrow$ **treizième** **13e**

■ In dates, **le premier** is used, as in English, to express the meaning *the first,* but the cardinal numbers are used for the rest of the days in the month.

   le **premier** mai   *But:* le **deux** mai, le **trois** mai

■ This is also true when talking about monarchs. **Premier** (**Première**) is used for *the First,* but the cardinal numbers are used thereafter. Note that the definite article is not used in French.

   François **Premier**   Elizabeth **Première**   Elizabeth **Deux**

19. **Prononcez et écrivez.** Lisez ces expressions et écrivez en toutes lettres.

Modèle: le 21e siècle
le vingt et unième siècle

1. Henri Ier
2. la 2e année consécutive
3. la 3e fois
4. le 1er mois de l'année
5. Louis XVI

6. la 6e fois
7. le 20e siècle
8. la 1re rue à droite
9. le 25 décembre

20. **Le calendrier.** Répondez.

1. Quelle est la date aujourd'hui?
2. Quelle est la date du Jour de l'An (*New Year's Day*)?
3. Quelles sont les dates de votre fête nationale et de la fête nationale française?
4. Quelle est la date de votre anniversaire?
5. Quelle est la date de l'anniversaire de mariage de vos parents?
6. Quel est le troisième mois de l'année?
7. Quel est le dernier jour de l'année?
8. Quel est le cinquième jour de la semaine en France?
9. Quel est le cinquième jour de la semaine pour vous?

ENTRE AMIS   Pardon, s'il vous plaît

You are visiting a French-speaking city.

1. Stop a native and explain that you don't know the city.
2. Ask for directions to a good restaurant, a good hotel, and a post office.
3. Be sure to thank the native properly.

---

4. Describing Ways of Doing Things

À quelle vitesse conduisez-vous?
   Moi, je conduis ...

comme un escargot°	*like a snail*
lentement	
tranquillement°	*calmly*
prudemment°	*prudently*
vite	
à toute vitesse°	*at top speed*
comme un fou (une folle)°	*like a crazy person*

Comment vos amis conduisent-ils?

À toute vitesse. A closed fist is held at chest level and moved horizontally away from the body and back in a few rapid motions. This suggests a rapid speed. It may also be used to describe someone who has a "hard-driving" personality.

H. Le verbe *conduire*

Est-ce que tu as peur de **conduire?**
Je conduis très souvent.
Hier, **nous avons conduit** une voiture de sport.

conduire (*to drive*)			
je	conduis	nous	conduisons
tu	conduis	vous	conduisez
il/elle/on	conduit	ils/elles	conduisent
passé composé: j'ai conduit			

■ The verb **conduire** is not used to tell that you drive to a destination. It is used alone or with adverbs or direct objects. To tell *where* you are driving, use **aller en voiture.**

	Il **conduit** une Renault.	*He drives a Renault.*
But:	Il **va** à Monte-Carlo **en voiture.**	*He is driving to Monte Carlo.*

21. **Comment ces gens conduisent-ils?** Votre partenaire va vous poser des questions. Répondez. Si vous ne savez pas la réponse, imaginez.

Modèle: votre tante
VOTRE PARTENAIRE: **Comment votre tante conduit-elle?**
VOUS: **Ma tante conduit comme une folle.**

1. les étudiants de cette université
2. le professeur de français
3. les professeurs (en général)
4. les femmes
5. les hommes
6. les Français
7. les Américains
8. votre meilleur(e) ami(e)
9. vous

E N T R E   A M I S   Vous donnez des conseils au chauffeur

1. Be a back-seat driver. Tell your partner that s/he is driving too fast.
2. Tell him/her to go slowly.
3. Tell him/her where to go and how to drive.

I. Les adverbes

■ While there are exceptions, most French adverbs end in **-ment**.

Avance **lentement!**   Tu vas trop **rapidement.**

■ If the masculine singular form of the adjective ends in a consonant, **-ment** is added to the feminine form.

premier (première) ⟶ **premièrement**   *first*
sérieux (sérieuse) ⟶ **sérieusement**   *seriously*
attentif (attentive) ⟶ **attentivement**   *attentively*

■ The suffix **-ment** is added to the masculine singular form of an adjective if it ends in a vowel.

vrai ⟶ **vraiment**   *truly*
facile ⟶ **facilement**   *easily*
absolu ⟶ **absolument**   *absolutely*

Exception: fou (folle) ⟶ **follement**   *crazily*

Buts communicatifs   **339**

■ For masculine adjectives ending in **-ant** or **-ent,** the adverbs will end in **-amment** or **-emment** respectively. The first vowel in both spellings is pronounced [a].

constant	⟶	**constamment** *constantly*
patient	⟶	**patiemment** *patiently*
prudent	⟶	**prudemment** *prudently*

■ Several of the most common adverbs are completely different from their corresponding adjectives.

bon	⟶	**bien** *well*	Loïc danse **bien.**
mauvais	⟶	**mal** *poorly*	Il chante **mal.**
petit	⟶	**peu** *little*	Et il mange très **peu.**

Note: **Rapide** has two corresponding adverbs: **rapidement** and **vite.**

22. **Identification.** Identifiez des personnes qui correspondent aux questions suivantes.

Modèle: Qui conduit lentement?
Mes parents conduisent lentement. ou **Mon oncle conduit lentement.**

1. Qui conduit nerveusement?
2. Qui parle rapidement le français?
3. Qui fait bien la cuisine?
4. Qui parle constamment?
5. Qui apprend facilement les maths?
6. Qui travaille sérieusement?
7. Qui écoute patiemment?
8. Qui étudie attentivement?
9. Qui chante mal?
10. Qui écrit peu?

23. **Tout le monde est chauffeur.** Décrivez les chauffeurs suivants. Pour chaque adjectif, faites une phrase avec le verbe **être** et un adjectif, et puis une autre phrase, avec le verbe **conduire** et un adverbe.

Modèle: votre tante/lent   **Ma tante est lente. Elle conduit lentement.**

nous (les étudiants)
mon oncle
ma tante
mon père
ma mère
je
le professeur
les hommes
les femmes

rapide
sérieux
bon
prudent
patient
nerveux
admirable
raisonnable
parfait
tranquille
attentif
fou

Révision et Intégration

A. **Des indications.**   Aidez un(e) touriste francophone qui cherche ...

1. un restaurant
2. un bureau de poste
3. une pharmacie

B. **Jacques a dit** (*Simon says*).   Faites l'action ou le geste indiqué si le professeur commence l'expression avec «Jacques a dit». Si le professeur ne dit pas «Jacques a dit», ne faites pas l'action ou le geste.

Frappez à la porte!   Avancez!
Taisez-vous!   Reculez!
Dites bonjour!   Prenez le volant!
Mangez!   Conduisez!
Buvez!   Changez de vitesse!
Invitez-moi à danser!   Asseyez-vous!
Mon œil!
Comme çi, comme ça.
Comptez sur une main!
Regardez à gauche!
Regardez à droite!

C. À vous. Répondez.

1. Vous êtes étudiant(e)s de quelle année?
2. Quel est le premier mois de votre année scolaire? le cinquième? le dernier?
3. Quel est votre dernier cours le vendredi?
4. Pourquoi un bon étudiant ne peut-il pas sortir tous les soirs?
5. Que faites-vous le vendredi soir? Pourquoi?
6. Que faites-vous le samedi matin? Pourquoi?
7. Que peuvent faire les étudiants de votre campus quand ils veulent s'amuser (*to have fun*)?
8. Où peut-on aller près de chez vous si on veut danser?
9. Avez-vous votre permis de conduire? Si oui, depuis combien de temps l'avez-vous?
10. Comment conduisez-vous?
11. Où avez-vous connu votre meilleur(e) ami(e)?

ENTRE AMIS   En voiture

You are lost. Ask a policeman what city this is. Tell him where you are going and ask for directions.

D. *Rédaction:* Une lettre à Kotjo.

Kotjo, a future exchange student from Sénégal, has applied to spend a year studying at your university. Send a letter to him in Sénégal and give him directions to your campus from the nearest airport. Include any hints you feel might help him to cope with the new cultural experiences he will face. Be sure to include a reason for each bit of advice you give.

Lecture

A. **Étude du vocabulaire.** Étudiez les phrases suivantes et choisissez les mots anglais qui correspondent aux mots français en caractères gras: *more, convinced, rather, hate, approximately, those, latecomer, less, thus, bother.*

1. Un avion est **plus** rapide qu'un train.
2. L'état de Rhode Island est **moins** grand que le Texas.
3. Notre professeur **exècre** le tabac. Les cigarettes le rendent malade.
4. Pourquoi est-ce que vous me parlez **ainsi**? Qu'est-ce que je vous ai fait?
5. Mon frère est toujours **retardataire**. Il n'arrive jamais à l'heure.
6. Est-ce que cela vous **dérange** si je fume?
7. **Ceux** qui étudient sont **ceux** qui ont les meilleures notes.
8. Christian chante **plutôt** mal, mais il aime chanter quand même.
9. Il y a **à peu près** trente personnes au restaurant.
10. Je suis **convaincu** que le professeur veut que j'étudie beaucoup.

B. **Comment conduisent-ils?** Comment conduisez-vous? Quelle est la réputation des Français au volant? Quelle est la réputation des chauffeurs californiens? des chauffeurs new-yorkais?

La France au volant

Il faut se méfier des[1] Français en général, mais sur la route en particulier. Pour un Anglais qui arrive en France, il est indispensable de savoir d'abord qu'il existe deux sortes de Français: les à-pied et les en-voiture. Les à-pied exècrent les en-voiture, et les en-voiture terrorisent les à-pied, les premiers passant instantanément dans le camp des seconds si on leur met un volant entre les mains. (Il en est ainsi au théâtre avec les retardataires qui, après avoir dérangé douze personnes pour s'asseoir, sont les premiers à protester contre ceux qui ont le toupet[2] d'arriver plus tard).

Les Anglais conduisent plutôt mal, mais prudemment. Les Français conduisent plutôt bien, mais follement. La proportion des accidents est à peu près la même dans les deux pays. Mais je me sens[3] plus tranquille avec des gens qui font mal des choses bien[4] qu'avec ceux qui font bien de mauvaises choses.

Les Anglais (et les Américains) sont depuis longtemps convaincus que la voiture va moins vite que l'avion. Les Français (et la plupart des Latins) semblent encore vouloir prouver le contraire.

Pierre Daninos, *Les Carnets du Major Thompson*

1. watch out for   2. nerve   3. feel   4. do good things poorly

Révision et Intégration   **343**

C. **Vrai ou faux?** Décidez si les phrases suivantes sont vraies ou fausses selon la lecture. Si une phrase est fausse, corrigez-la.

1. Les Français sont dangereux quand ils conduisent.
2. Les Anglais sont de bons conducteurs (*drivers*) mais ils conduisent plutôt vite.
3. Ceux qui marchent n'apprécient pas beaucoup ceux qui sont au volant.
4. Ceux qui conduisent adorent les à-pied.
5. Les Anglais ont moins d'accidents que les Français.
6. L'avion va plus vite que la voiture mais les Américains ne le comprennent pas encore.

D. Questions. Répondez.

1. Pourquoi dit-on qu'il y a deux sortes de Français?
2. Quelle transformation y a-t-il quand un Français prend le volant?
3. Les retardataires sont-ils hypocrites? Expliquez votre réponse.
4. Quelles différences y a-t-il entre les Anglais et les Français?
5. Qui sont les Latins?
6. Qui sont ceux qui font mal des choses qui sont bonnes?
7. Est-ce que l'auteur est français? Expliquez votre réponse.

E. **Familles de mots.** Essayez de deviner le sens des mots suivants.

1. conduire, un conducteur, une conductrice, la conduite
2. exister, l'existence, l'existentialisme
3. retarder, un(e) retardataire, un retard
4. terroriser, un(e) terroriste, le terrorisme, la terreur

Lecture

A. **Les voitures françaises.** Faites une liste de voitures françaises. Combien de voitures pouvez-vous mentionner?

R (Renault), 505 break (Peugeot station wagon).

AUTOMOBILES	
Vends R 20 TS 1983, excellent état, 86 000 kms. Tél. 41.88.36.60.	Pour 94 200F vous pouvez partir dans une Renault 21 Symphonie et profiter de sa gamme d'équipments irréprochables: auto-radio, cassette stéréo 4 x 6 W avec satellite de commande. Renault Angers, Bd du Bon Pasteur. Tél. 41.48.35.34.
Vends R 12 année 79, 140 000 kms, très bon état, prix 5 500F. Tel. 41.34.99.07.	
Vends Peugeot 505 an. 81, 93 000 kms, garantie, contrôle effectué, 45 000F, prix à débattre. Tél 41.34.14.23 (heures repas).	A VENDRE 505 GR BREAK 88, 42 000 kms, direction assistée, fermeture portes et vitres électriques, pré-équipée auto-radio, essuie-glace arrière, excellent état. Tél. 43.81.33.53.
Vends Renault 9 GTL, 68 000 kms, 5 vitesses, vitres teintées électriques, gris métalique, direction assistée, toit ouvrant. Tél. 41.34.63.23 après 20h.	
VDS Citrœn BX 16 TRS, juillet 89, modèle 90, 10 000 kms, rouge verni, direct assist., vit. teintées. Tél. 41.76.87.64 le week-end ou 16.1.46.78.10.49.	Urgent, vends R4 TL, 84, couleur blanche, pneus, embrayage, freins, allumage neufs (factures), argus moins 1500F. Tél. 41.69.25.71 heures dîner.
VDS R5 pour pièces détachées, roulante mais accidentée, petit prix. Tél. 41.32.51.61.	VDS Renault 25 V6 Turbo, 1988. 80 000 kms, bleue, toutes options. Tél. 99.83.27.47 toute la journée.

B. **Pouvez-vous décider?**

1. Quelle est probablement la plus vieille voiture?
2. Quelle voiture est neuve (*brand-new*)?
3. Quelle voiture est probablement la moins chère?
4. Quel propriétaire (*owner*) n'habite pas la même ville que les autres?
5. Quelles voitures ne sont certainement pas rouges?
6. Quels propriétaires ne sont pas chez eux pendant la journée?

Follow up: Read a student's ad out loud. Others will try to guess who wrote it or will summarize it.

C. **Une voiture à vendre.** Écrivez une petite annonce pour une voiture que vous voulez vendre.

Vocabulaire actif

Sur la route

un arrêt (d'autobus)	*(bus) stop*	un rétroviseur	*rearview mirror*
une ceinture de sécurité	*safety belt, seat belt*	un stop	*stop sign*
un chauffeur	*driver*	la vitesse	*speed*
un permis de conduire	*driver's license*	un volant	*steering wheel*

D'autres noms

l'année scolaire (f.)	*school year*	un escargot	*snail*
un anniversaire de mariage	*wedding anniversary*	un fou (une folle)	*fool; crazy person*
un bal	*dance; ball*	le Jour de l'An	*New Year's Day*
une boum	*party*	un match	*game*
une chanson	*song*	une patinoire	*skating rink*
un commentaire	*commentary*	un(e) propriétaire	*owner*
un conseil	*(piece of) advice*	un siècle	*century*

Adjectifs

attentif (attentive)	*attentive*	lent(e)	*slow*	raisonnable	*reasonable*
constant(e)	*constant*	neuf (neuve)	*brand-new*	rapide	*rapid; fast*
fou (folle)	*crazy; mad*	patient(e)	*patient*	sérieux (sérieuse)	*serious*
impatient(e)	*impatient*	prudent(e)	*cautious*	tranquille	*calm*

Verbes

arrêter	*to stop*	démarrer	*to start (a car)*
attacher	*to attach; to put on*	inviter	*to invite*
avancer	*to advance*	laisser	*to leave; to let*
avoir pitié (de qqn)	*to have pity (on s.o.); to feel sorry (for s.o.)*	pouvoir	*to be able; to be allowed*
changer (de qqch.)	*to change*		
conduire	*to drive*	reculer	*to back up*
connaître	*to know; be acquainted with; be familiar with*	vouloir	*to want; to wish*

Adverbes

absolument	*absolutely*	patiemment	*patiently*	si	*so*
constamment	*constantly*	prudemment	*prudently*	vite	*quickly; fast*
follement	*in a crazy manner*	rapidement	*rapidly*		
lentement	*slowly*	sérieusement	*seriously*		

Pronoms objets directs

me	*me*	le	*him; it*	nous	*us*	les	*them*
te	*you*	la	*her; it*	vous	*you*		

Des ordres et conseils

il est essentiel que	*it is essential that*	il ne faut pas que	*(someone) must not*
il est important que	*it is important that*	il vaut mieux que	*it is preferable that; it is better that*
il est indispensable que	*it is essential that*		
il est nécessaire que	*it is necessary that*	je préfère que	*I prefer that*
il faut que	*it is necessary that; (someone) must*	je veux que	*I want*
		je voudrais que	*I would like*

Expressions utiles

à toute vitesse	*at top speed*	le sens interdit	*one-way street*
C'est promis.	*It's a promise.*	(mon/ma) chéri(e)	*(my) dear, honey*
Chut!	*Shh!*	Mon œil!	*My eye!*
comme un fou (une folle)	*like a crazy person*	Plus un mot.	*Not one more word.*
je veux m'amuser	*I want to have fun*	Tais-toi!	*Keep quiet!*
Laisse-moi (Laissez-moi) tranquille!	*Leave me alone!*	(Taisez-vous!)	

Comme si c'était hier

Buts communicatifs
Describing conditions and
  feelings in the past
Setting the scene in the past
Making comparisons

Structures utiles
L'imparfait
L'imparfait et le passé
  composé
Ne ... que
Le comparatif
Le comparatif de **bon** et de
  bien
Le superlatif

Culture
La famille et les amis
Le mariage en France

Coup d'envoi

Quand vous étiez jeune

Qu'est-ce que tu faisais° quand tu avais seize ans°,   *used to do / were*
   Caroline?   *sixteen*

     J'allais au lycée°.   *high school*
     J'étudiais l'anglais et les mathématiques.
     J'habitais une petite maison.
     Je sortais quelquefois avec mes amis.
     Nous allions au cinéma ensemble.
     Mais je n'avais pas encore mon permis de conduire.

✤   **Et vous?**   Qu'est-ce que vous faisiez quand vous aviez seize ans?

L'album de photos

Lori et son amie Denise sont en train de° regarder   *in the process of*
un album de photos.

LORI:	C'est une photo de toi?	
DENISE:	Oui, c'était° au mariage de ma sœur.	*it was*
LORI:	Elle est plus âgée que° toi?	*older than*
DENISE:	De deux ans.	
LORI:	Ah! la voilà en robe de mariée°, n'est-ce pas?	*wedding dress*
	Comme elle était belle!°	*How beautiful she was!*
DENISE:	Tu vois° la photo de mon beau-frère en smoking°.	*you see/in a tuxedo*
LORI:	Il avait l'air jeune.	
DENISE:	Il n'avait que vingt ans.°	*He was only twenty.*
	Et il en avait assez de° porter son smoking.	*he was fed up with*
LORI:	Il faisait chaud?	
DENISE:	Très! Et il avait déjà porté° son smoking pour le	*had already worn*
	mariage à la mairie°.	*town hall*
LORI:	Quand est-ce que ce mariage a eu lieu°?	*took place*
DENISE:	Il y a deux ans.	
LORI:	Alors, c'est ton tour°. Quand est-ce que tu vas	*turn*
	épouser° ton petit ami?	*marry*
	(*Elles rient.°*)	*They laugh.*
DENISE:	Lori, occupe-toi de tes oignons!°	*mind your own business!*

✤ **Jouez ces rôles.** Répétez la conversation avec votre partenaire. Remplacez «mariage de ma sœur» par «mariage de mon frère». Faites tous les changements nécessaires.

À propos

The answer to the cultural question is **c**.

French are often equally attached to the region in which they live. It is therefore rather common, for example, to find homes that have been lived in by successive generations of the same family. While the urge to travel is certainly present, the French normally limit it to vacation periods. They are much more reticent to "pull up stakes" and permanently move to other locales than Americans or Canadians.

✤ Pourquoi le beau-frère avait-il déjà porté son smoking à la mairie?

a. Il aimait beaucoup porter un smoking.

b. C'est normal. On porte toujours des vêtements élégants à la mairie.

c. Il y a eu deux mariages: à la mairie et à l'église.

La famille et les amis

Quite attached to home, family, and friends, the French are usually very fond of weddings, family reunions, picnics, social gatherings, etc., which provide an opportunity to nurture the close relationships found within the circle of their social and emotional ties. In general, these family and friendship bonds seem stronger and longer-lasting than those typically found in English-speaking North America. The

Le mariage en France

In order to be legally married in France, all couples are wed in a civil ceremony at the town hall. The mayor, or the mayor's representative, performs the ceremony and the couples express their consent by saying **oui**. Many couples choose to have a religious ceremony as well. This takes place at the church, after the civil ceremony.

Il y a un geste

J'en ai assez. The right hand is raised near the left temple. The hand is open but bent at a right angle to the wrist. The gesture is made by twisting the wrist so that the hand passes over your forehead, implying that you are "fed up to here."

Have students repeat the questions after you before doing this exercise.

❖ **À vous.** Répondez.

1. Où habitiez-vous quand vous aviez seize ans?
2. Comment s'appelaient vos amis?
3. À quelle école alliez-vous?
4. Qu'est-ce que vous étudiiez?

If they do not have a photo, give students a few seconds to draw stick figures of a group of people.

ENTRE AMIS Une vieille photo

1. Show your partner an old photo of a group of people.
2. Tell who the people are.
3. Tell how old each one was in the photo.
4. Describe what they were wearing.
5. Tell where they lived.

Les sons [i] et [j]

■ Two related sounds in French are the pure vowel sound [i] (as in the English word *teeth*), and the semi-consonant/semi-vowel [j] (as in the English word *yes*). Practice saying the following words after your teacher, paying particular attention to the highlighted sound. As you pronounce the words for one sound, look at how that sound is spelled and in what kinds of letter combinations it appears. What patterns do you notice?

[i]
- □ *i*l, *i*c*i*, r*i*z, p*i*zza, pol*i*t*i*que, asp*i*r*i*ne
- □ su*i*s, fru*i*t, depu*i*s, tru*i*te, condu*i*re, ju*i*llet
- □ br*i*e, am*i*e, Soph*i*e
- □ S*y*lvie, bic*y*clette, *y*

[j]
- □ mar*i*é, janv*i*er, h*i*er, m*i*am, k*i*osque, nat*i*onal, mons*i*eur, b*i*en
- □ déta*il*, somme*il*, œ*il*, trava*ille*, Marse*ille*, feu*ille*
- □ genti*lle*, fi*lle*, pasti*lle*, vani*lle*, jui*lle*t
- □ *y*eux, essa*y*er, pa*y*er

■ The [i] sound is represented by written -i- or -y- in the following situations:

1. **i** not in combination with another vowel: merc*i*, avr*i*l, f*i*lle
2. **i** following a **u**: pu*i*s, bru*i*t, tru*i*te
3. final **-ie**: br*ie*, étud*ie*
4. **-y-** between two consonants: il *y* va, S*y*lvie

■ The [j] sound is required in the following circumstances:

1. **i-** before a pronounced vowel in the same syllable: p*i*ed, v*i*ande, mar*i*age
2. **-il, -ill** after a pronounced vowel in the same syllable: trava*il*, conse*iller*, œ*il*
3. **-ll** after [i]: fi*lle*, jui*lle*t

Exceptions: mi*ll*ion, mi*ll*iard, mi*ll*e, vi*ll*e, tranqui*lle*

4. initial **y-** before a vowel, **-y-** between two vowels: *y*eux, essa*y*er.

Note: Between the sound [i] at the end of one syllable and another vowel at the beginning of the next syllable, [j] is pronounced even though there is no letter representing the sound.

quatrième [ka tRi jɛm]

✜ Pronounce the following words correctly.

1. Sylvie, yeux, bicyclette, y, payer
2. télévision, brioche, nuit, addition, cuisine, principal, délicieux, insister, feuille
3. pitié, amie, papier, pièce, prier, pâtisserie, client, habitiez, impatient, oublier
4. milliard, juillet, ville, fille, bouteille, travail, travaille, conseil, allions, vanille, mille, œil, oreille, tranquille, gentil, gentille, million

Buts communicatifs

1. Describing Conditions and Feelings in the Past

Quand vous étiez jeune, ...

	oui	non
aviez-vous un chien ou un chat?	___	___
étiez-vous souvent malade?	___	___
habitiez-vous une grande ville?	___	___
aviez-vous beaucoup d'amis?	___	___
regardiez-vous beaucoup la télé?	___	___

Que faisiez-vous après l'école?
Comment s'appelaient vos voisins°?   *neighbors*

A. L'imparfait

■ You have already been using one past tense, the passé composé, to relate what happened in the past. The imperfect (**l'imparfait**) is a past tense used to describe conditions and feelings and to express habitual actions.

1. Describing conditions

Ma sœur **était** belle.	*My sister was beautiful.*
Mon beau-frère **avait** l'air jeune.	*My brother-in-law seemed young.*
Léa **portait** une jolie robe.	*Léa was wearing a pretty dress.*
Anne **était** malade.	*Anne was sick.*
Il **pleuvait**.	*It was raining.*
Il y **avait** trois chambres dans notre maison.	*There were three bedrooms in our house.*

2. Describing feelings

Ma sœur **était** nerveuse.	*My sister was nervous.*
Mon beau-frère en **avait** assez.	*My brother-in-law was fed up.*
Je **détestais** les épinards.	*I used to hate spinach.*
Tout le monde **était** heureux.	*Everybody was happy.*

3. Expressing habitual past actions

Nous **regardions** des dessins animés le samedi.	*We used to watch cartoons on Saturday.*
À cette époque, Marie **sortait** avec Paul.	*Back then, Marie used to go out with Paul.*

But:

Nous **avons regardé** des dessins animés samedi.	*We watched cartoons (last) Saturday (once, not a repeated event)*
Marie **est sortie** avec Paul vendredi dernier.	*Marie went out with Paul last Friday. (one day, not habitually)*

■ To form the imperfect tense, take the **nous** form of the present tense, drop the **-ons** ending, and add the endings **-ais, -ais, -ait, -ions, -iez, -aient**.

jouer (jouons)		
je	jou	ais
tu	jou	ais
il/elle/on	jou	ait
nous	jou	ions
vous	jou	iez
ils/elles	jou	aient

avoir (avons)		
j'	av	ais
tu	av	ais
il/elle/on	av	ait
nous	av	ions
vous	av	iez
ils/elles	av	aient

aller (allons)		
j'	all	ais
tu	all	ais
il/elle/on	all	ait
nous	all	ions
vous	all	iez
ils/elles	all	aient

■ Impersonal expressions also have imperfect tense forms.

infinitive	present	imperfect
neiger	il neige	**il neigeait**
pleuvoir	il pleut	**il pleuvait**
falloir	il faut	**il fallait**
valoir mieux	il vaut mieux	**il valait mieux**

■ **Être** is the only verb that has an irregular stem: **ét-**. The endings are regular.

J'**étais** malade.
Nous **étions** désolés.

■ The **je, tu, il/elle/on** and **ils/elles** forms of the imperfect all sound alike because the endings are all pronounced the same.

je **jouais**   tu **jouais**   il **jouait**   elles **jouaient**

■ The **-ions** and **-iez** endings are pronounced as one syllable, with the letter **-i-** being pronounced [j].

vous habi**tiez**   [a bi tje]
nous al**lions**   [a ljɔ̃]

■ You have already learned that if the present tense stem of a verb ends in **-g**, an **-e-** is added before endings beginning with **-o-**. This is also true in other tenses before endings beginning with **-a-** or **-u-**.

present: nous mang**e**ons
imperfect: je mang**e**ais   tu mang**e**ais   il mang**e**ait   ils mang**e**aient
(*But:* nous mangions, vous mangiez)

■ Similarly, if the stem of a verb ends in **-c**, a **-ç-** is used instead before endings beginning with **-a-**, **-o-**, or **-u-**.

present: nous commen**ç**ons
imperfect: je commen**ç**ais   tu commen**ç**ais   il commen**ç**ait
(*But:* nous commencions, vous commenciez)

1. **Ils faisaient toutes sortes de choses.** Qu'est-ce que les gens suivants faisaient (ou ne faisaient pas) quand ils étaient jeunes? Utilisez les expressions suivantes pour créer des phrases.

Modèles: **Quand mes amis étaient jeunes, ils ne conduisaient pas.**
Quand ma voisine était jeune, elle était souvent malade.

Do this exercise in pairs. Follow with a stand-up drill.

| quand | mes amis
le professeur
je
nous
ma voisine
mon voisin | être jeune(s) | dîner au restaurant
jouer aux échecs
regarder des dessins animés
écrire des lettres
habiter en France
aller à l'école
prendre toujours le petit déjeuner
être souvent malade
faire la vaisselle
faire quelquefois la grasse matinée
conduire
lire des bandes dessinées
manger beaucoup de bonbons
fumer des cigarettes
boire du lait
nager à la piscine en été |

2. **Ma grand-mère.** Écrivez le paragraphe suivant à l'imparfait.

Ma grand-mère habite dans une petite maison qui est très jolie et qui a deux chambres. Dans cette région, il pleut souvent et en hiver, quand il neige, on reste à la maison. Ma grand-mère est fragile et elle travaille très peu. Elle est petite et assez vieille. Elle a soixante-quinze ans et elle est seule à la maison depuis la mort (*death*) de mon grand-père. Mais quand je vais chez elle, nous parlons quelquefois et nous chantons. Elle veut toujours nous préparer quelque chose à manger, mais je fais la cuisine moi-même. Ensuite nous mangeons ensemble. Je l'aime beaucoup et elle m'aime beaucoup aussi.

3. **À vous.** Répondez.

Follow up by having the class interview first the teacher (with books open) and then another student (with books closed).

1. Qui était président des États-Unis quand vous aviez quatorze ans?
2. Qu'est-ce que vous regardiez à la télé quand vous aviez quatorze ans?
3. Quels acteurs et quelles actrices étaient populaires quand vous aviez quatorze ans?
4. Quel âge avaient les autres membres de votre famille quand vous aviez quatorze ans?
5. Qu'est-ce que vous faisiez le vendredi soir quand vous aviez quatorze ans?
6. Qu'est-ce que vous aimiez manger? Qu'est-ce que vous détestiez?
7. Qui faisait la cuisine pour vous?
8. À quelle école alliez-vous?
9. Comment s'appelaient vos voisins?
10. Où faisiez-vous vos devoirs?

E N T R E A M I S Quand tu étais enfant

1. Find out where your partner lived ten years ago.
2. Ask how old s/he was.
3. Ask what s/he did on Saturdays.
4. Find out what her/his school's name was.
5. Ask if s/he had a dog or a cat. If so, find out its name.
6. Find out who his/her neighbors were.

2. Setting the Scene in the Past

Quand vous êtes arrivé(e) sur ce campus pour la première fois ...
  c'était en quelle saison?
  c'était en quel mois?
  quel âge aviez-vous?
  étiez-vous seul(e) ou avec des amis?
  quel temps faisait-il?
  quels vêtements portiez-vous?

B. L'imparfait et le passé composé

■ The **imparfait** is often used to give background information that "sets the scene" for some other verb in the past. This scene-setting information describes what was going on. It describes the conditions surrounding some other action. If the other verb specifies what *happened*, it is in the **passé composé.**

J'étais en train de faire mes devoirs quand **Alain a téléphoné.**	*I was (busy) doing my homework when Alain telephoned.*
Il était huit heures quand **Renée est arrivée.**	*It was eight o'clock when Renée arrived.*
Jeanne avait quinze ans quand **elle a commencé** à fréquenter les garçons.	*Jeanne was fifteen when she started dating boys.*

■ For weather expressions:

□ Use the **imperfect** when the weather sets the scene for another past action.

Il faisait beau dehors quand **nous sommes sortis.**	*It was nice outside when we went out.*
Il pleuvait quand **nous sommes rentrés.**	*It was raining when we got home.*
Il neigeait. Alors **Karine a décidé** de porter ses bottes.	*It was snowing. So Karine decided to wear her boots.*

□ Use the passé composé when you simply state what the weather was like at a specific time.

  Hier, **il a plu** à Paris, mais **il a neigé** dans la montagne. **Il a fait beau** à Nice.

Point out that a weather report would normally use the passé composé.

Buts communicatifs   **359**

4. **Qu'est-ce qu'elle faisait?** Utilisez les expressions suivantes pour créer des phrases logiques.

Modèle: **Léa faisait du ski quand elle est tombée.**

Follow up (with books closed) by asking students to try to recall some of the sentences other students created.

| Léa | être en train d'étudier
regarder la télévision
être en train de lire
conduire
manger
boire
faire la sieste
écrire une lettre
prendre le petit déjeuner
descendre d'une voiture
attendre depuis une heure | quand | son fiancé
ses parents
je
elle
nous
ses amis | entrer
partir
arriver
tomber
avoir un
 accident
perdre
 patience
téléphoner |

5. **À vous.** Répondez.

1. Quel âge aviez-vous quand vous avez commencé à étudier le français?
2. Quel âge aviez-vous quand vous êtes arrivé(e) sur ce campus pour la première fois?
3. Quel âge aviez-vous quand vous avez conduit une voiture pour la première fois?
4. Quel âge aviez-vous quand vous avez eu votre permis de conduire?
5. Quel âge aviez-vous quand vous avez commencé à fréquenter les garçons (les filles)?

6. **Les Lauprête ont fait un voyage.** Quel temps faisait-il? Complétez les phrases suivantes.

Modèle: faire du vent/sortir de chez eux
Il faisait du vent quand les Lauprête sont sortis de chez eux.

Do this exercise in pairs. Then follow up (with books closed) by redoing the exercise as a teacher-led activity. Ask periodically **Comment est-ce qu'on écrit pleuvait?** (**pris, faisait,** etc.).

1. pleuvoir/prendre le taxi
2. faire beau/arriver à l'aéroport
3. faire chaud/monter dans l'avion
4. faire froid/descendre de l'avion
5. neiger/commencer à faire du ski

7. **Dernière sortie au restaurant.** Décrivez la dernière fois que vous êtes allé(e) au restaurant.

1. Quel jour est-ce que c'était?
2. Quel temps faisait-il dehors?
3. Quels vêtements portiez-vous?
4. Quelle heure était-il quand vous y êtes arrivé(e)?
5. Étiez-vous seul(e)? Si non, qui était avec vous?
6. Environ combien de personnes y avait-il au restaurant?
7. Quelle était la spécialité du restaurant?
8. Comment était le garçon (la serveuse)?
9. Aviez-vous très faim?
10. Qu'est-ce que vous avez commandé?
11. Comment était le repas?

8. **Renseignements.** Écrivez un petit paragraphe pour chaque numéro. Expliquez les conditions et ce qui est arrivé.

Modèle: Quand je suis tombé(e), ...
(Qu'est-ce que vous faisiez? Avec qui étiez-vous? Qu'est-ce que vous avez dit?)
Quand je suis tombé(e), je faisais du ski. J'étais seul(e) et j'ai dit «Aïe!».

Alternate: Assign one question from each number per student. Then, as answers are dictated, write them on the board in the form of a paragraph. The result is usually quite comical.

1. Quand j'ai trouvé mon ami, ...
(Qu'est-ce qu'il portait? Où allait-il? Avec qui était-il? Qu'est-ce que vous avez fait?)
2. Quand ma mère a téléphoné, ...
(Quelle heure était-il? Que faisiez-vous? Qu'est-ce qu'elle voulait? Qu'est-ce que vous avez répondu?)
3. Quand mon cousin (mon ami(e), mon frère, etc.) a eu son accident, ...
(Où était-il? Qu'est-ce qu'il faisait? Quel âge avait-il? Quel temps faisait-il? Combien de témoins (*witnesses*) y avait-il? Qu'est-ce qu'il a fait après?)
4. Quand je suis entré(e) dans la classe, ...
(Quelles personnes étaient là? Qu'est-ce qu'elles portaient? Quelle heure était-il? Avec qui avez-vous parlé?)

1. Find out when the last time was that your partner went out.
2. Ask where s/he went.
3. Find out what s/he was wearing.
4. Find out what the weather was like.
5. Ask at what time s/he got home.
6. Find out if s/he was tired when s/he got home.

3. Making Comparisons

Combien de vacances as-tu, Christiane?
    J'ai trois semaines de vacances.
    L'année dernière, je n'ai eu que°   *I had only*
      quinze jours de vacances.
Est-ce que ta vie était différente quand tu avais seize ans?
    Pas vraiment. À cette époque, je travaillais
      autant° que maintenant.   *as much*
    Et j'étudiais aussi° souvent que maintenant.   *as*
    Mais j'étais moins° active.   *less*
    Et j'avais plus° de soucis°.   *more/worries*

✤ **Et vous?**
    Quand vous n'aviez que seize ans, ...
    étudiiez-vous plus, moins ou autant que maintenant?
    jouiez-vous plus, moins ou autant?
    aviez-vous plus, moins ou autant de temps libre que maintenant?
    aviez-vous plus, moins ou autant de soucis?
    étiez-vous plus, moins ou aussi heureux (heureuse) que maintenant?
    étiez-vous aussi grand(e)?
    sortiez-vous plus, moins ou aussi souvent que maintenant?
    parliez-vous plus, moins ou aussi couramment°   *fluently*
      le français?

Note: Les Français utilisent souvent l'expression **huit jours** comme synonyme d'**une semaine**. De la même manière, on utilise l'expression **quinze jours** à la place de **deux semaines**.

C. Ne ... que

Sylvie **n'a que** dix-huit ans.	*Sylvie is only eighteen.*
Ses parents **n'ont qu'**une fille.	*Her parents have only one daughter.*
Il **n'y a que** trois personnes dans la famille.	*There are only three people in the family.*

■ **Ne ... que,** a synonym of **seulement,** is used to express a limitation. **Ne** comes before the verb and **que** is placed directly before the expression that it limits.

Il **ne** sort **qu'**avec Renée.	*He goes out only with Renée.*
Il **ne** sort avec Renée **que** le vendredi soir.	*He goes out with Renée on Friday nights only.*

9. **Quel âge avaient-ils il y a cinq ans?** Décidez quel âge tout le monde avait il y a cinq ans. Si vous ne savez pas (*if you don't know*), devinez. Utilisez **ne ... que.**

Modèle: votre frère **Il y a cinq ans, mon frère n'avait que seize ans.**

1. vous
2. votre meilleur(e) ami(e)
3. votre mère ou votre père
4. les étudiants de cette classe

5. votre acteur préféré
6. votre actrice préférée
7. le professeur de français (Imaginez.)

D. Le comparatif

■ To make comparisons, the French use the words **plus** (*more*) and **moins** (*fewer; less*). They also use **autant** (*as much; as many*) for comparing verbs and nouns and **aussi** (*as*) for comparing adjectives and adverbs. All comparatives may be followed by **que** (*than, as*).

Donald a plus d'argent (**que** d'amis).	*Donald has more money (than friends).*
Je travaille autant (**que** lui).	*I work as much (as he).*
Guy parle moins souvent avec moi (**qu'**avec Anne).	*Guy talks less often with me (than with Anne).*
Éric est aussi pauvre (**qu'**avant).	*Éric is as poor (as before).*

Note: When a personal pronoun is required after **que,** a stress pronoun (**moi, toi, lui, elle, nous, vous, eux, elles**) is used.

Tu bois plus de café **que moi.**	*You drink more coffee than I.*
Nous avons moins d'enfants **qu'eux.**	*We have fewer children than they.*

Plus is usually pronounced [ply], but in liaison it is pronounced [plyz]. It becomes [plys] when used at the end of a clause (**C'est moi qui travaillais plus**) or in certain phrases such as **deux plus deux font ...**

■ To compare how much of a particular action people do, the words **plus, moins,** and **autant** are used *after a verb.*

René **parle plus** que son père.	*René talks more than his father.*
Il **parle moins** que sa mère.	*He talks less than his mother.*
Il **parle autant** que moi.	*He talks as much as I.*

■ To compare how much of something one has, eats, drinks, etc., the expressions of quantity **plus de, moins de,** and **autant de** are used *before a noun.*

Je mangeais **plus de pommes** que d'oranges.	*I used to eat more apples than oranges.*
André a **moins de soucis** qu'en 1990.	*André has fewer worries than in 1990.*
J'ai **autant de responsabilités** que vous.	*I have as many responsibilities as you.*

■ To compare descriptions of people, things, or actions, the words **plus, moins,** and **aussi** are used *before an adjective or an adverb.*

Je suis **plus âgé** que mon frère.	*I am older than my brother.*
Ma mère est **moins grande** que mon père.	*My mother is not as tall as my father.*
Lisa parle **aussi couramment** que Pierre.	*Lisa speaks as fluently as Pierre.*

10. **Monique a quinze jours de vacances.** Décidez si Monique a plus, moins ou autant de vacances que les autres.

Modèle: Ses parents ont un mois de vacances.
Monique a moins de vacances qu'eux.

1. Alice a huit jours de vacances.
2. Nous avons deux mois de vacances.
3. Tu as un jour de vacances.
4. Son frère a deux semaines de vacances.
5. Vous avez trente jours de vacances.
6. Je n'ai pas de vacances.
7. Michel et Jean ont trois mois de vacances.
8. Philippe a une semaine de vacances.
9. Ses amies ont quinze jours de vacances.

11. **À mon avis** (*In my opinion*). Comparez les groupes indiqués en créant (*by creating*) des phrases logiques.

Modèle: **À mon avis, les étudiants ont autant de soucis que les professeurs.**

les étudiants/les professeurs			responsabilités
ma mère/mon père			soucis
le président des États-Unis/moi			argent
mes amis/moi		plus de	chance (*luck*)
les femmes/les hommes	avoir	moins de	travail
un patron/un employé		autant de	devoirs
un pilote/une hôtesse de l'air			temps libre
les parents/les enfants			amis
nous/notre professeur			activités
			vacances
			vêtements
			examens

E N T R E   A M I S   Il y a dix ans

1. Find out if your partner had more free time ten years ago.
2. Find out if s/he had more or fewer worries.
3. Find out if s/he had more friends.
4. Find out if s/he had as much homework.

12. **À mon avis et de l'avis du professeur.** Donnez votre opinion et devinez l'opinion du professeur. Attention aux adjectifs!

Modèle: la musique classique/la musique pop/beau
À mon avis, la musique pop est aussi belle que la musique classique. De l'avis du professeur, la musique classique est plus belle que la musique pop.

1. la statue de la Liberté/la tour Eiffel/beau
2. les jeunes filles/les garçons/travailleur
3. cette université/l'université de Paris/important
4. une moto/un vélo/dangereux
5. un chien/un chat/intelligent
6. un examen/un médicament/affreux
7. un restaurant français/un restaurant mexicain/chic
8. un professeur/un étudiant/intéressant
9. la télévision/un livre/ennuyeux

13. **Tu trouves?** Interviewez votre partenaire selon le modèle.

Modèle: VOUS: **Est-ce que ta mère est plus âgée que ton père?**
VOTRE PARTENAIRE: **Non, elle est moins âgée que lui.**

ta mère et ton père
tes amis et toi
nous et nos grands-parents
les étudiants et leurs parents
un chien et un chat

âgé
pauvre
patient
bavard
paresseux
extroverti
heureux
généreux
grand
ennuyeux
calme
intelligent

E. Le comparatif de *bon* et de *bien*

Ce pain est **bon.**	J'aime **bien** ce pain.
Ce pain est **moins bon** que …	J'aime **moins bien** ce pain que …
Ce pain est **aussi bon** que …	J'aime **aussi bien** ce pain que …
Ce pain est **meilleur** que …	J'aime **mieux** ce pain que …

■ The comparative forms of the *adjective* **bon** are **moins bon(ne)**, **aussi bon(ne)**, and **meilleur(e)**. Like all adjectives, these agree with the noun they modify.

C'est un **moins bon** étudiant.	*He is not as good a student.*
Elles sont **aussi bonnes** que les autres.	*They are as good as the others.*
C'est un **meilleur** avion.	*It is a better airplane.*
Voilà une **meilleure** idée!	*There's a better idea!*
Ces fromages sont **meilleurs.**	*These cheeses are better.*

■ The comparative forms of the adverb **bien** are **moins bien, aussi bien,** and **mieux.** Like all adverbs, these are invariable.

Marc travaille **moins bien** que Paul.	*Marc doesn't work as well as Paul.*
Monique travaille **aussi bien** que Paul.	*Monique works as well as Paul.*
Marc travaille bien. Paul travaille **mieux.**	*Marc works well. Paul works better.*
Chantal chante **mieux** que son frère.	*Chantal sings better than her brother.*

Attention:

1. Both French and English have two separate words to distinguish between an adjective and an adverb when indicating quality.

Pascal est un **bon** étudiant.	Pascal parle **bien** le français.
*Pascal is a **good** student.*	*Pascal speaks French **well**.*

2. In English, however, the comparative form of both *good* and *well* is the same word: *better.* In French, there is still a separate word for each.

Tom est un **meilleur** étudiant.	Tom parle **mieux** le français.
*Tom is a **better** student.*	*Tom speaks French **better**.*

14. **Deux frères.** Pauvre François! Son frère David fait toujours mieux que lui. Comparez-les.

Modèle: François est bon en anglais.
Oui, mais son frère David est meilleur en anglais que lui.

Follow up: Have students compare themselves to a sibling. Alternate: Redo the exercise. Change **son frère David** to **sa sœur Stéphanie** and inform students that she is on a par with her brother (use **aussi bonne,** etc.).

1. François parle bien l'anglais.
2. François a une bonne voiture.
3. François a une bonne note en anglais.
4. François joue bien au tennis.
5. François conduit attentivement.
6. François est un bon étudiant.
7. François chante bien.
8. François est intelligent.

15. **Qui conduit mieux?** Comparez les personnes suivantes selon le modèle.

Modèle: **Mon amie Judy conduit moins rapidement que moi.**

			rapidement
les hommes/les femmes		plus	bien
les professeurs/les étudiants	conduire	moins	prudemment
mon ami(e) .../moi		aussi	attentivement
			nerveusement
			follement

16. **Mon (ma) meilleur(e) ami(e).** Utilisez les expressions suivantes pour interviewer votre partenaire.

Modèle: chanter bien
VOUS: **Est-ce que tu chantes mieux que ton meilleur ami (ta meilleure amie)?**
VOTRE PARTENAIRE: **Oui, je chante mieux que lui (qu'elle).**

Have students ask first: **Qui est ton meilleur ami (ta meilleure amie)?**

Follow up by having the class interview first the teacher (with books open) and then another student (with books closed).

1. être bon(ne) en maths
2. parler bien le français
3. être patient(e)
4. conduire bien
5. être un(e) bon(ne) étudiant(e)
6. être grand(e)
7. danser bien
8. avoir une bonne note en français
9. être bavard(e)

F. Le superlatif

Mathusalem est **la personne la plus âgée** de la Bible.
Job est **la personne la moins impatiente** de la Bible.
Le Rhode Island est **le plus petit état** des États-Unis.
Les Canadiens sont **les meilleurs joueurs** de hockey du monde.

■ Superlatives are preceded by a definite article and may be followed by **de** (*in, of*) plus a noun to make the extent of the superlative clear.

C'est **la meilleure** chanson (**de l'année**).	*It's the best song (of the year).*
C'est **la moins bonne** équipe (**du pays**).	*It's the worst team (in the country).*
Il étudie **le plus attentivement** (**de tous les étudiants**).	*He studies the most attentively (of all the students).*

Point out that the possessive adjective can be used in place of the definite article. Students have already been using the superlative in the expression **votre meilleur(e) ami(e)**.

■ Superlative adjectives single out one member of a group as the best, the worst, the richest, etc. The definite article (**le, la, les**) is combined with the comparative and shows agreement.

le plus petit	la plus petite
le moins grand	la moins grande
les plus petits	les plus petites
les moins grands	les moins grandes

Note: Superlative adjectives are placed either before or after the noun according to where they would be placed normally.

1. If the adjective follows the noun, the definite article must be repeated.

La Tour d'Argent est *le restaurant le* **plus chic** de Paris.
Les romans policiers sont *les romans les* **plus intéressants**.
Sandrine est *l'étudiante la* **moins paresseuse**.

Review the adjectives that normally precede a noun (See Ch. 4).

2. If the adjective precedes the noun, only one definite article is needed.

Paris et Marseille sont *les* **plus grandes villes** de France.
Le français est *la* **plus belle langue** du monde.
C'est *le* **moins bon restaurant** de la ville.

■ With the superlative of an adverb, **le** is always used.

Ma sœur skie *le* **mieux** de toute la famille.	*My sister skis the best in the whole family.*
Elle conduit *le* **plus rapidement** aussi.	*She drives the fastest also.*
Mes parents conduisent *le* **moins vite.**	*My parents drive the slowest.*

Note: A useful structure is ... **que j'aime le mieux** (**le plus, le moins**).

Le printemps est la saison **que j'aime le mieux.**
L'hiver est la saison **que j'aime le moins.**

17. **Quelle exagération!** Aimez-vous votre cours de français? Exagérez un peu.

Modèle: C'est un cours important.
C'est le cours le plus important du monde!

1. C'est un cours intéressant.
2. C'est un bon cours.
3. C'est un professeur intelligent.
4. Ce sont des étudiants travailleurs.
5. Ce sont de bons étudiants.
6. Ce sont de belles étudiantes.
7. Ce sont de beaux étudiants.
8. C'est un livre bizarre.

18. **Identifications.** Répondez à ces questions. Si vous n'êtes pas certain(e) de la réponse, devinez.

Modèle: Quel est le plus grand état des États-Unis?
L'Alaska est le plus grand état des États-Unis.

1. Quelle est la plus grande ville des États-Unis? du Canada?
2. Quelle est la deuxième plus grande ville francophone du monde?
3. Qui est la meilleure actrice de votre pays?
4. Quel est le film le plus ennuyeux?
5. Qui est la femme politique la plus célèbre du monde?
6. Qui est l'homme politique le plus célèbre du monde?
7. Qui est la personne la moins âgée de cette classe?
8. Quelle est l'émission (*program*) de télévision la plus intéressante du jeudi soir?
9. Qui est le plus bel acteur du monde?
10. Qui est la plus belle actrice du monde?

19. **Rien que des superlatifs!** Donnez votre opinion personnelle. Faites des phrases au superlatif.

Modèles: *Joe's Diner* **est le meilleur restaurant de la ville.**
Le golf est le sport le plus intéressant du monde.

sport	ennuyeux	
film	beau	
restaurant	bon	de la ville
chanson	mauvais	de l'état (de la province)
ville	intéressant	du pays
acteur	grand	du monde
actrice	bizarre	de cette année
président(e)	populaire	du siècle
équipe	amusant	
les montagnes		

La plus belle radio

20. Microconversation: **Tu n'es jamais d'accord** (*in agreement*) **avec moi.** Utilisez les expressions suivantes pour compléter la conversation.

Modèle: le meilleur restaurant

VOTRE PARTENAIRE: **Quel est le meilleur restaurant de la ville?**

VOUS: **C'est le restaurant qui s'appelle *Chez Tony*.**

Remind students of the gesture for **mon œil!**

VOTRE PARTENAIRE: **Mon œil! C'est le plus mauvais restaurant.**

VOUS: **Tu n'es jamais d'accord avec moi!**

1. le meilleur bistro de la ville
2. le cours le plus intéressant de cette université
3. la plus jolie chanson de cette année
4. le bâtiment le plus laid de cette université
5. la plus belle ville du pays
6. le meilleur supermarché de la ville
7. l'homme politique le plus sincère du pays
8. la femme politique la plus sincère du pays
9. le professeur le plus charmant de cette université

21. À vous. Répondez.

1. Quel est le mois que vous aimez le mieux? Pourquoi?
2. Quel est le mois que vous aimez le moins? Pourquoi?
3. Quelle est l'émission de radio que vous écoutez le plus? Pourquoi l'écoutez-vous?
4. Quelle est l'émission de télévision que vous regardez le plus?
5. Quelle est la meilleure équipe de football de votre pays?
6. Qui chante le mieux de votre famille?
7. Qui fait le mieux la cuisine de votre famille?
8. Qui est la personne la plus gentille de votre famille?
9. Quelle personne conduit le plus rapidement de votre famille.

E N T R E   A M I S   Description d'une famille

1. Find out how many people there are in your partner's family.
2. Find out who is oldest, tallest, shortest, youngest.
3. Find out who sings the best, who dances the best.
4. Find out who is the most generous and who is the most stingy.

Révision et Intégration

A. Quelles différences!

1. Nommez trois choses que vous faisiez quand vous étiez à l'école secondaire et que vous ne faites plus maintenant.
2. Nommez trois différences entre vous et un autre membre de votre famille.
3. Quelles différences y a-t-il entre un chien et un chat?
4. Quelles différences y a-t-il entre un avion et un train?

B. Un sondage. Complétez le formulaire suivant.

Follow up: put students in pairs and have them try to guess each other's answers.

1. Le plus bel homme du monde: _____
2. La plus belle femme du monde: _____
3. Le meilleur groupe rock: _____
4. Le meilleur chanteur: _____
5. La meilleure chanteuse: _____
6. La meilleure émission de télévision: _____
7. L'émission la moins intéressante: _____
8. Le meilleur film: _____
9. Le livre le plus intéressant: _____
10. Le sport que vous aimez le mieux: _____
11. La personne que vous admirez le plus: _____
12. Le moment le plus ennuyeux de votre journée: _____

C. À vous. Répondez.

1. Où habitiez-vous quand vous étiez au lycée?
2. Comment était votre maison (appartement)?
3. Combien de personnes y avait-il dans votre famille?
4. Quelle était votre émission de télévision préférée?
5. Aviez-vous un animal domestique? Si oui, qu'est-ce que c'était?
6. Comment s'appelait votre meilleur(e) ami(e)?
7. Quelle était la chanson la plus populaire quand vous étiez au lycée?
8. Quels cours aimiez-vous le mieux quand vous étiez au lycée? Pourquoi?

> ENTRE AMIS Le jour de mon arrivée
>
> Find out as much as you can about the day your
> partner first arrived at this university. When was
> it? What was the weather like? How old was s/he?
> Was s/he nervous? tired? happy? What was s/he
> wearing? Did s/he know other students already?
> With whom did s/he speak?

D.

Follow up: Use the compositions as a listening comprehension exercise. Read one or more of them (making necessary corrections as you go). How much information can students remember?

Rédaction: **Une boum** (*A party*). Send a letter to a friend in a French-speaking country to describe a party you attended. Include answers to the following: Où êtes-vous allé(e)? Quel jour est-ce que c'était? À quelle heure y êtes-vous arrivé(e)? Qui était là? Qu'est-ce que les autres portaient? Qu'est-ce qu'ils faisaient? Décrivez-les et comparez-les. Avec qui avez-vous parlé? Avez-vous dansé? Si oui, avec qui? À quelle heure êtes-vous parti(e)? Quel temps faisait-il?

Lecture

A.

Étude du vocabulaire. Étudiez les phrases suivantes et choisissez les mots qui correspondent aux mots français en caractères gras: *fall in love with, nightmare, deaf, silent, daily.*

1. Le journal *Le Monde* est un grand journal **quotidien** français.
2. Parlez plus fort (*louder*); je suis un peu **sourd** et je n'entends pas bien.
3. On voit encore quelquefois des films **muets** de Charlot (*Charlie Chaplin*) à la télévision.
4. Pierre **est tombé amoureux** d'une jeune fille américaine. Maintenant ils sont mariés.
5. La nuit dernière j'ai eu un vrai **cauchemar**; je passais un examen très difficile et je n'avais pas étudié.

B.

Avant de lire. Répondez aux questions suivantes.

1. À votre avis, quel est le meilleur film de cette année?
2. Quel film trouvez-vous le plus bizarre?
3. Quel film trouvez-vous le plus comique?
4. Quel est le film le plus violent?
5. Combien de fois êtes-vous allé(e) au cinéma le mois dernier?
6. Quel est le dernier film que vous avez vu (*have seen*)?

C.

Un coup d'œil sur la lecture. Cherchez rapidement le nom de trois cinémas dans la lecture.

AU CINÉMA

«STAND BY ME»: ils sont quatre compagnons de route. Mais leur balade tournera vite au cauchemar. Un film de Rob Reiner. Building à 13 h 45, 16 h, 19 h 45, 22 h.

«LES ENFANTS DU SILENCE»: il est professeur, elle est sourde-muette. Ils sont amoureux. Mais existe-t-il un monde où ils pourraient se rejoindre? CG à 14 h 15, 20 h.

«PIERRE ET DJEMILA»: le dernier film de Gérard Blain est controverse. Pourtant, le réalisateur n'hésite pas à montrer la coexistence quotidienne chez nous des jeunes Français et des jeunes Maghrébins. Il le décrit à travers l'aventure amoureuse de Pierre avec Djemila. Un film d'actualité courageux. CG à 14 h 15, 16 h, 21 h.

«UNE SALE PETITE GUERRE»: un film de l'Argentin Hector Olivera. Un petit village près de Buenos Aires en 1974. Les derniers jours de la dictature péroniste et la lutte entre les militants de droite et de gauche. CG à 12 h 30, 16 h 15 et 19 h.

«GOOD MORNING BABILONIA»: les frères Taviani promènent leur caméra et leurs clichés italiens à la découverte de l'Amérique, au temps des pionniers. Deux frères débarquent à New York puis passent à l'Ouest. CG à 20 h 15.

«MOI, CHRISTIANE F.»: à Berlin, une adolescente découvre le monde de la drogue puis s'y enfonce totalement et se prostitue pour subvenir à ses besoins d'héroïne et à ceux du garçon qu'elle aime. Drame psychologique, interdit aux moins de 13 ans. Paris à 14 h 30, 19 h 45, 22 h.

«ARIZONA JUNIOR»: un prisonnier tombe amoureux d'une femme flic. Ils se marient et comme ils ne peuvent pas avoir d'enfants, ils décident d'en voler un, «Arizona junior». Plazza à 14 h, 16 h, 19 h 50 et 22 h.

«PEE WEE BIG ADVENTURE»: dans la vie de Pee Wee, il y a le chien Speck, son fidèle compagnon. Il y a aussi Dottie, la vendeuse du Biko-Rama. Mais le vrai grand amour de sa vie, c'est sa bicyclette. Cette super-bicyclette, améliorée de tout une série de gadgets, vient d'être volée. Plazza à 14 h, 16 h 15, 19 h 50, 22 h.

«LA BELLE AU BOIS DORMANT»: Plazza à 10 h.

«GREYSTOKE»: LA LÉGENDE DE TARZAN»: «La Légende de Tarzan» revue et corrigée. Tarzan est autant un singe qu'un homme. Vox à 14 h, 20 h 30.

«AIR FORCE ACADEMY»: une comédie made in USA. Les combattants n'ont pas le goût de la guerre. Vox à 14 h, 1 h 15, 19 h 45, 21 h 55.

«FREDDY 3: LES GRIFFES DU CAUCHEMAR»: dans un hôpital psychiatrique américain, des adolescents sont soignés pour des cauchemars collectifs. Vox à 14 h, 16 h 15, 19 h 45, 21 h 55.

D.

Questions. Choisissez parmi (*among*) les films mentionnés dans la lecture.

1. Quels films étaient des films américains?
2. Quel film avait l'air le plus intéressant?
3. Quel film avait l'air le plus ennuyeux?
4. Quel film avait l'air le plus comique?
5. Quel film avait l'air le plus bizarre?
6. Quel film avait l'air le plus violent?
7. Quel(s) film(s) connaissiez-vous déjà?
8. Quel film est-ce qu'on ne pouvait pas voir (*see*) si on n'avait que douze ans?
9. Quels films est-ce qu'on ne pouvait voir que le soir?

E. **Familles de mots.** Essayez de deviner le sens des mots suivants.

1. actuel, actuellement, l'actualité
2. droguer, un drogué, une droguée, la drogue
3. débarquer, un débarquement
4. découvrir, une découverte
5. hésiter, une hésitation
6. interdire, interdit(e), une interdiction
7. voler, un voleur, une voleuse, un vol

F. Discussion.

1. Est-ce que les Français aiment les films américains? Expliquez.
2. Y a-t-il une différence entre les thèmes des films français et les thèmes des films américains? Justifiez votre réponse.

HITCHCOCK
UNE FEMME
DISPARAÎT
THE LADY VANISHES

Lecture

A. **Étude du vocabulaire.** Étudiez les phrases suivantes et choisissez les mots qui correspondent aux mots français en caractères gras: *spouses, each (one), help, have to.*

1. Je voudrais sortir mais je **dois** étudier. Les étudiants **doivent** étudier, n'est-ce pas?
2. Après leur mariage, les **époux** ont fait un voyage.
3. Après l'accident, les passagers ont crié «**Au secours!**».
4. J'ai parlé avec **chacun** de mes professeurs avant de partir en vacances.

B. **Un mariage.** Décrivez un mariage auquel vous avez assisté (*that you attended*).

1. Est-ce que le mariage a eu lieu à l'église? Si non, où?
2. Comment s'appelaient le marié et la mariée?
3. Quelle question a-t-on posé aux mariés?
4. Expliquez pourquoi vous avez assisté à ce mariage.

Le mariage à la mairie

La famille et les mariés entrent à la mairie dans la salle d'honneur. Les portes doivent rester ouvertes car le mariage est un acte public. Le maire entre dans la salle et lit les droits[1] et les devoirs[2] respectifs des époux.

Point out that the mayor would normally refer to the bride as **Mademoiselle,** unless she has previously been married.

«Monsieur et Mad... , avant de prononcer votre mariage, je dois vous donner connaissance des articles 212, 213, 214 et 215 du Chapitre VI du Code Civil:

Des Droits et des Devoirs respectifs des époux

ART. 212   Les époux se doivent[3] mutuellement fidélité, secours, assistance.

ART. 213   Les époux assurent ensemble la direction morale et matérielle de la famille. Ils pourvoient[4] à l'éducation des enfants et préparent leur avenir[5].

ART. 214   Si les conventions matrimoniales ne règlent pas la contribution des époux aux charges du mariage, ils y contribuent à proportion de leurs facultés respectives.

ART. 215   Les époux s'obligent mutuellement à une communauté de vie.»

Le maire pose ensuite la question à chacun:

LE MAIRE: Monsieur ... , consentez-vous à prendre pour épouse Mad... ... ?

LE MARIÉ: Oui.

LE MAIRE: Mad... ... , consentez-vous à prendre pour époux Monsieur ... ?

LA MARIÉE: Oui.

LE MAIRE: Au nom de la loi, et d'après les pouvoirs qui me sont conférés, je déclare que vous êtes unis par le mariage.

Si le maire connaît personnellement les époux ou leur famille, il prononce aussi quelques mots plus personnels.

1. *rights*   2. *obligations*   3. *owe each other*   4. *provide*   5. *future*

C.

Vrai ou faux? Décidez si les phrases suivantes sont vraies ou fausses. Si elles sont fausses, corrigez-les.

1. Le mariage civil a lieu à l'église.
2. Chaque époux a des droits et des devoirs.
3. On ferme les portes de la salle d'honneur.
4. Les mariés acceptent de rester ensemble pour la vie.
5. Il y a toujours une règle pour déterminer combien d'argent chaque époux contribue au mariage.

D. Questions. Répondez.

1. Où est-ce que le mariage civil a lieu?
2. Pourquoi ne ferme-t-on pas les portes de la salle d'honneur pendant le mariage?
3. Qui est responsable de l'éducation des enfants?
4. Quelle question le maire pose-t-il aux mariés?
5. Comment dit-on *I do* dans une cérémonie de mariage en France?
6. Quand le maire dit-il quelque chose de plus personnel?

E. Familles de mots. Essayez de deviner le sens des mots suivants.

1. devoir, je dois, ils doivent, les devoirs
2. épouser, un époux, une épouse
3. régler, une règle
4. connaître, un connaisseur, une connaisseuse, une connaissance

F. Discussion. Comparez la cérémonie de mariage en France et la cérémonie de mariage dans votre pays.

Vocabulaire actif

Noms

une activité	activity	un smoking	tuxedo
la chance	luck; good luck	un souci	worry; care
un chanteur/une chanteuse	singer	une statue	statue
un dessin animé	cartoon	un tour	turn, tour
une émission (de télé)	(TV) program	une tour	tower
une équipe	team	un voisin/une voisine	neighbor
une hôtesse de l'air	(female) flight attendant		
un lycée	senior high school		
le maire	mayor		
la mairie	town hall		
le mariage	marriage; wedding		
un pilote	pilot		
une responsabilité	responsibility		
une robe de mariée	wedding dress		

Adjectifs

âgé(e)	*old*	pauvre	*poor*
amusant(e)	*amusing, funny; fun*	populaire	*popular*
dangereux (dangereuse)	*dangerous*	préféré(e)	*favorite*
meilleur(e)	*better*	sincère	*sincere*

Verbes

avoir lieu	*to take place*	être en train de	*to be in the process of*
en avoir assez (de)	*to be fed up (with)*	fréquenter (quelqu'un)	*to date (someone)*
épouser (quelqu'un)	*to marry (someone)*	neiger	*to snow*
être d'accord avec	*to agree with*	pleuvoir	*to rain*

Adverbes de comparaison

aussi ...	*as ...*
autant (de)	*as much*
mieux	*better*
moins	*less*
plus	*more*

D'autres adverbes

couramment	*fluently*
dehors	*outside*
ne ... que	*only*
tard	*late*

Expressions utiles

à cette époque	*at that time; back then*
à mon (ton, etc.) avis	*in my (your, etc.) opinion*
Comme il (elle) était ...!	*How ... he (she) was!*
huit jours	*one week*
il neigeait	*it was snowing*
il pleuvait	*it was raining*
j'aime le mieux (le plus)	*I like best*
j'aime le moins	*I like least*
Occupe-toi de tes oignons!	*Mind your own business!*
quinze jours	*two weeks*
toute la famille	*the whole family*
tu vois	*you see*

Les réservations

Buts communicatifs
Making a request
Making a restaurant or hotel
  reservation
Making a transportation
  reservation

Structures utiles
Le verbe **savoir**
Les verbes réguliers en
  -ir (**-iss-**)
L'adjectif **tout**
Le futur
Le futur avec **si** et **quand**

Culture
L'heure officielle
À l'hôtel
Mince!

Coup d'envoi

Puis-je réserver une table?
    Pour combien de personnes?
    Pour quel jour?
    Et pour quelle heure?
    À quel nom,° s'il vous plaît?
Puis-je réserver une chambre?
    Pour combien de personnes?
    Pour quelle(s) nuit(s)?
    À quel nom, s'il vous plaît?

In what name

Conversation

Une réservation par téléphone

George Smith téléphone pour réserver une table pour demain soir dans un restaurant parisien. Mais le restaurant sera° fermé demain.   *will be*

MME DUPONT:	Allô! ici le restaurant La Pyramide.
GEORGE SMITH:	Bonjour, Madame. Je voudrais réserver une table pour demain soir.
MME DUPONT:	Je regrette, Monsieur. Nous serons fermés demain.
GEORGE SMITH:	Mince!° Je ne savais pas° que vous fermiez le mardi. Comment je vais faire? Vous serez ouvert° après-demain°?
MME DUPONT:	Mais oui, Monsieur.
GEORGE SMITH:	Bien, alors puis-je réserver une table pour après-demain?
MME DUPONT:	Oui, c'est pour combien de personnes?
GEORGE SMITH:	Quatre. Une table pour quatre personnes.
MME DUPONT:	À quel nom, s'il vous plaît?
GEORGE SMITH:	Au nom de Smith.
MME DUPONT:	Pouvez-vous épeler° le nom, s'il vous plaît?
GEORGE SMITH:	S-M-I-T-H.
MME DUPONT:	Et pour quelle heure?
GEORGE SMITH:	Pour neuf heures, si c'est possible.
MME DUPONT:	Très bien, Monsieur. C'est entendu°. Une table pour quatre pour vingt et une heures.
GEORGE SMITH:	Je vous remercie° beaucoup. Au revoir, Madame.
MME DUPONT:	Au revoir, Monsieur. À mercredi soir.

Margin glosses:
Darn it!/I didn't know
open/the day after tomorrow
spell
agreed
Thank you

❖ **Jouez ces rôles.** Répétez la conversation avec votre partenaire. Utilisez vos propres (*own*) noms et demandez une réservation pour dix heures. Faites tous les changements nécessaires.

The answer to the first cultural question is **c.**

The answer to the second cultural question is **a.**

✤ Que veut dire «vingt et une heures»?

a. neuf heures du matin
b. onze heures du soir
c. neuf heures du soir

✤ Comment dit-on «second floor» en français?

a. le premier étage
b. le deuxième étage
c. le troisième étage

L' heure officielle (rappel)

More than one way is used to tell time in France. An official 24-hour division is found on schedules for trains and planes, in the media, and often on written invitations: 14 h 30 (**quatorze heures trente**) = **deux heures et demie de l'après-midi.**

À l'hôtel

Most French hotels have private bathrooms, but there are exceptions. It is still possible to find hotels in which the toilet and the showers are located down the hall from the room.

The first floor is called **le rez-de-chaussée** and the second floor is **le premier étage.** If your room is **au deuxième étage,** you will need to climb two flights of stairs, not one. In an elevator, you must remember to press **RC** and not **1** if you wish to get to the ground floor.

In order to conserve electricity, many French hotels have installed **minuteries.** These are hall lights that stay lit for only one minute. Unsuspecting tourists are occasionally surprised to have the hall light go off before they can get their door key in the lock.

Mince!

This is one of a number of euphemisms used to avoid another "five-letter word." Other inoffensive expressions used to express disappointment are **zut!** and **flûte!** (*darn, shucks*).

I L   Y   A   U N   G E S T E

Mince! Comment je vais faire?
The gesture for exasperation is
to roll the eyes and to expel air
through slightly pursed lips.

✜ **À vous.** Vous avez téléphoné à l'hôtel de Champagne pour réserver une chambre. Parlez avec la réceptionniste.

RÉCEPTIONNISTE: Allô! ici l'hôtel de Champagne.
VOUS: _____
RÉCEPTIONNISTE: Ce soir?
VOUS: _____
RÉCEPTIONNISTE: Pour combien de personnes?
VOUS: _____
RÉCEPTIONNISTE: Et à quel nom?
VOUS: _____
RÉCEPTIONNISTE: Épelez le nom, s'il vous plaît.
VOUS: _____
RÉCEPTIONNISTE: Très bien. C'est entendu.
VOUS: _____

Hôtel de Champagne★★

34, rue Denis-Papin
49000 Angers
Téléphone 41 88 78 06

Prononciation

Les sons [l] et [j]

■ You learned in Chapter 11 that the letter **l** in certain situations is pronounced [j], as in the English word *yes*. However, in many cases it is pronounced [l], as in the French word **la**.

■ While the [l] sound is somewhat close to the sound of **l** in the English word *like*, it is far from that in the English word *bull*. Special attention is therefore necessary when pronouncing [l], especially at the end of a word. To produce the [l] sound, the tongue must be in a curved, convex position. Practice saying the following words:

la   pi*l*ote   b*l*eu   que*l*   e*ll*e

✧ Now practice saying the following words after your teacher, paying particular attention to the highlighted sound. As you pronounce the words for one sound, look at how that sound is spelled and in what kinds of letter combinations it appears. What patterns do you notice?

[j]   □ déta*il*, somme*il*, œ*il*, sole*il*, trava*ille*, ore*ille*, feu*ille*, me*ille*ur
      □ genti*lle*, fi*lle*, pasti*lle*, vani*lle*, fami*lle*, cédi*lle*, jui*ll*et, bi*ll*et

[l]   □ *l*e, *l*a, *l*es, *l*'air, *l*à, *l*ycée, *l*aisser, *l*ent, *l*entement, *l*ongue
      □ pi*l*ote, déso*l*é, faci*l*e, popu*l*aire, fidè*l*e, fo*l*ie, vo*l*ant, épau*l*e, pi*l*u*l*e
      □ i*l*, ba*l*, posta*l*, que*l*
      □ p*l*eut, p*l*us, b*l*eu, c*l*ient
      □ do*ll*ar, inte*ll*igent, a*ll*emand, appe*ll*e, e*ll*e, fo*ll*e, mademoise*ll*e

Coup d'envoi   **385**

Make sure students notice the difference between **gentil** [ʒɑ̃ti] and **gentille** [ʒɑ̃tij].

■ Remember that the [j] sound is required for the letter **l** in the following circumstances:

1. **-il** or **-ill** after a pronounced vowel in the same syllable: trava*il,* conse*ill*er
2. **-ll** after [i]: fi*ll*e, jui*ll*et

Exceptions: mi*ll*ion, mi*ll*iard, mi*ll*e, vi*ll*e, tranqui*ll*e, vi*ll*age

■ In a few words, the letter **l** is silent: genti*l,* fi*l*s

■ In all other cases, the letter **l** or the combination **ll** is pronounced as [l]—that is, at the beginning or end of a word, between two vowels, or following a consonant.

*l*e   i*l*   pi*l*u*l*e   inuti*l*e   p*l*eut   do*ll*ar

✣ Pronounce the following sentences correctly.

1. Les lilas sont merveilleux.
2. Il habite dans un village près de Marseille.
3. Le soleil m'a fait mal aux yeux.
4. Aïe! J'ai mal à l'oreille!
5. Ma fille Hélène travaille au lycée.

Buts communicatifs

1. Making a Request

—C'est ici le bureau des renseignements?
—Oui.
—Puis-je vous demander quelque chose?
—Mais certainement. Allez-y.°   *Go ahead.*
—Savez-vous° où sont les toilettes?   *Do you know*
—Elles sont dans le couloir.
—Pouvez-vous m'indiquer où se trouve la gare?
—Oui, elle est tout près°. Tournez à gauche.   *very near*
—Le bureau de poste est ouvert toute la journée°?   *all day long*
—Oui.
—Je voudrais savoir à quelle heure les banques ferment.
—Elles ferment à 17 heures.
—La pharmacie est ouverte jusqu'à° quelle heure?   *until*
—Jusqu'à 19 heures.
—Merci, vous êtes très aimable.
—Je suis là pour ça.

The final -e in Puis-je ... is silent: [pɥiʒ].

Remarque: When asking permission to do something, you may use **Est-ce que je peux ... ?** or **Puis-je ... ?**

Est-ce que je peux conduire?	*May I drive?*
Puis-je avoir un verre d'eau?	*May I have a glass of water?*

Vocabulaire: Pour demander un service

faire une demande	*to make a request*
poser une question	*to ask a question*
demander un renseignement	*to ask for information*
réserver une place	*to reserve a seat*
louer une voiture	*to rent a car*
recommander un bon restaurant	*to recommend a good restaurant*
commander un repas	*to order a meal*
confirmer un départ	*to confirm a departure*

1. **Allez-y!** Utilisez la liste suivante pour faire une demande. Votre partenaire va vous donner la permission.

Modèle: ask for information

Review possible answers before doing the exercise: **Oui, allez-y!; À votre service; Si vous voulez;** etc.

Do the exercise in pairs. Follow up with a role-play: The teacher plays an English-speaking tourist and selects a student as "interpreter" to translate his/her questions and the "native's" responses.

VOUS: **Est-ce que je peux demander un renseignement, s'il vous plaît?**

VOTRE PARTENAIRE: **Mais certainement.** ou **Allez-y!**

1. speak with you
2. ask a question
3. ask something
4. take this seat
5. read your newspaper
6. have a glass of water
7. order something
8. watch television
9. leave now

2. **Il n'y en a plus** (*There are no more*). Utilisez les listes suivantes pour faire des demandes. Ensuite votre partenaire va expliquer qu'il n'y en a plus.

Modèle:

VOUS: **Puis-je réserver une table?**

VOTRE PARTENAIRE: **Je regrette. Il n'y a plus de tables.**

Follow up: A student answers one question and then addresses the next question to someone else.

puis-je	réserver	un journal
	louer	un verre d'eau
	commander	une chambre
	avoir	un vélo
	acheter	une tasse de café
	demander	une voiture
	boire	une place
		un renseignement

3. **Microconversation: Pour aller au château de Rigny.** Utilisez la carte pour expliquer quelles routes il faut prendre pour aller des villes indiquées au château de Rigny.

Modèle: la route de Paris au château de Rigny

TOURISTE: **Puis-je vous demander un renseignement?**

GUIDE: **Certainement. Allez-y.**

TOURISTE: **Pouvez-vous m'indiquer la route de Paris au château de Rigny?**

GUIDE: **Oui, regardez la carte. Prenez l'autoroute A6 et l'autoroute 38 jusqu'à** (*as far as*) **Dijon et ensuite prenez la départementale 70 jusqu'au château de Rigny.**

TOURISTE: **Je vous remercie. Vous êtes bien aimable.**

1. la route de Besançon au château de Rigny
2. la route de Langres au château de Rigny
3. la route de Vesoul au château de Rigny

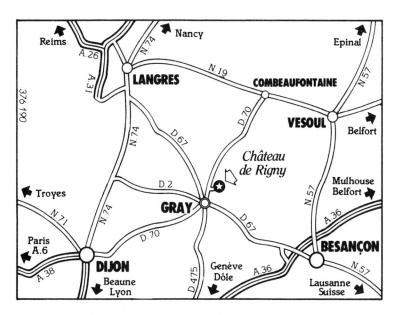

4. la route de Troyes au château de Rigny
5. la route de Belfort au château de Rigny
6. la route de Nancy au château de Rigny

Note: Les routes de France sont marquées **A** pour autoroute, **N** pour route nationale et **D** pour route départementale. On dit, par exemple, **l'autoroute A six, la nationale cinquante-sept** ou **la départementale quatre cent soixante-quinze.** Il faut payer pour utiliser l'autoroute.

E N T R E   A M I S   Quelques renseignements

You are a French-speaking tourist in your partner's hometown.

1. Find out if s/he speaks French.
2. Get permission to ask a question.
3. Find out if there is a hotel nearby.
4. Get directions to the hotel.
5. Ask if s/he can recommend a good restaurant.
6. Ask directions on how to get there.
7. Express your gratitude for her/his help.

A. Le verbe *savoir*

Cette femme **sait** bien **danser**.	*That woman really knows how to dance.*
Savez-vous **comment** elle s'appelle?	*Do you know her name?*
Je **sais que** son prénom est Sophie.	*I know her first name is Sophie.*
Je ne **sais** pas **si** elle est célibataire.	*I don't know if she is single.*

---

savoir (*to know*)

je	sais	nous	savons
tu	sais	vous	savez
il/elle/on	sait	ils/elles	savent

passé composé: j'**ai su** (*I found out, I learned*)

■ The verb **savoir** (*to know*) is used to express a skill or knowledge of a fact. It is used alone (**Je sais/Je ne sais pas**), or is followed by an infinitive, by the words **que** (*that*) or **si** (*if, whether*), or by question words such as **où, comment, combien, pourquoi, quand, quel.**

Je ne **savais** pas **que** tu venais.	*I didn't know that you were coming.*
Je ne **savais** pas **si** tu venais.	*I didn't know whether you were coming.*
Je ne **savais** pas **quand** tu venais.	*I didn't know when you were coming.*

Note: Followed by an infinitive, **savoir** means *to know how (to do something).*

Savez-vous parler espagnol?	*Do you know how to speak Spanish?*

■ The verbs **connaître** and **savoir** are used in different circumstances. Both are used with direct objects, but **connaître** (which means *to know* in the sense of *to be acquainted with, to be familiar with*) is used in general with people and places, while **savoir** is used with facts.

Vous **connaissez** ma sœur?	*Do you know my sister?*
Je ne **sais** pas son nom.	*I don't know her name.*

■ The passé composé of **savoir** means *found out, learned*. The passé composé of **connaître** means *met, became acquainted with*.

Il **a connu** sa fiancée à une soirée.   *He met his fiancée at a party.*

Je l'**ai su** hier.   *I found it out yesterday.*

4. C'est inutile (*It's useless*).   On suggère que vous demandiez quelques renseignements. Répondez que c'est inutile. Ensuite utilisez le verbe **savoir** pour expliquer pourquoi c'est inutile.

Modèle: Demandons à Jacques comment s'appelle cette jeune fille.
C'est inutile! Jacques ne sait pas comment elle s'appelle.

1. Demandons à Jacques si Jeanne va au bal.
2. Demandons à nos amis où habite le professeur.
3. Demandons au professeur le nom de cette voiture.
4. Demandons à ces personnes quand le film va commencer.
5. Demandons à Jean-Michel où sont les toilettes.
6. Demandons à Françoise la date du concert.
7. Demandons à nos amis pourquoi ils sont déprimés.

5. **Une interview.**   Interviewez votre partenaire. Attention aux verbes **savoir** et **connaître**.

Modèles: où j'habite
    VOUS: **Sais-tu où j'habite?**
    VOTRE PARTENAIRE: **Non, je ne sais pas où tu habites.**   ou
        Oui, je sais où tu habites.

mes parents
    VOUS: **Connais-tu mes parents?**
    VOTRE PARTENAIRE: **Non, je ne les connais pas.**   ou
        Oui, je les connais.

1. danser le tango
2. quelle heure il est
3. la famille du professeur
4. parler espagnol
5. s'il va neiger demain
6. la ville de Québec
7. mon adresse
8. pourquoi tu étudies le français
9. la différence entre **savoir** et **connaître**

6. **Un petit sketch: Au bal.** Lisez ou jouez le sketch suivant et ensuite répondez aux questions.

Georges parle avec son ami Thomas au bal. Ils regardent une jeune fille.

GEORGES: **Est-ce que tu connais cette jeune fille?**
THOMAS: **Oui, je la connais mais je ne sais pas comment elle s'appelle.**
GEORGES: **Elle est jolie, n'est-ce pas?**
THOMAS: **Oui. Sais-tu si elle danse bien?**
GEORGES: **Je ne sais pas mais je vais l'inviter.**
THOMAS: **Bonne chance!** (*good luck*)

Questions (Répondez à l'imparfait):

1. Qui connaissait la jeune fille?
2. Savait-il comment elle s'appelait?
3. Qu'est-ce que Thomas voulait savoir?
4. Qu'est-ce que Georges allait faire?

7. **Vous connaissez ce restaurant?** Complétez les phrases suivantes avec la forme convenable de **savoir** ou de **connaître.**

1. ____ -vous s'il y a un bon restaurant près d'ici?
2. Oui, je ____ un restaurant qui est excellent, mais je ne ____ pas s'il est ouvert le mardi.
3. Je vais téléphoner à mon frère. Il ____ bien la ville et il va certainement ____ quels jours le restaurant est fermé. Est-ce que vous ____ mon frère?
4. Je le ____ un peu, mais je ne ____ pas comment il s'appelle.
5. Il s'appelle Paul. Vous ____ où nous habitons, n'est-ce pas?
6. Pas très bien, mais je ____ que ce n'est pas loin d'ici.

8. **À vous.** Répondez.

Follow up: Have the class interview one student (books open) and then another student (books closed).

1. Connaissez-vous le président (la présidente) de votre université?
2. Savez-vous comment il (elle) s'appelle?
3. Vos parents savent-ils que vous étudiez le français?
4. Savent-ils à quelle heure vous allez au cours de français?
5. Connaissent-ils vos amis?
6. Vos amis savent-ils faire du ski?
7. Savez-vous s'ils étudient une langue étrangère (*foreign*)?
8. Connaissiez-vous ces amis quand vous étiez au lycée?
9. Est-ce qu'ils savent la date de votre anniversaire?
10. Saviez-vous parler français quand vous étiez au lycée?
11. Où avez-vous connu votre meilleur(e) ami(e)?

2. Making a Restaurant or Hotel Reservation

Il vous reste° des chambres, s'il vous plaît?   *Do you still have*
    Oui, pour combien de personnes?
    Non, je regrette. Nous sommes complets.
Quel est le prix° d'une chambre avec salle   *price*
  de bain?
    … francs par nuit.
    … dollars par nuit.
Est-ce que le petit déjeuner est compris° dans   *included*
  le prix de la chambre?
    Oui, tout est compris.
    Non, il y a un supplément° de 12 francs.   *extra charge*
Puis-je demander d'autres serviettes°?   *towels*
    Mais certainement.
    Je regrette. Il n'y en a plus.°   *There are no more.*

HÔTEL
LE CHANTECLER

Vocabulaire: À l'hôtel

une baignoire	*bathtub*
une clé	*key*
un couloir	*hallway*
une douche	*shower*
le premier étage	*second floor*
le rez-de-chaussée	*first floor*
une salle de bain	*bathroom*
une serviette	*towel*
un supplément	*extra charge*
les toilettes	*restroom, toilet*
complet (complète)	*full*
compris(e)	*included*

9. **Microconversation: Il vous reste des chambres?** Complétez la conversation avec les catégories suivantes. Décidez ensuite combien de chambres il vous faut.

Modèle: trois personnes/une nuit/250 F (300 F)/p.déj. 18 F

Demonstrate the model with a student. Then have two students perform No. 1 for the class, before putting students in pairs. Follow up (books closed): Have pairs of students ad-lib, choosing their own answers.

TOURISTE: **Il vous reste des chambres?**
HÔTELIER: **Oui, pour combien de personnes?**
TOURISTE: **Pour trois personnes.**
HÔTELIER: **Très bien. Pour combien de nuits?**
TOURISTE: **Pour une seule nuit. Quel est le prix des chambres, s'il vous plaît?**
HÔTELIER: **Deux cent cinquante francs pour une personne ou trois cents francs pour une chambre pour deux personnes.**
TOURISTE: **Est-ce que le petit déjeuner est compris?**
HÔTELIER: **Non, il y a un supplément de dix-huit francs.**
TOURISTE: **Très bien. Je vais prendre une chambre pour une personne et une chambre pour deux personnes.**

1. une personne/deux nuits/175 F/p.déj. 30 F
2. quatre personnes/une semaine/200 F (300 F)/tout compris
3. deux personnes/une nuit/200 F (250 F)/p.déj. 25 F
4. vingt-cinq étudiants/un mois/100 F (150 F)/tout compris

10. **Si vous alliez à l'hôtel.** Posez des questions. Votre partenaire va donner une réponse appropriée.

Modèle: You want to know if there are any rooms left.

Do this exercise in pairs. Follow up with the teacher again playing an English-speaking tourist and selecting an "interpreter" from among the students.

VOUS: **Est-ce qu'il vous reste des chambres?** ou
Avez-vous encore des chambres?
VOTRE PARTENAIRE: **Oui, certainement.**

You want to know ...

1. where the toilet is.
2. if there is a bathroom in the room.
3. if there is a shower in the bathroom.
4. if there is a bathtub in the bathroom.
5. if you can have extra towels.
6. how much the room costs.
7. if breakfast is included in the price.
8. at what time you can have breakfast.
9. if there is a television set in the room.

11. **Un petit sketch: À l'hôtel.** Lisez ou jouez le sketch et ensuite répondez aux questions.

Une étudiante entre dans un hôtel à Angers.

L'ÉTUDIANTE: **Bonjour, Madame. Vous avez encore des chambres?**
L'EMPLOYÉE: **Oui, Mademoiselle. Pour combien de personnes?**
L'ÉTUDIANTE: **Nous sommes deux.**
L'EMPLOYÉE: **Voulez-vous deux chambres ou une chambre pour deux personnes?**
L'ÉTUDIANTE: **Quel est le prix des chambres?**
L'EMPLOYÉE: **Une chambre pour une personne coûte 180 francs et la grande chambre pour deux personnes coûte 230 francs.**
L'ÉTUDIANTE: **Avec ou sans douche?**
L'EMPLOYÉE: **Il y a une douche dans chaque chambre, mais les toilettes sont dans le couloir.**
L'ÉTUDIANTE: **Je crois que nous prendrons (*will take*) la grande chambre.**
L'EMPLOYÉE: **Très bien. Combien de temps allez-vous rester?**
L'ÉTUDIANTE: **Une seule nuit. Nous partons demain à 9 heures.**
L'EMPLOYÉE: **Voilà votre clé, numéro 438.**
L'ÉTUDIANTE: **C'est à quel étage, s'il vous plaît?**
L'EMPLOYÉE: **Au quatrième, bien sûr.**
L'ÉTUDIANTE: **Merci beaucoup, Madame.**
L'EMPLOYÉE: **À votre service, Mademoiselle.**

Questions:

1. Pour combien de nuits l'étudiante veut-elle une chambre?
2. Désire-t-elle une chambre pour une seule personne?
3. Quelle est la différence entre les deux chambres?
4. Où est la salle de bain?
5. Où se trouvent les toilettes?
6. Où est la chambre qu'elle prend?

B. Les verbes réguliers en *-ir (-iss-)*

Qu'est-ce que vous **choisissez?**	*What do you choose?*
J'ai déjà **choisi** une pâtisserie.	*I have already chosen a pastry.*
Nous **finissons** à cinq heures.	*We finish at five o'clock.*
Obéis à ta mère!	*Obey your mother!*
Ralentissez, s'il vous plaît.	*Please slow down.*
Avez-vous réussi ou échoué à votre examen?	*Did you pass or fail your test?*

■ You have already learned several French verbs whose infinitives end in **-ir.**

sortir	je sors	nous sortons	ils sortent
partir	je pars	nous partons	ils partent
dormir	je dors	nous dormons	ils dorment

■ There is a larger group of French verbs that also have infinitives ending in **-ir** but that are conjugated differently.

choisir (*to choose*)					
je	chois	is	nous	chois	issons
tu	chois	is	vous	chois	issez
il/elle/on	chois	it	ils/elles	chois	issent
passé composé: j'ai choisi					

■ Because there are a number of verbs formed in this way, these **-ir** verbs are said to be *regular*. The following verbs are conjugated like **choisir**.

Drill **J'obéis toujours au professeur** with other subjects.

Vocabulaire: Quelques verbes réguliers en *-ir (-iss-)*

finir	*to finish*
grossir	*to put on weight*
maigrir	*to take off weight*
obéir (à quelqu'un)	*to obey (someone)*
ralentir	*to slow down*
réussir (à un examen)	*to succeed; to pass (an exam)*

■ When used with an infinitive, **finir** and **choisir** are followed by **de,** and **réussir** is followed by **à.**

Nous **avons fini de** manger.	*We finished eating.*
Karine a **choisi d'**aller au centre commercial.	*Karine decided to go to the mall.*
Elle **a réussi à** trouver des desserts délicieux.	*She succeeded in finding delicious desserts.*

■ The past participle of regular **-ir** (**-iss-**) verbs is formed by adding **-i** to the present tense verb stem.

choisi	fini	obéi

12. **Qu'est-ce qu'ils choisissent d'habitude?** Posez la question et votre partenaire va répondre.

Modèle: tu/pâté ou soupe à l'oignon?
       VOUS: **Est-ce que tu choisis du pâté ou de la soupe**
          à l'oignon d'habitude?
    VOTRE PARTENAIRE: **Je choisis du pâté d'habitude.**

1. tu/crudités, soupe ou pâté?
2. tu/viande ou poisson?
3. tu/bœuf, poulet ou porc?
4. les enfants/épinards ou frites?
5. tes parents/camembert ou fromage américain?
6. ton ami(e)/glace, fruits, tarte ou gâteau?
7. tu/café ou thé?

13. **Le cours de français.** Décrivez votre cours de français. Faites des phrases au présent ou au passé composé et utilisez la forme négative si vous voulez.

Modèle: Nous avons choisi d'étudier le français.

		étudier le français
		parler comme des Français
		travailler beaucoup
nous	finir	écrire de bonnes rédactions
le professeur	réussir	avoir «A» aux examens
	choisir	parler seulement le français en classe
		répondre à nos questions
		apprendre beaucoup de choses
		comprendre les Français quand ils parlent

14. **À vous.** Répondez.

1. Est-ce que vous choisissez un dessert d'habitude?
2. Qu'est-ce que vous avez choisi comme dessert la dernière fois que vous avez dîné au restaurant?
3. Qu'est-ce que vos amis choisissent comme dessert?
4. Est-ce que vous avez tendance à grossir?
5. Réussissez-vous à maigrir quand vous voulez?
6. Que peut-on choisir au restaurant si on veut grossir?
7. Que peut-on choisir au restaurant si on veut maigrir?
8. Finissez-vous toujours votre repas?
9. Finissiez-vous toujours votre repas quand vous étiez jeune?

Restaurant
Le Filet Mignon

Tél. 692-3673
29 St-Stanislas
(Vieux Québec)

C. L'adjectif *tout*

Il y a des toilettes dans **toutes** les chambres.	*There are toilets in all the rooms.*
Je parle avec mes amis **tous** les jours.	*I speak with my friends every day.*
Nous regardons la télévision **tous** les soirs.	*We watch television every evening.*
J'ai passé **toute** la journée à la bibliothèque.	*I spent the whole day at the library.*
Tout le monde aime dîner au restaurant	*Everybody likes to dine out.*

■ **Tout** (*all, every, each, the whole*) is often used as an adjective. In those cases it is usually followed by one of the determiners: **le, un, ce,** or **mon, ton, son, notre, votre, leur.** Both **tout** and the determiner agree with the noun they modify.

	masculin	*féminin*
singulier	tout	toute
pluriel	tous	toutes

■ In the singular, the meaning of **tout** is usually *the whole* or *all ... (long).*

toute la journée	*all day (long)*
toute l'année	*all year*
toute la classe	*the whole class*
tout le temps	*all the time*
tout le monde	*everybody* (literally, *the whole world*)

Buts communicatifs   **399**

■ In the plural, the meaning of **tout** is usually *all* or *every*.

tous mes amis	*all my friends*
tous les jours	*every day*
toutes les semaines	*every week*
tous les ans	*every year*
tous les hommes et **toutes** les femmes	*all (the) men and all (the) women*
tous les deux	*both (masc.)*
toutes les deux	*both (fem.)*
toutes sortes de choses	*all sorts of things*

■ When **tous** is used as a pronoun, the final **-s** is pronounced.

Mes amis sont **tous** ici. [tus]   *My friends are all here.*

15. **Toute la famille Jeantet.** Complétez les phrases avec la forme convenable de l'adjectif **tout**.

1. Monsieur et Madame Jeantet parlent anglais, ___ les deux.
2. ___ le monde dit qu'ils sont très gentils.
3. ___ leurs filles ont les yeux bleus.
4. Elles passent ___ leur temps à regarder la télévision.
5. ___ la famille va en Angleterre ___ les ans.
6. Ils achètent ___ sortes de choses.
7. Les filles Jeantet écrivent une carte postale à ___ leurs amis.
8. Elles sont contentes de voyager, ___ les trois.

16. **Tous mes amis et toute ma classe.** Ajoutez la forme appropriée du mot **tout**.

Modèle: La famille Martin voyage beaucoup.
Toute la famille Martin voyage beaucoup.

1. Mes amis aiment manger.
2. C'est vrai pour ma classe de français aussi.
3. Nous avons mangé une tarte.
4. Nous avons passé la soirée à la manger.
5. Les garçons et les filles étaient malades après ça.

17. À votre avis. Ajoutez **tout** et posez une question. Votre partenaire va décider ensuite si la généralisation est vraie ou fausse.

Modèle: Les hommes sont beaux.

VOUS: **Est-ce que tous les hommes sont beaux?**

VOTRE PARTENAIRE: **Oui, à mon avis tous les hommes sont beaux.** ou **Non, à mon avis tous les hommes ne sont pas beaux.**

1. Les femmes sont belles.
2. Les repas au restaurant universitaire sont délicieux.
3. Les professeurs sont gentils.
4. Le campus est très beau.
5. Tes amis adorent parler français.
6. Ta famille chante bien.
7. Tes cours sont intéressants.

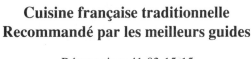

Restaurant LA PYRAMIDE

Cuisine française traditionnelle
Recommandé par les meilleurs guides

Réservation: 41-83-15-15

Restaurant non fumeur
Ouvert tous les jours

E N T R E   A M I S   La Pyramide

Call the restaurant La Pyramide and ask if the restaurant is open every day. Then make a reservation.

Put students' chairs back-to-back when they are "telephoning."

La gare de Lyon à Paris

3. Making a Transportation Reservation

Bonjour, Monsieur.
    Bonjour, Madame. Puis-je avoir un billet
      pour Strasbourg, s'il vous plaît?
Un aller simple°?   *one way*
    Oui, un aller simple.
    Non, un aller-retour°.   *round trip*
En quelle classe?
    En première.
    En seconde.
Quand partirez-vous?°   *When will you*
    Tout de suite°.   *leave? / Right away*
    Bientôt°.   *Soon*
    Dans quelques jours.
Très bien. N'oubliez pas de composter° votre billet.   *punch, stamp*

Remarque: Second(e) is normally used in place of **deuxième** when there are only two in a series.

    Un billet en **seconde** classe, s'il vous plaît.

Note: Les billets de train peuvent être utilisés pendant quelques mois. Il est donc nécessaire de composter le billet le jour où on prend le train. Si on oublie de le composter, on sera obligé de payer une amende (*fine*).

Point out that **aller simple** is two separate words, while **aller-retour** is one word containing a hyphen.

You might wish to explain that tickets are stamped or punched by inserting them into a machine in the railroad station.

18. Microconversation: **Nous prenons le train.** Réservez des places dans le train. Complétez la conversation avec les catégories suivantes.

Do the exercise in pairs. Follow up with the teacher playing the **guichetier** (**guichetière**) and having students line up at the "ticket window."

Modèle: 1/Paris 17 h/ven./1re/vous ne fumez pas

VOUS: **Puis-je réserver une place?**

EMPLOYÉ(E): **Dans quel train, s'il vous plaît?**

VOUS: **Le train pour Paris qui part à 17 heures.**

EMPLOYÉ(E): **Quel jour, s'il vous plaît?**

VOUS: **Vendredi.**

EMPLOYÉ(E): **Et en quelle classe?**

VOUS: **En première.**

EMPLOYÉ(E): **Fumeur ou non fumeur?**

VOUS: **Non fumeur.**

EMPLOYÉ(E): **Très bien, une place en première classe non fumeur dans le train pour Paris qui part à 17 heures vendredi.**

1. 1/Marseille 11 h/lun./2e/vous ne fumez pas
2. 4/Dijon 18 h/dim./2e/vous fumez
3. 15/Biarritz 8 h/sam./2e/vous ne fumez pas
4. 2/Madrid 23 h/merc./1re/vous ne fumez pas

19. Un petit sketch: **On confirme un départ.** Lisez ou jouez le sketch et ensuite répondez aux questions.

Un touriste téléphone à la compagnie Air France.

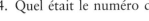

L'EMPLOYÉ: **Allô, Air France. J'écoute.**

LE TOURISTE: **Bonjour, Monsieur. Je voudrais confirmer un départ, s'il vous plaît.**

L'EMPLOYÉ: **Très bien, Monsieur. Votre nom, s'il vous plaît?**

LE TOURISTE: **Paul Schmitdz.**

L'EMPLOYÉ: **Comment? Pouvez-vous épeler votre nom, s'il vous plaît?**

LE TOURISTE: **S-C-H-M-I-T-D-Z.**

L'EMPLOYÉ: **Très bien. Votre jour de départ et le numéro de votre vol (*flight*)?**

LE TOURISTE: **Mardi prochain, et c'est le vol 307.**

L'EMPLOYÉ: **Très bien, Monsieur Schmitdz. Votre départ est confirmé.**

LE TOURISTE: **Merci beaucoup.**

L'EMPLOYÉ: **À votre service, Monsieur.**

Questions (Répondez au passé):

1. Pour quelle compagnie l'employé travaillait-il?
2. Quelle était la première question de l'employé?
3. Quand le vol partait-il?
4. Quel était le numéro du vol?

Buts communicatifs

ENTRE AMIS Confirmez votre départ

1. Call Air Canada.
2. State that you wish to confirm your departure.
3. Identify yourself and your flight number.
4. Verify the time of departure.
5. Inquire if there is another flight that leaves tomorrow morning.
6. End the conversation appropriately.

D. Le futur

Nous **aurons** notre diplôme en juin.	*We will get our diplomas in June.*
Nous **irons** en France l'été prochain.	*We will go to France next summer.*
Nous **prendrons** l'avion pour Paris.	*We will take the plane to Paris.*
Il **pleuvra** sans doute un peu.	*It will probably rain a bit.*
Nous **passerons** une nuit à l'hôtel Arcade.	*We will spend a night at the Arcade Hotel.*

■ You have already learned to express future time by using **aller** plus an infinitive.

> Ils **vont sortir** ensemble.   *They are going to go out together.*

■ Another way to express what will take place is by using the future tense.

> Ils **sortiront** ensemble.   *They will go out together.*

■ To form the future tense for most verbs, take the infinitive and add the endings **-ai, -as, -a, -ons, -ez, -ont.** For infinitives ending in **-e**, drop the **-e** before adding the endings. All future stems end in **-r.** Note that the future endings are similar to the present tense of the verb **avoir.**

	finir				
je	finir	ai	nous	finir	ons
tu	finir	as	vous	finir	ez
il/elle/on	finir	a	ils/elles	finir	ont

	vendre				
je	vendr	ai	nous	vendr	ons
tu	vendr	as	vous	vendr	ez
il/elle/on	vendr	a	ils/elles	vendr	ont

■ **Acheter** keeps its spelling change in the future, even for the **nous** and **vous** forms.

> **J'achèterai** une voiture l'année prochaine.
> **Nous achèterons** une Renault.

■ The future endings are always the same. There are, however, a number of verbs with irregular stems.

infinitive	stem	future
être	ser-	je serai
avoir	aur-	j'aurai
faire	fer-	je ferai
aller	ir-	j'irai
venir (devenir)	**viendr-** (deviendr-)	je viendrai (je **deviendrai**)
pouvoir	**pourr-**	je **pourrai**
savoir	**saur-**	je saurai
vouloir	**voudr-**	je voudrai

■ Impersonal expressions also have future tense forms.

infinitive	present	future
pleuvoir	il pleut	**il pleuvra**
falloir	il faut	**il faudra**
valoir mieux	il vaut mieux	**il vaudra mieux**

For the future of verbs not mentioned here, tell students to see the Appendix. This includes **mourir, payer,** and **essayer,** as well as many regular verbs students have learned actively.

20. **Pendant les vacances.** Qu'est-ce que tout le monde fera? Utilisez le futur au lieu (*in place*) du verbe **aller** plus l'infinitif.

Modèle: Nous n'allons pas étudier. **Nous n'étudierons pas.**

1. Joe va voyager avec ses parents.
2. Ils vont faire un voyage en France.
3. Ils vont visiter Paris.
4. Je vais les accompagner.
5. Nous allons prendre un avion.
6. Nous allons partir bientôt.
7. Une semaine à l'hôtel à Paris va coûter cher.
8. Je vais acheter des souvenirs.
9. Il ne va pas pleuvoir.
10. Il va faire beau.

21. À vous. Répondez.

Follow up: Students use the questions to interview first the teacher (with books open) and then another student (with books closed).

1. Resterez-vous sur le campus l'été prochain?
2. Travaillerez-vous? Si oui, où? Si non, pourquoi pas?
3. Ferez-vous un voyage? Si oui, où?
4. Qu'est-ce que vous lirez?
5. Qu'est-ce que vous regarderez à la télévision?
6. À qui rendrez-vous visite?
7. Sortirez-vous avec des amis? Si oui, où irez-vous probablement?
8. Serez-vous fatigué(e) à la fin des vacances?
9. Quel temps fera-t-il pendant les vacances?

E. Le futur avec *si* et *quand*

■ When a main clause containing a *future* tense verb is combined with a clause introduced by **si** (*if*), the verb in the **si**-clause is in the *present* tense. English works the same way.

Nous aurons un pique-nique demain **s'il fait beau.**	*We will have a picnic tomorrow if it is nice out.*
Si tu veux, nous sortirons vendredi soir.	*If you want, we will go out on Friday night.*
Si tu travailles cet été, gagneras-tu beaucoup d'argent?	*If you work this summer, will you earn a lot of money?*

Un pique-nique devant le Mont-Saint-Michel

■ However, when a main clause with a future tense verb is combined with a clause introduced by **quand**, the verb in the **quand** clause is in the future. Be careful not to allow English to influence your choice of verb tense. English uses the present in this case.

Quand il fera beau, nous aurons un pique-nique.	*When it is nice out, we will have a picnic.*
Aurez-vous beaucoup d'enfants **quand vous serez marié(e)?**	*Will you have a lot of children when you are married?*
Quand j'aurai le temps, j'écrirai.	*When I have time, I will write.*
Quand je gagnerai à la loterie, je ferai un long voyage.	*When I win the lottery, I will take a long trip.*

Point out that **gagner** can mean both *to earn* and *to win*.

22. **Si nous gagnons beaucoup d'argent.** Combien de phrases logiques pouvez-vous faire? Chaque phrase commence par **si**.

Modèle: **Si je gagne beaucoup d'argent, j'achèterai des vêtements.**

si	mes ami(e)s je nous mes parents le professeur de français	gagner beaucoup d'argent	partir en avion acheter des vêtements aller en France habiter dans un château manger dans un bon restaurant rester à l'hôtel être très content(e)(s) faire un long voyage téléphoner à tout le monde (ne … pas) travailler

23. **Quand ferons-nous tout cela?** Combien de phrases logiques pouvez-vous faire? Chaque phrase commence par **quand**.

Modèle: **Quand j'aurai faim, j'irai au restaurant.**

Follow work in pairs with a stand-up drill. Each student must give one sentence before sitting down.

quand	mes amis je mon ami(e) nous les étudiants	réussir aux examens avoir faim avoir un diplôme être riche(s) parler bien le français avoir soif finir d'étudier gagner de l'argent	avoir … ans boire … acheter … (ne … pas) travailler aller … chanter être fatigué(e)(s) manger … faire un voyage …

Buts communicatifs   **407**

24. **Qu'est-ce que tu feras?** Utilisez les expressions suivantes pour interviewer votre partenaire.

Modèle: quand/avoir le temps/écrire à tes parents
> VOUS: **Quand tu auras le temps, écriras-tu à tes parents?**
> VOTRE PARTENAIRE: **Oui, quand j'aurai le temps, j'écrirai à mes parents.**

1. si/être libre/écrire à tes parents
2. quand/finir tes études/avoir quel âge
3. quand/travailler/gagner beaucoup d'argent
4. si/être marié(e)/faire la cuisine
5. quand/faire la cuisine/préparer des spécialités françaises
6. si/avoir des enfants/être très content(e)
7. si/avoir des enfants/changer les couches (*diapers*)
8. quand/parler français/penser à cette classe

E N T R E   A M I S   Quand auras-tu ton diplôme?

1. Find out when your partner will graduate.
2. Find out what s/he will do afterwards.
3. Ask if s/he will travel. If so, ask where s/he will go.
4. Ask what s/he will buy, if s/he has enough money.

Révision et Intégration

Role-play Exercise B with one student before beginning. You could "ham this up" by putting a bandana on your head and pretending to read the student's palm.

Have individual students read their predictions out loud. Can the class guess whom they are describing?

A. **Au téléphone.** «Téléphonez» à votre partenaire et complétez les situations suivantes.

1. Réservez une table au restaurant.
2. Réservez une place dans un train.
3. Confirmez un départ en avion.
4. Prenez une chambre d'hôtel.

B. **Diseur (diseuse) de bonne aventure** (*fortuneteller*). Écrivez cinq phrases pour prédire (*predict*) le futur d'un(e) de vos camarades de classe.

Modèle: **Tu parleras français comme un Français.**

C. À vous. Répondez.

1. En quelle année avez-vous fini vos études au lycée?
2. Réussissiez-vous toujours à vos examens quand vous étiez au lycée?
3. Quand finirez-vous vos études universitaires?
4. Qu'est-ce que vous ferez quand vous aurez votre diplôme?
5. Qu'est-ce que vous ferez pendant les prochaines vacances?
6. Où irez-vous si vous faites un voyage?
7. Quelles villes visiterez-vous si vous avez le temps?
8. Que choisirez-vous quand vous irez au restaurant?
9. Qui fera le ménage quand vous serez marié(e)?

D. *Rédaction:* Une réservation.

Écrivez une lettre à l'hôtel Terminus pour réserver une chambre. Précisez le nombre de chambres, la date et l'heure de votre arrivée. Indiquez aussi combien de temps vous y resterez. Vérifiez s'il y a une salle de bain, une douche, une baignoire, etc. dans les chambres. Soyez sûr(e) de demander les prix et vérifiez si le petit déjeuner est compris. Commencez votre lettre par **Messieurs** et finissez votre lettre par **Je vous prie d'agréer, Messieurs, l'expression de mes sentiments distingués.**

Explain that the closing statement is equivalent to the American *Sincerely yours.*

ENTRE AMIS Une excursion en autocar

Your group is planning a bus trip to Montréal. Decide together on date, length of trip, etc., then have one of the group call and rent a tour bus (**un autocar**).

Lecture

A. Étude du vocabulaire.

Étudiez les phrases suivantes et choisissez les mots anglais qui correspondent aux mots français en caractères gras: *opposite, seated, schedule, except, beginning on, run.*

1. J'ai téléphoné à l'aéroport pour savoir **l'horaire** des vols.
2. Nous serons en France **à partir du** 10 juin.
3. Certains trains ne **circulent** pas le week-end.
4. Tout le monde est venu **sauf** Christian. Pourquoi est-ce qu'il n'est pas venu?
5. Blanc est le **contraire** de noir.
6. Sur cette photo mes parents sont **assis** dans des fauteuils très confortables.

Révision et Intégration

B. **L'horaire.** Étudiez la table et répondez aux questions suivantes.

1. Où les renseignements sur les différents trains sont-ils indiqués?
2. Pourquoi certains horaires sont-ils indiqués en gras.
3. Que veulent-dire les lettres **D** et **A**?

L'horaire des trains (Paris—Lyon)

Numéro du train		5732/3	925	935	627	629	5073	767	7451/0	6517/6	391	1585/4	7171	947	5009	831	631	769	5009	681
Notes à consulter			1	2	3	4	5	6	7	8	9	10	11	12	13	14	15	16	17	18
Paris-Gare-de-Lyon	D		**14.32**	14.32	**15.00**	16.00	**16.03**	16.17						16.43	16.46	**16.49**	**17.00**	**17.19**		17.27
Laroche-Migennes	D						17.25													
Montbard	D						18.19											**18.28**		
Dijon-Ville	D	17.03					19.20	17.55	18.06	18.06		18.18	**18.21**	19.13				**19.03**	19.13	
Beaune	A	17.23					19.43		18.26	18.30			**18.56**							
Chagny	A						19.55		18.40	18.44	19.42		**19.09**							
Chalon-sur-Saone	A						20.07				20.06	18.57	**19.26**	19.48				19.48		
Tournus	A						20.22													
Macon-Ville	A						20.43					19.34		20.19				20.19		
Macon-Loché-TGV	A		**16.13**	16.13												18.26				
Villefranche-sur-Saone	A						21.13													
Lyon-Part-Dieu	A				17.00	18.08						20.18		20.58		**18.57**	**19.04**	20.58	19.31	
Lyon-Perrache	A				17.10	18.18	21.40										**19.14**			19.44

A Arrivée   **D** Départ

Tous les trains offrent des places assises en 1re et 2e cl. sauf indication contraire dans les notes.   X Train n'offrant pas la totalité de ses prestations sur tout son parcours ou sur toute sa circulation.
Les trains circulant tous les jours ont leurs horaires indiqués en gras.

Notes :

1. .TGV . ✆ . Facilités pour handicapés physiques.   2. Circule:les ven, dim et fêtes sauf les 13 juil et 15 août 86;Circule le 14 août 86.

C. **Questions.** Répondez.

1. Combien de trains vont à Lyon?
2. Combien de gares y a-t-il à Lyon?
3. Quel train est le plus rapide entre Paris et Lyon?
4. Quel train est le moins rapide entre Paris et Lyon?
5. Combien d'arrêts y a-t-il pour ce train?
6. Le numéro 627 est-il direct jusqu'à Lyon-Perrache?
7. Quels sont les trains qui offrent des facilités aux handicapés?
8. Quels trains ne circulent pas le samedi?
9. Si on est à Dijon, quel train peut-on prendre pour aller à Lyon?
10. Si on part de Paris pour arriver à Lyon à 18 h 18, combien de temps a-t-on passé dans le train?
11. Quels trains peut-on prendre si on veut dîner à Lyon à 20 heures?

D.   **Je ferai un voyage par le train.**   Envoyez un télégramme à un(e) ami(e) pour dire que vous viendrez à Lyon. Décidez quel train vous prendrez et annoncez l'heure de votre départ et l'heure de votre arrivée.

Modèle: J'arriverai le 18 stop ...

Lecture

Use this reading to prepare the **Météo** on the video tape.

A.   **Étude du vocabulaire.**   Étudiez les phrases suivantes et choisissez les mots anglais qui correspondent aux mots français en caractères gras: *thunderstorm, sky, cloud, weak, sunny intervals, even, rain, now.*

1. Regarde cet avion dans le **ciel.**
2. Le ciel est bleu; il n'y a pas de **nuages.**
3. Il ne fait pas très beau, mais il y a quelques **éclaircies** dans les nuages.
4. Il faut porter un imperméable, car il y a souvent de la **pluie** en mars.
5. Quel bruit! Tu as entendu cet **orage** la nuit dernière?
6. Demain il fera beau, mais **actuellement** il fait assez mauvais.
7. Tout le monde aime les vacances, **même** les professeurs.
8. Je ne pourrai pas faire ce travail. Après ma maladie, je suis trop **faible.**

B.   **La carte de France.**   Étudiez la carte qui se trouve sur la couverture (*cover*) intérieure du livre.

1. Cherchez les villes suivantes: Angers, Besançon, Brest, Marseille, Strasbourg, Toulouse.
2. Décidez dans quelles régions ces villes se trouvent.
3. Nommez cinq rivières.
4. Nommez quatre chaînes de montagnes.

La météo

L'air doux[1], humide et instable recouvrant actuellement le sud-est de notre pays s'éloignera[2] progressivement avec l'arrivée par le nord-ouest d'air plus frais.

Samedi: cocktail de nuages, d'ondées[3] et d'éclaircies.
Sur la Lorraine, les Vosges, l'Alsace, la Franche-Comté, les Alpes et la Corse, les nuages resteront abondants tout au long de la journée, avec de la pluie et même des orages sur le relief.[4]

Sur Champagne-Ardennes, l'Est du Bassin parisien, la Bourgogne, le Massif central, la vallée du Rhône, Midi-Pyrénées et le Languedoc, la journée débutera sous la grisaille[5] et un peu de pluie. Des éclaircies se développeront l'après-midi, mais une petite averse[6] sera encore possible.

Sur le Nord, la Picardie, l'Ouest du Bassin parisien, Poitou-Charentes et Aquitaine, la matinée sera assez bien ensoleillée.[7] Des nuages se développeront au cours de la journée et de courtes averses tomberont çà et là.

Sur la Normandie et les pays de Loire, ce sera une journée ensoleillée. Toutefois, en fin de journée, les nuages se feront plus nombreux par l'ouest.

Sur la Bretagne, le ciel sera gris, avec une petite pluie.

Le vent sera généralement faible ou modéré, venant de l'ouest ou du nord-ouest. En Corse et sur la Côte d'Azur soufflera[8] un vent de sud-ouest modéré.

Le Monde

1. *mild*   2. *will move away*   3. *showers*   4. *in the hills*   5. *overcast sky*   6. *shower*
7. *sunny*   8. *will blow*

C.

Vrai ou faux.   Décidez si les phrases suivantes sont vraies ou fausses. Si une phrase n'est pas vraie, corrigez-la.

1. Il fera beau à Brest toute la journée.
2. Il fera beau le matin à Lille.
3. Il pleuvra à Besançon.
4. Il fera du vent à Marseille toute la journée.
5. Il fera beau à Angers, mais le soir il fera moins beau.
6. Il pleuvra le matin à Paris.

D.

Questions.   Répondez d'après la lecture.

1. Où est-ce qu'il fera beau?
2. Où y aura-t-il des nuages?
3. Où pleuvra-t-il?
4. Où fera-t-il du vent?
5. Quel temps fera-t-il à Angers?

E.

Familles de mots.   Essayez de deviner le sens des mots suivants.

1. un nuage, nuageux
2. le soleil, ensoleillé
3. gris, la grisaille
4. s'éloigner, loin, lointain

Vocabulaire actif

Les voyages

un aller-retour	*round-trip ticket*	le départ	*departure*
un aller simple	*one-way ticket*	la départementale	*departmental (local) highway*
un autocar	*tour bus*	la route	*route, way, road*
l'autoroute (f.)	*turnpike, throughway, highway*	le vol	*flight*

À l'hôtel

une baignoire	*bathtub*	un étage	*floor*	une serviette	*towel*
une clé	*key*	le prix	*price*	un supplément	*extra charge;*
une douche	*shower*	le rez-de-chaussée	*ground floor*		*supplement*

D'autres noms

une carte	*map*	un diplôme	*diploma*	un steak	*steak*
une demande	*request*	un pique-nique	*picnic*	un steak-frites	*steak with French fries*

Adjectifs

complet (complète)	*full; complete*	ouvert(e)	*open*
compris(e)	*included; understood*	riche	*rich*
étranger (étrangère)	*foreign*	tout (toute/tous/toutes)	*all; every; the whole*
inutile	*useless*		

Verbes

avoir tendance à	*to tend to*	indiquer	*to tell; to indicate; to point out*
choisir	*to choose*	louer	*to rent*
composter (un billet)	*to punch (a ticket)*	maigrir	*to lose weight*
confirmer (un départ)	*to confirm (a departure)*	obéir	*to obey*
épeler	*to spell*	ralentir	*to slow down*
faire une demande	*to make a request*	recommander	*to recommend*
finir	*to finish*	remercier	*to thank*
gagner (à la loterie)	*to win (the lottery)*	réussir	*to succeed; to pass*
gagner (sa vie)	*to earn (one's living)*	savoir	*to know*
grossir	*to put on weight*		

Adverbes

après-demain	*day after tomorrow*
bientôt	*soon*
tout	*completely; very*

Prépositions

jusqu'à	*until*

Expressions utiles

Allez-y.	*Go ahead.*	fumeur	*smoking (car)*
Allô!	*Hello! (on the phone)*	Il n'y en a plus.	*There is (are) no more.*
À quel nom ... ?	*In whose name ... ?*	Il vous reste ... ?	*Do you still have ... ?*
Bonne chance!	*Good luck!*	Mince!	*Darn it!*
Comment je vais faire?	*What am I going to do?*	non fumeur	*nonsmoking (car)*
en première	*in first class*	Puis-je ... ?	*May I ... ?*
en seconde	*in second class*	tous (toutes) les deux	*both*
entendu	*agreed; understood; O.K.*	tout de suite	*right away*

Escale 3

LE MAROC

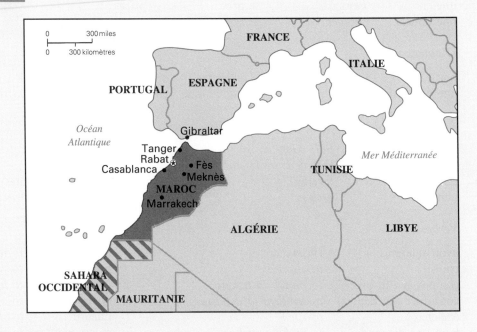

STATUT LÉGAL:	Royaume indépendant
LANGUE OFFICIELLE:	arabe
AUTRES LANGUES:	français, berbère, espagnol
MONNAIE:	dirham
CAPITALE:	Rabat
AUTRES VILLES:	Casablanca, Marrakech, Fès, Meknès, Tanger
SUPERFICIE:	458.730 km² (équivalente à celle de la Californie)
POPULATION:	35.169.000 (équivalente à celle de la Californie)
RELIGION:	musulmane (98%)
GROUPES ETHNIQUES PRINCIPAUX:	Arabes (65%), Berbères (35%)
EXPORTS PRINCIPAUX:	phosphates, agrumes[1], poissons en boîtes, textiles (tapis, etc.)
CLIMAT:	Maroc atlantique = humide; Maroc oriental = aride, désertique
MONTAGNES:	chaînes atlasiques: Haut Atlas, Moyen Atlas, Anti-Atlas (les plus vastes d'Afrique)

1. agrumes = citrons, oranges, etc.

1. **Vrai ou faux?** Décidez si les phrases suivantes sont vraies ou fausses. Si une phrase est fausse, corrigez-la.

1. Le Maroc est une république.
2. Les langues officielles du Maroc sont l'arabe et le français.
3. Le Maroc est le pays africain le plus proche de l'Europe.
4. La ville de Casablanca se trouve au Maroc.
5. Le Maroc est plus petit que le Massachusetts.
6. Casablanca est la capitale du Maroc.
7. Le Maroc se trouve au nord de l'Afrique.
8. Le Maroc entier a un climat très sec.

2. **Que savez-vous?** Nommez ...

1. trois villes marocaines.
2. deux pays voisins du Maroc.
3. la ville européenne la plus proche du Maroc.
4. une ressource minière du Maroc.

Une porte du désert Sahara, le plus vaste désert du monde.

L'HISTOIRE DU MAROC

Le Maroc est un pays plein de contrastes de par la diversité de son climat, de sa géographie, de sa cuisine et de par la confrontation permanente entre deux tentations: le désir de préserver son caractère local et traditionnel et, en même temps, le besoin d'une personnalité «occidentale».

Les Berbères représentent le peuple le plus ancien du Maroc. On ne sait pas d'où ils viennent, mais il est certain qu'ils sont arrivés dans la région qu'on appelle le Maroc il y a 3.000 ans. La langue du peuple berbère est très ancienne; 35 pour cent des Marocains la parlent aujourd'hui.

L'Afrique faisait partie de l'Empire romain sous les Césars. Il y avait même un empereur romain d'origine berbère, Septime Sévère (193–211). Plusieurs empereurs aimaient se détendre[2] à Volubilis, ancienne ville romaine, loin des intrigues de la Cour à Rome.

En 429, l'Empire romain était en déclin et ne pouvait plus défendre ses territoires en Afrique. Les Vandales, un peuple venant du nord de l'Europe, ont occupé et terrorisé le Maroc. (Nous disons même aujourd'hui que quelqu'un qui détruit violemment, sans raison, est un «vandale».)

Les Arabes sont arrivés au Maroc en 680. Ils ont introduit leur religion et leur langue dans la région. Ce nouveau royaume musulman choisira comme sa capitale la ville de Fès et Fès restera le centre religieux et intellectuel de la région pendant mille ans.

Le Maroc n'est qu'à treize kilomètres de l'Espagne. À partir de 709, les Marocains ont essayé plusieurs fois de conquérir l'Espagne. Ces «Maures» ont réussi à occuper plus ou moins la totalité du sud de l'Espagne entre 1050 et 1500. Après 1500, ils se sont retirés et les Espagnols (et les Français et les Portugais) ont occupé des régions du Maroc. Au vingtième siècle, la plus grande partie du Maroc était sous le contrôle des Français, qui y ont établi des écoles et des institutions gouvernementales. Les Espagnols ont continué à contrôler leur propre «zone d'influence». En 1956, l'indépendance du Maroc est reconnue et le pays a été enfin unifié sous le roi, Muhammad V. Son fils, Hassan II, est devenu roi en 1961.

En 1976, l'Espagne a décidé de quitter la province qui se trouve au sud-ouest du Maroc, le Sahara espagnol. Elle a divisé ce territoire entre le Maroc et la Mauritanie. Mais la population du Sahara espagnol voulait former un pays indépendant—le Sahara occidental. Alors, une guerre d'indépendance a commencé. La Mauritanie a évacué le Sahara occidental en 1979 et maintenant le Maroc occupe le pays entier.

---

2. se détendre = se reposer et supprimer les causes de tension

Le roi Muhammed V

3. **Avez-vous compris?** Répondez.

1. Quel est le plus grand groupe au Maroc? et le plus ancien?
2. Le Maroc faisait partie de quel empire à l'époque biblique?
3. Nommez quelques empereurs romains que vous connaissez.
4. Depuis combien de temps est-ce que les Arabes représentent la culture dominante au Maroc?
5. Fès a été un centre intellectuel et religieux pendant mille ans. Quelle autre ville, elle aussi, a été le centre intellectuel, commercial ou culturel de sa région pendant mille ans?
6. Quel pays européen a été le plus influencé pendant des siècles par la culture marocaine?
7. Pourquoi est-ce qu'on parle beaucoup le français au Maroc aujourd'hui?
8. Le Maroc est un royaume. Qu'est-ce que cela veut dire?
9. Quels sont les pays voisins du Sahara occidental?
10. Qui contrôle aujourd'hui le Sahara occidental?

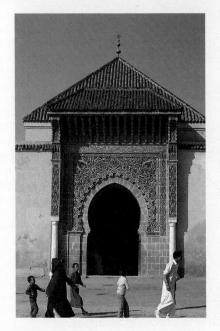

L'entrée du mausolée de Mulay Isma'il

Mulay Isma'il, qui a régné au Maroc de 1672 à 1727, était un contemporain du roi de France, Louis XIV. Mulay Isma'il a régné 55 ans, presque aussi longtemps que Louis. Il y a beaucoup de ressemblances entre les deux monarques.

Comme Louis XIV, Isma'il a réussi à unifier son pays en formant une grande armée professionnelle. Il s'est tourné vers la France parce qu'il voulait l'assistance des Français contre les Espagnols. Les conseillers français ont enseigné à l'armée marocaine des techniques militaires. Il a été obligé plusieurs fois de combattre les Turcs, qui occupaient l'Algérie à cette époque, mais finalement les Turcs ont dû accepter et respecter l'indépendance du Maroc. En plus, il a fait partir les Espagnols, les Anglais et les Portugais du Maroc.

En plus de leur aide militaire, les Français ont aidé Isma'il à construire sa nouvelle capitale, Meknès. Le palais d'Isma'il à Meknès est un bâtiment magnifique qui ressemble beaucoup à Versailles, le palais de Louis XIV en France.

Louis XIV et Mulay Isma'il s'admiraient. Le roi de France a envoyé son ambassadeur à la cour de Mulay Isma'il, et Mulay Isma'il avait son ambassadeur en France. Les deux souverains ont échangé des lettres personnelles plusieurs fois. À cette époque, le Maroc n'était pas encore un pays francophone, mais les liens étroits entre les deux pays ont commencé avec ces deux souverains.

4. À vous. Répondez.

1. Comment s'appelle le grand roi de France qui a vécu au dix-septième siècle?
2. Quels pays occupaient des régions du Maroc au début du règne de Mulay Isma'il?
3. Quel pays se trouve à l'est du Maroc? Quel grand empire l'occupait à l'époque de Mulay?
4. Pourquoi Mulay Isma'il est-il célèbre?

Le village berbère d'Arfa existait sur le site de l'actuel Casablanca depuis le douzième siècle. Les Portugais y ont construit une ville en 1515 qu'ils ont appelé «Casa Branca» *(Maison blanche)*, mais cette ville portugaise a été détruite par un tremblement de terre en 1755. Les Espagnols ont reconstruit la ville et l'ont appelée «Casa Blanca». Mais très vite les Français ont pris possession de la ville.

Aujourd'hui, Casablanca est le port principal du Maroc et la capitale économique du pays (bien que Rabat soit la capitale politique nationale). C'est aussi la plus grande ville du Maroc.

En 1943, deux ans avant la fin de la Seconde Guerre mondiale, le président américain Franklin D. Roosevelt et le premier ministre de la Grande-Bretagne Winston Churchill se sont

retrouvés à Casablanca. Les deux leaders voulaient se rencontrer pour discuter de la stratégie militaire globale. C'est à Casablanca qu'ils ont décidé d'adopter la politique de la «reddition sans condition» *(unconditional surrender)*.

5. À vous. Répondez.

1. Qu'est-ce que c'est qu'un tremblement de terre? Nommez un tremblement de terre dont vous avez entendu parler.
2. Est-ce que la capitale économique du Maroc est la même ville que la capitale politique? Quelle est la capitale économique de votre pays? et la capitale politique?
3. Quel événement historique important a eu lieu à Casablanca? Quelles ont été les conséquences de cet événement?

Ma journée

Buts communicatifs
Describing a table setting
Describing one's day
Describing past activities
Expressing one's will

Structures utiles
Le verbe **mettre**
Les verbes pronominaux
Les verbes **se lever,
se promener, s'inquiéter,
s'appeler et s'asseoir**
Le passé des verbes
  pronominaux
L'impératif des verbes
  pronominaux
Le subjonctif (suite)

Culture
L'étiquette en France
Le menu ou la carte?
Relativité culturelle: le savoir-
  vivre

Coup d'envoi

Bon appétit!

Avant de manger

Mettez° une nappe° sur la table.	*Put/tablecloth*
Mettez des assiettes sur la nappe.	
Mettez un verre et une cuiller° devant chaque assiette.	*spoon*
Mettez une fourchette° à gauche de l'assiette.	*fork*
Mettez un couteau° à droite de l'assiette.	*knife*

À table

Asseyez-vous.	
Mettez une serviette° sur vos genoux.	*napkin*
Coupez° le pain.	*Cut*
Mettez un morceau de pain sur la nappe à côté de l'assiette.	
Versez° du vin dans le verre.	*Pour*
Levez° votre verre et admirez la couleur du vin.	*Lift*
Humez° le vin.	*Smell*
Goûtez-le.°	*Taste it.*
Bon appétit!	

MIS EN BOUTEILLE AU CHATEAU
CRU BOURGEOIS

Château Barreyres

1986
HAUT-MÉDOC
APPELLATION HAUT-MÉDOC CONTROLÉE

Conversation   ## Nous nous mettons à table

*Monsieur et Madame Smith sont arrivés au
restaurant, mais leurs amis, Monsieur et Madame
Lefour, ne sont pas encore là.*

MAÎTRE D'HÔTEL:	Bonsoir, Monsieur. Bonsoir, Madame. Vous avez réservé?
M. SMITH:	Oui, Monsieur, au nom de Smith.
MAÎTRE D'HÔTEL:	Très bien. Un instant, s'il vous plaît. (*Il vérifie sa liste.*) C'est pour quatre personnes, n'est-ce pas?
MME SMITH:	C'est exact.°
MAÎTRE D'HÔTEL:	Vous voulez vous asseoir°?
M. SMITH:	Volontiers, les autres ne vont pas tarder°.
MAÎTRE D'HÔTEL:	Par ici°, s'il vous plaît. (*ensuite*) Voici votre table. (*Ils s'asseyent.*°)
M. SMITH:	Merci beaucoup, Monsieur. (*Le maître d'hôtel sourit° mais ne répond pas.*) (*cinq minutes plus tard*)
MME SMITH:	J'espère qu'ils vont se dépêcher°.
M. SMITH:	Ne t'inquiète pas.° Ils seront bientôt là.
MME SMITH:	Ah! les voilà qui arrivent. Bonsoir, Thérèse. Bonsoir, Jean.
M. LEFOUR:	Excusez-nous d'être en retard.
MME LEFOUR:	Vous nous attendez depuis longtemps?
M. SMITH:	Non, pas du tout, nous venons d'arriver.

That's right.

to sit down

to be long

This way

They sit down.

smiles

to hurry

Don't worry.

✤ **Jouez ces rôles.** Répétez la conversation avec vos partenaires. Répondez ensuite aux questions suivantes.

1. Quel couple est arrivé le premier?
2. Quelles questions le maître d'hôtel pose-t-il?
3. Le maître d'hôtel est-il poli? Expliquez votre réponse.
4. Quels sont les prénoms des Lefour?
5. Sont-ils très en retard? Expliquez votre réponse.

▶ The answer to the first cultural question is **a.**

The answer to the second cultural question is **c.**

The answer to the third cultural question is **b.**

Pourquoi Monsieur Smith n'avance-t-il pas la chaise pour sa femme quand elle va s'asseoir?

a. On ne le fait d'habitude pas en France.
b. Il a oublié de le faire.
c. Il est marié depuis longtemps.

Quelle est la différence entre un menu et une carte dans un restaurant?

a. C'est la même chose, mais un menu est plus élégant qu'une carte.
b. C'est la même chose, mais une carte est plus élégante qu'un menu.
c. Un menu propose deux ou trois repas à prix fixe. Une carte donne la liste de tous les plats.

Pourquoi le maître d'hôtel ne répond-il pas quand Monsieur Smith dit merci?

a. Il est impoli.
b. Il ne dit rien mais il répond par un geste.
c. Parce que Monsieur Smith n'est pas français.

L'étiquette en France

When Mrs. Smith is about to be seated, it is very likely that the gentlemen will not pull out her chair as a courtesy as might be the case in a North American setting. This is simply not done in France. Mr. Smith, who has adapted to living in France, does not make this American gesture.

While the table is set, as in North America, with the forks to the left and the knives to the right, there are differences:

spoons are placed in front of the plate; forks are often turned tines down; glasses are in front of the plate rather than to one side. If soup is served, the soup spoon is not held sideways but rather placed, tip first, in the mouth.

The French do not pick up a slice of bread and bite off a piece. Rather, they break off a small bite-sized piece and may even use this as a utensil to guide food onto the fork. From time to time, this piece is eaten and another piece broken off.

Le menu ou la carte?

Une carte lists all of the dishes that the restaurant prepares. Customers can choose any combination of items they wish (**à la carte**). **Un menu** has one or more set (complete) lunches or dinners at a set price. There might, for example, be **un menu à 80 francs** and **un menu à 110 francs.** Each **menu** will include three or more courses, with or without beverage.

Relativité culturelle: Le savoir-vivre

The way people eat often differs markedly in France and in North America. There are therefore some potentially troublesome adjustments for North Americans in France and for people from France in North America.

In France	In North America
Ice cubes are not readily available at restaurants.	Ice water is often served automatically with meals. Cold drinks are very common.
Dinner is often at 8:00 P.M. or later.	Dinner is often at 6:00 P.M. or earlier.
Meals may last two hours or more.	Meals may last only 20 or 25 minutes.
Bread is placed on the tablecloth instead of on a plate.	Bread is not always served with a meal. When it is served, it is always kept on the plate.
People keep both hands above the table while eating.	People put one hand in their lap while eating.
The service charge, or tip, is already included in the bill (**le service est compris**).	The tip is usually not included in the bill.

IL Y A UN GESTE

Il n'y a pas de quoi. Although the French have numerous spoken formulae that convey the idea of *You're welcome* (**Il n'y a pas de quoi, de rien, je vous en prie,** etc.), they frequently respond with only a discreet smile. This smile is often unnoticed by North Americans, who may interpret the lack of a verbal response to their "thank you" as less than polite.

❖ **À vous.** Répondez au maître d'hôtel.

1. Bonsoir, Monsieur (Madame/Mademoiselle). Vous avez réservé?
2. Pour deux personnes?
3. Vous voulez vous asseoir?
4. Par ici, s'il vous plaît. Voici votre table.

ENTRE AMIS Au restaurant

You are the maître d'hôtel at a restaurant. Your partner is a customer.

1. Ask your partner if s/he has made a reservation. (S/he has.)
2. Find out for how many people.
3. Ask if the others have already arrived.
4. Ask him/her if s/he wants to sit down.
5. Tell him/her "right this way."

Les voyelles arrondies [ø] et [œ]

■ Lip rounding plays a much greater role in the accurate pronunciation of French than it does in English. French has rounded vowels that are produced in the front part of the mouth, a combination that does not exist in English. Use the word **euh** to practice. This word is prevalent and is very characteristic of the normal position for French pronunciation: the lips are rounded and the tongue is behind the lower teeth.

■ For the [ø] sound in **euh,** round your lips and then try to say **et.** For the [œ] sound in **neuf,** the lips are more open than for **euh.** There is, moreover, always a pronounced consonant after the vowel sound in words like **neuf, sœur,** etc.

[ø] □ *eu*h, d*eu*x, v*eu*t, p*eu*t, monsi*eu*r, bl*eu,* ennuy*eu*x, pl*eu*t

[œ] □ n*eu*f, s*œu*r, b*eu*rre, profess*eu*r, h*eu*re, v*eu*lent, p*eu*vent, pl*eu*re

❖ Listen and repeat.

1. Est-ce que je peux vous aider, Monsieur?
2. La sœur du professeur arrive à neuf heures.
3. Que veut ce monsieur ennuyeux?
4. Il veut du beurre sur son pain.
5. Ma sœur porte un pull bleu.
6. «Il pleure dans mon cœur comme il pleut sur la ville.» (*Verlaine*)

Buts communicatifs

1. Describing a Table Setting

Où est-ce qu'on met la nappe?   On la met sur la table.
Où est-ce qu'on met l'assiette?   On la met sur la nappe.
Où est-ce qu'on met le couteau?   On le met à droite de l'assiette.
Où est-ce qu'on met la cuiller?   On la met devant l'assiette.
Où est-ce qu'on met la serviette?   On la met sur ses genoux.
Où est-ce qu'on met les mains?   On les met sur la table.
Où est-ce qu'on met le pain?   On le met sur la nappe, à côté de l'assiette.

Qu'est-ce qu'on met à gauche de l'assiette?
Où est-ce qu'on met les verres?

A. Le verbe *mettre*

Je vais **mettre** mon pyjama.

Nous **mettons** un maillot de
bain pour aller à la piscine.
J'**ai mis** le sel et le poivre
sur la table.

*I'm going to put on my
pajamas.*
*We put on a bathing suit
to go to the pool.*
*I put the salt and pepper
on the table.*

---

mettre (*to put, place, lay; to put on*)

je	**mets**	nous	**mettons**
tu	**mets**	vous	**mettez**
il/elle/on	**met**	ils/elles	**mettent**

passé composé: j'**ai mis**

■ **Mettre** can also mean *to turn on* (*the radio, the heat,* etc.) and is used in
the expression **mettre la table** to mean *to set the table.*

Qui va **mettre** la table ce soir?

Mets le chauffage; j'ai froid.

*Who is going to set the table
this evening?*
Turn on the heat; I'm cold.

1. **Qu'est-ce qu'ils mettent?** Utilisez les catégories suivantes pour faire des
phrases. Vous pouvez ajouter **ne ... jamais.**

Modèle: **Je mets un pyjama pour dormir.**
Je ne mets jamais de tennis s'il neige.

Follow up by creating "illogical"
sentences. Have students correct
them.

je		des skis	s'il fait chaud
mes amis		un complet	pour aller à une soirée
le professeur	mettre	une robe longue	(*party*)
vous		un pyjama	pour faire du jogging
		un maillot de bain	pour aller aux cours
		un manteau	pour faire du ski
		des tennis	pour nager
		un chapeau	s'il neige
		un short	pour faire les courses
		un jean	pour conduire une
		un smoking	voiture
			pour dormir

2. À vous. Répondez.

Follow up: With books open, the class interviews the teacher, then (books closed) they interview another student.

1. Mettez-vous du sucre (*sugar*) ou de la crème dans votre café?
2. Que mettez-vous dans une tasse de thé?
3. Où met-on le pain quand on mange à la française?
4. Que faut-il faire pour mettre la table?
5. À quel moment de l'année met-on le chauffage dans la région où vous habitez? À quel moment de l'année met-on la climatisation (*air conditioning*)?
6. En quelle saison met-on un gros manteau?
7. Quels vêtements les étudiants mettent-ils d'habitude pour aller aux cours sur votre campus?
8. Quels vêtements avez-vous mis hier? Pourquoi avez-vous décidé de porter ces vêtements-là?

3. **Un petit test de votre savoir-vivre.** Choisissez une réponse pour chaque question et ensuite lisez l'analyse de vos réponses à la page suivante.

Do this first with books closed. The teacher reads the question and students suggest answers before they see the answers in the book.

1. Que mettez-vous quand vous allez dîner au restaurant?
   a. des vêtements chic
   b. un jean et des baskets
   c. un bikini
   d. rien

2. Que buvez-vous pendant le repas?
   a. du vin ou de l'eau
   b. du lait ou du café
   c. du whisky
   d. de l'eau dans un bol

3. Où mettez-vous le pain pendant le repas?
   a. sur la nappe à côté de l'assiette
   b. dans mon assiette
   c. dans l'assiette de mon (ma) voisin(e)
   d. sur le plancher (*floor*)

4. Où est votre main gauche pendant que vous mangez?
   a. sur la table
   b. sur mes genoux
   c. sur le genou de mon (ma) voisin(e)
   d. sur le plancher

5. Combien de temps passez-vous à table?
   a. entre une et deux heures
   b. entre 25 et 45 minutes
   c. Ça dépend du charme de mon (ma) voisin(e).
   d. Cinq minutes

6. Que dites-vous à la fin du repas?
   a. C'était très bon.
   b. Je suis plein(e).
   c. Veux-tu faire une promenade, chéri(e)?
   d. Oua! oua! (*bow-wow*!)

Remind students that they learned in Ch. 8 *not* to say **Je suis plein(e)**, literally *I am full*, because in French it can mean either *I am drunk* or *I am pregnant*.

Résultats:

a. Si vous avez répondu **a** à toutes les questions, vous êtes peut-être français(e) ou méritez de l'être.
b. Si vous avez répondu **b,** vous êtes probablement américain(e) comme la personne qui a écrit ce questionnaire.
c. Si votre réponse est **c,** vous êtes trop entreprenant(e) (*forward, bold*) et vous dérangez (*bother*) beaucoup votre voisin(e).
d. Si votre réponse est **d,** vous vous identifiez beaucoup aux chiens.

ENTRE AMIS L'éducation d'un(e) enfant

You are a French parent instructing your child (your partner) on table manners. Remember to use tu.

1. Tell your child to put the napkin on his/her lap.
2. Tell him/her to put a piece of bread on the table.
3. Tell him/her not to play with the bread.
4. Tell him/her to put water in his/her glass.
5. Find out what s/he did at school today.

2. Describing One's Day

Le matin

7 h	Je me réveille tôt° et je me lève.	*early*
7 h 10	Je me lave ou je me douche.	
7 h 25	Je m'habille.	
7 h 35	Je me brosse les cheveux.	
7 h 50	Après avoir mangé°, je me brosse les dents.	*After eating*

L'après-midi

3 h	Je me repose.
5 h	Je m'amuse avec des amis.

Le soir

11 h	Je me couche assez tard et je m'endors.

❖ **Et vous?** À quelle heure vous réveillez-vous?
Que faites-vous le matin?
Que faites-vous l'après-midi?
Que faites-vous le soir?
À quelle heure vous couchez-vous?

Remarque: Tôt and **tard** mean *early* and *late* in the day. They should not be confused with **en avance** and **en retard,** which mean *early* and *late* for a specific meeting, class, etc.

Il se lève **tard!** (à midi)
Il est **en retard.** (pour son cours de français)

B. Les verbes pronominaux

Explain to students that the person (or thing) who *performs* the action of the verb also *receives* the action of the verb; the action is *reflected back.*

Other reflexive expressions students have already learned are: **Asseyez-vous! ... s'écrit .../ Comment s'appelle-t-il?/il s'appelle .../Où se trouve ... ?/Je veux m'amuser./Occupe-toi de tes oignons!**

▪ Reflexive verbs (**les verbes pronominaux**) are those whose subject and object are the same. English examples of reflexive verbs are *he cut himself* or *she bought herself a dress.*

▪ You have already learned a number of expressions that use reflexive verbs in French.

Comment vous appelez-vous?	*What's your name?*
Je m'appelle ...	*My name is ...*
Voulez-vous vous asseoir?	*Would you like to sit down?*
Levez-vous!	*Stand up!*
Taisez-vous!	*Be quiet!*

Note: As in the above examples, you will notice that reflexive verbs in French are not necessarily reflexive in English.

Vocabulaire: Quelques verbes pronominaux

se réveiller	*to wake up*
se lever	*to get up, stand up*
se laver	*to get washed*
se doucher	*to shower*
se brosser (les dents, les cheveux)	*to brush (one's teeth, one's hair)*
s'habiller	*to get dressed*
s'amuser	*to have fun*
s'inquiéter	*to worry*
s'asseoir	*to sit down*
se promener	*to take a walk, ride*
se dépêcher	*to hurry*
s'appeler	*to be named*
se coucher	*to go to bed*
s'endormir	*to fall asleep*
se reposer	*to rest*

Note: The conjugations of **se lever, se promener, s'inquiéter,** and **s'appeler,** which have spelling changes in their stems, and the conjugation of **s'asseoir,** are given on page 433.

■ The reflexive pronouns are **me, te, se, nous, vous,** and **se.**

se laver *(to get washed, to wash one's self)*			
je	**me** lave	nous	**nous** lavons
tu	**te** laves	vous	**vous** lavez
il/elle/on	**se** lave	ils/elles	**se** lavent

s'endormir *(to fall asleep)*			
je	**m'**endors	nous	**nous** endormons
tu	**t'**endors	vous	**vous** endormez
il/elles/on	**s'**endort	ils/elles	**s'**endorment

The affirmative imperative of reflexive verbs will be introduced on p. 440.

■ Like all other object pronouns, the reflexive pronoun is always placed immediately before the verb (except in an affirmative command). This rule is true, no matter whether the verb is in an affirmative, interrogative, negative, or infinitive form.

Comment **vous** appelez-vous?	*What is your name?*
Tu veux **t'**asseoir?	*Do you want to sit down?*
Ne **s'**amusent-ils pas en classe?	*Don't they have fun in class?*
Je ne **m'**appelle pas Aude.	*My name is not Aude.*
Roman ne **se** réveille jamais très tôt.	*Roman never wakes up very early.*
Nous allons **nous** promener.	*We are going to take a walk.*
J'ai décidé de ne pas **me** lever.	*I decided not to get up.*

Note: The reflexive pronoun always changes form as necessary to agree with the subject of the verb, even when it is part of an infinitive construction.

Je vais **m'**amuser.   **Tu** vas **t'**amuser aussi.   **Nous** allons **nous** amuser!

■ Many verbs can be used reflexively or nonreflexively, depending on whether the object of the verb is the same as the subject or not.

Jean **se lave** avant de manger. (*Jean* is the subject *and* the object.)
Mais: Jean **lave** sa voiture. (*Jean* is the subject but *sa voiture* is the object.)

Noëlle adore **se promener.** (*Noëlle* is the subject *and* the object.)
Mais: Noëlle refuse de **promener** le chien. (*Noëlle* is the subject but *le chien* is the object.)

On se promène à Strasbourg.

Note: In performing actions involving a part of the body, use a reflexive construction + **le, la, les.**

Cyril **se** lave **les mains.**	*Cyril is washing his hands.*
Vous **vous** brossez **les dents** le matin?	*Do you brush your teeth in the morning?*

4. **Vrai ou faux?** Décidez si les phrases suivantes sont vraies. Si elles ne sont pas vraies, corrigez-les.

Modèle: Vous vous douchez toujours le matin.
C'est faux. Je ne me douche pas toujours le matin.

1. Vous vous brossez les dents avant le petit déjeuner.
2. On se lave normalement avec de l'eau froide.
3. Les étudiants de votre université se douchent une fois par semaine.
4. Ils s'habillent avant la douche.
5. Vous vous endormez quelquefois en classe.
6. Vous vous reposez toujours après les repas.
7. D'habitude, on se brosse les cheveux avec une brosse à dents.
8. Vous vous réveillez tôt le samedi.

5. **Se lèvent-ils tôt ou tard?** Faites des phrases logiques. Vous pouvez utiliser la forme négative.

Modèle: **Ma sœur se brosse les cheveux trois fois par jour.**

Follow up by creating "illogical" sentences. Have students correct them.

	se laver	tôt
	s'amuser	tard
nous	se dépêcher	le matin
les étudiants	se coucher	le soir
mon père	se doucher	dans un fauteuil
ma mère	s'habiller	dans la salle de bain
je	s'endormir	avec de l'eau chaude
ma sœur	se réveiller	avec de l'eau froide
mon frère	se brosser les cheveux	une (deux, etc.) fois par jour
	se brosser les dents	avec une brosse à cheveux
	se mettre à table	avec une brosse à dents
	se reposer	

C. Les verbes se *lever*, se *promener*, s'*inquiéter*, s'*appeler* et s'*asseoir*

■ Some reflexive verbs contain spelling changes in the verb stem of the present tense.

■ **Se lever** and **se promener** change -e- to -è- before silent endings, as does **acheter**.

se lever (*to get up, stand up*)			
je	me lève	nous	nous levons
tu	te lèves	vous	vous levez
il/elle/on	se lève		
ils/elles	se lèvent		

se promener (*to take a walk, ride*)			
je	me promène	nous	nous promenons
tu	te promènes	vous	vous promenez
il/elle/on	se promène		
ils/elles	se promènent		

■ **S'inquiéter** changes -é- to -è- before silent endings, as does **préférer**.

s'inquiéter (*to worry*)			
je	m'inquiète	nous	nous inquiétons
tu	t'inquiètes	vous	vous inquiétez
il/elle/on	s'inquiète		
ils/elles	s'inquiètent		

Buts communicatifs   **433**

■ **S'appeler** changes **-l-** to **-ll-** before silent endings.

s'appeler (*to be named*)			
je	m'appelle	nous	nous appelons
tu	t'appelles	vous	vous appelez
il/elle/on	s'appelle		
ils/elles	s'appellent		

Note: **S'asseoir** is irregular and is conjugated as follows:

s'asseoir (*to sit down*)			
je	m'assieds	nous	nous **asseyons**
tu	t'assieds	vous	vous **asseyez**
il/elle/on	s'assied	ils/elles	s'**asseyent**

6. **La journée des étudiants.** Utilisez des verbes pronominaux pour compléter les phrases suivantes.

Modèle: Nous ___ à nos places.
Nous nous asseyons à nos places.

1. Le soir, les étudiants ne ___ pas avant minuit parce qu'ils ont beaucoup de travail.
2. S'ils sont en retard pour un cours, ils ___ .
3. Ils ___ s'il y a un examen.
4. Le week-end, les étudiants ___ .
5. Le samedi matin, ils font la grasse matinée; ils ne ___ pas avant 10 heures.
6. Ils ___ très tard et ils ___ tout de suite.
7. Ils ___ en jean normalement parce que les jeans sont confortables.

7. **Catégories.** Interviewez les étudiants de votre cours de français. Pouvez-vous trouver une personne pour chaque catégorie? *Attention:* Certains verbes ne sont pas des verbes pronominaux.

Modèle: quelqu'un qui se lève avant 7 heures du matin

VOUS: **Te lèves-tu avant 7 heures du matin?**

UN(E) AUTRE ÉTUDIANT(E): **Oui, je me lève avant 7 heures du matin.** ou **Non, je ne me lève pas avant 7 heures du matin.**

Have students stand and move about when interviewing the others. Give a prize to those who find a person for all the categories.

1. quelqu'un qui se lève avant 7 heures du matin
2. quelqu'un qui se couche après minuit
3. quelqu'un qui s'endort quelquefois en classe
4. quelqu'un qui lave sa voiture une fois par mois
5. quelqu'un qui se brosse les dents avant le petit déjeuner
6. quelqu'un qui se réveille quelquefois pendant la nuit
7. quelqu'un qui se promène après le dîner
8. quelqu'un qui promène souvent son chien
9. quelqu'un qui s'amuse au cours de français
10. quelqu'un qui s'inquiète s'il (si elle) est en retard
11. quelqu'un qui s'assied toujours à la même place au cours de français

8. **Un petit sondage** (*A small poll*). Vous êtes journaliste. Interviewez une autre personne (votre partenaire). Demandez ...

Modèle: s'il (si elle) se lève tôt

VOUS: **Vous levez-vous tôt le samedi matin?**

VOTRE PARTENAIRE: **Non, je me lève assez tard.**

Follow up by having the class interview the teacher (with books open) and then another student (with books closed).

1. s'il (si elle) parle français
2. comment il (elle) s'appelle
3. comment il (elle) va
4. s'il (si elle) est fatigué(e)
5. à quelle heure il (elle) se lève en semaine
6. à quelle heure il (elle) se couche
7. s'il (si elle) se lève tôt ou tard le samedi matin
8. s'il (si elle) s'endort à la bibliothèque
9. avec quel dentifrice (*toothpaste*) il (elle) se brosse les dents
10. s'il (si elle) s'inquiète quand il y a un examen
11. depuis quand il (elle) étudie le français

ENTRE AMIS Et ta journée?

Interview your partner about his/her day.

1. Find out at what time your partner wakes up.
2. Find out what s/he does during the day.
3. Find out at what time your partner goes to bed.

3. Describing Past Activities

La dernière fois que j'ai dîné au restaurant avec des amis ...

	oui	non
ils y sont arrivés avant moi	____	____
je me suis dépêché(e) pour arriver à l'heure	____	____
mes amis s'inquiétaient parce que j'étais en retard	____	____
nous nous sommes mis à table à huit heures	____	____
je me suis bien amusé(e)	____	____
nous nous sommes promenés après le repas	____	____
je me suis couché(e) assez tôt	____	____

D. Le passé des verbes pronominaux

■ The imperfect tense of reflexive verbs is formed in the same way as that of simple verbs. The reflexive pronoun precedes the verb.

s'inquiéter (*inquiétons*)			
je	m'inquiétais	nous	nous inquiétions
tu	t'inquiétais	vous	vous inquiétiez
il/elle/on	s'inquiétait	ils/elles	s'inquiétaient

■ All reflexive verbs use the auxiliary **être** to form the passé composé. The past participle agrees in gender and number with the preceding direct object (usually the reflexive pronoun).

		se reposer	
je	me	suis	reposé(e)
tu	t'	es	reposé(e)
il/on	s'	est	reposé
elle	s'	est	reposée
nous	nous	sommes	reposé(e)s
vous	vous	êtes	reposé(e)(s)
ils	se	sont	reposés
elles	se	sont	reposées

Delphine **s'est couchée** tôt parce qu'elle était fatiguée.

Nous **nous sommes** bien **amusé(e)s** le week-end dernier.

Note: Except for **s'asseoir**, the past participles of reflexive verbs are formed by the normal rules. The past participle of **s'asseoir** is **assis**. The past participles of the verbs on page 430 are not affected by spelling changes.

Les deux femmes se sont **assises** à côté de moi.
Elle s'est **levée**, mais je ne me suis pas **inquiétée**.

■ In the negative, **ne ... pas** (**jamais**, etc.) are placed around the reflexive pronoun and the auxiliary verb.

Les enfants **ne** se sont **jamais** douchés.
Je **ne** me suis **pas** dépêché(e) pour aller à la réunion (*meeting*).

■ In questions with inversion, as in all cases of inversion, the *subject* pronoun is placed after the auxiliary verb. The *reflexive* pronoun always directly precedes the auxiliary verb.

À quelle heure **t'es-tu** couchée, Christelle?
Vos amies **se** sont-**elles** reposées?

Indirect object pronouns will be presented in Ch. 14.

For Recognition Only

■ The past participle of a reflexive verb agrees with a preceding direct object. In most cases, the direct object is the reflexive pronoun, which precedes the past participle.

Ask students: *What did Claire wash? (her hair); What did she brush? (her teeth).*

Claire s'est lavée.	*Claire washed **herself**.*
Nous **nous** sommes amusés.	*We had a good time.* *(We amused **ourselves**.)*

■ However, with some reflexive verbs (such as **se laver** and **se brosser**), the direct object often follows the verb and the reflexive pronoun is not the direct object. The past participle *does not agree* with a reflexive pronoun that is not a direct object.

Claire s'est lavé **les cheveux**.	*Claire washed **her hair**.*
Elle s'est brossé **les dents**.	*She brushed **her teeth**.*

9. **Mais oui, Maman.** Madame Cousineau pose beaucoup de questions à sa fille. Utilisez l'expression entre parenthèses pour répondre à ces questions.

Modèle: Tu t'es réveillée à 7 h? (mais oui) **Mais oui, je me suis réveillée à 7 h.**

1. Est-ce que tu t'es lavée ce matin? (mais oui)
2. Tu ne t'es pas dépêchée? (mais si!)
3. As-tu pris le petit déjeuner? (mais oui)
4. À quelle heure es-tu partie pour l'école? (à 7 h 45)
5. Est-ce que tu t'es amusée à l'école? (non)
6. Tu ne t'es pas endormie en classe? (mais non)
7. À quelle heure es-tu rentrée de l'école? (à 5 h)
8. Est-ce que tu as fait tes devoirs? (euh ... non)

10. **Vous aussi.** Décidez si les phrases suivantes sont vraies pour vous. Utilisez **Moi aussi, Moi non plus** ou **Pas moi** pour répondre. Si vous choisissez **Pas moi**, ajoutez une explication.

Modèle: Les professeurs se sont bien amusés le week-end dernier. **Pas moi, je ne me suis pas amusé(e). J'ai étudié pendant tout le weekend.**

1. Les professeurs se sont couchés avant minuit hier.
2. Ils se sont réveillés à huit heures ce matin.
3. Ils ont pris le petit déjeuner.
4. Ils se sont douchés ensuite.
5. Ils sont allés à leur premier cours à 9 heures.
6. Ils ne se sont pas assis pendant leurs cours.
7. Ils se sont bien amusés en classe.
8. Ils ont bu du café après le cours.

11. **Votre vie sur le campus.** Vous êtes journaliste. Interviewez un(e) étudiant(e). Demandez ...

Modèles: s'il (si elle) s'est levé(e) tôt ce matin
Vous êtes-vous levé(e) tôt ce matin?

ce qu'il (elle) a mangé
Qu'est-ce que vous avez mangé?

1. s'il (si elle) arrive en classe en retard quelquefois.
2. s'il (si elle) s'est dépêché(e) ce matin.
3. où il (elle) va pour s'amuser.
4. ce qu'il (elle) a fait hier soir.
5. s'il (si elle) s'est amusé(e) hier soir.
6. à quelle heure il (elle) s'est couché(e).
7. s'il (si elle) s'est endormi(e) tout de suite.
8. combien d'heures il (elle) a dormi.
9. s'il (si elle) se repose d'habitude l'après-midi.
10. s'il (si elle) s'inquiète avant un examen.

E. L'impératif des verbes pronominaux

■ As you have already seen (see Chapter 10), when the imperative is affirmative, the object pronoun is placed after the verb. This is true even when the object pronoun is a reflexive pronoun.

Dépêche-**toi**!	*Hurry (up)!*
Dépêchez-**vous**!	*Hurry (up)!*
Dépêchons-**nous**!	*Let's hurry!*

■ You also know that if the imperative is negative, normal word order is followed and the object pronoun precedes the verb.

Ne **te** dépêche pas.	*Don't hurry.*
Ne **vous** dépêchez pas.	*Don't hurry.*
Ne **nous** dépêchons pas.	*Let's not hurry.*

■ Remember that with imperatives of reflexive verbs, the subject pronoun is dropped as in all imperatives, but the reflexive pronoun is kept.

Declarative		*Imperative*
Vous **vous** asseyez.	→	Asseyez-**vous**!
Vous ne **vous** asseyez pas.	→	Ne **vous** asseyez pas!

12. **Pour avoir du succès à l'université.** Vous êtes très docile et vous répondez systématiquement que vous êtes d'accord.

Modèle: Ne vous couchez pas trop tard.
D'accord, je ne vais pas me coucher trop tard.

1. Ne vous endormez pas pendant le cours de français.
2. Ne vous lavez pas avec de l'eau froide.
3. Amusez-vous pendant le week-end.
4. Dépêchez-vous pour ne pas être en retard.
5. Levez-vous avant 8 heures.
6. Ne vous inquiétez pas si vous avez un examen.
7. Ne vous asseyez pas à la place du professeur.
8. Ne vous promenez pas après 22 heures.

Dépêchez-vous!

13. **Fais ce que tu veux.** Si les autres veulent faire quelque chose, pourquoi pas? Utilisez l'impératif et l'expression **Eh bien, ...** pour encourager les autres à faire ce qu'ils veulent.

Modèles:

Je voudrais m'asseoir.
Eh bien, assieds-toi.

Je ne voudrais pas me lever.
Eh bien, ne te lève pas.

1. Je voudrais me coucher.
2. Je ne voudrais pas me dépêcher.
3. Je ne voudrais pas me brosser les dents.
4. Je voudrais m'amuser.
5. Je ne voudrais pas me lever à 7 heures.
6. Je voudrais me doucher tous les matins.
7. Je ne voudrais pas étudier.
8. Je voudrais sortir avec mes amis.
9. Je voudrais m'endormir en classe.

E N T R E   A M I S   La dernière fois que vous êtes sorti(e)

1. Find out when your partner went out last.
2. Find out what s/he did and whom s/he was with.
3. Ask if s/he had fun.
4. Find out at what time s/he got home.
5. Find out at what time s/he got up the next day.

---

4. Expressing One's Will

Que veux-tu que je fasse°, Emmanuelle?

J'aimerais°...
    que tu ailles° au marché.
    que tu achètes des fruits et des légumes.
    que tu fasses la cuisine.
    que tu mettes la table.

What do you want me to do
I would like ...
go

✤ **Et vous?** Que voulez-vous que vos amis fassent?

F. Le subjonctif (suite)

Je voudrais **que mes amis fassent** la cuisine pour moi.
J'aimerais **que mon ami** me **téléphone.**
J'aimerais **que vous veniez** au centre commercial avec moi.

■ You have already learned (see Chapter 10) that the subjunctive is used after the word **que** in the second clause of a sentence in situations in which you are advising others. It is also used in other situations, such as when you are telling others what you want them to do.

Vocabulaire: La volonté *(will)*

exiger que	*to demand that*
vouloir que	*to want*
désirer que	*to want*
souhaiter que	*to wish, hope that*
préférer que	*to prefer that*

Review: With the exception of **être** and **avoir**, the subjunctive endings are always **-e, -es, -e, -ions, -iez, -ent**. The stem is usually formed by taking the present tense **ils/elles** form and dropping the **-ent** ending (see Chapter 10, page 332).

chanter *(ils chantent)*			vendre *(ils vendent)*			choisir *(ils choisissent)*		
que je	chant	e	que je	vend	e	que je	choisiss	e
que tu	chant	es	que tu	vend	es	que tu	choisiss	es
qu'il/elle/on	chant	e	qu'il/elle/on	vend	e	qu'il/elle/on	choisiss	e
que nous	chant	ions	que nous	vend	ions	que nous	choisiss	ions
que vous	chant	iez	que vous	vend	iez	que vous	choisiss	iez
qu'ils/elles	chant	ent	qu'ils/elles	vend	ent	qu'ils/elles	choisiss	ent

Note: Even many irregular verbs follow this basic rule.

écrire	(ils écrivent)	que j'**écrive**, que nous **écrivions**
lire	(ils lisent)	que je **lise**, que nous **lisions**
partir	(ils partent)	que je **parte**, que nous **partions**
connaître	(ils connaissent)	que je **connaisse**, que nous **connaissions**
conduire	(ils conduisent)	que je **conduise**, que nous **conduisions**
mettre	(ils mettent)	que je **mette**, que nous **mettions**

■ Some verbs have one stem for **je, tu, il/elle/on** and **ils/elles** forms and another stem for **nous** and **vous**. Many of these are the same verbs that have two stems in the present tense. Verbs of this type that you have already learned are **venir, prendre, boire, préférer,** and **acheter.**

	venir			
(ils	*viennent)*	*(nous*	*venons)*	
que je	vienn e	que nous	ven ions	
que tu	vienn es	que vous	ven iez	
qu'il/elle/on	vienn e			
qu'ils/elles	vienn ent			

Aille, ailles, aille, and **aillent** are pronounced like **aïe!** *(ouch!).*

You might want also to mention that **vouloir** is also of this type, having **veuill-** and **voul-** as its two stems.

Note: **Aller** also has two stems (**aill-,** which is irregular, and **all-**).

	aller			
(aill-)		*(nous*	*allons)*	
que j'	aill e	que nous	all ions	
que tu	aill es	que vous	all iez	
qu'il/elle/on	aill e			
qu'ils/elles	aill ent			

You might also want to mention that **pouvoir** is also of this type, having **puiss-** as its stem.

■ Some verbs have totally irregular stems. Their endings, however, are regular.

faire *(fass-)*			savoir *(sach-)*	
que je	fass e		que je	sach e
que tu	fass es		que tu	sach es
qu'il/elle/on	fass e		qu'il/elle/on	sach e
que nous	fass ions		que nous	sach ions
que vous	fass iez		que vous	sach iez
qu'ils/elles	fass ent		qu'ils/elles	sach ent

Aie, aies, ait, and aient are pronounced like est (*is*).

■ Only **être** and **avoir** have irregular stems *and* endings.

être	
que je	**sois**
que tu	**sois**
qu'il/elle/on	**soit**
que nous	**soyons**
que vous	**soyez**
qu'ils/elles	**soient**

avoir	
que j'	**aie**
que tu	**aies**
qu'il/elle/on	**ait**
que nous	**ayons**
que vous	**ayez**
qu'ils/elles	**aient**

Attention: If there is not a change of subjects, the infinitive must be used.

J'aimerais **téléphoner** à mon ami.	*I would like to call my friend.*
Je voudrais **parler** avec lui.	*I would like to speak with him.*
Mais: Je voudrais que mon ami **fasse** la cuisine.	*I would like my friend to cook.*

14. **Nos professeurs sont si exigeants!** (*Our teachers are so demanding!*). Utilisez les expressions suivantes pour faire des phrases.

Modèle: les professeurs/vouloir/les étudiants/venir aux cours
Les professeurs veulent que les étudiants viennent aux cours.

1. les professeurs/désirer/les étudiants/faire leurs devoirs
2. les professeurs/vouloir/les étudiants/avoir de bonnes notes
3. les professeurs/exiger/les étudiants/être à l'heure
4. notre professeur/vouloir absolument/nous/parler français en classe
5. notre professeur/désirer/nous/réussir
6. notre professeur/souhaiter/nous/aller en France
7. notre professeur/préférer/nous/habiter chez une famille française
8. notre professeur/souhaiter/nous/savoir parler comme les Français

15. **Que veulent-ils que je fasse?** Tout le monde veut que vous fassiez quelque chose. Faites des phrases pour expliquer ce qu'ils veulent. Vous pouvez utiliser la forme négative si vous voulez.

Modèles: **Mes amis désirent que je sorte tous les soirs.**
Ma mère ne veut pas que je conduise vite.
Mon père préfère que je n'aie pas de voiture.

```
                                            étudier beaucoup
                                            rester à la maison
                                            sortir tous les soirs
                    exiger                  aller à l'université
mes amis            vouloir                 tomber malade
mon père            désirer      que je     être riche
ma mère             souhaiter               avoir une voiture
                    préférer                conduire vite
                                            faire la cuisine
                                            partir en vacances
                                            travailler
                                            acheter moins de vêtements
```

16. **Une fille au pair.** Lisez ou jouez le sketch suivant et répondez ensuite aux questions. Lori Becker est fille au pair chez les Delille.

MME DELILLE: Je serai absente pour la journée.

LORI: Très bien, Madame. Que voulez-vous que je fasse aujourd'hui?

MME DELILLE: Je préparerai le dîner, mais j'aimerais que vous alliez au marché.

LORI: D'accord.

MME DELILLE: Vous pouvez aussi y envoyer (*send*) les enfants. Regardez ma liste sur la table de la cuisine.

(*Elle regarde sa montre.*)

Aïe! Il faut que je parte. Au revoir, Lori. Au revoir, les enfants.

(*après le départ de Mme Delille*)

LORI: Claire! Jean! Dépêchez-vous! Prenez ce filet (*net bag*)! Votre mère veut que vous achetiez six tomates, un kilo de pommes de terre et un litre d'huile (*oil*) d'olive. Et n'oubliez pas de dire «s'il vous plaît» et «merci» à la dame au marché.

CLAIRE ET JEAN: Mais Lori!

LORI: Dépêchez-vous! Et mettez vos manteaux! Il pleut.

CLAIRE ET JEAN: Où est l'argent?

LORI: Attendez, le voilà. (*Elle donne l'argent aux enfants.*) Il ne faut pas que vous oubliiez la monnaie.

Questions:

1. Que faut-il que Lori fasse?
2. Est-il nécessaire qu'elle aille au marché elle-même?
3. Pourquoi veut-elle que les enfants mettent leurs manteaux?
4. Pourquoi les enfants ne partent-ils pas tout de suite?

17. **Fais comme il faut.** Votre mère vous donne ses conseils. Utilisez un verbe de volonté plus **que** et le subjonctif. Qu'est-ce qu'elle dit?

Modèles: t'endormir en classe
Je souhaite que tu ne t'endormes pas en classe.

conduire lentement
J'exige que tu conduises lentement.

1. prendre le petit déjeuner
2. boire du café au lait
3. mettre de sucre dans ton café
4. aller aux cours tous les jours
5. savoir l'importance de l'école
6. sortir avec tes ami(e)s ce soir
7. être prudent(e)
8. rentrer tard
9. faire la grasse matinée demain
10. te lever tôt

18. **À vous.** Répondez.

1. Que voulez-vous que vos parents fassent pour vous?
2. Qu'est-ce qu'ils veulent que vous fassiez pour eux?
3. Où voulez-vous que vos amis aillent avec vous?
4. Que voulez-vous que vos amis vous donnent pour votre anniversaire?
5. Quels vêtements préférez-vous mettre pour aller aux cours?
6. Quels vêtements préférez-vous que le professeur mette?
7. Qu'est-ce que le professeur veut que vous fassiez?

E N T R E   A M I S   Des projets pour visiter la ville de Québec

1. Tell your partner that your teacher wants you to go to Québec.
2. Tell your partner that you want him/her to come with you.
3. Explain that you have to speak French there.
4. Tell your partner that your teacher wants you to leave next week.

Révision et Intégration

A. **Pour mettre la table.** Que faut-il qu'on fasse pour mettre la table à la française? Donnez une description complète.

Modèle: **Il faut qu'on mette une nappe sur la table.**

B. **Ma journée.** D'abord décrivez votre journée habituelle. Ensuite décrivez votre journée d'hier.

Have students work in pairs to guess what their partner wrote.

C. **Je voudrais qu'on fasse mes devoirs.** Écrivez une liste de cinq choses que vous voulez que d'autres personnes fassent pour vous.

Modèle: **Je voudrais que mes parents achètent une voiture pour moi.**

D. **À vous.** Répondez.

1. Que font les étudiants de votre université pour s'amuser?
2. Qu'est-ce que les professeurs veulent que leurs étudiants fassent?
3. Qu'est-ce que vos parents veulent que vous fassiez?
4. Dans quelles circonstances vous dépêchez-vous?
5. À quel(s) moment(s) de la journée vous brossez-vous les dents?
6. Avez-vous quelquefois envie de vous endormir en classe? Pourquoi ou pourquoi pas?

ENTRE AMIS Le Rotary

You are an exchange student in a French-speaking country and are speaking to a meeting of the Rotary International. Describe your daily routine back home and tell about differences you have noticed between your country and the country you are visiting.

E. *Rédaction:* **Mon journal** (*My diary*). You are on a university tour of France and your teacher has asked you to keep a diary in French. Today you are making your first entry. What will you write? Include activities from the morning, afternoon, and evening.

A. **Étude du vocabulaire.** Étudiez les images suivantes avant de lire la recette.

Use this reading as a preparation for the video tape selection with the same name.

Une recette de cuisine: Le lapin à la moutarde

Coupez les cuisses de lapin en deux.
Graissez[1] un plat à four.
Trempez[2] les morceaux de lapin dans une moutarde forte.
Mettez-les dans le plat à four.
Mettez des gousses d'ail dans le plat.
Mettez une branche de thym sur chaque morceau.
Mettez du beurre sur chaque morceau.
Mettez le plat au four.
Après une heure et demie, sortez le lapin du four.
Mettez les morceaux dans un autre plat.
Mettez la sauce du plat dans une casserole.
Mettez de la crème fraîche dans la sauce.
Mettez la sauce sur les morceaux de lapin.
Bon appétit!

1. *grease* 2. *dip*

B. **Essayez la recette.** Faites un geste pour chaque phrase de la recette.

C. **Avez-vous une recette favorite?** Inventez une recette pour un des plats suivants.

You may wish to brainstorm with students or to provide additional vocabulary before doing this in pairs.

1. les spaghetti
2. la salade
3. la tarte aux pommes
4. les petits gâteaux (*cookies*) aux morceaux de chocolat
5. le poulet à la moutarde
6. votre recette favorite

Vocabulaire utile

la pâte	*dough; crust*
les pâtes	*noodles, pasta*
la sauce	*sauce; (salad) dressing*
la laitue	*lettuce*
un concombre	*cucumber*
des germes de soja	*bean sprouts*
la farine	*flour*
le sucre	*sugar*
la levure (chimique)	*baking powder*
la cannelle	*cinnamon*

Lecture

A. **Étude du vocabulaire.** Étudiez les phrases suivantes et choisissez les mots anglais qui correspondent aux mots français en caractères gras: *tool, however, writers, near, birthrate.*

1. J'aimerais aller au cinéma; **cependant** il faut que j'étudie.
2. La **natalité** est plus forte au Sénégal qu'en France. Il y a beaucoup moins de naissances en France.
3. Le français est un **outil** ou un instrument de communication utilisé par beaucoup de nations.
4. J'ai très faim. Quel est le restaurant le plus **proche**?
5. Molière et Hugo sont des **écrivains** de langue française.

B. À choix multiples. Essayez de répondre aux questions suivantes.

1. De nos jours, on estime à ___ millions le nombre de personnes qui parlent français.

   (a) 100   (b) 150   (c) 200

2. On parle français dans ___ pays.

   (a) 20   (b) 30   (c) 40

3. Le français est la ___ langue de communication dans le monde.

   (a) première   (b) deuxième   (c) troisième

4. La francophonie regroupe les différents pays du monde où on ___ le français.

   (a) aime   (b) étudie   (c) parle

5. Le Maghreb se trouve au ___ du continent africain.

   (a) nord-est   (b) nord-ouest   (c) sud-ouest

La francophonie

Étudier le français ne se limite pas, bien sûr, à utiliser des mots, à conjuguer des verbes ou à observer des règles de grammaire. Étudier le français, c'est aussi s'intéresser à la France, à ses institutions, à ses traditions et à ses artistes, mais également à son évolution technologique, industrielle et commerciale.

De nos jours, on estime à deux cents millions le nombre de personnes parlant le français dans environ quarante pays francophones. Pour un grand nombre d'états africains, par exemple, le français est la langue officielle administrative et scolaire. De plus, deuxième langue de communication dans le monde, le français est en pleine expansion dans les pays francophones. Au Maghreb et en Afrique noire la natalité augmente et la scolarisation progresse.

Cependant le français n'exclut pas l'usage des langues régionales et traditionnelles. Le français n'est pas la propriété de la nation française, mais de tous les pays et de toutes les personnes qui l'utilisent. C'est pourquoi le président du Zaïre a dit que «l'adhésion à la francophonie récuse[1] toute forme d'aliénation culturelle».

L'histoire de la francophonie ou la formation d'une communauté francophone internationale est une longue suite d'initiatives individuelles et gouvernementales. Le géographe Onésime Reclus est le premier qui, en 1887, a pensé à une association des nations francophones. Les professionnels de la presse ont ensuite créé, en 1952, l'Association internationale des journalistes de langue française. Cependant, c'est Léopold Sedar Senghor, professeur de français, poète éminent, académicien français et premier président du Sénégal qui, en 1962, a exalté «le merveilleux outil trouvé dans les décombres[2] du régime colonial: la langue française».

La première Conférence des chefs d'état et des gouvernements des pays de langue française a eu lieu à Paris en 1986. Le Québec a organisé la deuxième conférence en 1987. Les Franco-Américains de Louisiane et de la Nouvelle-Angleterre ont été reçus au Québec comme des «invités d'honneur». Le Premier ministre canadien, Monsieur Brian Mulroney, a exprimé sa conviction que «le français vivra toujours sur la terre d'Amérique». En mai 1989, le troisième sommet de la francophonie a eu lieu à Dakar, au Sénégal.

L'ensemble francophone est encore trop fréquemment considéré comme une communauté intellectuelle et artistique formée par les écrivains, les poètes et les chanteurs de langue française. Cependant l'idée clé de la francophonie est qu'une langue commune, ici le français, a des répercussions évidentes dans toutes les relations d'échanges commerciales, économiques et industrielles. La langue, outil de communication verbale, crée un climat qui favorise les relations puisqu'il y a[3] compréhension immédiate et références culturelles proches ou communes.

1. excludes   2. ruins   3. since there are

Brian Mulroney, Premier ministre du Canada

C.

Vrai ou faux. Décidez si les phrases suivantes sont vraies ou fausses d'après la lecture. Si une phrase est fausse, corrigez-la.

1. Beaucoup de pays africains étaient des colonies françaises.
2. Seuls les gens qui habitent en France sont des francophones.
3. Senghor était un homme politique marocain.
4. Le nombre de personnes qui parlent français a augmenté ces dernières années.
5. La francophonie regroupe essentiellement les écrivains et les chanteurs de langue française.

D.

Questions. Répondez.

1. Depuis combien de temps parle-t-on de la francophonie?
2. Quelle est la deuxième langue de communication dans le monde? À votre avis, quelle langue est la première?
3. Pourquoi y a-t-il une augmentation du nombre de francophones?
4. Quelles langues est-ce qu'on parle au Maghreb?
5. Où parle-t-on français aux États-Unis?
6. Pourquoi la langue française peut-elle favoriser les échanges commerciaux entre pays francophones?

Vocabulaire actif

À table

un bol	*bowl*	une fourchette	*fork*	une serviette	*napkin*
un couteau	*knife*	une nappe	*tablecloth*	le sucre	*sugar*
la crème	*cream*	le poivre	*pepper*		
une cuiller	*spoon*	le sel	*salt*		

Au restaurant

une carte	*(à la carte)*	*menu*
un menu	*(fixed price)*	*menu*

D'autres noms

une brosse à cheveux (à dents)	hairbrush (toothbrush)	le plancher	floor
le chauffage	heat	un pyjama	(pair of) pajamas
la climatisation	air conditioning	une réunion	meeting
une dame	lady	des skis (m.)	skis
le dentifrice	toothpaste	une soirée	party
les genoux (m. pl.)	lap; knees	un sourire	smile
un maillot de bain	bathing suit		

Verbes

s'amuser	to have fun	se laver	to get washed; to wash up
s'appeler	to be named; to be called	lever	to lift; to raise
s'asseoir	to sit down	se lever	to get up; to stand up
se brosser (les dents)	to brush (one's teeth)	mettre	to put; to place; to lay
se coucher	to go to bed	se mettre à table	to sit down to eat
couper	to cut	mettre la table	to set the table
se dépêcher	to hurry	mettre le chauffage	to turn on the heat
se doucher	to shower	se promener	to take a walk, ride
s'endormir	to fall asleep	se reposer	to rest
exiger (que)	to demand (that)	se réveiller	to wake up
goûter	to taste	souhaiter (que)	to wish; to hope (that)
s'habiller	to get dressed	tarder	to be a long time coming
s'inquiéter	to worry	verser	to pour
laver	to wash		

Adverbe

tôt   early

Expressions utiles

à la française	in the French style
Bon appétit!	Have a good meal.
ça dépend (de ...)	it (that) depends (on ...)
C'est exact.	That's right.
de rien	you're welcome; don't mention it, not at all
Excusez-moi (nous, etc.) d'être en retard.	Excuse me (us, etc.) for being late.
Il n'y a pas de quoi.	Don't mention it; Not at all.
il sourit	he smiles
j'aimerais ...	I would like ...
Par ici.	(Come) this way; Follow me.

Les hommes et les femmes

Coup d'envoi

Une histoire d'amour

David et Marie sortent ensemble.

Ils s'entendent° très bien. *get along*
Ils s'embrassent°. *kiss*
Ils s'aiment.
Il lui° a demandé si elle voulait l'épouser. *her*
Elle lui° a répondu que oui. *him*
Il lui a acheté une très belle bague° de *ring*
  fiançailles.
Ils vont se marier.

❖ **Et vous?** Connaissez-vous des couples célèbres° *famous*
  qui sont fiancés?
  Connaissez-vous des couples célèbres qui sont mariés?
  Connaissez-vous des couples célèbres qui ont divorcé?

M. et Mme Jean-Pierre Delataille   M. et Mme Émile Baron

ont l'honneur de vous annoncer le mariage de leurs enfants

Marie et David

et vous prient d'assister ou de vous unir d'intention à la Messe de Mariage

qui sera célébrée le Samedi 7 Juillet 1990, à 17 heures, en l'Église St Gervais.

27, rue Mahler – 75004 Paris   27, rue des Tournelles – 75004 Paris

Coup d'envoi**455**

Quelle histoire!

*Lori et son amie Denise sont assises à la terrasse
d'un café. Denise lui demande si elle a regardé le
feuilleton° d'hier soir.* .... *soap opera, series*

DENISE: Encore à boire, Lori?

LORI: Non, vraiment, sans façon.

DENISE: Au fait, tu as regardé le feuilleton hier à la télé?

LORI: Lequel?° .... *Which one?*

DENISE: *Nos Chers Enfants.*

LORI: Non. Qu'est-ce qui est arrivé?° .... *What happened?*

DENISE: David et Marie ne s'aiment plus. Marie a
maintenant un petit ami.

LORI: Eh! ça devient sérieux.

DENISE: Tu ne sais pas tout. Ils vont divorcer.
David lui a dit qu'il allait partir.

LORI: Il est sans doute très triste, n'est-ce pas?

DENISE: Sûrement. Il croit que le mariage est une loterie.
Pour se consoler immédiatement, il a mis une
annonce° dans le journal local. .... *advertisement*

LORI: Ça, c'est original°. Et il y a des candidates? .... *a novel idea*

DENISE: Oui, trois femmes lui ont répondu et veulent le
rencontrer°. .... *meet*

LORI: Sans blague?° .... *No kidding?*

DENISE: Je te le jure.° C'est passionnant! .... *I swear.*

LORI: Quelle histoire!

✤ **Jouez ces rôles.** Répétez la conversation avec votre partenaire. Remplacez
ensuite *David* par *Marie* et *Marie* par *David,* par exemple: **Elle lui a dit
qu'elle allait partir.** Faites tous les changements nécessaires.

À propos

The answer to the first question is **c.**

The answer to the second question is **b.**

❖ Comment dit-on «passionnant» en anglais?

a. passionate
b. amazing
c. exciting

❖ Que veut dire «sans doute»?

a. certainement
b. probablement
c. peut-être

La télévision française

While similar in many respects to television programming in the United States, French television has more live plays and there is far less programming for children. Commercials (**la publicité**) are usually grouped into relatively lengthy segments and are shown mainly between programs. There are many American and British films and television programs that have been dubbed and are shown on French television. In fact, dubbed versions of British programs often appear in France long before the English versions are shown in North America.

Les faux amis (False cognates)

It is estimated that as much as fifty percent of our English-language vocabulary comes from French. Most of these words are true cognates and facilitate comprehension. There are, however, a number of false cognates whose meaning in a given context is quite different from what we might expect. Some examples are given below:

actuellement	*now*
une annonce	*advertisement*
assister (à)	*to attend*
attendre	*to wait for*
un avertissement	*warning*
confus(e)	*ashamed, embarrassed*
formidable	*wonderful*
original(e)	*novel, odd; different*
passionnant(e)	*exciting, fascinating*
rester	*to stay*
sans doute	*probably*

IL Y A UN GESTE

Je te le jure. An outstretched hand, palm down, means *I swear,* perhaps originally meaning "I would put my hand in the fire (if it were not true)."

Quelle histoire! To indicate that something is amazing, exaggerated, or far-fetched, the French hold the hand open with fingers pointing down and shake the wrist several times. Other expressions used with this gesture are **Oh là là!** (*Wow!, Oh dear!*) and **Quelle exagération!** (*What an exaggeration!*).

❖ **À vous.** Répondez.

1. Avez-vous un feuilleton préféré? Si oui, lequel?
2. Que pensez-vous des feuilletons en général?
3. Quel feuilleton aimez-vous le moins?

ENTRE AMIS   Mon émission préférée

1. Ask your partner what his/her favorite TV show is.
2. Find out why s/he likes it.
3. Find out if s/he watched it this week.
4. If so, find out what happened. If not, ask what happened the last time s/he watched it.

La tension

■ There is much more tension in the facial muscles when speaking French than when speaking English. Two important phenomena result from this greater tension.

1. *There are no diphthongs (glides from one vowel sound to another) in French.* French vowels are said to be "pure." The positions of mouth and tongue remain stable during the pronunciation of a vowel, and therefore one vowel sound does not "glide" into another as often happens in English.

❖ Contrast:

English	French
d*ay*	d*es*
aut*o*	aut*o*

■ Notice that in the English word *day*, the **a** glides into an **ee** sound at the end, and that in the English word *auto*, the **o** glides to **oo.**

❖ Now practice "holding steady" the sound of each of the vowels in the following French words.

étudiant, américain, santé, soirée, danser, parlez, les, j'*ai*
chose, stylo, trop, zéro, *au*ssi, ch*au*d, b*eau*, mant*eau*

2. *Final consonants are completely released.* The pronunciation of final French consonants is much more "complete" than is the case for those of American English; that is, a pronounced final consonant is never "swallowed" as it often is in American English.

❖ Contrast:

English	French	English	French
ro*b*	ro*b*e	ho*m*e	ho*mm*e
gran*d*	gran*d*e	America*n*	américai*n*e
ba*g*	ba*gu*e	gri*p*	gri*pp*e
be*ll*	be*ll*e	intelligen*t*	intelligen*t*e

■ Note that in American English, the final consonants are often neither dropped nor firmly enunciated. In similar French words, the final consonants are all clearly pronounced.

❖ Now practice "releasing" the highlighted final consonant sounds below so that you can hear them clearly.

1. u*n*e gran*d*e fi*ll*e
2. E*ll*e s'appe*ll*e Michè*l*e.
3. un pi*qu*e-ni*qu*e

4. une ba*gu*e de fiançai*ll*es
5. un ho*mm*e et une fe*mm*e
6. sa ju*p*e ver*t*e

Buts communicatifs

1. Describing Interpersonal Relationships

L'histoire d'un divorce

David et Marie ne s'entendent plus très bien.

Ils se fâchent°.	*get angry*
Ils se disputent°.	*argue; fight*
Elle ne lui parle plus.	
Il lui a dit° qu'il ne l'aime plus.	*He told her*
Ils vont se séparer.	
Ils ont même° l'intention de divorcer.	*even*

✚ **Et vous?** Vous intéressez-vous aux feuilletons?
  Les regardez-vous quelquefois?
  Pourquoi ou pourquoi pas?
  Que pensez-vous des gens° qui les   *people*
  adorent?

A. Le verbe *dire*

David **dit** qu'il va partir.   *David says (that) he's going*
                                        to leave.

Dites à Marie de faire attention. *Tell Marie to watch out.*

dire (*to say; to tell*)			
je	**dis**	nous	**disons**
tu	**dis**	vous	**dites**
il/elle/on	**dit**	ils/elles	**disent**
passé composé: j'**ai dit**			

■ The verb **dire** should not be confused with the verb **parler**. Both can mean *to tell,* but they are used differently.

■ **Dire** can be followed by a quote or by a piece of information (sometimes contained in another clause introduced by **que**).

Bruno **dit bonjour** à Anne.	*Bruno says hello to Anne.*
Il **lui dit un secret.**	*He tells her a secret.*
Il **dit qu'il l'aime.**	*He says that he loves her.*
Il **dit** toujours **la vérité.**	*He always tells the truth.*

■ **Parler** can stand alone or can be followed by an adverb, by **à** (or **avec**) and the person spoken to, or by **de** and the topic of conversation.

Bruno **parle** (lentement).	*Bruno is speaking (slowly).*
Il **parle à** Anne.	*He is talking to Anne.*
Il **parle de** lui-même.	*He is telling about himself.*

Note: When the meaning is *to tell (a story),* the verb **raconter** is used.

Raconte-nous une histoire.	*Tell us a story.*

1. **Qu'est-ce qu'ils disent?**   Quelles sont les opinions de chaque personne?

Modèle: **Ma grand-mère dit que la musique rock est ennuyeuse.**

nous		la musique rock	formidable
ma mère		la musique classique	très agréable
mon père		le mariage	intéressant
je	dire que	les cours	ennuyeux
les professeurs		le football à la télé	bizarre
mes grands-		la publicité à la télé	stupide
parents		les feuilletons	affreux

2. **À vous.**   Répondez.

1. Que dites-vous quand vous avez une bonne note à un examen?
2. Que dit votre professeur de français quand vous entrez en classe?
3. Que dites-vous quand vous êtes en retard à un cours?
4. Que dites-vous à un(e) ami(e) qui vous téléphone à 6 heures du matin?
5. De quoi parlez-vous avec vos amis?
6. Vos professeurs racontent-ils quelquefois des histoires en classe? Si oui, quelle sorte d'histoires?
7. Comment dit-on «Oh dear!» en français?
8. Dites-vous toujours la vérité?

3. **Quelle histoire!** Utilisez les verbes **dire, parler** ou **raconter** pour compléter le paragraphe suivant.

Mon frère ___ qu'il adore les histoires drôles. Hier soir, par exemple, il m'a ___ l'histoire d'une femme anglaise qui achète un perroquet (*parrot*) qui ne ___ que le français. Mais la pauvre dame ne peut rien ___ en français et ne peut pas ___ avec son oiseau (*bird*). Un jour, la dame va boire un verre de lait mais dans le verre il y a une fourmi (*ant*). Le perroquet veut ___ à la dame de ne pas boire le lait; il ___ FOURMI!! parce qu'il ne ___ pas anglais. La dame pense que le perroquet a ___ «For me!» et elle part chercher un verre de lait pour son perroquet. J'ai ___ à mon frère que je n'apprécie pas beaucoup les histoires qu'il ___ .

B. Les pronoms objets indirects

David parle *à Marie*.
Il **lui** dit qu'il l'aime.
Il **lui** demande de se marier avec lui.
Il **lui** achète une bague de fiançailles.
Ils écrivent *à leurs parents*.
Ils **leur** disent qu'ils vont se marier.

David is speaking to Marie.
*He tells **her** that he loves her.*
*He asks **her** to marry him.*
*He buys **her** an engagement ring.*
They write to their parents.
*They tell **them** that they are going to get married.*

■ Indirect object nouns in French are preceded by the preposition **à**. Many verbs take indirect objects, either in addition to a direct object or with no direct object.

Vocabulaire: Quelques verbes qui prennent un objet indirect

acheter		*to buy*
demander		*to ask*
dire		*to say; to tell*
donner		*to give*
écrire		*to write*
emprunter	quelque chose **à quelqu'un**	*to borrow*
montrer		*to show*
prêter		*to lend*
raconter		*to tell*
rendre		*to give back*
vendre		*to sell*
obéir		*to obey*
parler	**à quelqu'un**	*to speak, talk*
répondre		*to respond, answer*
téléphoner		*to telephone*

Notes:

1. Two additional expressions that you have already learned take a specific direct object plus an indirect object: **poser une question** *à quelqu'un;* **rendre visite** *à quelqu'un.*

J'ai posé une question **au professeur.**	*I asked the teacher a question.*
Vas-tu rendre visite **à tes parents?**	*Are you going to visit your parents?*

2. Do not be confused by verbs that take an indirect object in French but a direct object in English.

Paul obéit **à ses parents.**	*Paul obeys his parents.*
Je téléphone **à Brigitte.**	*I call Brigitte.*
Marc rend visite **à ses amis.**	*Marc visits his friends.*

■ Indirect object nouns can be replaced in sentences by indirect object pronouns.

me (m')	*(to) me*	**nous**	*(to) us*
te (t')	*(to) you*	**vous**	*(to) you*
lui	*(to) him; (to) her*	**leur**	*(to) them*

Note: The indirect object pronouns **me, te, nous,** and **vous** are identical to the direct object pronouns. But unlike direct objects, **lui** is used for both *(to) him* and *(to) her,* and **leur** is used for *(to) them.*

Alain a-t-il téléphoné **à Pierre?**	Oui, il **lui** a téléphoné.
A-t-il téléphoné aussi **à Anne?**	Oui, il **lui** a téléphoné aussi.
A-t-il téléphoné **à Guy et à Ariel?**	Oui, il **leur** a téléphoné après.
Vous a-t-il parlé de tout ça?	Non, il ne **m'**a pas parlé de ça.
	Ariel **m'**a dit ça.

Note: Often in English, the preposition *to* is omitted. Also, in some contexts indirect object pronouns may mean *for someone, from someone,* etc.

Est-ce que je **t'**ai donné de l'argent?	*Did I give **you** some money?* (= *to you*)
Mais non, tu **m'**as emprunté 5 dollars.	*No, you borrowed 5 dollars **from me!***
Alors, je **t'**achèterai quelque chose.	*Then I'll buy **you** something.* (= *for you*)

■ Like a direct object pronoun, an indirect object pronoun is almost always placed directly *before* the verb.

Nous **lui** répondons tout de suite.	*We answer him (her) right away.*
Ils ne **nous** ont pas téléphoné.	*They didn't telephone us.*
Vous dit-elle la vérité?	*Is she telling you the truth?*
Elle va **leur** rendre visite.	*She is going to visit them.*
Ne **m'**écris pas.	*Don't write to me.*

Note: Also like direct object pronouns, indirect object pronouns follow the verb *only* in affirmative commands, and in that case **me** and **te** become **moi** and **toi.**

Écris-**lui** immédiatement!   *Write to him immediately!*
Donne-**moi** de l'eau, s'il te plaît.   *Give me some water, please.*

4.   **Le professeur et les étudiants.**   Utilisez les expressions suivantes pour faire des phrases. Utilisez un pronom objet indirect dans chaque phrase et faites des phrases négatives si vous voulez.

Modèles: **Le professeur leur parle toujours en français.**
               Les étudiants ne lui rendent jamais visite.

		dire bonjour	
		parler en français	
	me	écrire des lettres	toujours
	te	téléphoner	d'habitude
le professeur	lui	rendre visite	souvent
les étudiants	nous	poser des questions	quelquefois
	vous	demander un conseil	rarement
	leur	raconter des histoires	jamais
		obéir	
		donner des tests faciles	

5.   **Vrai ou faux?**   Décidez si les phrases suivantes sont vraies ou fausses. Ensuite répondez chaque fois avec un pronom objet indirect. Si une phrase est fausse, corrigez-la.

Modèles: Le professeur dit toujours bonjour aux étudiants.
               C'est vrai. Il leur dit toujours bonjour.

               Le président vous a téléphoné.
               C'est faux. Il ne m'a pas téléphoné.

1. Le professeur de français ne donne pas beaucoup de devoirs aux étudiants.
2. Le professeur vous pose beaucoup de questions.
3. Les étudiants répondent toujours correctement au professeur.
4. Vous écrivez quelquefois des lettres à vos amis.
5. Vos amis vous répondent chaque fois.
6. Vous téléphonez souvent à votre meilleur(e) ami(e).
7. Vous ne rendez jamais visite à vos cousins.
8. Vous montrez toujours vos notes à vos parents.
9. Vos parents vous prêtent souvent leur voiture.

6. **Faites-le donc!** (*Then do it!*) Encouragez la personne d'après les modèles. Utilisez des pronoms objets indirects.

Modèles: Je vais rendre visite à Jean.
Très bien, rendez-lui donc visite!

Je voudrais poser une question au professeur.
Très bien, posez-lui donc une question!

1. Je vais parler à Claire.
2. Je voudrais répondre au professeur.
3. Je vais rendre visite à mes grands-parents.
4. Je vais prêter ma voiture à mon amie.
5. J'ai envie de vous poser une question.
6. Je voudrais dire bonjour à Thierry.
7. J'ai envie de téléphoner à mes parents.

7. **Non, ne le faites pas!** Regardez encore les phrases de l'exercice 6. Dites à la personne de *ne pas* faire ce qu'elle veut faire. Utilisez des pronoms objets indirects.

Modèles: Je vais rendre visite à Jean.
Non, ne lui rendez pas visite!

Je voudrais poser une question au professeur.
Non, ne lui posez pas de question!

8. **La voiture de Paul.** Remplacez chaque expression en italique par un des pronoms suivants: **le, la, les, lui** ou **leur.**

Modèles: Les parents de Paul ont acheté une voiture *à leur fils.*
Les parents de Paul lui ont acheté une voiture.

Ils aiment beaucoup *leur fils.*
Ils l'aiment beaucoup.

1. Il a dit merci *à ses parents.*
2. Georges a demandé *à Paul* s'il pouvait conduire *la voiture.*
3. Paul a prêté sa voiture *à Georges.*
4. Georges rend visite *à sa petite amie.*
5. Elle aime beaucoup *la voiture.*
6. Elle demande *à Georges* si elle peut conduire *la voiture.*
7. Il prête la voiture *à sa petite amie.* Elle dit merci *à Georges.*
8. Il dit *à son amie* de prendre *le volant.*
9. Elle va rendre la voiture *à Georges* la semaine prochaine.

9. **Je vais le faire.** Répondez affirmativement à chaque ordre par l'expression **Je vais** + un infinitif. Remplacez les expressions en italique par un pronom objet direct ou indirect.

Modèles: Il faut que vous téléphoniez *à Léa*! Il faut que vous écriviez *votre nom*.
D'accord, je vais lui téléphoner. **D'accord, je vais l'écrire.**

1. Il faut que vous obéissiez *à vos parents*!
2. Il faut que vous prêtiez votre livre *à votre voisine*!
3. Il faut que vous regardiez *cette émission*!
4. Il faut que vous écriviez une lettre *à vos grands-parents*!
5. Il faut que vous disiez *la vérité*.
6. Il ne faut pas que vous demandiez *à Agnès* quel âge elle a!
7. Il ne faut pas que vous buviez *ce verre de vin*!
8. Il faut que vous posiez une question *au professeur*!
9. Il faut que vous *me* répondiez!

10. **À vous.** Répondez.

Remind students of the expression **Occupez-vous de vos oignons!** and allow them to use this answer if the questions are too personal.

1. Téléphonez-vous souvent à vos amis?
2. À qui avez-vous parlé récemment?
3. Qu'est-ce que vous lui avez dit?
4. Qu'est-ce que vous lui avez demandé?
5. Qu'est-ce qu'il vous a répondu?
6. Allez-vous rendre visite à des amis bientôt?
7. Si oui, quand est-ce que vous leur rendrez visite? Si non, comment les contacterez-vous?
8. Que prêtez-vous à vos amis?
9. Qu'est-ce que vous empruntez à vos parents?

E N T R E   A M I S   Votre meilleur(e) ami(e)

Talk to your partner about his/her best friend. Use indirect object pronouns where appropriate.

1. Find out the name of your partner's best friend.
2. Ask if your partner wrote to him/her this week.
3. Ask if your partner visited him/her this week.
4. Ask if your partner called him/her this week.
5. If so, try to find out what your partner said to his/her friend.

2. Describing Television Programs

Quelles émissions y a-t-il à la télévision?

Il y a ...

les informations, par exemple, *le Journal du Soir*.
la météorologie, par exemple, *le Bulletin Météo*.
les sports, par exemple, *le Tour de France*.
les films, par exemple, *Manon des Sources*.
les pièces, par exemple, *L'Avare* de Molière.
les feuilletons, par exemple, *Santa Barbara*.
les dessins animés, par exemple, *Popeye*.
les jeux, par exemple, *la Roue de la Fortune*.
la publicité, par exemple, les spots publicitaires pour
Perrier, Coca-Cola.

✤ **Et vous?** Qu'est-ce que vous regardez à la télévision?

11. À vous. Répondez.

1. Combien de temps par jour passez-vous à regarder la télévision?
2. Que regardez-vous à la télévision?
3. Quelles sont les émissions que vous ne regardez presque (*almost*) jamais?
4. Quelle émission trouvez-vous la plus drôle?
5. Quelle émission trouvez-vous la plus ennuyeuse?
6. Regardez-vous quelquefois des feuilletons? Si oui, quel feuilleton préférez-vous?
7. Que pensez-vous de la publicité à la télévision?
8. Voulez-vous qu'il y ait plus, autant ou moins de sports à la télévision? Pourquoi?

C. Les verbes *voir* et *croire*

Il va neiger. Vous **croyez**?	*It's going to snow. Do you think so?*
On **verra**.	*We'll see.*
Je **crois** que je **vois** nos amis.	*I think (that) I see our friends.*
Avez-vous déjà **vu** ce film?	*Did you already see this film?*
Je **crois** que oui.	*I believe so.*
Non, je ne **crois** pas.	*No, I don't believe so.*

Note the use of **que** in the expression **Je crois que oui.**

■ The verbs **voir** and **croire** have similar present tense conjugations.

Point out that **voir** means *to see* and **regarder** means *to look at*. You may also wish to point out that **croire** and **penser** often have the same meaning, but that there are differences, e.g., **je le crois** (*I believe him*), **je pense à lui** (*I think about him*).

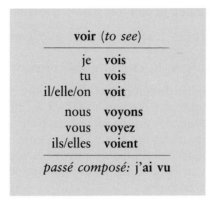

voir (*to see*)		croire (*to believe, think*)	
je	vois	je	crois
tu	vois	tu	crois
il/elle/on	voit	il/elle/on	croit
nous	voyons	nous	croyons
vous	voyez	vous	croyez
ils/elles	voient	ils/elles	croient
passé composé: j'ai vu		*passé composé:* j'ai cru	

■ The future tense verb stem for **voir** is irregular: **verr-**. The future of **croire** is regular.

> Je vous **verrai** demain.   *I will see you tomorrow.*
> Mes amis ne me **croiront** pas.   *My friends won't believe me.*

■ The subjunctive forms of **voir** and **croire** have two stems just like other verbs that have two present tense stems.

> Il faut que je le **voie**.   Il faut que vous le **voyiez** aussi.
> Je veux qu'il me **croie**.   Je veux que vous me **croyiez**.

12. **Que croient-ils?** Tout le monde a son opinion. Utilisez les expressions suivantes pour faire des phrases.

Modèle: **Mon père croit que les *NY Giants* sont la meilleure équipe du pays.**

Redo this exercise with the imperfect and the expression **il y a dix ans.**

je		l'émission la plus intéressante
nous		l'émission la moins intéressante
vous		la meilleure équipe
le professeur		le plus beau pays
mon père	croire que ...	le cours le moins ennuyeux de ...
ma mère		la plus belle langue
mes parents		le plus mauvais film
les étudiants		le feuilleton le plus passionnant
un(e) de mes ami(e)s		le feuilleton le plus bizarre

13. **Que croyez-vous?** Est-ce que la phrase est vraie pour la plupart des étudiants de votre cours de français? Si oui, répondez **Je crois que oui.** Si non, répondez **Je ne crois pas** et corrigez la phrase.

Modèle: La plupart des étudiants croient que le professeur de français est méchant.
Je ne crois pas. Ils croient que le professeur est très gentil.

1. La plupart des étudiants voient leurs parents tous les jours.
2. La plupart des étudiants verront un film le week-end prochain.
3. La plupart des étudiants ont déjà vu un film français.
4. La plupart des étudiants veulent voir un pays où on parle français.
5. La plupart des étudiants verront la tour Eiffel un jour.
6. La plupart des étudiants croient que les femmes conduisent mieux que les hommes.
7. La plupart des étudiants croyaient au père Noël quand ils étaient petits.
8. La plupart des étudiants ne croient plus au père Noël.
9. La plupart des étudiants croiront au père Noël après cet exercice.

14. **À vous.** Répondez.

1. Quel film avez-vous vu la dernière fois que vous êtes allé(e) au cinéma?
2. Qui voyez-vous tous les jours?
3. Qui avez-vous vu hier?
4. Quelle note croyez-vous que vous aurez en français?
5. Quand croyez-vous que vous irez en France?
6. Qu'est-ce que vous verrez si vous allez en France?
7. Qui croit aux revenants (*ghosts*)?

D. *Quel et lequel*

■ You have already learned to use the adjective **quel** (*which? what?*). **Quel** always occurs with a noun and agrees with that noun.

> **Quel** feuilleton avez-vous vu?
> De **quelle** actrice parlez-vous?
> **Quels** acteurs préférez-vous?
> **Quelles** sont vos émissions préférées?

■ **Lequel** (*which one*) replaces **quel** and the noun it modifies. Both parts of **lequel** show agreement.

Vous avez vu le feuilleton?	**Lequel?** (Quel feuilleton?)
Que pensez-vous de cette actrice?	**Laquelle?** (Quelle actrice?)
Ces acteurs sont formidables.	**Lesquels?** (Quels acteurs?)
Ce sont vos émissions préférées?	**Lesquelles?** (Quelles émissions?)

	singulier	*pluriel*
masculin	lequel	lesquels
féminin	laquelle	lesquelles

■ Do not use the indefinite article (**un, une, des**) when **quel** is used in an exclamation.

Quelle histoire!	*What a story!*
Quel cours!	*What a course!*
Quels étudiants!	*What students!*

■ **Lequel** is often followed by the preposition **de** to name the group from which the choice is to be made.

Laquelle *de vos amies* s'appelle Mimi?	*Which of your friends is named Mimi?*
Lesquels *de vos professeurs* parlent français?	*Which of your teachers speak French?*

For Recognition Only

■ When **lequel, lesquels,** and **lesquelles** are preceded by the prepositions **à** or **de,** the normal contractions are made. No contraction is made with **laquelle.**

à + lequel	→ **auquel**	de + lequel	→ **duquel**
à + lesquels	→ **auxquels**	de + lesquels	→ **desquels**
à + lesquelles	→ **auxquelles**	de + lesquelles	→ **desquelles**

Alexis parle d'un film, mais **duquel** parle-t-il?
Il parle aussi de ses cours, mais **desquels** parle-t-il?
Corinne va au restaurant, mais **auquel** va-t-elle?
Auxquelles des émissions vous intéressez-vous?
À laquelle de vos tantes écrivez-vous le plus souvent?

15. **Dans une salle bruyante** (*In a noisy room*).   On fait du bruit et vous n'entendez pas bien les réponses de votre partenaire. Très bien, demandez-lui une autre fois. Utilisez une forme de **quel** dans la première question et une forme de **lequel** dans la deuxième.

Modèle: ville

VOUS:	**Quelle ville préfères-tu?**
VOTRE PARTENAIRE:	**Je préfère Québec.**
VOUS:	**Laquelle?**
VOTRE PARTENAIRE:	**Québec.**

1. émission	5. voiture	9. feuilleton
2. ville	6. acteurs	10. cours
3. dessin animé	7. actrices	11. dessert
4. film	8. chanson	12. sports

16. **Microconversation: Non, je n'ai pas pu.**   Interviewez votre partenaire d'après le modèle. Faites tous les changements nécessaires.

Modèle: regarder le feuilleton

VOUS:	**As-tu regardé le feuilleton hier?**
VOTRE PARTENAIRE:	**Lequel?**
VOUS:	**«Mes chers enfants».**
VOTRE PARTENAIRE:	**Non, je n'ai pas pu le regarder.**

1. voir le match
   (de basket-ball, de base-ball, etc.)
2. regarder les informations
3. voir la pièce

4. regarder l'émission
5. regarder les dessins animés
6. voir le film

Le Tour de France

17. À vous. Répondez.

1. Lequel des mois de l'année est le plus agréable, à votre avis?
2. Lequel des membres de votre famille est le plus jeune?
3. Laquelle des actrices célèbres trouvez-vous la plus belle?
4. Lequel des acteurs célèbres trouvez-vous le plus beau?
5. Lesquels de vos amis voyez-vous tous les jours?
6. Avec lesquels de vos amis déjeunez-vous quelquefois?
7. Auxquels de vos amis écrivez-vous des lettres?
8. Laquelle des voitures aimez-vous le mieux?

> E N T R E   A M I S   Votre émission préférée
>
> 1. Find out what your partner watches on TV.
> 2. Ask which program is your partner's favorite.
> 3. Ask why.
> 4. Try to find out all you can about this program.

3. Expressing Emotion

Êtes-vous d'accord avec les opinions suivantes?
Qu'en pensez-vous?°   *What's your opinion (about them)?*

	oui	*non*
Je suis triste que les professeurs donnent tant de devoirs.	___	___
Je regrette que mes notes ne soient pas meilleures.	___	___
Je suis content(e) que notre équipe gagne tant de matchs.	___	___
C'est dommage qu'il y ait tant d'émissions sportives à la télévision.	___	___
Il est ridicule qu'il y ait tant de publicité à la télévision.	___	___
Je suis désolé(e) que tant de gens meurent de faim (*are starving*).	___	___
Le professeur est ravi que je fasse des progrès.	___	___

Review the forms of the subjunctive in Ch. 10 & 13.

E. Le subjonctif (suite)

■ The subjunctive forms for **vouloir** and **pouvoir** are as follows:

	vouloir				
	(veuill-)		*(nous*	*voulons)*	
que je	**veuill**	e	que nous	**voul**	ions
que tu	**veuill**	es	que vous	**voul**	iez
qu'il/elle/on	**veuill**	e			
qu'ils/elles	**veuill**	ent			

	pouvoir *(puiss-)*				
que je	**puiss**	e	que nous	**puiss**	ions
que tu	**puiss**	es	que vous	**puiss**	iez
qu'il/elle/on	**puiss**	e	qu'ils/elles	**puiss**	ent

■ In addition to its use with expressions of necessity and will, the subjunctive is also used with expressions of emotion.

Je suis content(e) que vous **soyez** ici.	*I am happy (that) you are here.*
Je regrette que Luc ne **puisse** pas venir.	*I am sorry Luc can't come.*

■ As always, if there is no change of subjects, the preposition **de** plus the infinitive is used instead of the subjunctive.

Je suis content(e) **d'être** ici.	*I am happy to be here.*
Luc regrette **de ne pas pouvoir** venir.	*Luc is sorry he can't come.*

Vocabulaire: Pour exprimer un sentiment

Je suis ravi(e) que	*I am delighted that*
Il est formidable que	*It's great that*
Je suis content(e) que	*I am happy that*
Il n'est pas possible que	*It's not possible that*
Il est incroyable que	*It's unbelievable that*
C'est dommage que	*It's too bad that*
Il est ridicule que	*It's ridiculous that*
Je suis triste que	*I am sad that*
Je regrette que	*I am sorry that*
Je suis désolé(e) que	*I am very sorry that*
Je suis fâché(e) que	*I am angry that*

Note: Impersonal phrases using **il est** (**il n'est pas**) ... change to **C'est** (**Ce n'est pas**) ... when they are used alone as exclamations (without being followed by **que** + subjunctive): **C'est incroyable! Ce n'est pas possible!**

18.   **Nos réactions différentes.**   Décidez si votre professeur est content et si vous êtes content(e) aussi.

Modèle: J'ai beaucoup de devoirs.
Mon professeur est content que j'aie beaucoup de devoirs.
Mais je ne suis pas content(e) d'avoir beaucoup de devoirs.

Follow up with books closed by having students give 2 sentences each: **Je suis content(e) que ...** and **Mon professeur est content que ...**

1. Je vais souvent à la bibliothèque.
2. Je sais parler français.
3. Je lis *Entre amis* tous les soirs.
4. Je suis un(e) bon(ne) étudiant(e).
5. J'ai «A» à mon examen.
6. Je sors tous les soirs.
7. Je fais regulièrement des rédactions.
8. Je peux aller en France cet été.
9. Je veux étudier le français en France.

19. **Votre réaction, s'il vous plaît.** Choisissez une expression pour réagir (*react*) aux phrases suivantes.

Modèle: Véronique ira en Floride.
Il est formidable qu'elle aille en Floride.

1. Les vacances commencent bientôt.
2. Les examens vont avoir lieu avant les vacances.
3. Tous les professeurs sont généreux et charmants.
4. Mais ils donnent beaucoup de devoirs.
5. Les étudiants de cette classe font toujours leurs devoirs.
6. Ils vont se reposer pendant les vacances.
7. Anne et Paul dînent au restaurant tous les soirs.
8. Leur père est le propriétaire du restaurant.

20. **Test psychologique.** Expliquez les causes de vos réactions. Faites deux ou trois phrases chaque fois.

Modèle: Je suis triste ...
Je suis triste que mon petit ami (ma petite amie) ne m'aime plus.
Je suis triste que tout le monde me déteste.
Je suis triste de ne pas avoir de bons amis.

Encourage students to use both subjunctive and **de** + infinitive constructions.

Suggest that students assume the role of some famous person when doing this exercise.

1. Il est ridicule ...   4. C'est dommage ...
2. Nous regrettons ...   5. Il est formidable ...
3. Je suis ravi(e) ...

21. **En groupes** (*3 ou 4 étudiants*). Une personne dira une phrase au présent ou au futur (par exemple: **J'ai chaud** ou **Je sortirai ce soir**). Une autre personne réagira (par exemple: **C'est dommage que tu aies chaud** ou **Je suis content(e) que tu sortes ce soir**). Combien de phrases pouvez-vous trouver?

F. Le pronom *en*

On vend des journaux ici?	*Do you sell newspapers here?*
Non, on n'**en** vend pas. J'**en** suis désolé.	*No, we don't sell any. I'm very sorry (about it).*
Vous avez du brocoli?	*Do you have any broccoli?*
Oui, j'**en** ai.	*Yes, I have some.*
Il y a beaucoup de fruits?	*Is there a lot of fruit?*
Oui, il y **en** a beaucoup.	*Yes, there is a lot (of it).*
Vous avez des oranges?	*Do you have any oranges?*
Combien **en** voulez-vous?	*How many (of them) do you want?*
J'**en** voudrais six.	*I would like six (of them).*

■ The pronoun **en** takes the place of a noun that is preceded by some form of **de** (e.g., **de, du, de la, de l', des**), or by a number (e.g., **un, une, deux, trois**), or by a quantity word (e.g., **beaucoup de, trop de**).

Vous avez **du** camembert?   Oui, j'en ai.

■ When a noun is preceded by a number or a quantity word, the number or quantity word must be included in a sentence with **en**.

Vous avez **une** maison?   *Do you have a house?*
Oui, j'**en** ai **une**.   *Yes, I have one.*

Vous avez **deux** valises?   *Do you have two suitcases?*
Non, je n'**en** ai pas **deux**.   *No, I don't have two (of them).*
Je n'**en** ai qu'**une**.   *I have only one.*
Mon père **en** a **beaucoup**.   *My father has a lot (of them).*

Note: To say *I don't have any,* use **Je n'en ai pas.**

■ **En** is also used to replace **de** plus an infinitive or **de** plus a noun with expressions of emotion.

Hervé est triste **de partir**?   Oui, il **en** est triste.
Es-tu contente **de tes notes**?   Oui, j'**en** suis ravie.

22. **Sondage** (*Poll*). Demandez à votre partenaire combien de voitures, de cours, etc., il (elle) a. Il (elle) va utiliser **en** dans chaque réponse.

Modèle: voitures
                          VOUS: **Combien de voitures as-tu?**
        VOTRE PARTENAIRE: **J'en ai une.** ou **Je n'en ai pas.**

1. frères
2. sœurs
3. enfants
4. camarades de chambre

5. professeurs
6. voitures
7. cours
8. cartes de crédit

23. **Vous en voulez encore?** Vous offrez encore à boire ou à manger à votre partenaire. Il (elle) refuse poliment et utilise **en** avec **boire** ou **manger** dans sa réponse.

Modèle: limonade
                          VOUS: **Encore de la limonade?**
        VOTRE PARTENAIRE: **Merci, je n'ai plus soif. Je ne vais plus en boire.**

1. café
2. glace
3. fromage
4. eau

5. bière
6. bonbons
7. thé
8. frites

24. **Quelles réactions!** Composez deux phrases. La première peut être au présent, à l'imparfait ou au passé composé. Utilisez **en** dans la deuxième. Faites des phrases à la forme négative si vous voulez.

Modèle: **Mes amis n'ont pas gagné à la loterie.**
Ils en sont désolés.

	être fiancé(e)(s)	
	se marier	ravi
	attendre un bébé	content
je	étudier beaucoup	triste
mes amis	passer un examen	désolé
un(e) de mes ami(e)s	avoir une mauvaise note	fâché
	divorcer	confus
	gagner à la loterie	
	arriver en retard	

25. **À vous.** Répondez. Utilisez **en** dans chaque réponse.

1. Combien de tasses de café buvez-vous par jour?
2. Buvez-vous du thé?
3. Voulez-vous du chewing-gum?
4. Êtes-vous content(e) de vos notes?
5. Combien de personnes y a-t-il dans votre famille?
6. Combien de maillots de bain avez-vous?
7. Quelle est votre réaction quand vous avez «A» à l'examen?
8. Quelle est votre réaction quand vous ne vous entendez pas bien avec quelqu'un?

E N T R E   A M I S   Vous en avez combien?

Ask your partner about her/his life. S/he should use
en when answering.

1. Find out if your partner has any children.
   If so, how many?
2. Find out if s/he has any brothers or sisters. If
   so, how many?
3. Ask if s/he has a roommate. If so, find out
   how many s/he has.
4. Find out how many courses s/he has.

Révision et Intégration

A. **Décrivez-les.** Décrivez les couples suivants.

1. un couple qui va se marier.
2. un couple qui divorce.
3. un couple avec neuf enfants.
4. un couple qui habite chez les parents du mari.

B. **Un feuilleton.** Choisissez un feuilleton que vous connaissez. Décrivez-le à votre partenaire.

C. **Les réactions.** Quelles sont les réactions des personnes indiquées aux circonstances suivantes? Faites deux phrases, l'une avec **en** et l'autre avec le subjonctif ou avec **de** plus un infinitif.

Modèle: Le professeur dit qu'il n'y aura pas de cours demain. (vous)
J'en suis ravi(e)! ou Je suis ravi(e) qu'il n'y ait pas de cours demain.

1. Le professeur dit qu'il y aura un examen. (vous)
2. Vous avez une bonne note à un examen. (vos amis)
3. Une équipe de votre université gagne beaucoup de matchs. (vous)
4. Une équipe de votre université perd tous ses matchs. (les étudiants)
5. Vous tombez. (vous)

D. **À vous.** Répondez.

1. Comment s'appelle le feuilleton que vous préférez (ou le feuilleton que vous détestez le moins)?
2. Avez-vous regardé ce feuilleton cette semaine? Si non, quand l'avez-vous regardé?
3. À qui avez-vous écrit récemment?
4. Qu'est-ce que vous lui (leur) avez dit?
5. Quelles sont les émissions que vous regardez régulièrement à la télé?
6. Quelles sont les émissions que vous refusez de regarder?
7. Si vous téléphonez à un(e) ami ce soir, qu'est-ce que vous lui direz?
8. Que disent vos amis si vous téléphonez à une heure du matin?
9. Quelle sera la réaction de vos parents si vous avez «A» à tous vos cours?

Lecture

Put students in pairs and have them try to guess their partner's answers.

A. **Nos choix.** Faites une liste des cinq émissions de télé qui sont, à votre avis, les plus intéressantes.

La télévision

Les deux colonnes suivantes sont tirées du magazine *Télé Loisirs*.

TF1

8.00 **Bonjour, la France!**
8.57 **Bulletin météo**
9.00 **Heckle et Jeckle** Dessin animé.
9.10 **Zappe, Zappeur!**
10.05 **Heckle et Jeckle** Dessin animé.
10.15 **Tarzan** Série américaine (n°1)
11.15 **SOS refuges**
   Spécial été de «Trente millions d'amis».
11.30 **Auto-moto** Magazine sportif.
12.00 **Télé-foot** Magazine sportif.
   Spécial Michel Platini.
13.00 **Journal** En direct d'Aix-en-Provence.
13.25 **Starsky et Hutch** *Rediffusion*
14.20 **SPORT DIMANCHE**
   Avec Jean-Michel Leulliot. *Voir ci-contre.*
16.00 **Tiercé à Saint-Cloud** En direct.
16.15 **Sport dimanche** *Suite.*
17.30 **Les bleus et les gris** *Rediffusion*
   Série américaine (n° 2).
18.30 **La roue de la fortune** Jeu.

A2

8.50 **Flash d'informations**
9.00 **Émissions religieuses**
12.05 **Le chevalier Tempête**
13.00 **Antenne 2 midi**
13.20 **Les deux font la paire**
   Série de William Wiard (n° 14). « Stock-car dans la ville » Avec Kate Jackson.
14.10 **La chasse aux trésors** *Rediffusion.*
15.15 **Sports été**
17.30 **PROJET ATLANTIDE**
   Série de Gianni Serra (n° 1) d'après le roman de Stefano Terra ».
18.35 **Stade 2**
19.30 **Quoi de neuf, docteur?**
20.00 **Journal**
20.30 **LE CHEVALIER À LA ROSE**
   Opéra en trois actes de Richard Strauss. Livret de Hugo von Hofmannsthall.
0.20 **Fin des émissions**

B. Questions. Répondez.

1. Quel jour est-ce?
2. Quelles émissions américaines reconnaissez-vous?
3. À quelle heure peut-on regarder les informations?
4. Quelles sont les émissions pour enfants?
5. Quelles émissions avez-vous envie de regarder? Pourquoi?
6. Quelle émission regarde-t-on pour savoir le temps qu'il fera demain?
7. Quelle chaîne *(channel)* a moins d'émissions américaines?
8. Laquelle a plus d'émissions sportives?
9. Dans quelle émission peut-on gagner de l'argent?

C. *Rédaction:* À la télévision.

Écrivez un téléguide. Indiquez le(s) jour(s) et l'heure, le nom et une description pour les cinq émissions de télévision que vous avez choisies dans l'exercice A.

Lecture

A. Étude du vocabulaire.

Étudiez les phrases suivantes. Essayez de deviner le sens des mots en caractères gras.

1. Mes parents m'**envoient** une lettre chaque semaine.
2. Un médecin **soigne** une personne malade.
3. Le **tiers monde** est composé des pays les plus pauvres.
4. Les kidnappeurs ont **enlevé** la princesse.
5. Un **comédien** est quelqu'un qui joue des rôles au théâtre. Il n'est pas nécessairement comique.
6. Un **réalisateur** est une personne qui fait des films.
7. Un professeur **dur** exige beaucoup de travail de ses étudiants.
8. **Parfois** je bois du vin, mais normalement je bois de l'eau.

Docteurs sans frontières

La France est un des pays qui envoient beaucoup de médecins soigner les gens du tiers monde. Ces gens souffrent de la faim, mais aussi des guerres.

Chaque année, ils sont plus de 1.500 médecins et infirmières à aller aux quatre coins du monde soigner les populations qui souffrent. Parfois ces médecins risquent leur vie, d'autres sont enlevés. Les organisations les plus connues sont les MDM (Médecins du monde) et les MSF (Médecins sans frontières). Il y en a bien d'autres encore.

Pour mieux faire connaître leurs actions, Jacques Perrin, comédien et réalisateur de films, a eu l'idée avec Bernard Kouchner, créateur de

«Médecins du monde», de créer une série de six films qui passeront sur TF1 une fois par mois, de janvier à juillet. Cette série s'appelle «Médecins des hommes».

Le premier passera le 7 janvier. Nous sommes en 1968, une équipe de médecins est au Biafra au moment où il est en guerre contre le Nigeria. La situation devient dangereuse pour les médecins, car les soldats tuent tout le monde.

Un responsable de la Croix-Rouge demande aux médecins de partir du pays car ils risquent d'être tués. Les médecins refusent et décident de rester. Jusqu'au bout,[1] ils soignent les blessés[2] et essaient de sauver les enfants et de les nourrir[3].

Ces films sont très beaux et parfois très durs. Mais ils montrent bien le travail que font ces médecins dans le monde entier.

adapté du *Journal des Enfants (L'Alsace)*

1. *Right up till the end*   2. *wounded*   3. *feed*

B. **Vrai ou faux?** Décidez si les phrases suivantes sont vraies ou fausses. Si elles sont fausses, corrigez-les.

1. Il y a plusieurs pays qui envoient des médecins dans les pays du tiers monde.
2. Ce service est parfois très dangereux pour les médecins.
3. Bernard Kouchner est acteur.
4. Les Français pourront voir ces films toutes les semaines pendant six mois.
5. Ces médecins ont beaucoup de courage.

C. **Questions.** Répondez.

1. De quoi les pays pauvres souffrent-ils?
2. Est-ce que les MDM et les MSF sont les seuls médecins qui partent au service du tiers monde? Expliquez.
3. Pourquoi Messieurs Perrin et Kouchner ont-ils fait une série de films?
4. Quel est le sujet du premier film?
5. Pourquoi la situation au Nigeria était-elle dangereuse pour les médecins?
6. Pourquoi les médecins sont-ils restés au Nigeria jusqu'au bout?

D. À discuter

1. Est-ce qu'il y a des organisations semblables (*similar*) dans votre pays? Si oui, comparez-les avec les MDM et les MSF.
2. Vous intéressez-vous à cette sorte de service? Pourquoi ou pourquoi pas?

Lecture

A. Rencontres.

Il y a des gens qui désirent rencontrer les autres. Lisez les annonces suivantes et puis répondez aux questions.

ANNONCES PERSONELLES	
Jeune homme, 20 ans, bien physiquement et moralement, bonne situation[1], cherche en vue mariage jeune fille 18-22 ans, réponse assurée, joindre photo qui sera retournée. Ecr. Réf. 5093.	Jeune fille, 27 ans, désire recontrer jeune homme, âge en rapport[2], joindre photo si possible. Ecr. Réf. 5095
Dame agréable, élégante, sans enfants, jeune de cœur[3], désire rencontrer, pour sorties amicales, Monsieur, cinquante-soixante ans, bien[4] sous tous rapports[5], libre, optimiste, aimant[6] la nature, joindre photo qui sera retournée, discrétion absolue, mariage exclu. Ecr. Réf. 5094	Homme, 37 ans, propriétaire appartement, voiture, passé irréprochable, intelligent, éducation, très gentil cœur, très sympathique[7], se marierait[8] av. J.F., même[9] milieu secrétaire, ouvrière, mais affectueuse, douce[10], très sincère, réponse assurée dans l'immédiat, discrétion. Ecr. Réf. 5096.

[1]*job* [2]*similar* [3]*heart* [4]*nice* [5]*in every respect* [6]*who likes* [7]*likeable* [8]*would marry* [9]*ever* [10]*sweet*

B. Questions.

Répondez.

1. À votre avis, laquelle des quatre personnes est la plus âgée?
2. Laquelle est la plus snob?
3. Lesquelles parlent de mariage?
4. Lesquelles veulent voir une photo?
5. Laquelle est la plus jeune?
6. Laquelle travaille? (Il est possible que d'autres travaillent aussi.)
7. Laquelle conduit? (Il est possible que d'autres conduisent aussi.)

Follow up by reading
several of the
compositions. Can
students guess who
wrote them?

C. **Inventez une annonce personnelle.** Inventez une annonce pour vous ou pour un(e) ami(e). Utilisez la lecture comme modèle.

D. *Rédaction:* **Écrivez une lettre.** Répondez à l'une des annonces personnelles.

E N T R E A M I S Votre première sortie ensemble

You are going to meet the person who answered your personal classified ad. (You may choose a new identity).

1. Introduce yourselves.
2. Find out as much as you can about each other.
3. Decide where you are going to go this evening.

Vocabulaire actif

Quelques émissions de télévision

une annonce	*advertisement*	la météo(rologie)	*weather*
un feuilleton	*soap opera; series*	la publicité	*publicity; commercial*
les informations (*f. pl.*)	*news*		

D'autres noms

un avertissement	*warning*	des gens (*m. pl.*)	*people*
une bague (de fiançailles)	*(engagement) ring*	un revenant	*ghost*
une chaîne (de télé)	*(TV) channel*	la vérité	*truth*
un divorce	*divorce*		

Adjectifs

célèbre	*famous*	original(e)	*different, novel; original;*
confus(e)	*ashamed; embarrassed*	passionnant(e)	*exciting*
drôle	*funny*	ravi(e)	*delighted*
fâché(e)	*angry*	ridicule	*ridiculous*
incroyable	*unbelievable, incredible*		

Verbes

s'aimer	*to love each other*	se faire des amis	*to make friends*
assister (à)	*to attend*	s'intéresser à	*to be interested in*
se consoler	*to console oneself*	se marier (avec)	*to marry*
croire	*to believe, think*	montrer	*to show*
dire	*to say; to tell*	prêter	*to lend*
se disputer	*to argue*	raconter (une histoire)	*to tell (a story)*
divorcer	*to get a divorce*	regretter	*to be sorry*
s'embrasser	*to kiss*	rencontrer	*to meet*
emprunter	*to borrow*	se séparer	*to separate (from each other)*
s'entendre (avec)	*to get along (with)*	voir	*to see*
se fâcher	*to get angry*		

Adverbes

actuellement	*now*	presque	*almost*
même	*even*	sûrement	*surely, definitely*

Pronoms objets indirects

me	*(to) me*	nous	*(to) us*
te	*(to) you*	vous	*(to) you*
lui	*(to) him; (to) her*	leur	*(to) them*

D'autres pronoms

en	*some; of it (them); about it (them)*
lequel?	*which?*

Expressions utiles

C'est dommage.	*That's (It's) too bad.*	Quelle histoire!	*What a story!*
Je crois que oui.	*I think so.*	Qu'est-ce qui est arrivé?	*What happened?*
Je ne crois pas.	*I don't think so.*	Sans blague!	*No kidding!*
Je te le jure.	*I swear (to you).*		

Qu'est-ce que je devrais faire?

Buts communicatifs
Seeking and providing
  information
Making basic hypotheses
Making basic hypotheses
  (continued)

Structures utiles
L'imparfait et le passé
  composé (suite)
Les pronoms interrogatifs
Ne ... personne et **ne ... rien**
Le verbe **devoir**
Si hypothétique
Le conditionnel

Culture
La priorité à droite
Les agents et les gendarmes

Coup d'envoi

Qu'est-ce qui est arrivé?

Qu'est-ce qui est arrivé, Emmanuelle?
    J'ai eu un accident.
    L'autre conducteur° n'a pas vu ma voiture.   *driver*
    Il a freiné° trop tard.   *braked*
    Sa voiture a dérapé°.   *skidded*
    Il a heurté° ma voiture.   *struck; hit*
Pourquoi l'accident a-t-il eu lieu?
    Le conducteur ne faisait pas attention.
    Il croyait que personne° ne venait.   *nobody*
    Il ne regardait pas à droite.
    Il roulait° trop vite.   *was going*
    Il était ivre°.   *drunk*

✚ **Et vous?**   Avez-vous déjà eu un accident?
              Avez-vous déjà vu un accident?
              Si oui, qu'est-ce qui est arrivé?

Accident de voyage...

Conversation

Un accident a eu lieu

James Davidson a eu un accident de voiture. Il en parle avec son voisin Maurice.

MAURICE: Bonjour, James.

JAMES: Bonjour, Maurice.

MAURICE: Mais vous avez l'air pâle! Ça ne va pas?

JAMES: J'ai eu très peur ce matin.

MAURICE: Qu'est-ce qui est arrivé?

JAMES: J'ai eu un accident de voiture.

MAURICE: Mon Dieu!

JAMES: J'allais au travail quand l'accident a eu lieu. L'autre ne faisait pas attention. Il allait trop vite et il ne regardait pas à droite!

MAURICE: Quel imbécile!

JAMES: Oui, et nous sommes entrés en collision.

MAURICE: Quel idiot! Et personne n'a vu l'accident?

JAMES: Si! Heureusement il y avait un gendarme juste derrière.

MAURICE: Quelle chance! Qu'est-ce qu'il a fait?

JAMES: Il m'a assuré° que c'était la faute° de l'autre. *assured/fault*

MAURICE: J'espère que le gendarme lui a donné une contravention°. *ticket*

✦ **Jouez ces rôles.** Répétez la conversation avec votre partenaire. Ensuite Maurice parle avec deux personnes (James et son ami Marc étaient dans la voiture). Faites tous les changements nécessaires, par exemple **nous** à la place de **je.**

The answer to the cultural question is **b.**

✤ Pourquoi James insiste-t-il sur le fait que l'autre auto-mobiliste ne regardait pas à droite?

a. James est conservateur et n'aime pas du tout la gauche.
b. En France la règle numéro un est «priorité à droite».
c. En France on conduit à gauche.

La priorité à droite

As is the case in North America, the French drive on the right. The one rule of the road which seems to be obeyed above all others in France is that vehicles coming from the right have the right of way. While both Canada and the United States have a similar rule, there is much more flexibility and one often hesitates at an intersection in those countries, even when one has the right of way. In France, however, many drivers do not even look to the left when they know that they have the right of way. Obeying the law to the letter, the French have only to turn their heads to the right and, when no traffic is coming from that direction, they proceed without hesitating.

Les agents et les gendarmes

The **agent de police** is often found directing traffic at major intersections in French cities (see Chapter 7). Since the **agents** are normally on foot, they are often stopped by tourists in need of information. The **gendarme**, often found in the countryside and in small towns, is actually part of the French military and is stationed in separate quarters in the **gendarmerie**. **Gendarmes** are similar to state police in that they are usually on motorcycles or in patrol cars. They would therefore normally be the ones to investigate an accident.

Il y a un geste

J'ai eu très peur. To indicate fear, the open hand is held fingers facing up; the hand is lowered with the fingers "trembling."

Quel imbécile! To indicate that someone has done something stupid, touch your index finger to your temple. The finger is either tapped on the temple or twisted back and forth.

Ivre. To indicate that someone has had too much to drink, one hand is cupped in a fist. This is placed loosely on the nose and rotated.

❖ **À vous.** Répondez.

1. Quand avez-vous eu peur?
2. Pour quelle raison avez-vous eu peur?
3. Qu'est-ce que vous avez fait?

ENTRE AMIS C'était la faute du professeur

1. Tell your partner that you had an accident.
2. Explain that you hit the teacher's car.
3. Say that it was the teacher's fault.
4. Explain that s/he was going too slowly.

La voyelle [ə]

■ As you have already learned, the letter -e- can stand for any one of the sounds [e], [ɛ], [ɑ̃], and [ɛ̃], depending on the spelling combinations of which it is a part. You have also seen, however, that the letter -e- sometimes represents the sound [ə]. The symbol [ə] stands for a vowel called "unstable e" or "mute e." It is called unstable because it is sometimes pronounced and sometimes not.

✤ Look at the following pairs of examples and then read them aloud. A highlighted -e- represents a pronounced [ə]. An -e- with a slash through it represents a silent [ə]. Compare especially changes you find in the same word from one sentence of the pair to the other.

Le voilà!	Mais le voilà!
Ce film est très bon.	Moi, je n'aime pas ce film.
*De*main, vous le trouverez.	Vous le trouverez demain.
Denise est américaine?	Elle est française.
*Re*gardez cette femme.	Vous regardez cette femme?
Nous prenons le train vendredi.	Nous arriverons samedi.
Votre père est charmant.	Votre amie est charmante.
Voilà une tasse de café.	Nous ne voulons pas de café.
C'est une bague de fiançailles.	Mais il n'y aura pas de mariage.
Qu'est-ce que tu veux?	Elle a dit que tu voulais me voir.
de rien	Il finit de rire.
vous seriez	vous serez

■ In general, [ə] is *silent* in the following circumstances.

1. at the end of a sentence
2. before or after a pronounced vowel
3. when it is preceded by only one pronounced consonant sound

■ In general, [ə] is *pronounced* in the following circumstances.

1. when it is in the first syllable of a sentence
2. when it is preceded by two pronounced consonant sounds (even if there is an intervening silent [ə]) and followed by at least one pronounced consonant
3. when it precedes the combination [Rj]

Note: When the letter -e- is followed *in the same word* by two consonants or by -x, it is normally pronounced [ɛ].

*e*lle	av*e*rtissement	c*e*tte	pr*e*nnent	v*e*rser	m*e*rci
*e*xiger	*e*xcusez-moi	*e*xact	*e*xamen		

✜ Écoutez et puis répétez.

You may wish to explain the change from **votre** to **vot'** before a consonant in familiar French.

1. L'autre conducteur ne regardait pas à droite.
2. Qu'est-ce que votre frère a fait?
3. Est-ce que tu regardes des feuilletons le vendredi ou le samedi?
4. De quelle ville venez-vous?
5. Vous venez de Paris, n'est-ce pas?

Buts communicatifs

1. Seeking and Providing Information

Avez-vous entendu parler d'un accident?
Avez-vous vu un accident?

Est-ce que quelqu'un a été blessé°?	*wounded*
Est-ce qu'il y a eu des morts°?	*deaths*
Où est-ce que l'accident a eu lieu?	
Quelle heure était-il?	
De quelle couleur étaient les voitures?	
De quelle marque° étaient les voitures?	*make; brand*
De quelle année étaient les voitures?	
Est-ce que la chaussée° était glissante°?	*pavement / slippery*

The passé composé and imperfect were previously compared in Ch. 11.

A. L'imparfait et le passé composé (suite)

■ It is perhaps helpful, when trying to remember whether to use the imperfect or the passé composé, to think of the analogy of the use of these tenses to a stage play.

□ In a play, there is often scenery (trees, birds singing, the sun shining, etc.) and background action (minor characters strolling by, people playing, working, etc.). This scenery and background action are represented by the imperfect.

Il **était** tôt.	*It was early.*
Il **faisait** froid.	*It was cold out.*
James **allait** au travail.	*James was going to work.*
Un autre conducteur ne **faisait** pas attention.	*Another driver wasn't paying attention.*
Il ne **regardait** pas à droite.	*He wasn't looking to the right.*

□ Likewise, in a play, there are main actors upon whom the audience focuses, if even for a moment. They speak, move, become aware, act, and react. The narration of these past events requires the passé composé.

Qu'est-ce qui lui **est arrivé**?	*What happened to him?*
Il **a eu** un accident.	*He had an accident.*
Ils **sont entrés** en collision.	*They collided.*
Un gendarme lui **a donné** une contravention.	*A policeman gave him a ticket.*

Buts communicatifs   **493**

1. **Voilà pourquoi.** Répondez aux questions suivantes. Essayez de trouver des raisons logiques.

Modèle: Pourquoi Laurent a-t-il téléphoné à Mireille?
Il lui a téléphoné parce qu'il voulait sortir avec elle. ou
Il lui a téléphoné parce qu'il la trouvait gentille.

1. Pourquoi Laurent et Mireille sont-ils sortis samedi soir?
2. Pourquoi ont-ils mis leurs manteaux?
3. Pourquoi sont-ils allés au restaurant?
4. Pourquoi n'ont-ils pas pris de dessert?
5. Pourquoi ont-ils fait une promenade après?

2. **Pourquoi pas, Amélie?** Utilisez la forme négative. Expliquez pourquoi Amélie n'a pas fait les choses suivantes.

Modèle: prendre le petit déjeuner
Amélie n'a pas pris le petit déjeuner parce qu'elle n'avait pas faim. ou
Amélie n'a pas pris le petit dejeuner parce qu'elle a oublié.

Brainstorm with the class to find as many reasons as possible for each thing Amélie did not do.

1. aller au cinéma
2. étudier dans sa chambre
3. regarder son émission préférée
4. danser avec Gérard
5. nager
6. avoir un accident
7. boire du vin

B. Les pronoms interrogatifs

■ Interrogative pronouns are used to ask questions. You have already learned to use several interrogative pronouns.

Qui est-ce?	*Who is that?*
Qu'est-ce que c'est?	*What is that?*

■ As in English, interrogative pronouns in French change form depending on whether they refer to people or to things.

Qui as-tu vu?	*Whom did you see?*
Qu'est-ce que tu as vu?	*What did you see?*

■ In addition, French interrogative pronouns change form depending on their function in the sentence. For example, the word *what* in English can take three different forms in French depending on whether it is the subject, the direct object, or the object of a preposition.

Qu'est-ce qui est à droite?	*What is on the right?*
Qu'est-ce que tu vois?	*What do you see?*
À quoi penses-tu?	*What are you thinking about?*

PEOPLE

Subject

Qui	Qui parle?	*Who is speaking?*
Qui est-ce qui	Qui est-ce qui parle?	

Object

Qui (+ inversion)	Qui avez-vous vu?	*Whom did you see?*
Qui est-ce que	Qui est-ce que vous avez vu?	

After a preposition

... qui (+ inversion)	À qui écrivez-vous?	*To whom are you writing?*
... qui est-ce que	À qui est-ce que vous écrivez?	

THINGS

Subject

Qu'est-ce qui	Qu'est-ce qui fait ce bruit?	*What's making that noise?*

Object

Que (+ inversion)	Qu'avez-vous fait?	*What did you do?*
Qu'est-ce que	Qu'est-ce que vous avez fait?	

After a preposition

... quoi (+ inversion)	De quoi avez-vous besoin?	*What do you need?*
... quoi est-ce que	De quoi est-ce que vous avez besoin?	

■ If the question involves a person, the pronoun will always begin with **qui.** If it is a question about a thing, the pronoun will begin with **que** or **quoi.** There is no elision with **qui** or **quoi,** but **que** becomes **qu'** before a vowel.

Qui a parlé?	*Who spoke?*
De **quoi** a-t-il parlé?	*What did he talk about?*
Qu'est-ce qu'il a dit?	*What did he say?*

■ There are two forms of each of these interrogative pronouns, except the subject pronoun **qu'est-ce qui.**

■ When interrogative pronouns are used as subjects, the verb is normally singular.

Mes parents ont téléphoné.   Qui **a** téléphoné?

3. **Quelqu'un ou quelque chose?** Utilisez un pronom interrogatif pour poser une question.

Modèles:

Quelqu'un m'a téléphoné.
Qui vous a téléphoné?

J'ai téléphoné à quelqu'un.
À qui avez-vous téléphoné?

Quelque chose m'intéresse.
Qu'est-ce qui vous intéresse?

J'ai acheté quelque chose.
Qu'est-ce que vous avez acheté?

1. J'ai fait quelque chose le week-end dernier.
2. Quelque chose m'est arrivé.
3. J'ai vu quelqu'un.
4. Quelqu'un m'a parlé.
5. J'ai dansé avec quelqu'un.
6. Nous avons bu quelque chose.
7. J'avais besoin de payer pour quelqu'un.
8. J'ai dit au revoir à quelqu'un.

Qui a dit que c'est tout petit, l'Irlande ?

4. **Comment? Je n'ai pas compris.** Votre partenaire vous a parlé mais vous n'avez pas bien entendu. Demandez qu'il (elle) répète. Remplacez l'expression en italique par un pronom interrogatif.

Modèles:

Mon frère a acheté une voiture.
VOUS: **Comment? Qui a acheté une voiture?**
VOTRE PARTENAIRE: **Mon frère.**

J'ai lu *deux livres.*
VOUS: **Comment? Qu'est-ce que tu as lu?**
VOTRE PARTENAIRE: **Deux livres.**

1. *Sophie* a écrit une lettre à ses parents.
2. Elle avait besoin *d'argent.*
3. *Ses parents* ont lu la lettre.
4. Ils ont répondu *à Sophie.*
5. Ils lui ont envoyé *l'argent.*
6. Sa mère *lui* a téléphoné hier soir.
7. Elle lui a dit *que son frère était malade.*
8. Sophie aime beaucoup *son frère.*
9. *Sa maladie* lui fait peur.

ENTRE AMIS Hier soir

1. Find out from your partner what happened yesterday.
2. Ask what s/he had for dinner.
3. Find out with whom s/he ate.
4. Ask what s/he did after dinner.

C. Ne ... personne et ne ... rien

Qui avez-vous rencontré?	Je n'ai rencontré **personne.**
Qu'est-ce que vous avez fait?	Je n'ai **rien** fait.
Avec qui avez-vous dansé?	Je n'ai dansé avec **personne.**
De quoi avez-vous besoin?	Je n'ai besoin de **rien.**
Qui est venu?	**Personne** n'est venu.
Qu'est-ce qui est arrivé?	**Rien** n'est arrivé.

■ You have already learned that the opposite of **quelque chose** is **ne ... rien** (*nothing, not anything*). The opposite of **quelqu'un** is **ne ... personne** (*no one, nobody, not anyone*).

■ When used as a *direct object,* **ne ... personne,** like **ne ... rien,** is placed around the conjugated verb.

Entendez-vous quelque chose?	Non, je **n'**entends **rien.**
Voyez-vous quelqu'un?	Non, je **ne** vois **personne.**

Note: Unlike **ne ... rien,** however, **ne ... personne** surrounds both the auxiliary verb *and* the past participle in the passé composé.

	Avez-vous entendu quelque chose?	Non, je **n'**ai **rien** entendu.
But:	Avez-vous vu quelqu'un?	Non, je **n'**ai vu **personne.**

■ Both **rien** and **personne** can be used as the *object of a preposition.*

Avez-vous besoin de quelque chose?	Non, je **n'**ai besoin *de* **rien.**
Parlez-vous avec quelqu'un?	Non, je **ne** parle *avec* **personne.**

■ **Personne** and **rien** can also serve as the *subject* of a verb. In this case, **personne** and **rien** come before **ne**. **Ne** still comes before the conjugated verb.

Personne n'a téléphoné.	*Nobody telephoned.*
Personne ne va à cet endroit.	*No one goes to that place.*
Rien ne m'intéresse.	*Nothing interests me.*

■ Like **jamais** and **rien, personne** can be used alone to answer a question.

Qui est venu?	**Personne.**
Qui avez-vous rencontré?	**Personne.**

5. **Je n'ai rien fait à personne!** Utilisez **rien** ou **personne** pour répondre aux questions suivantes.

Modèles: Qui avez-vous vu? Qu'avez-vous entendu?
Je n'ai vu personne. **Je n'ai rien entendu.**

1. Avec qui êtes-vous sorti(e)?
2. Qu'est-ce que vous avez fait?
3. Qu'est-ce que vous avez bu?
4. Qui est-ce que vous avez vu?
5. De quoi aviez-vous besoin?
6. À qui pensiez-vous?
7. À quoi pensiez-vous?
8. À qui est-ce que vous avez téléphoné?
9. Qu'avez-vous dit?

6. **Personne n'a rien fait.** Utilisez **rien** ou **personne** pour répondre aux questions suivantes.

Modèles: Qui a vu l'accident? Qu'est-ce qui vous intéresse?
Personne n'a vu l'accident. **Rien ne m'intéresse.**

1. Qui a pris ma voiture?
2. Qu'est-ce qui est arrivé hier soir?
3. Qui a écrit à Sylvie?
4. Qui lui a téléphoné?
5. Qu'est-ce qui lui est arrivé?
6. Qui est-ce qui est sorti avec elle?
7. Qui va faire les devoirs ce soir?
8. Qu'est-ce qui va mal?
9. Qui va mal?

RIEN N'ÉGALE LE SUCRE

7. **Ni rien ni personne.** Utilisez **rien** ou **personne** pour répondre aux questions suivantes.

Tell students to play the role of a person who never does anything.

1. Vous avez fait quelque chose le week-end dernier?
2. Quelque chose vous est arrivé?
3. Vous avez vu quelqu'un?
4. Quelqu'un vous a invité(e) à danser?
5. Vous avez dansé avec quelqu'un?
6. Après le bal quelqu'un vous a accompagné(e) au café?
7. Vous avez bu quelque chose?
8. Quelqu'un a payé pour vous?
9. Vous avez dit au revoir à quelqu'un?
10. Quelqu'un vous a embrassé(e)?

E N T R E   A M I S   Je préfère ne pas en parler

Your partner is very secretive and will answer **nothing** *or* **nobody** *to all your questions.*

1. Ask your partner who wrote to him/her.
2. Ask who called him/her on the telephone.
3. Find out with whom s/he went out.
4. Ask what happened.
5. Ask what s/he did.
6. Ask whom s/he saw.

2. Making Basic Hypotheses

Je viens de voir un accident au coin de la rue! C'était incroyable!
    Qu'est-ce qui l'a causé?
Je ne suis pas certain. Mais le conducteur devait
    rouler° trop vite.   *must have been going*
Il a dû oublier° de regarder à droite.   *must have forgotten*
Il devait être° ivre.   *must have been*

✤ **Et vous?** Avez-vous jamais vu un accident? Qu'est-ce qui l'a causé, à votre avis?

D. Le verbe *devoir*

Où est Céline?	*Where is Céline?*
Je ne sais pas. Elle **doit** être malade.	*I don't know. She **must** be sick.*
Mais elle **devait** apporter des fleurs pour le prof!	*But she **was supposed to** bring flowers for the teacher!*
Oui, je sais. Puisqu'elle n'est pas venue, j'**ai dû** aller les acheter. Maintenant tout le monde me **doit** 5 francs pour le bouquet.	*Yes, I know. Since she didn't come, I **had to** go buy them. Now everybody **owes** me 5 francs for the bouquet.*

---

devoir (*to owe; to have to;*
to be probably; to be supposed to)

je	**dois**	nous	**devons**
tu	**dois**	vous	**devez**
il/elle/on	**doit**		
ils/elles	**doivent**		

passé composé: j'**ai dû**

■ The past participle of **devoir** is **dû.** When it has a feminine agreement, however, it loses the circumflex: **due.** This often occurs when the past participle is used as an adjective.

l'argent **dû** à mon frère   la pollution **due** à l'industrie

■ The future tense verb stem for **devoir** is irregular: **devr-.**

Elle **devra** travailler dur.   *She'll have to work hard.*

■ Like other verbs with two stems in the present tense, **devoir** has two stems in the subjunctive.

que je **doive**   que nous **devions**

■ The verb **devoir** followed by a noun means *to owe*.

> Je **dois** quatre dollars à mon frère.　　*I **owe** my brother four dollars.*

■ When **devoir** is followed by an infinitive, it can have several meanings: *to have to (must), to be probably (must be); to be supposed to.*

Nous **devons** étudier.	*We **have to** study. (We **must** study.)*
Luc n'est pas ici. Il **doit** être malade.	*Luc isn't here. He **is probably** sick. (He **must** be sick.)*
Je **dois** le voir ce soir.	*I **am supposed to** see him tonight. (I **am expecting to** see him tonight).*

■ The passé composé and the imperfect can both mean *had to* or *probably (must have)*. The choice of tense depends, as usual, on whether the verb is a specific action or a description or habitual condition.

Hier j'**ai dû** aller voir ma tante.	*Yesterday, I **had to** go see my aunt.*
En général, je **devais** faire mes devoirs avant de sortir.	*In general, I **had to** do my homework before going out.*
Il **a dû** oublier notre rendez-vous!	*He **probably** forgot our date! (He **must have** forgotten our date!)*
Il **devait** être très occupé.	*He was **probably** very busy. (He **must have** been very busy.)*

Note: When *devoir* means *was supposed to*, the imperfect is always used.

Nous **devions** dîner chez les Gilbert le lendemain soir.	*We **were supposed to** have dinner at the Gilberts' the next evening.*

You might point out that the imperfect here implies that the event did not actually take place.

8.　**Qu'est-ce qu'ils doivent faire?**　Indiquez ce qu'il faut que ces personnes fassent. Utilisez le verbe **devoir**.

Modèle:　Gérard veut aller au cinéma. (étudier)
Gérard veut aller au cinéma, mais il doit étudier.

1. Nous voulons sortir ce soir. (préparer un examen)
2. Les étudiants ont envie de s'amuser. (travailler)
3. Tu veux regarder la télévision. (te coucher)
4. Je voudrais faire un voyage. (rester chez moi)
5. Vous avez envie de fumer une cigarette. (arrêter de fumer)

9. **C'est probable.** Utilisez **devoir** au passé composé d'après le modèle pour modifier les phrases suivantes.

Modèle: Delphine n'a probablement pas fait ses devoirs.
Elle n'a pas dû faire ses devoirs.

Remind students that **sans doute** and **probablement** are synonyms.

1. Elle est sans doute sortie avec ses amis.
2. Elle n'a probablement pas étudié.
3. Elle a probablement eu une mauvaise note.
4. Elle a sans doute échoué.
5. Elle a probablement pleuré.
6. Elle a sans doute parlé avec son professeur.
7. Elle a sans doute réussi la prochaine semaine.

10. **Projets et obligations.** Utilisez **devoir** à l'imparfait pour suggérer quelques conclusions basées sur les faits suivants (*the following facts*).

Modèle: Marc n'a pas mangé depuis vingt-quatre heures.
Il devait avoir faim.

1. Marc a bu quatre tasses de café.
2. Il a beaucoup travaillé.
3. Ses amis lui ont dit de partir en vacances.
4. Il a acheté un billet d'avion.
5. Il est allé en France.
6. Il a rencontré une Française.
7. Ils se sont mariés.

11. **Toutes ces obligations!** Traduisez (*translate*) la forme verbale anglaise entre parenthèses pour compléter la phrase.

Modèle: Chantal ___ étudier pendant le week-end. (*was supposed to*)
Chantal devait étudier pendant le week-end.

1. Vous ___ laisser votre voiture chez vous. (*must have*)
2. Il fait froid. Tu ___ mettre un manteau. (*have to*)
3. Mes parents ___ venir me chercher il y a deux heures. (*were supposed to*)
4. Nous ___ aller au musée du Louvre quand nous serons à Paris. (*will have to*)
5. Vous me ___ de l'argent. (*owe*)
6. Nos amis ___ oublier de nous téléphoner. (*must have*)

E. *Si* hypothétique

Si je gagne à la loterie, **je vais aller** en Europe et en Asie.
Si je ne gagne pas à la loterie, **je resterai** ici.

This was first introduced in Ch. 12.

You might also want to point out that **si** + present tense can also be used with an imperative (**Si tu ne veux pas le savoir, ne m'écoute pas**) or with another present tense (**Si tu as chaud, tu ne dois pas porter ce manteau**). These are not hypotheses in the same sense as the sentences taking the future, of course.

Review: Hypothetical statements about the future can be made by using **si** plus the present tense in conjunction with a clause in the future. Such a hypothesis will become a virtual certainty *if* the event described in the **si** clause actually occurs.

Si ma mère me **téléphone** ce soir, je lui **raconterai** cette histoire.
Je n'**irai** pas avec toi **si** tu **continues** à me parler comme ça.

■ To *suggest* what someone *might* do, **si** can be used with the imperfect as a question.

Si vous veniez à 8 heures?	*How about coming at 8 o'clock?*
Si j'allais au supermarché?	*What if I went to the supermarket?*
Si nous jouions aux cartes?	*How about a game of cards?*

12. **Aujourd'hui même** (*This very day*). Faites des suggestions. Si ces personnes doivent faire quelque chose, pourquoi pas aujourd'hui? Mettez l'infinitif à l'imparfait et ajoutez **aujourd'hui même**.

Modèle: Sébastien doit écrire à ses parents.
S'il écrivait à ses parents aujourd'hui même?

1. Nous devons aller au restaurant.
2. Les Bernard doivent rendre visite à leurs enfants.
3. Je dois inviter Laurence à dîner.
4. Vous devez venir voir ma maison.
5. Nous devons faire un voyage.

13. **Deux solutions.** Pour chaque «problème» vous devez suggérer deux solutions.

Modèle: Nous avons faim.
Si vous mangiez quelque chose?
Si nous allions au restaurant?

1. Nous avons un examen demain.
2. Je suis malade.
3. Paul a besoin d'argent.
4. Je dois contacter mes amis.
5. J'ai soif.
6. Nous devons faire de l'exercice physique.
7. Nos amis sont tristes.

> **ENTRE AMIS** Un bonnet de nuit
> *(party-pooper; wet blanket)*
>
> *Your partner is a party-pooper. Try to suggest different activities. S/he will find some excuse (e.g., "I have to study") and refuse at least the first three suggestions.*
>
> 1. Suggest ordering a pizza.
> 2. Suggest watching television.
> 3. Suggest going to a movie.
> 4. What other suggestions can you make?

3. Making Basic Hypotheses (continued)

Que feriez-vous°...	*What would you do*		
		oui	*non*
... si vous n'aviez pas de devoirs?			
Je resterais dans ma chambre.		——	——
Je sortirais avec mes amis.		——	——
J'irais au cinéma.		——	——
Je m'amuserais.		——	——
... si, par hasard°, vous gagniez à la loterie?	*by chance*		
J'achèterais une voiture.		——	——
Je paierais mes dettes°.	*debts*	——	——
Je donnerais de l'argent aux pauvres.		——	——
Je mettrais de l'argent à la banque.		——	——
... si vous n'étiez pas étudiant(e)?			
Je chercherais du travail.		——	——
Je gagnerais de l'argent.		——	——
Je voyagerais.		——	——
J'irais en France.		——	——

F. Le conditionnel

Je pourrais apporter quelque chose?   *Could I bring something?*

J'aimerais inviter les Martin.   *I would like to invite the Martins.*

Ils viendraient si tu leur téléphonais maintenant.   *They would come if you called them now.*

■ The conditional is used to express hypotheses and also politely stated requests or wishes.

■ The conditional is formed by adding the imperfect endings (**-ais, -ais, -ait, -ions, -iez, -aient**) to the future stem (see Chapter 12).

aimer		
j'	aimer	ais
tu	aimer	ais
il/elle/on	aimer	ait
nous	aimer	ions
vous	aimer	iez
ils/elles	aimer	aient

vendre		
je	vendr	ais
tu	vendr	ais
il/elle/on	vendr	ait
nous	vendr	ions
vous	vendr	iez
ils/elles	vendr	aient

■ Remember that a number of verbs have irregular future stems (see Chapter 12). These verbs use the same irregular stem in the conditional. The endings, however, are always regular.

être	ser-	je serais	*I would be*
avoir	aur-	j'aurais	*I would have*
faire	fer-	je ferais	*I would do*
aller	ir-	j'irais	*I would go*
venir	viendr-	je viendrais	*I would come*
devenir	deviendr-	je deviendrais	*I would become*
vouloir	voudr-	je voudrais	*I would like*
pouvoir	pourr-	je pourrais	*I could;*
			I would be able
devoir	devr-	je devrais	*I should; I ought to*
savoir	saur-	je saurais	*I would know*

■ Impersonal expressions also have conditional forms.

infinitive	*present*	*conditional*
pleuvoir	il pleut	**il pleuvrait**
falloir	il faut	**il faudrait**
valoir mieux	il vaut mieux	**il vaudrait mieux**

■ Since -e- is *pronounced* as [ə] before the sound combination [Rj], it is never dropped in the **nous** and **vous** forms of the conditional of -er verbs and of irregular verbs such as **vous feriez** and **nous serions.**

future	*conditional*
nous danserons	nous danserions
vous chanterez	vous chanteriez
nous serons	nous serions
vous ferez	vous feriez

■ The conditional is used to make a polite request or suggestion because the present is often considered rather harsh or brusk. **Devoir** is often the verb used to make a polite suggestion.

Je **veux** une tasse de café.	*I want a cup of coffee.*
Je **voudrais** une tasse de café.	*I would like a cup of coffee.*
Vous **devez** faire attention.	You *must pay attention.*
Vous **devriez** faire attention.	*You should (ought to) pay attention.*

■ Hypothetical statements referring to what would happen if something else were also to take place can be made by using **si** + imperfect with a clause in the conditional. Such hypotheses are not as certain actually to occur as those expressed by **si** + present with a clause in the future (see page 503).

Si j'étais libre, **je sortirais** avec mes amis.	*If I were free, I would go out with my friends.*
Que **feriez-vous si vous étiez** riche?	*What **would you do,** if you **were** rich?*

14. **Que ferais-tu?** Lisez ce questionnaire et répondez à chaque question. Interviewez ensuite votre partenaire en mettant les phrases à la forme interrogative avec **tu.** Comparez vos réponses.

Modèle:

VOUS: **Si tu avais besoin d'argent, est-ce que tu écrirais à tes parents?**

VOTRE PARTENAIRE: **Non, je n'écrirais pas à mes parents. Et toi?**

Follow up: Have students change partners and "gossip" about their first partners.

1. Si j'avais besoin d'argent, ...

	oui	*non*
j'écrirais à mes parents.	____	____
je chercherais du travail.	____	____
je vendrais mon livre de français.	____	____
j'irais voir mes amis.	____	____
je pleurerais.	____	____

2. Si j'avais «F» à l'examen, ...

je pleurerais.	____	____
je serais fâché(e).	____	____
je serais très triste.	____	____
je téléphonerais à mes parents.	____	____
je resterais dans ma chambre.	____	____
j'arrêterais mes études.	____	____

3. Si on m'offrait une Mercédès, ...

je l'accepterais.	____	____
je la garderais (*would keep it*).	____	____
je la vendrais.	____	____
je la donnerais à mes parents.	____	____
je l'échangerais contre (*would trade it for*) une Renault.	____	____

15. Quelle audace! (*What nerve!*) Mettez le verbe au conditionnel pour être plus poli(e).

Modèle: Vous devez parler plus fort (*loudly*).
Vous devriez parler plus fort.

1. Je peux vous poser une question?
2. Avez-vous l'heure?
3. Pouvez-vous me dire votre nom?
4. Faites-vous la cuisine ce soir, par hasard?
5. Si oui, je suis libre.
6. Je veux un steak-frites.
7. C'est très gentil de m'inviter.
8. J'aime mon steak saignant (*rare*).

16. Quel conseil donneriez-vous? Utilisez le verbe **devoir** au conditionnel pour suggérer ce qu'il faudrait faire. Pourriez-vous donner deux suggestions pour chaque phrase?

Modèle: Nous n'avons pas de bonnes notes.
Vous devriez étudier.
Vous ne devriez pas sortir tous les soirs.

1. Marc a très faim.
2. Nos amis ont soif.
3. Nous sommes en retard.
4. Robert et Anne sont malades.
5. Gertrude est fatiguée.
6. Je n'ai pas envie de sortir ce soir.
7. Notre professeur donne beaucoup de devoirs.

17. À vous. Répondez.

1. Où habiteriez-vous si vous étiez riche?
2. Quelle sorte de voiture auriez-vous?
3. À qui donneriez-vous de l'argent?
4. Qu'est-ce que vous achèteriez?
5. Si vous étiez professeur, qu'est-ce que vous enseigneriez (*would teach*)?
6. Donneriez-vous beaucoup de devoirs à vos étudiants? Pourquoi ou pourquoi pas?

> **ENTRE AMIS** Des châteaux en Espagne
> (*Daydreams*)
>
> 1. Find out what your partner would do if s/he had a lot of money.
> 2. Ask where s/he would live.
> 3. Find out if s/he would buy a car and, if so, what kind.
> 4. Tell your partner s/he should give you some money and explain why.

Révision et Intégration

Have students work in pairs to try to guess each other's questions.

A. **Le témoin** (*The witness*).   Un ami francophone a vu un accident. Faites une liste de questions que vous pourriez lui poser.

Give students 3–4 minutes. Who will have the longest list?

B. **Un remue-méninges** (*Brainstorming*).   Faites une liste de choses que vous pourriez faire avec cinquante dollars.

C. **Quelques suggestions**

1. Citez trois choses qu'on pourrait donner à un(e) ami(e) pour son anniversaire.
2. De quoi les étudiants ont-ils besoin pour être heureux sur votre campus? (trois choses)
3. Proposez trois suggestions pour les prochaines vacances.
4. Quelles sont trois choses que vous feriez si vous étiez en France?

D. **À vous.**   Répondez.

1. Quelle sorte de maison aimeriez-vous avoir un jour?
2. Qu'est-ce qu'un étudiant devrait faire pour réussir au cours de français?
3. Que feriez-vous à la place du professeur? Pourquoi?
4. Qu'est-ce que vous apporteriez si vous étiez invité(e) chez une famille française?
5. Si vous alliez faire un long voyage et si vous deviez inviter quelqu'un, qui vous accompagnerait et pourquoi?

An accident has taken place. Your partner plays the role of a police inspector, who is interviewing you, asking many questions. Describe what happened. As you speak, the inspector will interrupt with reactions to your description and with more questions.

E. *Rédaction:* **Un accident.** You are in France and your family has exchanged houses and cars with a French family for the summer. Unfortunately you have had an accident. Write home to tell the French family what happened.

Lecture

A. Le savoir-vivre. Répondez selon l'étiquette de votre pays.

1. Est-ce qu'on devrait apporter quelque chose quand on est invité à dîner chez des amis? Si oui, qu'est-ce qu'on pourrait offrir d'apporter?
2. Est-ce qu'on apporte quelque chose sans demander à l'hôte (l'hôtesse)? Si oui, qu'est-ce qu'on pourrait apporter?
3. Est-ce qu'il y a des cadeaux (*gifts*) qui offenseraient (*would offend*) votre hôte (hôtesse)?
4. Combien de fleurs donne-t-on normalement comme cadeau?

Une lettre à Mademoiselle Étiquette

Mademoiselle Étiquette,

Je suis invitée à dîner chez des amis français et je voudrais leur apporter quelque chose. J'ai pensé à une bouteille de vin ou à une boîte de bonbons. Pourriez-vous m'aider à décider? Je ne voudrais pas offenser mes amis. Qu'est-ce que je devrais faire?

Jeune étrangère[1]

1. *foreigner*

Chère jeune étrangère,

Il vaudrait mieux ne pas apporter de vin quand on est invité à dîner. Vos amis auront sans doute déjà choisi la ou les bouteilles qu'ils vont servir et vous ne pourriez pas savoir quel vin choisir. Pour ce qui est des[2] bonbons, ils font grossir et il serait préférable de ne pas leur en donner. Leur offrir des bonbons serait une tentation[3] pour eux. Le geste classique, en France au moins, reste les fleurs. Mais attention de ne pas leur donner de chrysanthèmes, car ce sont les fleurs qu'on achète le jour de la Toussaint.[4] Choisissez un beau bouquet de roses, par exemple, et, donnez, de préférence,[5] un nombre impair[6] de fleurs.

Bon appétit,

Mademoiselle Étiquette

2. With respect to   3. temptation   4. All Saints' Day   5. preferably   6. odd

B. **Vrai ou faux.** Décidez si les phrases suivantes sont vraies ou fausses selon la lecture. Si une phrase est fausse, corrigez-la.

1. L'étrangère ne sait pas s'il est possible de donner du vin ou des bonbons.
2. Elle demande à Mademoiselle Étiquette de l'aider.
3. En France on offre quelque chose à boire.
4. Il ne faut pas offrir de roses.
5. Quand on offre des fleurs en France, on en donne d'habitude trois, cinq, sept, etc.

I L   Y   A   U N   G E S T E

De bons amis. The index fingers of both hands are aligned side by side (in Avignon and Besançon) or linked (in Rouen) to indicate the closeness of the friendship: **Nous sommes comme ça.**

In Angers and Tours, the index and middle finger of the same hand are sometimes crossed to show this relationship: **Comme les deux doigts de la main.**

A. **Étude du vocabulaire.** Étudiez les phrases suivantes. Essayez de deviner le sens des mots en caractères gras.

1. Est-ce qu'on peut camper ici? Je ne sais pas; demandez au **responsable** du camp.
2. **Je ne suis pas en mesure de** répondre à cette question. Posez-la à un spécialiste.
3. Marc étudie beaucoup et **pourtant** il ne réussit pas.
4. Paul a changé d'emploi. Il espère gagner **davantage** d'argent.
5. J'ai envie de lire; achetez-moi **n'importe quel** journal. Ça m'est égal.
6. Jacques est **nettement** plus grand que sa sœur. Mais il est beaucoup plus âgé qu'elle aussi.
7. Pour construire une autoroute, on utilise du **béton**.
8. Tchernobyl était une **centrale** nucléaire russe.

B. **Opinions.** Décidez si vous êtes d'accord avec les phrases suivantes.

1. L'énergie nucléaire est nécessaire pour l'indépendance économique de mon pays.
2. Toutes les centrales nucléaires sont dangereuses.
3. C'est aux États-Unis que les centrales nucléaires produisent le plus grand pourcentage d'électricité.
4. Il y a déjà eu un accident nucléaire aux États-Unis.
5. Il y a déjà eu un accident nucléaire en Russie.

La France nucléaire

«Oui, je crois à la possibilité d'un accident. Ce qui serait dangereux, c'est que je n'y croie pas.» De la part du responsable de la sûreté nucléaire à EDF (Électricité de France), Pierre Tanguy, de tels propos[1] peuvent surprendre. Mais ils illustrent en fait une nouvelle attitude d'EDF après l'accident de Tchernobyl, où l'improbable est arrivé. «C'est en étant[2] sûr que l'accident peut arriver qu'on est le mieux en mesure de l'éviter[3], poursuit[4] Pierre Tanguy. De toute façon[5], je n'arrive pas à imaginer qu'on puisse avoir en France des rejets extérieurs tels[6] qu'une de nos centrales risque de faire des victimes dans la population.»

Pourtant, la France accumule davantage de risques statistiques que n'importe quel autre pays. Au nom de l'indépendance énergétique, elle a la première place pour la part du nucléaire dans l'électricité produite: 70%. Un record, comparé aux Américains, qui en sont à 16%, et aux Soviétiques, à 11%. De plus, la France possède 44 réacteurs électronucléaires qui se trouvent dans un espace[7] nettement plus restreint[8] et plus peuplé. En cas d'incident, pouvons-nous réussir une évacuation de

135.000 personnes, comme à Tchernobyl? Les experts français prévoient[9] l'évacuation des habitants dans un rayon[10] de seulement 5 kilomètres autour de la centrale et le confinement des habitants chez eux jusqu'à 10 kilomètres, mais il n'y a pas de plan de secours à grande échelle[11] plus loin. «Ce n'est pas du laxisme», explique Jean Petit, directeur adjoint de l'Institut de protection et de sûreté nucléaire. La raison de cette assurance? «Des fuites[12] radioactives dans l'atmosphère ne peuvent pas s'échapper[13] des centrales françaises, affirme-t-on à EDF. Car, à la différence de ceux des Soviétiques, nos réacteurs sont enfermés sous un dôme de béton de 90 centimètres d'épaisseur[14].» C'est ainsi que l'accident de Three Mile Island, aux États-Unis, n'a pas fait de victimes, car dans la centrale américaine les poisons radioactifs sont restés enfermés dans le dôme de béton.

Adapté de «Risques: le système France»,
Le Point (n° 761)

1. *such words* 2. *by being* 3. *avoid* 4. *continues* 5. *In any case* 6. *discharge to the degree* 7. *space* 8. *smaller* 9. *foresee* 10. *radius* 11. *large scale* 12. *leaks* 13. *escape* 14. *90 centimeters thick*

Un réacteur électronucléaire dans la vallée de la Loire

C. **Vrai ou faux?** Décidez si les phrases suivantes sont vraies ou fausses d'après la lecture. Si une phrase est fausse, corrigez-la.

1. Les centrales nucléaires françaises sont meilleures que celles des Russes.
2. La centrale nucléaire de Three Mile Island était exactement comme celle de Tchernobyl.
3. Pierre Tanguy est sûr qu'il n'y aura jamais de problème.
4. D'après Tanguy, personne ne sera tué (*killed*) s'il y a un accident nucléaire.
5. L'EDF est sûre qu'il n'y aura jamais de fuite.
6. S'il y a un problème, les Français ont l'intention d'évacuer tous les gens qui habitent très près de la centrale.

D. **À votre avis**

1. Êtes-vous pour ou contre l'utilisation de l'énergie nucléaire? Expliquez votre réponse.
2. Que pensez-vous de la sûreté du système nucléaire français?

Vocabulaire actif

Noms

un accident	*accident*	un(e) idiot(e)	*idiot*
un(e) automobiliste	*driver*	un(e) imbécile	*imbecile*
la chaussée	*pavement*	une faute	*fault; mistake*
un conducteur/une conductrice	*driver*	un gendarme	*policeman*
une contravention	*traffic ticket*	une marque	*make, brand*
une dette	*debt*	la mort	*death*
les études (*f.pl.*)	*studies*	un témoin	*witness*

Adjectifs

blessé(e)	*wounded*	pâle	*pale*
glissant(e)	*slippery*	physique	*physical*
ivre	*drunk*	saignant(e)	*rare, undercooked*

Verbes

accepter	*to accept*
assurer	*to assure; to insure*
déraper	*to skid*
devoir	*to owe; to have to; to be probably; to be supposed to*
échanger ... contre	*to trade ... for*
enseigner	*to teach*
entendre parler de	*to hear about*
entrer en collision	*to hit; to collide*
freiner	*to brake*
garder	*to keep*
heurter	*to hit; to run into (something)*
rouler	*to go; to roll*

Adverbe

fort   *loudly; with strength*

Pronom

personne (ne ... personne)   *no one; nobody; not anyone*

Préposition

contre   *against; (in exchange) for*

Expressions utiles

juste derrière	*right behind*
par hasard	*by chance*

Escale 4

LA MARTINIQUE

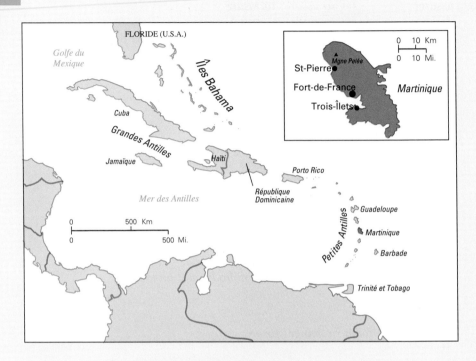

STATUT LÉGAL:	département français d'outre-mer
LANGUE OFFICIELLE:	français
AUTRE LANGUE:	créole
MONNAIE:	franc français
CAPITALE:	Fort-de-France
SUPERFICIE:	1.116 km² (équivalente à celle de la ville de Los Angeles; 1/2 du Rhode Island)
POPULATION:	329.000 (équivalente à celle de Portland, Oregon, ou à celle de Virginia Beach)
RELIGION:	catholique
EXPORTS PRINCIPAUX:	canne à sucre, rhum, tabac, bananes, ananas, produits pétroliers
CLIMAT:	chaud, tropical, ensoleillé
VOLCAN:	montagne Pelée

1. **Vrai ou faux?** Dites si les phrases suivantes sont vraies ou fausses. Si une phrase est fausse, corrigez-la.

1. La Martinique est un pays indépendant.
2. La Martinique se trouve en Afrique.
3. La Martinique est plus petite que le Connecticut.
4. La plupart des exportations de la Martinique sont agricoles.

2. **Que savez-vous?** Nommez ...

1. quatre îles qui font partie des Grandes Antilles.
2. trois îles qui se trouvent aux Petites Antilles.
3. deux fruits qui viennent de la Martinique.
4. une ville qui se trouve à la Martinique.

L'histoire de la Martinique

C'est Christophe Colomb qui a découvert la Martinique en 1502. Un siècle plus tard, en 1635, Pierre Belain d'Esnambuc a pris possession de l'île pour la France. Les colons français ont commencé à arriver à la Martinique à partir de cette date.

Au dix-huitième siècle, les Anglais, comme les Français, voulaient contrôler les îles des Caraïbes et les deux pays se sont beaucoup disputés. L'Angleterre a pris possession de la Martinique en 1762, mais en 1763, le Traité de Paris a fait don de l'île définitivement à la France (à condition qu'elle renonce au Québec).

La Martinique est un pays agricole. Aux dix-huitième et dix-neuvième siècles, des esclaves travaillaient dans les plantations de l'île. Mais en 1848, la France a aboli l'esclavage et 74.000 esclaves ont été libérés. Au vingtième siècle, l'agriculture est devenue moins importante pour l'économie de l'île et le tourisme a remplacé la culture de la canne à sucre, des bananes et des ananas pour devenir l'activité économique principale.

Après la Seconde Guerre mondiale, la Martinique est devenue un département d'outre-mer (un «DOM»).[1] Cela veut dire que la Martinique fait partie intégrante de la France (comme Hawaii fait partie des États-Unis). Tous les Martiniquais sont des citoyens français, avec les mêmes droits qu'en France. Ils participent à toutes les élections françaises et ont le droit d'élire trois députés à l'Assemblée nationale et deux sénateurs au Sénat à Paris.

1. Les autres départements et territoires d'outre-mer sont: la Guyane (en Amérique du Sud); la Guadeloupe (aux Antilles); la Polynésie française, les îles Wallis-et-Futuna, et la Nouvelle-Calédonie (dans l'océan Pacifique); la Réunion et Mayotte (dans l'océan Indien); Saint-Pierre-et-Miquelon (à l'est du Canada); et l'Antarctique française.

3. **Avez-vous compris?** Répondez.

1. Qui a été le premier Européen à découvrir la Martinique?
2. Quels produits agricoles sont traditionnellement importants pour l'économie martiniquaise?
3. Quelle activité est la plus importante pour l'économie martiniquaise aujourd'hui?
4. Les Martiniquais peuvent-ils voter aux élections françaises?
5. Quel est le statut légal de la Martinique? Depuis combien de temps la Martinique a-t-elle ce statut?

La Martiniquaise la plus célèbre aujourd'hui, c'est probablement Marie-Josèphe-Rose Tascher de la Pagerie. Elle est née en 1763 à Trois-Islets à la Martinique. Son père, ancien officier dans la marine française, était propriétaire d'une plantation à Trois-Islets où elle a passé sa jeunesse.

En 1779, elle s'est mariée avec un beau vicomte français, Alexandre de Beauharnais, et ils se sont installés à Paris. Ils ont eu deux enfants, mais le mariage n'a pas bien marché. En 1785, elle s'est séparée de Beauharnais et est rentrée à la Martinique.

Après quelques années, elle a décidé de retourner à Paris. On avait guillotiné son mari pendant la Révolution. À Paris elle a fait la connaissance d'un jeune officier très ambitieux qui venait de la Corse. Il est tombé amoureux d'elle et en 1796, ils

se sont mariés. Il l'appelait toujours «Joséphine».

Le jeune officier s'appelait Napoléon Bonaparte. En 1804, il est devenu Empereur de la France, et Joséphine est devenue Impératrice. Ils s'aimaient beaucoup, mais ils étaient sans enfants et Napoléon désirait vivement avoir un fils. Alors, en 1809, Napoléon a décidé de divorcer d'avec elle et de se marier avec Marie-Louise d'Autriche. Joséphine s'est retirée à Malmaison, le château non loin de Paris que Napoléon lui avait donné et qui avait été leur lieu de séjour préféré. Elle y a passé le reste de sa vie. On dit que Napoléon lui faisait des visites et qu'il a même amené son fils une fois pour le lui montrer. Elle est morte à Malmaison en 1814.

4. À vous. Répondez.

1. Qui est Joséphine? Avez-vous entendu parler d'elle?
2. D'où venait Napoléon? Regardez la carte sur la couverture intérieure de votre livre pour trouver son pays natal.
3. Est-ce que Joséphine a eu des enfants? Est-ce que Napoléon a eu des enfants?
4. Où a-t-elle passé sa vie après son divorce?

La montagne Pelée

Vous avez sans doute entendu parler de la destruction de la ville de Pompéi par le volcan Vésuve en 79 après Jésus-Christ. La ville entière a été détruite et 1.000 personnes y sont mortes. Mais savez-vous qu'il y a eu une éruption volcanique encore plus catastrophique au vingtième siècle à la Martinique?

Au début de ce siècle, le centre commercial de la Martinique était à Saint-Pierre. C'était la ville la plus peuplée de l'île (26.000 habitants): une ville très riche, très européenne, avec ses églises, ses théâtres et son journal. Elle se trouvait à côté de la montagne Pelée.

À la fin d'avril 1902, il était évident que le volcan était prêt à entrer en éruption. Beaucoup de cendres et de fumée sortaient du volcan. Il y avait de graves tremblements de terre et la rivière débordait. Mais personne ne pouvait ni ne voulait croire que la ville principale de l'île était en danger. On a conseillé aux paysans dans la campagne de venir à Saint-Pierre, où ils seraient en sécurité. Le gouverneur a même envoyé des soldats à Saint-Pierre pour forcer la population à rester dans la ville. Le résultat: au début du mois de mai, plus de 30.000 personnes résidaient dans la ville.

Entre le 15 avril et le 8 mai, de petites éruptions du volcan et des inondations avaient déjà tué plus de 200 personnes. On se demande pourquoi les autorités coloniales refusaient catégoriquement d'évacuer la ville. Voilà la raison: une élection devait avoir lieu le 11 mai, et le gouvernement croyait qu'il était essentiel que l'élection ne soit pas annulée. De plus, les autorités avaient peur du chaos qui arriverait si on évacuait la plus grande ville de l'île.

Le matin du 8 mai 1902, Pelée a fait éruption. La population entière de Saint-Pierre en est morte—30.000 personnes—et la ville a été complètement détruite. On dit aujourd'hui que Pelée n'est plus active, mais on ne sait jamais.

Verbes

Verbes réguliers

Infinitif	Présent	Passé Composé	Imparfait
1. parler	je parle tu parles il/elle/on parle nous parlons vous parlez ils/elles parlent	j' ai parlé tu as parlé il/elle/on a parlé nous avons parlé vous avez parlé ils/elles ont parlé	je parlais tu parlais il/elle/on parlait nous parlions vous parliez ils/elles parlaient
2. finir	je finis tu finis il/elle/on finit nous finissons vous finissez ils/elles finissent	j' ai fini tu as fini il/elle/on a fini nous avons fini vous avez fini ils/elles ont fini	je finissais tu finissais il/elle/on finissait nous finissions vous finissiez ils/elles finissaient
3. attendre	j' attends tu attends il/elle/on attend nous attendons vous attendez ils/elles attendent	j' ai attendu tu as attendu il/elle/on a attendu nous avons attendu vous avez attendu ils/elles ont attendu	j' attendais tu attendais il/elle/on attendait nous attendions vous attendiez ils/elles attendaient
4. se laver	je me lave tu te laves il/on se lave elle se lave nous nous lavons vous vous lavez ils se lavent elles se lavent	je me suis lavé(e) tu t'es lavé(e) il/on s'est lavé elle s'est lavée nous nous sommes lavé(e)s vous vous êtes lavé(e)s ils se sont lavés elles se sont lavées	je me lavais tu te lavais il/on se lavait elle se lavait nous nous lavions vous vous laviez ils se lavaient elles se lavaient

Impératif	Futur	Conditionnel	Subjonctif
parle	je parlerai	je parlerais	que je parle
parlons	tu parleras	tu parlerais	que tu parles
parlez	il/elle/on parlera	il/elle/on parlerait	qu' il/elle/on parle
	nous parlerons	nous parlerions	que nous parlions
	vous parlerez	vous parleriez	que vous parliez
	ils/elles parleront	ils/elles parleraient	qu' ils/elles parlent
finis	je finirai	je finirais	que je finisse
finissons	tu finiras	tu finirais	que tu finisses
finissez	il/elle/on finira	il/elle/on finirait	qu' il/elle/on finisse
	nous finirons	nous finirions	que nous finissions
	vous finirez	vous finiriez	que vous finissiez
	ils/elles finiront	ils/elles finiraient	qu' ils/elles finissent
attends	j' attendrai	j' attendrais	que j'attende
attendons	tu attendras	tu attendrais	que tu attendes
attendez	il/elle/on attendra	il/elle/on attendrait	qu' il/elle/on attende
	nous attendrons	nous attendrions	que nous attendions
	vous attendrez	vous attendriez	que vous attendiez
	ils/elles attendront	ils/elles attendraient	qu' ils/elles attendent
lave-toi	je me laverai	je me laverais	que je me lave
lavons-nous	tu te laveras	tu te laverais	que tu te laves
lavez-vous	il/on se lavera	il/on se laverait	qu' il/on se lave
	elle se lavera	elle se laverait	qu'elle se lave
	nous nous laverons	nous nous laverions	que nous nous lavions
	vous vous laverez	vous vous laveriez	que vous vous laviez
	ils se laveront	ils se laveraient	qu'ils se lavent
	elles se laveront	elles se laveraient	qu'elles se lavent

Verbes réguliers avec changements orthographiques

Infinitif	Présent		Passé Composé	Imparfait
1. manger	je mange tu manges il/elle/on mange	nous mangeons vous mangez ils/elles mangent	j'ai mangé	je mangeais
2. avancer	j' avance tu avances il/elle/on avance	nous avançons vous avancez ils/elles avancent	j'ai avancé	j'avançais
3. payer	je paie tu paies il/elle/on paie	nous payons vous payez ils/elles paient	j'ai payé	je payais
4. préférer	je préfère tu préfères il/elle/on préfère	nous préférons vous préférez ils/elles préfèrent	j'ai préféré	je préférais
5. acheter	j' achète tu achètes il/elle/on achète	nous achetons vous achetez ils/elles achètent	j'ai acheté	j'achetais
6. appeler	j' appelle tu appelles il/elle/on appelle	nous appelons vous appelez ils/elles appellent	j'ai appelé	j'appelais

Impératif	Futur	Conditionnel	Subjonctif	Autres verbes
mange mangeons mangez	je mangerai	je mangerais	que je mange que nous mangions	exiger nager neiger voyager
avance avançons avancez	j'avancerai	j'avancerais	que j'avance que nous avancions	commencer divorcer
paie payons payez	je paierai	je paierais	que je paie que nous payions	essayer
préfère préférons préférez	je préférerai	je préférerais	que je préfère que nous préférions	espérer exagérer répéter s'inquiéter
achète achetons achetez	j'achèterai	j'achèterais	que j'achète que nous achetions	lever se lever se promener
appelle appelons appelez	j'appellerai	j'appellerais	que j'appelle que nous appelions	épeler jeter s'appeler

Verbes irréguliers

To conjugate the irregular verbs on the top of the opposite page, consult the verbs conjugated in the same manner, using the number next to the verbs. The verbs preceded by a bullet are conjugated with the auxiliary verb **être.** Of course, when the verbs in this chart are used with a reflexive pronoun (as reflexive verbs), the auxiliary verb **être** must be used in compound tenses.

Infinitif	Présent		Passé Composé	Imparfait
1. aller	je vais tu vas il/elle/on va	nous allons vous allez ils/elles vont	je suis allé(e)	j'allais
2. s'asseoir	je m'assieds tu t'assieds il/elle/on s'assied	nous nous asseyons vous vous asseyez ils/elles s'asseyent	je me suis assis(e)	je m'asseyais
3. avoir	j' ai tu as il/elle/on a	nous avons vous avez ils/elles ont	j'ai eu	j'avais
4. battre	je bats tu bats il/elle/on bat	nous battons vous battez ils/elles battent	j'ai battu	je battais
5. boire	je bois tu bois il/elle/on boit	nous buvons vous buvez ils/elles boivent	j'ai bu	je buvais
6. conduire	je conduis tu conduis il/elle/on conduit	nous conduisons vous conduisez ils/elles conduisent	j'ai conduit	je conduisais
7. connaître	je connais tu connais il/elle/on connaît	nous connaissons vous connaissez ils/elles connaissent	j'ai connu	je connaissais
8. croire	je crois tu crois il/elle/on croit	nous croyons vous croyez ils/elles croient	j'ai cru	je croyais
9. devoir	je dois tu dois il/elle/on doit	nous devons vous devez ils/elles doivent	j'ai dû	je devais

Verbes

apprendre 23
comprendre 23
couvrir 19
découvrir 19
décrire 11

detruire 5
• devenir 26
dormir 20
élire 15
• s'endormir 20

offrir 19
permettre 16
promettre 16
réduire 5

• repartir 20
• revenir 30
revoir 27
sentir 20

sortir 20
sourire 24
traduire 5
valoir mieux 14

Impératif	Futur	Conditionnel	Subjonctif
va allons allez	j'irai	j'irais	que j'aille que nous allions
assieds-toi asseyons-nous asseyez-vous	je m'assiérai	je m'assiérais	que je m'asseye que nous nous asseyions
aie ayons ayez	j'aurai	j'aurais	que j'aie que nous ayons
bats battons battez	je battrai	je battrais	que je batte que nous battions
bois buvons buvez	je boirai	je boirais	que je boive que nous buvions
conduis conduisons conduisez	je conduirai	je conduirais	que je conduise que nous conduisions
connais connaissons connaissez	je connaîtrai	je connaîtrais	que je connaisse que nous connaissions
crois croyons croyez	je croirai	je croirais	que je croie que nous croyions
dois devons devez	je devrai	je devrais	que je doive que nous devions

Infinitif	Présent		Passé Composé	Imparfait
10. dire	je dis tu dis il/elle/on dit	nous disons vous dites ils/elles disent	j'ai dit	je disais
11. écrire	j' écris tu écris il/elle/on écrit	nous écrivons vous écrivez ils/elles écrivent	j'ai écrit	j'écrivais
12. être	je suis tu es il/elle/on est	nous sommes vous êtes ils/elles sont	j'ai été	j'étais
13. faire	je fais tu fais il/elle/on fait	nous faisons vous faites ils/elles font	j'ai fait	je faisais
14. falloir	il faut		il a fallu	il fallait
15. lire	je lis tu lis il/elle/on lit	nous lisons vous lisez ils/elles lisent	j'ai lu	je lisais
16. mettre	je mets tu mets il/elle/on met	nous mettons vous mettez ils/elles mettent	j'ai mis	je mettais
17. mourir	je meurs tu meurs il/elle/on meurt	nous mourons vous mourez ils/elles meurent	je suis mort(e)	je mourais
18. naître	je nais tu nais il/elle/on naît	nous naissons vous naissez ils/elles naissent	je suis né(e)	je naissais
19. ouvrir	j' ouvre tu ouvres il/elle/on ouvre	nous ouvrons vous ouvrez ils/elles ouvrent	j'ai ouvert	j'ouvrais

Impératif	Futur	Conditionnel	Subjonctif
dis disons dites	je dirai	je dirais	que je dise que nous disions
écris écrivons écrivez	j'écrirai	j'écrirais	que j'écrive que nous écrivions
sois soyons soyez	je serai	je serais	que je sois que nous soyons
fais faisons faites	je ferai	je ferais	que je fasse que nous fassions
—	il faudra	il faudrait	qu'il faille
lis lisons lisez	je lirai	je lirais	que je lise que nous lisions
mets mettons mettez	je mettrai	je mettrais	que je mette que nous mettions
meurs mourons mourez	je mourrai	je mourrais	que je meure que nous mourions
nais naissons naissez	je naîtrai	je naîtrais	que je naisse que nous naissions
ouvre ouvrons ouvrez	j'ouvrirai	j'ouvrirais	que j'ouvre que nous ouvrions

Infinitif	Présent		Passé Composé	Imparfait
20. partir*	je pars tu pars il/elle/on part	nous partons vous partez ils/elles partent	je suis parti(e)*	je partais
21. pleuvoir	il pleut		il a plu	il pleuvait
22. pouvoir	je peux** tu peux il/elle/on peut	nous pouvons vous pouvez ils/elles peuvent	j'ai pu	je pouvais
23. prendre	je prends tu prends il/elle/on prend	nous prenons vous prenez ils/elles prennent	j'ai pris	je prenais
24. rire	je ris tu ris il/elle/on rit	nous rions vous riez ils/elles rient	j'ai ri	je riais
25. savoir	je sais tu sais il/elle/on sait	nous savons vous savez ils/elles savent	j'ai su	je savais
26. venir	je viens tu viens il/elle/on vient	nous venons vous venez ils/elles viennent	je suis venu(e)	je venais
27. voir	je vois tu vois il/elle/on voit	nous voyons vous voyez ils/elles voient	j'ai vu	je voyais
28. vouloir	je veux tu veux il/elle/on veut	nous voulons vous voulez ils/elles veulent	j'ai voulu	je voulais

*Servir, dormir, and sentir are conjugated with avoir in the passé composé. Sortir, repartir and s'endormir are conjugated with être.
**The interrogative form of je peux is puis-je ... ?

Impératif	Futur	Conditionnel	Subjonctif
pars partons partez	je partirai	je partirais	que je parte que nous partions
—	il pleuvra	il pleuvrait	qu'il pleuve
— — —	je pourrai	je pourrais	que je puisse que nous puissions
prends prenons prenez	je prendrai	je prendrais	que je prenne que nous prenions
ris rions riez	je rirai	je rirais	que je rie que nous riions
sache sachons sachez	je saurai	je saurais	que je sache que nous sachions
viens venons venez	je viendrai	je viendrais	que je vienne que nous venions
vois voyons voyez	je verrai	je verrais	que je voie que nous voyions
veuille veuillons veuillez	je voudrai	je voudrais	que je veuille que nous voulions

Vocabulaire

Français-Anglais

This vocabulary list includes all of the words and phrases included in the *Vocabulaire actif* sections of *Entre amis*, as well as the passive vocabulary used in the text. The definitions given are limited to the context in which the words are used in this book. Entries for active vocabulary are followed by the number of the chapter in which they are introduced for the first time. If a word is formally activated in more than one chapter, a reference is given for each chapter. Some entries are followed by specific examples from the text. Expressions are listed according to their key word. In subentries, the symbol ~ indicates the repetition of the key word.

Regular adjectives are given in the masculine form, with the feminine ending in parentheses. For irregular adjectives, the full feminine form is given in parentheses.

The gender of each noun is indicated after the noun. Irregular feminine or plural forms are also noted beside the singular form.

The following abbreviations are used.

CP   Chapitre préliminaire

adj.	adjective	*m.*	masculine
adv.	adverb	*m.pl.*	masculine plural
art.	article	*n.*	noun
conj.	conjunction	*pl.*	plural
f.	feminine	*prep.*	preposition
f.pl.	feminine plural	*pron.*	pronoun
inv.	invariable	*v.*	verb

à   at, in, to 1
~ côté   next door; to the side 5
~ côté de   next to, beside 5
~ droite (de)   to the right (of) 7
~ gauche (de)   to the left (of) 7
~ ... heure(s)   at ... o'clock 1
~ la vôtre!   (here's) to yours! 2
~ l'heure   on time 7
~ l'intérieur de   inside 6
~ midi   at noon 1
~ minuit   at midnight 1
~ toute vitesse   at top speed 10
~ travers   throughout
être ~   to belong to 6
abord: d' ~   at first 5
absolument   absolutely 10

accepter   to accept 15
accident *m.*   accident 15
accompagner   to accompany 6
accord *m.*   agreement
d' ~   okay 5
être d' ~ (avec)   to agree (with) 1, 11
accordéon *m.*   accordion 6
acheter   to buy 9
acteur/actrice *m./f.*   actor/actress 1
activité *f.*   activity 11
actuellement   now 14; nowadays
addition *f.*   (restaurant) bill, check 8; addition
adieu *m.* (*pl.* adieux)   farewell
adjoint au maire *m.* deputy mayor

adorer   to adore; to love 2
adresse *f.*   address 4
aéroport *m.*   airport 5
affaires *f.pl.*   business 4
homme/femme d' ~ *m./f.*   businessman/woman 4
affreux(affreuse)   horrible 8
âge *m.*   age 3
quel ~ avez-vous?   how old are you? 1
âgé(e)   old 11
agent (de police) *m.*   (police) officer 7
agir: il s'agit de   it's (*lit.* it's a matter of)
ago   il y a ...
agrumes *m.pl.*   citrus fruits

aider to help 4
aïe! ouch! 6
ail *m.* garlic 8
aimable kind; nice 7
aimer to like; to love 2
  s' ∼ to love each other 14
  j'aimerais ... I would like ... 13
air: avoir l' ∼ to seem, to appear, to look 9
alcool *m.* alcohol
Allemagne *f.* Germany 5
allemand(e) German 1
aller to go 5
  ∼ en ville to go into town 5
  ∼ -retour *m.* round-trip ticket 12
  ∼ simple *m.* one-way ticket 12
  allez à la porte! go to the door! CP
  allez-y go ahead, let's go 12
  je vais très bien I'm fine 2
allô! hello! *(on the phone)* 12
alors then, therefore; so 2
américain(e) American 1
ami / amie *m. / f.* friend
amicalement yours truly 2
amusant(e) amusing, funny; fun 11
s'amuser to have fun 13
  je veux m'amuser I want to have fun 10
an *m.* year 3
  Jour de l' ∼ *m.* New Year's Day 10
anchois *m.* anchovy 8
anglais(e) English 1
Angleterre *f.* England 5
année *f.* year 6
  ∼ scolaire *f.* school year 10
anniversaire *m.* birthday 7
  ∼ de mariage wedding anniversary 10
annonce *f.* advertisement 14
  petites annonces want ads
août *m.* August 7
apéritif *m.* before-dinner drink 8
appartement *m.* apartment 3
appauvrir: ∼ l'épiderme to harm the skin
s'appeler to be named, be called 13

comment vous appelez-vous? what is your name? 1
  je m'appelle ... my name is ... 1
appétit *m.* appetite
  bon ∼! have a good meal! 13
apporter to bring 8
apprendre to learn; to teach 8
après after 4
après-demain day after tomorrow 12
après-midi *m.* afternoon 1
  de l' ∼ in the afternoon 5
arabe *m.* Arabic 5; Arab
arachide *f.* peanut
arbre *m.* tree
argent *m.* money 8
arrêt (d'autobus) *m.* (bus) stop 10
arrêter to stop 10
  arrêtez stop CP
arriver to arrive; to happen 7
  qu'est-ce qui est arrivé? what happened? 14
aspirine *f.* aspirin
s'asseoir to sit down 13
  asseyez-vous! sit down! CP
assez sort of, rather, enough 1
  ∼ bien fairly well 2
  ∼ mal rather poorly 2
  en avoir ∼ to be fed up 11
assiette *f.* plate 8
assister (à) to attend 14
assurer to assure; to insure 15
attacher to attach; to put on 10
attendre to wait (for) 9
attentif(attentive) attentive 10
attention: faire ∼ to pay attention 4
au revoir good-bye 1
aujourd'hui today 4
aussi also, too 1; as 11
  ∼ ... que as ... as ... 11
autant (de) as much 11
autocar *m.* tour bus 12
automne *m.* fall 7
automobiliste *m. / f.* driver 15
autoroute *f.* turnpike; throughway, highway 12
autre other 3

avance *f.* advance
  en ∼ early 7
avancer to advance 10
avant before 5
avare miserly 4
avec with 2
avenir *m.* future
averse *f.* (rain) shower
avertissement *m.* warning 14
avion *m.* airplane 7
avis *m.* opinion, advice
  à mon (à ton, etc.) ∼ in my (your, etc.) opinion 11
avoir to have 3
  ∼ besoin de to need 9
  ∼ chaud to be hot 8
  ∼ envie de to want to; to feel like 5
  ∼ faim to be hungry 8
  ∼ froid to be cold 8
  ∼ l'air to seem, to appear, to look 9
  ∼ lieu to take place 11
  ∼ l'intention de to plan to 5
  ∼ mal (à) to be sore, to have a pain (in) 9
  ∼ peur to be afraid 8
  ∼ pitié(de) to have pity (on), to feel sorry (for) 10
  ∼ raison to be right 8
  ∼ rendez-vous to have an appointment, meeting 4
  ∼ soif to be thirsty 8
  ∼ sommeil to be sleepy 8
  ∼ tendance à to tend to 12
  ∼ tort to be wrong; to be unwise 8
  en ∼ assez to be fed up 11
  qu'est-ce que tu as? what's the matter with you? 9
avril *m.* April 7

bague *f.* ring 14
baignoire *f.* bathtub 12
bal *m.* dance, ball 10
bande dessinée *f.* comic strip 6
banque *f.* bank 5
basket-ball (basket) *m.* basketball 6

baskets *m.pl.* high-top sneakers 4
bâtiment *m.* building 5
batterie *f.* drums 6
bavard(e) talkative 4
beau/bel/belle/beaux/belles
  handsome, beautiful 1
  il fait ~ it's nice out CP, 7
beau-frère *m. (pl.* **beaux-frères)**
  brother-in-law 3
beau-père *m. (pl.* **beaux-pères)**
  stepfather (or father-in-law) 3
beaucoup a lot 2; much, many
beaujolais *m.* Beaujolais *(wine)*
beaux-parents *m.pl.* stepparents (or
  in-laws) 3
bébé *m.* baby 7
beige beige 4
belge Belgian 1
Belgique *f.* Belgium 5
belle-mère *f. (pl.* **belles-mères)**
  stepmother (or mother-in-law) 3
belle-sœur *f. (pl.* **belles-sœurs)**
  stepsister (or sister-in-law) 3
berk! yuck! awful! 8
besoin *m.* need
  avoir ~ de to need 9
beurre *m.* butter 8
  ~ d'arachide *m.* peanut butter 8
bibliothèque *f.* library 5
bien well; fine 2
  ~ sûr of course 8
bientôt soon 12
bière *f.* beer 2
billet *m.* bill *(paper money)*; ticket
  9
bise *f.* kiss
bistro *m.* bar and café; bistro 5
blague *f.* joke
  sans ~! no kidding! 14
blanc(blanche) white 4
blessé(e) wounded 15
bleu(e) blue 4
bleuet *m.* blueberry *(French-
  Canadian)*
blond(e) blond 4
blouson *m.* windbreaker, jacket 4
bœuf *m.* beef 8
boire to drink 8

voulez-vous ~ quelque chose? do
  you want to drink something? 2
boisson *f.* drink, beverage 2
boîte *f.* box, can 8
bol *m.* bowl 13
bon(bonne) good 2
  bon marché *adj. inv.* inexpensive
  4
  bonne journée have a good day 1
bonbon *m.* candy 8
bonjour hello 1
bonsoir good evening 1
bordeaux *m.* Bordeaux *(wine)*
bottes *f.pl.* boots 4
bouche *f.* mouth 9
boucherie *f.* butcher shop 9
boulangerie *f.* bakery 5
boum *f.* party 10
bout *m.* end, goal
bouteille *f.* bottle 8
boutique *f.* (clothing) shop 9
bras *m.* arm 9
bridge *m.* bridge *(game)* 6
brie *m.* Brie *(cheese)*
brocoli *m.* broccoli 8
brosse *f.* brush
  ~ à cheveux *f.* hairbrush
  ~ à dents *f.* toothbrush 13
se brosser (les dents) to brush
  (one's teeth) 13
bruit *m.* noise 9
brun(e) brown 4
bureau *m. (pl.* **bureaux)** desk
  office
  ~ de poste *m.* post office 5
  ~ de tabac *m.* tobacco shop 5
but *m.* goal

ça (cela) that 4
  ~ va? How's it going? 2
  ~ va bien (I'm) fine 2
  ~ veut dire ... it means ... CP
  si ~ va if that's okay 5
cachet (d'aspirine) *m.* (aspirin)
  tablet 9
cadre *m.* executive 4
café *m.* coffee 2; café
cafétéria *f.* cafeteria 5

calculatrice *f.* calculator 3
calme calm 4
camarade de chambre *m./f.*
  roommate 3
camembert *m.* Camembert *(cheese)*
campus *m.* campus 5
Canada *m.* Canada 5
canadien(ne) Canadian 1
car because
carte *f.* map 12; menu 13
  ~ de crédit *f.* credit card 9
  ~ postale *f.* postcard 6
cartes *f.pl.* cards *(game)* 6
cas: en tout ~ in any case
cassis *m.* blackcurrant
ce/cet/cette/ces this, that, these,
  those 4
ceinture *f.* belt 4
  ~ de sécurité *f.* safety belt, seat
  belt 10
cela (ça) that 4
célèbre famous 14
célibataire single, unmarried 1
cent one hundred 9
centime *m.* centime *(1/100 of a
  franc)* 9
centre commercial *m.* shopping
  center, mall 5
cependant however
céréales *f.pl.* cereal; grains 8
certainement surely, of course 1
c'est it is, this is 1
  c'est-à-dire that is to say
  ~ gentil à vous that's nice of you
  2
  ~ pour vous it's for you 1
**CFA (=Communauté financière
  africaine)** African Financial
  Community
chaîne (de télé) *f.* (TV) channel 14
chaise *f.* chair 3
chambre *f.* bedroom 3; room
  camarade de ~ *m./f.* roommate
  3
champignons *m.pl.* mushrooms 8
chance *f.* luck 11
  bonne ~! good luck! 12
  quelle ~! what luck! 4

changer (de)   to change 10

chanson f.   song 10

chanter   to sing 2

chanteur/chanteuse m./f.   singer 11

chapeau m. (pl. chapeaux)   hat 4

chaque   each 7

charcuterie f.   pork butcher's; delicatessen 9

charmant(e)   charming 3

chat m.   cat 3

chaud(e)   hot 2
  avoir ~   to be hot 8
  il fait ~   it's hot (warm) CP, 4, 7

chauffage m.   heat 13

chauffeur m.   driver 10

chaussée f.   pavement 15

chaussettes f.pl.   socks 4

chaussures f.pl.   shoes 4

chauve   bald 4

chef m.   head (person in charge); boss; chef

chemise f.   shirt 4

chemisier m.   blouse 4

chèque m.   check 9
  ~ de voyage m.   traveler's check 9

cher(chère)   dear 2; expensive 4

chercher   to look for 2

chéri(e) m./f.   dear, honey 10

cheveux m.pl.   hair 4

chèvre m.   goat cheese

chewing-gum m.   chewing gum 9

chez   at the home of 4
  ~ toi   at your house 4

chic adj. inv.   chic; stylish 4

chien m.   dog 3

chimie f.   chemistry 5

Chine f.   China 5

chinois(e)   Chinese 1

chocolat chaud m.   hot chocolate 2

choisir   to choose 12

choix m.   choice 8

chose f.   thing 4
  quelque ~ m.   something 2
  pas grand- ~   not much 5

chut!   shh! 10

cigare m.   cigar 6

cinéma m.   movie theater 5

cinq   five CP, 3

cinquante   fifty 3

citron pressé m.   lemonade 2

classe f.   class
  en ~   in class; to class 4

clé f.   key 12

climatisation f.   air conditioning 13

coca m.   Coca-Cola 2

code postal m.   zip code 9

coin m.   corner 9

combien (de)   how many, how much 3

commander   to order 7

comme   like, as 2; how; since
  ~ ci, ~ ça   so-so 2
  ~ il (elle) était ...!   how ... he (she) was! 11
  ~ si ...   as if ...

commencer   to begin 7
  commencez!   begin! CP

comment   how; what 4
  ~ ?   what (did you say?) CP, 2
  ~ allez-vous?   how are you? 2
  ~ ça va?   how is it going? 2
  ~ dit-on ...?   how do you say ...? CP
  ~ est (sont) ...?   what is (are) ... like? 4
  ~ est-ce qu'on écrit ...?   how do you spell ...? 2
  ~ je vais faire?   what am I going to do? 12
  ~ trouvez-vous ...?   what do you think of ...? 2
  ~ vous appelez-vous?   what is your name? 1

commentaire m.   commentary 10

commerce m.   business 5

communication f.   communication
  votre ~ de ...   your call from ... 1

complet m.   suit 4

complet(complète)   full; complete 12

composter (un billet)   to punch (a ticket) 12

comprendre   to understand 8
  je ne comprends pas   I don't understand CP

compris(e)   included; understood 12

comptabilité f.   accounting 5

compter   to count

condamner: être condamné(e)   to be sentenced

conducteur/conductrice m./f.   driver 15

conduire   to drive 10

confirmer   to confirm 12

confiture f.   jam 8

confortable   comfortable 4

confus(e)   ashamed; embarrassed 14

connaître   to know; to be acquainted with, to be familiar with 10
  vous ne connaissez pas la ville?   don't you know the city? 7

conseil m.   (piece of) advice 10

se consoler   to console oneself 14

constamment   constantly 10

constant(e)   constant 10

continuer   to continue
  continuez   continue CP

contraire m.   contrary, opposite
  au ~   on the contrary 8

contravention f.   traffic ticket 15

contre   against; in exchange for 15
  par ~   on the other hand

corps m.   body 9

côté m.   side
  à ~   next door; to the side 5
  à ~ de   next to, beside 5

couche f.: fausse ~   miscarriage

se coucher   to go to bed 13

couci-couça   so-so

couleur f.   color 4
  de quelle ~ est (sont) ...?   what color is (are) ...? 4

couloir m.   hall; corridor 5

coup m.: ~ d'envoi   kick-off

couper   to cut 13

couramment   fluently 11

courir   to run

cours m.   course; class 2
  des ~ de conversation   conversation courses 2

courses f.pl.   errands, shopping 4

cousin/cousine m./f.   cousin 3

couteau m. (pl. couteaux)   knife 13

coûter to cost 9
craie *f.* chalk CP
cravate *f.* tie 4
crédit: carte de ~ *f.* credit card 9
crème *f.* cream 13
  ~ de cassis black currant liqueur 2
croire to believe, to think 14
  je crois I believe 2
  je crois que oui I think so 14
  je ne crois pas I don't think so 14
croissance *f.* increase, growth
croissant *m.* croissant 8
crudités *f.pl.* raw vegetables 8
cuiller *f.* spoon 13
cuisine *f.* cooking; food 4; kitchen 8
cuisinière *f.* stove 3

d'abord at first 5
d'accord okay 5
  être ~ (avec) to agree (with) 1,11
dame *f.* lady 13
dames *f.pl.* checkers 6
dangereux(dangereuse) dangerous 11
dans in 2
  ~ la rue Papin on Papin street 7
  ~ une heure one hour from now 5
danser to dance 2
davantage additional, more
de (d') from, of 1
décembre *m.* December 7
décider to decide
décombres *m.pl.* ruins
décrire to describe 6
  décrivez describe CP
déçu(e) disappointed 9
dehors outside 11
déjà already 6
déjeuner *m.* lunch 8
  petit ~ breakfast 8
déjeuner *v.* to have lunch 5
délicieux(délicieuse) delicious 8
demain tomorrow 5
  après-~ day after tomorrow 12

demande *f.* request 12
  faire une ~ to make a request 12
demander to ask 4
  je vous demande pardon please excuse me; I beg your pardon 9
démarrer to start 10
demi(e) half
  et ~ half past (the hour) CP, 5
dent *f.* tooth 9
dentifrice *m.* toothpaste 13
départ *m.* departure 12
départementale *f.* departmental (local) highway 12
se dépêcher to hurry 13
dépendre to depend
  ça dépend (de ...) it (that) depends (on ...) 13
déprimé(e) depressed 9
depuis for 6; since 9
déraper to skid 15
dernier(dernière) last 6
  la dernière fois the last time 6
derrière behind 5
  juste ~ right behind 15
des some; any 3; of the
descendre to go down, get out of 7
désirer to want 2
désolé(e) sorry 9
dessert *m.* dessert 8
dessin animé *m.* cartoon 11
se détendre to relax
détester to hate, to detest 2
détruire to destroy
dette *f.* debt 15
deux two CP, 1
  tous (toutes) les ~ both 12
devant in front of 5
devenir to become 7
devoir *m.* obligation
  devoirs *m. pl.* homework 4
devoir *v.* must, to have to, to probably be, to be supposed to; to owe 15
  se ~ to owe each other
d'habitude usually 4
dimanche *m.* Sunday 5
dîner *m.* dinner 4
dîner *v.* to eat dinner 4

diplôme *m.* diploma 12
dire to say; to tell 14
  ... veut ~ ... ... means ... 6
discret(discrète) discreet, reserved 4
se disputer to argue 14
dissertation *f.* (term) paper 6
divorce *m.* divorce 14
divorcé(e) divorced 1
divorcer to get a divorce 14
dix ten CP, 3
dix-huit eighteen CP, 3
dix-neuf nineteen CP, 3
dix-sept seventeen CP, 3
doigt *m.* finger
dollar *m.* dollar 9
DOM (=Département d'outre-mer) overseas department (*equivalent of a state*)
dommage *m.* pity, shame
  c'est ~ that's (it's) too bad 14
donner to give 2
  donnez-moi ... give me ... CP
dont about/of which (whom); whose
dormir to sleep 6
dos *m.* back 9
d'où: vous êtes ~? where are you from? 2
douanière: union ~ customs union
douche *f.* shower 12
se doucher to shower 13
doute *m.* doubt
  sans ~ probably 3
doux(douce) mild
douzaine *f.* dozen 8
douze twelve CP, 3
droit *m.* right (*entitlement*)
droit(e) *adj.* right
  à ~ (de) to the right (of) 7
  tout ~ straight ahead 7
drôle funny 14
se durcir to harden

eau *f.* (*pl.* eaux) water 2
  ~ minérale mineral water 2
échanger (contre) to trade (for) 15
échecs *m.pl.* chess 6
échouer to fail 8

école *f.* school 5
écouter to listen (to) 2
  écoutez! listen! CP
écrire to write 6
  comment est-ce qu'on écrit ... ? how do you spell ... ? 2
  écrivez votre nom! write your name! CP
  ... s'écrit ... ... is spelled ... 2
égal(e) (*m.pl.* égaux) equal
  cela (ça) m'est ~ I don't care 5
église *f.* church 5
élire to elect
elle she, it 1; her
elles they 1; them
s'éloigner to move away
s'embrasser to kiss 14
émission (de télé) *f.* (TV) show 11
emmenthal *f.* Swiss cheese
emploi du temps *m.* schedule 5
employé / employée *m./f.* employee 4
emprunter to borrow 14
en *prep.* in 1; by, through
  ~ avance early 7
  ~ première (seconde) in first (second) class 12
  ~ retard late 7
  ~ tout cas in any case
  ~ voiture by car 7
en *pron.* some, of it (them); about it (them) 14
  je vous ~ prie don't mention it; you're welcome; please do 7
  vous n' ~ avez pas? don't you have any? 9
encore again CP; still, more 3
  ~ à boire (manger)? more to drink (eat)? 8
  ~ de ...? more ...? 8
  pas ~ not yet 2
s'endormir to fall asleep 13
endroit *m.* place 5
enfant *m./f.* child 3
enfin finally 5
ennuyeux(ennuyeuse) boring 4
enseigner to teach 15
ensemble together CP, 2

ensoleillé(e) sunny
ensuite next, then 5
entendre to hear 9
  ~ parler de to hear about 15
  s' ~ (avec) to get along (with) 14
  entendu agreed; understood 12
entre between, among 5
  ~ amis between (among) friends 1
entrée *m.* first course, appetizer
entrer to enter 7
  ~ en collision to hit, collide 15
  entrez! come in! CP
envie: avoir ~ de to want to; to feel like 5
environ approximately 9
épaule *f.* shoulder 9
épeler to spell 12
épicerie *f.* grocery store 5
épinards *m.pl.* spinach 8
époque *f.* time, period
  à cette ~ at that time; back then 11
épouser to marry 11
équilibré(e) stable
équipe *f.* team 11
escargot *m.* snail 10
Espagne *f.* Spain 5
espagnol(e) Spanish 1
espérer to hope 8
essayer to try 9
  puis-je ~ ...? may I try ...? 8
essentiel: il est ~ que it is essential that 10
est-ce que (*question marker*) 2
estomac *m.* stomach 9
et and 1
étage *m.* floor 12
état *m.* state 2
  ~ civil marital status
États-Unis *m.pl.* United States 5
été *m.* summer 7
étranger / étrangère *m./f.* foreigner
étranger(étrangère) foreign 12
études *f.pl.* studies 15
étudiant(e) *m./f.* student 3
étudier to study 2

être to be 1
  ~ à to belong to 6
  ~ d'accord (avec) to agree (with) 1, 11
  ~ en train de to be in the process of 11
  vous êtes d'où? where are you from? 2
eux *m. pl. pron.* they, them 6
exact(e) exact, correct
  c'est ~ that's right 13
exagérer exaggerate 8
examen *m.* test, exam 6
  à un ~ on an exam 6
excellent(e) excellent 2
excuser to excuse
  excusez-moi excuse me 1
  excusez-moi (nous, etc.) d'être en retard excuse me (us, etc.) for being late 13
exemple *m.* example
  par ~ for example 6
exercice *m.* exercise 6
exiger (que) to demand (that) 13
expédier to send
extroverti(e) outgoing 4

fâché(e) angry 14
se fâcher to get angry 14
facile easy 9
façon *f.* way, manner
  sans ~ honestly, no kidding 8
faim *f.* hunger
  avoir ~ to be hungry 8
faculté *f.*: ~ des lettres College of Liberal Arts
faire to do, to make 4
  ~ attention to pay attention 4
  ~ du pouce to hitchhike (*French-Canadian*)
  ~ la cuisine to cook 4
  ~ la grasse matinée to sleep in, to sleep late 6
  ~ la sieste to take a nap 4
  ~ les provisions to do the grocery shopping 4
  ~ un voyage to take a trip 5
  ~ une demande to make a request 12

~ **une promenade**   to take a
walk; to take a ride 4
il fait chaud   it's hot out CP, 4, 7
se ~ des amis   to make friends 14
fait *m.*   fact
au ~ ...   by the way ... 2
falloir (il faut)   to be necessary
famille *f.*   family 3
fatigué(e)   tired 2
fausse-couche *f.*   miscarriage
faut: il ~ ...   it is necessary ... 4
il ~ que   it is necessary that,
(someone) must 10
il ne ~ pas que   (someone) must
not 10
faute *f.*   fault; mistake 15
fauteuil *m.*   armchair 3
faux(fausse)   false; wrong 2
femme *f.*   woman 1; wife 3
~ **d'affaires**   businesswoman 4
~ **politique**   (female) politician 4
fermé(e)   closed 6
fermer   to close 6
fermez le livre!   close the book!
CP
fermez la porte!   close the door!
CP
fête *f.*   holiday 7
feu *m.* (*pl.* **feux**)   traffic light 7; fire
feuille *f.*   leaf/sheet (of paper) 9
feuilleton *m.*   soap opera; series 14
février *m.*   February 7
fiançailles *f.pl.*   engagement 14
fiancé(e)   engaged 1
fièvre *f.*   fever 9
fille *f.*   girl 3; daughter 3
film *m.*   film, movie 5
fils *m.*   son 3
fin *f.*   end 9
finir   to finish 12
flamand *m.*   Flemish 5
flûte *f.*   flute 6
~ **!**   darn!; shucks!
fois *f.*   one time 6; times, multiplied
by
la dernière ~   the last time 6
deux ~   twice
follement   in a crazy manner 10

fonctionnaire *m./f.*   civil servant
4
football (foot) *m.*   soccer 6
~ **américain** *m.*   football 6
formidable   great, fantastic 4
fort *adv.*   loudly, with strength 15
fou/folle *m./f.*   fool; crazy person
10
fou(folle) (*m.pl.* **fous**)   crazy 10
foulard *m.*   scarf 4
fourchette *f.*   fork 13
frais: il fait ~   it's cool 7
fraises *f.pl.*   strawberries 8
franc *m.*   franc 9
français(e)   French 1
à la française   in the French style
13
en français   in French CP
France *f.*   France 5
francophone   French-speaking
frapper   to knock
frappez à la porte!   knock on the
door! CP
freiner   to brake 15
fréquenter (quelqu'un)   to date
(someone) 11
frère *m.*   brother 3
frites *f.pl.*   French fries 8
steak-~ *m.*   steak with French
fries 15
froid(e)   cold 2
avoir ~   to be cold 8
il fait ~   it's cold CP, 7
fromage *m.*   cheese 5
frontière *f.*   border
fruit *m.*   a piece of fruit 8
fumer   to smoke 6
fumeur/fumeuse *m./f.*   smoker
non-~   nonsmoker
fumeur *m.*   smoking car 12;
non ~   nonsmoking car 12
fumeur/fumeuse *adj.*   smoking

gagner   to win
~ **(à la loterie)**   to win (the
lottery) 12
gants *m.pl.*   gloves 4
garage *m.*   garage 3

garçon *m.*   boy 3; waiter 8
garder   to keep 15
gare *f.*   (train) station 3
gâteau *m.* (*pl.* **gateaux**)   cake 8
petit ~   cookie
gauche *adj.*   left
à ~ (de)   to the left (of) 7
gendarme *m.*   (state) policeman
15
général: en ~   in general 2
généralement   generally 4
généreux(généreuse)   generous
genou *m.*   knee 9
genoux *m.pl.*   lap, knees 13
gens *m.pl.*   people 14
gentil(le)   nice 3
c'est ~ à vous   that's nice of you
2
gestion *f.*   management 5
glace *f.*   ice cream 8
glissant(e)   slippery 15
golf *m.*   golf 6
gorge *f.*   throat 9
goudron *m.*   tar
goûter   to taste 13
grand(e)   big, tall 1
~ **magasin** *m.*   department store
9
pas grand-chose   not much 5
grand-mère *f.* (*pl.* **grands-mères**)
grandmother 3
grand-père *m.* (*pl.* **grands-pères**)
grandfather 3
grands-parents *m.pl.*   grandparents
3
gras(grasse)   fat
faire la ~ matinée   to sleep in, to
sleep late 6
grippe *f.*   flu 6
gris(e)   grey 4
grisaille *f.*   overcast sky
gros(se)   fat; large 1
grossir   to put on weight 12
guerre *f.*   war 7
en temps de ~   in wartime
guitare *f.*   guitar 6
gymnase *m.*   gymnasium 5
gymnastique *f.*   gymnastics 5

An asterisk indicates that no liaison or elision is made at the beginning of the word.

s'habiller to get dressed 13
habiter to live; to reside 2
  où habitez-vous? where do you live? 1
habitude *f.* habit
  d' ~ usually 4
***haricots verts** *m.pl.* green beans 8
***hasard** *m.* chance, luck
  par ~ by chance 15
heure *f.* hour 2; (clock) time 5
  à l' ~ on time 7
  dans une ~ one hour from now 5
  il est ... heure(s) it is ... o'clock CP, 5
  tout à l' ~ a little while 5
heureusement fortunately 6
heureux(heureuse) happy 4
***heurter** to hit, run into 15
hier yesterday 6
histoire *f.* story 14
  quelle ~! what a story! 14
hiver *m.* winter 7
***hockey** *m.* hockey 6
homme *m.* man 1
  ~ d'affaires businessman 4
  ~ politique politician 4
horaire *m.* timetable
***hors-d'œuvre** *m. inv.* appetizer 8
hôtel *m.* hotel 1
hôtesse de l'air *f.* (female) flight attendant 11
***huit** eight CP, 3

ici here 2
  par ~ this way, follow me 13
idiot/idiote *m./f.* idiot 15
il he, it 1
il y a there is (are) 3
  il n'y a pas de quoi you're welcome 13
  il n'y en a plus there is (are) no more 12
  ~ ... jours days ago
  qu'est-ce qu' ~ ? what's the matter? 3

ils they 1
imbécile *m./f.* imbecile 15
impair: nombre ~ *m.* odd number
impatience *f.* impatience 9
impatient(e) impatient 10
imperméable *m.* raincoat 4
important(e) important
  il est ~ que it is important that 10
incroyable *adj.* unbelievable, incredible 14
indications *f.pl.* directions 10
indiquer to tell; to indicate; to point out 12
indispensable indispensible, essential
  il est ~ que it is essential that 10
infirmier/infirmière *m./f.* nurse 4
informations *f.pl.* news 14
informatique *f.* computer science 5
s'inquiéter to worry 13
insister to insist
  je n'insiste pas I won't insist 8
  si vous insistez if you insist 8
instrument *m.* instrument 6
intention: avoir l' ~ de to plan to 5
interdit(e) forbidden
  sens ~ *m.* one-way street 10
intéressant(e) interesting 4
s'intéresser à to be interested in 14
intérieur *m.* inside
  à l' ~ de inside of 6
inutile useless 12
inviter to invite 10
Irlande *f.* Ireland 5
Israël *m.* Israel 5
Italie *f.* Italy 5
italien(ne) Italian 1
ivre drunk 15

jamais ever, never
  ne ... ~ never 4
jambe *f.* leg 9
jambon *m.* ham 8
janvier *m.* January 7
Japon *m.* Japan 5
japonais(e) Japanese 1

jaune yellow 4
je I 1
jean *m.* jeans 4
jeu *m.* (*pl.* jeux) game 6
jeudi *m.* Thursday 5
jeune young 1
jogging *m.* jogging 2
joli(e) pretty 1
jouer to play 2
  à quoi jouez-vous? what (game) do you play? 6
  de quoi jouez-vous? what (instrument) do you play? 6
jour *m.* day 1
  ~ de l'An New Year's Day 10
  quinze jours two weeks 11
journal *m.* newspaper 6
journée *f.* day
  bonne ~! have a nice day! 1
juillet *m.* July 7
juin *m.* June 7
jupe *f.* skirt 4
jurer to swear
  je te le jure I swear (to you) 14
jus *m.* juice
  ~ d'orange orange juice 2
jusqu'à *prep.* until 12
  jusqu'au bout right up till the end

ketchup *m.* ketchup 8
kilo *m.* kilogram 8
kiosque *m.* newsstand 9
kir *m.* kir 2

la (*see* le)
là there 4
  ~ -bas over there 7
laid(e) ugly 1
laisser to leave; to let 10
  laisse-moi (laissez-moi) tranquille! leave me alone! 10
lait *m.* milk 2
langue *f.* language 5
laquelle(s) (*see* lequel)
las(se) tired
lave-vaisselle *m.* dishwasher 3
laver to wash 13

se ~ to get washed; to wash up 13

le/la/l'/les the 2; him, her, it, them 10

légume *m.* vegetable 8

lent(e) slow 10

lentement slowly 10

lequel/laquelle/lesquels/ lesquelles which? which one(s)? 14

les (*see* le)

lesquel(le)s (*see* lequel)

lettre *f.* letter

leur *pron.* (to) them 14

leur(s) *adj.* their 3

lever to lift; to raise 13
    se ~ to get up; to stand up 13
    levez-vous! get up! CP

librairie *f.* bookstore 5

libre free 5; vacant

lieu *m.* (*pl.* lieux) place 5
    avoir ~ to take place 11

limonade *f.* lemon-lime soda 2

lire to read 6
    lisez! read! CP

lit *m.* bed 3

littérature *f.* literature 5

livre *m.* book 3

loi *f.* law

loin (de) far (from) 5

long(longue) long 9

longtemps a long time 6

louer to rent 12

lui he, him 6; (to) him; (to) her 14

lundi *m.* Monday 5

lunettes *f.pl.* eyeglasses 4

lycée *m.* high school

ma (*see* mon)

machine à laver *f.* washing machine 3

Madame (Mme) Mrs., ma'am; woman 1

Mademoiselle (Mlle) Miss; young woman 1

magasin *m.* store 4
    grand ~ department store 9

magazine *m.* magazine 6

mai *m.* May 7

maigrir to lose weight 12

maillot de bain *m.* bathing suit 13

main *f.* hand 9

maintenant now 4

maire *m.* mayor 11
    adjoint au ~ deputy mayor

mairie *f.* town (city) hall 11

mais but 2

maison *f.* house 3

mal *m.*: avoir ~ (à) to be sore, to have a pain (in) 9

mal *adv.* poorly 2, badly

malade sick 2

manger to eat 2

manquer to miss

manteau *m.* (*pl.* manteaux) coat 4

marchand/marchande *m./f.* merchant 9

marché *m.* (open-air) market 9
    ~ aux puces flea market 9

mardi *m.* Tuesday 5

mari *m.* husband 3

mariage *m.* marriage; wedding 11

marié(e) married 1

se marier (avec) to marry 14

Maroc *m.* Morocco 5

marocain(e) Moroccan 1

marque *f.* make, brand 15

mars *m.* March 7

match *m.* game 10

matin *m.* morning 1

matinée: faire la grasse ~ to sleep in late 6

mauvais(e) bad 4
    il fait ~ the weather is bad 7

mayonnaise *f.* mayonnaise 8

me me 10; (to) me 14

méchant(e) nasty; mean 4

méchoui *m.* roast lamb (*North-African specialty*)

médecin *m.* doctor 4

médicament *m.* medicine 9

se méfier de to watch out for

meilleur(e) better 11
    ~ ami(e) *m./f.* best friend 1
    le/la ~ best 11

membre *m.* member 3

même even 14; same
    -~(s) -self(-selves) 2

ménage *m.* housework 4

menu *m.* (fixed price) menu 13

merci thank you 1; (no) thanks 2
    non, ~ no, thank you 2

mercredi *m.* Wednesday 5

mère *f.* mother 3

mes (*see* mon)

mesure *f.* (unit of) measure

météo(rologie) *f.* weather 14

météorologique *adj.* weather

mettre to put; to place; to lay 13
    ~ la table to set the table 13
    ~ le chauffage to turn on the heat 13
    se ~ à table to sit down to eat 13
    mettez ...! put ...! CP

mexicain(e) Mexican 1

Mexico Mexico City

Mexique *m.* Mexico 5

miam! yum! 8

midi noon CP, 5

mieux better 11
    il vaut ~ que it is preferable that, it is better that 10
    j'aime le ~ I like best 11

mille *inv.* one thousand 9

million *m.* million 9

mince thin 1
    ~ ! darn it! 12

minuit midnight CP, 5

minute *f.* minute 5

mobylette *f.* moped, motorized bicycle 3

moi me 1; I, me 6

moins less 11
    au ~ at least 6
    j'aime le ~ I like least 11
    ~ le quart quarter to (the hour) CP, 5

mois *m.* month 6

mon, ma, mes my 3

monde *m.* world 7
    tout le ~ everybody CP, 4

monnaie *f.* change, coins 9

Monsieur (M.) Mr., Sir; man 1

monter to go up; to get into 7
montre *f.* watch 4
montrer to show 14
morceau *m.* (*pl.* morceaux) piece 8
mort *f.* death 15
mort(e) dead
mot *m.* word 6
  plus un ~ not one more word 10
moto *f.* motorcycle 3
mourir to die 7
moutarde *f.* mustard 8
musée *m.* museum 7
musique *f.* music 6
myrtille *f.* blueberry

nager to swim 2
naïf(naïve) naive 4
naître to be born 7
nappe *f.* tablecloth 13
nationalité *f.* nationality 1
naturellement naturally 8
navire *m.* ship
ne (n') not 1
  ~ ... jamais never 4
  ~ ... pas not 1
  ~ ... personne no one, nobody, not anyone 15
  ~ ... plus no more, no longer 8
  ~ ... que only 11
  ~ ... rien nothing, not anything 6
  n'est-ce pas? right?; are you?; don't they?; etc. 2
nécessaire: il est ~ que it is necessary that 10
négritude *f.* negritude (*system of black cultural and spiritual values*)
neiger to snow 7
  il neige it's snowing CP, 7
nerveux(nerveuse) nervous 4
neuf nine CP, 3
neuf(neuve) brand-new 10
  quoi de neuf? what's new? 5
neveu *m.* (*pl.* neveux) nephew 3
nez *m.* nose 9
  le ~ qui coule runny nose 9
nièce *f.* niece 3

noir(e) black 4
nom *m.* name CP, 1
  ~ de famille last name 1
  à quel ~ ...? in whose name ...? 12
nombre *m.* number 1
nommer to name
non no 1
note *f.* note; grade, mark 4
notre, nos our 3
nourrir to feed, to nourish
nous we 1; us 10; (to) us 14
nouveau/nouvel(nouvelle) (*m.pl.* nouveaux) new 4
novembre *m.* November 7
nuit *f.* night 1
numéro (de téléphone) *m.* (telephone) number 4

obéir to obey 12
occupé(e) busy 6
s'occuper de to be busy with, to take care of
  occupe-toi de tes oignons! mind your own business! 11
octobre *m.* October 7
œil *m.* (*pl.* yeux) eye 9
  mon ~! my eye!, I don't believe it! 10
œuf *m.* egg 8
offrir to offer
oh là là! oh dear!, wow! 9
oignon *m.* onion 8
  occupe-toi de tes oignons! mind your own business! 11
omelette *f.* omelet 8
on one, people, we, they, you 1
oncle *m.* uncle 3
ondée *f.* (rain) shower
onze eleven CP, 3
orange *f.* orange (*fruit*) 4
  jus d' ~ *m.* orange juice 2
orange *adj. inv.* orange 4
orangina *m.* orange soda 2
ordinateur *m.* computer 3
ordre *m.* order
oreille *f.* ear 9

original(e) (*m.pl.* originaux) different; novel; original 14
ou or 1
où where 1
oublier to forget 6
oui yes 1
ouvert(e) open 12
ouvrier/ouvrière *m.*/*f.* laborer 4
ouvrir to open
  ouvrez la porte! open the door! CP

pain *m.* bread 8
  ~ grillé toast 8
pâle pale 15
pantalon *m.* (pair of) pants 4
papier *m.* paper 9
paquet *m.* package 9
par by; through 6
  ~ contre on the other hand
  ~ exemple for example 6
  ~ ici (come) this way, follow me 13
  ~ semaine per week 2
parce que because 4
pardon: ~? pardon?, what did you say? CP
  je vous demande ~ please excuse me; I beg your pardon 9
parents *m.pl.* parents; relatives 3
paresseux(paresseuse) lazy 4
parfait(e) perfect 5
parler to speak 2
  ~ de to tell about 7
partie *f.* part
partir (de) to leave (from) 6
pas no, not
  ne ... ~ not 1
  ~ du tout! not at all!
  ~ encore not yet 2
  ~ grand-chose not much 5
  ~ très bien not very well 2
passer to pass
  ~ un an to spend a year 3
  ~ un test to take a test 5
passionnant(e) exciting 14
pastille *f.* lozenge 9
pâté *m.* pâté (*meat spread*) 8

patiemment patiently 10
patient(e) patient 10
patiner to skate 2
patinoire *f.* skating rink 10
pâtisserie *f.* pastry shop; pastry 9
patron/patronne *m./f.* boss 4
pauvre poor 11
payer to pay (for) 9
pays *m.* country 5
pédagogie *f.* education, teacher
    preparation 5
pendant for; during 6
  ~ que while 4
  ~ combien de temps ...?
    how long ...? 6
penser to think 8
  qu'en penses-tu? what do you
    think of it (of them)? 8
perdre to lose 9
  ~ patience to lose (one's)
    patience 9
père *m.* father 2, 3
permettre to allow
  permettez-moi de me
    présenter allow me to
    introduce myself 1
  vous permettez? may I? 1
permis de conduire *m.* driver's
    license 10
personne *f.* person *(male or female)*
    1
  ne ... ~ no one, nobody, not
    anyone 15
pétanque *f.* lawn bowling 6
petit(e) small, short 1
  ~ ami(e) *m./f.* boyfriend/
    girlfriend 3
  petite fille *f.* little girl 3
  petits pois *m.pl.* peas 8
petite-fille *f.* (*pl.* petites-filles)
    granddaughter 3
petit-fils *m.* (*pl.* petits-fils) grandson
    3
petits-enfants *m. pl.* grandchildren 3
peu (de) little, few 8
  un ~ a little bit 2
peur *f.* fear
  avoir ~ to be afraid 8

peut-être maybe; perhaps 2
pharmacie *f.* pharmacy 9
pharmacien/pharmacienne *m./f.*
    pharmacist
photo *f.* photograph 3
  sur la ~ in the picture 3
physique physical 15
piano *m.* piano 6
pièce *f.* play 6
  ~ (de monnaie) coin 9
pied *m.* foot 9
pilote *m.* pilot 11
pilule *f.* pill 9
pique-nique *m.* picnic 12
piscine *f.* swimming pool 5
pitié *f.* pity
  avoir ~ (de) to have pity, to feel
    sorry (for) 10
pizza *f.* pizza 2
place *f.* seat 7
plaire to please
  s'il vous plaît please 2
plaisir *m.* pleasure
  avec ~ with pleasure 2
plancher *m.* floor 13
plat *m.* course, dish 8
pleurer to cry 2
pleuvoir to rain 7
  il pleut it's raining CP, 7
  il pleuvait it was raining 11
plupart *f.* majority
  la ~ (de) most (of) 6
plus more 11
  il n'y en a ~ there is (are) no
    more 12
  le/la/les ~ ... the most ... 11
  moi non ~ nor I, me neither 6
  ne ... ~ no more, no longer 8
poème *m.* poem 6
pois *m.pl.*: petits ~ peas 8
poisson *m.* fish 2
poivre *m.* pepper 13
police *f.* police (force)
  agent de ~ police officer 7
politique *f.* politics 2; policy
politique: homme/femme ~ *m./f.*
    politician 4
pomme *f.* apple 8

pomme de terre *f.* potato 8
populaire popular 11
porc *m.* pork 8
porte *f.* door 1
porter to wear; to carry 4
poser une question to ask a
    question 4
possession *f.* possession 3
postale: carte ~ *f.* postcard 6
poste *f.* post office; mail
  bureau de ~ *m.* post office 5
poster to mail 7
pouce *m.* thumb
  faire du ~ to hitchhike *(French-
    Canadian)*
poulet *m.* chicken 8
pour for, in order to 2
  ~ ce qui est de with respect to
pourquoi why 2
  ~ pas? why not? 6
pourvoir to provide
pouvoir *m.* power
pouvoir *v.* to be able; to be allowed
    10; can
  je peux I can 9
  on peut one can 9
  pouvez-vous me dire ...? can you
    tell me ...? 9
  puis-je ...? may I ...? 8, 12
préféré(e) favorite 11
préférence *f.*: de ~ preferably
préférer to prefer 8
  je préfère que I prefer that 10
premier(première) first 5
  en première in first class 12
prendre to take; to eat, to drink 8
  prenez ...! take ...! CP
prénom *m.* first name 1
préparer (un cours) to prepare (a
    lesson) 6
près (de) near 1
  tout ~ very near 7
présenter to introduce
  je vous présente ... let me
    introduce you to ... 3
presque almost 14
prêter to lend 14
prie: je vous en ~ you're welcome

printemps *m.* spring 7
prix *m.* price 12
prochain(e) next 5
professeur (prof) *m.* teacher *(male or female)* 1
profession *f.* profession, occupation
promenade *f.* walk; ride 4
faire une ~ to take a walk; to take a ride 4
se promener to take a walk, ride 13
promettre to promise
c'est promis it's a promise 10
propos: à ~ de regarding, on the subject of 8
propre clean 4; specific; own
propriétaire *m./f.* owner 10
provisions *f.pl.* groceries 4
faire les ~ to do the grocery shopping 4
provoquer to cause
prudemment prudently 10
prudent(e) cautious 10
publicité *f.* publicity; commercial 14
puis then; next 2
puis-je ...? may I ...? 8, 12
puisque since
pull-over (pull) *m.* sweater 4
pyjama *m.* (pair of) pajamas 13

quand when 4
quantité *f.* quantity
quarante forty 3
quart quarter
et ~ quarter past, quarter after CP, 5
moins le ~ quarter to, quarter till CP, 5
quatorze fourteen CP, 3
quatre four CP, 1
quatre-vingt-dix ninety 9
quatre-vingt-onze ninety-one 9
quatre-vingt-un eighty-one 9
quatre-vingts eighty 9
que that 4
~ ...? what ...? 4
ne ... ~ only 11
quel(le) ...? which ...? 4

quel âge avez-vous? how old are you? 1
quel jour est-ce? what day is it? 5
quelle ...! what a ...! 2
quelle est votre nationalité? what is your nationality? 1
quelle heure est-il? what time is it? 5
quelque chose *m.* something 2
quelquefois sometimes 2
quelques a few; some 8
quelqu'un someone 2
qu'est-ce que/qui what? 4
qu'est-ce que c'est? what is this? 4
qu'est-ce que vous avez comme ...? what do you have for (in the way of) ...? 8
qu'est-ce qu'il y a ...? what is there ...? 3
qu'est-ce qu'il y a? what's the matter? 3
qu'est-ce que tu aimes? what do you like? 2
qu'est-ce que vous voulez? what do you want? 2
qui who 1
qu'est-ce ~ ...? what ...? 4
quinze fifteen CP, 3
~ jours two weeks 11
quoi what
il n'y a pas de ~ don't mention it, you're welcome 13
~ de neuf? what's new? 5

raconter to tell 14
radio *f.* radio 2
raison *f.* reason
avoir ~ to be right 8
raisonnable reasonable 10
ralentir to slow down 12
rapide rapid, fast 10
rapidement rapidly 10
rarement rarely 4
ravi(e) delighted 14
récemment recently 6
recette *f.* recipe
recommander to recommend 12

reculer to back up 10
récuser to exclude
réduire to reduce
réfrigérateur *m.* refrigerator 3
refuser to refuse
regarder to watch; to look at 2
regardez look CP
regretter to be sorry 14
je regrette I'm sorry 8
relief *m.* relief, hilly area
remarquer to notice 4
remercier to thank 12
rencontrer to meet 14
rendez-vous *m.* meeting; date 5
avoir ~ to have an appointment, meeting 4
rendre to give back 9
~ visite à qqn to visit someone 9
renseignement *m.* item of information 7
rentrer to go (come) back; to go (come) home 7
repas *m.* meal 8
répéter to repeat; to practice 8
répétez, s'il vous plaît please repeat CP
répondre (à) to answer 9
répondez answer CP
se reposer to rest 13
réserver to reserve 9
résidence (universitaire) *f.* dormitory 5
responsabilité *f.* responsibility 11
restaurant *m.* restaurant 5
rester to stay 5; to remain
il en reste un(e) there's one left 9
il vous reste ...? do you still have ...? 12
retard *m.* delay
en ~ late 7
retour *m.* return
aller- ~ round-trip ticket 12
retourner to go back, to return 7
rétroviseur *m.* rearview mirror 10
réunion *f.* meeting 13
réussir (à) to succeed; pass (a test) 12
se réveiller to wake up 13

revenant *m.* ghost 14
revenir to come back 7
revoir to see again
  au ~ good-bye 1
rez-de-chaussée *m.* ground floor 12
rhume *m.* cold *(illness)* 9
riche rich 12
ridicule ridiculous 14
rien nothing
  de ~ you're welcome; don't mention it, not at all 13
  ne ... ~ nothing, not anything 6
riz *m.* rice 8
robe *f.* dress 4
  ~ de mariée wedding dress 11
robinet *m.* faucet 6
roman *m.* novel 6
  ~ policier detective story 6
rose *adj.* pink 4
rôti (de bœuf) *m.* (beef) roast 9
rouge red 4
rouler to roll; to move *(vehicle)*; to go 15
route *f.* route, way, road 12
roux(rousse) red(-haired) 4
rue *f.* street 7
rugby *m.* rugby 6
russe Russian 1
Russie *f.* Russia 5

sa (*see* **son**)
saignant(e) rare, undercooked 15
saison *f.* season 7
salade *f.* salad 8
  ~ (verte) (green) salad 8
sale dirty 4
salle *f.* room
  ~ à manger dining room 8
  ~ de bain bathroom 6
  ~ de classe classroom 5
salut! hi! 1
salutation *f.* greeting
samedi *m.* Saturday 5
sandwich *m.* sandwich 8
sans without 6
  ~ blague! no kidding 14
  ~ doute probably 3
  ~ façon honestly, no kidding 8

santé *f.* health
  à votre ~! (here's) to your health!; cheers! 2
sardine *f.* sardine 9
saucisse *f.* sausage 9
saumon *m.* salmon 8
savoir to know 12
  je ne sais pas I don't know 2
saxophone *m.* saxophone 6
sciences *f.pl.* science 5
  ~ économiques economics 5
scolaire *adj.* school
  année ~ *f.* school year 10
second(e) second
  en seconde in (by) second class 12
seize sixteen CP, 3
sel *m.* salt 13
semaine *f.* week 5
  par ~ per week 2
semestre *m.* semester 6
Sénégal *m.* Senegal 5
sénégalais(e) Senegalese 1
sens interdit *m.* one-way street 10
(se) sentir to feel
se séparer to separate (from each other) 14
sept seven CP, 3
septembre *m.* September 7
sérieusement seriously 10
sérieux(sérieuse) serious 10
serveur/serveuse *m./f.* waiter/waitress 8
service *m.* service
  à votre ~ at your service 7
serviette *f.* towel 12; napkin 13
ses (*see* **son**)
seul(e) alone; only 5
  un ~ a single
seulement only 9
short *m.* (pair of) shorts 4
si *conj.* if 3
  s'il vous plaît please 2
si *adv.* so 10
si! yes! 3
siècle *m.* century 10
sieste *f.* nap 4
  faire la ~ to take a nap 4

simple: aller ~ one-way ticket 12
sincère sincere 11
six six CP, 3
skier to ski 2
skis *m.pl.* skis 13
smoking *m.* tuxedo 11
sœur *f.* sister 3
sofa *m.* sofa 3
soif: avoir ~ to be thirsty 8
soir *m.* evening 1
  ce ~ tonight 5
  tous les soirs every night 6
soirée *f.* party 13; evening
soixante sixty 3
soixante et onze seventy-one 3
soixante-dix seventy 3
soixante-douze seventy-two 3
soleil *m.* sun 9
son, sa, ses his, her, its 3
sorte *f.* kind 8
  quelle(s) sorte(s) de ...? what kind(s) of ...? 8
  toutes sortes de choses all kinds of things 9
sortir to go out 6
  je vais ~ I'm going to go out 5
  sortez! leave! CP
souci *m.* worry; care 11
souffler to blow
souhaiter (que) to wish; to hope (that) 13
soupe *f.* soup 8
sourire *m.* smile 13
sourire *v.* to smile 13
souris *f.* mouse 5
sous under 5
souvent often 2
sportif(sportive) athletic 4
statue *f.* statue 11
steak *m.* steak 12
  ~ -frites steak with French fries 15
stéréo *f.* stereo 3
stop *m.* stop sign 10
sucre *m.* sugar 13
Suède *f.* Sweden 5
suédois(e) Swedish 1
Suisse *f.* Switzerland 5
suisse *adj.* Swiss 1

suite: tout de ~   right away 1
supermarché *m.*   supermarket 9
supplément *m.*   extra charge;
    supplement 12
suppositoire *m.*   suppository 9
sur   on 3
sûr(e)   sure
    bien ~   of course 8
sûrement   surely, definitely 14
surveiller   to watch
sweat-shirt *m.*   sweatshirt 4

tabac *m.*   tobacco; tobacco shop 9
    bureau de ~   tobacco shop 5
table *f.*   table 1
    à ~   at dinner, at the table 6
tableau *m.*   chalkboard CP
se taire   to be quiet
    tais-toi! (taisez-vous!)   keep quiet!
    10
tant   so much; so many 6
tante *f.*   aunt 3
tard   late 11
tarder   to be a long time coming 13
tarte *f.*   pie 8
tasse *f.*   cup 2
taux *m.*   rate
te   you 10; (to) you 14
tee-shirt *m.*   tee-shirt 4
téléphone *m.*   telephone 1
    au ~   on the telephone 6
téléphoner (à)   to telephone 6
télévision (télé) *f.*   television 2
témoin *m.*   witness 15
temps *m.*   time 6; weather 4
    emploi du ~ *m.*   schedule 4
    quel ~ fait-il?   what is the
    weather like? 4
tendance *f.*   tendency, trend
    avoir ~ à   to tend to 12
tennis *m.*   tennis 2
    jouer au ~   to play tennis 2
    tennis *m.pl.*   tennis shoes 4
tentation *f.*   temptation
terre *f.*   earth 9
tête *f.*   head 9
thé *m.*   tea 2

théâtre *m.*   theater
timbre *m.*   stamp 9
toi   you 4
toilettes *f.pl.*   restroom 5
tomate *f.*   tomato 8
tomber   to fall 2
ton, ta, tes   your 3
tort *m.*   wrong
    avoir ~   to be wrong; to be
    unwise 8
tôt   early 13
toujours   always 4; still
    pas ~   not always 2
toupet *m.*   nerve
tour *f.*   tower 11
tour *m.*   turn, tour 11
tourner   to turn 7
Toussaint *f.*   All Saints' Day
tousser   to cough 9
tout/toute/tous/toutes *adj.*   all;
    every; the whole 12
    tous les deux (toutes les
    deux)   both 12
    tous les soirs   every night 6
    toute la famille   the whole family
    11
    tout le monde   everybody CP, 4
    tout le week-end   all weekend
    (long) 5
tout *adv.*   completely; very 12
    ~ à l'heure   a little while ago, in
    a little while 5
    ~ de suite   right away 12
    ~ près   very near 7
tout *pron.inv.*   all, everything
    pas du ~ !   not at all! 1
train *m.*   train 3
    être en ~ de   to be in the process
    of 11
    par le ~   by train 7
tranche *f.*   slice 8
tranquille   calm 10
travail (manuel) *m.*   (manual) work
    4
travailler   to work 2
travailleur(travailleuse)   hard-
    working 4
travers: à ~   throughout

treize   thirteen 3
trente   thirty 3
très   very 1
triste   sad 4
trois   three CP, 1
trompette *f.*   trumpet 6
trop (de)   too much, too many 3
trouver   to find, to be of the
    opinion 2
    se ~   to be located
    où se trouve (se trouvent) ...?
    where is (are)...? 5
    vous trouvez?   do you think so? 2
truite *f.*   trout 8
tu   you *(familiar)* 1

un(e)   one CP, 1; one, a, an 3
union *f.*: ~ douanière   customs
    union
unique   unique
    enfant ~ *m./f.*   only child
université *f.*   university 1

vacances *f.pl.*   vacation 6
    bonnes ~!   have a good vacation!
    6
    en ~   on vacation 6
vaisselle *f.*   dishes 4
valoir mieux (il vaut mieux)   to be
    better
valse *f.*   waltz 6
vanille *f.*: glace à la ~ *f.*   vanilla ice
    cream 8
vaut: il ~ mieux que   it is preferable
    that, it is better that 10
vélo *m.*   bicycle 3
vendeur/vendeuse *m./f.*   salesman/
    saleswoman 4
vendre   to sell 9
vendredi *m.*   Friday 5
venir   to come 7
    ~ de ...   to have just ... 7
    d'où venez-vous?   where do you
    come from? 7
    je viens de ...   I come from ... 2
vent *m.*   wind
    il fait du ~   it's windy 7
vérité *f.*   truth 14

verre *m.*   glass 2
vers   toward 5
   ~ (**8 heures**)   approximately, around (8 o'clock) 5
verser   to pour 13
vert(e)   green 4
veste *f.*   sportcoat 4
vêtement *m.*   article of clothing 4
veuf / veuve *m. / f.*   widower / widow 1
veux   (*see* **vouloir**)
viande *f.*   meat 8
vie *f.*   life
   c'est la ~   that's life 6
   gagner sa ~   to earn one's living
vieux / vieil(vieille)   old 1
ville *f.*   city 5; town
vin *m.*   wine 2
vingt   twenty CP, 3
vingt et un   twenty-one CP, 3
vingt-deux   twenty-two CP, 3
violet(te)   purple 4
violon *m.*   violin 6

visite: rendre ~ à   to visit (a person) 9
visiter   to visit (a place)
vite   quickly 10
vitesse *f.*   speed 10
   à toute ~   at top speed 10
vivement   eagerly
voici   here is; here are 3
voilà   there is; there are 1
voir   to see 14
   vous allez ~ ...   you are going to see ... 7
   tu vois   you see 11
voisin / voisine *m. / f.*   neighbor 11
voiture *f.*   automobile 3
   en ~   by car 7
vol *m.*   flight 12
volant *m.*   steering wheel 10
volontiers   gladly 2
votre, vos   your 1
vôtre: à la ~!   (here's) to yours! (to your health!) 2

vouloir   to want, to wish 10
   ... veut dire ...   ... means ... CP, 6
   je veux bien   gladly; yes, thanks 2
   je veux que   I want 10
   je voudrais   I would like 2, 10
vous   you (*formal*) 1; (to) you 14
voyage *m.*   trip, voyage 5
   chèque de ~ *m.*   traveler's check 9
   faire un ~   to take a trip 5
voyager   to travel 2
vrai(e)   true 2
vraiment   really 2

week-end *m.*   weekend 5
   tout le ~   all weekend (long) 5
wolof *m.*   Wolof (*language*) 5

y   there 7
   allez- ~   go ahead 12
   il y a   there is (are) 3
yeux *m.pl.*   eyes 4, 9

zéro   zero CP, 3

Anglais-Français

This vocabulary list includes only the active words and phrases listed in the *Vocabulaire actif* sections. Only those French equivalents that occur in the text are given. Expressions are listed according to the key word. The symbol ~ indicates repetition of the key word.

The following abbreviations are used.

adj.	adjective	*m.pl.*	masculine plural
adv.	adverb	*n.*	noun
conj.	conjunction	*pl.*	plural
f.	feminine	*prep.*	preposition
f.pl.	feminine plural	*pron.*	pronoun
inv.	invariable	*v.*	verb
m.	masculine		

a, an un(e)
able: be ~ pouvoir
about de; environ
   ~ 8:00 vers 8 heures
   ~ it (them) en
   hear ~ entendre parler de
absolutely absolument
accept accepter
accident accident *m.*
accompany accompagner
accordion accordéon *m.*
accounting comptabilité *f.*
acquainted: be ~ with connaître
activity activité *f.*
actor/actress acteur/actrice *m./f.*
address *n.* adresse *f.*
adore adorer
advance *v.* avancer
advertisement annonce *f.*
advice (piece of) conseil *m.*
afraid: be ~ avoir peur
after après
afternoon après-midi *m.*
   in the ~ de l'après-midi
again encore
against contre
age âge *m.*

agree (with) être d'accord (avec)
   agreed entendu
ahead: go ~ allez-y
   straight ~ tout droit
air conditioning climatisation *f.*
airplane avion *m.*
airport aéroport *m.*
all *pron./adj.* tout(toute/tous/toutes)
   ~ weekend (long) tout le weekend
   not at ~! pas du tout!
allow permettre
   ~ me to introduce myself
   permettez-moi de me présenter
almost presque
alone seul(e)
   leave me ~! laisse-moi (laissez-moi) tranquille!
already déjà
also aussi
always toujours
   not ~ pas toujours
American *adj.* américain(e)
amusing *adj.* amusant(e)
anchovy anchois *m.*
and et
angry fâché(e)

get ~ se fâcher
answer répondre (à)
anyone quelqu'un
   not ~ ne ... personne
anything quelque chose *m.*
   not ~ ne ... rien
apartment appartement *m.*
appear avoir l'air
appetizer hors-d'œuvre *m.inv.*
apple pomme *f.*
appointment rendez-vous *m.*
   have an ~ avoir rendez-vous
approximately environ; vers *(time)*
April avril *m.*
Arabic arabe *m.*
argue se disputer
arm bras *m.*
armchair fauteuil *m.*
around environ; vers
   ~ (8 o'clock) vers (huit heures)
arrive arriver
as aussi, comme
   ~ ... ~ aussi ... que
   ~ much autant (de)
ashamed confus(e)
ask demander
   ~ a question poser une question

asleep: fall ~ s'endormir
aspirin tablet cachet d'aspirine *m.*
assure assurer
at à
  ~ first d'abord
  ~ midnight à minuit
  ~ noon à midi
  ~ ... o'clock à ... heure(s)
  ~ the home of chez
athletic sportif (sportive)
attach attacher
attend assister (à)
attention: pay ~ faire attention
attentive attentif (attentive)
August août *m.*
aunt tante *f.*
automobile voiture *f.*
away: right ~ tout de suite
awful! berk!

baby bébé *m.*
back *n.* dos *m.*
back *adv.*: go ~ retourner; rentrer
  ~ then à cette époque
  come ~ revenir
  give ~ rendre
back up reculer
bad mauvais(e)
  that's (it's) too ~ c'est dommage
  the weather is ~ il fait mauvais
badly mal
bakery boulangerie *f.*
bald chauve
ball (dance) bal *m.*
bank banque *f.*
bar and café bistro *m.*
basketball basket-ball (basket) *m.*
bathing suit maillot de bain *m.*
bathroom salle de bain *f.*
bathtub baignoire *f.*
be être
  ~ a long time coming tarder
  ~ able pouvoir
  ~ acquainted with, familiar
    with connaître
  ~ afraid avoir peur
  ~ born naître
  ~ cold avoir froid

  ~ fed up en avoir assez
  ~ hot avoir chaud
  ~ hungry avoir faim
  ~ in the process of être en train
    de
  ~ interested in s'intéresser à
  ~ located se trouver
  ~ necessary falloir (il faut)
  ~ of the opinion trouver
  ~ probably, supposed devoir
  ~ right avoir raison
  ~ sleepy avoir sommeil
  ~ sore avoir mal (à)
  ~ sorry regretter
  ~ thirsty avoir soif
  ~ wrong, unwise avoir tort
beans haricots *m.pl.*
Beaujolais *(wine)* beaujolais *m.*
beautiful beau/bel/belle/beaux/belles
because parce que
become devenir
bed lit *m.*
  go to ~ se coucher
bedroom chambre *f.*
beef bœuf *m.*
beer bière *f.*
before avant
begin commencer
behind derrière; en retard
  right ~ juste derrière
beige beige
Belgian belge
Belgium Belgique *f.*
believe (in) croire (à)
  I don't ~ it! mon œil!
belong to être à
belt ceinture *f.*
  safety ~, seat ~ ceinture de
    sécurité *f.*
beside à côté (de)
best *adv.* mieux; *adj.* le/la
  meilleur(e)
  ~ friend meilleur(e) ami(e) *m./f.*
  I like ~ j'aime le mieux (le plus);
    je préfère
better *adv.* mieux; *adj.*meilleur(e)
  it is ~ that il vaut mieux que
between entre

  ~ friends entre amis
beverage boisson *f.*
bicycle vélo *m.*
big grand(e), gros(se)
bill *n.* *(paper money)* billet *m.*;
  (restaurant check) addition *f.*
billion milliard *m.*
birthday anniversaire *m.*
bistro bistro *m.*
black noir(e)
  ~ currant liqueur crème de cassis
    f.
blond blond(e)
blouse chemisier *m.*
blue bleu(e)
body corps *m.*
book livre *m.*
bookstore librairie *f.*
boots bottes *f.pl.*
Bordeaux *(wine)* bordeaux *m.*
boring ennuyeux(ennuyeuse)
born né(e)
  be ~ naître
borrow emprunter
boss patron/patronne *m./f.*
both tous les deux (toutes les deux)
bottle bouteille *f.*
bowl *n.* bol *m.*
bowling: lawn ~ pétanque *f.*
box boîte *f.*
boy garçon *m.*
boyfriend petit ami *m.*
brake *v.* freiner
brand *n.* marque *f.*
brand-new neuf(neuve)
bread pain *m.*
breakfast petit déjeuner *m.*
bridge *(game)* bridge *m.*
Brie *(cheese)* brie *m.*
bring apporter
broccoli brocoli *m.*
brother frère *m.*
brother-in-law beau-frère *m.*
  (pl. beaux-frères)
brown brun(e)
brush *n.* brosse *f.*
  tooth ~ brosse à dents *f.*
brush *v.* se brosser

building bâtiment *m.*

business affaires *f.pl.*, commerce *m.*

  mind your own ~! occupe-toi de tes oignons!

businessman/woman homme/femme d'affaires *m./f.*

busy occupé(e)

  be ~ with s'occuper de

but mais

butcher shop boucherie *f.*

  pork butcher's charcuterie *f.*

butter beurre *m.*

  peanut ~ beurre d'arachide *m.*

buy acheter

by par

  ~ car en voiture

  ~ chance par hasard

  ~ the way ... au fait ...

café café *m.*, bistro *m.*

cafeteria cafétéria *f.*

cake gâteau *m.* (*pl.* gateaux)

calculator calculatrice *f.*

call appeler, téléphoner

  your ~ from ... votre communication de ...

called: be ~ s'appeler

calm calme, tranquille

Camembert *(cheese)* camembert *m.*

campus campus *m.*

can *n.* boîte *f.*

can (be able to) *v.* pouvoir

Canada Canada *m.*

Canadian canadien(ne)

candy bonbon *m.*

car voiture *f.*

  by ~ en voiture

card carte *f.*

  credit ~ carte de crédit

  post ~ carte postale

cards *(game)* cartes *f.pl.*

care *n.* souci *m.*

  take ~ of s'occuper de

care *v.*: **I don't ~** cela (ça) m'est égal

carry porter

cartoon dessin animé *m.*

cat chat *m.*

cautious prudent(e)

centime centime *m.*

century siècle *m.*

cereal céréales *f.pl.*

certain sûr(e)

chair chaise *f.*

chalk craie *f.*

chalkboard tableau *m.*

chance hasard *m.*

  by ~ par hasard

change *n.* monnaie *f.*

change *v.* changer (de)

channel: TV ~ chaîne (de télé) *f.*

charge: extra ~ supplément

charming charmant(e)

cheap bon marché *adj. inv.*

check chèque *m.*

  traveler's ~ chèque de voyage *m.*

  ~ *(restaurant bill)* addition *f.*

checkers dames *f.pl.*

cheese fromage *m.*

chemistry chimie *f.*

chess échecs *m.pl.*

chewing gum chewing-gum *m.*

chic chic *adj. inv.*

chicken poulet *m.*

child enfant *m./f.*

China Chine *f.*

Chinese chinois(e)

chocolate: hot ~ chocolat chaud *m.*

choice choix *m.*

choose choisir

church église *f.*

cigar cigare *m.*

cigarette cigarette *f.*

city ville *f.*

civil servant fonctionnaire *m./f.*

class cours *m.*, classe *f.*

  in ~ en classe

  in first ~ en première classe

classroom salle de classe *f.*

clean propre

close *(adj.)* près (de)

close *v.* fermer

closed fermé(e)

clothing (article of) vêtement *m.*

coat manteau *m.* (*pl.* manteaux)

Coca-Cola coca *m.*

coffee café *m.*

coin pièce (de monnaie) *f.*

cold *(illness) n.* rhume *m.*

cold *adj.* froid(e)

  be ~ avoir froid

  it's ~ il fait froid

collide entrer en collision

color couleur *f.*

  what ~ is (are) ...? de quelle couleur est (sont) ...?

come venir

  ~ back revenir, rentrer

  ~ in! entrez!

  where do you ~ from? d'où venez-vous?

comfortable confortable

comic strip bande dessinée *f.*

commentary commentaire *m.*

commercial *n.* publicité *f.*

complete complet(complète)

completely tout *inv. adv.*; complètement

computer ordinateur *m.*

  ~ science informatique *f.*

confirm confirmer

console oneself se consoler

constant constant(e)

constantly constamment

contrary contraire *m.*

  on the ~ au contraire

cooking cuisine *f.*

cool: it's ~ il fait frais

corner coin *m.*

corridor couloir *m.*

cost *v.* coûter

cough *v.* tousser

country pays *m.*

course *(classroom)* cours *m.*; *(meal)* plat *m.*

  of ~ certainement, bien sûr

cousin cousin/cousine *m./f.*

crazy fou(folle)

  ~ person fou/folle *m./f.*

  in a ~ manner follement

cream crème *f.*

credit card carte de crédit *f.*

croissant croissant *m.*

cross *v.* retourner

cry *v.* pleurer
cup tasse *f.*
cut *v.* couper

dance *n.* bal *m.*
dance *v.* danser
dangerous dangereux(dangereuse)
darn it! mince!
date *n.* date *f.*; rendez-vous *m.*
date (someone) *v.* fréquenter
   (quelqu'un)
daughter fille *f.*
day jour *m.*
  ~ after tomorrow après-demain
  have a good ~ bonne journée
  New Year's ~ Jour de l'An *m.*
  what ~ is it? quel jour est-ce?
dead mort(e)
dear *n.* chéri/chérie *m./f.*
dear *adj.* cher(chère)
death mort *f.*
debt dette *f.*
December décembre *m.*
definitely sûrement, certainement
delicatessen charcuterie *f.*
delicious délicieux(délicieuse)
delighted ravi(e)
demand (that) exiger (que)
department store grand magasin *m.*
departmental (local) highway
  départementale *f.*
departure départ *m.*
depend dépendre
  it (that) depends ça dépend
depressed déprimé(e)
describe décrire
desk bureau *m.* (*pl.* bureaux)
dessert dessert *m.*
detective story roman policier *m.*
detest détester
die mourir
different original(e) (*m.pl.*
  originaux); différent(e)
dining room salle à manger *f.*
dinner dîner *m.*
  at ~ à table
  have ~ dîner
diploma diplôme *m.*

directions indications *f.pl.*
dirty sale
disappointed déçu(e)
discreet discret(discrète)
dish plat *m.*
dishes vaisselle *f.*
  do the ~ faire la vaisselle
dishwasher lave-vaisselle *m.*
divorce *n.* divorce *m.*
divorce *v.* divorcer
divorced divorcé(e)
do faire
  ~ the grocery shopping faire les
  provisions
  what am I going to ~? comment
  je vais faire?
doctor médecin *m.*, docteur
dog chien *m.*
dollar dollar *m.*
door porte *f.*
dormitory résidence (universitaire)
  f.
dozen douzaine *f.*
dress *n.* robe *f.*
  wedding ~ robe de mariée *f.*
dressed: get ~ s'habiller
drink *n.* boisson *f.*
  before-dinner ~ apéritif *m.*
drink *v.* boire, prendre
  do you want to ~ something?
  voulez-vous boire quelque
  chose?; quelque chose à boire?
drive *n.*: to take a ~ faire une
  promenade en voiture 4
drive conduire
driver automobiliste *m./f.*,
  conducteur/conductrice *m./f.*,
  chauffeur *m.*
  ~'s license permis de conduire
  m.
drums batterie *f.*
drunk *adj.* ivre
during pendant

each chaque
ear oreille *f.*
early tôt, en avance
earn one's living gagner sa vie

earth terre *f.*
easy facile
eat manger, prendre
  ~ dinner dîner
  ~ lunch déjeuner
economics sciences économiques
  f.pl.
education pédagogie *f.*
egg œuf *m.*
eight huit
eighteen dix-huit
eighty quatre-vingts
eighty-one quatre-vingt-un
eleven onze
embarrassed confus(e)
employee employé/employée *m./f.*
end *n.* fin *f.*
engaged fiancé(e)
engagement fiançailles *f.pl.*
England Angleterre *f.*
English anglais(e)
enough assez
enter entrer
errands courses *f.pl.*
essential essentiel(le)
  it is ~ that il est essentiel que
even même
evening soir *m.*
  good ~ bonsoir
ever jamais
every chaque; tout(toute/tous/
  toutes)
  ~ night tous les soirs
everybody tout le monde
everything tout *pron. inv.*
exaggerate exagérer
exam examen *m.*
  on an ~ à un examen
example exemple *m.*
  for ~ par exemple
excellent excellent(e)
exchange: in ~ for contre
exciting passionnant(e)
excuse: ~ me je vous demande
  pardon; excusez-moi
executive cadre *m.*
exercise exercice *m.*
expensive cher(chère)

eye œil *m.* (*pl.* yeux)
  my ~! mon œil!
eyeglasses lunettes *f.pl.*

fail échouer
fall *n.* automne *m.*
fall *v.* tomber
  ~ asleep s'endormir
false faux(fausse)
familiar: be ~ with connaître
family famille *f.*
famous célèbre
fantastic formidable
far (from) loin (de)
fast rapide
fat gros(se), gras(se)
father père *m.*
father-in-law beau-père *m.* (*pl.*
  beaux-pères)
faucet robinet *m.*
fault faute *f.*
favorite préféré(e)
fear peur
February février *m.*
fed up: be ~ en avoir assez
feel sentir, se sentir
  ~ like avoir envie de
  ~ sorry (for someone) avoir pitié
  (de)
fever fièvre *f.*
few peu (de)
  a ~ quelques
fifteen quinze
fifty cinquante
film film *m.*
finally enfin
find *v.* trouver
fine bien
  I'm ~ je vais très bien; ça va
  bien
finish finir
first premier(première)
  ~ name prénom *m.*
  at ~ d'abord
  in ~ class en première classe
fish *n.* poisson *m.*
five cinq
flea market marché aux puces *m.*

Flemish flamand *m.*
flight vol *m.*
flight attendant (*female*) hôtesse de
  l'air *f.*
floor (*of a building*) étage *m.*; (*of a
  room*) plancher *m.*
  ground ~ rez-de-chaussée *m.*
flu grippe *f.*
fluently couramment
flute flûte *f.*
follow: ~ me par ici
food cuisine *f.*
fool fou/folle *m./f.*
foot pied *m.*
football football américain *m.*
for depuis; pendant; pour
foreign étranger(étrangère)
forget oublier
fork fourchette *f.*
fortunately heureusement
forty quarante
four quatre
fourteen quatorze
franc franc *m.*
France France *f.*
free libre
French français(e)
  ~ fries frites *f.pl.*
  in ~ en français
  in the ~ style à la française
  steak with ~ fries steak-frites *m.*
Friday vendredi
friend ami/amie *m./f.*
  make friends se faire des amis
from de
front: in ~ of devant
fruit fruit *m.*
fun amusant(e)
  have ~ s'amuser
funny amusant(e), drôle

game jeu *m.* (*pl.* jeux), match *m.*
garage garage *m.*
garlic ail *m.*
general: in ~ en général
generally généralement
generous généreux(généreuse)
German allemand(e)

Germany Allemagne *f.*
get obtenir, recevoir
  ~ along (with) s'entendre (avec)
  ~ angry se fâcher
  ~ dressed s'habiller
  ~ into monter
  ~ out of descendre
  ~ up, stand up se lever
  ~ washed, wash up se laver
ghost revenant *m.*
girl fille *f.*
girlfriend petite amie *f.*
give donner
  ~ back rendre
gladly volontiers; je veux bien
glass (drinking) verre *m.*
glasses (eye) lunettes *f.pl.*
gloves gants *m.pl.*
go aller, rouler (in a vehicle)
  ~ across traverser
  ~ ahead allez-y
  ~ back retourner, rentrer
  ~ down descendre
  ~ into town aller en ville
  ~ out sortir
  ~ to bed se coucher
  ~ up monter
goat cheese chèvre *m.*
golf golf *m.*
good bon(bonne)
  ~ evening bonsoir
  ~ morning bonjour
  have a ~ day bonne journée
good-bye au revoir
grade note *f.*
grains céréales *f.pl.*
grandchildren petits-enfants *m. pl.*
granddaughter petite-fille *f.*
  (*pl.* petites-filles)
grandfather grand-père *m.*
  (*pl.* grands-pères)
grandmother grand-mère *f.*
  (*pl.* grands-mères)
grandparents grands-parents *m.pl.*
grandson petit-fils *m.* (*pl.* petits-
  fils)
great formidable
green vert(e)

~ **beans** haricots verts *m.pl.*
grey gris(e)
groceries provisions *f.pl.*
   do the grocery shopping faire les
     provisions
grocery store épicerie *f.*
guitar guitare *f.*
gymnasium gymnase *m.*
gymnastics gymnastique *f.*

hair cheveux *m.pl.*
   hairbrush brosse à cheveux *f.*
half *adj.* demi(e)
   ~ **past ...** il est ... heure(s)
     et demie
hall couloir *m.*
ham jambon *m.*
hand main *f.*
handsome beau/bel/belle/beaux/
   belles
happen arriver, se passer
happy heureux(heureuse)
hard-working travailleur
   (travailleuse)
hat chapeau *m.*
hate *v.* détester
have avoir
   ~ **an appointment, date** avoir
     rendez-vous
   ~ **a pain (in)** avoir mal (à)
   ~ **dinner** dîner
   ~ **fun** s'amuser
   ~ **lunch** déjeuner
   ~ **pity** avoir pitié (de)
   ~ **just** venir de
   ~ **to** devoir
   do you still ~ ...? il vous reste
     ...?
   what do you ~ for (in the way of)
     ...? qu'est-ce que vous avez
     comme ...?
he *pron.* il; lui
head tête *f.*
health: (here's) to your ~! à votre
   santé!
hear entendre
   ~ **about** entendre parler de
heat chauffage *m.*

hello bonjour; bonsoir; salut
   ~ **!** *(on the phone)* allô!
help aider
her *pron.* elle; lui
her *adj.* son, sa, ses
here ici
   ~ **is, ~ are** voici
hi! salut!
high-top sneakers baskets *m.pl.*
highway autoroute *f.*
   departmental (local)
     ~ départementale *f.*
him *pron.* lui
his *adj.* son, sa, ses
hockey hockey *m.*
holiday fête *f.*
home maison *f.*
   at the ~ of chez 4
   go (come) ~ rentrer
homework devoirs *m.pl.*
honestly sans façon
hope espérer; souhaiter (que)
horrible affreux(affreuse)
hot chaud(e)
   ~ **chocolate** chocolat chaud *m.*
   be ~ avoir chaud
   it is ~ il fait chaud
hotel hôtel *m.*
hour heure *f.*
   one ~ ago il y a une heure
   one ~ from now dans une heure
house maison *f.*
   at your ~ chez toi
housework ménage *m.*
   do ~ faire le ménage
how comment
   ~ **are you?** comment allez-vous?;
     (comment) ça va?
   ~ **do you say ...?** comment
     dit-on ...?
   ~ **do you spell ...?** comment est-
     ce qu'on écrit ...?
   ~ **long?** pendant combien de
     temps ...?
   ~ **many, much** combien (de)
   ~ **old are you?** quel âge avez-
     vous?
   ~ **... he (she) was!** comme il

(elle) était ...!
hundred cent
hungry: be ~ avoir faim
hurry se dépêcher
husband mari *m.*

I *pron.* je; moi
ice cream glace *f.*
   vanilla ~ glace à la vanille *f.*
idiot idiot/idiote *m./f.*
if si
imbecile imbécile *m./f.*
impatience impatience *f.*
impatient impatient(e)
important important(e)
   it is ~ that il est important que
in à; dans; en
   ~ **a crazy manner** follement
   ~ **a little while** tout à l'heure
   ~ **exchange for** contre
   ~ **general** en général
   ~ **order to** pour
   ~ **the afternoon** de l'après-midi
included compris(e)
incredible incroyable
indicate indiquer
indispensable indispensable
inexpensive bon marché *inv.*
information renseignement *m.*
inside intérieur *m.*
   ~ **of** à l'intérieur de
insist insister
instrument instrument *m.*
insure assurer
interested: be ~ in s'intéresser à
interesting intéressant(e)
introduce présenter
   allow me to ~ myself permettez-
     moi de me présenter
invite inviter
Ireland Irlande *f.*
Israel Israël *m.*
it *pron.* cela, ça; il, elle
it is il est, c'est
   is it ...? est-ce que ...?
   ~ **better that** il vaut mieux que
   ~ **cold** il fait froid
   ~ **cool** il fait frais

~ **essential** il est essentiel
~ **nice out** il fait beau
~ **preferable** il vaut mieux
~ **raining** il pleut
~ **snowing** il neige
~ **windy** il fait du vent
Italian italien(ne)
Italy Italie *f.*
its *adj.* son, sa, ses

jacket blouson *m.*
jam confiture *f.*
January janvier *m.*
Japan Japon *m.*
Japanese japonais(e)
jeans jean *m.*
jogging jogging *m.*
juice jus *m.*
orange ~ jus d'orange *m.*
July juillet *m.*
June juin *m.*
just: to have ~ ... venir de ...

keep garder
ketchup ketchup *m.*
key clé *f.*
kidding: no ~ sans façon; sans blague!
kilogram kilo *m.*
kind *n.* sorte *f.*
all ~s **of things** toutes sortes de choses
what ~(s) **of ...** quelle(s) sorte(s) de ...
kind *adj.* aimable, gentil(le)
kir kir *m.*
kiss *v.* s'embrasser
kitchen cuisine *f.*
knee genou *m.* (*pl.* genoux)
knife couteau *m.* (*pl.* couteaux)
knock frapper
know connaître, savoir
I don't ~ je ne sais pas

laborer ouvrier/ouvrière *m./f.*
lady dame *f.*
language langue *f.*
lap *n.* genoux *m.pl.*

last dernier/dernière
~ **name** nom de famille *m.*
the ~ **time** la dernière fois
late tard, en retard
be ~ être en retard
it is ~ il est tard
lawn bowling pétanque *f.*
lay mettre
lazy paresseux(paresseuse)
leaf (of paper) feuille *f.*
learn apprendre (à)
least le/la/les moins
at ~ au moins
I like ~ j'aime le moins
leave laisser
~ **from** partir (de)
~ **me alone!** laisse-moi (laissez-moi) tranquille!
there's one left il en reste un(e)
left: to the ~ (of) à gauche (de)
leg jambe *f.*
lemon-lime soda limonade *f.*
lemonade citron pressé *m.*
lend prêter
less moins
let laisser
let's go allez-y, allons-y
letter lettre *f.*
library bibliothèque *f.*
license: driver's ~ permis de conduire *m.*
life vie *f.*
that's ~ c'est la vie
lift lever
like *v.* aimer
I would ~ je voudrais
like *conj.* comme
liqueur: black currant ~ crème de cassis *f.*
listen (to) écouter
literature littérature *f.*
little *adj.* petit(e)
~ **girl** petite fille *f.*
little *adv.* peu (de)
a ~ un peu (de)
live habiter
long long(longue)
a ~ **time** longtemps

be a ~ **time coming** tarder
how ~ ...? pendant combien de temps ...?
no longer ne ... plus
look regarder; (seem) avoir l'air
~ **for** chercher
lose perdre
~ (one's) **patience** perdre patience
~ **weight** maigrir
lot: a ~ (of) beaucoup (de)
love *v.* adorer, aimer
~ **each other** s'aimer
lozenge pastille *f.*
luck chance *f.*
good ~! bonne chance!
what ~! quelle chance!
lunch déjeuner *m.*
have ~ déjeuner

magazine magazine *m.*
mail *v.* poster
make *n.* marque *f.*
make *v.* faire
~ **a request** faire une demande
~ **friends** se faire des amis
mall centre commercial *m.*
man homme *m.*, monsieur *m.*
management gestion *f.*
manner façon *f.*
manners étiquette *f.*
many beaucoup
how ~ combien
so ~ tant
too ~ trop (de)
map carte *f.*
March mars *m.*
market marché *m.*
flea ~ marché aux puces *m.*
super ~ supermarché *m.*
marriage mariage *m.*
married marié(e)
marry se marier (avec); épouser
matter: what's the ~ **with you?** qu'est-ce que tu as?
May mai *m.*
may (be able to) pouvoir
~ **I?** vous permettez?, puis-je?

maybe peut-être

mayonnaise mayonnaise *f.*

mayor maire *m.*

me *pron.* me, moi
   ~ **neither, nor I** moi non plus

meal repas *m.*
   have a good ~! bon appétit!

mean *v.* vouloir dire

mean *adj.* méchant(e)

meat viande *f.*

medicine médicament *m.*

meet rencontrer
   to have met avoir connu

meeting réunion *f.*, rendez-vous *m.*
   have a ~ avoir rendez-vous

member membre *m.*

mention: **don't ~ it** il n'y a pas de
   quoi; de rien

menu carte *f. (à la carte)*; menu *m.*
   (fixed price)

merchant marchand/marchande
   m./f.

Mexican mexicain(e)

Mexico Mexique *m.*

midnight minuit

milk lait *m.*

million million

mind your own business! occupe-toi
   de tes oignons!

minute minute *f.*

mirror: **rearview ~** rétroviseur *m.*

miserly avare

Miss Mademoiselle (Mlle)

mistake faute *f.*

Monday lundi *m.*

money argent *m.*

month mois *m.*

moped mobylette *f.*

more encore, plus
   ~ ...? encore de ...?
   ~ to drink (eat)? encore à boire
   (manger)?
   there is no ~ il n'y en a plus

morning matin *m.*

Moroccan marocain(e)

Morocco Maroc *m.*

most (of) la plupart (de);
   the ~ le/la/les plus

mother mère *f.*

mother-in-law belle-mère *(pl.* belles-
   mères)

motorcycle moto *f.*

motorized bicycle mobylette *f.*

mouse souris *f.*

mouth bouche *f.*

movie film *m.*
   ~ theater cinéma *m.*

Mr. Monsieur (M.)

Mrs. Madame (Mme)

much beaucoup
   how ~ combien
   not ~ pas grand-chose
   so ~ tant (de)
   too ~ trop (de)

museum musée *m.*

mushrooms champignons *m.pl.*

music musique *f.*

must devoir, il faut
   (someone) ~ not il ne faut pas

mustard moutarde *f.*

my *adj.* mon, ma, mes

naive naïf(naïve)

name *n.* nom *m.*
   family (last) ~ nom de famille
   in whose ~ ...? à quel nom ...?
   my ~ is ... je m'appelle...
   what is your ~? comment vous
   appelez-vous?

named: **be ~** s'appeler

nap sieste *f.*
   take a ~ faire la sieste

napkin serviette *f.*

nasty méchant(e)

nationality nationalité *f.*
   what is your ~? quelle est votre
   nationalité?

naturally naturellement

near près (de)
   very ~ tout près

necessary nécessaire
   it is ~ il faut, il est nécessaire
   (que)

need avoir besoin de

neighbor voisin/voisine *m./f.*

neither: **me ~** moi non plus

nephew neveu *m. (pl.* neveux)

nervous nerveux(nerveuse)

never jamais (ne ... jamais)

new nouveau/nouvel(nouvelle)
   (m.pl. nouveaux); neuf(neuve)
   ~ Year's Day Jour de l'An *m.*
   what's ~? quoi de neuf?

news informations *f.pl.*

newspaper journal *m.*

newsstand kiosque *m.*

next *adv.* ensuite, puis; *adj.* puis;
   prochain(e)
   ~ door à côté
   ~ to à côté de

nice aimable, gentil(le)
   have a ~ day bonne journée
   it's ~ out il fait beau
   that's ~ of you c'est gentil à
   vous

niece nièce *f.*

night nuit *f.*

nine neuf

nineteen dix-neuf

ninety quatre-vingt-dix

ninety-one quatre-vingt-onze

no non
   ~ kidding! sans blague!; sans
   façon
   ~ longer ne ... plus
   ~ more ne ... plus
   ~ one ne ... personne

nobody ne ... personne

noise bruit *m.*

noon midi

nor: **~ I** moi non plus

nose nez *m.*
   runny ~ le nez qui coule

not ne (n') ... pas
   ~ anyone ne ... personne
   ~ anything ne ... rien
   ~ at all il n'y a pas de quoi, de
   rien; pas du tout
   ~ much pas grand-chose
   ~ yet pas encore

note note *f.*

nothing ne ... rien

notice remarquer

novel *n.* roman *m.*

novel *adj.* original(e) (*m.pl.* originaux)

November novembre *m.*

now maintenant, actuellement

number nombre *m.*, numéro *m.*
  telephone ~ numéro de téléphone *m.*

nurse infirmier / infirmière *m. / f.*

obey obéir

o'clock heure(s)
  at ... ~ à ... heure(s)
  it is ... ~ il est ... heure(s)

October octobre *m.*

of de
  ~ course bien sûr

office bureau *m.* (*pl.* bureaux)
  post ~ bureau de poste *m.*

officer: police ~ agent de police *m.*

often souvent

oh dear! oh là là!

okay d'accord
  if that's ~ si ça va

old âgé(e), vieux / vieil (vieille)
  how ~ are you? quel âge avez-vous?

omelet omelette *f.*

on sur
  ~ Papin Street dans la rue Papin

one *pron.* on
  no ~ ne ... personne

one (*number*) un(une)

one-way: ~ street sens interdit *m.*
  ~ ticket aller simple *m.*

onion oignon *m.*

only *adj.* seul(e); *adv.* seulement; ne ... que

open *v.* ouvrir

open *adj.* ouvert(e)

opinion avis *m.*
  be of the ~ trouver
  in my (your, etc.) ~ à mon (à ton, etc.) avis

opposite contraire *m.*

or ou

orange *n.* orange *m.*
  ~ juice jus d'orange *m.*
  ~ soda orangina *m.*

orange *adj.* orange *inv.*

order *v.* commander

order: in ~ to pour

original original(e) (*m. pl.* originaux)

other autre

ouch! aïe!

our notre, nos

outgoing extroverti(e)

outside dehors

owe devoir

owner propriétaire *m. / f.*

package paquet *m.*

pain: have a ~ (in) avoir mal (à)

pajamas (pair of) pyjama *m.*

pale pâle

pants (pair of) pantalon *m.*

paper papier *m.*; journal *m.*
  term ~ dissertation *f.*

pardon: I beg your ~ je vous demande pardon; excusez-moi

parents parents *m.pl.*

parents-in-law beaux-parents *m.pl.*

party boum *f.*, soirée *f.*

pass (an exam) réussir

pastry pâtisserie *f.*
  ~ shop pâtisserie *f.*

patience: lose (one's) ~ perdre patience

patient *adj.* patient(e)

patiently patiemment

pavement chaussée *f.*

pay (for) payer
  ~ attention faire attention

peanut arachide *f.*
  ~ butter beurre d'arachide *m.*

peas petits pois *m.pl.*

people gens *m.pl.*; on

pepper poivre *m.*

per par

perfect parfait(e)

perhaps peut-être

period époque *f.*

person (*male or female*) personne *f.*

pharmacy pharmacie *f.*

photograph photo *f.*

physical physique

piano piano *m.*

picnic pique-nique *m.*

pie tarte *f.*

piece morceau *m.* (*pl.* morceaux)

pill pilule *f.*

pilot pilote *m.*

pink rose

pity pitié *f.*

pizza pizza *f.*

place *n.* endroit *m.*, lieu *m.*
  take ~ avoir lieu

place *v.* mettre

plan to avoir l'intention de

plate assiette *f.*

play *n.* pièce *f.*

play *v.* jouer
  ~ a game jouer à
  ~ an instrument jouer de
  ~ tennis jouer au tennis

please s'il vous plaît (s'il te plaît)
  ~ do je vous en prie

pleasure plaisir *m.*
  with ~ avec plaisir

poem poème *m.*

point out indiquer

police officer agent de police *m.*, gendarme *m.*

politician homme / femme politique *m. / f.*

politics politique *f.*

poor *adj.* pauvre

poorly mal

popular populaire

pork porc *m.*
  ~ butcher's charcuterie *f.*

post office bureau de poste *m.*

postcard carte postale *f.*

potato pomme de terre *f.*

pour verser

practice répéter

prefer préférer
  I ~ that je préfère que

preferable: it is ~ that il vaut mieux que

prepare (a lesson) préparer (un cours)

pretty joli(e)

price prix *m.*

probably   sans doute
process: be in the ~ of   être en train
   de
program   programme *m.*
   TV ~   émission (de télé) *f.*
promise   promettre
   it's a ~   c'est promis
prudently   prudemment
publicity   publicité *f.*
punch (a ticket)   composter (un
   billet)
purple   violet(te)
put   mettre
   ~ on   attacher; mettre *(clothes)*
   ~ on weight   grossir

quarter *m.*   quart
   ~ past, ~ after   et quart
   ~ to, ~ till   moins le quart
question   question *f.*
   ask a ~   poser une question
quickly   vite; rapidement
quiet: keep ~!   tais-toi! (taisez-
   vous!)

radio   radio *f.*
rain   pleuvoir
   it's raining   il pleut
raincoat   imperméable *m.*
raise   lever
rapid   rapide
rapidly   rapidement
rare *(undercooked)*   saignant(e)
rarely   rarement
rather   assez
   ~ poorly   assez mal
read   lire
really   vraiment; sans façon
reasonable   raisonnable
recently   récemment
recommend   recommander
red   rouge
   ~ -haired   roux(rousse)
refrigerator   réfrigérateur *m.*
regarding   à propos de
relatives   parents *m.pl.*
remain   rester

rent *v.*   louer
repeat   répéter
request *n.*   demande *f.*
   make a ~   faire une demande
reserve   réserver
reside   habiter
responsibility   responsabilité *f.*
rest   se reposer
restaurant   restaurant *m.*
restroom   toilettes *f.pl.*
return   retourner, revenir, rentrer
rice   riz *m.*
rich   riche
ride: take a ~   se promener, faire
   une promenade en voiture
ridiculous   ridicule
right *n.*   droit *m.*
right *adj.*   droit(e); exact(e)
   ~ ?   n'est-ce pas?
   ~ away   tout de suite
   ~ behind   juste derrière
   be ~   avoir raison
   that's ~   c'est exact
   to the ~ (of)   à droite (de)
ring *n.*   bague *f.*
road   route *f.*
roast (of beef)   rôti (de bœuf) *m.*
roll *v.*   rouler
room   chambre *f.*, salle *f.*
   bath ~   salle de bain *f.*
   bed ~   chambre *f.*
   class ~   salle de classe *f.*
   dining ~   salle à manger *f.*
roommate   camarade de chambre
   m./f.
round-trip ticket   aller-retour *m.*
rugby   rugby *m.*
run into   heurter
Russia   Russie *f.*
Russian   russe

sad   triste
salad   salade *f.*
   (green) ~   salade (verte) *f.*
salesman/saleswoman   vendeur/
   vendeuse *m./f.*
salmon   saumon *m.*

salt   sel *m.*
sandwich   sandwich *m.*
sardine   sardine *f.*
Saturday   samedi *m.*
sausage   saucisse *f.*
saxophone   saxophone *m.*
say   dire
scarf   foulard *m.*
schedule   emploi du temps *m.*
school   école *f.*
   high ~   lycée *m.*
science   sciences *f.pl.*
   computer ~   informatique *f.*
season   saison *f.*
second   second(e), deuxième
   in ~ class   en seconde
see   voir
seem   avoir l'air
-self(-selves)   -même(s)
sell   vendre
semester   semestre *m.*
Senegal   Sénégal *m.*
Senegalese   sénégalais(e)
separate *v.*   séparer
   ~ from each other   se séparer
September   septembre *m.*
series *(TV)*   feuilleton *m.*
serious   sérieux(sérieuse)
seriously   sérieusement
service: at your ~   à votre service
set: ~ the table   mettre la table
seven   sept
seventeen   dix-sept
seventy   soixante-dix
seventy-one   soixante et onze
seventy-two   soixante-douze
she *pron.*   elle
sheet (of paper)   feuille *f.*
shh!   chut!
shirt   chemise *f.*
shoes   chaussures *f.pl.*
shop *(clothing)*   boutique *f.*
   tobacco ~   (bureau de) tabac *m.*
shopping   courses *f.pl.*
   ~ center   centre commercial *m.*
short   petit(e)
shorts (pair of)   short *m.*
shoulder   épaule *f.*

show montrer
shower *n.* douche *f.*
shower *v.* se doucher
sick malade
since depuis
sincere sincère
sing chanter
singer chanteur/chanteuse *m./f.*
single célibataire
Sir Monsieur (M.)
sister sœur *f.*
sister-in-law belle-sœur *f.* (*pl.* belles-sœurs)
sit down s'asseoir
~ to eat se mettre à table
six six
sixteen seize
sixty soixante
skate patiner
skating rink patinoire *f.*
ski skier
skid déraper
skirt jupe *f.*
skis skis *m.pl.*
sleep dormir
~ in, ~ late faire la grasse matinée
sleepy: be ~ avoir sommeil
slice tranche *f.*
slippery glissant(e)
slow *adj.* lent(e)
slow down ralentir
slowly lentement
small petit(e)
smile *n.* sourire *m.*
smile *v.* sourire
smoke fumer
smoking (car) fumeur
non- ~ non-fumeur
snail escargot *m.*
snow neiger
it's snowing il neige
so alors, si
~ many tant
~ much tant
soap opera feuilleton *m.*
soccer football (foot) *m.*
socks chaussettes *f.pl.*

soda: lemon-lime ~ limonade *f.*;
orange ~ orangina *m.*
sofa sofa *m.*
some *adj.* des, quelques; *pron.* en
someone quelqu'un
something quelque chose *m.*
sometimes quelquefois
son fils *m.*
song chanson *f.*
soon bientôt
sore: be ~ avoir mal (à)
sorry désolé(e)
be ~ regretter
feel ~ (for) avoir pitié (de)
sort of assez
so-so comme ci, comme ça
soup soupe *f.*
Spain Espagne *f.*
Spanish espagnol(e)
speak parler
speed vitesse *f.*
at top ~ à toute vitesse
spell épeler
how do you ~ ...? comment est-ce qu'on écrit ...?
... is spelled ... ... s'écrit ...
spend (a year) passer (un an)
spinach épinards *m.pl.*
spoon cuiller *f.*
sportcoat veste *f.*
spring *n.* printemps *m.*
stamp timbre *m.*
stand up se lever
start commencer; démarrer
it's starting to get cold il commence à faire froid
state état *m.*
statue statue *f.*
stay rester
steak steak *m.*
~ with French fries steak-frites *m.*
steering wheel volant *m.*
stepfather beau-père *m.* (*pl.* beaux-pères)
stepmother belle-mère *f.* (*pl.* belles-mères)
stepparents beaux-parents *m.pl.*

stepsister belle-sœur *f.* (*pl.* belles-sœurs)
stereo stéréo *f.*
still encore
stomach estomac *m.*
stop *n.* arrêt *m.*
~ sign stop *m.*
bus ~ arrêt d'autobus *m.*
stop *v.* (s')arrêter
store magasin *m.*
department ~ grand magasin *m.*
grocery ~ épicerie *f.*
story histoire *f.*
detective ~ roman policier *m.*
stove cuisinière *f.*
strawberries fraises *f.pl.*
street rue *f.*
one-way ~ sens interdit *m.*
student étudiant/étudiante *m./f.*
studies *n.* études *f.pl.*
study *v.* étudier
stylish chic *adj. inv.*
succeed réussir
sugar sucre *m.*
suit *n.* complet *m.*
bathing ~ maillot de bain *m.*
summer été *m.*
sun soleil *m.*
Sunday dimanche *m.*
supermarket supermarché *m.*
supplement supplément *m.*
supposed: be ~ to devoir
suppository suppositoire *m.*
surely certainement, sûrement
surprise surprise *f.*
what a good ~! quelle bonne surprise!
swear jurer
I ~ (to you) je te le jure
sweater pull-over (pull) *m.*
sweatshirt sweat-shirt *m.*
Sweden Suède *f.*
Swedish suédois(e)
swim nager
swimming pool piscine *f.*
Swiss suisse
~ cheese emmenthal *m.*
Switzerland Suisse *f.*

table table *f.*
  at the ~ à table
  set the ~ mettre la table
tablecloth nappe *f.*
tablet cachet *m.*
  aspirin ~ cachet d'aspirine *m.*
take prendre
  ~ a nap faire la sieste
  ~ a test passer (un test)
  ~ a trip faire un voyage
  ~ a walk, a ride faire une
    promenade
  ~ place avoir lieu
talkative bavard(e)
tall grand(e)
taste goûter
tea thé *m.*
teach enseigner
teacher professeur *m.*
  ~ preparation pédagogie *f.*
team équipe *f.*
tee-shirt tee-shirt *m.*
telephone *n.* téléphone *m.*
  ~ number numéro de téléphone
    m.
  on the ~ au téléphone
telephone *v.* téléphoner (à)
television télévision (télé) *f.*
tell indiquer, raconter, dire, parler
  can you ~ me ...? pouvez-vous
    me dire ...?
  ~ a story raconter une histoire
ten dix
tend to avoir tendance à
tennis tennis *m.*
  ~ shoes tennis *m.pl.*
  play ~ jouer au tennis
term paper dissertation *f.*
test examen *m.*
thank *v.* remercier
thanks merci
  yes, ~ je veux bien
that *adj.* ce/cet, cette, ces; *conj.*
  que; *pron.* ce, cela, ça; *relative*
  pron. qui, que
the le/la/les
theater théâtre *m.*
their leur(s)

them elles, eux; les, leur
then alors, ensuite, puis
there là, y
  ~ is (are) il y a, voilà
  over ~ là-bas
therefore alors
they *pron.* ils, elles, on, eux
thin mince
thing chose *f.*
think croire, penser, trouver
  do you ~ so? vous trouvez?
  I don't ~ so je ne crois pas
  what do you ~ of it (of
    them)? qu'en penses-tu?
  what do you ~ of ...?
    comment trouvez-vous ...?
thirsty: be ~ avoir soif
thirteen treize
thirty trente
this *adj.* ce/cet, cette, ces
  ~ way par ici
those *adj.* ces
thousand mille *inv.*
three trois
throat gorge *f.*
throughway autoroute *f.*
Thursday jeudi *m.*
ticket billet *m.*
  one-way ~ aller simple *m.*
  round-trip ~ aller-retour *m.*
  traffic ~ contravention *f.*
tie *n.* cravate *f.*
time temps *m.*; heure *f.*; fois *f.*
  a long ~ longtemps
  at that ~ à cette époque
  on ~ à l'heure
  the last ~ la dernière fois
  what ~ is it? quelle heure est-il?
tired fatigué(e)
to à
  ~ the side à côté
toast pain grillé *m.*
tobacco tabac *m.*
  ~ shop (bureau de) tabac *m.*
today aujourd'hui
together ensemble
tomato tomate *f.*
tomorrow demain

  day after ~ après-demain
tonight ce soir
too aussi
  ~ many trop (de)
  ~ much trop (de)
  you ~ vous aussi
tooth dent *f.*
toothbrush brosse à dents *f.*
toothpaste dentifrice *m.*
tour tour *m.*
  ~ bus autocar *m.*
towel serviette *f.*
tower tour *f.*
town ville *f.*
  ~ hall mairie *f.*
trade ... for échanger ... contre
traffic light feu *m.* (*pl.* feux)
train train *m.*
  ~ station gare *f.*
  by ~ par le train
travel voyager
traveler's check chèque de voyage *m.*
trip voyage *m.*
trout truite *f.*
true vrai(e)
truly vraiment
  yours ~ amicalement
trumpet trompette *f.*
truth vérité *f.*
try essayer
  may I ~ ...? puis-je ...?
Tuesday mardi *m.*
turn *n.* tour *m.*
turn *v.* tourner
  ~ on (*the TV*) mettre
  ~ on the heat mettre le
    chauffage
turnpike autoroute *f.*
tuxedo smoking *m.*
twelve douze
twenty vingt
twenty-one vingt et un
twenty-two vingt-deux
two deux

ugly laid(e)
unbelievable incroyable
uncle oncle *m.*

under sous
understand comprendre
United States États-Unis *m.pl.*
university université *f.*
unmarried célibataire
until *prep.* jusqu'à
unwise: be ~ avoir tort
up: get ~ se lever
us nous
useless inutile
usually d'habitude

vacation vacances *f.pl.*
have a good ~! bonnes vacances!
on ~ en vacances
vanilla vanille *f.*
~ ice cream glace à la vanille *f.*
vegetable légume *m.*
raw vegetables crudités *f.pl.*
very tout; très
violin violon *m.*
visit visiter
~ someone rendre visite à qqn
voyage voyage *m.*

wait (for) attendre
waiter garçon *m.*, serveur *m.*
waitress serveuse *f.*
wake up se réveiller
walk *n.* promenade *f.*
take a ~ se promener, faire une
promenade
walk *v.* se promener
waltz valse *f.*
want vouloir, désirer, avoir envie de
war guerre *f.*
warning avertissement *m.*
wash laver; se laver
washing machine machine à laver *f.*
watch *n.* montre *f.*
watch *v.* regarder
water eau *f.* (*pl.* eaux)
mineral ~ eau minérale
way route *f.*; façon *f.*
by the ~ au fait
we nous
wear porter
weather météo(rologie) *f.*, temps *m.*
the ~ is bad il fait mauvais

what is the ~ like? quel temps
fait-il?
wedding mariage *m.*
~ anniversary anniversaire de
mariage *m.*
~ dress robe de mariée *f.*
Wednesday mercredi *m.*
week semaine *f.*
per ~ par semaine
two weeks quinze jours
weekend week-end *m.*
weight: put on ~ grossir
lose ~ maigrir
welcome: you're ~ de rien, je vous
en prie, il n'y a pas de quoi
well *adv.* bien
are you ~? vous allez bien?
fairly ~ assez bien
not very ~ pas très bien
what *pron.* qu'est-ce que/qu'est-ce
qui, que; *adj.* quel(le)
~? comment?
~ am I going to do? comment je
vais faire?
~ day is it? quel jour est-ce?
~ (did you say)? comment?
~ is (are) ... like? comment est
(sont) ...?
~ is there ...? qu'est-ce qu'il y a
...?
~ is this? qu'est-ce que c'est?
~ is your name? comment vous
appelez-vous?
~'s new? quoi de neuf?
~'s the matter? qu'est-ce qu'il y a?
~ time is it? quelle heure est-il?
wheel: steering ~ volant *m.*
when quand
where où
~ are you from? vous êtes d'où?;
d'où venez-vous?
~ is (are) ...? où se trouve (se
trouvent) ...?
which *adj.* quel(le); *pron.* lequel
while pendant que
a little ~ tout à l'heure
white blanc(blanche)
who qui

why pourquoi
~ not? pourquoi pas?
widower/widow veuf/veuve *m./f.*
wife femme *f.*
win gagner
~ the lottery gagner à la loterie
wind vent *m.*
it's windy il fait du vent
windbreaker blouson *m.*
wine vin *m.*
winter hiver *m.*
wish vouloir; ~ souhaiter
I want je veux que
I would like je voudrais que
with avec
without sans
witness témoin *m.*
Wolof (*language*) wolof *m.*
woman femme *f.*, dame *f.*
word mot *m.*
work *n.* travail *m.*
manual ~ travail manuel *m.*
work *v.* travailler
world monde *m.*
worry *n.* souci *m.*
worry *v.* s'inquiéter
wounded *adj.* blessé(e)
wow! oh là là!
write écrire
wrong faux(fausse)
be ~ avoir tort

year an *m.*; année *f.*
school ~ année scolaire
yellow jaune
yes oui; si!
yesterday hier
yet encore
not ~ pas encore
you *pron.* tu, vous; te, vous; toi,
vous
young jeune
your *adj.* ton, ta, tes; votre, vos
(here's) to yours! à la vôtre!
yuck! berk!
yum! miam!

zero zéro
zip code code postal *m.*

Index

In the following index, the symbol (v) refers to lists of vocabulary within the lessons. The symbol (g) refers to the sections titled *Il y a un geste* that explain gestures used with the indicated phrase.

Permissions and Credits

The authors and editors wish to thank the following persons and publishers for permission to include the works or excerpts mentioned.

p. 62: © Besançon: Le *GAB*, Numéro 648.

p. 136: © L'Alsace: Le Journal des Enfants.

p. 206: © L'Alsace: Le Journal des Enfants.

p. 207: © L'Alsace: Le Journal des Enfants.

p. 269: «Déjeuner du Matin», Jacques Prévert, *Paroles,* © Éditions GALLIMARD, 1949.

p. 270: L'Alsace: Le Journal des Enfants.

p. 308: «Tabac: Une fumeuse sur quatre en meurt», Sabine de la Brosse, *Paris Match*/SCOOP.

p. 343: «La France au volant», Pierre Daninos, *Le Carnet de Major Thompson,* © Hachette, 1954.

p. 375: «Au cinéma», © L'Est Républicain.

p. 377: «Le mariage à la mairie», © L'Est Républicain.

p. 411: © Le Monde.

p. 450: «La francophonie», © *Journal Officiel,* Numéro 7, April 26, 1989.

p. 480: © Téléloisirs.

p. 481: © L'Alsace: Le Journal des Enfants.

p. 512: «La France nucléaire», © *Le Point,* Numéro 761.

Photos

Antman, Mark/The Image Works: pp. 344, 457, 493, 513. Bamberger-Gellie/Gamma-Liaison: p. 397. Barbey, Bruno/Magnum: p. 415. Barbier, P./Campagne-Campagne: p. 317. Blake, Anthony/TSW-Click/Chicago: p. 238. Brilliant, Andrew/Palmer, Carol: pp. 116, 364. Cano, Alfredo/The Image Works: p. 137. Campagne-Campagne/Taurus: p. 167. Cohen, Stuart/Comstock: p. 380. Craig, Thomas/Telephoto: pp. 79, 357, 479, 505. Dominis, John/Telephoto: pp. 124, 148, 241, 245, 249, 256, 420, 462. Edelhajt, B./Gamma-Liaison: p. 210. Elk III, John/Stock Boston: p. 370. Franken, Owen: pp. 37, 45, 56, 103, 191, 213, 267, 275, 296, 335, 454, 472. Fusco, Paul/Magnum: p. 147. Galvin, Kevin: pp. 0, 95, 283, 312, 432, 489. Gaumy, Jean/Magnum: p. 521. Giraudon/Art Resource: p. 520. Goldberg, Beryl: pp. 52, 66. Gontier, Philippe/The Image Works: pp. 90, 315. Grant, Spencer/The Picture Cube: pp. 8, 106. Gupton, Charles/TSW-Click/Chicago Ltd.: p. 280. Haling, George/Photo Researchers, Inc.: p. 519. Heaton, Dallas & John/TSW-Click/Chicago Ltd.: p. 402. Herwig, Ellis/The Picture Cube: pp. 75, 486. Hirsch, Linda J.: p. 348. Hollyman, Tom/Photo Researchers, Inc.: p. 417. Malyszko, Mike/Stock Boston: p. 517. Mazir, Rosine/Photo Researchers: p. 229. McCartney, Susan/Photo Researchers, Inc.: p. 326. Modica, Vincent J./Stock Boston: p. 406. Naciviet/Explorer/Photo Researchers: p. 220. Nes, Charly/Telephoto: p. 351. Norton, Phil/Valan Photos: p. 451. Parry, Claire/The Image Works: p. 439. Pasley, Richard/Stock Boston: p. 145. Pearce, Joseph R./Valan Photos: p. 143. Perrodin, A.M./Campagne-Campagne: p. 383. Phillips, David: p. 129. Poe, Judy: pp. 19, 34, 180. Simson, David/Stock Boston: p. 146. Stock, Dennis/Magnum: p. 100. Valette, Pierre A.: pp. 11, 27, 69, 199, 291. Vilder, Steve/TSW-Click/Chicago, Ltd.: p. 418. Weidman, H. Mark: pp. 6, 151, 386. Wide World Photos: pp. 279, 419. Wilkinson, V./Valan Photos: p. 183. Wolff, Bernard/Photo Researchers, Inc.: p. 277. Wood, Richard/The Picture Cube: p. 278.

Realia

1 l'Algérie
2 la Belgique
3 le Bénin
4 **Burkina-Fasso**
5 le Burundi
6 le Cameroun
7 le Congo
8 la Corse
9 **la Côte-d'Ivoire**
10 Djibouti
11 la France
12 le Kampuchéa (le Cambodge)
13 le Gabon
14 la Guadeloupe
15 la Guinée
16 la Guyane française
17 Haïti
18 le Laos
19 la Louisiane
20 le Luxembourg
21 Madagascar
22 le Mali
23 le Maroc
24 la Martinique
25 la Mauritanie
26 le Niger
27 la Nouvelle-Angleterre
28 la Nouvelle-Calédonie
29 la Polynésie française
30 le Québec
31 la République Centrafricaine
32 la Réunion
33 le Rwanda
34 Saint-Pierre-et-Miquelon
35 le Sénégal
36 la Suisse
37 le Tchad
38 le Togo
39 la Tunisie
40 le Vietnam
41 le Zaïre

Le français est la langue maternelle

Présence importante de la langue française

LE FRANÇAIS DANS LE MONDE

A HISTORY OF SCIENCE

AND ITS RELATIONS WITH
PHILOSOPHY & RELIGION

A HISTORY OF SCIENCE

AND ITS RELATIONS WITH
PHILOSOPHY & RELIGION

BY THE LATE
SIR WILLIAM CECIL DAMPIER

FOURTH EDITION
REPRINTED
WITH A POSTSCRIPT BY

I. BERNARD COHEN

CAMBRIDGE
AT THE UNIVERSITY PRESS
1968

PUBLISHED BY
THE SYNDICS OF THE CAMBRIDGE UNIVERSITY PRESS
Bentley House, 200 Euston Road, London, N.W.1
American Branch: 32 East 57th Street, New York, N.Y. 10022

Standard Book Number:
521 04765 X clothbound
521 09366 X paperback

First Edition	1929
Second Edition	1930
Third Edition	1942
Fourth Edition	1948
Reprinted with Postscript	1961
Reprinted	1966
First paperback edition	1966
Reprinted	1968

First printed in Great Britain at the University Press, Cambridge
Reprinted by lithography in Great Britain by
Bookprint Limited, Crawley, Sussex

CONTENTS

"Natura enim non nisi parendo vincitur."

At first men try with magic charm
To fertilize the earth,
To keep their flocks and herds from harm
And bring new young to birth.

Then to capricious gods they turn
To save from fire or flood;
Their smoking sacrifices burn
On altars red with blood.

Next bold philosopher and sage
A settled plan decree,
And prove by thought or sacred page
What Nature ought to be.

But Nature smiles—a Sphinx-like smile—
Watching their little day
She waits in patience for a while—
Their plans dissolve away.

Then come those humbler men of heart
With no completed scheme,
Content to play a modest part,
To test, observe, and dream,

Till out of chaos come in sight
Clear fragments of a Whole;
Man, learning Nature's ways aright,
Obeying, can control.

The changing Pattern glows afar;
But yet its shifting scenes
Reveal not what the Pieces are
Nor what the Puzzle means.

And Nature smiles—still unconfessed
The secret thought she thinks—
Inscrutable she guards unguessed
The Riddle of the Sphinx.

Hilfield, Dorset
   September, 1929

PREFACE

THE vast and imposing structure of modern science is perhaps the greatest triumph of the human mind. But the story of its origin, its development and its achievements is one of the least known parts of history, and has hardly yet found its way into general literature. Historians treat of war, of politics, of economics; but of the growth of those activities which have revealed the individual atom and opened to our vision the depths of space, which have revolutionized philosophic thought and given us the means of advancing our material welfare to a level beyond the dreams of former ages, most of them tell us little or nothing.

To the Greeks, philosophy and science were one, and, in the Middle Ages, both were bound up with theology. The experimental method of studying nature, developed after the Renaissance, led to a separation; for, while natural philosophy came to be based on Newtonian dynamics, the followers of Kant and Hegel led idealist philosophy away from contemporary science, which, in turn, soon learned to ignore metaphysics. But evolutionary biology and modern mathematics and physics on the one hand have deepened scientific thought, and on the other have again forced philosophers to take account of science, which has now once more a meaning for philosophy, for theology, and for religion. Meanwhile physics, which for so long sought and found mechanical models of the phenomena observed, seems at last to be in touch with concepts where such models fail, with fundamental things which, in Newton's phrase, "certainly are not mechanical".

Men of science, most of whom used naïvely to assume that they were dealing with ultimate reality, are coming to see more clearly the true nature of their work. The methods of science are primarily analytic, and lead, as far as may be, to the explanation of phenomena in mathematical form and in terms of physical concepts. But the fundamental concepts of physical science, it is now understood, are abstractions, framed by our minds so as to bring order and simplicity into an apparent chaos of phenomena. The approach to reality through science, therefore, gives only aspects of reality, pictures drawn on simplified lines, but not reality itself. Nevertheless, even philosophers are coming to see that, in a metaphysical study of reality, the methods and results of science are the best available evidence, and that a new realism, if possible at all, must be built up by their means.

Simultaneously, a renewed interest in the history of science and its interactions with other modes of thought has grown up. The first publication in Belgium of the periodical *Isis* in 1913, and later the foundation of the History of Science Society, an international organization with its centre in America, mark an epoch in the development of the subject. Probably the philosophic and historical revivals are connected, for, while the mathematician or the experimentalist engaged on some specific problem needs only a knowledge of the work of his immediate predecessors, he who studies the deeper meaning of science in general, and its bearing on other realms of thought, must understand something of how it has come to be.

It is nearly a hundred years since Whewell wrote his books on the history and philosophy of the inductive sciences, but his careful and well-balanced judgments are still of use and value. Since Whewell's day, not only has there been a mighty growth of scientific knowledge, but many specialized studies have thrown new light on the past. The time has come for another attempt to tell the general story of science on Whewell's lines, to present, not a detailed study of any one period or subject, but a complete outline of the development of scientific thought. I believe that such a history of science has much to teach both about the inner meaning of science itself and about its bearing on philosophy and on religion.

The humanists of the Renaissance revived the study of Greek not solely for the sake of the language and literature, but also because the best knowledge of nature available was to be found in the works of the Greek philosophers. Thus a classical education then comprised all natural knowledge. That has long ceased to be true, and nowadays a culture based on the languages of two thousand years ago represents very inadequately the true Greek spirit, unless, from a simultaneous study of the methods and achievements of science in the past and the present, it looks forward joyously to an increasing knowledge of nature in the future.

The general plan of this book is based on that of a sketch of the subject by my wife and myself published by Messrs Longmans in 1912, under the name of *Science and the Human Mind*. I have also used and extended ideas which appear in some of my other writings, especially in the following: *The Recent Development of Physical Science* (Murray, 5 editions, 1904 to 1924); the chapter on "The Scientific Age" in Volume XII of the *Cambridge Modern History* (1910); the article

"Science" in the eleventh edition of the *Encyclopaedia Britannica* (1911); the collection of scientific classics in the volume of *Cambridge Readings in the Literature of Science*, 1924 and 1929; a Presidential Address to the Devonshire Association in 1927 on the Newtonian Epoch; and the chapter on "The Birth of Modern Science" in Harmsworth's *Universal History* (1928). Acknowledgment is due to the respective Publishers of these works.

It is of course quite impossible to specify all the sources from which the following chapters have been derived. But I must make mention of the help I have obtained from the historical work of Dr George Sarton, and the scientific and philosophic writings of my friends Dr A. N. Whitehead and Professor Eddington. The first volume of Dr Sarton's monumental *Introduction to the History of Science* appeared in 1927, so that I was able to use his wonderful collection of material for my account of ancient times and the early mediaeval period. His other volumes will be awaited with interest.

I am grateful for much personal help from friends who have criticized parts of the manuscript or the proof sheets. Professor D. S. Robertson read the first chapter on "Science in the Ancient World", Dr H. F. Stewart that on "The Middle Ages", Sir Ernest (afterwards Lord) Rutherford the account of "The New Era in Physics", Professor Eddington the sections on relativity and astrophysics and also the last chapter, on "Scientific Philosophy and its Outlook", while my daughter Margaret, Mrs Bruce Anderson, read the parts dealing with biology and the introductory matter. Miss Christine Elliott did most of the secretarial work; she copied and re-copied the manuscript on an average about five times, and made innumerable criticisms and suggestions. My sister and my daughter Edith shared in the tedious task of preparing the index. I offer them all my cordial thanks; to their help is due much of any value the book may possess.

I began the studies of which this volume is the outcome in an attempt to clarify my own ideas on the all-important subjects with which it deals. I have written the book chiefly for my own satisfaction and amusement, but I hope that some of my readers may find my labours useful to themselves.

W. C. D. D.-W.

Cambridge
August, 1929

PREFACE TO SECOND EDITION

THE need for a new edition of this book, coming as it does within a few months of publication, shows that the subjects with which it deals are of interest not only to men of science but also to a wider circle of readers.

No story is more fascinating than that of the development of scientific thought—man's age-long effort to understand the world in which he finds himself. Moreover, the story is of special interest now, when we see one of the historic syntheses of knowledge taking place under our eyes, and feel that we are on the eve of great events. I have a firm belief in science as a fit subject for history and a basis for literature, and, if I have done something to instil that belief into others, I am content.

I wish to thank those several reviewers and correspondents who have offered instructed criticism of specific points in the first edition. If I have not adopted all their suggestions, I have at least given to them careful consideration. In particular I must acknowledge gratefully the help I have received from my friends Sir James Jeans and Professor E. D. Adrian.

W. C. D. D.-W.

Cambridge
March, 1930

PREFACE TO THIRD EDITION

AN interval of eleven years has elapsed between the issues of the second and third editions of this book, and for some time it has been out of print, the unavoidable delay in bringing out this edition being due to the pressure of urgent work before, and still more after, the outbreak of the second world war.

Much new scientific investigation has been carried on and many striking discoveries have been made during the decade 1930–1940. Moreover, in that time, the history of science itself has become an accepted subject of study, in which systematic research has thrown new light on the past. An enormous amount of literature has appeared, but, among books dealing with the history of science in general, it may suffice to mention the following: Sir Thomas Heath's *Greek Mathematics* (1931) and *Greek Astronomy* (1932); the two parts of the second volume of Dr G. Sarton's *Introduction to the History of Science* (1931), bringing the story down to the end of the thirteenth century; Professor A. Wolf's *History of Science, Technology and Philosophy*, dealing with the sixteenth, seventeenth and eighteenth centuries (1934 and 1938); Professor L. Hogben's *Mathematics for the Million* (1937) and *Science for the Citizen* (1940); the volume of Cambridge lectures entitled *The Background to Modern Science* (1938); and Mr H. T. Pledge's *Science since* 1500, published in 1939. The periodical numbers of the journal *Isis*, specially dedicated to the history of science, have continued to supply an almost inexhaustible mine of information. Hence it has been necessary to make extensive changes in the old text of this work, as well as to write a chapter on the output of the last ten years. The result is, in effect, a new book.

Once more their kindness has allowed me to draw on the expert knowledge of friends, to whom I offer my most sincere and cordial thanks. Professor Cornford read the old chapter on "Science in the Ancient World", and suggested many improvements. On the new material for the recent period, I have had advice in physics from Dr Aston and Dr Feather, in chemistry from Dr Mann, in geology from Dr Elles, and in zoology from Dr Pantin. My daughter Margaret wrote the section on bio-chemistry, and her husband, Dr Bruce Anderson, that on immunity. Miss Christine Elliott deciphered and typed my somewhat chaotic manuscript, and my sister, Miss Dampier, helped with the necessary additions to the index, while the Cambridge University Press carried out their part of the production with their customary courtesy and skill.

W. C. D.

Cambridge
August, 1941

PREFACE TO FOURTH EDITION

In converting the third into the fourth edition of this book, most of the subjects treated under the heading "1930 to 1940" have been distributed among earlier chapters. Some new work, especially in England and America, done to solve definite war problems, has led incidentally to an increase in scientific knowledge. An attempt has been made to describe the more important published discoveries.

To the list of books mentioned in the last Preface should now be added Mr A. J. Berry's *Modern Chemistry*, Sir George Thomson's third edition of *The Atom*, and Professor Andrade's *The Atom and its Energy*.

Since the last edition appeared, I have to deplore the deaths of three friends who, at one stage or another, have helped me with this book: Lord Rutherford, Sir Arthur Eddington and Sir James Jeans.

W. C. D.

Cambridge
January, 1947

INTRODUCTION

THE Latin *scientia* (*scire*, to learn, to know), in its widest sense, means learning or knowledge. But the English word "science" is used as a shortened term for natural science, though the nearest German equivalent, *Wissenschaft*, still includes all systematic study, not only of what we call science, but also of history, philology or philosophy. To us, then, science may be defined as ordered knowledge of natural phenomena and the rational study of the relations between the concepts in which these phenomena are expressed.

The origin of physical science can be traced in the observation of natural occurrences, such as the apparent movements of the heavenly bodies, and in the invention of rude implements, by the help of which men strove to increase the safety and comfort of their lives. Similarly, biological science must have begun with the observation of plants and animals, and with primitive medicine and surgery.

But, at an early stage, men almost universally took a wrong path. Led by the idea that like produces like, they tried by imitating nature in rites of sympathetic magic to bring rain or sunshine, or fertility to the teeming earth. Some of them, not satisfied by the results achieved, passed to another stage, to the animistic belief that nature must be under the sway of beings, capricious like themselves, but more powerful. The Sun became the flaming chariot of Phoebus; thunder and lightning were the weapons of Zeus or Thor. Men sought to propitiate such beings, perhaps by rites which were the same as, or developed from, those which had arisen in the more primitive stage. Other men, watching the fixed stars, or the regular movements of the planets, conceived the idea of an immutable Fate controlling human destinies, which might be read in the sky. Magic, astrology and religion have clearly to be studied with the origins of science, though their exact historical relations with science and with each other are still uncertain.

Some order in empirical knowledge appears in the records of ancient Egypt and Babylon—units and rules of measurement, simple arithmetic, a calendar of the year, the recognition of the periodicity of astronomic events, even of eclipses. But the first to submit such knowledge to rational examination, to try to trace causal relations among its parts, in fact the first to create science, were the Greek nature-philosophers of Ionia. The earliest and most successful of such attempts was the conversion of the empirical rules for land surveying, mostly derived from Egypt, into the deductive science of geometry, the beginnings of which are traditionally assigned to Thales of Miletus and Pythagoras of Samos, while the final formulation in ancient times was made by Euclid of Alexandria three hundred years later.

The nature-philosophers sought reality in matter, and slowly developed a theory of a primary element, culminating in the atomism of Leucippus and Democritus. On the other hand, the more mystical Pythagoreans of South Italy saw reality, not in matter, but in form and number. Though their own discovery that the side and diagonal of a square were incommensurable in finite units was difficult to reconcile with the idea that integral numbers are the fundamental entities of existence, that idea survived and reappeared from time to time throughout the ages.

With the rise of the Athenian School of Socrates and Plato, the Ionian nature-philosophy was superseded by metaphysics. The Greek mind became entranced with its own operations, and turned from the study of nature to look within. The Pythagorean doctrines were developed into the view that ideas or "forms" alone possess full reality, which is denied to the objects of sense. Aristotle in biology returned to observation and experiment, but in physics and astronomy he followed too closely the introspective methods of his master Plato.

The conquests of Alexander carried Hellenistic civilization to the East, and founded a new intellectual centre at Alexandria. Here, and simultaneously in Sicily and South Italy, a new method appeared. Instead of complete philosophic schemes, Aristarchus, Archimedes and Hipparchus set out specific and limited problems, and solved them by scientific processes like those of modern times. Even astronomy showed the change. To the Egyptians and Babylonians the Universe was a box, the Earth being the floor. The Ionians realized the Earth as floating free in space; the Pythagoreans as a sphere moving round a central fire. Aristarchus, considering the definite geometrical problem of the Sun, Earth and Moon, saw that it was simpler to imagine the central fire to be the Sun, and from his geometry made an estimate of its size. But this theory was unacceptable to most, and Hipparchus returned to the belief in a central Earth, with the heavenly bodies moving round it in a complex system of cycles and epicycles, a system handed on to the Middle Ages in the writings of Ptolemy.

The Romans, with all their genius as soldiers, lawyers and administrators, had little original philosophic power, and, even before Rome fell, science had ceased to advance. Meanwhile, the Early Fathers of the Church welded together Christian doctrines, Neo-Platonic philosophy, and elements derived from oriental Mystery Religions, into the first great Christian synthesis, predominantly Platonic and Augustinian. Through the Dark Ages, Greek learning was only known to the West in abstracts and commentaries, though an Arabic school arose which, deriving its original impulse from Greek sources, itself made some additions to natural knowledge.

In the thirteenth century the full works of Aristotle were rediscovered and translated into Latin, first from Arabic versions and then directly from the Greek. A new and alternative synthesis arose in the scholasticism of St Thomas Aquinas, who built up a complete, rational scheme of knowledge, in which Christian doctrines were reconciled with Aristotelian philosophy and science, a difficult task, skilfully done.

As the survival of Roman Law kept alive the ideal of order through the time of chaos and through the Middle Ages, so Scholasticism upheld the supremacy of reason, teaching that God and the Universe can be apprehended, even partially understood, by the mind of man. In this it prepared the way for science, which has to assume that nature is intelligible. The men of the Renasissance, when they founded modern science, owed this assumption to the Scholastics.

Yet the essence of the new experimental method was an appeal from a completely rational system to the tribunal of brute facts—facts which bore no relation to any philosophic synthesis then possible. Natural science may use deductive reasoning at an intermediate stage of its enquiries, and inductive theories are an essential part of its procedure, but primarily it is empirical, and its ultimate appeal is to observation and experiment; it does not, like mediaeval Scholasticism, accept a philosophic system on authority and then argue from the system what the facts ought to be. Contrary to an opinion sometimes held, mediaeval philosophy and theology made full use of reason, their results being deduced by logical methods from what were accepted as authoritative and certain premises, the scriptures as interpreted by the Church, and the works of Plato and Aristotle. Science, on the other hand, depends on experience, and uses methods somewhat like those employed in fitting together the pieces or words of a puzzle. Reason is used to solve the definite problems of the puzzle, and to form the limited syntheses and theories which alone are possible; but observation or experiment is the starting-point of the investigation and the final arbiter.

Scholasticism as interpreted by Thomas Aquinas preserved a belief in the intelligibility of nature, amid the welter of magic, astrology and superstition, mostly relics of Paganism, which enmeshed the mediaeval mind. But Thomist philosophy included the geocentric astronomy of Ptolemy, and the anthropomorphic physics of Aristotle with his many erroneous ideas—for instance, that motion implies the continual exertion of force, and again that things are essentially heavy or light and seek their natural places. Hence the Scholastics opposed the theory of Copernicus, refused to look through the telescope of Galileo, and denied that things heavy and light could fall to the ground at the same rate, even when Stevin, de Groot and Galileo had demonstrated that fact experimentally.

And an even deeper divergence lay behind these differences. To Aquinas and his contemporaries, as to Aristotle, the real world was that disclosed by the senses: a world of colour, sound and warmth; of beauty, goodness and truth, or sometimes perhaps of ugliness, evil and error. Under the analysis of Galileo, colour, sound and warmth vanished into mere sensations, and the real world appeared to be but particles of matter in motion, which apparently had nothing to do with the beautiful, the good, the true, or their opposites. The perplexities of the theory of knowledge, the difficulties which underlie the apprehension of matter in motion by a non-material and non-extended mind, appeared for the first time.

The work begun by Galileo was consummated by Newton, who showed that the hypothesis of masses moving under their mutual forces was sufficient to explain all the majestic motion of the solar system. Thus the first great physical synthesis was put together, though Newton himself pointed out that the cause of the gravitational force remained unknown. His disciples however, especially the French philosophers of the eighteenth century, ignoring his wise spirit of caution, converted Newton's science into a mechanical philosophy, in which the whole of the past and future was theoretically calculable and man became a machine.

Some clear-thinking minds realized that science did not necessarily reveal reality, while others, with practical wisdom, accepted determinism as a convenient working hypothesis for science—indeed the only hypothesis possible at the time—but treated man as a free and responsible agent in ordinary life, and continued to practise their religion unperturbed. The whole of existence is too great a thing to yield its secrets when studied in one aspect only. Another line of escape from mechanism was taken by the followers of Kant and Hegel, who, in German idealism, built up a philosophy ultimately derived from Plato, a philosophy which became almost completely separated from contemporary science.

In spite of these reactions, Newtonian dynamics reinforced both crude materialism and the philosophy of determinism. To minds more logical than profound the inference from science to philosophy seemed inevitable, an inference strengthened with every advance in physical science. Lavoisier extended the proof of the persistence of matter to cover chemical transformations, Dalton finally established the atomic theory, and Joule proved the principle of the conservation of energy. The motion of each individual molecule, it is true, was still indeterminate, but statistically the behaviour of the myriad molecules which make up a finite quantity of matter could be calculated and predicted.

In the second half of the nineteenth century it seemed to some men that the mechanical outlook was extending to biology. Darwin gained credence for the old theory of evolution by marshalling the facts of geology and variation, and framing the hypothesis of natural selection. Man, who, a little lower than the Angels, had surveyed creation from the Earth its centre, became a mere link in the chain of organic development on a small and casual planet circling round one of a myriad stars—a puny being, the plaything of blind, irresistible forces, which bore no relation to his desires or his welfare.

Physiology, too, began to expand the field of research within which physical and chemical principles could be used to explain the functions of the living organism. In some biological problems the organism must be treated as a whole, and this fact is of philosophic importance. But science is by its nature analytical and abstract, and is forced to express as much of its knowledge as possible in terms of physics, the most fundamental and abstract of all the natural sciences. When it was found that more and more could be so expressed, confidence was gained in the method, and there arose a belief that a complete physical or mechanical explanation of all existence is theoretically possible.

Supreme importance is thus given to those physical concepts which, at any given time, are the most fundamental yet reached, though philosophers have sometimes been rather too late in adopting them. The German materialists of the nineteenth century based their philosophy on *Kraft und Stoff* just when physicists were realizing that force was but an anthropomorphic aspect of mass-acceleration, and matter was being sublimated from the hard, massy particles of Democritus and Newton into vortex atoms or kinks in an aethereal medium. Light, explained by Young and Fresnel in terms of mechanical waves in a semi-rigid, material aether, was converted by Maxwell into electro-magnetic undulations in something unknown—a simplification to the mathematician, but a loss of intelligibility to the experimentalist.

In spite of these indications, most men of science, and especially biologists, at that time held a common-sense materialism, and believed that physical science revealed the reality of things. They did not read idealist philosophy, and in any case would not have been convinced thereby. But in 1887 Mach, speaking in language with which they were familiar, revived the old theory that science only gives information about phenomena as apprehended by the senses, and that the ultimate nature of reality is beyond the reach of our intelligence. Others upheld the view, that, while this phenomenalism is as far as the scientific evidence can carry us, yet the fact that science has put together a consistent model of natural phenomena is a valid *metaphysical* argument that some reality, corresponding to the model, lies beneath. But the different sciences are only analogous to plane diagrams from which the model can be constructed, so that, for instance, the determinism indicated by mechanics is but an effect of our procedure and of the definitions which underlie that science. Similarly, principles such as the persistence of matter and the conservation of energy are inevitable, for, in constructing a science of nature from the welter of phenomena, the mind, unconsciously and as a matter of convenience, picks out those quantities which remain constant, and builds its model round them. Then, later on, with immense labour and pains, the experimentalist rediscovers their constancy.

But few nineteenth-century men of science were interested in philosophy, even in that of Mach. Most of them assumed that they themselves were dealing with realities, and that the main lines of possible scientific enquiry had been laid down once for all. It seemed that all that remained for the physicist to do was to make measurements to an increasing order of accuracy, and invent an intelligible mechanism which would explain the nature of the luminiferous aether.

Meanwhile biology had accepted Darwinian natural selection as an adequate explanation of the origin of species and had turned to other problems. It was only with the rediscovery in 1900 of Mendel's forgotten work that the question was reopened, and Darwin's experimental method once more used. While the broad facts which point to evolution in past geological ages are conclusive, some men came to doubt whether natural selection acting nowadays on small variations is a sufficient cause of new species.

Then, from 1895 onwards, there came the new revelation in physics. Atoms were resolved by J. J. Thomson into more minute corpuscles, and these in turn into electrical units, the mass of which was explained as being merely one factor in electro-magnetic momentum. It began to look as though "electricity" were to be the last and sufficient word in physical science. Rutherford explained radio-activity in terms of atomic disintegration, and pictured the atom as a positive nucleus with negative electrons circling round it. Matter, instead of being dense, closely packed stuff, became an open structure, in which the material, even as disembodied electric charges, was almost negligible in size compared with the empty spaces. Furthermore, the statistical principles of atomic disintegration were discovered. It became possible to calculate how many atoms in a milligram of radium will explode in a second, though we cannot yet tell when the life of any given atom will end.

If waves of light are electrical, they must start from electric charges in motion, and at first it seemed that in our new-found electron, moving in accordance with Newtonian dynamics, we had a satisfactory electrical theory of matter. But, if electrons swing round the nucleus of the atom as planets circle round the Sun, they should give out radiation of all wave-lengths, the energy increasing in a calculable way as the wave-length shortens. This does not happen, and, to explain the facts, Planck was led to suppose that radiation is emitted and absorbed in definite units or quanta, each quantum being a fixed amount of "action", a quantity equivalent to energy multiplied by time. This theory was greatly strengthened by its success in fields of physics other than that which saw its birth; yet it could not, like the classical theory of continuous waves, explain easily and naturally the facts of diffraction, and other phenomena due to the interference of light. We had to be content to use the classical theory for some purposes and the quantum theory for others, though they seem inconsistent with each other, a compromise unusual to the physicist, whose subject had hitherto been the most completely consistent and rationalized of all experimental sciences.

Another difficulty, the constancy of the measured velocity of light irrespective of the motion of the observer, was cleared up when Einstein pointed out that neither space nor time are absolute quantities, but are always relative to some one who measures them. This principle of relativity, when its consequences are followed out, means a revolution not only in physical theories, but in the implicit assumptions of older physical thought. It explains matter and gravitation as the necessary consequences of something analogous to curvature in a four-dimensional continuum of space-time. The curvature even sets bounds to space, and light travelling onwards may, after millions of years, return to its starting-point.

Not only have the hard, massy particles of matter disappeared, but philosophically it will be seen that the old metaphysical concept of matter, as that which is extended in space and persistent in time, is destroyed, now that neither space nor time are absolute, but are figments of the imagination, and a particle is a mere series of events in space-time. Relativity reinforces the conclusions of atomic physics.

Rutherford's conception of the atom was developed on the lines of the quantum theory by Bohr, who explained many of the facts by supposing that the single electron in the hydrogen atom can only circulate in four definite orbits, and only radiate at the moments when it leaps suddenly from one orbit to another. This, like the quantum theory itself, is inconsistent with Newtonian dynamics, as long, at all events, as the electron is regarded as a simple particle.

For a time Bohr's atom, developed in detail by himself and others, seemed a most convincing model of atomic structure, but in 1925 it definitely failed to account for some of the finer lines in the hydrogen spectrum. In the next year a new chapter in physics was opened by the work of Heisenberg, who pointed out that any theory of electronic orbits went beyond what the facts warranted. We can only study atoms by observing what goes into them or what comes out— radiation, electrons, and sometimes radio-active particles; we cannot tell what happens at other times. Orbits are an unconscious and un-justified assumption, founded on the analogy of Newtonian dynamics. Heisenberg therefore left his theory of atomic structure in terms of differential equations, with no attempt at a physical explanation.

Then Schrödinger, taking up de Broglie's wave-mechanics, developed a new theory, on which an electron has some of the properties of a particle and some of a wave, an idea since supported by experimental evidence. Schrödinger's theory is expressed by equations which are equivalent to those of Heisenberg, so that mathematically the two theories are identical. It is impossible to frame a physical model on Heisenberg's theory, and difficult to do so on that of Schrödinger. Indeed, a principle of uncertainty has appeared, which indicates that we cannot specify both the position and the velocity of an electron. Physical science has successively found many ultimates—gravitating particles, atoms, electrons—and in each case has gone further and invented models which explained those ultimates in terms of something yet more fundamental. But, in the quantum of "action" and in the equations of the indeterminate particle and wavelet, we see concepts which the mind finds it difficult to picture. Perhaps a new atomic model may be framed successfully once more, but possibly we are approaching fundamental things, which cannot be expressed in mechanical terms.

Meanwhile two branches of recent physics have become of special practical import. Beginning with Maxwell's proof that electric waves are of the same nature as light, their theory has extended and their uses have multiplied till the reflection of electric signals gave us "radar". Rutherford's nuclear atom with Aston's isotopic elements led to a vast development in pure science and to a method of liberating nuclear energy in an "atomic bomb" and (it is hoped) in more peaceful applications.

After a period of separation, with crude materialism on one side and somewhat hazy German idealism on the other, science and philosophy once more came into touch, first in various forms of evolutionary thought, and then, through a deeper analysis, by new developments in mathematics and physics. Recent studies of the principles of mathematics and of logic have thrown fresh light on the theory of knowledge, and led to a new realism which, turning from the general philosophic systems of the past, studies limited philosophic problems as science studies limited scientific ones, and seeks metaphysical reality beneath scientific phenomenalism.

To some modern philosophers the determinism of science seems to be due to its method of abstraction. Its concepts, the modern equivalent of Platonic ideas, are alone concerned in its abstract reasoning and theories; they have logical consequences, which are indeed inevitable and determined by the nature of the concepts. But it is a misplaced concreteness which transfers that determinism to the objects of sense. Again, "vitalism" held that in living matter physical and chemical laws are suspended by some higher agency. This idea too is discredited nowadays, but some physiologists point out that the biological organism shows a co-ordination, an integration, of its physical and chemical functions beyond the present reach of a purely mechanical explanation. Nevertheless, others contend, mechanism has to be assumed at each stage of physical or chemical investigation, and, as Schrödinger points out, new physical and chemical laws, at present unknown, may ultimately explain vital phenomena, though it is possible that mechanism may ultimately break down in a final physical principle of uncertainty. Teleology, to be convincing, may have to take account of the whole of existence instead of only individual organisms. The universe may be completely mechanical when viewed from the abstract standpoint of mechanics, and yet completely spiritual from the aspect of mind. A ray of starlight may be traced by physics from its distant source to its effect on an optic nerve, but, when consciousness apprehends its brightness and colour and feels its beauty, the sensation of sight and the knowledge of beauty certainly exist, and yet they are neither mechanical nor physical.

Physical science represents one analytical aspect of reality; it draws a chart which, as experience shows, enables us to predict and sometimes to control the workings of nature. From time to time great syntheses of knowledge are made. Suddenly bits of the puzzle fit together; different and isolated concepts are brought into harmony by some master-mind, and mighty visions flash into sight—Newton's cosmogony, Maxwell's co-ordination of light and electricity, or Einstein's reduction of gravity to a common property of space and time. All the signs point to another such synthesis, in which relativity, quantum theory and wave-mechanics may fall into the all-embracing unity of some one fundamental concept.

At such historic moments physical science seems supreme. But the clear insight into its meaning which is given by modern scientific philosophy shows that by its inherent nature and fundamental definitions it is but an abstraction, and that, with all its great and ever-growing power, it can never represent the whole of existence. Science may transcend its own natural sphere and usefully criticize some other modes of contemporary thought and some of the dogmas in which theologians have expressed their beliefs. But to see life steadily and see it whole we need not only science, but ethics, art and philosophy; we need the apprehension of a sacred mystery, the sense of communion with a Divine Power, that constitute the ultimate basis of religion.

THE ORIGINS

The Geological Record—Flint Tools—Ice Ages—Palaeolithic Times—Neolithic Times—The Bronze Age—The Iron Age—River Folk and Nomads—The Races of Europe—Magic, Religion and Science.

THE origins of science must be sought in the records of early man as given us by geologists, who study the structure and history of the earth, and by anthropologists, who observe the physical and social characters of mankind.

It now seems probable that the crust of the earth solidified some thousand million years ago, 1·6 thousand million, or $1·6 \times 10^9$ years, is a recent estimate. Geologists classify the periods which followed into six: (1) Archaean, the age of igneous rocks formed from molten matter; (2) Primary or Palaeozoic, when life first appeared; (3) Secondary or Mesozoic; (4) Tertiary or Cainozoic; (5) Quaternary; (6) Recent. The sequence of these periods is shown by the relative position of their deposits in the earth's strata, but no definite measurement of their age in years can be made.

Some authorities hold that traces of man's handiwork are first seen in tertiary deposits, laid down perhaps somewhere between one and ten million years ago. They take the form of flints or other hard stones roughly chipped into tools. The oldest, called eoliths, cannot certainly be distinguished from natural products, formed by the action of moving earth or water, but the next group, named palaeoliths, are clearly of human origin. The figure shows a common palaeolithic, all-purpose tool, now known as a hand-axe. The making of the oldest tools is held by some archaeologists to show the existence of the first being worthy of the name of man. But the most important step in human development must have been the change of animal sounds into articulate speech, a step which, by the nature of the case, has left no trace save the changes in structure of skull and jaws which made speech possible.

Flint Axe.

It is known that successive ice-ages, probably four, passed over Europe in early times. Some think that tools, found in East Anglia, date from before the first of these cold periods, but however that may

Ice Ages be, chipped flints appear in the warmer intervals. Two methods of working them are known; either by knocking off flakes and leaving a central core to be shaped into a tool as in the figure—a method characteristic of Africa—or by using the flakes themselves, as seen particularly in Asia. Europe forms an area of interlap between the two methods, which seem to have been first developed by two distinct racial stocks.

Palaeolithic Times During the greater part of the Palaeolithic ages hand-axes continually became lighter and sharper, and other tools more varied and more delicate. It is probable that they were used by people who lived by hunting animals and gathering edible wild plants. Perhaps the oldest being of the core-culture folk in England known to us is the Piltdown man, discovered in Sussex, and next the skull found at Swanscombe in Kent.

In the final ice-age the core and flake methods were intermingled by Neanderthal men. Later the tools took on a blade-like form, leading to the cutting edge, which enabled men to carve bone into such things as harpoons and other implements.

Though fire itself had long been known, about this same time we first find traces of the deliberate kindling of fire by striking flint against ores. Fire is the earliest and most surprising chemical discovery.

Lower Palaeolithic civilizations, dating from the beginning of the Quaternary era, and ending as the last ice-age approached, must have covered an immense stretch of time, during which there appears to have been a slow but steady improvement in culture.

Middle Palaeolithic times are associated with what is called Mousterian civilization, so named from the place where it was discovered —Moustier near Les Eyzies. The race which made it, Neanderthal man, was of low type, thought not to be in the direct line of human evolution.

Upper Palaeolithic or Neo-anthropic man appeared in the land which is now France as the last ice-age drew to a close, though a mixture of reindeer with stag in the bones found shows that the climate was still cold. The associated men were higher in the scale of humanity than any earlier races. The flaking of flint was much improved, there was a definite bone industry with a making of household implements, such as eyed needles.

Neolithic Times Leaving the immense stretch of Palaeolithic time we pass to Neolithic ages with a great improvement in culture. Neolithic men seem to have invaded Western Europe from the East, bringing with them traces of the civilizations of Egypt and Mesopotamia. They possessed domestic animals and cultivated crops. They made polished implements in flint or other hard stone, and in bone, horn or ivory. Fragments of pottery also are found, showing the deliberate creation of a new thing, a great advance on the mere adaptation of an existing material. Again, structures such as Stonehenge, where a pointer-stone marks the position of the rising sun at the summer solstice, serve not only religious uses but also astronomical functions which indicate accurate observation.

Prehistoric burials are found till the end of the Neolithic period; cremation only appears later and then mostly in Central Europe, where forests supplied plentiful fuel. In Neolithic tombs stone implements are often found, suggesting a belief that such things would be useful to the dead in another world—a belief then in survival.

In some parts of the world Neolithic men discovered copper—how to smelt it and harden it by mixing it with tin, thus making the first metallurgical experiment, and passing from the stone to the bronze age. The general use of metal made possible a higher culture, with axes, daggers and their derivatives spears and swords, and the more peaceful household goods.

In its turn bronze, with its comparatively rare constituents, gave place to iron, present in much greater abundance in the earth, and more effective in weapons of war and the chase. Therefore when men discovered how to extract iron from its ores, it soon displaced other metals for such uses. With the coming of the iron age we approach and soon enter periods when true history can be pieced together by the survival of written records on stone, clay, parchment or papyrus.

Settled life, with primitive agriculture and industrial arts, seems first to have begun in the basins of great rivers—the Nile, the Euphrates with the Tigris, and the Indus, while it is probable that in China too civilization began near its rivers. But, in contrast with these river folk, were survivals of nomads—pastoral people wandering with their flocks and herds over grass-clad steppes or deserts with occasional oases. In normal times, the unit groups of these nomads kept apart from each other, each in search of food for their beasts:

And Lot also, which went with Abram, had flocks, and herds, and tents. And the land was not able to bear them, that they might dwell together....And Abram said unto Lot ...Is not the whole land before thee? Separate thyself, I pray thee, from me: if thou wilt take the left hand, then I·will go to the right; or if thou depart to the right hand, then I will go to the left.[1]

[1] Genesis xiii. 5–9.

River Folk and Nomads

With these isolationist views and customs, neither civilization nor science was possible. Moreover, co-operation between the patriarchal family groups only arose for some definite purpose—a hunt of dangerous wild beasts or war with other tribes. But sometimes, owing to a prolonged drought or perhaps to a permanent change in climate, the grass failed, the steppes or oases became uninhabitable, and the nomad folk overflowed as an irresistible horde, flooding the lands of the settled peoples as barbarous conquerors. We can trace several such outrushes of Semites from Arabia, of Assyrians from the borders of Persia and of dwellers in the open grass-clad plains of Asia and Europe.

It is useless to look among nomads for much advance in the arts, still less for the origins of applied science. But the Old Testament not only gives in its earlier chapters an account of nomads, but later on deals with the legends of the settled kingdoms of the Near and Middle East—Egypt, Syria, Babylonia and Assyria—a good introduction to the more recent knowledge obtained by the excavation of buildings, sculptures and tablets, knowledge dependent on the double chance of survival and discovery.

The Races of Europe

And now a few words are necessary about the races of men whose doings we shall trace. Since the late stone age, the islands of the Aegaean and the sea coasts of the Mediterranean and the Atlantic have been peopled chiefly by men short in stature with long-shaped heads and dark colouring; and to this Mediterranean race is due the prehistoric advance in civilization. Farther inland, especially among the mountains, the chief inhabitants were and are of the so-called Alpine race, a stocky people of medium height and colouring, with broad, round-shaped skulls, people who pushed into Europe from the northern east. Thirdly, centred in and spreading out from the shores of the Baltic, we find a race which may be called Nordic, tall, fair-haired and, like the Mediterraneans, with long-shaped heads.

Magic, Religion and Science

In later Palaeolithic times also we find the first examples of drawings and paintings on the walls of the caves in which men lived. Many of these are of high artistic merit, and some of them, thought to represent devils and sorcerers, throw light on primitive beliefs, as do the frequently recurring carvings indicating fertility cults and fertility magic.

More definite ideas about these beliefs can be obtained by comparing them with those of early historical times, as described by Greek and Latin authors, and with those still found among primitive people in various parts of our modern world. Sir James Frazer collected a vast amount of such evidence in his book *The Golden Bough*. Some anthropologists regard magic as leading directly to religion on one side and to science on the other, but Frazer thinks that magic, religion and science form a sequence in that order. Another anthropologist, Rivers, holds that magic and primitive religion arise together from the vague sense of awe and mystery with which the savage looks at the world.

Magic, Religion and Science

Again, Malinowski finds that primitive people keep distinct the simple phenomena which can be dealt with by empirical scientific observation or tradition from the mysterious, incalculable changes beyond their understanding or control. The former lead to science, the latter to magic, myth and ritual. Malinowski holds that the origin of primitive religion is to be sought in man's attitude to death, his hope of survival and his belief in an ethical providence.

But others point out that magic assumes that there are rules in nature, rules which, by the appropriate acts, can be used by man to control nature; thus, from this point of view, magic is a spurious system of natural law. Imitative magic rests on the belief that like produces like. Primitive man acts, in many forms, the drama of the year, thinking to give fertility to his crops, flocks and herds. Hence arises ritual, and (later) dogma and mythology to explain it. Many similar instances of imitation might be given. On the other hand, contagious magic holds that things once in contact have a permanent sympathetic connection: the possession of a piece of a man's clothing, and still more of a part of his body—his hair or his nails—puts him in your power; if you burn his hair, he too will shrivel up.

Such magic as this may, by coincidence, be followed by the appropriate happening, but more often it fails, and the magician is in danger from his disappointed followers, who may cease to believe in the control of nature by men, and turn to propitiate incalculable spirits of the wild—gods or demons—to give them what they want, thereby passing to some form of primitive religion.

Meanwhile the development of simple arts, the discovery and kindling of fire, the improvement of tools, leads by a less romantic but surer road to another or perhaps the only basis for science. But man needs some deeper beliefs for his questing soul, and so science did not germinate and grow on an open and healthy prairie of ignorance, but in a noisome jungle of magic and superstition, which again and again choked the seedlings of knowledge.

SCIENCE IN THE ANCIENT WORLD

The Beginnings of Civilization—Babylonia—Egypt—India—Greece and the Greeks—The Origins of Greek Religion and Philosophy—Religion and Philosophy in Classical Times—The Ionian Philosophers—The School of Pythagoras—The Problem of Matter—The Atomists—Greek Medicine—From the Atomists to Aristotle—Aristotle—Hellenistic Civilization—Deductive Geometry—Archimedes and the Origins of Mechanics—Aristarchus and Hipparchus—The School of Alexandria—The Origins of Alchemy—The Roman Age—The Decline and Fall of Learning.

AT the dawn of history, civilization first appears out of the darkness in China and in the valleys of the rivers Euphrates and Tigris, the Indus, and the Nile. Of the people who dwelt in those valleys, we know most about those of Egypt and Babylonia, primarily from references found in the writings of Greek historians. But that meagre source of information has been greatly augmented in recent years by the discovery of the remains of many of their buildings, sculptures and tablets, and by the excavations·of Royal Tombs in which domestic objects, decorations and inscriptions have been found. Such knowledge is of course fragmentary, depending as it does upon the double chance of the survival of ancient records and of their discovery and correct interpretation by present-day researchers; but much information has already been obtained, and more is constantly coming to hand. *The Beginnings of Civilization*

The surest foundation for the origin of science in its practical form is to be found in the co-ordination and standardization of the knowledge of common sense and of industry. An early sign of such co-ordination can be traced in the edicts of the Babylonian rulers as far back as 2500 years before Christ, when the realization of the importance of fixed units of physical measurement led to the issue under royal authority of standards of length, weight and capacity. *Babylonia*

The Babylonian unit of length was the finger, equal to 1·65 centimetres, or about ⅔ inch; the foot contained 20 fingers, and the cubit 30 fingers; the pole was 12 cubits and the surveyor's cord was 120 cubits; the league was a distance equal to 180 cords, that is 6·65 miles. In measures of weight, the grain was equal to

Babylonia 0·046 gramme; the shekel 8·416 grammes; and the talent 30·5 kilogrammes, or 67⅓ pounds.[1]

In the earliest recorded times barley seems to have been the medium of exchange. By the third millennium before Christ, ingots of copper and of silver were also used, though barley continued to be current. The value of gold in terms of an equal weight of silver varied at different times from six to twelve.

The elements of mathematics and engineering in Babylon apparently came from the non-Semitic Sumerians, predominant in the country for a thousand years before 2500 B.C. The multiplication table and tables of squares and cubes have been found among Babylonian tablets. A duodecimal system, making the calculation of fractions easy, existed together with a decimal system derived from our ten fingers, special importance being assigned to the number sixty, as a combination of the two systems. The parallel use of this double notation was the basis of weights and measures—the circle with its subdivisions of angular measurement, the fathom, the foot and its square, the talent and the bushel.

The beginnings of geometry, too, illustrate the origin of an abstract science from the needs of everyday life, and are to be found in the rudimentary formulae and figures for land surveying. Plans of fields led to more complicated plans of towns, and even to a map of the world as then known. But actual knowledge was woven in an inextricable manner with magical conceptions, and together the two passed from Babylon westwards. For centuries European thought was dominated by the idea of the virtue of special numbers, their connection with the gods, and the application of geometrical diagrams to the prediction of the future.

In Babylon also the systematic measurement of time began at an early date. The importance of a knowledge of the seasons grows as agriculture develops among a primitive people. Wheat and barley seem to be indigenous in the neighbourhood of the river Euphrates, and we know that they were there cultivated as food plants at an early date, for they are mentioned on the clay tablets, and the plough is depicted in Babylonian art. The cultivation of cereals, which require seasonal treatment and an ample water supply, makes a calendar almost a necessity, and we may have here one reason why the beginnings of astronomical observation occurred in the basins of the Euphrates and the Nile. The day as a unit of time was imposed on man by nature. When a longer unit was wanted, the month was first

[1] L. J. Delaporte, *La Mésopotamie*, Paris, 1923. Eng. trans. London, 1925, p. 224.

taken, each month beginning with the appearance of the new moon. Then attempts were made to determine the number of months in the cycle of the seasons, in Babylonia about 4000 B.C. and in China soon after. About 2000 B.C. the Babylonian year settled down to one of 360 days or twelve months, the necessary adjustments being made from time to time by the interposition of extra months. The day was divided into hours, minutes and seconds, and the sun-dial, in the form of a simple vertical rod or gnomon, was invented to mark the passing hours.

The apparent movement of the Sun and planets among the fixed stars was observed, and the naming of seven days after the Sun, Moon and the five known planets, gave the week as another unit of time. The journey of the Sun across the sky was mapped out into twelve divisions to agree with the months. Each division was named from some mythical deity or animal, and was represented by the appropriate symbol. Thus arose the association of parts of the sky with the Ram, the Crab, the Scorpion and other beasts, afterwards connected with the definite groups of stars which we still call by those names.

The Babylonians pictured the Universe as a closed box or chamber, the floor being the Earth. In the centre the floor rose to snowy regions, in the midst of which was the source of the Euphrates. Round the Earth lay a moat of water, and beyond it stood celestial mountains supporting the sky.[1] Some Babylonian astronomers however realized that the Earth was a globe.[2]

Astronomical observation in Babylon can be traced back for more than twenty centuries before the Christian era, the first accurate records known being those of the rising and setting of the planet Venus. From this early date the priests, aided by the brilliancy of the atmosphere, observed the aspects of the heavens night by night, and noted their observations on clay tablets. Gradually the periodicity of astronomical events became apparent, till, according to a document of the sixth century B.C., the relative positions of the Sun and Moon were calculated in advance, and the prediction of eclipses was made possible.[3] This may be regarded as the origin of scientific astronomy, for which Babylonia, with its three schools of Uruk, Sippar and Babylon with Borsippa, can claim the credit.

On this basis of definite knowledge, a fantastic scheme of astrology was built up, and, indeed, was regarded by the Babylonians as the

[1] G. Maspero, *The Dawn of Civilization*, Eng. trans. 5th ed. 1910.
[2] E. G. R. Taylor—Historical Association, Pamphlet, No. 126.
[3] G. Sarton, *Introduction to the History of Science*, vol. I, Washington and Baltimore, 1927, p. 71, quoting from L. W. King, *A History of Babylon*, London, 1915.

Babylonia chief and most worthy object of the underlying science.[1] Starting doubtless from accidental coincidences, there arose a belief that the stars fixed and foretold the course of human affairs. By such observations and interpretations of the heavens, the Babylonian astrologer acquired a very real power over the minds of men. "Astronomy, as thus understood, was not merely the queen of the sciences, it was the mistress of the world." Each temple put together a library of astronomical and astrological literature from which the methods of divination might be learned. One such library, consisting of some seventy clay tablets, was of special repute in the seventh century before Christ, and is considered to have possessed records dating from 3000 years earlier.

Astrology reached its zenith in Babylon about 540 B.C., after the country had been conquered by the Chaldaeans, and two centuries later it spread to Greece and then over the known world, although by that time it was showing signs in its original home of passing into more rational astronomy. Nevertheless, Chaldaean astrologers continued to be famous and were much in request, while sorcerers and exorcists acted as physicians, despite their ignorance of medicine.

Modern study of primitive peoples shows that magic usually begins in its "sympathetic" form, whereby men try to obtain control over nature by mimic copying of the process they wish to bring about, or by acting a drama in which it is represented. Thus, to take but one example out of multitudes, when frogs croak it rains. The savage feels he can do that too; so he dresses as a frog and croaks to bring the wished-for rain. Hence arise ritual and mystery cults, prior to the dogma or mythology afterwards invented to explain them. For, at a later stage, when rite and ritual have to be accounted for, the powers of nature are thought to be animate, and long-established magic rites, unchanged or perhaps modified, take the form of propitiatory ceremonies.

This later type of magic seems to have been reached in Babylon before the earliest times of which records have survived. Although some gods, such as Oannes, the source of all human knowledge, were thought to be beneficent,[2] Babylonian magic suggested to those who practised it that the gods in general were inimical to man. This view may have been reinforced, and indeed the underlying magic determined, by the insecurity of life on the banks of the Tigris and the Euphrates, where sudden storms and floods were ready to sweep

[1] J. C. Gregory, *Ancient Astrology*, *Nature*, vol. 153, 1944, p. 512.
[2] C. J. Gadd, *The History and Monuments of Ur*, London, 1929.

away man and his puny works, and the invasion of foreign enemies *Babylonia*
was frequent. The idea that man's destiny was controlled by the stars,
an idea which arose in early times in Babylon, led to the concept of an
inexorable, inhuman Fate. Black magic and deadly nature indicate
hostile gods, and, in turn, doubtless the idea of hostile gods intensified
the savage element in Babylonian magic and astrology. Yet Babylonian and Assyrian buildings and sculpture show a considerable
advance in practical arts and some biological knowledge, including
the sexual fertilization of the palm and date trees.[1]

When we turn to consider the other great civilization of early times *Egypt*
—that of Egypt—a certain difference in religious attitude is seen.
In Egypt the divine powers were for the most part friendly, watching
over man, ready to protect and to guide him in life, in death and in
the afterworld.

It is possible that this difference was due, partly at all events, to
physical surroundings. In Egypt the climate is more equable than in
Chaldaea, and the Nile, with its regular and unfailing rise and fall,
the source of all fertility, was steady, friendly and trustworthy, typical
of the supernatural powers.

In very early times Egyptian civilization was comparatively advanced; transport was facilitated by the inventions of the wheel and
the sailing ship, weighing made possible by the balance and weaving
by the loom; a definite yearly calendar seems to have been established.
But the best achievements in practical arts occurred under the
eighteenth dynasty, somewhere about 1500 B.C. But the possibility
of a long and slow growth in knowledge had not dawned on the minds
of men. It seemed clear to them that their ancestors, left to their own
human resources, could never have made such discoveries as those of
speech and of writing, of building or of calculation; a divine intervention was needed. As among the Babylonians, all knowledge was
ascribed to the revelation of the gods, especially that of Thot, represented by the ibis or the baboon, and of his ally Maît, the goddess of
truth. Thot, one of the legendary race of divine sovereigns or legis-
lators, was essentially a moon-god, who measured time, counted days
and recorded the years. But he was also lord of speech, master of
books and inventor of writing. Moreover, he had established in the
temples the services of those "watchers of the night", who, from age
to age, recorded astronomical events.

In arithmetic, the knowledge of the Egyptians was about on a level
with that of the Chaldaeans. They counted by a decimal notation,

[1] G. Sarton, *Isis*, No. 60, 1934, p. 8 and No. 65, 1935, pp. 245, 251.

Egypt expressing numbers up to ten by strokes placed side by side and tens by symbols like inverted U's. There is little doubt that the periodic submersion of the ground beneath the waters of the Nile with the consequent obliteration of boundaries led to the development of the art of land-measurement, though the Egyptians themselves referred its origin to the benevolent intervention of Thot.

It seems that, at a very early date, surveyors or "rope-stretchers" measured land with ropes and recorded the results. But documentary evidence of the history of arithmetic and geometry begins with a papyrus forming part of the Rhind collection in the British Museum. It was written some sixteen to eighteen hundred years before Christ by a priest named Ahmôse, who states that it was copied from an older roll of the days of a king who is known to be of the XII Dynasty, i.e. before 2200 B.C. Some account is given of fractions and of the common operations of arithmetic, multiplication being performed by repeated additions. Rules for mensuration are also set forth.[1]

Egyptian astronomy, though it may have rivalled the corresponding Chaldaean science in age, never reached the same advanced stage of development. The importance attached by the Chaldaeans to astrology gave a more powerful motive for astronomical research. The wealth and power at the disposal of a successful astrologer would probably give him the pecuniary resources needed for astronomical work, which may have been his real interest. This Kepler found even in modern times.

The Egyptians identified the constellations with the deities of their mythology, and so represented them on astronomical ceiling decorations or on the insides of coffin lids. From an early period, the year was taken to begin with the annual flooding of the Nile and, when an exact calendar was invented, on the day when the sun rose with the star Sotkis, the Sirius of the Greeks and ourselves. The stellar year of 360 days consisted of thirty-six weeks of ten days each, and the changes in the appearance of the sky from week to week were recorded.[2]

The Egyptian idea of the Universe was, in essentials, much like that prevalent in Babylon. It was represented as a rectangular box, with its greater length running from north to south. It had a slightly concave bottom, at the centre of which lay Egypt. The sky was a flat or vaulted ceiling supported by four columns or mountain peaks, and

---

[1] W. W. Rouse Ball, *History of Mathematics*, 3rd ed. London and Cambridge, 1901, p. 3; T. E. Peet, in *Cambridge Ancient History*, 1923–1928, vol. II, pp. 216–220.

[2] L. S. Bull, "An Ancient Egyptian Astronomical Ceiling Decoration", *Bulletin Metro. Museum of Art, U.S.A.* vol. XVIII, 1923, p. 283; abstract in *Isis*, No. 22, 1925, p. 262.

the stars were lamps hung from the sky by cables. Round the edge of *Egypt* the box ran a great river, and on this river there travelled a boat bearing the Sun. The Nile was a branch of this stream.[1]

If Egypt lagged behind Babylon in astronomy, and possessed no astrologers with the reputation of the Chaldaeans, in medicine the relative positions were reversed. Several important Egyptian papyri, giving treatises on medicine, have been discovered and deciphered. The best data have been obtained from the Ebers papyrus, which dates from about 1600 B.C., and from that discovered by Edwin Smith, dating from about 2000 B.C.[2] The first physician, whether mythical or real, whose name survives is I-am-hotep or Imhotep, "he who cometh in peace". Imhotep was afterwards deified as a god of medicine.[3] Babylon possessed no school of rational medicine: all disease was referred exclusively to the action of malignant powers, and sorcery and exorcism alone were relied upon in the treatment of it. Incantations were used by the Egyptians also, but their medicine was more rational, and became highly specialized. An elementary knowledge of anatomy was almost forced on them from the practice of embalming the dead, though they seem only to have traced the larger organs of the body and held quite erroneous views about their functions.[4] Nevertheless, surgery began and, in carvings referred to about 2500 B.C., we can trace the performance of operations by Egyptian surgeons. There were physicians trained at the priestly schools, bone-setters for the treatment of fractures, and oculists to cure the eye-troubles always prevalent in Egypt. Mental diseases seem to have been left to exorcists, who, by means of amulet and charm, were believed to drive out the evil spirits responsible for these infirmities. The art of dispensing drugs and essences had been brought to a high state of excellence, and many Egyptian remedies became of world-wide repute. Egyptian medicine spread to Greece, perhaps by way of Crete, and, from Greece and Alexandria, it passed into Western Europe.

Egyptian tomb-paintings show an interest in the different types of mankind—red Egyptians, yellow Semites, black Negroes and white Libyans—an early attempt at anthropology.

At the beginning of the third millennium B.C., culture existed in *India* the valley of the Indus at Mohenjo-daro, Harappa and elsewhere, and a scale has been discovered indicating the use of decimals.[5] Details of scientific activity are difficult to trace much before the time

[1] Maspero, *loc. cit.*
[2] J. H. Breasted's edition, Univ. of Chicago, 1930.
[3] C. Singer, *A Short History of Medicine*, Oxford, 1928.   [4] Peet, *loc. cit.*
[5] G. Sarton, *Isis*, No. 70, 1936, p. 323, quoting Sir John Marshall. London, 1931.

India   of Alexander.[1] But in ethical philosophy the name of Buddha (560–480 B.C.) is of course pre-eminent, and schools of medicine existed at the same early date. In the time of Buddha himself, according to tradition, Atreya, the physician, taught at Kasi or Benares, and Susruta, the surgeon, at Taksasila, or Taxila.[2] The work of the latter, at all events, seems to be historical, and a Sanscrit text of it is extant, though the date is uncertain to within a century. A number of operations are described, such as those for cataract and hernia; some account is given of anatomy, physiology and pathology, and over 700 medicinal plants are noted. The memory of Atreya was preserved by Caraka of Cashmir, who, about A.D. 150, wrote a compendium of Atreya's system of medicine, as handed down by his pupil Agnivesa.

With the uncertainty about dates, it is difficult to say whether Hindu or Greek medicine is the older, or to trace the relative influence of the one on the other.

Perhaps the paucity of Indian contribution to other sciences may in part be due to the Hindu religion. Buddha founded his system on love and knowledge, and a respect for reason and truth; but these tenets, favourable to science as they might have been, were neutralized by the other components of his philosophy. The transitoriness and vanity of personal existence were emphasized; self-annihilation and loss of individuality were made the condition upon which the attainment of spiritual completion depended. This attitude of mind, by distracting attention from all immediate surroundings, tends to arrest that desire for material improvement, which is often the incentive leading to an advance in practical scientific knowledge. But the gentle art of healing was consistent with the Buddhist religion, and for this reason, perhaps, the works of Atreya and Susruta with their stores of medical and surgical learning have survived.

In one point the Buddhist philosophy of India touched a problem definitely scientific. A primitive atomic theory was formulated, either independently or by derivation from Greek thought, and about the first or second century before Christ the idea of discontinuity was extended to time. "Everything, according to this theory, exists but for a moment, and is in the next moment replaced by a facsimile of itself, very much as in a kinematoscopic view. The thing is nothing but a series of such momentary existences. Here time is as it were resolved into atoms."[3] The theory was apparently invented to explain

[1] J. Burnet, *Greek Philosophy*, Pt. I, London, 1914, p. 9.
[2] G. Sarton, *loc. cit.* p. 76 (quoting Hoernlé and others).
[3] Hastings' *Encyclopaedia of Religion and Ethics*; Art. Atomic Theory, Indian; H. Jacobi.

an assumed perpetual change in things by imagining a process of *India*
continual creation.

Indian arithmetic is remarkable, in that there is evidence to show
that as early as the third century B.C. a system of notation was
used from which was developed the scheme of numerals we employ
to-day.

It is possible that Indian thought influenced the schools of Asia
Minor, and through them those of Greece; and it is certain that, at
a later time, during the Arab domination in the lands of the Eastern
Mediterranean, traces of the mathematics and medicine of India
mingled with the learning saved from Greece and Rome, and re-
entered the schools of Western Europe by the ways of Spain and Constantinople. This explains the fact that, when the Indian scheme of
notation replaced the clumsy Roman figures, the primary source of
the numerals was forgotten and they were misnamed Arabic.

All the separate streams of knowledge in the ancient world con- *Greece and*
verged on Greece, there to be filtered and purified, and turned into *the Greeks*
new and more profitable channels by the marvellous genius of the
race which was the first in Europe to emerge from obscurity.

To understand the origins of the natural philosophy of the Greeks,
a natural philosophy which formulated so many of the problems
afterwards attacked by science, and propounded so many solutions,
we must consider briefly the Greek people, their religion, and the
physical and social conditions of their existence.

The earliest civilization in the lands which lie in and around the
Aegean Sea appears to have begun in Crete, where its probable
centre has been found by Sir Arthur Evans in the ruins of Knossos.
Crete was influenced by Egypt, and later, in its turn, influenced
Mycenae. An interval of some centuries elapsed between the destruction of Knossos and Mycenae and the beginning of the new and ruder
culture of Homeric times. The evidence points to some social
cataclysm.

It is held by archaeologists such as Sir William Ridgeway, and
anthropologists like Dr Haddon, that Homer's Achaeans were a tribe
of conquerors belonging to a tall, fair-haired race from the north,
perhaps from the valley of the Danube.[1] Haddon says: "The earliest
historical movement of this stock was that of the Achaeans, who,
about 1450 B.C., with their iron weapons mastered the bronze-using
inhabitants of Greece."

[1] Sir William Ridgeway, *The Early Age of Greece*, 1901; A. C. Haddon, *The Wanderings
of Peoples*, Cambridge, 1911, p. 41.

Nevertheless, in spite of clear indications and the weight of this authority, some classical scholars point to the fact that no tradition of a northern origin appears in Greek literature,[1] while Herodotus treats the Achaeans as among the indigenous inhabitants of Greece. But such evidence, mostly of a negative character, seems of little value compared with the positive indications of a northern origin.

Homer, writing probably in the ninth century before Christ, gives to the Achaeans epithets like fair or brown; the Mediterranean folk buried their dead, but the heroes of Homer passed to the next world in the flames of a funeral pyre; they used iron instead of the bronze of the earlier Grecian peoples; the Olympian gods of classical mythology first came on to the scene in the writings of Homer and Hesiod.

The Achaeans were overthrown in turn by the Dorians, who invaded the Peloponnese in the twelfth or eleventh century before Christ. Here too there is evidence of a descent from the north, the last incursion before definitely historic times.

Thus the inhabitants of Greece were of mixed race, though, after the Dorians settled down, the people acquired a sense of unity, of national culture in a common Hellas, in spite of the particularism of the individual cities and states. Probably differences in race underlay the distinction found in some states between ruling and servile classes, while other slaves were in origin Eastern or Northern barbarians.

In the Homeric poems, which sing the heroes of a conquering race, we find a joyousness of outlook that shows the lifting of the tyranny of primitive magic, and a state of friendly relationship with fully developed divine powers. These beings were figured simply and naturally as super-men and super-women, always interested in mankind, partisans and politicians of the most pronounced type, who took a share in the life of the nation, its wars, its trials and its successes. We find, too, as in Egypt, that the invention of the arts and sciences was attributed to the gods and demi-gods, who were always ready to appear among men, to build their cities, to beget heroes to be the fathers of the nations, and to outwit the ancient shadowy powers, which loomed distressfully in the background.

As early as the sixth century before Christ, the philosophical poet Xenophanes of Colophon recognized that, whether or no it be true that God made man in His own image, it is certain that man makes gods in his. And from the gods of the old Greek mythology we get an insight into the genius of the Greeks that nothing else can give. We

[1] J. B. Bury, in *Cambridge Ancient History*, vol. II, p. 474.

see the picture of a race, false, boastful, and licentious perhaps, but *Greece and* with a sense of beauty, a confident joy in life and a warmth of affection *the Greeks* that bespeak a gallant, vigorous, open-hearted, conquering people: a people of extraordinarily brilliant intellectual endowment, placed in a land of glorious beauty, where the wine-dark sea brought the trade and knowledge of all the world to their doors, where the climate smiled upon their fortified homesteads, where abundant slaves made life easy and gave leisure for the growth of the highest forms of philosophy, literature and art.[1]

Till recent years, Greek religion has meant mythology as seen in *The Origins* literature, and no serious attempt was made to study Greek ritual. *of Greek* But now that anthropologists have shown the importance of ritual as *Religion and* more fundamental than belief, the misleading tendency of this *Philosophy* literary outlook has become clear. "The first preliminary to any scientific understanding of Greek religion is a minute examination of its ritual...the Olympians of Homer are no more primitive than his hexameters. Beneath this splendid surface lies a stratum of religious conceptions, ideas of evil, of purification, of atonement, ignored or suppressed by Homer, but reappearing in later poets and notably in Aeschylus."[2]

The Greeks themselves in classical times recognized two forms of ritual, Olympian and Chthonic, and two forms of mythology also appear. Beneath the friendly Olympian gods was an underworld of spirits, whose intention towards men was doubtful, if not hostile. Below this again were vestiges of rites and beliefs, remnants of that more primitive system of magic which springs spontaneously from the confusion between the life of nature and the life of the tribe, and is more fundamental than any dogmatic mythology. Here, probably, we have the influence of the religious outlook which still appealed to the mass of the population, a primitive outlook, with its traditional rites for the promotion of fertility by purgation, the placation of ghosts, and propitiation of gods or demons.[3]

The scanty records of the sixth century before Christ show the prevalence of two primitive cults, the Eleusinian and Orphic mysteries, and from this dark background the Olympic mythology on the one hand and the earliest philosophy and science on the other stand out.

[1] See for instance, G. Lowes Dickinson, *The Greek View of Life*, 1896.
[2] Jane E. Harrison, *Prolegomena to the Study of Greek Religion*, Cambridge, 1903 (3rd ed. 1922).
[3] See for example, *Cambridge Ancient History*, W. R. Halliday, vol. II, p. 602, and F. M. Cornford, vol. IV, p. 522.

Apparently the Eleusinian mysteries sought to secure the fertility of the earth and of its inhabitants by magic rites in which were pictured the autumn ploughing and sowing and the new birth and growth of spring. The rites were secret, and their nature can only be inferred from chance references in authors often hostile, or from such sources as the Homeric Hymn to Demeter, which connects the mysteries with a hope in the survival of death.

Orphism was thought by Herodotus to have come from Egypt. In it were incorporated the usual mystic rites to promote fertility by celebrating the annual cycle of life and death. It had a cosmogony, which pictured a primordial night from which a world-egg appeared and divided into Heaven and Earth, representing the Father and Mother of Life. Between them flew a winged spirit of Light, sometimes called Eros, who joined the cosmic parents, from whose marriage sprang the Divine Son, Dionysus or Zeus. In this symbolism the mysticism of the age felt its way towards union with the Unseen. In their higher forms Orphic ideas penetrated Greek idealist philosophy and through it Christianity; in their lower forms, they passed into and reinforced every ignorant superstition for centuries.

Out of this primitive world of ideas came two distinct currents of philosophic thought, separate in origin and tendency—the Ionian rationalist nature-philosophy of Asia Minor and the mystical Pythagoreanism of southern Italy. Their relations with each other and with the mystery religions and the Olympic mythology must now be traced.

The main function of the Greek religion, as of many others, when mythology crystallized out of magic and ritual, was to interpret nature and its processes in terms which could be understood—to make man feel at home in the world. The animistic conceptions in which the mythology came to be expressed were of unusual beauty and insight. Each fountain lived in its nymph, each wood in its dryad. The grain-bearing earth was personified as Demeter; the unharnessed sea came to life in Poseidon, the earth-shaker.

From generation to generation the divine figures were multiplied and more clearly delineated, new attributes were assigned to them, and cycles of stories clustered round each name. We see a continual process of evolution. Each poet was free to adapt the myths to his own purpose; to introduce a recovered legend, to weave a new allegory,

---

[1] For a summary see F. M. Cornford, in *Cambridge Ancient History*, vols. IV and VI; references in Sarton, *loc. cit.* For details see Ed. Zeller, *History of Greek Philosophy*, Eng. trans. 1881, T. Gomperz, *Griechische Denker*, Leipzig, 1896, Eng. trans. London, 1901, and J. Burnet, *loc. cit.*, and *Early Greek Philosophy*, London, 1892 and 1908.

and to re-interpret at his will. As the ages passed and the intellect mastered the emotions, the desire for a higher creed was felt, until at length Aeschylus, Sophocles and Plato evolved out of the older crude polytheism the idea of a single, supreme and righteous Zeus. All this was wrought quite naturally, with hardly any thought of innovation, by those whose object it was to preserve, purify and expound the old faiths. It occurred simultaneously with a change in philosophic outlook, when men turned from a belief in capricious happenings dependent on the chance will of irresponsible gods, to a vision of the uniformity of nature under divine and universal law.

Religion and Philosophy in Classical Times

Together with this process of conservative religious evolution, a sceptical criticism was going on. A religion so frankly anthropomorphic as that of Olympus appealed rather to the imagination than to the intellect, and its weakness on the philosophic side became apparent when growing doubt began to express itself more openly. But the decay of the Olympian mythology led to a recrudescence of older magic rites and the invasion of new cults. That of Dionysus was by this time essentially the worship of enthusiasm, which led through physical intoxication or spiritual ecstasy to union with the divine. To this Orphism added asceticism, and raised the primitive rites of initiation and communion in crude sympathetic magic till they came to have spiritual value.

The very weakness of the Olympian orthodox religion, coupled with the essential freedom of intellectual outlook in the Greek world, led to a natural and metaphysical philosophy, which, even from early times, was almost untrammelled by theological pre-conceptions.

Eighteen hundred years later, after the confusion of the Dark Ages and the reconstruction of knowledge in the philosophical and theological synthesis of mediaeval Scholasticism, the pioneers of modern science had to work under the hampering conditions of a system of rationalized knowledge which included the current dogmas of theology and the recovered philosophy of Aristotle. This system dominated the thoughts of all men, and supplied to physical and biological questions, as well as to those of metaphysics and religion, an interpretation not to be gainsaid. After the Renaissance, philosophy and natural science had a hard struggle for freedom, when their disintegrating effect on Scholasticism was realized.

But in the growth of Greek natural philosophy the circumstances were different. It is true that outward obstacles were not wanting; the common people took their gods seriously—Anaxagoras was driven from Athens as an atheist, and the same charge was one of the counts in the indictment of Socrates who opposed his views and, in effect, led a religious revival. Aristophanes pointed his inimitable jests at the physical speculations current in his day, speculations which were thought to have an atheistic tendency. Nevertheless, the fluidity of the Greek religion, the variety of its ever-changing myths, its adaptability to the needs of poetic and artistic beauty, as well as its readiness to incorporate and adorn new ideas, led to a freedom and openness of intellectual outlook quite foreign to the mediaeval mind.

When the Greek States developed and outgrew their earlier limits, the geographical position of the country and its economic needs brought its people into contact with older civilizations. The early Greek philosophers drew most of their facts from alien sources— their astronomy from Babylonia, and their medicine and geometry from Egypt, possibly in part by way of Crete. To these facts they added others, and then, for the first time in history, subjected them to a rational philosophic examination.[1] This mingling of ideas moved gradually westwards. The effect first appeared on the Ionian shores of the Aegean Sea, when the Greeks, probably maintaining traditions of past Minoan civilization and also in touch with the lore of Babylon and Egypt, conceived the ideas of deductive geometry and the systematic study of nature. The zenith of its philosophical development, more metaphysical than scientific, was reached under Plato and Aristotle at Athens and in the cities of the mainland about 350 B.C., and its influence spread to the Greek colonies in South Italy and Sicily, where, a century later, the mathematical and practical genius of Archimedes marked its highest achievement in physical science. It then passed eastwards again to the new city of Alexandria.

The first European school of thought to break away definitely from mythological traditions was that of the Ionian nature philosophers of Asia Minor, of whom Thales of Miletus (c. 580 B.C.), merchant, statesman, engineer, mathematician and astronomer, is the earliest known to us. The importance of this Milesian School of philosophy lies in the fact that, for the first time, it assumes that the whole universe is natural, and potentially explicable by ordinary knowledge and rational inquiry. The supernatural, as fashioned by mythology, simply vanishes.[2] The idea of a cycle of change appears, a cycle from air, earth and water through the bodies of plants and animals to air, earth and water again. Thales observed that the food of plants and

---

[1] W. Whewell, *History of the Inductive Sciences*, vol. i, 3rd ed. London, 1857, p. 25, and J. Burnet, *Early Greek Philosophy*, Introduction.
[2] F. M. Cornford, *Before and after Socrates*, Cambridge, 1932.

animals is moist, and revived the old theory that water or moisture *The Ionian* is the essence of all things. This idea of a primary element tended *Philosophers* to encourage philosophical scepticism; for if wood and iron are essentially the same as water, then the evidence of the senses must be untrustworthy.

Traditional anecdotes of Thales have been handed down by Aristotle and Plutarch. He is said to have visited Egypt, and, from empirical rules for land surveying, originated the science of deductive geometry on the lines afterwards developed by others and systematized by Euclid. He is also said to have predicted an eclipse, either that of 610 or that of 585 B.C., probably making use of Babylonian tables. He taught that the Earth was a flat disc floating on water.

Anaximander (610–545 B.C.),[1] who followed him, seems to have been the first Greek to make a map of the known world. He was also the first to recognize that the heavens revolve round the pole star, and to draw the conclusion that the visible dome of the sky is half of a complete sphere, at the centre of which is the Earth. Until Thales and Anaximander propounded this new theory, the Earth had been imagined as a floor with a solid base of limitless depth. It was now represented as a finite flattened cylinder, originally surrounded by envelopes of water, air and fire, and floating within the celestial sphere. It was thought that the Sun and stars, shattered fragments of the original fiery envelope, were attached to celestial circles, and with them revolved about the Earth, the centre of all things. The Sun passed underground at night, and not round the rim of the world, as it was supposed to do in the older systems.

In Anaximander's cosmogony, worlds were supposed to arise by division of opposites from the primordial stuff of chaos in a way which pushes back to the beginning the operation of ordinary forces such as we see at work in nature every day. This developed further a rational mechanistic philosophy.

In the realm of practical arts, we hear by tradition of shadowy figures like that of Anacharsis (c. 592), who is said to have invented the potter's wheel; Glaucus (c. 550), who first learnt to solder iron; and Theodorus (c. 530), who devised the level, the lathe and the set-square.[2] Anaximander is said to have introduced from Babylon the style or gnomon. This was a rod placed upright on horizontal ground and used as a sun-dial; it also served to determine the meridian,

---

[1] Sir Thos. Heath, *Greek Astronomy*, London, 1932.
[2] G. Sarton, *History of Science*, vol. 1, Baltimore, 1927, p. 75.

and the time of year when the Sun's altitude at noon was greatest. But the many slaves reduced the incentive to invent machines.

In organic nature Anaximander taught that the first animals arose from sea slime, and men from the bellies of fish. Primary matter he believed to be eternal, but all created things, even the heavenly bodies, were doomed to destruction and to return to the undivided unity of universal being.

Anaximenes (died c. 526) departed further from Orphic mysticism, and held the primary world stuff or element to be air, which becomes fire when rarefied, and first water and then earth when condensed. In the air the Earth and planets float; the Moon shines by reflecting light from the Sun.

As against the rationalizing tendency of the Ionian philosophers, Pythagoras (born at Samos but moved to Southern Italy about 530 B.C.) and his followers showed a mystical attitude of mind derived directly from Orphism, accompanied by a readiness to observe and experiment. "Pythagoras of Samos", says Heraclitus, "has practised research and enquiry more than all other men, and has made up his wisdom out of polymathy and out of bad arts."

Pythagoras and his school gave up the idea of one single element, and held matter to be composed of earth, water, air and fire, which were supposed to be derived by the combination in pairs of four underlying qualities, hot and cold, wet and dry; water, for instance, being cold and wet, while fire was hot and dry. They carried further the deductive science of geometry, and arranged in logical order something like the first two books of Euclid. The forty-seventh proposition of the first book of Euclid is called the Theorem of Pythagoras. The "rule of the cord" for laying out a right angle may have been discovered empirically both in Egypt and in India, but it is likely that Pythagoras gave the first deductive proof that the square on the hypotenuse of a right-angled triangle is equal to the sum of the squares on the other two sides.

The Pythagoreans also were the first to bring into prominence the abstract idea of number. To us the concept of number is familiar; we are accustomed to deal with an abstract three or five, irrespective of fingers, apples or days, and it is difficult for us to realize the great step made both in practical mathematics and in philosophy when the essential *fiveness* of groups of quite different things was first seen. In practical mathematics that discovery made arithmetic possible; in philosophy it led to the belief that number lies at the base of the real world. "The Pythagoreans", says Aristotle, "seem to have looked upon number as the principle and, so to speak, the matter of which existences consist." Such ideas of definite, indivisible units as fundamental entities seemed inconsistent with another great Pythagorean discovery, the existence of incommensurable quantities (see Chapter XII) but they were greatly strengthened when the Pythagoreans experimented with sound, and proved that the lengths of strings which gave a note, its fifth and its octave were in the ratios of 6:4:3. The theory of the Universe was sought in this scheme of related numbers, which were held to refer to indivisible units of space. It was also thought that the distance of the planets from the Earth must conform to a musical progression, and ring forth "the music of the spheres". Ten was the perfect number (for $10 = 1 + 2 + 3 + 4$), so the moving luminaries of the heavens must be ten also. But as only nine were visible, it was argued that there must be an invisible "counter-earth". At a later date Aristotle very rightly criticized this juggling with facts.

Nevertheless the Pythagoreans made a real advance in cosmogony, our knowledge of which is chiefly derived from the works of Philolaus, who wrote about the middle of the fifth century. They recognized the Earth as a sphere, and eventually realized that the apparent rotation of the heavens could be explained, and explained more simply, by supposing a moving Earth. The Earth was thought to revolve, not on its own axis, but, balanced by the counter-earth, round a point fixed in space, as would a stone at the end of a string, and to present its inhabited outer face successively to each part of the surrounding sky. At the fixed point was a central fire, the Altar of the Universe, never seen by man. This idea gave rise in later years to the mistaken belief that the Pythagoreans had devised a heliocentric theory of the Universe, and had thus anticipated Aristarchus and Copernicus.

The mystic view of nature, clearly seen in their doctrine of numbers, shows also in the Pythagoreans' notion of the fundamental importance of contrasted principles—love and hatred, good and evil, light and darkness—a notion which often recurred in Greek thought, that facts about things can be deduced from the meaning of words. The mystic view again appeared in the writings of Alcmaeon the physician, in the idea that man the microcosm is a miniature of the Universe the macrocosm; his body reflects the structure of the world, and his soul is a harmony of number. The Pythagorean School held a philosophy of form as contrasted with the Ionian philosophy of matter. Early in the fifth century it divided; one wing became a religious brotherhood, and the other developed the doctrine of number on quasi-scientific lines.

The essence of Pythagorean philosophy, including the theory that

The School of Pythagoras

ultimate reality is to be found in numbers and their relations, will be traced in this book through Plato's doctrine of ideas to the Neo-Platonists and Saint Augustine. Under his influence it helped to form that Platonic background of mediaeval thought which survived as an alternative to the scholastic system derived from Aristotle. Even in Scholasticism, the Pythagorean idea of numbered order in geometry, arithmetic, music and astronomy made those four subjects the *quadrivium* of mediaeval instruction. After the Renaissance, the idea of the importance of number was taken up by Copernicus and Kepler, who laid chief stress on the mathematical harmony and simplicity of the heliocentric hypothesis as the best evidence of its truth.[1] In our own day, Aston with his integral atomic weights, Moseley with his atomic numbers, Planck with his quantum theory, and Einstein with his claim that physical facts such as gravitation are exhibitions of local space-time properties, are reviving ideas that, in older, cruder forms, appear in Pythagorean philosophy.[2]

The Problem of Matter

If astronomical phenomena are the more striking, and therefore the first to arrest attention, the problem of the nature of matter cries equally to thoughtful minds for an explanation. The origin of chemistry is to be sought in arts that are as old as mankind, and especially in the discovery and use of fire. Cooking, the fermenting of grape juice, the smelting of metals, the making of stoneware, are prehistoric achievements. The Egyptians were skilled in dyeing, in tempering iron, in making glass and enamel, and in the use of metallic compounds as mordants, pigments and cosmetics, while, as far back as fifteen hundred years before Christ, the people of Tyre produced the famous Tyrian purple dye from shellfish.

As in geometry, so in the problem of matter, the Greeks seem to have been the first to theorize. They ignored the vast amount of knowledge which must have been available in what they regarded as base mechanic arts, and reasoned only on what was obvious to every Greek gentleman. We find the Ionian philosophers tracing the changes of substances from earth and water to the bodies of plants and animals, and back again to earth and water. They began to realize the conception of the indestructibility of matter, and, from Thales onwards, despite the obvious superficial differences in bodies, speculated on the possibility of a single "element", water, air or fire, as a common basis of all things.

[1] E. A. Burtt, *Metaphysical Foundations of Modern Science*, London and New York, 1925, pp. 23, 44. Also see below Chapter III.
[2] A. N. Whitehead, *Science and the Modern World*, Cambridge, 1927, p. 36.

At the beginning of the fifth century philosophy passed into controversy, and attacks were made both on the Ionians and the Pythagoreans from two sides. All concerned showed the characteristic Greek love of theorizing from first principles and dogmatizing about phenomena.

Heraclitus (c. 502), poet and philosopher, expressed contempt for the materialist tendency of Anaximander and Anaximenes. To him the primary element or reality was the aethereal fire, a kind of soul stuff, of which all is made and to which all returns. The perpetual alternation of opposites in this world—sleeping and waking, death and life—makes the ceaseless rhythm of the ever-living fire. All things move in order, and all are in a state of flux—πάντα ῥεῖ. Truth can only be found within, a reflection of the universal Logos or reason.

Another type of critical philosophy was also reached *a priori* by the philosophers of Elea in Southern Italy, of whom the chief was Parmenides, who flourished about the year 480.

Entranced by the operations of the human mind, Parmenides pushed to an extreme the characteristic Greek assumption that what is inconceivable is impossible, even if the senses tell us that it has, in fact, happened. He argued thus: Creation is impossible because something cannot be conceived to arise from nothing, or being from non-being, indeed non-being cannot be. Conversely, destruction is impossible because something cannot vanish into nothing. Even change is impossible, because a thing cannot arise from another thing which is in essence unlike itself. Thus the appearances of change, of diversity and multiplicity, of time and space, which we see or think we see in nature, are but false impressions of sense, which thought proves to be self-contradictory. Hence, sense cannot lead to truth, which can be found by thought alone. Sense perceptions are unreal, non-being; thought alone is real, true being. Interpreted in other terms, to touch reality we must eliminate all differences in bodies, and thus get left with a single uniform essence. This is the only reality, one, eternal and unchangeable, limited only by itself, evenly extended and therefore spherical. In the apparent world of phenomena, the unreal but still observed Universe is a series of concentric shells of fire and earth; though all this is but "opinion" and not necessarily "truth".

Some of these ideas were carried further by Zeno of Elea, a younger contemporary of Parmenides, who opposed the Pythagorean doctrine that all things are made of integral numbers and thought he had discredited multiplicity by his famous series of paradoxes. A manifold must be divisible to infinity and therefore must itself be infinite, but, in trying to build it up again, no number of infinitely small parts can make a finite whole. The swift Achilles, pursuing a tortoise, reaches the spot whence the tortoise started; the tortoise has now moved on to a further spot; when Achilles arrives there, the tortoise has once more advanced—and so on to infinity, but Achilles never catches the tortoise.

Parmenides seems to dispute about the meanings accidentally assigned to words, meanings always arbitrary and often changing, and Zeno's paradoxes rest on misconceptions about the nature of infinitesimals and the relations of time and space cleared up by modern mathematicians. But Zeno certainly proved that the idea of division without limit into infinitesimal units as then understood was inconsistent with experience. The discrepancy could only be resolved completely when different kinds of infinity, not equivalent to each other, were distinguished in the nineteenth century.

Nevertheless, the Eleatic philosophy is important to us in two ways. In the first place, by discrediting the senses, it helped the atomists to seek reality in things imperceptible to the senses, and to explain what afterwards came to be called the secondary or separable qualities of bodies, such as hotness or colour, as mere sense perceptions. Secondly, the search for a single unity, representing the underlying reality in all things, while it aided the physicists in their search for a single chemical element, led the philosophers to separate substance (οὐσία) from qualities or accidents (πάθη). Put in final form by Aristotle, this idea of the nature of matter dominated mediaeval thought.

Anaxagoras was another Ionian philosopher, born near Smyrna about 500 B.C., who took the more materialist Ionian ideas of philosophy with him to Athens forty years later. To Anaxagoras matter was a crowd of different entities each with different qualities or accidents as the senses suggest. However far division is carried, the parts contain things like the whole, though differences may arise from different proportions in the ingredients. Motion was originally started by Mind (νοῦς), a subtle fluid causing rotation which spreads and so makes and orders the world. The heavenly bodies are matter of the same nature as the Earth; the Sun is not the God Helios, but an ignited stone; the Moon has hills and valleys. Besides these speculations Anaxagoras made some real advance in exact knowledge. He dissected animals, gained some insight into the anatomy of the brain, and discovered that fishes breathe through their gills.

We see other ideas of matter in the famous hypothesis of four elements, held by the Pythagoreans and worked out in a more definite form by the Sicilian philosopher Empedocles (450 B.C.), who taught *The Problem* that the "roots" or elements were earth, water, air and fire—a solid, *of Matter* a liquid, a gas, and a type of matter still rarer than the gaseous. These four elements were combined throughout the Universe in different proportions under the influence of the two contrasted divine powers, one attractive and one repulsive, which the ordinary eye sees working among men as love and hatred, ideas which recall the conceptions of Pythagoras. By the various combinations of the four elements all the many types of matter are formed, just as a painter makes all shades and tints by combining four pigments.

Parmenides had argued against the existence of empty space, which men thought they perceived in air. Anaxagoras and Empedocles demonstrated the corporeal nature of air, and, by experiments with a water-clock, the latter showed that water can only enter a vessel as air escapes. This discovery proved air to be distinct both from empty space and from vapour.

The idea that all things are made of four elements seems to have been derived from a natural misinterpretation of the action of fire. When burned, it was thought, a substance must be resolved into its elements; combustible matter is complex, while the small quantity of ash left by burning it is simple. For instance, when green wood is burnt, the *fire* is seen by its own light, the smoke vanishes into *air*, from the ends of the wood *water* boils off, and the ashes are clearly of the nature of *earth*.

Other theories based on this conception of fire followed in later times. It was the first great guiding idea of chemistry. Marsh says: "The fire theories are: the Greek theory of the four elements, the alchemical theory of the composition of metals, the iatrochemical theory of the hypostatical principles and the phlogiston theory",[1] which was developed during the eighteenth century. The rise and fall of these theories will be traced in the later chapters of this book.

Empedocles thought that, by imagining his four elements united *The Atomists* in different proportions, he could explain all the endless kinds of different substances known to man. Leucippus and Democritus carried this simplification further, and developed into a theory of atoms the older and alternative hypothesis of a single element.[2]

The ground on which the atomic theory of the Greeks was founded

---

[1] J. E. Marsh, *The Origins and Growth of Chemical Science*, London, 1928.
[2] See works already mentioned, esp. Burnet; also J. Masson, *The Atomic Theory of Lucretius*, London, 1884; Paul Tannery, "Démocrite et Archytas", *Bull. des Sciences math.* vol. x, 1886, p. 295; F. A. Lange, *Geschichte des Materialismus*, 1866 and 1873, Eng. trans. London and New York, 1925; Cyril Bailey, *The Greek Atomists and Epicurus*, Oxford, 1928.

The Atomists was very different from the definite experimental facts known to Dalton, Avogadro and Cannizzaro when they formulated the atomic and molecular theories of to-day. The modern chemists had before them exact quantitative measurements of the proportions in which chemical elements combined by weight and by volume. These limited and definite facts led irresistibly to the idea of atoms and molecules, and gave to them at once relative atomic and molecular weights. The theory thus formulated was found to conform with all the rest of the many isolated or interconnected facts and relations which had become the common heritage of science, to be supported by other successive experiences, and to serve as a useful guide in the study and even in the prediction of new phenomena. Although, like every other scientific generalization, it had philosophic meaning, it was not deduced from, or even necessarily bound up with, any complete philosophic theory of the Universe. It was a humbler but more useful affair.

The Greeks had neither definite observed facts to suggest an exact and limited theory in the first place, nor the power of testing by experiment the consequences of the theory when framed. The Greek theory was founded on and incorporated in a cosmic scheme of philosophy, and it remained a doctrine, like the metaphysical systems in ancient and modern times, dependent on the mental attitude of its originators and their followers, and liable to be upset and replaced from the very foundations by a new system of a rival philosopher. And this indeed is what happened.

The Ionian philosophers reasoned from the general knowledge of their time in the light of the prevalent metaphysical ideas. When matter is divided and subdivided, do its properties remain unchanged? Is earth always earth, and water water, however far the process is carried? In other words, are the properties of bodies ultimate facts of which no further explanation can be given, or can we represent them in terms of simpler conceptions, and thus push the limits of ignorance one step further back?

It is this attempt at a rational explanation, in what seemed simpler terms, that makes the efforts of the Greeks to solve the problem of matter important in the history of scientific thought. According to the ideas that preceded their attempt, and followed the fall of the atomic philosophy, the qualities of substances were thought to be of their essence; the sweetness of sugar, and the colour of leaves, were as much a reality as the sugar and leaves themselves, and not to be explained by reference to other facts, or as varieties of human sensation.

It is of interest to trace the origins of the Greek atomic theory. *The Atomists* Thales took water, Anaximenes air, and Heraclitus fire, as primary elements. Anaximenes' element, air, suffered condensation and rarefaction with its essence unchanged. Heraclitus' theory of endless flux suggested the idea of invisible moving particles, realized in the evaporation of water and in the diffusion of scent. This led back to the Pythagorean doctrine of integral monads, conforming to the laws of number, as the ultimate reality. The conception of vacant space empty of matter was also held by the Pythagoreans, though they confused it with air. It was attacked by Parmenides, but it was revived by the atomists owing to the difficulty of explaining how particles could move in a fully packed space or plenum. Air was now known to be corporeal, and thus to the atomists empty space became a real vacuum.

Such were the trains of thought which suggested the theory that matter consists of ultimate particles scattered in a void, a theory which explained all the relevant facts then known—evaporation, condensation, motion, and the growth of new material. It is true that the fundamental problem remained, and was emphasized by other Greek philosophers. Were the atoms themselves infinitely divisible? The atomist evaded the logical pitfall, and held that atoms were physically indivisible because there was no void within them.

The earliest atomists whose fame has reached us are Leucippus, a shadowy figure of the fifth century who is said to have founded the school of Abdera in Thrace, and Democritus, who was born at Abdera in 460 B.C. Their views are known to us by references in the works of later writers such as Aristotle, and by the work of Epicurus (341–270), who adopted and taught the theory of atoms at Athens as part of a complete philosophy of ethics, psychology and physics, set forth again two centuries later in the poem of the Roman Lucretius.

Leucippus laid down the basal idea of atomism and also the principle of causation—"Nothing happens without a cause, but everything with a cause and by necessity." He and Democritus carried further the attempt of the Ionian philosophers to explain the properties of matter in terms of simpler elements. They saw that to admit the qualities of bodies as fundamental and inexplicable would stop all further enquiry. In contra-distinction to this view, Democritus taught: "According to convention there is a sweet and a bitter, a hot and a cold, and according to convention there is colour. In truth there are atoms and a void." Thus, although he opposed Protagoras, who held the relativist view that "man is the measure of all things", so that, for instance, honey may be sweet to me but bitter to you, Democritus saw that reality could not be reached through the senses alone.

The atoms of Democritus were uncaused, existent from eternity, and never annihilated—"strong in solid singleness". They were many in size and shape, but identical in substance. Thus difference in properties is due to differences in size, shape, position and movement of particles of the same ultimate nature. In stone or iron the atoms can only throb or oscillate, in air or fire they rebound at greater distances.

Moving in all directions through infinite space, the atoms strike against each other, producing lateral movements and vortices, thus bringing similar atoms together to form elements and starting the formation of innumerable worlds, which grow, decay and ultimately perish, only those systems surviving which are fitted to their environment. Here we see a faint forecast of the nebular hypothesis, and of the Darwinian theory of natural selection.

In the original form of the theory there is no idea of an absolute up or down, levity or heaviness. Moreover, motion persists unless opposed. To Aristotle, these sound ideas were incredible, and later on the theory seems to have been modified to meet his criticism. The truth had to be rediscovered by Galileo. In astronomy the atomists were reactionary, picturing the Earth as flat; but in other respects they were in advance of their contemporaries and their successors.

Democritus' teaching, as transmitted to us by Lucretius, effects a wonderful simplification in the mental picture of nature previously held. In fact, the picture is too simple. The atomists passed unconsciously over difficulties which, after the lapse of twenty-four centuries, are still unsolved. Fearlessly they applied the theory to problems of life and consciousness which still defy explanation in mechanical terms. Confidently they believed they had left no mysteries, blind to the great mystery underlying and surrounding all existence a mystery none the less profound to-day than when the atomic theory was first formulated.

The philosophic question at issue between the atomists and their opponents was the same as that which reappeared in the eighteenth century, when Newton's physics were made the basis of a mechanical philosophy by his French disciples. Is the reality underlying nature something which in its essence resembles nature as it appears to the human mind, or is it a vast machine indifferent to man and his welfare? Is a mountain in reality a mass of rock clad in the green mantle of trees and the white coverlet of everlasting snow, or is it in essence a concourse of minute particles with no human qualities, *The Atomists* particles which somehow produce the illusion of form and colour in the human mind? The physicist analyses matter into particles, and finds that their forces and motions can be described in mathematical terms. The materialist pushes this scientific result into philosophy, and says that there is no other reality. The idealist revolts against an inhuman Cosmos, and in Greece the atomic philosophy, which seemed to demand it, was rejected. In the eighteenth century Newtonian science was too firmly established to be upset, and other roads of escape had to be sought in the dualism of Descartes or the idealism of Berkeley.

Whatever be its value in philosophy, in science the Democritean atomic theory is nearer to the views now held than any of the systems which preceded or replaced it, and its virtual suppression under the destructive criticisms of Plato and Aristotle must, from the scientific standpoint, be counted a misfortune. Platonism in its various forms was left to represent Greek thought to later ages, a fact which was one of the reasons why the scientific spirit vanished from the earth for a thousand years. Plato was a great philosopher, but in the history of experimental science he must be counted a disaster.

Greek medicine[1] contained much that was derived directly or *Greek* indirectly from Egypt. The two most famous Grecian schools were *Medicine* those of Cos and Cnidos. In the former, disease was treated as a derangement of the normal and healthy body and reliance was placed on the *vis medicatrix naturae*; in the latter, each disease was studied and a specific remedy was sought.

With regard to the earliest historic times, it is interesting to note that in Homer's *Iliad* the effects of different wounds are accurately described, and the treatment prescribed is simple and straightforward, showing the wholesome tradition of a rational spirit in medicine and surgery among the race of Homeric heroes. But it seems that this tradition was not general. In the *Odyssey* magic appears, and, among the bulk of the people in Greece as in other southern and eastern lands, spells and incantations formed the prevalent type of treatment. Even in later times the two modes of thought were mingled. Towards the end of the classical period, after the height of Greek medical knowledge had been reached, there was still a large element of magic and sorcery in the medical treatment provided by the temples of Aesculapius (the god of healing) at Epidaurus,

---

[1] C. Singer, *A Short History of Medicine*, Oxford, 1928; R. O. Moon, *Hippocrates and his Successors*, London, 1923.

Athens and elsewhere. But, even to-day, charms are still relied on in some parts of England and Wales.

As medicine was developed, the deductive method so dear to the Greeks was introduced, and preconceived notions about the nature of man or the origin of life were used as the basis of medical treatment, and doubtless cost many patients their lives. When theorizing was kept within bounds, medicine made rapid progress; the status of the physician rose with it, and an excellent code of professional life was adopted, afterwards formulated in the famous Hippocratic oath.[1] It bound the physician to act solely for the benefit of his patient, and to keep his life and art pure and holy.

Most Greek philosophers dealt, incidentally at any rate, with the theory of medicine. To it the Pythagoreans applied their special tenets. Alcmaeon of Croton (c. 500 B.C.), probably the first to practise dissection and the chief pre-Socratic embryologist, discovered the optic nerve, and realized that the brain is the central organ of sensation and of intellectual activity. Anaxagoras made experiments on animals and studied their anatomy by dissection. Empedocles taught that blood flowed to and from the heart, and that health depended on a right equilibrium of his four elements in the body.

Greek medicine culminated in the school of Hippocrates (c. 420 B.C.) with a theory and practice of the art somewhat resembling those which are current to-day, and far in advance of the ideas of any intervening epoch till modern times are approached. Their physiology, unlike that of Aristotle and Galen, was not concerned with final causes; it dealt more with how than why, and was thus modern in spirit. The use of experiment appears: for instance, the Hippocratic writer concerned with embryology advises the observer to open hens' eggs day by day as incubation proceeds. Disease was reckoned as a process subject to natural laws. The insistence on minute observation and careful interpretation of symptoms pointed the way to modern clinical medicine, while many diseases were accurately described and appropriate treatment indicated. Anatomy was practised to some extent, but it was not till later, probably at Alexandria under the sway of the Ptolemies, that systematic human dissection first gave a firm basis of ascertained fact to human anatomy and physiology.

The atomic philosophy marks the culmination of the first great period of Greek science. It was followed by a pause or even a retrogression, an indication of the danger of philosophic *a priori* methods in dealing with nature. Perhaps the rise of Athens as a democratic

[1] Singer, *loc. cit.* p. 17.

state turned men's chief energies to rhetoric and politics. Fluent speech became the only road to power, and philosophers tended to study economics and ethics rather than mathematics and natural science.

The next advance in knowledge is found in the writings of the early historians. Perhaps the first was Hecateus (540–475 B.C.), and then Herodotus (484–425), who travelled far, and gave valuable descriptions of people and countries. He showed a laudable curiosity, as may be seen in his enquiries into and speculations upon the causes of the regular flooding of the Nile. A more accurate and critical spirit is to be observed in Thucydides (460–400 B.C.), who criticized the mythical period of Greek history in the spirit of a scientific historian, described the Peloponnesian War as an eye-witness, and gave an account of plague at Athens, and of the solar eclipse in the year 431.

The influence of atomism is again seen in the scepticism of some of its opponents, who, like the atomists, doubted the power of the senses to give us information about the external world. But an opposite conclusion was drawn. The atomists had assigned reality to matter rather than to mind; the opposing school held that, since sensation certainly exists while its messages about reality are doubtful, sensation is the only reality. A corresponding reaction from a mechanical philosophy to phenomenalism is seen in a later age.

A critical type of the reaction appears in Socrates, who, in the pose of an enquirer, cross-examined sophist, politician or philosopher, exposing ignorance, stupidity and pretentiousness wherever he found them. He upheld the supremacy of the mind, since it apprehends the true "forms" or ideals towards which the objects of sense are only tending. Moral perfection is an ideal; equality is an ideal; but two stones can never do more than approach equality as a limit. Socrates regarded the mind as the only worthy object of study, and held that the true self was not the body but the soul and the inner life. Thus his influence tended to turn men's attention away from the investigation of nature. Indeed, from one point of view, Socrates led a religious reaction against the materialistic attitude of the nature philosophers of Ionia, although popular clamour charged him with atheism. Plato's rejection of a mechanical determinism is explained in the famous scene in the *Phaedo*, where Socrates in prison is waiting the time when he must drink the hemlock. Plato makes him tell his friends that to Anaxagoras the causes of his sitting there may be the nature of his bones and sinews. But the real causes are:

that, since it appeared better to the Athenians to condemn me, I thought it better to sit here and more just to remain and submit to the punishment which they have ordered, for, by the dog, I think these sinews and bones would have been long ago in Megara or Boeotia, borne thither by an opinion of that which is best, if I had not thought it more just and honourable to submit to whatever sentence the city might order rather than to flee and run stealthily away.

Socrates here shows a natural reaction from a premature mechanical philosophy, and perhaps a certain misunderstanding of and antagonism to the scientific attitude of mind. Certainly he turned philosophy from a study of the past and present to a consideration of the future— the end for which the world was created. But Aristotle says there are two scientific achievements that may fairly be attributed to Socrates, universal definitions and inductive reasoning.

In his disciple Plato (428–348 B.C.), who was the greatest exponent of idealism, sceptic and mystic were combined. Plato's ideas of nature were deduced *a priori* from human needs and predilections. God is good and the sphere is the most perfect of forms, therefore the Universe must be spherical. Primary matter is identical with extended space; the four elements are not letters of Nature's alphabet or even syllables of her words. For the marking of time there are heavenly bodies moving in cycles, to which God has given circular motion. Plato clearly shows the influence of the Pythagorean mystical doctrine of form and number, and, though his application of it to astronomy was less modern than that of the Pythagoreans, he regarded the stars as floating free in space, moved by their own divine souls. But a combination of Plato's cycles could be made to represent the apparent path of the Sun round the Earth, a system of astronomy afterwards developed in detail by Hipparchus and Ptolemy, though, in his old age, Plato is said to have realized that a moving Earth would give a simpler account of the phenomena.

Plato's physics and biology were anthropomorphic, even ethical. While the Ionians held an evolutionary cosmogony, that of Plato was creational. His cosmos was a living organism with body, soul and reason. In the *Timaeus* he deduces from this theory a view of the nature and structure of the Universe, even of human physiology, on the fanciful analogy between the cosmos and man, the macrocosm and the microcosm—an idea, held also by Alcmaeon, which persisted through the Middle Ages.

Based on such thought, Plato's science was for the most part fantastic. He roundly condemned experiment as either impious or a base mechanical art. Mathematics, a deductive science, on the other hand, he prized highly. Plato himself formulated the idea of negative numbers, and treated the line as "flowing" from a point—

the germ of the "method of fluxions" developed by Newton and *From the Atomists to Aristotle* Leibniz. In mathematics, mental concepts, suggested perhaps by observation, but purified by reason, were subjected to logical analysis, and their consequences unfolded. Here indeed was a delight and a task worthy of a philosopher.

Such views led Plato to develop the theory of "intelligible forms"— the doctrine that "forms" or ideas alone possess full being and reality which he denied to individuals. This theory was afterwards applied to the problem of classification. In nature we find numberless groups more or less similar; triangles, let us say, on the one hand, and animal and vegetable species on the other. The Greeks and Mediaevalists never distinguished between these two sides of the problem, or realized the difficulties inherent in the classification of natural living objects. They regarded classes as sharply separate, like the words used to name them, and proceeded to consider *a priori* the similarities in the individuals composing the classes.

To explain the similarity, Plato imagined a primary type to which, in some way, the individuals conform or approach. Plato found that, when the mind begins to frame definitions and to reason about them in general terms applicable to any particular case, the definitions and reasonings are connected with these hypothetical types. All natural objects are in a constant state of change; it is only the types that are real and remain constant and unchangeable. Hence Plato was led to his characteristic form of idealism, known to later ages as realism, the theory that these ideas have a real existence and are, in fact, the only realities. Individuals, whether dead substances or living beings, are but shadows. There is no reality in them till the mind grasps their essence, and thus discovers classes or universals. The ideas or universals alone are real and fit subjects for rational analysis.

Plato's School at the Academy in Athens lasted for nine centuries— till closed by the Emperor Justinian in A.D. 529.

Aristotle,[1] who was born in 384 B.C. at Stagira in Chalcidice, and *Aristotle* died in 322 in Euboea, was a son of the physician to Philip, King of Macedon, and was himself the tutor of Alexander the Great. After many years of study as a disciple of Plato, he founded a new school of philosophy, known as the Peripatetic, from the custom of master and pupils walking together in the gardens of the Lyceum at Athens.

Aristotle was the greatest collector and systematizer of knowledge whom the ancient world produced. His supreme importance in the

[1] An English translation of Aristotle's works is issued by the Oxford University Press, 1908–. See also W. D. Ross, *Aristotle*, London, 1923.

Aristotle history of science consists in the fact that, till the Renaissance of learning in modern Europe, though appreciable advances in our knowledge of special parts of nature were made by single individuals, no systematic survey and no complete grasp of knowledge at all comparable with his appeared in all the centuries that followed him. One of the intellectual tasks of the early Middle Ages was to assimilate as much of his works as could be gleaned from imperfect and incomplete compendiums; and the later mediaeval writers devoted their strength to recovering his meaning when the full text of his books appeared in the West. Aristotle's works are an encyclopaedia of the learning of the ancient world, and, save in physics and astronomy, he probably made a real improvement in all the subjects he touched. Moreover he was one of the founders of the inductive method, and the first to conceive the idea of organized research. But it is his own labours in science and in the classification of knowledge that give him his great title to fame.

Among his many writings which have survived, the *Physical Discourse* deals with the philosophy of nature, the principles of existence, matter and form, motion, time and space, the ever-moving sphere of the outer heaven, and the Unmoved Mover who must exist to keep it in motion. Aristotle holds that a continually acting cause is needed to keep a body moving, while Plato seems to assume that a cause is only needed to deflect it from a straight path. Aristotle's book *On the Heavens* gradually descends from the outer region to the material and perishable, and thus leads to an account of Generation and Destruction, in which the opposing principles of hot and cold, wet and dry, produce by their mutual action in pairs the four elements, fire, air, earth and water. To the terrestrial elements Aristotle added aether, which moves in circles and makes up the heavenly bodies, perfect and incorruptible.

The *Meteorologics* treat of the region between heaven and earth, the realm of the planets, comets and meteors; and include primitive theories of sight, colour vision and the rainbow. In the fourth book, probably written not by Aristotle but by his successor Straton, we have an account of primitive ideas on chemistry. Of two exhalations imprisoned within the earth, the one, steamy or wet, gives rise to the metals, and the other, smoky or dry, to the rocks and minerals that cannot be melted. Ideas are given on solidification and solution, generation and putrefaction, and on the properties of composite bodies. Aristotle's meteorology, which to us seems much less satisfactory than his work on biology, had considerable influence during the later Middle Ages.

Perhaps the greatest of Aristotle's advances in exact knowledge   *Aristotle*
were those he made in biology. He defined life as "the power of
self-nourishment and of independent growth and decay". He divided
zoology into three parts: (1) Records about Animals, dealing with
the general phenomena of animal life, i.e. natural history; (2) On the
Parts of Animals, organs and their functions, i.e. anatomy and
general physiology; and (3) On the Generation of Animals, reproduction and embryology. He mentions some five hundred different
animals, some with an accuracy and detail which show personal
observation, and fifty with a knowledge gained by dissection and
illustrated by diagrams. For his account of others he relied on
fishermen, hunters, herdsmen and travellers.

Naturally such a mass of information is of unequal value, but
Aristotle records many facts only rediscovered in recent centuries.
He recognized that whales are viviparous; he distinguished carti-
laginous from bony fishes; he described the development of the
embryo chicken, detected the formation of the heart, and watched
it beat while it was yet in the egg.

In general embryology his ideas mark an important advance.
Earlier views, possibly derived from Egypt, regarded the father as
the only real parent, the mother providing merely a home and
nourishment for the embryo. Such beliefs were widespread, and
largely underlay patriarchal customs both in the ancient and the
modern world. Aristotle recognized the female contribution to generation, and held that she supplied substance for the active male principle
to form. He regarded the embryo as an automatic mechanism which
only needs to be started.

In classifying animals, Aristotle rejects the older principle of dicho-
tomy, whereby animals were placed in contrasted groups, such as
land and water animals, winged and wingless. He observed that this
principle led to the separation of animals nearly related, such as
winged and wingless ants. He recognized that it is necessary to use
as many distinguishing qualities as possible, and, by the help of this
method, he drew up a table of classes which was much nearer modern
systems of classification than any previously adopted.

Even in physiology, though his conclusions and theories are often
wrong, he seems to have practised vivisection, and in general his
methods mark a great step in advance. For instance, after giving
a description of the views on respiration held by earlier naturalists,
he points out that "the main reason why these writers have not given
a good account of the facts is that they had no acquaintance with the

internal organs, and that they did not accept the doctrine that there is a final cause for whatever Nature does. If they had asked for what purpose respiration exists in animals, and had considered this with reference to the organs, e.g. the gills and the lungs, they would have discovered the reason more rapidly ". Here the insistence on the need for observation of anatomical structure before the framing of views on the functions of organs is sound, though the insistence on an enquiry into final causes is dangerous. In the treatment which follows, Aristotle passes in review the structure of a number of animals, and describes the action of their lungs or gills. In drawing conclusions, he had, of course, little knowledge of chemistry to help him, the idea of gases other than air was unknown, and the only change in air which could be suggested was its heating or cooling. Aristotle's theory that the object of respiration is to cool the blood by contact with air, though to us obviously false, was perhaps the best of which his age was capable. On the other hand, it seems strange that although Alcmaeon and Hippocrates had recognized that the seat of intelligence is in the brain, Aristotle should have returned to the view that it is in the heart, the brain being to him a mere cooling organ. Furthermore, his denial of the sexuality of plants caused a long delay in its rediscovery and final acceptance.

In physics in the modern sense, and in astronomy, Aristotle was less successful than in biology, which till recent years was still chiefly an observational science. The success of his attack on the atomic philosophy shows the insecurity of physical theories which, though sound in themselves, are not founded on a broad and detailed basis of experimental fact. He rejected the atomic theory altogether because its consequences did not agree with his other ideas of nature, and, in the absence of definite confirmatory evidence, he was able to secure a general acceptance of his views.

As an example of Aristotle's method of criticism, his treatment of the problem of falling bodies is instructive. Democritus had taught that in a vacuum the heavier atoms would fall faster than the lighter ones. Aristotle, on the other hand, held that in a vacuum bodies must fall equally fast, but argued that such a conclusion is inconceivable, and that therefore there can never be a vacuum.

With the possibility of empty space, he rejected all the allied concepts of the atomic theory. He also argued that if all substances were composed of the same ultimate material they would all be heavy by nature, and nothing would be light in itself or tend to rise spontaneously. A large mass of air or fire would then be heavier than a small mass of earth or water, and the earth or water could not sink *Aristotle* through air or fire as it is known to do.

Aristotle's error arose from the fact that, in common with other philosophers before Archimedes, he had no idea of the conception now known as density or specific gravity; he failed to see that it is the weight per unit volume compared with that of the surrounding medium which determines rise or fall, and, following the teaching of Plato, he attributed the motion to an innate instinct leading everything to seek its own natural resting-place. This doctrine, that bodies are essentially heavy or light in themselves, was accepted with the rest of Aristotle's philosophy by the Schoolmen and theologians of the later Middle Ages. Thus his dead hand held back the advance of knowledge till Stevinus, about A.D. 1590, appealing to actual experiments, showed that, save for a difference produced by the resistance of the air, heavy bodies and light ones fall at the same rate, and thus, when his work was known and repeated by Galileo, destroyed the Aristotelian conception of heaviness and lightness as essential qualities.

Aristotle, too, though he accepted the spherical form of the Earth, maintained the geocentric theory which regarded the Earth as the centre of the Universe, and his authority did much to prevent the heliocentric theory, when put forward by Aristarchus, from being accepted by astronomers till the days of Copernicus seventeen hundred years later.

In rejecting the atomic theory, Aristotle fell back on the view originating with the Pythagoreans that the essence of matter was to be found in four primary and fundamental qualities, existing in contrasted and opposite pairs—the hot and the cold, the wet and the dry. These qualities united in binary combination to form the four elements, earth, water, air and fire, which, in varying proportions, build up different kinds of matter. Water was wet and cold, fire hot and dry, and so on. Later writers mixed this theory with the Hippocratic doctrine that the body was composed of four liquids or humours: blood, phlegm, black bile for melancholy and yellow bile for anger. The combination of these was supposed to determine bodily constitution, and excess of one or the other produced sanguine, phlegmatic, melancholic or choleric temperaments. Blood was supposed to be related to fire, phlegm to water, yellow bile to air, and black bile to earth.

All this, to us fanciful nonsense, is necessary for the comprehension of ancient and mediaeval thought, and indeed for an understanding of one of the sources of some of the words still used in our language.

Aristotle The doctrine of the four elements lasted till the seventeenth century, and we still use the terms of the theory of four humours to describe the dispositions of our friends.

Besides his work on different branches of science, Aristotle wrote on many philosophic subjects, and, in them all, influenced profoundly his own and succeeding ages. From Plato, his master in philosophy, he took over many metaphysical ideas, some of which he modified in accordance with his greater knowledge of nature. Plato had no insight into the meaning of experimental science; his interests were philosophical. Hence perhaps arises the fact that Plato's theory of nature as a whole, and even that of his pupil Aristotle, were less in accordance with what we now hold to be the truth, than the conclusions of the older nature-philosophers, though in metaphysics Plato went deeper, and in points of scientific detail Aristotle far surpassed them in knowledge.

With the more metaphysical aspects of Greek thought we are but little concerned. Yet, owing to its importance in mediaeval controversy and in the development of modern science after the Renaissance, we must touch once more on Plato's doctrine of ideas, and Aristotle's variation of it.

Plato, as we have seen, allowed no full reality to individual things or individual beings—to actual lumps of stone, to single plants or animals. The intelligible form of a universal class, whether of stones or of plants, alone is fully real.

To Aristotle, often immersed in the detailed study of definite individual animals or other concrete objects, this thorough-going idealism was not a convenient attitude of mind, and he broke away from it. But the influence of his master remained and indeed increased in his later years, though he never returned to Plato's extreme position. While admitting the reality of the individuals, the concrete objects of sense, Aristotle came to recognize also a secondary reality in the universals or ideas. In later ages Aristotle's divergence from the "realism" of Plato was developed into what was called "nominalism", in accordance with which the individuals are the sole realities, the universals being only names or mental concepts. To this whole question we shall be brought back when dealing with mediaeval thought.

Whatever be the truth of Plato's doctrine of ideas from a metaphysical point of view, the mental attitude which gave it birth is not adapted to further the cause of experimental science. It seems clear that, while philosophy still exerted a predominating influence on science, nominalism, whether conscious or unconscious, was more favourable to the growth of scientific methods. But Plato's search for *Aristotle* the "forms of intelligible things" may perhaps be regarded as a guess about the causes of visible phenomena. Science, we have now come to understand, cannot deal with ultimate reality; it can only draw a picture of nature as seen by the human mind. Our ideas are in a sense real in that ideal picture world, but the individual things represented are pictures and not realities. Hence it may prove that a modern form of the realism of ideas may be nearer the truth than is a crude nominalism. Nevertheless, the rough-and-ready suppositions which underlie most experiments assume that individual things are real, and most men of science talk nominalism without knowing it, as Monsieur Jourdain talked prose.

The characteristic weakness of the inductive sciences among the Greeks is explicable when we examine their procedure. Aristotle, while dealing skilfully with the theory of the passage from particular instances to general propositions, in practice often failed lamentably. Taking the few available facts, he would rush at once to the widest generalizations. Naturally he failed. Enough facts were not available, and there was no adequate scientific background into which they could be fitted. Moreover, Aristotle regarded this work of induction as merely a necessary preliminary to true science of the deductive type, which, by logical reasoning, deduces consequences from the premises reached by the former process.

Aristotle was the creator of formal logic, with its syllogistic form and show of conclusiveness. It was a great discovery, and by itself would have been enough to make the reputation of a lesser man. Aristotle applied his discovery to the theory of science, choosing as examples the mathematical subjects and especially geometry, which had already passed from its early tentative stage, in which perhaps Thales was trying to rationalize the empirical rules of land-surveying, to a later more completely deductive form.

But syllogistic logic is useless for experimental science, where discovery, and not formal proof from accepted premises, is the main object sought. To start from the premise that an element cannot be broken up into simpler bodies would have led to a correct list of known elements in 1890, but by 1920 it would have excluded all those that are radio-active. Thus the premise has been modified, and the word "element" has changed its meaning. But that fact does not destroy its utility, nor does it invalidate modern physics.

Fortunately modern experimenters have not troubled about the formal rules of logic; but the prestige of Aristotle's work did much to

Aristotle   turn Greek and mediaeval science into a search for absolutely certain premises and into the premature use of deductive methods. The results were the assignment of infallibility to many very fallible authorities and much false reasoning in deceptive logical form. As Dr Schiller says:

> The whole theory of science was so interpreted, and the whole of logic was so constructed, as to lead up to the ideal of demonstrative science, which in its turn rested on a false analogy which assimilated it to the dialectics of proof. Does not this mistake go far to account for the neglect of experience and the unprogressiveness of science for nearly 2000 years after Aristotle?[1]

Aristotle was followed as head of the Peripatetic School by his pupil Theophrastus, born about 370 B.C., whose chief work was in mineralogy and in botany, both systematic and physiological. It is held by some that records collected by the scientific staff which accompanied Alexander on his campaigns were used by Theophrastus, who described and classified plants, and gained some knowledge of plant organs and their functions. For instance, he distinguished bulbs, tubers and rhizomes from true roots and understood the sexual reproduction of higher plants—knowledge which, owing to the disbelief of Aristotle, was lost to the world till Andrea Cesalpini revived the work of Theophrastus at the Renaissance.

Theophrastus was succeeded by Straton, a physicist, who tried to reconcile the views of Aristotle and the Atomists, though he himself held a thorough-going mechanical philosophy. From this time the school of the Lyceum became less important, and, by the middle of the third century, its work was done.

Between the times of Plato and Aristotle, about 367 B.C., Eudoxus of Cnidos did good work in astronomy, though his cosmogony was a relapse from the ideas of the Pythagoreans with their moving Earth. Eudoxus held that the Earth was the centre of all things, and that the Sun, Moon and planets revolve round it in concentric crystal spheres. This was the first serious attempt to explain the apparently irregular movement of those bodies. The system of Eudoxus led to the more elaborate schemes of Hipparchus and Ptolemy, whose cycles and epicycles satisfied astronomers till the time of Copernicus. In its day, the now discredited geocentric theory, which gave a quantitative explanation of the phenomena, was an immense advance over the ideas which preceded it. A false hypothesis, if it serve as a guide for further enquiry, may be more useful at the time than a truer one for which verifiable evidence is not yet at hand.

---

[1] *Studies in the History and Method of Science*, ed. C. Singer, Oxford, 1917, p. 240.

The literary bent which has characterized modern studies of ancient times has directed attention chiefly to the ages when the poets and sculptors of Athens were putting forth their masterpieces. It would be unfair to say that the classical period of Greece produced no science. There was geometry before Euclid; the medicine of Hippocrates and the zoology of Aristotle were based on sound observation. Yet the philosophic outlook was metaphysical and not scientific; even the atomic theory of Democritus was speculative philosophy and not science.

With the marches of Alexander the Great we reach a new epoch. He carried to the East that Greek culture which was already spreading westwards over the Mediterranean, and in return he brought Babylonia and Egypt into closer touch with Europe, while his staff collected vast stores of facts in geography and natural history. Thus began three centuries of Hellenism, from the death of Alexander in 323 to the establishment of the Roman Empire by Augustus in 31 B.C., centuries during which Greek culture, having passed its zenith in its original home, spread to other lands and dominated the known world. A form of the Greek language, ἡ κοινή, the common speech, was understood "from Marseilles to India, from the Caspian to the Cataracts", and the upper classes from Rome to Asia accepted Greek philosophy and the Greek outlook on life. Commerce became international, and thought was free as it was not to be again till modern days in some nations of the western world.

The increased knowledge of the Earth led to more curiosity about natural things, and a more scientific attitude of mind. We are at once conscious of a more familar atmosphere—indeed there is much resemblance to our own times, though there were then few machines and many slaves. A change in method appears. We pass from general philosophic systems and encyclopaedic surveys of knowledge to more modern specialization. Definite and limited problems are isolated from others and attacked singly, and real progress in natural knowledge is seen. Indeed, the change from the synthetic philosophies of Athens to the analytic science of Archimedes and the early Alexandrians is closely parallel to the change from the Scholasticism of late mediaeval writers to the modern science of Galileo and Newton.

In Hellenistic learning the Greek element was predominant, but other influences were not wanting. Babylonian astronomy, making simultaneous advance under Kidinnu (or Kidenas) of Sippar, was

---

[1] W. W .Tarn, *Hellenistic Civilization*, London, 1927; W. H. S. Jones and Sir T. L. Heath, "Hellenis c Science and Mathematics", in *Cambridge Ancient History*, vol. vii, p. 284.

becoming available in Greek translations, bringing with it the fantasies of Chaldaean astrology. The most important development in philosophy, Stoicism, was due to Zeno of Citium, who was reckoned a Phoenician.

The Hellenistic period comprised two phases; the first expansive and creative in politics, literature, philosophy and science, the second showing an exhaustion of the creative impulse and a reaction, both material and spiritual, of the East on the West, "The Graeco-Macedonian world is caught between that reaction and Rome, until Rome, having destroyed the Hellenistic state-system, is ultimately compelled to take its place as the standard-bearer of Greek culture." But the Greek period of Hellenism went down in the civil wars of Rome, and the Empire developed a culture which, though Graeco-Roman, was unable to exclude for long Asiatic influences.

Even in the earlier period, soon after the time of Alexander, eastern ideas began to spread. Star-worship began at a very early date in Babylon; the idea of a correspondence between the heavens above and man beneath suggested that the planets, which move in fixed paths, determine men's actions, for man the microcosm is a counterpart of the macrocosm, and his soul but a spark of the fire which glows in the stars. Hence arose the terrible Babylonian idea of the Fate which rules alike stars and gods and men.

Plato had heard of astrology, but effective knowledge of it was first brought to the Greeks by Berosus about 280 B.C. In the second century, when science began to fail, astrology spread rapidly, and, under the influence of Posidonius, it began an evil career which did not end even with Copernicus and Newton.

As a means of escape from Fate, men looked first to the heavens themselves, where incalculable bodies like comets suggested room for freedom. But more hopeful seemed the three roads opened by magic, by the mystery religions, and by what in early Christian times was called gnosticism.

The gnostic held that a god had revealed a secret key to the Universe to some chosen soul, and, if man could but rediscover it, his soul would be free, for Knowledge is above Fate.

Magic is almost ubiquitous, but in the second century a fresh flood from Asia followed astrology into Europe, and gave men the hope of controlling nature, the gods and the stars. The papyri of the time are full of recipes for charms and spells.

The mystery religions, based on the prehistoric rites of initiation and communion, for the most part sought salvation by personal union with a saviour-god, known under many names, who had died and risen again. These religions, as we have seen, had long been known in Greece, but, with the breakdown of the local deities of Olympian mythology in the international atmosphere of Hellenistic times, they swept the world. From the second century onward men's religious sense deepened, and, till the rise of Christianity, their needs were mostly met by the mystery religions.

Astrology, magic and religion make their appeal to all men, but philosophy and science only to the few. The most characteristic and most important Hellenistic philosophy was Stoicism. Zeno began teaching in Athens soon after 317 B.C., and his doctrines spread till they became the chief philosophy of Rome. Though Stoicism took physics as theoretically the basis of logic and ethics, it had little direct contact with physical science. Its theology was a form of pantheism, and its real meaning and its real power lay in a high and stern concept of morality.

Of more importance in the history of science is the system of Epicurus, because, although its interests were mainly philosophical and not scientific, it was based on the atomism of Democritus. It thus preserved the atomic theory till Lucretius came to enshrine it for us in his poem.

Epicurus, who was born at Samos in 342 B.C. and died at Athens in 270, led a reaction against the idealist philosophy of Plato and Aristotle, a reaction which involved a belief in a dualism of mind and body. To Epicurus, all that exists is corporeal, though some things such as atoms are too small for the senses to appreciate directly. Man's soul is but a warm breath, and death is the end of all. There are gods, but they, like man, are a product of nature and not its creators; they exist in perfect blessedness and tranquillity and are to be worshipped neither in fear nor in hope. They are

> careless of mankind.
> For they lie beside their nectar, and the bolts are hurled
> Far below them in the valleys, and the clouds are lightly curl'd
> Round their golden houses, girdled with the gleaming world.

The only test of reality is sensation; ideas are but fainter images produced by repeated sensation, stored in memory, and recalled by names. The less obvious phenomena of nature are to be explained on analogy with what is familiar. Nature is made of atoms and a void as in the scheme of Democritus. Our world is but one of many produced by chance conjunctions of atoms in infinite space and endless time.

Man is subject neither to the tyranny of capricious gods nor to the blind immutable Fate imagined by the Babylonians and by some Greek philosophers; he is as free as he seems to himself to be. Man, like a god, can withdraw himself from external troubles, and seek grave and solemn pleasure in quiet ease of heart. Prudential wisdom is more than philosophy. Thus Epicurus used the atomic theory and a primitive sensationalism as a basis on which to build a system of cheerful if superficial optimism. His physics are subservient to his ethics.[1]

Deductive
Geometry
The higher value assigned by Aristotle to deductive as compared with inductive reasoning, was due to the fact that the most successful product of the Greek mind was the deductive science of geometry.[2] The details of its history are not within the scheme of this book, but in any account of science it must find some place, even if it be regarded as merely one of the tools which natural science has used most freely.

Geometry, as its name implies, arose from the practical need of land-surveying, and this need was greatest, and was best met, in Egypt, where the inundations of the Nile periodically removed the landmarks. Tradition says that it was Thales of Miletus, earliest of Ionian philosophers, who, after a visit to Egypt, conceived the thought of an ideal science of space and form based on the empirical rules for land-surveying. The next great step seems to have been taken by Pythagoras and his disciples, who not only proved new theorems, but arranged in some sort of logical order those already known.

A history of geometry was written by Eudemus of Rhodes about 320 B.C. Fragments of this work remain, and from them can be gathered some idea of the gradual additions which were made to geometrical propositions. Existing knowledge was collected, developed and systematized by Euclid of Alexandria about 300 B.C. From a few axioms, regarded as self-evident properties of space, a wonderful series of propositions was deduced by logical principles, in a manner which, till quite recent years, remained the only accepted method.

Geometry can now be looked at in two ways. Firstly, it can be taken as the deductive step in one of the observational and experimental sciences. From the empirical facts of Egyptian land-surveying, certain axioms and postulates are laid down. They seem to be self-

[1] Cyril Bailey, *The Greek Atomists and Epicurus*, Oxford, 1928.
[2] See Whewell and Rouse Ball, *loc. cit.* Also G. J. Allman, *Greek Geometry*, Dublin, 1889.

evident facts, but really they are hypotheses as to the nature of space,
obtained by a process of imaginative induction from the observed
phenomena. From these hypotheses mathematical geometry deduces
by logical reasoning an immense number of consequences, such as
those given in the books of Euclid and in geometrical astronomy. Till
quite recently, all these consequences were found to agree with the observations and experiments made on nature. In particular the mathematical astronomy of Newton and his followers, to the days of Adams
and Leverrier, an astronomy which assumed Euclidean space, verified
the hypotheses to a high degree of accuracy. On this view, as we
have said, geometry is but the deductive part of an experimental
science.

But it is possible to look at it in another way. Common observation
suggests space of a certain kind. The mind adopts the suggestion, and
defines an ideal space, which *is* perfectly what observed space seems
to be. At a later stage the mind defines other kinds of space—non-
Euclidean, perhaps impossible of physical representation. Having
obtained its definitions, the mind is now free to develop their logical
consequences, with no reference to what is or is not in accordance
with nature. If space is defined as having three dimensions, one set
of consequences follows. If we assume that space, or what corresponds to space, has *n* dimensions, we get other consequences. It is
a pretty and intellectual game, but necessarily it has nothing directly
to do with nature or with experimental science, though the methods
learnt in the game may afterwards prove useful.

Both these two points of view are essentially modern. The Greek
mathematicians and philosophers accepted implicitly the simple
intuitional idea, in which the axioms of geometry are taken to be facts
self-evident to the mind. But whatever view we may now take of its
philosophic meaning, deductive geometry was especially suited to the
Greek genius, and, unlike some other products of Greek thought, it
marked a permanent step in the advance of knowledge, a step which
never had to be retraced. Indeed, Greek geometry may well be
considered to share with modern experimental science the highest
place among the triumphs of the human intellect.

The origins of the sciences of mechanics and hydrostatics are to be
sought in the practical arts, rather than in the writings of the early
Greek philosophers, but they were placed on a sound footing when
observation was allied to the deductive methods learnt in geometry.
The first known to have done this was Archimedes of Syracuse (287–
212 B.C.), whose work, more than that of any other Greek, shows the

true modern combination of mathematics with experimental enquiry; a combination in which definite and limited problems are attacked, and hypotheses are set forth only to have their logical consequences first deduced and then tested by observation or experiment.[1]

The idea of the relative densities of bodies, which, as we have seen, was unknown to Aristotle, was first formulated clearly by Archimedes, who, moreover, discovered the principle known by this name—that, when a body floats in a liquid, its weight is equal to the weight of liquid displaced, and, when it is immersed, its weight is diminished by that amount. It is said that King Hiero, having entrusted some gold to the artificers who were to make his crown, suspected them of alloying it with silver. He asked Archimedes to test this suspicion. While thinking over the problem, Archimedes noticed in his bath that he displaced water equal in volume to his own body, and saw at once that, for equal weights, the lighter alloy would displace more water than the heavier gold. This flash of insight revealed to Archimedes his principle, but he then proceeded to deduce it mathematically from his fundamental conception of a fluid as a substance that yields to any, even the smallest, shearing stress, that is, a force tending to cause one layer to slide over another.

Archimedes also considered the theoretical principle of the lever, the practical use of which must be of immemorial antiquity and is illustrated in the sculptures of Assyria and Egypt two thousand years before the days of Archimedes. Nowadays we treat the law of the lever as a matter for experimental determination, and deduce other, more complicated, results from it. But, with the Greek love of abstract reasoning, Archimedes deduced that law from what he regarded either as self-evident axioms, or as statements which could be verified by simple experiment: (1) that equal weights placed at equal distances from the point of support balance; (2) that equal weights placed at unequal distances do not balance, but that which hangs at the greater distance descends. Implicitly, however, the principle of the lever, or of the centre of gravity, which is equivalent to that of the lever, is contained in these axioms. Nevertheless, the co-ordination of the law of the lever with ideas which then seemed simpler was a step in advance. It is, indeed, the type of most scientific explanation which, in its essence, generally consists in describing new phenomena in terms of others more familiar to our minds.

Archimedes' chief interest lay in pure geometry, and he regarded

[1] Sir T. L. Heath, *Works of Archimedes*, Cambridge, 1897; E. Mach, *Die Mechanik in ihrer Entwickelung*; John Cox, *Mechanics*, Cambridge, 1904.

his discovery of the ratio of the volume of a cylinder to that of a sphere inscribed in it as his greatest achievement. He measured the circle by inscribing and circumscribing polygons, increasing the number of sides till the polygons nearly met on the circle. By this method of exhaustion he showed that the ratio of the circumference to the diameter was greater than $3\frac{10}{71}$ and less than $3\frac{1}{7}$. The mechanical contrivances for which he was famous—compound pulleys, hydraulic screws, burning mirrors—were considered by him as the recreations of a geometer at play.

Archimedes and the Origins of Mechanics

Archimedes was no mere compiler. Nearly all his writings are accounts of his own discoveries. It is a sign of the modernity of his outlook that the greatest man of the Renaissance, Leonardo da Vinci, sought for copies of the works of Archimedes more eagerly than for those of any other Greek philosopher. And nearly indeed were his writings lost to the world. Apparently at one time the only survival was a manuscript, probably of the ninth or tenth century, which has long ago disappeared. But fortunately three copies were made, and are extant; and from these the printed editions have been taken.

Archimedes, the first and greatest of physicists of the modern type in the ancient world, who helped with his engines of war to keep the Romans at bay for three years, was killed by a soldier after the storming of Syracuse in the year 212. His tomb was discovered and piously restored in 75 B.C. by Cicero, who was then Quaestor in Sicily.

In the fourth century before Christ, geographical discovery made considerable progress. Hanno passed the Pillars of Hercules, and sailed down the west coast of Africa; Pytheas voyaged round Britain towards the polar seas, and also correlated the lunar phases with the tides; Alexander marched to India. It was known that the Earth was a sphere, and some idea of its true size began to be formed. This growth in knowledge was not favourable to the ideas of the counter-earth or central fire imagined by Philolaus, and those parts of Pythagorean astronomy were thenceforward discredited. But the knowledge gained of the variations with latitude in the length of day and night led Ecphantus, one of the latest of the Pythagoreans, to the simpler conception of the revolution of the Earth on its own axis at the centre of space. This was also taught about 350 by Heraclides of Pontus, who held that, while the Sun and major planets revolve round the Earth, Venus and Mercury revolve round the Sun as it moves.

Aristarchus and Hipparchus

A much bolder step was taken by Aristarchus of Samos (c. 310–230 B.C.),[1] an older contemporary of Archimedes, who, in his extant work *On the Sizes and Distances of the Sun and Moon,* applies some very capable geometry to that problem. By considering firstly the phenomena to be observed at an eclipse of the Moon, and secondly those seen when the Moon is half full, he arrived at the conclusion that the ratio of the diameter of the Sun to that of the Earth must be greater than 19:3 and less than 43:6, i.e. about 7:1. This figure is of course much too small, but the principle of his investigation is sound, and the realization that the Sun is larger than the Earth was in itself a remarkable achievement.

According to Archimedes, Aristarchus also put forward the hypothesis "that the fixed stars and the sun remain unmoved, that the earth revolves round the sun on the circumference of a circle, the sun lying at the centre of the orbit". This theory of Aristarchus is mentioned by Plutarch also. To explain the apparent immobility of the fixed stars in face of the movement of the Earth, Aristarchus rightly concluded that their distances are enormous compared with the diameter of the Earth's orbit.

The heliocentric view of the Cosmos was too far in advance of the time to receive general assent. According to Plutarch, the belief was held confidently in the second century B.C. by Seleucus the Babylonian, who strove to find new proofs and defended it vigorously. But the rest of mankind, including even the philosophers, still considered the centre of the Universe to be the Earth, whether they regarded it as a floating ball round which the heavens revolved, or as the fixed, stable, bottomless solid it seemed to the senses.

The pressure of common-sense, reinforced by the balance of authority, was too great for the revolutionary views of Aristarchus. About 370–360 B.C. Eudoxus of Cnidos, as we have seen, had explained the apparent motion of the Sun, Moon and planets by imagining them carried round in crystal spheres all concentric with the Earth. This conception proved to be the basis on which it was possible for later astronomers to elaborate the geocentric theory. About 130 B.C., Hipparchus developed it into a form which, expounded by Ptolemy of Alexandria about A.D. 127–151, held the field till the sixteenth century of our era.

Hipparchus was born at Nicaea in Bithynia, and worked in Rhodes and then in Alexandria from 160 to 127 B.C. Only fragments of his

---

[1] Sir T. L. Heath, *Aristarchus of Samos, the Ancient Copernicus, a History of Greek astronomy to Aristarchus,* Greek text and translation, Oxford, 1913.

writings remain, but his work was fully set forth by Ptolemy. He made use of the older Greek and Babylonian records; he invented many astronomical instruments, and made therewith many accurate observations, being the first of the Greeks to divide the circle of such instruments into 360 degrees in the Babylonian manner.[1] He is usually considered to have discovered the precession of the equinoxes, though a claim to priority for Kidenas the Babylonian has been put forward by Schnabel,[2] and it is certain that Hipparchus knew Kidenas' work. Hipparchus estimated the precession at 36 seconds of arc a year, the real value being about 50 seconds. He calculated the distance of the Moon to be $33\frac{2}{3}$ times the diameter of the Earth, and its diameter to be $\frac{1}{3}$ that of the Earth, the true figures being 30·2 and 0·27. He invented both plane and spherical trigonometry, and showed how to fix the position of places on the Earth by measuring their latitude and longitude.

Aristarchus and Hipparchus

The cosmogony of Hipparchus, though erroneous in its main underlying assumption, and therefore complicated in its details, was successful in representing the facts. Accepting the Earth as centre, Hipparchus showed that the apparent motions of the Sun, Moon and planets could be explained by supposing that each body was carried round in an orbit or epicycle, while this orbit was itself carried as a whole round the Earth in an immensely larger circular orbit or cycle. From direct observation, the positions and dimensions of these cycles and epicycles could be determined. Tables were then drawn up, from which the position of the Sun, Moon and planets at any future time could be predicted, and solar and lunar eclipses could be foretold with a considerable degree of accuracy.

The great difficulty which faced astronomers from the days of Aristotle till Galileo discovered the principle of inertia, was that of explaining the continued motion of the heavenly bodies. According to Aristotle's view, which replaced that of Plato, continued motion needed a continual moving force; Aristotle therefore postulated an Unmoved Mover, and the more mechanically minded found it necessary to suppose the skies filled with crystal spheres, which carried round the heavenly bodies in their cycles and epicycles.

It is easy to disparage this astronomy in the light of modern knowledge, but the fact remains that, complicated as the theory became, it served for many centuries to interpret successfully the phenomena of the heavens, and guided the labours of many competent astronomers

[1] For astronomical instruments, see Whewell, *loc. cit.* vol. i, p. 198.
[2] Tarn, *loc. cit.* p. 241.

Aristarchus and Hipparchus

from Ptolemy to Tycho Brahe. The credit for its chief development must be assigned to Hipparchus. Unfortunately the geocentric theory, which the weight of his great name upheld, conduced to the follies of astrology. As long as the Earth was the centre, and the Sun and stars in their courses circled round it, such beliefs were inevitable.

There is a legend of a glass on the Pharos which enabled those who watched to see ships beyond the normal range of vision. Cornford suggests that, if this be true, and if some Greek philosopher, over-coming his prejudice against mechanic crafts, had made a telescope, Aristarchus might have been justified, and the course of scientific history changed.

The School of Alexandria

By the end of the fourth or the beginning of the third century before Christ the intellectual centre of the world had moved from Athens to Alexandria, the city founded in 332 by Alexander the Great. One of Alexander's generals, Ptolemy (not the astronomer), founded there a Greek dynasty which became extinct on the death of Cleopatra in the year 30 B.C. Among those who made the schools of Alexandria illustrious in the reign of the first Ptolemy, 323 to 285, were the geometer Euclid and Herophilus the anatomist and physician.

In the Greek civilization of Alexandria a new and more modern spirit appears, as in other Hellenistic lands. Instead of the complete intellectual systems in which the Athenian philosophers were pre-eminent, the men of Alexandria, following the lead of Aristarchus of Samos and Archimedes of Syracuse, undertook limited and special enquiries, and therefore made more definite scientific progress.

About the middle of the third century, the famous Museum, or place dedicated to the Muses, was founded at Alexandria. The four departments of literature, mathematics, astronomy and medicine were in the nature of research institutes as well as schools, and the needs of them all were served by the largest library of the ancient world, containing some 400,000 volumes or rolls. One section of the library was destroyed by the Christian Bishop Theophilus about A.D. 390, and, after the Muslim conquest in the year 640, the Muhammadans, whether accidentally or deliberately is uncertain, destroyed what the Christians left. But for some centuries the Library of Alexandria was one of the wonders of the world, and its destruction was one of the greatest intellectual catastrophes in history.

We have already considered the work of Euclid under the head of deductive geometry. He systematized the writings of older geometers and added many new theorems of his own. He also studied optics, realized that light travels in straight lines, and discovered the laws of reflection.

The Alexandrian school of medicine was established chiefly by the work of two men, Herophilus and Erasistratus. The former, born at Chalcedon, flourished at Alexandria under Ptolemy I. He was the earliest distinguished human anatomist, and the greatest physician since the days of Hippocrates. His medicine was empirical and almost free from theoretical preconceptions. He gave a good description of the brain, of the nerves and of the eye, of the liver and other internal organs, of the arteries and veins; and he held that the seat of intelligence is the brain, and not the heart as maintained by Aristotle.

Erasistratus, a younger contemporary of Herophilus, practised human dissections and made experiments on animals. He was keenly interested in physiology, and was the first to treat it as a separate subject. He added to the knowledge of the brain, of the nerves and of the circulatory system, holding that there are in the body and the brain special vessels for the blood and for the spirit ($\pi\nu\epsilon\hat{\upsilon}\mu\alpha$ $\zeta\omega\tau\iota\kappa\acute{o}\nu$) which he identified with air. Taking over from Epicurus the tenets of the atomic theory, Erasistratus was opposed to medical mysticism, though he believed in nature acting as an external power, framing the human body for the ends it is to serve. Herophilus, Erasistratus and a third anatomist, Eudemus, made their century remarkable in the history of medicine.

In the latter part of the third century B.C., another group of great men appears, younger contemporaries of Archimedes. Among them was Eratosthenes, born at Cyrene about 273 and died at Alexandria about 192. He was Librarian of the Museum, and the first great physical geographer. He held the Earth to be spheroidal and calculated its circumference by estimating the latitudes and distances apart of Syene and Meroe, two places on nearly the same meridian. His result was 252,000 stades, equal to about 24,000 miles. He reckoned the distance of the Sun as 92 million miles. These are surprisingly close approximations to the modern estimates of 24,800 and 93 million miles respectively. Eratosthenes argued from the similarity of the tides in the Indian and Atlantic Oceans that those oceans must be connected and the world of Europe-Asia-Africa an island, so that it should be possible to sail from Spain to India round the south of Africa. It was probably he who conjectured that the Atlantic might be divided by land running from north to south and inspired Seneca's prophecy of the discovery of a new world. Posidonius later rejected this idea, and, underestimating the size of the Earth, said that a man

sailing west for 70,000 stades would come to India. This statement
gave Columbus confidence.

A striking advance in mathematics was made at Alexandria in the
latter half of the second century B.C. by Apollonius of Perga, who
collected the knowledge of conic sections due to Euclid and his predecessors, and carried the subject much further by his own work.
Apollonius showed that all conics could be considered as sections of
one cone; he introduced the names parabola, ellipse and hyperbola;
he treated the two branches of the hyperbola as a single curve, and
thus made clear the analogies between the three kinds of section. He
obtained a solution of the general equation of the second degree by
means of conics, and determined the evolute of any conic. His treatment of the whole subject is purely geometrical.

In the second century at Alexandria we meet again with Hipparchus, whose great work in astronomy has already been described. By
this time Alexandria was losing its supremacy in Greek learning,
which later was shared with Rome and Pergamos. Of uncertain date,
somewhere between the first century B.C. and the third A.D., is Hero
(Ἥρων ὁ μηχανικός), mathematician, physicist and inventor. He found
algebraic solutions of equations of the first and second degree, and
worked out many formulae for the mensuration of areas and volumes.
He pointed out that the line of a reflected ray of light is the shortest
possible path.[1] But he is chiefly remembered for his mechanical contrivances, such as siphons, a thermoscope, the forcing air pump, and
the earliest steam engine, in which the recoil of steam issuing from
a jet is used to make an arm carrying the jet revolve about an axis,
a forerunner of the jet-propelled aeroplane.

The chief name which distinguishes later Graeco-Roman Alexandrian science is that of the astronomer Claudius Ptolemy,[2] who
must not be confused with the kings of Egypt of the same name. He
taught and made observations at Alexandria between the years
A.D. 127 and 151. His great work, μεγάλη σύνταξις τῆς ἀστρονομίας, later
called by its contracted Arabic name of *Almagest*, is an encyclopaedia
of astronomy, which was based on and expounded the work of
Hipparchus, and remained the standard treatise till the days of
Copernicus and Kepler. In spite of greater fulness of treatment, and
new observations, such as a second inequality in the Moon's motion,
it does not alter materially the theories elaborated by the earlier

[1] G. Sarton, *History of Science*, vol. 1, 1927, p. 208; *Isis*, No. 16, 1924.
[2] G. J. Allman, Sir E. H. Bunbury and C. R. Beazley, art. "Ptolemy", in *Encyclopaedia Britannica*.

astronomer, and the only new instrument described seems to be a mural quadrant. Ptolemy, like his master, improved and developed the science of trigonometry, with the view of basing his work "on the incontrovertible ways of arithmetic and geometry". He reasserted the principle that, in explaining phenomena, it is right to adopt the simplest hypothesis that will co-ordinate the facts, a principle which eventually became the chief weapon of those who disproved the geocentric theory which Ptolemy had consummated.

Ptolemy was a geographer as well as an astronomer,[1] and he exercised an influence in this department of knowledge which was only gradually superseded by the maritime discoveries of the fifteenth and sixteenth centuries. It is difficult to assign the merit of much of the work to the respective shares of Ptolemy himself and his immediate forerunner, Marinus of Tyre, whose writings have not separately survived. Ptolemy undoubtedly placed geography on a secure footing by insisting that correct observations of latitude and longitude must precede any satisfactory attempts at surveying and map-drawing; but his own materials for carrying out such a design were very inadequate, for there was then no method by which longitudes could be determined with any accuracy. Nevertheless, Ptolemy's maps retain their interest. They were put together from information brought by traders and explorers, and depicted a world extending from the shores of the Malay Peninsula and the coastline of China to the Straits of Gibraltar and the Fortunate Islands, and from Britain, Scandinavia and the Russian Steppes to a vague land of lakes at the head waters of the Nile. His general treatment of the subject is that of an astronomer rather than a geographer, for he makes no attempt to describe climate, natural productions or even the aspects which would now be included under physical geography; nor does he avail himself, to any large extent, of the descriptions and accounts of lands within the Roman Empire which must have been accessible in military "itineraries".

A book on Optics is also assigned to Ptolemy. It is only known in a twelfth-century Latin translation from the Arabic, and may or may not be his work. It contains a study of refraction including atmospheric refraction, which is described by Sarton[2] as "the most remarkable experimental research of antiquity". The author finds that when light passes from one medium to another, the angles of

---

[1] See Reviews in *Isis*, No. 58, 1933, of editions of Ptolemy's text and maps by J. Fischer, S. J. and E. L. Stevenson.
[2] *History of Science*, vol. I, 1927, p. 274; *Isis*, No. 16, 1924, p. 79.

incidence and refraction are proportional, a relation which is approximately true for small angles.

With all this good work in real science, it is curious to find that Ptolemy seems to have written a book on astrology. But about this time the classical gods had been moved from Olympus to the sky, and Jupiter, Saturn, Mars, Mercury and Venus continued as planets to rule the destinies of men. Natural Astrologers (i.e. astronomers) observed the sky and made astronomical records, and Judicial Astrologers cast horoscopes and obtained, from a study of the stars, divine guidance in human affairs. Probably his astrology had much to do with Ptolemy's long influence in mediaeval Europe, and, indeed, in an unscientific epoch, it was impossible to tell, save by the method of trial, that the stars did not influence the history of mankind.

Among the practical and intellectual activities of Hellenistic Alexandria we can trace the origins of alchemy. The earliest Greek alchemist probably lived in the first century of our era, but the oldest works on alchemy known to us are those of the so-called pseudo-Democritus of uncertain date, and of Zosimos, who flourished in Upper Egypt in the third or fourth century A.D. There are also writings, probably of the third century, assigned to "Hermes Trismegistos", the Greek equivalent of the Egyptian god Thoth. They are chiefly concerned with Platonic and Stoic philosophy, but they also contain much astrology as well as alchemy, and were afterwards well known in Latin translations.

In order to understand the beginnings of alchemy we must realize both the state of the arts and the philosophic atmosphere of Alexandria.[1] In the preceding centuries there had arisen in all Mediterranean countries an industry, derived from early chemical processes, which supplied imitations of things too expensive for the people. Imitation pearls, cheap dyes which matched the costly Tyrian purple, alloys which looked like silver and gold, all became articles of commerce.

Alchemy, from an early date, was linked with other prevailing realms of thought, and particularly with astrology. The Sun, which vivifies all nature, generates gold, his image or antitype, in the body of the Earth. The white Moon represents silver, Venus copper, Mercury quicksilver, Mars iron, Jupiter tin, and Saturn, farthest and therefore coldest of the five planets, the heavy and dull metal lead.

Platonic philosophy, as set forth in the *Timaeus*, gave a complete monist idealism, and emphasized the theory that matter, an essentially

[1] A. J. Hopkins, in *Isis*, No. 21, 1925, p. 58.

unimportant though necessary element in the sentient world, was fundamentally of one kind. Nothing really exists except in so far as it embodies an ideal, and is therefore good; all nature is living, and (a later Gnostic development) is striving towards improvement. Matter itself, the alchemists believed, is unimportant, but its qualities are real. Men's bodies are all of the same stuff, and men are made good or bad by changing not their bodies but their souls. So metals can be changed by changing their qualities, as, they said, artisans know well; indeed, the qualities *are* the metals. Metals are striving for improvement towards the ideal fire-proof spirit of gold, hence it should be easy to help them on the road. It was known that the mordant salts used in dyeing would etch metals, so that, if a small quantity of gold be added to a base metal, the alloy can be etched to leave a golden surface. Thus, they thought, the higher metal, acting as a ferment or yeast, overcomes the baseness of the mass, changing it into the spiritual quality of gold.

The chief property of the noble metals is their colour—the white of silver, the yellow of gold. Copper can be turned yellow by chemical treatment, and thus be transmuted into gold. This they thought was done either by removing the base earth, and with it the tendency to tarnish, or by increasing the better elements, air and fire, through an improvement in their fire quality or colour. When dead matter has received the colour spirit, it becomes alive, as a man receives a soul.

In practical alchemy, four steps were usually indicated. (1) Tin, lead, copper and iron were fused together into a black alloy in which each had lost its individuality and mingled in the "oneness" of Plato's first matter. (2) Mercury, arsenic or antimony was added, to whiten the copper, and thus simulate silver. (3) A "ferment" of a little gold was then given, and the white alloy treated with sulphur water (i.e. calcium sulphide) or mordant salts. Thus the alloy acquired the colour of gold—indeed, to the Alexandrian alchemist, it *became* gold. To him the essence of matter was not, as it is to us, its mass and specific physical properties and chemical reactions, but the Aristotelian qualities such as colour, readily changeable. Thus, if a metal was given yellow colour and sheen, the essential qualities of gold, it became gold. Unlike some of his successors, the Alexandrian alchemist was neither a fool nor a charlatan; he was experimenting in conformity with the best philosophy of his age; it was the philosophy that was at fault.

Alchemy flourished in Alexandria for about three centuries. Then it ceased, according to one account, by order of the Emperor

The Origins
of Alchemy

Diocletian, who in A.D. 292 commanded all books on the subject to be destroyed. When alchemy revived elsewhere, first among the Arabs and then in Europe, the philosophy under which it had arisen had become modified, and later writers understood neither the terminology nor the spirit of the Alexandrians. They tried to make gold by the old recipes, not knowing that the meaning of the words "gold" and "transmutation" had meanwhile changed with the philosophy. For the most part they hid their failure in a flood of mystical verbosity till the true science of chemistry began to emerge from their debased alchemy.

Astrology and alchemy have an underlying basis of observation of nature, and rational, though mostly erroneous, thought; hence they played a real and respectable part in the early development of astronomy and chemistry. On the other hand, except among primitive peoples, magic is never respectable, and the only reality in it is its psychological influence on human credulity and desire for immediate and irresponsible power. Though magic had something to do with the origins of science, its spirit is definitely opposed to that of science, which shows always a slow, cautious and humble-minded search for truth. In the Hellenistic age the growth of magical superstitions coincides with a decline in ancient science, and in later times science was reborn, not because of, but in spite of, man's belief in magical arts.[1]

The Roman
Age

In the ancient world original scientific thought was almost entirely confined to the Greeks. It would naturally seem probable that the composition of the population of Italy must have been similar in character to that of Greece. But the inhabitants of the two countries showed considerable differences in development and achievement, thus suggesting a difference in race. The Romans, with their exaltation of the State, and their exceptional aptitude as soldiers, administrators and framers of law, had little creative intellectual force, though the numerous compilations that came into being seem to indicate a considerable curiosity about natural objects. Their art, their science, even their medicine, were borrowed from the Greeks; and, when Rome became mistress of the world, Greek philosophers and Greek physicians resorted to the banks of the Tiber, though they established no native schools of philosophy worthy to succeed those of Athens. The Romans seem to have cared for science only as a means of accomplishing practical work in medicine, agriculture, architecture

[1] Lynn Thorndike, *A History of Magic and Experimental Science*, 2 vols. New York, 1923. But see a review by G. Sarton, in *Isis*, No. 16, 1924, p. 74.

or engineering. They used the stream of knowledge without re- *The Roman* plenishing its source—the fount of learning loved for its own sake— *Age* and in a few generations the source, and with it the stream, ran dry.

The opposition felt by conservative Romans to the coming supremacy of Greek thought is shown in the book of Cato the Censor (234–149 B.C.), grandfather of another, more famous Cato. The elder Cato wrote in his old age the first Latin treatise on agriculture, which incidentally gives us information concerning Roman medicine. About the same time Diogenes the Babylonian brought to Rome the philosophy of Stoicism, a system which, reinforced later by elements of Platonism in the teaching of Posidonius, became the characteristic Roman philosophy for three hundred years and is seen in its highest form in the writings of the Emperor Marcus Aurelius. Posidonius is also to be remembered as a traveller, astronomer, geographer and anthropologist. He explained the tides by the joint action of the Sun and Moon, indeed the influence of the heavens on earthly affairs seems to have been the essence of his philosophy. He set Zeus above Fate, and his outlook was religious, but he believed in divination and astrology, and did more to spread such ideas in Europe than perhaps any other man. He wrote a commentary on Plato's *Timaeus*, and his science, like that of Plato, was deduced from, and made subservient to, his philosophy.

Two generations later, by the first century before Christ, the Romans had conquered the world, and Greek learning had conquered the Romans. Much was done to create a philosophical language in Latin and to popularize Greek philosophy by Marcus Tullius Cicero (106–43 B.C.), the Roman lawyer and statesman. He wrote a cosmological work, *de Natura Deorum*, which contains information about the scientific knowledge of the time. He also put forward a teleological theory of the human body, and made many effective attacks on superstitious beliefs and magic rites.

Greek scientific philosophy in the form of atomism was expounded and applauded in the poem *de Rerum Natura* of Titus Lucretius Carus (98–55 B.C.).[1] This poem, like some of Cicero's prose, aims at the overthrow of superstition and the exaltation of reason in the atomic and mechanical philosophy. In one respect Lucretius with Epicurus is less modern than Leucippus and Democritus, for his primordial atoms, instead of moving in all directions, fall together by their own

---

[1] H. A. J. Munro, *Lucretius, Text, Notes and Translation*, 3 vols. 4th ed. London, 1905–1910. See also references for Democritus, p. 21 above. E. N. da C. Andrade, *The Scientific Significance of Lucretius*, introduction to Munro's *Lucretius*, 4th ed. 1928.

weight with equal speed through an infinite void. Lucretius' poem contains no new thought, but, using the ideas of the Greek atomists, proclaims in magnificent language how the principle of causation holds sway over all things, from the invisible evaporation of water to the majestic motion of the heavens bounded by the shining walls of the Universe—*flammantia moenia mundi.*

The greatest figure of the century, Gaius Julius Caesar (100–44 B.C.), is of chief interest to us because of his establishment, with the technical help of Sosigenes, of the reformed Julian calendar, in which the year is taken as being $365\frac{1}{4}$ days. This estimate is a little too large, and led slowly to a discrepancy in dates and seasons. But the calendar remained in general force in Europe till in 1582 its error amounted to ten days. It was then corrected by order of Pope Gregory XIII. In Scotland the change was made in 1600, but in England not till 1752. Caesar also planned a survey of the Roman Empire, which was executed later by Agrippa and set forth in a great map of the world.

About the year A.D. 20 a comprehensive work on geography was written in Greek by Strabo of Amasia in Pontus, a work which throws light on other contemporary sciences. The Roman conquests were, of course, increasing the knowledge of the Earth's surface, and itineraries describing the roads of the Empire began to be composed.

A treatise on architecture, containing a full account of allied physical and technical knowledge, was written by Vitruvius, who understood that sound was a vibration of the air, and gave the first known account of architectural acoustics.

Useful observations on hydrodynamics were made by Sextus Julius Frontinus (A.D. 40–103), a Roman soldier and engineer, who was Superintendent of the Aqueducts of Rome (*curator aquarum*).[1] Frontinus wrote on the water supply of the city, and found from experiment that when water flows from an orifice the rate of flow depends not only on the size of the orifice, but also on its depth below the surface.

Virgil (c. 30 B.C.) described in the *Georgics* the poetry as well as the art of agriculture, and another book on farming was written by Varro, which contains observations on the growth of plants, and suggests the idea that the contagion of disease is due to invisible micro-organisms.

The first official school of Greek medicine was founded in Rome about the year A.D. 14 under Augustus. The best physician of the age was Celsus who in the reign of Tiberius wrote in Latin a great treatise on medicine and surgery, which is the chief source of our

---

[1] Art. "Hydromechanics", in *Enc. Brit.* 9th ed.; G. Sarton, *Introduction to the History of Science*, vol. I, p. 255.

knowledge of the history of the medicine of Alexandria as well as that
of Rome in his own day. Celsus describes many surprisingly modern
surgical operations and in medicine holds a middle course between
the empirical and methodological schools of antiquity, believing in
both theory and observation. His work was lost throughout the
mediaeval period, but it was recovered in time to influence the
medicine of the Renaissance.

About the middle of the first century of our era Dioscorides,
botanist and military physician, wrote a treatise on botany and
pharmacy, which gives an account of some six hundred plants and
their medical properties.[1]

In the second half of the century a certain revival of learning
appears. In especial one Roman citizen, the elder Pliny (A.D. 23–79),
is to be remembered for having produced in the thirty-seven books
of his *Naturalis Historia* an encyclopaedia of the whole science of the
period, and of the knowledge and beliefs of a series of forgotten writers
of Greece and Rome.[2] Starting from a general theory of the Universe
as consisting of the sky and the stars in space, which he regarded as
a manifestation of the Deity, he passed on to review the earth and its
contents. He dealt successively with geography, with man and his
mental and physical qualities, with animals, birds, trees, agricultural
operations, forestry, fruit-growing, wine-making, the nature and uses
of metals, and the origin and practice of the fine arts. He discourses
with equal satisfaction on the natural history of the lion, the unicorn
and the phoenix, unable to distinguish between the real and the
imaginary, the true, the credible and the impossible. He preserves
for us the superstitions of the time, and recounts in all good faith the
practice and utility of various forms of magic. But, to his credit, it
must be remembered that he died a victim to his curiosity in natural
knowledge. He was in command of the Roman fleet at the time of
the great eruption of Vesuvius, which destroyed Pompeii and Her-
culaneum. He landed in order to watch the upheaval, ventured too
far, and was overwhelmed by the storm of falling ashes.

Much of our knowledge of Greek philosophers, and indeed of
Greek philosophy, is derived from the information preserved in the
Lives of the Philosophers, written some two hundred years later by
Diogenes Laertius, but information has also been obtained from the

[1] G. Sarton, *loc. cit.* p. 258; Eng. trans. Goodyear (1655); R. T. Gunther, Oxford, 1934;
Isis, No. 65, 1935, p. 261.
[2] Text ed. by L. von Jan and K. Mayhoff, 5 vols. Leipzig, 1906–1909; Eng. trans.
J. Bostock and H. T. Riley, 6 vols. London, 1885–1887; H. N. Wethered, *The Mind of the
Ancient World.* London, 1937; E. W. Gudger, *Isis*, VI, 269.

works of Plutarch (c. A.D. 50–125).[1] He himself wrote on the constitution of the Moon and gave an account of Roman mythology,[2]
in which appears the idea of a comparative study of religions. Two
other contemporary historians must be mentioned, Josephus (c. 37–
120), who wrote a record of the Jews, and Tacitus (55–120), our
great Latin authority for the political and social history of early
Britain and Germany.

In the next generation, while Ptolemy the astronomer was working
at Alexandria, Greek medicine flourished there and at Rome, as well
as in other schools which by this time had been established. From the
doctors who worked in them we can trace a line of intellectual descent
to Aretaeus of Cappadocia, and his more famous contemporary Galen
(Galenus), after Hippocrates the most renowned physician of the
ancient world.

Galen was born at Pergamos in Asia Minor in A.D. 129, and practised
at Rome and elsewhere till about the year 200.[3] He systematized
Greek anatomical and medical knowledge, and united the divided
schools of medicine. He dissected animals and a few human bodies,
and discovered many new facts in anatomy and physiology, pathology
and therapeutics. He made experiments on living animals; in this
way he examined the action of the heart and made an investigation
of the spinal cord which Sarton classes as one of the two most notable
experiments of ancient times.[4] In philosophy he held that all was
determined by God, and the structure of the body formed by Him
for an intelligible end. Galen's system of medicine, in opposition to
the mechanistic views of the atomists and their followers, was
founded on the idea of spirits of different kinds pervading all parts
of the body. Galen's πνεῦμα ψυχικόν was translated into Latin as
spiritus animalis and thus became our familiar "animal spirits" the
meaning of which is perhaps sometimes misunderstood. It was for
dogmas deduced with great dialectic subtlety from these views, and
the authority with which he expounded them, rather than for his
really great observations and experiments, or his practical skill in his
profession, that Galen became famous, and influenced medicine for
fifteen hundred years. His theistic attitude of mind appealed both to
Christendom and to Islam, and partly explains his great and lasting
influence.

His general theory of the bodily functions held its ground till

---

[1] Text with Eng. trans. by B. Perrin, 6 vols. London, 1914–1918.
[2] *The Roman Questions*, Eng. trans. and notes by H. J. Rose, Oxford, 1924.
[3] G. Sarton, *loc. cit.* p. 301; Sir T. C. Allbutt, *Greek Medicine in Rome*, London, 1921.
[4] *Isis*, No. 16, 1924, p. 79.

Harvey discovered the circulation of the blood. Galen taught that the blood is formed in the liver from the food and then mixed with "natural spirits" which give it nutritive properties. Some of this blood passes to the body through the veins and back by the same channels to the heart in a tidal ebb and flow. The rest of it goes from the right side of the heart to the left through invisible pores in the septum, and is there mixed with air drawn from the lungs. By the heat of the heart it is laden with "vital spirits"; this higher kind of blood ebbs and flows into the parts of the body through the arteries, and thus enables the various organs to perform their vital functions. In the brain the vital blood generates "animal spirits", which, pure and unmixed with blood, pass along the nerves to bring about movement and the higher functions of the body.[1]

This scheme of physiology, wonderfully ingenious and successful considering Galen's knowledge, is of course very far from the truth. Unfortunately Galen's doctrine became more important in men's eyes than Galen's own free spirit of enquiry, and his authority blocked the road of physiology after the Renaissance till Harvey had the courage to ignore it.

The Romans may have achieved little in theoretic science but in practice they were notable. Sanitation and public health were well organized in Rome. Mighty aqueducts brought fresh water to the city, a public medical service was established, hospitals built, and the armies equipped with medical officers.

The schools of medicine continued, but from the time of Galen, or even earlier, general science and philosophy in the ancient world show clear signs of their final eclipse. With the exception of Diophantus of Alexandria, who lived in the second half of the third century after Christ, and was the greatest Greek writer on algebra, there is no other man of the first rank. Before his day algebraic problems were treated either by geometry or by reasoning in words,[2] but he introduced abbreviations for those quantities and operations which continually recur, and was thus enabled to solve simple equations and a binomial quadratic. He dealt also with indeterminate expressions where the number of unknown quantities is greater than the number of equations.

This work marks the beginning of algebra as a separate subject, but after Diophantus no serious contribution to scientific knowledge was

---

[1] Sir Michael Foster, *History of Physiology*, Cambridge, 1901, p. 12.
[2] Sir Thomas L. Heath, *Diophantus of Alexandria, a Study in the History of Greek Algebra*, 2nd ed. Cambridge, 1910; Paul Tannery, papers in his *Memoirs*, 1879–1892; W. W. Rouse Ball, *History of Mathematics*, London, 1901, p. 107.

made by the ancient world. Although the first three centuries of the Empire marked the culmination of the great achievement of Roman Law, it is obvious that, even before the decay of Rome as a political power, science had come almost to a standstill, in common with other forms of philosophic thought. No advance in knowledge was being made, and the only activity was that shown in the writing of compendiums and commentaries, chiefly on the Greek philosophers. Among the commentators we must mention Alexander of Aphrodisias, head of the Lyceum about the year A.D. 200, who strove to preserve the pure Peripatetic doctrine. Aristotle was still regarded as the great authority on all questions of scientific theory and even of actual fact, though the prevailing metaphysical philosophy, at any rate in the then predominant school of Alexandria, was derived from Plato, through the more mystical Neo-Platonic school, of which Alexandria was the centre. About the beginning of the fourth century a Latin commentary on Plato's *Timaeus* was written by Chalcidius. This became almost the only source of mediaeval knowledge of Plato, and, during the centuries when the works of Aristotle were forgotten, it gave to the Middle Ages a philosophy of nature from which many of their fantastic ideas were derived.

As we have seen, the scientific work of the Alexandrian school was carried on, almost entirely, by men of Greek descent. But other elements in the population began gradually to play their part, especially in the more metaphysical branches of philosophy. Among these non-Greek elements one of the most important was supplied by the Jews. At Alexandria a school of thought arose, influenced on the one hand by Hellenistic culture, and on the other by Jewish and Babylonian tradition. It must be remembered that but a small and relatively unimportant number of the Jews returned to Palestine at the end of the Babylonian captivity, while many of the remainder established themselves as traders in the cities of Asia Minor and the Levant, and formed a network of communication, commercial, political and intellectual, throughout the East. Alexandria became the commercial and intellectual, while Jerusalem remained the religious centre of this scattered community, and for this reason Alexandria was the first important meeting-ground between Greek philosophy and Oriental religions, especially Judaism and Christianity. Many of the early Greek Fathers of the Christian Church lived at Alexandria or drew their philosophy therefrom. It was by their means that much Greek philosophy retained its vitality and took its place in that synthesis of Jewish, Greek and Christian thought which went to the composition of Patristic theology. The ideas of Plato, and to a lesser degree those of Aristotle, thus passed into early Christian theology, and became current in mediaeval Europe long before their origin was suspected by the Churchmen, who, when Greek authors were afterwards rediscovered, were amazed to find the prototypes of familiar Christian doctrines embedded in the works of heathen philosophers.

Though the early Fathers lived during the period under consideration, and though their writings form a connecting link between mediaeval religion and the more metaphysical elements in classical philosophy, it will be better to postpone till the next chapter the short but necessary account of their work and its influence on scientific thought, for they have little to do with the mathematical or observational science of the ancient world.

The Decline and Fall of Learning

CHAPTER II

THE MIDDLE AGES

The Middle Ages—The Fathers of the Church—The Dark Ages—The Reconstruction of Europe—The Arabian School of Learning—The Revival of Learning in Europe—The Thirteenth Century—Thomas Aquinas—Roger Bacon—The Decay of Scholasticism.

The Middle Ages[1] UNTIL recent times the term "Middle Ages" was applied to the whole long interval of a thousand years between the fall of the ancient civilization and the rise of the Italian Renaissance. But the revival of interest in the history, art and religion of the thirteenth and fourteenth centuries has led to a clear recognition of the fact that by then a new civilization had arisen, and there is now a growing tendency to restrict the name "mediaeval" to the four hundred years between the "Dark Ages" and the Renaissance.

Nevertheless, to the historian of science there are advantages in the older classification. The "Dark Ages" of Western Europe coincided with the beginning of a remarkable growth of learning in those Asiatic countries which were soon afterwards conquered by the Arabs. The Persian and Arabic school originally based its teaching on translations from Greek authors, but at a later time it added appreciable contributions of its own to natural knowledge. Europe gained much from the Arabs, whose learning was in its prime from 800 to 1100 A.D. But afterwards science became chiefly a European activity, and the thirteenth century showed a real intellectual advance, helped by the recovery of complete Greek texts, especially those of Aristotle. But it was not till the period of the Renaissance that the western world began to examine Greek philosophy critically, and endeavour to find its own way in the new experimental method. Thus the period from the year 1100 onward, like the dark age that preceded it, is to the historian of science but a time of preparation. The two divisions are part of the same whole, and may well be treated together, though for the historian of politics, literature or art they are distinct and separable. To us, then, the Middle Ages have their old significance—the thousand years that passed between the fall of the ancient learning

---

[1] For a general account of mediaeval thought see (1) H. F. Stewart, "Thought and Ideas", in *Cambridge Mediaeval History*, vol. 1, ch. 20; (2) H. O. Taylor, *The Mediaeval Mind*, 2 vols., New York and London, 1911 and 1914. For facts and references down to the year A.D. 1300 see G. Sarton, *Introduction to the History of Science*, vols. 1, 11, Baltimore, 1927, 1931.

and the rise of that of the Renaissance: the dark valley across which mankind, after descending from the heights of Greek thought and Roman dominion, had to struggle towards the upward slopes of modern knowledge. In religion, and in social and political structure, we are still akin to the Middle Ages from which we have so recently emerged; but in science we are nearer to the ancient world. As we look back across the mist-filled hollow, we see the hills behind more clearly than the nearer intervening ground.

In order to appreciate the causes which produced the great failure of Europe to increase the stores of natural knowledge in the Middle Ages, it is necessary to trace the development of the mediaeval mind. We must first realize the general outlines of the theology of Christian faith and ethics framed by the early Fathers in terms of Hebrew Scripture, Greek philosophy, the mystery religions and the underlying primitive rites. Next, we must follow the changes in the resultant doctrines as they were moulded by each succeeding age into instruments of controversy with pagan or heretic. We shall then understand why Patristic and early mediaeval Christianity was inimical in spirit to secular learning; why philosophy became the handmaid of theology, and natural science vanished from the earth.

The older Greek philosophies were frankly founded on observation of the visible world. With Socrates and Plato the enquiry took a deeper turn, and moved from questions of phenomena to those of underlying reality, from natural to metaphysical philosophy of an idealistic and mystical tendency. "The Greek mind became entranced with its own creations." To Plato, external facts, whether of nature or of human life and history, only became real when apprehended by the mind. Their true meaning must lie in that aspect of them which accords with the mind's consistent scheme of concepts, for thus alone can the facts be thought of, and thus alone can they be. The inconceivable is in truth the impossible.

Such a philosophy clearly could not foster accurate and unprejudiced observation of nature or of history. The structure of the Universe had to conform to the ideas of Platonic philosophy; history was in its essence a means of vivifying argument or of pointing illustration.

Aristotle was more interested in the observation of nature than was Plato, though even Aristotle's greatest strength lay in metaphysics and logic rather than in science, and as regards the latter in biology rather than in physics. He created the subject of logic, and in biology, at all events, he showed the true method of detached observation. His physics were not objective like those of Democritus, who sought the ultimate nature of things in atoms and a void. To Aristotle, the concepts by which nature must be interpreted were substance, essence, matter, form, quantity, quality—categories developed in an attempt to express man's direct sense-perception of the world in terms of ideas natural to his mind. At the beginning of the Dark Ages, the works of Aristotle in imperfect form were the most scientific of the Greek sources available, but his influence, great though it was, gradually ceased to be dominant. By the sixth century his writings had passed out of fashion, and for seven hundred years almost all that survived were commentaries on his book on Logic.

The philosophy of the Stoics, best known to some of us in the writings of Marcus Aurelius, was especially suited to the Roman mind, and must not be overlooked in any estimate of the different streams of thought on which the Patristic theologians floated their ark. For the Stoic, the central reality was the human will. Metaphysics and a knowledge of the natural world were only of importance when they subserved the ends of his philosophy as guides of life and conduct. Stoicism was essentially a scheme of ethics, and it diverted physical science from truthful observation in order to secure conformity with the preconceptions of morals.

The modes of thought inaugurated by Plato were wafted into even more super-rational heights by the Neo-Platonists, whose philosophy was the last product of late paganism. From the time of Plotinus the Alexandrian (d. A.D. 270) to Porphyry (d. 300) and Iamblichus (d. c. 330) philosophy became less and less physical and experimental, and more and more concerned with mystical ideas. Plotinus lived in a pure region of "metaphysics warmed with occasional ecstasy", and to him the highest good was the super-rational contemplation of the Absolute. In the writings of Porphyry, and still more in those of Iamblichus, these mystical views were brought down to practical life, and their application thereto led to greater credulity in magic and sorcery. The soul needs the aid of god, angel, demon; the divine is essentially miraculous, and magic is the path to the divine. Thus Neo-Platonism countenanced and absorbed every popular superstition, every development of sorcery and astrology, and every morbid craving for asceticism, of which a decadent age was prodigal. The life of Iamblichus, as told by a Neo-Platonic biographer, is as full of miracle as Athanasius's contemporary life of Saint Anthony.

This mystical philosophic atmosphere contained currents of eastern faiths such as Mithraism and Manichaeism, the latter of which enunciated a dualism of the powers of good and evil, destined to

reappear again and again. Mithraism, which disputed with Christi- *The Fathers*
anity the possession of the Roman Empire, was a Persian example of *of the Church*
the mystery religions, which, as we have said, took the place in
Hellenic times of the Olympian mythology when that picturesque
faith decayed towards the end of the classical period. Our knowledge
of these mystery religions is far from complete.[1] Their ritual involved
secret rites of initiation and communion; their beliefs were expressed
in sacred legends of the gods peculiar to each cult, legends which were
accepted by the people literally, and by the educated as symbolical
of the mystery of life and death. Beneath the rites and legends
primitive nature-worship appears—sun gods and moon gods and the
celebration in imagery of the drama of the year: the full life of nature
in the summer, its death in winter, and its joyous resurrection in each
new spring.

Modern anthropology has thrown much additional light on the
origins of primitive ideas such as those which underlie the mystery
religions, and of their ritual, which is itself derived from even more
primitive rites based on the idea that nature can be coerced by
sympathetic magic and witchcraft.[2] Such rites and the more advanced
ritual which may develop from them are prior to and much more
persistent than any definite system of religious dogma. It is clear that,
in the first few centuries of our era, besides the formal religions and
philosophies which appear in literature, there existed a deep and
pervading undercurrent of these more primitive magic rites and
beliefs. In them may be traced ideas of initiation, sacrifice, and
communion with the divine powers, ideas which appear in more
complex shape in the mystery religions, and later in some forms of
Christian dogma, especially in the Catholic theory of the Mass. The
effect on the origins of Christianity of these primitive rites and more
developed mystery religions has at all times been a subject of discussion among historians and theologians, a discussion which has varied
in the light of the knowledge available to each succeeding generation.

Saint Paul saved Christianity from settling down as a Jewish sect
doomed to early extinction, and preached it as a world religion. When
it grew and spread, it came in touch with Greek philosophy, and the
chief work of the early Fathers of the Church lay in combining that
philosophy with Christian doctrines.

Foremost in this work was Origen (c. A.D. 185–c. 254), who pro-

[1] For short accounts see Percy Gardner, in Hastings' *Encyclopaedia of Religion and Ethics*
and also in *Modern Churchman*, vol. XVI, 1926, p. 310.
[2] Sir J. G. Frazer, *The Golden Bough*, 3rd ed. See especially Part V, "Spirits of the Corn
and Wild", vol. II, p. 167. B. Malinowski, *Foundations of Faith and Morals*, Oxford, 1936.

claimed the conformity of ancient learning, especially Alexandrian science, with the Christian faith, and did more than anyone else to win adherents among the educated and intelligent. In his day doctrine was still fluid, and alternative ideas, over which the succeeding ages quarrelled to the death, are found peacefully side by side in his writings.

Origen's most fundamental tenet is the unchangeableness of God. This involves the eternity both of the Logos and of the world, and the pre-existence of souls. It reduces the importance of the historical aspect of Christianity, and thus allows a more critical examination of the Old and New Testaments, and a more liberal-minded outlook than was afterwards orthodox. But Origen's theology became less and less acceptable, and was finally condemned by the Council of Constantinople in 553.

Of the Latin Fathers, it was Saint Augustine (354–430) who exerted the deepest and most prolonged influence on Christian thought; the *Confessions* and the *City of God* are among the greatest of Christian classics. He was successively a Manichaean, a Neo-Platonist and a Christian, and his combination of Platonic philosophy with the teaching of the Pauline Epistles formed the basis of the first great Christian synthesis of knowledge, which persisted in the background as an alternative mode of thought even through the dominance of Aristotle and Thomas Aquinas in the later Middle Ages. His controversies, like those of Saint Athanasius, illustrate the way in which Catholic doctrine was formulated by dispute, and show why it is that our Creeds are not only statements of belief, but "paeans of triumph over defeated heretics and heathen". As Gibbon says, "the appellation of heretic has always been applied to the less numerous party".

Neo-Platonism and early Christian theology grew up together and acted and reacted upon each other—indeed each accused the other of plagiarism. Christianity, like Neo-Platonism, is based on the fundamental assumption that the ultimate reality of the Universe is spirit, and, in the Patristic Age, it accepted the Neo-Platonic super-rational attitude. In the writings of the early Fathers the highest super-rationalism, the love of God and the apprehension of the Risen Christ, passed down through every step to the lowest form of credulity held in common with the pagan populace and the Neo-Platonic philosophers. Plotinus, the early Neo-Platonic pagan, and Augustine, the Christian theologian, laid little stress on divination and magic, and the Latin Father, Hippolytus, exposed the folly of pagan magic and astrology. But two generations later, Porphyry and Iamblichus on the one side, and in the next centuries, Jerome and Gregory of *The Fathers* Tours on the other, revelled in the daemoniac and the miraculous. *of the Church*

Symbolism, which had shown itself in Neo-Platonism, was extended and developed by the Fathers in their efforts to co-ordinate the Old Testament with the New, and both with the prevalent modes of thought. What in the Scriptures or in the world of nature conforms to the Christian scheme, as interpreted by each Father, may be received as fact; what does not so agree is to be accepted only in a symbolic sense.

Finally, to understand the Patristic and through it the mediaeval mind, it is necessary to appreciate the overwhelming motive introduced by the Christian conception of sin, the hopes and fears of heaven and hell, mediation to obtain salvation in the one, and to avoid damnation in the flames of the other.

The pagan world itself had become less confident. Mankind had moved far from the bright Greek spirit of life, and the stern Roman joy in home and State. The mystery religions had brought Oriental ideas to Europe. Men were beginning to rely more on authority; they were seized with unrest and vague fears for their safety in this world and the next. The phase recurs at various epochs of history. Even before the ministry of Christ, in Palestine and wherever Jewish influence was felt, eyes were looking for a catastrophic coming of the Kingdom of God, a conception which made the Christian faith of the Apostolic Age largely a matter of eschatology, and its rule of life but an *Interims Ethik*, a short preparation for the triumphant Second Coming. Perhaps in the Patristic Age the end of the world had receded a little into the future; but the day of judgment was still very near, and to each man death was an effective door into the mystery of the next world and the horror of the Shade. Darkness was covering the civilization of the ancient lands, and gross darkness the spirit of mankind, almost obscuring the one transcendent ray of Christ's message of hope and reconciliation.

With such an outlook on life and such a prospect in death, it is no wonder that the Fathers showed small interest in secular knowledge for its own sake. "To discuss the nature and position of the earth", says Saint Ambrose, "does not help us in our hope of the life to come." Christian thought became antagonistic to secular learning, identifying it with the heathenism which Christians had set out to conquer. A branch of the Library of Alexandria was destroyed about the year 390 by Bishop Theophilus, and, in general, ignorance was exalted as a virtue. When Christianity became the religion of the people, this attitude grew more brutal. We have an illustration of this result in the year 415, when Hypatia, the last mathematician of Alexandria, daughter of the astronomer Theon, was murdered with revolting cruelty by a Christian mob, which, according to the common opinion, was instigated to the deed by the Patriarch Cyril.

The Emperor Julian (331–363) tried to revive pagan religion and philosophy, but the last great philosopher of Athens was Proclus (411–485), who made the final synthesis of Neo-Platonism, and gave it "that form in which it was transferred to Christianity and Islam in the Middle Ages".[1] Proclus formed a link with Plato and Aristotle, and partly created and nourished mediaeval mysticism.

Gradually the desire and the power to investigate nature with an open mind passed away. With the Greeks natural science became merged in metaphysics; with the Roman Stoics it faded into the need to support the morality of the human will. So in the early Christian atmosphere natural knowledge was valued only as a means of edification, or as an illustration of the doctrines of the Church or the passages of Scripture. Critical power soon ceased to exist, and anything was believed if it accorded with Scripture as interpreted by the Fathers. The contemporary knowledge of natural history, for instance, was represented by a second-century compilation called *Physiologus*, or the *Bestiary*, in which the subjects and the accounts of them, originally Christian allegories with imagery taken from the animal world, were frankly ruled by doctrinal considerations. For example, it is stated seriously that the cubs of the lioness are born dead, but that on the third day the lion breathes between their eyes, and they wake to life, thus typifying the Resurrection of our Lord, the Lion of Judah.

In their views of history and biography, the pagan historians were always ready to modify their accounts to serve the rhetorical fitness of the occasion, and the Church writers carried this tendency to greater lengths. In their hands history became a branch of Christian apologetics, and the lives of the saints, the characteristic form of early mediaeval literature, became simply a means of edification. Any legend which accorded with the author's conception of the holiness of his subject was received unhesitatingly.

The power of Patristic theology was strengthened by the ecclesiastical organization which grew up to enshrine it. And when, with the conversion of the Empire to Christianity, that organization could rely on the still overwhelming though decaying strength of Roman tradition, it became irresistible. The Roman Empire died, but its soul

[1] Zeller, quoted in "Neo-Platonism", *Enc. Brit.* 9th ed.

lived on in the Catholic Church, which took over its framework and its universalist ideals. The Bishop of Rome found it immeasurably easier to acquire the Primacy of the world, and gradually to tighten the bands of uniformity, because even barbarians had come to look to Rome as their metropolis, their Holy City, and to Caesar as their semi-divine ruler. Philosophically the Catholic Church was the last creative achievement of Hellenistic civilization; politically and organically it was the offspring and heir of the autocratic Roman Empire. *The Fathers of the Church*

Such was the intellectual position in Europe when the last gleams of sunset of the ancient civilization were fading away into the dark night of the sixth and seventh centuries. And such was the nature of the ideals to which the succeeding ages looked back as they emerged into the feeble light of a new morn, looked back as to a brighter day whose glorious noon culminated in God's crowning revelation by His Son, and whose resplendent eve was illuminated by the inspired writings of the Fathers of the Church. It is small wonder that the men of the new time took all that came to them from across the darkness as endowed with supernatural sanction, and that they viewed it with no critical insight. *The Dark Ages*

Almost the only traces of secular learning which in the West survived the seventh century were the works of Boëthius, a Roman of noble birth, who was put to death in 524. It seems now to be agreed, after a long controversy, that Boëthius was a Christian and even a martyr. However that may be, he was certainly the last in direct descent to show the true spirit of ancient philosophy. He wrote compendiums and commentaries on Aristotle and Plato, and treatises, founded on the writings of the Greeks, on the four mathematical subjects which he called the quadrivium: arithmetic, geometry, music and astronomy. These manuals were used as schoolbooks in the Middle Ages, in the earlier part of which the only knowledge of Aristotle was derived almost entirely from Boëthius' commentaries.

Dr H. F. Stewart, the biographer of Boëthius, gives me the following note:

Boëthius was the last of the Romans; but he was also the first of the Schoolmen in virtue of the classification of the sciences for which he supplied material. The uniform distribution of knowledge into natural sciences, mathematics and theology which he recommended was adopted by his successors and finally accepted and defended by Thomas Aquinas. His definition of *persona* as *naturae rationalis individua substantia* held the field till the end of the scholastic period.

After Boëthius and his younger contemporary Cassiodorus, the classical spirit vanished from the earth. The schools of philosophy founded by Plato at Athens, which by this time were teaching a mystical, half-Christian Neo-Platonism, were closed in the year 529 by order of the Emperor Justinian, partly in order to destroy the last vestiges of the teaching of heathen philosophy, and partly to prevent competition with the official Christian schools.

Yet the Byzantine Empire maintained a background of civilization through the worst times of barbarism in the west of Europe. Its armies cleared Italy from the Goths, and its lawyers codified Roman law in the *Institutes* of Justinian. Founded on definite principles, those of the Stoics, Roman law gave an ideal of rational order, which survived the times of chaos, and helped to form both the Canons of the Universalist Church, the heir of the Roman Empire, and later on the intellectual synthesis of Scholasticism. Again, the knowledge which survived in Byzantium from classical times, even in its decay, shone as a torch amid the darkness of Europe, to light the way to a revival of Western learning. Before the light failed altogether, that revival had begun.

But meanwhile in the West the break with the past was much more complete than was necessarily involved by the mere fall of Greece as a civilizing influence and of Rome as a world power. Not only were Athens and Rome destroyed as political States and social structures, but both the race of the Greeks, the artists and philosophers, and the race of the Romans, the lawyers and administrators, had ceased to be.

The beginning of the decline of Rome has been assigned to many causes. One important factor, often overlooked, is traced by the historian Alison to the economic disturbance caused by a shortage of currency.[1] The gold and silver mines of Spain and Greece began to fail, and the treasure of the Empire available for money, estimated at the equivalent of £380,000,000 in the time of Augustus, had shrunk to about £80,000,000 in that of Justinian. In spite of occasional debasements of the currency,[2] it is fair to assume that internal prices within the Empire fell, that is the value of money measured in goods and services rose, and all the evils inevitable in times of deflation must have followed. Productive industry and agriculture ceased to be remunerative; taxes became oppressive; imports from countries like Egypt and Libya, outside the area of monetary disturbance, were stimulated, and Roman land went out of cultivation, as did land in England from similar causes from 1873 to 1900 and again from 1921 to 1928.

[1] Sir Archibald Alison, *History of Europe*, vol. 1, Edinburgh and London, 1853, p. 31.
[2] A. R. Burns, *Money and Monetary Policy in Early Times*, London, 1927.

With the failure of cultivation, and the neglect of the old systems of drainage in town and country, vast tracts were rendered uninhabitable by malaria[1], while it is probable that the fall in the birthrate among the nobler and abler stocks, together with the constant drain of incessant wars and—among the Romans—of foreign administration, not only killed off many of the best in each generation, but also, by the survival of the unfittest, lowered the average quality of the nations. Doubtless the obvious military and other causes, usually blamed, had much to do with the catastrophe, but economic and racial factors must not be overlooked. We may perhaps say that the overthrow of Rome by the Northern invaders was not so much a destruction of civilization by barbarians, as the clearing away of a doomed and crumbling ruin, in preparation for future rebuilding.

A new civilization had to be evolved from chaos; nations with definite ideals and well-marked characteristics had to be formed out of the medley of races comprised in the decadent universalist Empire; and those nations had to advance far in the reconstruction of social order and the determination and specialization of intellectual attributes before they could form a suitable seed-bed for the germination and growth of a new science and scientific philosophy.

Here and there in Europe, through the gloom of the Dark Ages, we see tiny plants of knowledge struggling to the light. It is probable that in Italy some of the secular schools maintained their continuity in the large towns throughout the times of turmoil and confusion. But the rise of the monasteries gave the first chance of a secure and leisured life, and, consequently, it is in the cloister that the first signs of the new growth of learning are to be seen.

In view of the character of the Gospel story, it was impossible for the Fathers of the Church to despise the art of healing as they despised or ignored other secular knowledge. Hence the tending of the sick remained a Christian duty, and medicine was the earliest science to revive. Monastic medicine was at first a mixture of magic with a faint tincture of ancient science. In the sixth century the Benedictines began to study compendiums on the works of Hippocrates and Galen, and they gradually spread a knowledge of these writings throughout the West. The monks were also practical farmers, who kept alive some knowledge of the art of agriculture.

The first new secular home of learning appears in the schools of Salerno, a city to the south of Naples, on the Bay of Paestum, and

---

[1] Angelo Celli, *Malaria*, Eng. trans., London, 1901; W. H. S. Jones, *Malaria, a Neglected Factor in the History of Greece and Rome*, Cambridge, 1909.

C

from this centre proceeded many compilations founded on the writings of Hippocrates and Galen. In the ninth century Salernian physicians were already famous; in the eleventh they began to read translations from Arabic works; and their schools continued to flourish till the twelfth century, when they were overshadowed by the general spread of Arab medicine in Europe. Since Salerno is known to have been first a Greek colony, and then a Roman health resort, and since the traditions of Greek medicine seem never to have been entirely interrupted in Southern Italy, it is possible that here a direct and unbroken link existed between the learning of the ancient and that of the modern world.

It should be noted, however, that countries at a distance from Rome were among the first to show signs of a new and distinctive spirit. The literary and artistic development of Ireland, Scotland and the north of England, beginning with Irish sagas full of poetic extravagance, was quickened by the absorption of Christian teachings. In the fervour of its missionary zeal, that culture was carried with some of its secular learning into more southern lands by such men as Willibrord and Boniface. This northern development culminated in the works of the Anglo-Saxon monk, Bede of Jarrow (673–735), who incorporated into his writings all the knowledge then available in Western Europe. His science was founded chiefly on Pliny's *Natural History*, though he added something on his own account, such, for instance as a few observations on the tides. He stands between the Latin commentators Boëthius, Cassiodorus, Gregory, and Isidore of Seville, who caught the last direct echoes of the classical or Patristic learning, and the scholars of the abbey schools founded by Charlemagne. Chief among these latter was Alcuin of York, who did much to overcome the prevalent idea that secular learning was opposed to godliness, and carried the tradition of classical knowledge into definitely mediaeval times. Bede wrote in Latin, mainly for monks; but one hundred and fifty years later culture had so broadened that Alfred the Great (849–901) translated or caused to be translated many Latin books into Anglo-Saxon, and the influence of Latin literature began to pass into native languages.

By this time mediaeval Europe was taking shape. Nations had crystallized out from the mixture of the Romanized Gauls with the vigorous Teutonic tribes that overran the Roman provinces. Northern lands that had never seen the Roman eagles, or from which the Romans had retreated, were developing a culture and even a literature of their own, on which Roman ideals and Roman civilization only acted as external and foreign influences.

While European learning was at its lowest ebb, a considerable amount of culture of mixed Greek, Roman and Jewish origin survived in the Byzantine Imperial Court at Constantinople, and in the countries which stretch from Syria to the Persian Gulf. One of its earliest centres was the Persian school of Jundishapūr, which gave refuge to Nestorian Christians[2] in 489, and to the Neo-Platonists who left Athens when Plato's Academy was closed in 529. Here translations, especially of Plato and Aristotle, brought Greek philosophy into touch with that of India, Syria and Persia, and led to the growth of a school of medicine, which survived till the tenth century, despite its comparative isolation.

Between 620 and 650, under the stimulus of Muhammad, the Arabs conquered Arabia, Syria, Persia and Egypt. A hundred and fifty years later, Hārūn-al-Rashid, the most famous of the Abbāsid Caliphs, encouraged translations from Greek authors, and thus helped to initiate the great period of Arab learning. At first the advance was slow, for new terms and constructions, suitable for the expression of philosophic and scientific thought, had to be formed and incorporated into the Syriac and Arabic languages. As in the analogous revival of learning which took place in Europe in the later Middle Ages, the first task of the Arabs, and of the races under their influence, was to recover the hidden and forgotten stores of Greek knowledge; then to incorporate what they recovered in their own languages and culture; and finally to add to it their own contributions.

For two centuries after the death of Muhammad, there was intense theological activity in Islam. The atomic system of Epicurus, and the problems of time and space raised by the paradoxes of Zeno, stimulated the Muslim mind, which may possibly have been influenced also by the Buddhist atomism of India.[3]

According to the Korân, Allah created and upholds the world, which has only a secondary existence in His absolute existence. This orthodox view was modified by Greek philosophy, Neo-Platonic and Aristotelian, as well as by another Islamic school of thought. The latter added to the implied unilateral pantheism of Muhammad the Neo-Platonic endless chain of existence, and the Aristotelian idea of the Cosmos. Thus it arrived at the complementary view that

[1] See especially G. Sarton, *Introduction to the History of Science*, vols. I, II, Baltimore, 1927, 1931.
[2] Followers of Nestor, declared to be heretics.
[3] See chap. I, p. 8 above; also D. B. Macdonald, in *Isis*, No. 30, 1927, p. 327; arts. "Atomic Theory (Indian)", by H. Jacobi, and "Muhammadan", by De Boer, in Hastings, *Encyclopaedia of Religion and Ethics*.

conversely the Cosmos is God. A third group, trying to explain nature in orthodox Muhammadan terms, reached a theory of time, similar to, if not derived from, the Buddhist atomic philosophy of India. The world is made of atoms all exactly alike, which Allah creates anew from moment to moment. Space too is atomic, and time is composed of indivisible "nows". The qualities of things are accidents, which belong to the atoms and are created and re-created with them by Allah. If Allah were to cease re-creating from moment to moment, the Universe would vanish like a dream. Matter only exists by Allah's continued will, and man is but a kinematographic automaton. Thus the apparently godless system of Epicurus is converted into an intense monotheism.

By the side of these theological interests there became manifest a curiosity concerning that nature to which the theologians denied permanence or reality. Islamic science grew while that of Christendom was decaying, and by the second half of the eighth century the lead had definitely passed from Europe to the Near East. In the ninth century the Arabic schools of medicine were improved by the study of translations of Galen, and new and striking work was achieved in that primitive chemistry which underlay alchemy.

The earliest practical chemistry is concerned with the arts of life such as metal-working on the one hand, and with the preparation of drugs on the other. The speculations of the Greeks in classical times about the nature of matter, with their ideas of atoms and primary elements, are too much divorced from observational or experimental facts to be classed as chemistry. The Alexandrian alchemists of the first century may be considered to have been the first who realized and attacked chemical problems. Little was done after their day till, six hundred years later, the Arabs took up their work.

It is true that, misunderstanding the origins of the art in Alexandria, the later alchemists set before themselves two great aims, both of which proved impossible of attainment—the material transmutation of baser metals into gold, and the preparation of an *elixir vitae* that would cure all human ills. Their search was doomed to failure, yet, by their way, they acquired much sound chemical knowledge and discovered many useful remedies.

The Arabic alchemists obtained their initial knowledge from two sources, the Persian school mentioned above, and the writings of the Greeks of Alexandria, partly through Syriac intermediaries and partly by means of direct translations. The Arabic-speaking people studied alchemy for seven hundred years, the chief centres of their labours being first in Irak and later on in Spain. In the hands of these men, alchemy developed into chemistry, and from them, chiefly through the Spanish Moors, the European chemistry of the later Middle Ages was derived. While some Arabic writers and their European followers thus passed from alchemy to chemistry, others, not understanding the technical knowledge and philosophic outlook of the Alexandrian alchemists, and unable to take the newer, more scientific view, degraded their work into a sordid search for gold, or a background for magic based on chicanery or self-delusion.

The most famous Arabian alchemist and chemist was Abu-Musa-Jābir-ibn-Haiȳan, who flourished about 776, and is thought to have been the original author of many writings which appeared later in Latin, and were assigned to a shadowy "Geber" of uncertain date. The problem of their origin is not yet solved.[1] From an examination of new translations of some of the Arabic manuscripts, Berthelot[2] concluded in 1893 that the knowledge of Jābir was much less than that of the Latin "Geber". But Holmyard[3] and Sarton[4] state that other Arabic works, still untranslated, show that Jābir was a much better chemist than Berthelot thought. He seems to have prepared (to use the modern nomenclature) lead carbonate, and separated arsenic and antimony from their sulphides; he gave accounts of the refinement of metals, the preparation of steel, the dyeing of cloth and leather, and the distillation of vinegar to yield concentrated acetic acid. He held that the six known metals differed because of the different proportions of sulphur and mercury in them. But Jābir's place in history cannot be assigned till a critical study of all his Arabic works has been made, and a comparison effected with those of "Geber".

In the history of chemistry, the idea that the principles of sulphur or fire and mercury or liquidity are primary elements is of great importance. It seems to have arisen from the discovery that mercury and sulphur combine to give a brilliant red sulphide. As silver is white and gold is yellow, red must be made of something even more noble and fundamental than gold. To sulphur and mercury, salt was afterwards added to represent earth or solidity. The theory that salt, sulphur and mercury were the primary principles of things lasted as an alternative to the four elements of Empedocles and Aristotle till the days of Robert Boyle's *Sceptical Chymist*, published in 1661.

[1] *The Arabic Works of Jābir-ibn-Haiȳan*, ed. by E. J. Holmyard, i, Paris, 1928; *The Works of Geber*, R. Russell, 1678, ed. by E. J. Holmyard, London, 1928.
[2] *La Chimie au Moyen Âge*, Paris, 1893.
[3] E. J. Holmyard, in *Isis*, No. 19, 1924, p. 479.
[4] *Introduction to the History of Science*, vol. i, p. 532.

The increasing importance of scientific chemistry is shown by a controversy, which began in the ninth century, concerning the real value of alchemy. At this time also translations into Arabic were made of Euclid's *Elements* and Ptolemy's work on astronomy, which thus acquired its best known name of *Almagest*. In this way Greek geometry and astronomy were brought into the Muslim world. The Hindu numerals were perhaps invented in Greece, but they passed to India and then, in an early form, reached the Arabs, who modified them into a type (called Ghubar) more like our own.[1] Muslim trade was widespread; through its agency these convenient symbols became known to the world as Arabic, and, after some centuries, displaced the clumsy Roman notation. The earliest Latin example of the use of the new system seems to be found in a manuscript written in Spain about 976, but the zero sign was not universally adopted until a somewhat later date.

The renown attaching to the works of the Greeks was used by some Arabic authors to gain acceptance for their own writings. For instance, an Arabic or Syriac compilation of folklore and magic, known as the *Secretum Secretorum*, was popular in mediaeval Europe as a translated work of Aristotle. About 817 Job of Edessa wrote an encyclopaedia of philosophical and natural sciences as taught in Baghdad. The Syriac text was edited and translated lately by Mingana.[2]

The translation of Ptolemy's book stimulated Muslim astronomers. From his observatory at Antioch Muhammad al-Batani (c. 850) recalculated the precession of the equinoxes and drew up a new set of astronomical tables. He was followed by others of less eminence, and about the year 1000 advances in trigonometry were made and observations on solar and lunar eclipses were placed on record at Cairo by Ibn Junis, or Yūnus, who was perhaps the greatest of all the Muslim astronomers. He was encouraged in his work by al-Hakim, the ruler of Egypt, who founded at Cairo an academy of learning.

The classical period of Arabian science may be said to date from the tenth century, beginning with the medical work of the Persian Abu Bakr al-Rāzi, known to Europe either as Bubachar or Rhazes, who practised in Baghdad and compiled many encyclopaedic textbooks, including a famous treatise on measles and smallpox. He is held to be the greatest physician of Islam, indeed of the whole world during the Middle Ages. He also applied chemistry to medicine, and used the hydrostatic balance to measure specific gravities.

[1] S. Gandz, *Isis*, Nov. 1931, No. 49, p. 393.
[2] Cambridge, 1935; *Isis*, No. 69, 1936, p. 141.

The most eminent Muslim physicist was Ibn-al-Haitham (965–1020), who also worked in Egypt under al-Hakim. His chief work was done in optics, and showed a great advance in experimental method. He used spherical and parabolic mirrors, and studied spherical aberration, the magnifying power of lenses, and atmospheric refraction. He improved knowledge of the eye and of the process of vision, and solved problems in geometrical optics by capable mathematics. The Latin translation of his work on optics exerted considerable influence on the development of Western science, especially through Roger Bacon and Kepler. About the same time the physician and philosopher Ibn Sīnā, or Avicenna (980–1037), a native of Bokhara, wandered from court to court among the rulers of Central Asia, vainly seeking some place of settlement where he could find an opening for his talents and carry on his literary and scientific labours. He wrote on all the sciences then known. Sarton states that in alchemy he disbelieved in the transmutation of metals, regarding the differences between them as too deep-seated to be overcome by changes of colour. His *Canon*, or compendium of medicine, "a codification of the whole of ancient and Muslim knowledge", represents one of the highest achievements of Arabic culture. It afterwards became the textbook of medical study in the European Universities; until the year 1650 it was used in the schools of Louvain and Montpellier, and till lately was said to be still the chief medical authority in Muhammadan countries.

A contemporary, less well known but not less great in mind, was al-Bīrūni, philosopher, astronomer and geographer, who lived from 973 to 1048. He carried out geodetic measurements, and determined latitudes and longitudes with some accuracy. He measured the specific gravity of precious stones, and explained natural springs and artesian wells on the principle of water finding its own level in communicating channels. He wrote a clear account of parts of India and their people, and also the best mediaeval treatise on Hindu numerals.

At this time Arabic had become the acknowledged classical language of learning, and everything written in Arabic carried the prestige that in earlier (and again in later) ages was accorded to Greek. The first systematic translator of Arabic texts into Latin was Constantine the African, who worked at Monte Cassino from about 1060 till his death in 1087. He visited Salerno, and his work had much influence on the Salernian School, stimulating, both there and elsewhere, the absorption of Arabic knowledge by the Latin nations.

Nevertheless the highest point of Arabic learning had been reached. In the eleventh century appeared the important algebraic work of the Persian poet Omar Khayyam, and the theological writings of al-Ghazzāli, who did for Muhammadanism the philosophic and synthetic work that Thomas Aquinas did for Christianity. But by the close of the century the decline of Arabic and Muslim learning had set in, and thenceforward science was chiefly a European activity.

Politically also any prospect of a stable Arabian Empire had been put to an end by the internal quarrels of the Muhammadan princes and generals, and by the gradual disintegration and destruction of the gifted, noble and old-established Arab families, which had provided the necessary governors, soldiers and administrators. The distant provinces, one after another, separated themselves from the weak over-grown and heterogeneous Empire, re-created their native characters, and reasserted their political independence.

It was in Spain, the farthest province of the Muhammadan conquest, that the best results of the intercourse of Arabian, Jewish and Christian civilizations became apparent. For three centuries, from 418 to 711, a West Gothic kingdom, which had established itself in Spain, main-tained law and order from its capital at Toulouse. The Sephardim Jews, originally deported from Palestine to Spain under Titus, had preserved traditions of Alexandrian learning, amassed wealth, and kept open communications with the East. This continued after the Muhammadan conquest of Spain in A.D. 711. The tolerance of thought accorded by the Arabs, as long as their supremacy remained unquestioned, allowed the establishment of schools and colleges which, however, owed their continued existence, not to the support of the people as a whole, but to the occasional and spasmodic patronage of a liberal-minded or free-thinking ruler.

The course of Spanish-Arabian philosophy developed on much the same lines as that of the Christian schools which followed it a hundred years later. There was the same attempt to harmonize the sacred literature of the nation with the teachings of Greek philosophy, and an analogous contest between those theologians who relied on reason and rational conclusions, and those who put their trust either un-critically in revelation, or in mystic religious experiences, and in both cases denied the validity of human reason in matters of faith.

Orthodox Muslim Scholasticism with its rational philosophic theology was chiefly founded by the Persian al-Ghazzāli, who flourished at Baghdad. Similar views were prevalent in Spain, but the real fame of the Spanish-Arabian school of thought is due to the work of Averroes, who was born at Cordova in 1126. While showing *The Arabian* a profound reverence for the teachings of Aristotle, Averroes neverthe- *School* less introducèd a new conception into the relations between religion and philosophy. According to him, religion is not a branch of know-ledge that can be reduced to propositions and systems of dogma, but a personal and inward power, distinct from the generalities of "demonstrative" or experimental science. Theology, the mixture of the two, he regarded as a source of evil to both, fostering on the one hand a false impression of the hostility between religion and philosophy, and, on the other, corrupting religion by a pseudo-science.

It is not surprising that the teaching of Averroes came into fierce conflict with that of the orthodox Christian theologians, but, in spite of opposition, especially from the great Dominican school of thought, his words fell upon willing ears. By the thirteenth century, Averroes had become a recognized authority in the Universities of South Italy, Paris and Oxford, worthy, according to Roger Bacon and Duns Scotus, to be placed by Aristotle as a master of the science of proof.

Another great Cordovan of this period was Maimonides (1135–1204), a Jewish physician, mathematician, astronomer and philo-sopher, whose chief work was the construction of a Jewish system of Scholasticism, comparable with the Muslim Scholasticism of al-Ghaz-zāli, and the Christian Scholasticism soon afterwards completed by Thomas Aquinas. Maimonides sought to reconcile Jewish theology with Greek philosophy, especially with that of Aristotle. His work had much influence in the later Middle Ages, when some of his followers pressed his views so far as to regard the whole of Biblical history as symbolic, a theory which naturally aroused controversy.[1]

In the Europe which received and slowly absorbed this stream of *The Revival* Arabic knowledge, the apparatus of learning had made appreciable *of Learning* progress. In the Eastern Empire at Constantinople a definite revival *in Europe* of knowledge took place in the ninth and tenth centuries, when Con-stantine VII patronized art and learning, and ordered the compilation of a number of encyclopaedic treatises. From Constantinople too, Russia was converted to Christianity, mainly by the irresistible persuasion of Vladimir, Duke of Kiev, and Russian art, directly derived from that of Byzantium, began at the end of the tenth century. To this Byzantine Renaissance we also owe the reproduction and preservation of many Greek manuscripts.

[1] For Jewish mediaeval philosophy, see H. A. Wolfson, *The Philosophy of Spinoza*, Harvard, 1934; *Isis*, No. 64, 1935, p. 543.

As we have seen, a centre of secular studies, and especially of medicine, had existed since a very early date at Salerno, and, in Northern Europe, the encouragement bestowed on scholars by Charlemagne and Alfred had given an impetus to teaching generally. Gerbert, the learned French educator and mathematician, taught at Rheims, and elsewhere, from 972 till 999, when he was elected Pope, taking the name of Sylvester II. In his writings he dealt with the Hindu numerals, the abacus, a simple form of calculating machine, and the astrolabe, a graduated metal circle with a limb pivoted at the centre, which gave the zenith distance. And, earlier in the tenth century, Arabic learning became known in Liége and other cities of Lorraine, whence it spread to France, Germany and England.[1] About 1180 a centre of Arabic learning appears under Roger of Hereford.[2]

The effect of the increasing demand for teaching was that the monastic and cathedral schools were found insufficient to meet the growing needs, and new secular schools began to assume their modern form of Universities.[3] A revival of legal studies took place in Bologna about the year 1000, and, in the twelfth century, schools of medicine and philosophy were added to that of law. A Students' Guild, or *Universitas*, was formed for the mutual protection, at first of the foreign students, who were at the mercy of the inhabitants, and later of all students, whether native or foreign. These guilds hired their own teachers, and the University of Bologna, even in later years, continued to be a students' University, in which the governing power was held by the learners.

On the other hand, a school of dialectic at Paris in the first decade of the twelfth century was organized by the teachers, and shortly afterwards a community, or *Universitas*, of teachers in that city set the constitutional model to most of the Universities of Northern Europe, including England. Thus it is that at Oxford and Cambridge the governing power has always rested with the teachers instead of with the students as at Bologna and in Scotland, where the election of the Rector shows a surviving trace of undergraduate control.

As early as the Carolingian period, the academic subjects of study had settled down into an elementary trivium, comprising grammar, rhetoric and dialectic, three subjects which dealt with words, and a more advanced quadrivium, music, arithmetic, geometry and astronomy, which four were supposed, at all events, to deal with

---

[1] J. W. Thompson, *Isis*, No. 38, 1929, p. 184.
[2] J. C. Russell, *Isis*, No. 52, July 1932.
[3] H. Rashdall, *The Universities of Europe in the Middle Ages*, Oxford, 1895.

things. Music contained a half mystical doctrine of numbers, geometry merely a series of Euclid's propositions without the proofs, while arithmetic and astronomy were esteemed chiefly because they taught the means of fixing the date of Easter. All were treated as a preparation for the study of the sacred science of theology. Throughout the Middle Ages, this division of subjects held good for the elements of academic learning, and, as interest grew in philosophy, that study was merely added as a more advanced part of the simpler logical dialectic.

The old controversy between Plato and Aristotle on the nature of "intelligible forms" or "universals" found its way into the writings of Porphyry and the commentaries of Boëthius, and so reached the mediaeval mind as the problem of classification. Why is it that we are able to classify? Are individuals the only realities, classes or universals existing merely as mental concepts or names, as the nominalists maintain, or have they a certain independent reality, existing in and with the objects of sense as the essence of those objects, as Aristotle taught? Or, on the other hand, have the ideas or universals a quite separate existence and a reality apart from the phenomena or the isolated beings, as Plato held in his idealist philosophy, which had come to be called realism? For instance are Democritus and Socrates realities, and humanity only a name? Or is man a species with a reality of its own, receiving here and there certain forms which make it Democritus or Socrates, accidents of the real substance, humanity? Are we to say *universalia ante rem* with Plato, *universalia in re* with Aristotle, or *universalia post rem* with the nominalists?

To our scientific minds, more at home with Archimedes than with either Aristotle or Plato, this controversy seems both foolish and tiresome. Yet it is necessary to study it if we are to unearth the buried seeds of modern science which germinated at the Renaissance. In its effect on the theory of knowledge, even to the Greeks it was of great importance, and in it the mediaevalists eventually discovered the whole problem of Christian dogma, the only difficulty being to determine on which side persecuting orthodoxy was to take its stand.

In the ninth century Erigena, or John Scot, a disciple of Origen, propounded a mystical theory, based on the idea that the divine is the only reality. The theory contained the first great mediaeval, as contrasted with Patristic, synthesis of Christian faith with Greek philosophy, in this case the philosophy of the Neo-Platonic school. To Erigena true philosophy is true religion, and true religion true philosophy. Reason leads to a system which coincides with Scripture properly interpreted. Erigena was a realist, but his realism shows a fusion of Platonic and Aristotelian views, and the discussion between realism and nominalism only became acute later. In the eleventh century critical reasoning was applied to theology and the issues at stake began to be seen. Nominalism made its appearance in the writings of Berengarius of Tours (999–1088), who criticized the doctrine of transubstantiation, holding that a change of substance could not take place in the bread and wine with no corresponding change in the accidents of appearance and taste. Nominalism appeared also in Roscellinus (d. c. 1125), who held that the individual is the sole reality, and thus reached a Tritheistic conception of the Trinity. This at once crystallized the opposing realism, especially in William of Champeaux and Anselm of Canterbury, and established it as the orthodox view for several centuries.

But the inherent difficulties of the theory of realism led to many varieties of it; an interminable discussion raged in the schools and employed the philosophic acumen of the scholastic dialecticians for two hundred years. Abelard, a Breton (1079–1142), attacked his master William of Champeaux, and taught a modified doctrine verging on nominalism, though it was a nominalism not so consistent as that of Roscellinus. In Abelard the doctrine of the Trinity was reduced to the conception of three aspects of the One Divine Being. Abelard showed signs of independence from the dogmatic frame within which the mediaeval mind was accustomed to work. He made the pregnant statements that "doubt is the road to enquiry", that "by enquiry we perceive the truth", and that "it is necessary to understand in order to believe", a saying which may well be compared with the *credo quia impossibile* of the Patristic Tertullian, and the *credo ut intelligam* of Anselm. Abelard was called to account by Saint Bernard, who held in abhorrence the wisdom of this world, and did much to foster ecclesiastical suspicion which saw heresy everywhere. But for a time the speculative spirit was exhausted, and the middle of the twelfth century marks the beginning of a pause of fifty years in logical and philosophical dialectic, and the return to a passing interest in classical literature, an interest which centred in John of Salisbury and his school at Chartres.

If the philosophic discussions of the mediaevalists are still of living interest to some modern metaphysicians, their general conception of the physical Universe appears to us strange, unreal and confused. For the most part no distinction was drawn between natural events, moral truths and spiritual experiences. Doubtless ultimate reality contains all three, but history shows that natural events, at any rate, need to be viewed in isolation if our knowledge of their interrelations is to be increased.

The mediaeval mind was fascinated by a supposed analogy between the nature of the Godhead, the astronomical constitution of the Cosmos, or macrocosm, and the anatomical, physiological and psychological structure of man, the microcosm. The whole Cosmos is usually imagined as permeated and bound together by a living spirit, the νοῦς or world spirit of Neo-Platonism, which in its turn is pervaded and controlled by the Godhead. Thus primordial matter, the principle of death and dissolution, is held in subjection.

The idea of the macrocosm and microcosm is set forth in Plato's *Timaeus*, and can be traced back to Alcmaeon and to the Pythagoreans, but it was attributed by some mediaeval authors to Hermes, the somewhat doubtful Alexandrian figure to whom so many alchemical writings are referred and who probably represents the Egyptian god Thoth. The theory reappears in simple form in the works of Isidore of Seville, and of the alchemist "Geber". It was developed later by Bernard Sylvestris of Tours (c. 1150), and by the Abbess Hildegard of Bingen (c. 1170).[1] It is constantly to be seen represented allegorically in mediaeval art.

In other illustrations, which represent only the physical Cosmos, we see some such picture as the following. The Earth is imagined as a central sphere, in which the four elements, originally in harmonious order, are in confusion since Adam's fall. The Earth is surrounded by concentric zones of air, aether and fire, containing stars, Sun and planets, all kept in motion by the four winds of heaven, which are related to the four elements of Earth and the four humours of man. Heaven is the empyrean space beyond the zone of fire, and hell is within the sphere of Earth under the feet of men.

The conception of the essential similarity of macrocosm and microcosm held throughout the Middle Ages. It survived the Renaissance, and persisted in literature into almost modern days. The idea of the Universe as composed of concentric spheres or zones was developed and made classical in mediaeval times: perhaps it reached its culmination in the Vision of Dante. Copernicus destroyed its rational basis, but did not uproot the popular tradition. Indeed, drawings clearly derived from these confused imaginings of the ancient world and the Middle Ages may still be seen decorating the covers of certain almanacs which circulate among the ignorant of all classes even now.

---

[1] *Studies in the History and Method of Science*, ed. by Charles Singer, Oxford, 1917, "St Hildegard", p. 1.

Somewhat similar notions are found in the system of Jewish theosophy known as the Caballa, which, professing to set forth esoteric truths revealed by God to Adam and carried down the ages by tradition, afterwards came to exert a considerable influence on Christianity.

It is impossible here to trace a tithe of the enormous and intertwined tangle of astrology, alchemy, magic and theosophy which enmeshed the Middle Ages, and is so difficult for us to understand or even to read with patience. But it must not be forgotten that such ideas were essentially characteristic of the mediaeval mind, which in them felt at home. Scientific thought, of which in those times we find rare examples, was quite foreign to the prevailing mental outlook. The scattered seedlings of science had to grow in a vast and confused jungle which was always threatening to choke them, and not in the open healthy prairie of ignorance which seems to be envisaged by some historians of science. If agricultural land be left uncultivated, in a few years the jungle returns, and signs are not lacking that a similar danger is always lying in wait for the fields of thought, which, by the labour of three hundred years, have been cleared and brought into cultivation by men of science. The destruction of a very small percentage of the population would suffice to annihilate scientific knowledge, and lead us back to almost universal belief in magic, witchcraft and astrology.

If the intellectual task of the Dark Ages was to save what it could out of the wreck of ancient learning, that of the first succeeding centuries was to master and absorb what had been recovered. The chief intellectual achievement of the early mediaeval period was the welding together of the remains of ancient classical knowledge, as preserved by the writers of Latin compendiums, with the Christian faith, as interpreted by the early Fathers in the light of Neo-Platonism. From the ninth century onward we may watch this process at work, and there the constructive period of the Middle Ages may be said to begin.

By the twelfth century the dual heritage from the past had been surveyed and mapped out, absorbed and transformed by the mediaeval mind. Then came a pause in the work of philosophic theology, during which we see the culmination of mediaeval appreciation of classical writings as literature. None of the more advanced works of Aristotle were known in a complete form; and thus no scientific book had come to hand to disturb the literary outlook of those scholars who cared for the classics as a bypath of study, or as a means of understanding better the language of Scripture and the writings of the Fathers. In spite of the indirect influence of Aristotle, exerted through commentaries, the predominant theological attitude was still Platonic or Neo-Platonic and Augustinian, idealistic and mystical rather than rational and philosophical.

But in the thirteenth century a great change of outlook took place, coincident and perhaps connected with the humanizing movement associated with the coming of the friars. An increasing desire for secular knowledge was satisfied by the rendering of Greek authors into Latin, firstly by retranslation from the Arabic, and later by direct translation from the Greek. The complete story has not yet been worked out, for our knowledge of Arabic scientific literature, even of that part of it which is extant, is still so fragmentary that it is impossible to specify exactly what additions the Arabs made to Greek science.

The most active work in translation from Arabic to Latin went on in Spain, where a succession of translators, busy with many subjects, can be traced from about 1125 to about 1280. "To them we owe texts of Aristotle, Ptolemy, Euclid and the Greek physicians, Avicenna, Averroes, and the Arabic astronomers and mathematicians, a great mass of astrology, apparently also a certain amount of alchemy."[1]

Next to Spain in importance were Southern Italy and Sicily, whence came translations both from Arabic and from Greek, made possible by the presence of resident Arabs and Greeks, and by diplomatic and commercial relations with Constantinople. From this source were obtained medical works, a geographical treatise and map, and Ptolemy's *Optics*. Of scattered or unknown origin are translations of Aristotle's *On Animals*, *Metaphysics* and *Physics*, and other less important works which appeared in the West from 1200 onwards.

The current language of scientific literature was Arabic, and translations from the Arabic, even of Greek authors, were highly valued. The Arabic-speaking races and the Jews living among them had at this time a real interest in science, and it was by contact with Muhammadan countries that mediaeval Europe passed from its earlier outlook to a more rationalist habit of mind.

The greatest change was produced by the rediscovery of Aristotle. Between 1200 and 1225 his complete works were recovered and rendered into Latin, like those of other authors, first from Arabic versions and then by direct translations from the Greek. In this latter work one of the foremost of scholars was Robert Grosseteste, Chancellor of Oxford, and Bishop of Lincoln, who himself wrote on comets

[1] C. H. Haskins, in *Isis*, No. 23, 1925, p. 478.

and their causes. Grosseteste invited Greeks to England and imported Greek books, while his pupil, Roger Bacon, a Franciscan friar, wrote a grammar of the Greek language. Their aim was not literary but theological and philosophical, to unlock the original tongue of Scripture and of Aristotle.

The new knowledge soon produced an effect on the current controversies. Realism survived, but it became less thorough and less Platonic. It was seen that Aristotle's modified realism might be formulated in psychological terms which brought it nearer to nominalism. But in wider questions Aristotle opened up a new world of thought to the mediaeval mind. His general outlook, at once more rational and more scientific, was quite different from Neo-Platonism, which had hitherto chiefly represented ancient philosophy. His range of knowledge, both in philosophy and in the science of nature, was far greater than anything else then available. It was a heavy task to absorb and adapt the new material to mediaeval Christian thought, and the work was not effected without misgiving. Men were convinced of the intellectual supremacy of the Church as the recipient and interpreter of all revelation and of the conformity therewith of the mystical Neo-Platonism which represented secular learning. Hence it needed a real and courageous intellectual effort to accept the newly recovered works of Aristotle, with all the scientific or quasi-scientific knowledge those works contained, and to undertake the task of reconciling that knowledge with Christian dogma, and it is not surprising that the early study of Aristotle aroused alarm. At first the Arabic channels by which his books reached the West mingled his philosophy with Averroist leanings, and mystical heresies were the result. Aristotle's works were condemned by a Provincial Council at Paris in 1209, and again later. But in 1225 the University of Paris formally placed Aristotle's works upon the list of books to be studied.

The chief of the scholars who interpreted Aristotle at this time was the Dominican Albertus Magnus of Cologne (1206–1280), perhaps the most scientific mind of the Middle Ages. He interwove Aristotelian, Arabian and Jewish elements into a whole which included all contemporary knowledge of astronomy, geography, botany, zoology and medicine, in which Albertus himself, and some of his contemporaries like Rufinus the botanist, made definite progress.[1]

The prevalent trend of thought may be illustrated by the developments which followed Albertus's teaching of Aristotle's embryology. Aristotle held that in generation the female contributed substance

---

[1] E. Michael, *Geschichte d. deutschen Volkes vom 13 Jahrh.*, vol. v, part III, 1903, p. 445 *et seq.*

and the male form. The mediaeval mind with its desire for values made the male element the more noble, and later on developed a theological embryology, in which the moment of entry of a soul into the embryo became the problem of supreme importance.

The work of Albertus on one side shows affinity with his younger contemporaries, the Oxford Franciscans, Grosseteste and Bacon, and on another led directly to the more systematic philosophy of his famous pupil Saint Thomas Aquinas. Though his mind was cast in a less scientific mould than that of Albertus, the importance of Aquinas in the history of philosophy and of the origins of science is great. By carrying on Albertus's work of rationalizing the existing stores of knowledge, both sacred and profane, he stimulated intellectual interests and made the Universe seem intelligible.

Albertus Magnus and Thomas Aquinas together produced a revolution in thought, especially in religious thought. From Plato through Neo-Platonism to Saint Augustine, man was held to be a mixture of thinking soul and living body, each a complete entity in itself. In every soul God implants innate ideas, including some idea of the Divine. This scheme is easily reconciled with Christian doctrines such as individual survival and direct knowledge of God.

But Aristotle put forward a quite different theory of man and knowledge. Neither body nor soul is a complete entity in itself, and man is a compound of the two. Ideas are not innate, but built up from sense-data by some few self-evident principles such as causation. Apprehension of God is not innate but has to be reached by rational and laborious inference. In spite of its religious difficulties, Aristotle's scheme led to a better account of the external world, and for that reason Albertus and Aquinas accepted it, and Thomas courageously and skilfully set to work to reconcile it with Christian doctrines.

But Aristotle's philosophy, more scientific than that of Plato, was still discordant with the new knowledge of the Renaissance, so, when his writings had been accepted and become authoritative, they delayed for many years the liberation of scientific thought from the trammels of theology, for to Saint Thomas's Aristotelianism was mainly due the predominantly hostile attitude both of academic secular learning and of the Roman Church towards the initial development of modern science.

Thomas was the son of a Count of Aquinum and was born about 1225 in Southern Italy. At the age of eighteen he joined the Dominican Order. He studied at Cologne under Albertus Magnus, taught at Paris and Rome, and, after a life of incessant activity, died in 1274 at the age of forty-nine.

His greatest works, the *Summa Theologiae* and the *Summa Philo-sophica contra Gentiles*, the setting forth of Christian knowledge for the ignorant, recognize two sources of knowledge: the mysteries of the Christian faith as transmitted through the channels of Scripture, of the Fathers and of Christian tradition, and the truths of human reason—not the fallible individual reason, but the fount of natural truth of which the chief exponents were Plato and Aristotle. The two sources cannot be opposed, since they both flow from God as the one source. Hence philosophy and theology must be compatible, and a *Summa Theologiae* should contain the whole of knowledge; even the existence of God can be demonstrated by reason. But here Thomas Aquinas parts company with those who went before him. Erigena and Anselm, under the more mystical Neo-Platonism, sought to prove the highest mysteries of the Trinity and the Incarnation. But Thomas, under the influence of Aristotle and his Arabic commentators, held that these mysteries could not be proved by reason, though they can be examined and apprehended thereby. These doctrines, accordingly, are henceforth detached from the sphere of philosophic theology, and transferred to that of faith.

Throughout his work Aquinas's interests are intellectual. Perfect beatitude of any created rational being lies in the action of the intelligence directed to the contemplation of God. Faith and revela-tion are belief in a proposition and presentment of truth. It is an entire fallacy to suppose that Scholasticism and the later orthodox Roman theology which is derived from it are opposed to, or belittle, human reason. That was the attitude in early days, when, for instance, Anselm feared the use of reason by the nominalists of his time. But the later Scholastics did not decry it. On the contrary, they regarded human reason as formed for the purpose of apprehending and ex-amining both God and nature. They profess to give a rational account of the whole scheme of existence, though to us their premises may be doubtful.

Aquinas's scheme was framed in accordance with Aristotle's logic and science. His logic, known already through compendiums, acquired a wider influence when a rational synthesis of knowledge was attempted. Based on the syllogism, it professed to give rigorous proof from accepted premises. It led naturally to the idea of knowledge derived from intuitive axioms on the one side, and authority—that of the Catholic Church—on the other. It was singularly ill adapted to lead men to, or guide them in, the experimental investigation of nature.

Aquinas also took over from Aristotle and from the Christian
doctrine of the day the assumption that man is the centre and object
of creation, and that the world is to be described in terms of human
sensation and human psychology. Aristotle's physics, his weakest
scientific subject, made all this possible. A striking anticipation of
more modern physical views was contributed by Democritus when he
said: "According to convention there is a sweet and a bitter, a hot
and a cold, and according to convention there is colour. In truth
there are atoms and a void." This theory is that of modern objective
physics, which seek to get behind crude sensation and discover the
workings of nature irrespective of man. But, as we know, Aristotle
rejected it all, and would have none of the atomic concepts. To him
a material body was not, as to Democritus, a collection of atoms, or,
as to us, something which has to be conceived as possessing mass or
inertia, and other definite physical, chemical and perhaps physiological properties. It was a subject or an entity about which can be
said things which fall into certain categories. First it is substance,
"that which is not asserted of a subject but of which everything else is
asserted"; for example, man, bread, stone; though Aristotle was not
thinking of a concrete thing but of an essential nature Then it has
qualities, heaviness, hotness, whiteness; and, of less importance, it can
be said to have existed in some place and at some time. These are all
accidents, less fundamental than substance, but an integral part of the
subject at any given moment.

In the nineteenth century all this would have seemed futile and
almost meaningless, though we are able to recast it in more modern
form nowadays. But points of view held in the nineteenth or twentieth
century would have been equally foreign to men of the Middle Ages,
and their attitude of mind had important historical consequences.
If heaviness is a natural quality opposed to lightness, it is easy to see
how Aristotle arrived at his doctrine of natural places, according to
which heavy bodies tend downward and light ones upward, so that
the heavier a body the faster it falls. On this point the Scholastics
quarrelled with Stevin and Galileo. Furthermore, Aristotle's distinction of the underlying substance from the appearances, accidents
or species made the doctrine of transubstantiation, an article of
faith since 1215, seem natural to the mediaeval mind, even when
mystical Neo-Platonism had been replaced by rational Aristotelian
Thomism.

Aquinas accepted the Ptolemaic system of astronomy, but it is a
remarkable fact that he regarded it merely as a working hypothesis—

"*non est demonstratio sed suppositio quaedam*".[1] But Saint Thomas's
caution was overlooked, and the geocentric theory became part of the
Thomist philosophy. As man was the object of creation, so the
Earth was the centre of the Universe, and round it revolved concentric
spheres of air, aether and fire—"the flaming walls of the world"—
which carried the Sun, stars and planets. Mediaeval pictures of the
Day of Judgment show how naturally this view led to the vision of
heaven localized above the sky, and hell beneath the ground. Within
the premises given by contemporary Christian dogma and Aristotelian
philosophy, the scheme was worked out with subtlety and skill, and,
accepting the premises, it all held together in a consistent and
convincing whole.

Aristotle's doctrine of the eternity of the world was rejected as
irreconcilable with an act of creation in time, but in other respects
even the details of Aristotle's science were brought into line. From
the idea that all motion implies a continual exertion of force, Aquinas
deduced results in accordance with the theology of his age, such as
Movetur igitur corpus celeste a substantia intellectuali. The deductions being
regarded as verified, the premises became strengthened, and thus the
whole of natural knowledge was welded with theology into one rigid
structure, the parts of which were believed to be interdependent, so
that an attack on Aristotelian philosophy or science became an attack
on the Christian faith.

In the Thomist philosophy, both body and mind are realities, but
there is none of the sharp antithesis between them first formulated by
Descartes and so familiar in later ages. Aquinas was not troubled by
such modern metaphysical difficulties as the relation between these
two apparently incommensurable entities, or the allied problem of
how natural knowledge comes to be possible to the mind of man.
There was as yet no need for this analysis; it only became necessary
four centuries later, when Galileo had shown that, from the dynamical
point of view, the Aristotelian concept of substance with its qualities
had to be replaced by the idea of matter in motion, and that accidents
like colour, sound and taste were not inherent qualities of the substance, but mere sensations in the mind of the recipient. In the
thirteenth century these ideas would have been incomprehensible,
and the difficulties involved in them would have been meaningless.

In Saint Thomas Aquinas, Scholasticism reached its highest level.
Its grip on the human mind was intense and prolonged. Though the
surviving Scholastics opposed the new experimental science after the

---

[1] *Lib. Physicorum*, i, cap. 2, lect. iii, 7.

Renaissance, it was the thorough rationalism of their system that *Thomas* formed the intellectual atmosphere in which modern science was born. *Aquinas* In one sense, science was a revolt against this rationalism, an appeal to brute facts whether conformable to a preconceived rational scheme or not. But underlying it is the necessary assumption of the regularity and uniformity of nature. As Dr Whitehead has pointed out,[1] the idea of an inevitable fate—the central theme of Greek tragedy—passed down through the Stoic philosophy to Roman Law, which was based on the moral principles of that philosophy. In spite of the anarchy which followed the fall of the Empire, the sense of legal order always survived, and the Roman Church upheld the universalist traditions of imperial rule. The philosophic rationalism of the Schoolmen arose from and fitted into a general ordered scheme of thought, and prepared for science the belief that "every detailed occurrence can be correlated with its antecedents in a perfectly definite manner, exemplifying general principles. Without this belief the incredible labours of scientists would be without hope". "The habit remained after the (scholastic) philosophy had been repudiated, the priceless habit of looking for an exact point and of sticking to it when found. Galileo owes more to Aristotle than appears on the surface...he owes to him his clear head and his analytic mind." And "the pilgrim fathers of the scientific imagination as it exists to-day, are the great tragedians of ancient Athens, Aeschylus, Sophocles, Euripides. Their vision of fate remorseless and indifferent, urging a tragic incident to its inevitable issue, is the vision possessed by science".

The thirteenth century saw the triumphant and applauded work *Roger Bacon*[2] of Thomas Aquinas, the greatest exponent of the scholastic philosophy, and it saw also the tragic life of Roger Bacon, the only man in Europe throughout the Middle Ages, as far as records have reached us, who approaches in spirit either the great Arabians who preceded him or the men of science of the Renaissance who followed. The tragedy of Bacon's life was as much internal as external, as much due to the necessary limitations of his modes of thought in the existing intellectual environment, as to the persecutions of ecclesiastical authority.

Roger Bacon was born about the year 1210, near Ilchester, in the Somerset fens. His family seem to have been people of position and considerable wealth. Roger studied at Oxford, where he came under the influence of two men, both East Anglians, Adam Marsh, the

[1] A. N. Whitehead, *Science and the Modern World*, Cambridge, 1927, pp. 11–15.
[2] E. Charles, *Roger Bacon, sa Vie, ses Ouvrages, ses Doctrines*, Paris, 1861; *The Opus Majus of Roger Bacon*, translated by R. B. Burton, Philadelphia, 1928; G. Sarton, *Introduction to the History of Science*, vol. II, p. 952.

mathematician, and Robert Grosseteste, Chancellor of Oxford, and afterwards Bishop of Lincoln. "But one alone knows the sciences, the Bishop of Lincoln", said Bacon; and again, "In our days Lord Robert, lately Bishop of Lincoln, and brother Adam Marsh were perfect in all knowledge".

Grosseteste seems to have been the first in England, perhaps in Western Europe, to invite Greeks to come from the East as instructors in the ancient form of their language, which was still read at Constantinople. Bacon himself was equally impressed with the importance of the study of the original language of Aristotle and the New Testament, and put together a book on Greek grammar. He was never tired of insisting that the prevailing ignorance of the original tongues was the cause of the failure in theology and philosophy of which he accused the doctors of the time. In anticipation of modern textual criticism, he pointed out how the Fathers adapted their translations to the prejudices of their age, and how subsequent corruptions must have crept in through carelessness and ignorance, or by that tampering with the text which had gone on, especially among the Dominicans. Bacon himself, be it observed, was a Franciscan.

But that which marked Bacon out from among the other philosophers of his time—indeed of the whole of the European Middle Ages—was his clear understanding that experimental methods alone give certainty in science. This was a revolutionary change in mental attitude, only to be appreciated after a course of study of the other writings of his day. Bacon read all the authors he could reach, Arabic (probably in Latin translations) as well as Greek, but instead of accepting the facts and inferences of natural knowledge from Scripture, the Fathers, the Arabians, or Aristotle, Bacon told the world that the only way to verify their statements was to observe and experiment. Here again was an anticipation, this time of the doctrine of his more famous namesake, Francis Bacon, Lord Chancellor of England, who lived three hundred and fifty years later, and seems to have made use of some of his predecessor's ideas. This comes out especially in his analysis of the causes of human error. These are taken by Roger to be: Undue Regard to Authority; Habit; Prejudice; False Conceit of Knowledge: an analysis to which Francis's four Idola bear too great a likeness to be accidental.

In spite of his writing, Roger does not appear to have done much experimenting himself except in optics, on which he spent a considerable sum of money, though the results he obtained seem to be meagre. After spending some years in Paris, where he was made a doctor, he returned to Oxford. The growing suspicion of his labours, *Roger Bacon* however, soon caused him to be sent back to Paris, apparently for more strict supervision by his Order, and he was forbidden to write or to teach his doctrines. But now came the chance of Roger Bacon's lifetime.

Guy de Foulques, an open-minded jurist, warrior and statesman, who had become interested in Bacon's work at Paris, was elected Pope, taking the name of Clement IV. Bacon wrote to him, and in reply Clement sent a letter to *Dilecto filio, Fratri Rogerio dicto Bacon, Ordinis Fratrum Minorum*, commanding him, notwithstanding the pro-hibition of any prelate or the constitution of his Order, to write out the work for which he had formally asked permission. For some unknown reason, the Pope added an injunction of secrecy, which increased Brother Roger's difficulties. As a friar he was pledged to poverty, but, by borrowing from friends, he got together enough to provide materials, and in 1267, after some fifteen or eighteen months, he despatched three books to Clement: an *Opus Majus*, containing his views at length; an *Opus Minor*, or epitome; and an *Opus Tertium*, sent after the others for fear of miscarriage. From these books we chiefly know his work, though some still remains in manuscript.[1]

Clement died soon after, and Bacon, deprived of his protection, suffered without redress a sentence of imprisonment passed in 1277 by Jerome of Ascoli, General of the Franciscans, who became Pope Nicholas IV. It is probable that Bacon was not released until the death of Nicholas in 1292. In that year he wrote a tract called *Compendium Theologiae*, and thereafter we hear no more of the great friar.

Bacon, for all his comparatively advanced outlook, accepted most of the mediaeval attitude of mind. No man can do more than advance a little way in front of the ranks of that contemporary army of thought to which, whether he will or no, he belongs. Naturally Bacon pictured the Universe as bounded by the sphere of the fixed stars with the Earth at the centre. He accepted the absolute authority of Scripture, could the pure text be recovered, and the entire frame of dogmatic theology in which Christianity was presented to that age. A more hampering preconception was his agreement with the scholastic view, which in other ways he assailed vehemently, that the end of all science and philosophy was to elucidate and adorn their queen, theology. Hence came some of the confusion and the inconsistencies which at every turn are seen in his writings, mixed with originality

[1] S. H. Thomson, *Isis*, No. 74, Aug. 1937, p. 219.

and insight far beyond his time and even in advance of the next three centuries. Struggle as he might, he never cast off the mediaeval habit of mind.

It is one of the signs of Bacon's greatness that he realized the importance of a study of mathematics both as an educational exercise and as a basis for other sciences. Mathematical treatises translated from the Arabic were becoming available. They often contained astrological applications. Astrology was a form of fatalism or determinism incompatible with the Christian doctrine of free-will, and mathematics and astrology were chiefly studied by Muhammadans and Jews. Hence both got a bad name and were associated with black arts. But Bacon, with the courage of his convictions, proclaimed that mathematics and optics, which he called perspective, must underlie other studies. Both these sciences, he says, are understood by Robert of Lincoln. Mathematical tables and instruments are necessary, though costly and liable to destruction. He pointed out the errors of the calendar, and calculated that it had gained one day in excess for each 130 years. He also gave a long description of the countries of the known world, estimated its size, and supported the theory of its sphericity. In this he influenced Columbus.

He seems to have become specially interested in light, probably through a study of the Latin version of the works of the Arabian physicist Ibn-al-Haitham. Bacon described the laws of reflection and the general phenomena of refraction. He understood mirrors and lenses and described a telescope, though he does not appear to have made one. He gave a theory of the rainbow as an example of inductive reasoning. He criticized the errors of physicians.[1]

He described many mechanical inventions, some actually known to him, and some as possibilities for the future, among the latter mechanically driven ships, carriages and flying machines. He considered magic mirrors, burning glasses, gunpowder, Greek fire, the magnet, artificial gold, the philosopher's stone, all in a confused mixture of fact, prediction and credulity. In the *Mirror of Alchemy* he still held the Alexandrian theory of all things striving towards improvement. "Nature", he wrote, "tries ceaselessly to reach perfection —that is, gold."

In trying to appraise the value of Bacon's work we must not forget that his fame would have rested on popular tradition of his magic had not Pope Clement commanded him to write his books. Doubtless others besides Bacon were touched by the same interests but have

[1] M. C. Welborn, *Isis*, No. 52, 1932, p. 26.

failed to leave direct traces. Indeed, reflections of the work of such men are found in Bacon's own writings, where he says, "There are only two perfect mathematicians, Master John of London, and Master Peter de Maharn-Curia, a Picard". Master Peter recurs when Bacon deals with experiment.

There is one science, he says, more perfect than others, which is needed to verify the others, the science of experiment, surpassing the sciences dependent on argument, since these sciences do not bring certainty, however strong the reasoning, unless experiment be added to test their conclusions. Experimental science alone is able to ascertain what can be effected by nature, what by art, what by fraud. It alone teaches how to judge all the follies of the magicians, just as logic can be used to test argument. This method of experiment no one understands save Master Peter alone; he, indeed, is *dominus experimentorum*, but cares neither to publish his work, nor for the honours and riches (or perhaps the dangers) it would bring.

But whatever be the truth about these phantom figures which flit across Bacon's pages, it is clear that Friar Roger himself was in spirit a man of science and a scientific philosopher, born out of due time and chafing unconsciously against the limitations of his own restricted outlook, no less than against the external obstacles at which he rails so openly and so often; a true harbinger of the ages of experiment, of whom Somerset, Oxford and England may well be proud.

Roger Bacon's criticism of the Scholasticism of Aquinas, though sound from the modern point of view, was out of harmony with the prevailing spirit of the time, and consequently produced little effect.

Much more damaging were the philosophic attacks on Scholasticism which began towards the close of the century. Duns Scotus (c. 1265–1308), who taught at Oxford and Paris, enlarged the theological ground which even Aquinas had reserved as beyond the demonstration of reason. He based the leading Christian doctrines on the arbitrary Will of God, and took free-will as the primary attribute of man, placing it high above reason. Here is the beginning of a revolt against the union of philosophy and religion which the Scholastics sought, and his age believed Thomas Aquinas to have finally and conclusively achieved. A revival of dualism appears, essentially unsatisfying and incomplete, yet necessary as a stage of progress in order that philosophy may be set free from its bondage as the "handmaid of theology", free in fertile union with experiment to give birth to science. At the end of the thirteenth century and at the beginning of the fourteenth the Thomists and Scotists divided the philosophical and theological world between them, while, on the literary side, a definite revolt against the shackles of authority appeared in Italy.

The process begun by Duns Scotus went much further in the writings of William of Occam, a native of Surrey (d. 1347), who denied that any theological doctrines were demonstrable by reason, and showed the irrational nature of many of the doctrines of the Church. He attacked the extreme theory of papal supremacy, and headed a revolt of Franciscans against the control of Pope John XXII. His writings in defence of this action led to his trial for heresy and imprisonment at Avignon. He escaped, however, and sought the protection of the Emperor Louis of Bavaria, whom he aided in a long controversy with the Pope.

This principle of the twofold nature of truth, the acceptance by faith of the doctrines of the Church, and the examination by reason of the subjects of philosophy, was bound up with the revival of nominalism, a belief in the sole reality of individual things, and the reference of universal ideas to the rank of mere names or mental concepts, a view held especially by Jean Buridon of Paris (c. 1350). In their efforts to derive the individual from the universal, the realists had been led to one abstraction after another. This complication was criticized in a statement called "Occam's razor," *Entia non sunt multiplicanda praeter necessitatem*. Here is a forecast of the modern objection to unnecessary hypotheses. By the revival of nominalism stress was laid on the objects of immediate sense perception, in a spirit that distrusted abstractions and made eventually for direct observation and experiment, for inductive research.

The new nominalism was opposed and banned by the Church, and Occam's writings condemned by the University of Paris, which tried to impose realism as late as 1473. But irresistibly the doctrine spread, and a few years afterwards the show of resistance was abandoned. Chancellors of the Universities and Cardinals of the Church became nominalists, and Martin Luther based much of his teaching on the writings of Occam. Finally Rome returned to the modified realism of Aristotle, and in 1879 an encyclical message from Pope Leo XIII re-established the Wisdom of Saint Thomas Aquinas as the official Roman philosophy.

Nevertheless, the work of Occam marked the end of the mediaeval dominance of Scholasticism. Thenceforward philosophy was more able to press home its enquiries free from the obligation to reach conclusions foreordained by theology, and, on the other side, religion was for a time detached from rationalism, and was given an opportunity for the development of its no less important emotional and mystical aspects. Hence the fourteenth and fifteenth centuries saw the growth of a new mysticism, especially in Germany, and the appearance of many types of religious experience still known and of value.

Another prominent ecclesiastic who helped to overthrow Scholasticism was Cardinal Nicholas of Cusa (1401–1464), who maintained that all human knowledge is mere conjecture, though God can be apprehended by mystical intuition and comprehends all that is. This led Cusa to views which passed into a form of pantheism afterwards adopted by Bruno. In spite of his views about knowledge, Nicholas made notable advances in mathematics and physical science, and showed by the balance that a growing plant takes something of weight from the air. He proposed a reform of the calendar, made a good attempt to square the circle (i.e. to find a square equal in area to a given circle), and anticipated Copernicus by rejecting the Ptolemaic system and supporting the theory of the rotation of the Earth. Nicholas, Bruno and the astronomer Novara held that motion is relative and only number absolute,[1] thus, on the philosophic side too, preparing the way for Copernicus. Geographical knowledge was increased by Marco Polo of Venice (1254–1324) by his overland travels in Asia.

The task of the Middle Ages was accomplished; the ground was prepared for the Renaissance, with humanism, art, practical discovery, and the beginnings of natural science, as its characteristic glories. With the passing of the universal supremacy of Scholasticism we turn a new page in history.

To the historian of science mediaeval times are the seed-bed of modern growth. The Arabian school kept alive the memory of Greek learning and made considerable original contributions to our knowledge of nature. Both there and in the West the practical arts slowly made way, though with little repercussion on general thought. Distillation was practised from the twelfth century onwards, convex lenses for spectacles and other uses, mostly made in Venice, appeared about 1300, though concave lenses came two centuries later. Industry produced chemical reagents such as sulphuric and nitric acids. But systematic experiment made little progress, and it may be said that Western men of learning had no experimental science of their own till Roger Bacon wrote about it. Later some mathematicians appeared, especially Richard Swineshead (fl. 1350) and John Holbrook (d. 1437). But the interest for us of mediaeval thought in Europe is that of tracing

[1] L. R. Heath, *The Concept of Time*, Chicago, 1936.

the changing attitude of the human mind as it passes through states where science would have been impossible to a condition in which its rise follows naturally from the philosophic environment.

The exponents of Scholasticism took the attitude of interpreters; original experimental investigation would have been foreign to their ideas. Yet their rational intellectualism kept alive, indeed intensified, the spirit of logical analysis, while their assumption that God and the world are understandable by man implanted in the best minds of Western Europe the invaluable if unconscious belief in the regularity and uniformity of nature, without which scientific research would never be attempted. As soon as they had thrown off the shackles of scholastic authority, the men of the Renaissance used the lessons which scholastic method had taught them. They began observing in the faith that nature was consistent and intelligible, and, when they had framed hypotheses by induction to explain their observations, they deduced by logical reasoning consequences which could be tested by experiment. Scholasticism had trained them to destroy itself.

In a sense we have seen only the worst aspect of the Christian Middle Ages: they are weakest in the special department of thought necessary for scientific enquiry. We have but glanced at their work of forming and consolidating the nations of Europe. We have not touched on their wonderful achievements in literature and art. The *Chanson de Roland* is to us but a sign that culture has become national; the later romances of chivalry are outside our ken. Dante's *Divina Commedia* has for us little significance, save as the enshrinement in poetry of the concepts of Thomas Aquinas. The glories of cathedral architecture are to us but illustrations of the growth of the builder's art. Even mediaeval religion, which on its philosophic side has concerned us nearly, does not in its essence touch our enquiry. Its saving faith in its divine Founder, its spirit of humble reverence and love for all mankind, its message of salvation to suffering humanity, are hidden from our eyes. We meet Saint Bernard, the suspicious Inquisitor, but Saint Francis of Assisi, loving, joyous, simple-hearted, does not appear in our pages.

CHAPTER III

THE RENAISSANCE

The Origins of the Renaissance—Leonardo da Vinci—The Reformation—Copernicus—Natural History, Medicine and Chemistry—Anatomy and Physiology—Botany—Gilbert of Colchester—Francis Bacon—Kepler—Galileo—From Descartes to Boyle—Pascal and the Barometer—Witchcraft—Mathematics—The Origins of Science.

AFTER the thirteenth century there was a pause in the intellectual development of Western Europe. The economic and social confusion caused by the Black Death and the Hundred Years' War gave little hope of a settled life or quiet study, and the mental activity which had carried the scholastic philosophy to its height seemed to be exhausted. *The Origins of the Renaissance*

Nevertheless, there was a continual process of change in the intellectual outlook of mankind, and we may trace, throughout this period of transition, the various streams of thought which, when they met in full vigour, formed the great flood of the Renaissance. The loosening of scholastic ideas by the solvent influence of the philosophy of Duns Scotus and William of Occam has already been indicated, and the flight of Occam from a papal prison to the protection of Louis of Bavaria marks a significant revolt against the power of the Church, a setting up, for good or evil, of the rights of nationalities against the universalist tradition of ecclesiastical authority.

The spirit of the Renaissance first became apparent in Italy, then slowly recovering from the devastation of earlier times. Perhaps living among the remains of Roman architecture made it easier for men to return to a love of the classics. A vigorous Northern race had colonized North Italy, and formed an upper class, not yet exterminated by those local wars between Italian States, which then and afterwards proved so fatal to the nobility. But other lands had purer Northern blood, and the reason for Italian pre-eminence in the pursuit of learning must be sought elsewhere. One clue is given by Salimbene of Parma, a thirteenth-century Franciscan, who remarks on the difference between Italy and other countries in one significant particular. In the regions north of the Alps, he says, only the townsfolk dwell in the towns, while the "knights and noble ladies" live on their estates and superintend the management of their lands in feudal isolation; but in Italy the upper classes possess houses in the cities and there spend most of their time.

Now, while it is true that the countryside gains by the habitual presence of its natural leaders, yet, in an age of slow communication, country life gives little opportunity for that contact of mind with mind which leads to intellectual culture and creation. On the other hand, the city life of the leisured and intelligent classes in Northern Italy gave an ideal environment for the birth of the Renaissance.

The Renaissance was very far from being exclusively literary. Many other influences conspired to produce an unprecedented intellectual ferment, though the literary element was the earliest and one of the most important. Its harbinger was Petrarch (1304–1374), in whom we see a spirit quite unlike the scholastic mediaevalism which underlay the poetry of Dante. Petrarch was the first scholar who tried to restore a taste for good classical Latin, in place of the dog-Latin of the Schoolmen, and, more important still, to recover the true spirit of classical thought, with its claim for liberty of the reason.

Petrarch sang before his time, but in the early years of the fifteenth century a growing interest in classical literature attracted many Greeks from the East, who, from their knowledge of the modern tongue, were able to teach its ancient prototype. The capture of Constantinople by the Turks in 1453 hastened this process, and led to the arrival of many competent teachers, who brought manuscripts with them to their new homes. The search for manuscripts became a fashionable pursuit; the monastic and cathedral libraries of Italy and Northern Europe were ransacked, and merchant princes with agents in the Levant used all their resources to procure the copies of Greek writings which had remained hidden in the East or had been scattered when Constantinople fell. In this way the language of ancient philosophy and science became familiar to Western scholars after a lapse of some eight or nine hundred years.

Of even more value than the language was the spirit of free enquiry it enshrined, and the impulse towards study of all kinds that "humane letters" gave once more to Europe after centuries of mediaevalism. Though the modes of thought due to an authoritative religion made men prone to accept authority in secular literature also, and the stress laid on the teachings of the Greek philosophers had consequent dangers, nevertheless the humanists prepared the way for the coming revival of science, and played the chief part in that widening of the mental horizon which alone made science possible. Without them, men with scientific minds would never have thrown off the intellectual fetters of theological preconception; without them, external obstacles might have proved insurmountable.

Humanism was brought to the north of Europe by students who had worked under teachers of the New Learning in Italy. One of the earliest was Johann Müller (1436–1476), born at Königsberg and hence called Regiomontanus, perhaps the first to combine science with humanism. He translated into Latin the works of Ptolemy and other Greek writers, and in 1471 founded an observatory at Nürnberg, where he made a weight-driven clock and several astronomical instruments. His *Ephemerides*, the precursors of nautical almanacs, were used by the Spanish and Portuguese explorers.[1] Other mediaeval clocks survive in England at Wells and Ottery St Mary.

But the main current of the German Renaissance led through Scriptural study to the Reformation. Germany gained new intellectual vigour and interests, but did not adopt the Italian ideal of self-culture, nor the Italian refinement of paganism. In France the Italian spirit proved congenial, and the movement was more humanist and aesthetic than in Teutonic lands.

The great figure of the northern Renaissance was Desiderius Erasmus (1467–1536), born at Rotterdam but well known in many countries. To him humanism was chiefly a means of bringing the civilizing influence of knowledge to combat the chief evils of the day: monastic illiteracy, Church abuses, scholastic pedantry, and low standards of public and private morality. Scholastic theologians used isolated texts artificially interpreted, but Erasmus set out to show all men what the Bible really said and meant, and the early Fathers taught.

For one bright interval, culminating with Pope Leo X (1513–1521), the Vatican itself was a vitalizing centre of the ancient culture. But the capture of Rome by the Imperial troops in 1527 broke up this new world of intellectual and artistic life, and soon afterwards the Papacy, by reversing its previous policy of liberal guidance, and opposing blindly when it was no longer able to understand or to control, became an obstacle in the path of modern learning.

Paper had been invented in China at about the end of the first century of the Christian era, being traditionally credited to one Tsai Lun, and block printing appeared about the eighth century. The introduction of the art of paper-making into Europe followed the later Crusades, and about a century afterwards the invention of movable type transformed the old attempts at printing with fixed moulds into a practical and useful art, which replaced the tedious process of manual writing on parchment and made books more abundant.

Simultaneously, a renewed ardour for geographical discovery

---

[1] *Cambridge Modern History*, vol. 1, Cambridge, 1902, p. 571.

became apparent. In writing of "all natural things" in the middle of the fifteenth century, Giovanni da Fontana, a military engineer, gives many geographical facts and fancies.[1] In spite of the primitive state of the art of navigation, the area of the Earth known to Europe was rapidly increased. A measurement of the Sun's maximum altitude by a cross-staff or a circular "astrolabe" gave a rough value of latitude, but no satisfactory determination of longitude was possible. The first sea chart seen in England is said to have arrived in 1489.

The Portuguese, guided by Arabic and Jewish astronomy, were the first to explore, and, under the inspiration of Prince Henry the Navigator, they discovered the Azores in 1419 and later the western shores of Africa, first on a mission to convert the heathen and find a route to India free of Muslim interference, and then in a search for slaves and gold. India was first reached round the Cape of Good Hope by Vasco da Gama in 1497. Prince Henry established an observatory at Sagres, near Cape St Vincent, to obtain more accurate tables of the declination of the Sun. The success of the Portuguese encouraged others to emulate them. The Greek theory of the sphericity of the Earth, familiar for several centuries to the makers of cosmogonies, now became a generally accepted belief.[2] It led to the obvious idea, which indeed the Greeks themselves, among others Posidonius, had propounded, that, by sailing westward into the Atlantic Ocean, the eastern shores of Asia might be reached, and the rich trade of India and Cathay brought direct by sea to Europe. After many failures, there came the man and the hour. Christopher Columbus, born at Cogoletto on the Ligurian coast of North Italy, after overcoming many obstacles, sailed from Palos in Andalusia under the patronage of Ferdinand and Isabella, and succeeded in reaching the Bahamas on October 12th, 1492. Twenty-four years later, Magalhaes' vessel returned after a three years' voyage, having demonstrated the spherical nature of the Earth by the convincing proof of circumnavigation. It was unfortunate for the early circumnavigators that they all sailed to the west, and thus had the prevailing winds against them. To circle the globe from west to east would have been a much easier task.

The wider mental outlook produced by these great voyages of discovery was not their only effect on the human mind, though it was the most direct. As trade with the new lands expanded, a great stimulus was given to home industry and commerce, and thus the

---

[1] First published in 1544 and falsely assigned to Pompilius Azalus. See L. Thorndike, *Isis*, Feb. 1931, p. 31.
[2] E. G. R. Taylor, *Historical Association Pamphlet*, No. 126.

material resources of Europe and the total wealth of the inhabitants *The Origins of the Renaissance*
increased. This increase was brought about in two ways. In the first
place, there was the well-recognized growth due to new markets and
sources of supply, and their direct and indirect economic effects. And
secondly, we can see in the light of recent experience that a monetary
factor was also involved. Money is but a token and is not itself wealth;
but a variation in the total amount of money in circulation causes
great economic changes through its influence on prices. An increase
in trade and industry is often hindered by the failure of currency and
credit to expand with it. This deficiency leads to a fall in the general
price level, a fall which, unlike the real cheapening due to an improvement in the methods of production, depresses industry and thus
checks the development of civilization and of learning as part of it.
But, after the exploitation of the New World, its treasures of gold and
silver, one or other of which was used as a standard, more than
supplied the currency needed by expanding trade. Money became
plentiful and cheap, that is, prices rose. In a time of rising prices,
both producers and traders make profits. Furthermore, fixed charges
on industry—fixed in terms of money—become less onerous: the
customary manorial rents, for example, in the sixteenth century, fell
to a nominal charge as their real value in goods and services decreased.
Hence both production and trade became profitable. Wealth, and
the leisure for intellectual pursuits which wealth gives, spread into
wider circles than had been reached with the slender resources of
mediaeval times.

It is worthy of note in the history of mankind that the three periods
in which the most surprising intellectual developments are found, the
crowning age of Greece, the Renaissance, and the century which
includes our own day, are all of them times of expansion, geographically and economically, and therefore also of increased wealth
and opportunities for a leisured life. In Greece that life was founded
on a basis of slavery, at the Renaissance it was produced by the
wealth of the Indies, and in the nineteenth century by the Industrial
Revolution. In Greece the age of intellectual triumph was followed
all too soon by political disintegration, in a nation always comparatively small in numbers. In modern times the Renaissance ushered
in a period of four hundred years during which the power of the
nations of Europe increased enormously, and the steady growth in
population continually put more and more able men at the service
of learning, till the enquirers immeasurably exceeded in number the
philosophers of ancient Greece. It is perhaps well to bear in mind

The Origins this fact when exalting modern achievements in the realms of science.
of the Moreover, it is impossible to tell whether this growth in knowledge
Renaissance will continue, whether indeed an adequate supply of the able men
who make it possible will be forthcoming in the social and economic
conditions which may possibly appear.

It has often been argued that when we have traced what we know
of the different tendencies which combined to make up the Renaissance, and have given due weight to them all, we still cannot but feel
that the attempt to explain by obvious causes the amazing change of
mental attitude produced in so short a time is not wholly successful.
As Bishop Creighton said,[1]

> "After marshalling all the forces and ideas which were at work to produce" this
> change, the observer "still feels that there are behind all these an animating spirit
> which he can but most imperfectly catch, whose power blended all else together
> and gave a sudden cohesion to the whole. This modern spirit formed itself with
> surprising rapidity, and we cannot fully explain the process."

In reply to these arguments three points may perhaps fairly be
made. Firstly, the stimulating effect on civilization of the fertilizing
stream of gold and the consequent steady and long-continued rise
in the general level of prices has not hitherto been fully realized.
Secondly, we must remember that we possess records of but a tithe
of the intellectual efforts of the time. Few men then put their thoughts
on paper, and of the writings of those few not all have reached us. In
Italian city life, knowledge and the change of outlook which knowledge brings must have passed from man to man by word of mouth
rather than by writings, and the influence of direct personal intercourse must have been immense. Thirdly, when a number of factors
are at work, the total effect at the beginning is but the sum of the
separate effects. But there comes a time when the effects overlap and
intensify each other; cause and effect act and react. And so it is with
all the material, moral and intellectual factors involved in the changes
of the sixteenth century—somewhat suddenly they passed the critical
stage. Growing wealth increased knowledge, and new knowledge in
its turn increased wealth. The whole process became cumulative, and
advanced with accelerating speed in the irresistible torrent of the
Renaissance.

Leonardo da The influence of personality, doubtless especially strong in the full
Vinci life of Italian cities, is difficult to trace historically. For the most part,
we can only catch glimpses here and there of the power of outstanding
figures. But the full grandeur of one such man has been revealed now

[1] *Cambridge Modern History*, vol. i, Cambridge, 1902, p. 2.

that some of the inchoate manuscript note-books of that tremendous universal genius, Leonardo da Vinci, have been published and given to the world.[1] Leonardo may have meant to collect and systematize his notes in the form of books, but if he did, he never lived to carry out the intention, and for this reason his work as a philosopher has been overshadowed till recent years by his fame as an artist.

Leonardo was the natural son of a lawyer of great vigour and some eminence, Ser Piero da Vinci, and a peasant girl named Catarina. He was born at Vinci, between Florence and Pisa, in the year 1452, and was educated by his father. He entered successively the service of the courts of Florence, Milan and Rome, and died in 1519 in France, the servant and friend of Francis I. In early life he showed the remarkable qualities which impressed both contemporaries and men of later ages as being sufficient to place him in a class apart from the rest of mankind. Beauty of person and charm of manner did but adorn and increase the power of mind and force of character which took all knowledge for its study and all art for its expression. A painter, sculptor, engineer, architect, physicist, biologist and philosopher was Leonardo, and in each rôle he was supreme. Perhaps no man in the history of the world shows such a record. His performance, extraordinary as it was, must be reckoned as small compared with the ground he opened up, the grasp of fundamental principles he displayed, and the insight with which he seized upon the true methods of investigation in each branch of enquiry. If Petrarch was the harbinger of the literary Renaissance, Leonardo led the way in other departments. He was not a scholastic, neither was he a blind follower of classical authority, as were many of the men of the Renaissance. To him observation of nature and experiment were the only true methods of science. Knowledge of the ancient writers, useful as a starting-point, could never be conclusive.

Leonardo approached science from the practical side, and it is owing to this lucky circumstance that his intellectual attitude is so modern. To meet the needs of his crafts he began experimenting, and in his later years his thirst for knowledge was even greater than his love of art. As a painter he was led to study the laws of optics and the structure of the eye, the details of human anatomy and the flight of birds. As an engineer, both civil and military, he was faced by problems which could only be solved by an insight into the principles of mechanics, dynamic as well as static. Aristotle's opinion was of small help in correcting a picture out of drawing, in managing water

[1] Edward McCurdy, *Leonardo da Vinci's Note Books, arranged and rendered into English.* 1906.

for irrigation, or in taking a fortified city. For these problems, the behaviour of things as they are was of more importance than the opinion of the encyclopaedic Greek as to what they ought to be.

But Leonardo was also a philosopher, and when we compare his mode of thought with that of the men of the preceding age, we see a striking contrast in his almost complete emancipation from theological preconceptions. Even Roger Bacon, with all his love of enquiry, regarded theology as the true summit and end of all knowledge, and doubted not that all learning if rightly apprehended would prove consistent with the chief dogmas of his day. But Leonardo reasoned with a perfectly open mind. When he turned to theology at all, he attacked frankly and lightly the ecclesiastical abuses and absurdities which had become part of the system of the Church. His own philosophical position seems to have been an idealistic pantheism, in the light of which he saw everywhere the living spirit of the Universe. Yet, with the fine balance of a great mind, he saw the good beneath the load of inconsequent evil, and accepted the essential Christian doctrine as an outward and visible form for his inward, spiritual life. "I leave on one side the sacred writings," he says, "because they are the supreme truth." A great gentleman as well as a great man, the fanaticism of the rude iconoclast was far from Leonardo, and he lived in the brief interval when the Papacy itself was liberal and humanist, and all seemed pointing to a new and comprehensive Catholicism, in which freedom of thought could exist side by side with earnest faith in fundamentals. The dream passed, the Church of Rome became reactionary, and freedom was won painfully and slowly by the rough and unattractive path opened by Luther. Fifty years after Leonardo's death, a position such as his would have been untenable.

Great as Leonardo was, he must not be represented as the originator *de novo* of the scientific spirit he displays. Alberti (1404–1472) had studied mathematics and made physical experiments before him. At Florence he met Paolo Toscanelli (d. 1482), an astronomer who had instigated the voyage of Columbus; Amerigo Vespucci gave him a book on geometry; he knew Luca Pacioli, a mathematician, and he was helped in his anatomical researches by Antonio della Torre. Perspective and anatomy too were studied by men like Brunelleschi, Botticelli, and Dürer, who, with Leonardo, were developing artistic naturalism. It is clear, from Leonardo's note-books and otherwise, that, a century before the days of Galileo, a small circle of kindred spirits lived in Italy, more interested in things than in books, in experimental enquiry than in the opinions of Aristotle. Doubtless it is true that the rational synthesis of Scholasticism helped to prepare men's minds by teaching them that the Universe was understandable. But the solution offered became inadequate as soon as men began to observe and experiment. A new basis for knowledge was needed: induction from nature had to replace deduction from Aristotle or Thomas Aquinas, and this basis is first found in Italian mathematicians, astronomers and anatomists. *Leonardo da Vinci*

But there is a link with Greek thought behind these men too, a link with Archimedes. Archimedes' books had not yet been printed, and good manuscripts were rare. Leonardo noted the names of his friends and patrons who could procure him copies, and expressed admiration for the genius of the great Syracusan. Interest in Archimedes grew rapidly; in 1543 the mathematician Tartaglia published a Latin translation of some of his works, and other editions followed, so that they were well known by the time of Galileo, who studied them carefully. In Archimedes, the geometer and experimentalist, and not in Aristotle, the encyclopaedic philosopher, is to be sought the veritable Greek prototype of the masters of modern physical science; for, among the ancient writers of the Classical Age whose works have survived, Archimedes possessed most clearly the true scientific spirit.

Leonardo perceived intuitively and used effectively the right experimental method a century before Francis Bacon philosophized about it inadequately, and Galileo put it into practice. Leonardo wrote no treatise on method, but incidentally his ideas can be seen in his note-books. He says that mathematics, arithmetic and geometry give absolute certitude within their own realm; they are concerned with ideal mental concepts (*e tuta mentale*) of universal validity. But true science, he held, began with observation; if mathematical reasoning could then be applied, greater certitude might be reached, but, "those sciences are vain and full of errors which are not born from experiment, the mother of all certainty, and which do not end with one clear experiment (*che non terminano in nota experientia*)". Science gives certainty, and science gives power. Those who rely on practice without science are like sailors without rudder or compass.

When we turn from Leonardo's method to his actual results, we are astonished at his insight. He foreshadowed the principle of inertia, afterwards demonstrated experimentally by Galileo. "Nothing perceptible by the senses", wrote Leonardo, "is able to move itself;... every body has a weight in the direction of its movement." He knew that the speed of a falling body increases with the time, though he missed the exact relation which gives the space fallen through.

He clearly understood the experimental impossibility of "perpetual motion" as a source of power, in this anticipating Stevinus of Bruges (1586). The knowledge of this impossibility was used by him to demonstrate the law of the lever by the method of virtual velocities, a principle realized by Aristotle and used later by Ubaldi and Galileo. The shorter arm, of length l, raises the greater weight W slowly with a velocity v, while the longer arm L is pushed down by the smaller weight w quickly with a velocity V; there cannot be a gain or loss of power, and at each end the power is measured by the product of weight and velocity. Thus

$$Wv = wV.$$

The velocities of the ends are in the proportion of the lengths of the arms, so that

$$Wl = wL \text{ or } \frac{W}{w} = \frac{L}{l},$$

and the weights must be inversely as the lengths. Leonardo regarded the lever as the primary machine, and all other machines as modifications and complications of it.

He also recovered Archimedes' conception of the pressure of fluids, and showed that liquids stand at the same level in communicating vessels, while, if different liquids fill the two vessels, their heights will be inversely as their densities. He dealt also with hydrodynamics: the efflux of water through orifices, its flow in channels, and the propagation of waves over its surface. From waves on water he passed to waves in air and the laws of sound, and he recognized that light shows many analogies which suggest that here too a wave theory is applicable. The reflection of an image is like the echo of a sound; the angle of reflection is equal to the angle of incidence as it is when a ball is thrown against a wall.

In the realm of astronomy Leonardo conceived of a celestial machine conforming to definite laws, in itself a remarkable advance on the prevalent Aristotelian ideas that the heavenly bodies are divine, incorruptible, essentially different from our world, which is subject to change and decay. He calls the Earth a star like the others, and proposes in his projected book to show that it would reflect light as does the moon. Though erroneous in detail, Leonardo's astronomy is true in spirit.

He held that as things are older than writings, the Earth bears traces of its history before the records of books. Fossils now on high inland mountains were produced in sea water, and could not have reached their present position in the forty days of the Noachian deluge; indeed the whole waters of the world, clouds, rivers and ocean, could not cover the mountains of the earth. There must, he argued, have been changes in the crust of the earth, and mountains have raised themselves in fresh places. But no catastrophic action was needed: "in time the Po will lay dry land in the Adriatic in the same way as it has already deposited a great part of Lombardy". Here we have the essence of the uniformitarian theory three hundred years before it was revived by Hutton.

As a painter and sculptor, Leonardo felt the need of a precise knowledge of anatomy. In the face of ecclesiastical tradition, he procured many bodies and dissected them, making anatomical drawings which, besides being accurate in all details, are true works of art. Many of them still exist in his manuscripts preserved at Windsor. "And you who say that it would be better to look at an anatomical demonstration than to see these drawings," he remarks, "you would be right, if it were possible to observe all the details shown in these drawings in a single figure, in which, with all your ability, you will not see nor acquire a knowledge of more than a few veins, while, in order to obtain an exact and complete knowledge of these, I have dissected more than ten human bodies."

From anatomy the next step is physiology, and here, too, Leonardo is found to be far in advance of his age. He described how the blood makes and remakes continually the whole body of man, bringing material to the parts and carrying off the waste products, as a furnace is fed and the ashes removed. He studied the muscles of the heart and made drawings of the valves which seem to show a knowledge of their functions. He compared the flow of the blood with the circulation of water from the hills to the rivers and the sea; from the sea to the clouds and back to the hills as rain. It seems that Leonardo understood the general principle of the circulation of the blood a hundred years or more before it was rediscovered and Harvey gave the knowledge to the world. His art led him to another scientific problem— the structure and mode of action of the eye. He made a model of the optical parts, and showed how an image was formed on the retina. He ignored the view still held by his contemporaries that the eye throws out rays which touch the object it wishes to examine.

He dismissed scornfully the follies of alchemy, astrology and necromancy; to him nature is orderly, non-magical, subject to immutable necessity.

Enough has now been said to illustrate Leonardo da Vinci's position in the history of scientific thought. Had he published his work, science must at one step have advanced almost to the place it reached a century later. It is idle to speculate on the influence such a change might have had on the intellectual and social evolution of humanity, but it is safe to say that both would have been modified profoundly.

Though Leonardo never carried out his oft-referred-to project of writing books on different branches of his labours, his personal influence was clearly very great. The friend of princes and statesmen, he also knew all the chief men of learning of his time. Doubtless through them some of his ideas were preserved, and thus, years later, helped to promote a new growth of science. If we had to choose one figure to stand for all time as the incarnation of the true spirit of the Renaissance, we should point to the majestic form of Leonardo da Vinci.

The Reformation   In a society stirring with diverse intellectual interests, we have a mental environment very different from that prevailing a hundred years earlier. The theological atmosphere, which saw everything in the light of the one overpowering motive of salvation, had given place to a much more independent outlook, in which many questions were freely discussed from a rational point of view. The world was still orthodox; the many heresies which had appeared from age to age had been forcibly and effectually suppressed, or perhaps it would be truer to say that the doctrines which survived had been accepted as orthodox. But in the early years of the sixteenth century orthodoxy itself had been aroused and for a time had stretched its bounds: the religious humanists, led by Erasmus, might have liberalized and reformed the Roman Church from within had circumstances been favourable.

The development and meaning of the Reformation are subjects too complex to be lightly summarized, yet a history of scientific thought must take into account the effects of such an upheaval. The Reformers had three chief objects. Firstly, the re-establishment of Church discipline, undermined by the abuses of the Roman Curia and the loose or worldly lives of many of the clergy. Secondly, the reform of doctrine on the lines of some of the earlier suppressed movements, and a return to a supposed primitive simplicity. And thirdly, a relaxation in dogmatic control and a measure of freedom for the private judgment based on Scripture.

It was the first of these objects, aimed as it was at the open and admitted corruption of the Roman Church, that carried the people with it. The second was also important, for mediaeval modes of *The* thought were still powerful, and to the Middle Ages the idea of change *Reformation* and development was foreign. Reform of ritual and doctrine could only gain support if it was believed to be an appeal to an older precedent and to an authority greater even than that of the Roman Pontiff—the practice and belief of the primitive Church of Christ. Indeed, in our own days an appeal to the "first four centuries" has more than once been made, sometimes by those whose knowledge of the centuries in question is not conspicuous in their writings.

The third object of the Reformers is the one which chiefly concerns us here, in that it was a consequence of the Renaissance and a real incentive to the humanist element in the movement. But, as is usual in revolutions, intellectual interests were pushed aside. The rough work could only be done by religious enthusiasts or German princes with political motives, and Calvin was as much a persecutor of free thought as any Roman Inquisitor. But fortunately he had not the power of the mediaeval Church behind him, and the disintegration of Christendom which the Reformation produced, sad though it was from many other points of view, did in the end help indirectly to secure liberty of thought.

The first great change in scientific outlook after the Renaissance *Copernicus* was made by Nicolaus Koppernigk (1473-1543), a mathematician and astronomer with a Polish father and a German mother, who Latinized his name as Copernicus. The geocentric theory of Hipparchus and Ptolemy was successful in explaining the facts with that degree of accuracy which the observations of the time demanded. Its only fault from the geometric point of view was the complication of cycles and epicycles it involved. It had behind it the common-sense feeling that the Earth was a solid and immovable base towards which all things fell, and also the authority of Aristotle. Men assumed an Earth at rest beneath their feet, though some imagined it as a sphere floating in the centre of the Cosmos. Thus Copernicus had to support two propositions—with Ecphantus the daily revolution of the Earth on its axis, and with Aristarchus its yearly journey round the Sun. Indeed, the opposition to Copernicus when it came was scientific as well as ecclesiastical. If the Earth spun round on its axis, would not a body thrown upward lag behind, and fall to the west of its point of projection? Would not loose objects fly away from the ground, and the Earth itself disintegrate? As the Earth moved round the Sun, would not the stars appear to shift among themselves, unless indeed they were so far off that the distances became ridiculous, if not inconceivable?

Copernicus   To resist all these arguments, then perfectly valid, and to advance an opposing theory, needed not only great originality of mind, but, in that age, some philosophic standpoint from which it could be defended. Now, although Aristotelian scholasticism had held the field for a century, and Occam's nominalism was its only powerful rival north of the Alps, Plato's idealistic realism, especially as interpreted by Saint Augustine, had survived in Italy. In Neo-Platonism there was a strong Pythagorean element, which delighted to conceive the Universe in terms of a mystical harmony of numbers, or geometrical arrangement of units of space.[1] Hence Pythagoreans and Neo-Platonists were always looking for mathematical relations in nature; the simpler the relation the better mathematically, and therefore, on this view, the nearer to nature. Moreover, the Pythagoreans, alone among the ancients whose works were available, believed the Earth to move round a central fire. Thus, although Renaissance science grew chiefly by methodological means derived from Euclid and other Greek mathematicians,[2] a metaphysical element was concurrent.

In the fifteenth and sixteenth centuries, while men's minds were stirred by currents of thought new and old, there was a revival in Italy of Platonism containing this Pythagorean element. John Pico of Mirandola taught a mathematical interpretation of the world, and Maria de Novara, Professor of Mathematics and Astronomy at Bologna, criticized the Ptolemaic system as too cumbrous to satisfy the principle of mathematical harmony.

Copernicus spent six years in Italy and became the pupil of Novara. He says that he studied the writings of all the philosophers whose books he could obtain, and discovered that,

according to Cicero, Hicetas had thought the earth was moved,...according to Plutarch that certain others had held the same opinion....When from this, therefore, I had conceived its possibility, I myself also began to meditate upon the mobility of the earth....I found at length by much and long observation, that if the motions of the other planets were added to the rotation of the earth, and calculated as for the revolution of that planet, not only the phenomena of the others followed from this, but that it so bound together both the order and magnitudes of all the planets and the spheres and the heaven itself that in no single part could one thing be altered without confusion among the other parts and in all the Universe. Hence for this reason...I have followed this system.[3]

---

[1] See pp. 17, 18; also E. A. Burtt, *loc. cit.*
[2] E. W. Strong, *Procedures and Metaphysics*, California, 1936; *Isis*, No. 78, 1938, p. 110.
[3] Copernicus, *De Revolutionibus Orbium Celestium*, Letter to Pope Paul III, quoted by E. A. Burtt, in *Metaphysical Foundations of Modern Science*, p. 37.

Copernicus thus describes this theory of the Universe: *Copernicus*

First and above all lies the sphere of the fixed stars, containing itself and all
things, for that very reason immovable; in truth the frame of the Universe, to which
the motion and position of all other stars are referred. Though some men think it
to move in some way, we assign another reason why it appears to do so in our
theory of the movement of the Earth. Of the moving bodies first comes Saturn,
who completes his circuit in xxx years. After him, Jupiter, moving in a twelve
year revolution. Then Mars, who revolves biennially. Fourth in order an annual
cycle takes place, in which we have said is contained the Earth, with the lunar orbit
as an epicycle. In the fifth place Venus is carried round in nine months. Then
Mercury holds the sixth place, circulating in the space of eighty days. In the middle
of all dwells the Sun. Who indeed in this most beautiful temple would place the
torch in any other or better place than one whence it can illuminate the whole at
the same time? Not ineptly, some call it the lamp of the universe, others its mind,
and others again its ruler—Trismegistus, the visible God, Sophocles' Electra, the
contemplation of all things. And thus rightly in as much as the Sun, sitting on
a royal throne, governs the circumambient family of stars....We find, therefore,
under this orderly arrangement, a wonderful symmetry in the universe, and
a definite relation of harmony in the motion and magnitude of the orbs, of a kind
it is not possible to obtain in any other way.[1]

To Copernicus the primary question was what motions of the
planetary bodies would give the simplest and most harmonious
geometry of the heavens. The extract given above and the diagram
suggest that he accepted the ancient view that the stars were fixed to
a sphere, but there is some evidence that the outer circle is meant to
represent the inner concave face of a sphere bounding infinite space.[2]
Copernicus realized that he was shifting the frame of reference for
planetary movements from the Earth to the fixed stars. This involves
a physical as well as a mathematical revolution, and is destructive of
Aristotle's physics and astronomy. To Ptolemy's argument that a
moving Earth would fly to pieces, Copernicus replied that a moving
sky would do so even more, since it is larger in circumference and
therefore, if it revolves, must move faster. This is physical reasoning,
but Copernicus dwelt more on mathematical harmony, and appealed
to mathematicians to accept his views, on the ground that they lead
to a simpler scheme than the Ptolemaic cycles and epicycles in which
the heavenly bodies move round the Earth.

About 1530 he finished a treatise setting forth his work and
published a short abstract in popular form in that year. Pope
Clement VII approved, and sent the author a request for the publication of the work in full. To this Copernicus only consented in 1540,

[1] *De Revolutionibus Orbium Celestium*, Lib. i, Cap. x; Eng. trans. W. C. D. and M. D.
Whetham, *Readings in the Literature of Science*, Cambridge, 1924, p. 13.
[2] G. McColley, *De Revolutionibus*; *Isis*, No. 82, 1939, p. 452.

and the first printed copy of his book reached him on his death-bed in 1543.

The Copernican system won its way slowly. A few mathematicians accepted it, for example, John Field, John Dee, Robert Recorde and Gemma Frisius, while Thomas Digges, the first English convert, made a notable advance, replacing the immovable sphere of the fixed stars

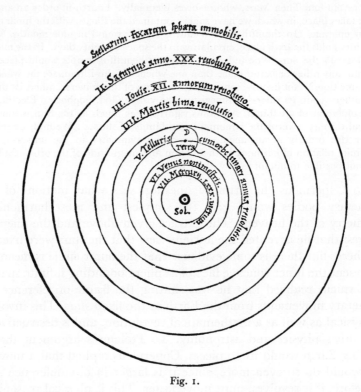

Fig. 1.

by an immensity of space, with stars scattered through it. But the theory did not become well known till Galileo turned his newly invented telescope to the heavens and revealed Jupiter's satellites, a solar system in miniature.

Copernicus taught men to look on the World in a new light. Instead of being the centre of the Universe, the Earth sank to the lowlier place of one among the planets. Such a change does not necessarily involve the dethronement of man from his proud position as the summit of creation, but it certainly suggests doubts of the validity of that belief. Thus, besides destroying the Ptolemaic system, incorporated in their scheme by the Scholastics, Copernican astronomy affected the human mind and human beliefs in more important ways. *Copernicus*

It is not surprising that misgivings arose. Europe was quarrelling over religion; but the questions at issue did not touch the deeper problems. Both parties accepted a religious philosophy which accorded man a place of dignity, and made him feel at home in a world which all agreed had been created for his ultimate benefit, though the immediate ways of Providence might sometimes seem unnecessarily mysterious. Moreover, what would be considered the best scientific opinion of the time was against the new system. Intellectual revolutionaries like Giordano Bruno, heretic both to Rome and Geneva, might accept Copernican views, but more cautious philosophers held aloof. Bruno, too, believed the Universe to be infinite, and the stars to be scattered through the immensity of space. But Bruno, enthusiastic pantheist, openly attacked all orthodox beliefs, and was condemned by the Inquisition, not for his science, but for his philosophy and his zeal for religious reform; he was burned at the stake in 1600.

Those responsible, according to the customs of the time, for the intellectual and spiritual welfare of Europe quite rightly paused before they accepted an astronomical system which upset their own deepest convictions, and, as they held, might imperil the immortal souls of those committed to their charge. When Galileo went to Rome, full of enthusiasm to convert the papal court, a clash became inevitable. The academic world, chiefly Aristotelian, urged the Churchmen into action. And so it was that, while in 1530 the Papacy had shown a liberal interest in the new theory, in 1616 it silenced Galileo and pronounced by the mouth of Cardinal Bellarmine that the Copernican theory was "false and altogether opposed to Holy Scripture", and Copernicus' book was suspended till corrected, though it was understood that the new theory might be taught as a mathematical hypothesis. In 1620 Cardinal Gaetani revised the book on these lines, making merely trivial changes. The suspensory edict was never ratified by the Pope; it was virtually repealed in 1757, and in 1822 the Sun received the formal sanction of the Papacy to become the centre of the planetary system.

In spite of Whewell's clear and fair account of the incident, some more recent writers have made too much of the persecution of Galileo for his Copernican views. As Whitehead says:

In a generation which saw the Thirty Years' War and remembered Alva in the Netherlands, the worst that happened to men of science was that Galileo suffered an honourable detention and a mild reproof, before dying peacefully in his bed.

Six naturalists reopened in the sixteenth century the study of plants and animals, dormant since Pliny: Wotton (1492–1555), Belon (1517–1564), Rondelet (1507–1566), Salviani (1514–1572), Gesner (1516–1565), and Aldrovandi (c. 1525–1606).[1] Primarily they strove to recover "the ancient learning"; for much new observation by naturalists we must look to a later time.

In the course of the Renaissance, a school of medical humanists arose, whose object was to turn men's eyes from mediaeval medicine, derived for the most part from commentaries on Greek writers, some of them transmitted through Arabic channels, and to direct their attention to the fountainheads of this learning, the writings of Hippocrates and Galen themselves. Doubtless this movement led to a vast increase in knowledge, but, when the knowledge had been systematized, physicians once more came to rely too much upon authority.

As this phase passed, and men began again to observe, think and experiment for themselves, medicine became for a time intimately allied with the chemistry which was emerging from alchemy, and there arose a definite school of physicians who studied chemistry, or iatro-chemists as they came to be called.

The chemistry and alchemy of the Arabs reached Europe in the later Middle Ages, and influenced the work of such men as Roger Bacon. The Arabs took up and modified the Pythagorean theory that the primary elements were to be found in principles or qualities and not in substances. They came to believe that the fundamental principles were those of sulphur or fire, mercury or liquidity, and salt or solidity (see p. 73). This theory passed with other Arab learning to Europe. It was prominently advocated by the Dominican monk Basil Valentine in the latter half of the fifteenth century.

In studying this theory, we must understand that, like the Greek idea of four elements, it arose from an attempt to explain the mysterious action of fire. "Sulphur" did not mean the particular substance of definite atomic weight and chemical properties which we call by that name, but that part of any body which caused it to be combustible and disappeared on burning, "Mercury" was any part which distilled over as liquid, and "Salt" the solid residue. To these elements Valentine added an *Archaeus*, and other alchemists a "celestial virtue", by which the Ruler of the Universe determined its phenomena, including chemical changes. It was such ideas that chemistry introduced into medicine at the Renaissance.

Next we turn to an adventurous figure, Theophrast von Hohen-

[1] Gudger, *Isis*, No. 63, 1934, p. 21.

heim or Paracelsus[1] (c. 1490–1541), a Swiss doctor, who was one of the first to break away from the classical and orthodox Galenic school. In the mines of the Tyrol he studied indiscriminately rocks, minerals, mechanical contrivances, and the conditions, accidents and diseases consequent on the miner's life and surroundings. From 1514 to 1526 he wandered over a great part of Europe studying the diseases and remedies of different nations before settling down as a teaching physician at Basle, where he was given and apparently unwillingly accepted a new name from that of Celsus, the great physician of Roman times. At Basle he aroused the opposition of vested medical interests, which caused him to leave the city after about a year.

Natural History, Medicine and Chemistry

As a medical man von Hohenheim turned from Galen and Avicenna, and applied to medical problems the results of his own observations and experience. "The human mind", he says, "knows nothing of the nature of things from inward meditation. . . ." As regards the physician: "That which his eyes see and his hands touch, that is his teacher." Science is a search for God in His creation, and medicine is God's gift to man.

In applying chemistry to medicine von Hohenheim made many chemical discoveries. For example, he realized the complex nature of air, calling it "chaos"; again, he describes under the generic name of "sulphur", a substance obtained as an "extract of vitriol" which is clearly ether. He says: "it possesses an agreeable taste; even chickens will eat it, whereupon they sleep for a moderately long time, and reawake without having been injured".[2] It is curious that the anaesthetic properties of ether should have been observed without being appreciated. The first clearly to describe the preparation of ether by the action of oil of vitriol (or sulphuric acid) on alcohol was Valerius Cordus (1515–1544), doctor of medicine and botanist, who, unlike the alchemists, gives a definite account of his procedure, showing that he had passed from alchemy to chemistry.

The followers of Paracelsus were distinguished from the Galenic school by the use which they made of chemical drugs in medical practice. Doubtless they killed many patients, but, in doing so, at any rate, they made experiments. They discovered a number of drugs which proved to be of value, and incidentally they added to chemical knowledge. Studies in mineralogy, pointing the way to geology, were made by Vannoccio Biringuccio, who published his Pyrotechnia in

[1] Complete Works, ed. by K. Sudhoff, München, 1922...; Isis, VI, 56; Anna Stoddart, Paracelsus, 1915; Franz Strunz, Theophrastus Paracelsus, Leipzig, 1937; W. Pagel, Isis, No. 77, 1938, p. 469; E. Rosenstock, Huessy, Hanover, N.H. 1937.
[2] Translation by C. D. Leake, in Isis, No. 21, 1925, p. 22.

1540 at Venice, showing a practical knowledge of ores, metals and salts. Much of this work was used in *de Re Metallica* published at Basle by Agricola (1490–1555), who worked especially in the mines of Joachimsthal. Important work was done by van Helmont, born in Brussels in 1577, a mystic, who, like Paracelsus, linked science with religion. He recognized different kinds of aeriform substances, and invented the name "gas", derived from von Hohenheim's "chaos", to describe them. He reduced the four elements to one, and, like Thales, took it to be water. He planted a willow in a weighed quantity of dry earth, supplied it with water only, and at the end of five years found that it had gained 164 pounds in weight, while the earth had lost only 2 ounces. This was evidence that practically all the new substance of the willow was made of water, evidence which held good, until Ingenhousz and Priestley, more than a hundred years later, showed that green plants absorb carbon from the carbon dioxide in the air.

The first to apply some of the new physical knowledge to medicine was Sanctorius (1561–1636) who introduced a modification of Galileo's thermometer and used it for measuring the temperature of the body. He also devised an apparatus for comparing the rate of pulse beats. By weighing himself in a balance, he investigated the changes in weight of the human body, and proved that it loses weight by mere exposure, referring the loss to imperceptible perspiration. The accurate balance was perhaps the best legacy which the alchemists bequeathed to the chemists and physicists who followed.

François Dubois (1614–1672), better known by his Latinized name of Franciscus Sylvius, studied the work of van Helmont and, applying chemistry to medicine, founded a definite school of iatro-chemists. He held that health depended on the fluids of the body, acid or alkaline, which, by union with each other, produced a milder and neutral substance, a doctrine which was adopted in chemistry as well as in medicine. It is of great historical importance as the first general theory of chemistry not based on the phenomena of flame. It led Lémery and Macquer to distinguish clearly between acids and alkalis or bases. The recognition of these opposite qualities in different bodies, and their tendency to unite, sometimes with violence, suggested the idea of chemical attraction or affinity. The formation in this manner of neutral compounds led to the conclusion that every salt was formed by the union of an acid and a base. This is a foreshadowing of the classification of chemical compounds in a series of types, a theory very stimulating in the organic chemistry of the nineteenth century.

The prejudice against the dissection of human bodies lasted long in Europe, and it was not till the thirteenth century, when the writings of Galen and his Arabian commentators first became available, that men began again to study anatomy. The first outstanding figure was that of Mondino, who died in 1327, and, almost immediately after his work, the subject assumed a stereotyped form. Although dissection was included in the regular medical course at the Universities, it was carried out in strict accordance with, and as an illustration of, the text of Galen, or Avicenna, or Mondino, and no attempt was made to increase knowledge.[1] Thus, except in the note books of Leonardo, which produced no general effect on his contemporaries, no further advance in anatomy was made till the last decade of the fifteenth century. Then Manfredi wrote a treatise of which a manuscript is now in the Bodleian Library.[2] It shows a comparison of authorities and some observation. Soon afterwards Carpi added to the science, but modern anatomy and physiology really began with Jean Fernel (1497–1558), physician, philosopher and mathematician, who published *De Abditis Rerum Causis* in 1542.[3] Then Andreas Vesalius (1515–1564), a Fleming trained at Louvain and Paris, who taught at Padua, Bologna and Pisa, turned from Galen and in 1543 published *De Humani Corporis Fabrica*, a book on anatomy, based, not on what Galen or Mondino taught, but on what Vesalius himself had seen in dissection and could demonstrate. He made many advances in knowledge, and his work on the bones, the veins, the abdominal organs and the brain was specially notable. While accepting in the main Galen's physiology, Vesalius described some experiments on animals carried out by himself. But in 1544, disgusted at the opposition his book aroused, he relinquished research, and accepted the post of Court Physician to the Emperor Charles V.

Before the end of the sixteenth century anatomy, the earliest of the biological sciences, was freed from the trammels of ancient authority. Physiology was slower to escape: the doctrines of Galen blocked the way. Galen, as we have seen, taught that the arterial blood and the venous blood were two separate tides driven by the heart, which as they ebbed and flowed, carried the one "vital" and the other "natural" spirits to the tissues of the body. As Foster says:

To-day our view of any action and process of the body has for its fundamental basis the fact that the life of every tissue-unit of the body is dependent on that body

[1] Sir Michael Foster, *Lectures on the History of Physiology*, Cambridge, 1902.
[2] *Studies in the History and Method of Science*, ed. by C. Singer, Oxford, 1917.
[3] Sir Charles Sherrington, *The Endeavour of Jean Fernel*, Cambridge, 1946.

being bathed directly or indirectly by blood which comes to it as oxygen-bearing, arterial blood, and leaves it as venous blood carrying away the products of activity. Let us remember that such a view is impossible under the Galenic doctrine which taught that to and from every tissue there was a flow and ebb of two kinds of blood serving two purposes, one kind travelling in the veins, the other in the arteries. Let us further remember that this Galenic doctrine of the uses of veins and arteries was bound up with the Galenic doctrine of the working of the heart...the mysterious transit of blood from the right to the left side of the heart through the invisible pores of the septum....If we do this, we shall at once see that the true teaching of the mechanism of the bodily heart is as it were the intellectual heart of all physiology.

Michael Servetus, an Aragonese physician and theologian, who was condemned by Calvin for his unorthodox opinions, and burned at Geneva, discovered the circulation of the blood through the lungs, but its actual mechanism, and the function of the heart in maintaining the flow, though suggested in some shrewd speculations by Caesalpinus in 1593, were only made clear to men when William Harvey (1578–1657) was led to "give his mind to vivisections".

Harvey was born at Folkestone in 1578, the son of a prosperous Kentish yeoman or small squire. After studying at Gonville and Caius College, Cambridge, he spent five years abroad, chiefly at Padua. Returning to England when he was about twenty-four years of age, he began to practise as a physician, numbering Francis Bacon among his patients. He was in attendance on James I, and it fell to the lot of this the most modern physiologist of the day to superintend the medical examination of women accused of witchcraft. Fortunately he found no physical abnormalities, and they were acquitted. With Charles I Harvey was on terms of intimacy. The King had placed the resources of the deer parks at Windsor and Hampton Court at the disposal of his physician for purposes of experiment, and with him watched the development of the chick in the egg[1] and the pulsation of its living heart. Harvey followed the King in his first campaign, and was in charge of the royal princes at the Battle of Edgehill, where, during the fight, he is said to have sat under a hedge reading a book. He retired to Oxford with his master, and for some time he was Warden of Merton. His book on the heart, *Exercitatio Anatomica de Motu Cordis et Sanguinis*, was published in 1628. It is a small volume, but it contains the results of many years' observation on men and living animals, and produced a great effect. It at once made obsolete the physiology of Galen, though Harvey's departure therefrom is said to have "mightily diminished his practice".

[1] The first to do this since Aristotle was Fabricius of Aquapendente (1537–1619). See Foster, *loc. cit.* p. 36.

Harvey points out that, if we multiply the volume of blood driven forward by each beat of the heart by the number of beats in half-an-hour, we find that the heart deals in this time with as much blood as is contained in the whole body. He therefore infers that the blood must somehow find its way from the arteries to the veins and so back to the heart:

I began to think whether there might not be *a motion, as it were, in a circle*. Now this I afterwards found to be true; and I finally saw that the blood, forced by the action of the left ventricle into the arteries, was distributed to the body at large and its several parts, in the same manner as it is sent through the lungs impelled by the right ventricle into the right pulmonary artery, and that it then passed through the veins and along the *vena cava*, and so round to the left ventricle in the manner already indicated, which motion we may be allowed to call circular.

Harvey was led to his great idea, not by speculation or by *a priori* reasoning, but by a series of steps each in turn based on observations made on the heart by anatomical dissection, as seen in the living animal, or as he himself says, in "repeated vivisections". As Vesalius founded modern anatomy, so Harvey set physiology on its true course of observation and experiment, and made modern medicine and surgery possible.

To appreciate Harvey's work we must compare it with that of his predecessors and contemporaries, who invoked the aid of natural, vital and animal spirits to explain the functions of the body. Harvey barely mentions these ideas, but treats the problem of the circulation as one of physiological mechanics and solves it as such. His second work, *De Generatione Animalium*, appeared in 1651, and represents the most notable advance in embryology recorded since the time of Aristotle.

Harvey died in 1657, and, having no children, he bequeathed his estate to the Royal College of Physicians, directing them to use it "to search out and study the secrets of nature".

Harvey's work on the circulation of the blood was soon supplemented by the discovery of the lacteal and lymphatic vessels, which carry the proceeds of digestion into the bloodstream. But his work was only completed when the newly invented microscope was used in physiology. Till the minute structure was thus made visible, it was thought that the arteries delivered the blood into the flesh, which was regarded as a structureless "parenchyma", and that the veins collected it therefrom.

The compound microscope was invented, probably by Janssen,

about 1590.[1] Its early forms gave a distorted and coloured image at any high magnification. But about 1650, simple lenses were improved, and made very serviceable instruments of research.

In 1661 Malpighi of Bologna examined microscopically the structure of the lung. He found that the divisions of the wind-pipe end in dilated air vessels, over the surface of which spread arteries and veins. Eventually, in the lung of a frog, he saw that arteries and veins are connected by capillary tubes. "Hence", he says, "it was clear to the senses that the blood flowed away along tortuous vessels and was not poured into spaces, but was always contained within tubules, and that its dispersion is due to the multiple winding of the vessels."[2]

Malpighi also examined microscopically the glands and other organs of the body, and made great contributions to our knowledge of their structure and functions. Harvey showed that the blood swept through the tissues; Malpighi discovered what the tissues were and how the blood swept through them.

He also did much to found modern embryology. Aristotle watched the chick forming in the egg. Fabricius and others repeated his observations, as did Harvey in his later years. But it was Malpighi who gave the first description of the microscopic changes which convert an opaque white spot in the egg into the living bird. His work was carried further by A. van Leeuwenhoek (1632–1723), who, with simple microscopes, examined capillary circulation, and muscular fibres. He saw and drew blood corpuscles, spermatozoa and bacteria.

The mechanics of muscular motion were first adequately studied by Borelli about 1670, and the irritability of muscles about the same time by Glisson. The latter disproved the view that a muscle when in action was inflated by "animal spirits". He proved that, instead of being inflated, it actually became smaller in volume. Glisson also wrote a treatise on rickets, describing his observations on its symptoms in Dorset children.

The study of the circulation of the blood led naturally to the problem of breathing and its analogy with burning, which may well be considered here, though historically some of it belongs to a later date. In 1617 Fludd burned substances in an inverted glass vessel over water; the air lost a certain volume and the flame then went out.

Borelli, applying the physics of Galileo, Torricelli and Pascal, made clear the mechanics of breathing, and proved that animals die in

[1] A. N. Disney with C. F. Hill and W. E. W. Baker, *Origin and Development of the Microscope*, London, 1928.
[2] Foster, *loc. cit.* p. 97.

a vacuum. These subjects were studied by Robert Boyle (1627–1691), Robert Hooke (1635–1703) and Richard Lower (1631–1691), who between them proved that air is not homogeneous, but contains an active principle—*spiritus nitro-aereus*—needed both for breathing and burning, clearly our modern oxygen. Metals when burned increase in weight, as indeed a Frenchman, Rey, had shown, and this was traced to a combination with "nitro-aereal particles". As regards breathing, Hooke showed that the motion of the walls of the chest was not necessary to support life if a current of air be continuously blown over the surfaces of the lungs. In his *Tractatus de Corde*, published in 1669, Lower announced his discovery that the change in colour from dark purple to bright red—the change which marks the conversion of venous into arterial blood—takes place, not as was thought, in the left side of the heart, but in the lungs. Using Hooke's experiments on artificial respiration, he satisfied himself that the change in colour was due simply to the exposure of blood to the air in the lungs, the blood taking up some of the air. Much of this work, with some little of his own, was summarized by John Mayow in a book published in 1669 and again in 1674.[1] He sets forth the recent work on breathing and combustion, and the connexion with nitre. "Gunpowder", he says, "is very easily burnt by itself by reason of the igneo-aereal particles existing in it....Sulphureous matter on the contrary can be burnt only with the help of igneo-aereal particles brought to it by the air." A small animal placed in a closed vessel dies, and dies more quickly if a lighted candle is also placed in the vessel. "It clearly appears that animals exhaust the air of certain vital particles,...that some constituent of the air absolutely necessary to life enters the blood in the act of breathing." This he infers, following Lower, is the nitro-aereal spirit, which by union "with the salino-sulphureous particles of the blood gives rise to the heat of the blood". All this sound work was forgotten, only to be rediscovered a hundred years later by Lavoisier.

Lower also experimented, as had Wren, on the transfusion of blood from one animal into the veins of another, and with Willis he carried out anatomical researches on the cranial nerves. Thus we are led to the contemporary development in the physiology of the brain and nervous system.

Vesalius accepted the current ideas that the food is endowed in the liver with *natural spirit*, that in the heart this natural spirit is converted into *vital spirit* which, in the brain, becomes *animal spirit*,

[1] T. S. Patterson, "John Mayow in Contemporary Setting", *Isis*, Feb. and Sept. 1931.

"which is by far the brightest and most delicate, and indeed is a quality rather than an actual thing. And while on the one hand it employs this spirit for the operations of the chief soul, on the other hand it is continually distributing it to the instruments of the senses and of movement by means of nerves, as it were by cords." He shows how, by cutting or ligaturing this or that nerve, the action of this or that muscle can be abolished.

"But", he says, "how the brain performs its functions in imagination, in reasoning, in thinking and in memory...I can form no opinion whatever. Nor do I think that anything more will be found out by anatomy or by the methods of those theologians who deny to brute animals all power of reasoning, and indeed all faculties belonging to what we call the chief soul. For, as regards the structure of the brain, the monkey, dog, horse, cat, and all quadrupeds which I have hitherto examined, and indeed all birds and many kinds of fish, resemble man in almost every particular."

Van Helmont, on the other hand, held that there was no soul residing in plants and in brute beasts, which possess only "a certain vital power...the forerunner of a soul". In man, the sensitive soul is the prime agent of all the functions of the body. It works by means of *archaei* its servants, which, in their turn, act directly in the organs of the body by means of ferments allied to that which gives us wine. The soul dwells in the *archaeus* of the stomach, in some such way as light is present in a burning candle. The sensitive soul is mortal, but co-exists in man with the immortal mind. Van Helmont was a good chemist, but his speculative physiology was not likely to lead to an advance in knowledge.

The "sensitive soul" and "immortal mind" imagined by him are outside and distinct from the animal spirits, which correspond to what might now be called the activities of the nervous tissues. This is true also of the "rational soul" described by the philosopher Descartes, and the distinction enabled him, as will be seen more fully later, to accept and make use of the strictest mechanical conceptions of the nervous phenomena themselves.

Meanwhile, Sylvius applied knowledge gained in chemical experiments to physiology. Like van Helmont, he regarded many changes taking place in the living body as of the nature of ferments. But, whereas van Helmont considered the ferments to be due to subtle agencies whose effects were quite unlike ordinary chemical events, Sylvius denied such differences. To him physiological fermentation was the same in kind as the effervescence he saw when he poured vitriol over chalk. Thus, in opposition to the spiritualistic ideas of van Helmont, Sylvius taught a chemical view of physiology. This enabled

him and his pupils to make useful advances in the study of the *Anatomy and*
digestive organs, but it did not greatly help at that time to elucidate *Physiology*
the phenomena of the nerves.

Indeed, little advance was made in the physiology of the brain and
nervous system till the eighteenth century. The best criticism of the
earlier speculations was made by Stensen in 1669. After pointing out
the great difficulties which attend the dissection of the brain and the
lack of all sound anatomical knowledge, he adds:

> There abounds indeed a rich plenty of men to whom everything is clear. Such,
> dogmatizing with the utmost confidence, make up and publish the story of the
> brain and the use of its several parts with the same assuredness as if they had
> mastered with their actual eyes the structure of so admirable a machine and
> penetrated into the secrets of the great artificer.

Stensen himself did more than the philosophers and physicians
whom he satirized. As the result of his dissections he made one
pregnant suggestion, which foreshadows some of the discoveries of the
last decades of the nineteenth century:

> If indeed the white substance of which I am speaking be, as in most places it
> seems to be, wholly fibrous in nature, we must necessarily admit that the arrange-
> ment of its fibres is made according to some definite pattern, on which doubtless
> depends the diversity of sensations and movements.

The use of vegetable drugs in the treatment of disease led to an *Botany*
awakening of interest in the study of plants, a branch of science which
was originally a province of the traditional lore of monastery and
convent garden. Mediaeval symbolism was slow to relax its grip on
botany, where it took the form of the doctrine of "signatures", by
which the shape of the leaf or the colour of the flower was regarded
as an index or sign of the use designed for the plant by its Creator.

After the Renaissance the increased security of life, the growth of
wealth and the development in artistic feeling encouraged the laying
out of private parks and gardens, and the more general cultivation of
trees, vegetables and flowers. Thus, partly owing to the use of herbs
as remedies, partly to a natural curiosity and to a more marked love
of beauty and colour, the sixteenth century showed a great development in botanical knowledge.

Botanic gardens were established at Padua in 1545, and afterwards
at Pisa, Leyden and elsewhere, and there the rare plants brought
home by explorers and adventurers were deposited and cared for.
Medicine soon acquired its own gathering grounds and distilleries for
herbs. Each Society of Apothecaries had its physic garden, one of

Botany which, established by the Apothecaries' Society of London about 1676, yet survives at Chelsea.

The work of the botanists of the Middle Ages—men like Albertus Magnus and Rufinus—having been forgotten, a new start had to be made. The first to depart from the descriptions found in the works of the ancients, and to give accurate accounts from nature, was Valerius Cordus (1515–1544). About this time a number of "herbals" containing descriptions of plants and their properties, medical and culinary, began to appear, founded largely on the work of Dioscorides.[1] In some of them the pictures differ from the text and, in the later books, are often more accurate. One herbal book was published by William Turner in the years 1551 to 1568 and another, less accurate, by John Gerard in 1597. Turner was one of the first field naturalists; Gerard became superintendent of Lord Burghley's gardens at his new house by Stamford Town.

Gilbert of Colchester The method of experiment was employed by William Gilbert of Colchester (1540–1603), Fellow of St John's College, Cambridge, and President of the College of Physicians. In his book, *De Magnete*, Gilbert collected all that was known about magnetism and electricity, and added observations of his own. The magnetic needle seems to have been first discovered by the Chinese towards the end of the eleventh century.[2] Applied to navigation by Muslim sailors soon afterwards, it was in use in Europe by the twelfth century. In the thirteenth century observations were made by Peter Peregrinus but forgotten.

Gilbert investigated the forces between magnets, and again showed that a magnetic needle, freely suspended, not only set roughly north and south as in the mariner's compass, but also dipped, in England, with its north pole downwards, through an angle depending on the latitude. This dip or inclination was also discovered by Norman, an instrument maker, about 1590. Gilbert pointed out the importance of his results in navigation, and inferred, from his experiments on the set of the magnetic needle, that the Earth itself must act as a huge magnet, with its poles nearly, but not quite, coincident with the geographical poles. The variation in time of the magnetic set or declination was discovered later (1622) by Edmund Gunter, who found that it had changed 5 degrees in forty-two years. Gilbert states that, for a uniform lodestone, the strength and range of its magnetism is proportional to its quantity or mass. This seems to be the first

---

[1] R. T. Gunther, Oxford, 1934, and *Isis*, No. 65, 1935, p. 261; Agnes Arber, *Herbals*, Cambridge, 1938.

[2] Sarton, *History of Science*, Vol. I, 1927, p. 756.

realization of mass without reference to weight, and may have given the idea of mass to Kepler and Galileo, and through them to Newton.

Gilbert of Colchester

Gilbert also examined the forces developed when certain bodies, such as amber, are rubbed, and he coined the name electricity from the Greek word ἤλεκτρον, amber. To measure these forces he used a light metallic needle balanced on a point, and increased the number of bodies known to show the effect. Besides experimenting, he speculated about the cause of magnetism and electricity. He held that the magnet possesses something like a soul, and the soul of the Earth is its magnetic force. Taking the idea of an aethereal, non-material influence from Greek philosophy, he imagined it to be emitted as an effluvium by the magnet or electrified substance, which by its means embraces neighbouring bodies and draws them towards itself. He extended this idea to explain gravity, the force with which stones are pulled to the ground. In a half mystical way, he applied it also to the motions of the Sun and the planets. Each globe, he thought, had a characteristic spirit within and effused around it, and, by the interaction of these spirits, the orbits of the planets and the order of the cosmos were determined. He accepted the view that the Earth revolves on its axis, and this, too, he explained magnetically; but he was not convinced that the Earth moves round the Sun.

Gilbert held the post of Court Physician under Elizabeth and James I; indeed he was awarded a pension by the Queen to give him leisure to carry out his researches, a notable early Royal appreciation of the value of scientific experiment. His work is mentioned by Bacon in the *Novum Organum* as an example of the experimental method advocated therein.

Impressed by the failure of the scholastic philosophy to advance men's knowledge of and power over nature, and seeing the irrelevance of Aristotle's "final causes" in science, Francis Bacon (1561–1626), Lord Chancellor of England, set himself to consider the theory of this new method of experiment. In order "to extend more widely the limits of the power and greatness of man", he mapped out a course by which progress towards a mastery over nature might be made more sure. He held that, by recording all available facts, making all possible observations, performing all feasible experiments, and then by collecting and tabulating the results by rules which he only very imperfectly formulated, the connections between the phenomena would become manifest and general laws describing their relations would emerge almost automatically.

Francis Bacon

Francis Bacon   Criticism of this method is obvious and easy. There are so many phenomena to be observed and so many possible experiments to be made that advances in science are seldom achieved by the pure Baconian method. At an early stage insight and imagination must come into play; a tentative hypothesis must be framed in accordance with the facts, a mental process called induction; its practical consequences must next be deduced mathematically or by other logical reasoning, and tested by observation or experiment. If discrepancies appear, a new guess must be made, and a second hypothesis framed, and so on till one is found that is in accordance with, or as we say "explains", not only the primary facts but also all those brought out by the experiments specially made to test it. The hypothesis may then be advanced to the rank of a theory, which may serve to co-ordinate and simplify knowledge, perhaps for many years. But it is seldom, if ever, safe to say that a theory is the only possible one which fits the facts; it is merely an affair of probability. Indeed the facts themselves may increase in number and complexity as new knowledge comes to hand, and the theory may have to be modified or superseded by one more suitable to the enlarged vision of a later time.

Bacon seems to have had little or no influence on those who were carrying on experimental science, except, perhaps, later on Robert Boyle. Nevertheless, he did something to improve instructed thought about the scientific problems of his day. The world had listened to many philosophies, and had seen no corresponding record of facts wherewith to test them. Rightly, therefore, in Bacon's eyes, authenticated facts were the urgent need of the age. Bacon himself made no striking or successful experimental contribution to natural knowledge, and his theory and method of science were over-ambitious in range and inadequate in practice. Yet he was the first to consider the philosophy of inductive science, and he profoundly influenced the French Encyclopaedists of the eighteenth century. In terms of conscious power and statesmanlike eloquence, he expressed ideas far in advance of his time. The doctrines of the Schoolmen were both outgrown and outworn; the world of philosophic thought was astir and ripe for a change, and Bacon pointed out what was roughly the right road to a wider and sounder knowledge of nature.

Kepler   The Copernican theory produced a revolution in astronomy, and indeed in scientific thought generally, but Copernicus was primarily a mathematician and did not add many new facts to natural knowledge. The first astronomer to record details of planetary motions with a new degree of accuracy was Tycho Brahe (1546–1601) of Copenhagen, who did not accept the complete Copernican scheme, but held that the Sun moved round the Earth and the Planets round the Sun. After many moves he settled at Prague, and was joined in his labours by John Kepler (1571–1630), to whom he bequeathed his unique collection of data. It is usual to regard Kepler's work as consisting of the induction and verification of three statements or "laws" of planetary motion, those three which served as the foundation of Newton's astronomy. But to study only the results built into Newtonian science is, on the one hand, to give too modern a cast to our portrait of Kepler, and, on the other, to miss the great historic interest of his attitude of mind. Pythagorean and Platonic influences can be detected underlying the work of Copernicus; in Kepler's writings they show plainly alongside his methodological mathematics.

Kepler's official occupation consisted chiefly in editing the astrological almanacs which were then in favour, and despite his ironical remarks on the value to an astronomer of a lucrative profession, he was a believer in astrology. Nevertheless, he was a distinguished and enthusiastic mathematician, and it was the greater mathematical simplicity and harmony of the Copernican system which converted him thereto. "I have attested it as true in my deepest soul", he says, "and I contemplate its beauty with incredible and ravishing delight."[1] Copernicus' eulogy on the Sun was carried much further by Kepler, who regarded the Sun as God the Father, the sphere of the fixed stars as God the Son, and the intervening aether, through which he thought the power of the Sun impels the planets round in their orbits, as God the Holy Ghost.

Kepler was convinced that God created the world in accordance with the principle of perfect numbers, so that the underlying mathematical harmony, the music of the spheres, is the real and discoverable cause of the planetary motions. This was the true inspiring force in Kepler's laborious life. He was not, as usually represented, tediously searching for empirical rules to be rationalized by a coming Newton. He was searching for ultimate causes, the mathematical harmonies in the mind of the Creator.

Aristotle traced the essence of things ultimately to qualitative irreducible distinctions, so that a tree, which produces the sensation of greenness in the observer, was to him itself really and essentially green. But to Kepler knowledge must be of quantitative characters or relations, and therefore quantity or number must be the fundamental basis of things and prior to and more important than all other categories.

[1] Burtt, *loc. cit.* p. 47.

Kepler   The three summaries which have survived in science as Kepler's Laws are: (1) the planets travel in paths which are ellipses with the Sun in one focus; (2) the areas swept out in any orbit by the straight line joining the centres of the Sun and a planet are proportional to the times; (3) the squares of the periodic times which the different planets take to describe their orbits are proportional to the cubes of their mean distances from the Sun. In these short statements an enormous amount of information about planetary motions acquired by astronomers of his own and former times was summarized and systematized.

Of these three laws Kepler was most pleased with the second. Since each planet was driven by a Constant Divine Cause, Aristotle's Unmoved Mover, it should travel with constant speed, and, although this idea had to be given up in the light of the facts, Kepler was able to "save the principle" by transferring uniformity from the paths to the areas. But to him these were only three out of many mathematical relations revealed by Copernicus' theory.

Another discovery which gave him even greater delight was a second relation in the distances. If a cube be inscribed in the sphere containing the orbit of Saturn, the sphere of Jupiter will just fit within the cube. If a tetrahedron be inscribed in Jupiter's sphere, the sphere of Mars will fit within the tetrahedron, and so on for all the five regular solids and all the six planets. The relation is only roughly true, and the discovery of new planets has destroyed its basis, but to Kepler it gave more joy than the laws for which he is remembered. To him it was a new harmony in the music of the spheres, indeed the true cause of planetary distances being what they are, for to him, as to Plato, God ever geometrizes.

It is one of the ironies of history that a return to the mystical doctrine of numbers should have led Copernicus and Kepler to formulate a system which, through Galileo and Newton, takes us in direct descent to the mechanical philosophy of the French Encyclopaedists in the eighteenth century, and of the German materialists in the nineteenth.

Galileo   Some of the great ideas which had been seething in the minds of men since the Renaissance at last brought practical results in the epoch-making work of Galileo Galilei (1564–1642). Leonardo had foreshadowed the coming spirit of modern science in all the innumerable subjects on which he pondered. Copernicus initiated a revolution in the world of thought. Gilbert showed how the experimental method could add to knowledge. But in Galileo the new spirit went further than in any of his predecessors. When he had outgrown the Aristotelian beliefs of his youth, he grasped the new principles; he learned the modern need of concentration, and worked out his carefully delimited problems in a more complete and methodical way than the universal genius of Leonardo could stoop to accomplish. Moreover, unlike Leonardo, he collected and published his researches, and thus gave them at once and for ever to the world. He brought Copernican astronomy, based on an *a priori* principle of mathematical simplicity, to the practical test of the telescope. But above all he combined the experimental and inductive methods of Gilbert with mathematical deduction, and thus discovered and established the true method of physical science.

In a very real sense Galileo is the first of the moderns; as we read his writings, we instinctively feel at home; we know that we have reached the method of physical science which is still in use. The old assumption of a complete and rationalized scheme of knowledge, the characteristic of mediaeval Neo-Platonism and scholastic philosophy alike, has been given up. Facts are no longer deduced from, and obliged to conform with, an authoritative and rational synthesis, as in Scholasticism, no longer are they even given meaning thereby, as in the mind of Kepler. Each fact acquired by observation or experiment is accepted as it stands, with its immediate and in-evitable consequences, irrespective of the human desire to make the whole of nature at once amenable to reason. Concordances between the isolated facts appear but slowly, and the little spheres of know-ledge surrounding each fact come into touch here and there, and perhaps coalesce into larger spheres. The welding of all knowledge, scientific or philosophical, into a higher and all-embracing unity, if not seen to be for ever impossible, is relegated to the distant future. Mediaeval Scholasticism was rational; modern science is in essence empirical. The former worshipped the human reason acting within the bounds of authority; the latter accepts brute facts whether reasonable or not.[1]

Galileo invented the first thermometer, a glass bulb containing air, with the end of its open tube dipping in water. In 1609 he heard a rumour that a Dutchman had invented a new glass which magnified distant objects. Galileo, from his knowledge of refraction, immediately constructed a similar instrument, and soon made one sufficiently good to magnify to thirty diameters. At once discovery followed discovery.[2] The surface of the moon, instead of being perfectly smooth and

---

[1] A. N. Whitehead, *Science and the Modern World*, Cambridge, 1927.
[2] Galileo Galilei, *The Sidereal Messenger*, Venice, 1610, quoted in *Readings in the Literature of Science*, Cambridge, 1924.

Galileo   unblemished, as held by philosophers, was seen to be covered with
markings which gave all the indications of rugged mountains and
desolate valleys. Innumerable stars, hitherto invisible, flashed into
sight, solving the age-long problem of the Milky Way. Jupiter was
seen to be accompanied in its orbit by four satellites with measurable
times of revolution, a visible and more complex model of the Earth
and its Moon moving together round the Sun, as taught by Copernicus. But the Professor of Philosophy at Padua refused to look
through Galileo's telescope, and his colleague at Pisa laboured before
the Grand Duke with logical arguments, "as if with magical incantations to charm the new planets out of the sky".

By means of his telescope Galileo confirmed with sensible facts,
which anyone, if he liked, might verify, the new theory of astronomy,
which hitherto had been based only on its *a priori* grounds of mathematical simplicity. Almost simultaneously with Galileo, the English
mathematician Thomas Harriot, who did much to put algebra into
its modern form, used a telescope to observe the moon and Jupiter's
satellites, though his discoveries were not published in his lifetime.[1]

Galileo's chief and most original work was the foundation of the
science of dynamics.[2] Though some advance had been made in statics,
especially by Stevin or Stevinus of Bruges (1586) in his work on the
inclined plane and the composition of forces, and in hydrostatics on
the pressure of liquids, men's ideas upon motion had hitherto been
a confused medley of uninstructed observation and Aristotelian
theories. Bodies were thought to be intrinsically heavy or light, and
to fall or rise with velocity proportional to their heaviness or lightness
because they "sought their natural places" with varying power. About
1590 at Delft, Stevin and de Groot proved that a heavy weight and
a light weight let fall together reached the ground simultaneously.[3]
Galileo probably repeated the experiment (though it seems not from
the Leaning Tower of Pisa) for he claims that a cannon ball falls no
faster than a musket ball.[4]

Copernicus and Kepler had shown that the motion of the Earth
and other planets could be expressed in mathematical terms. Galileo
felt that parts of the Earth in "local motion" might also move mathematically. So he set himself to discover not *why* things fall, but *how*:

[1] *Dictionary of National Biography.*
[2] E. N. da C. Andrade, *Science in the Seventeenth Century*, 1938; E. Mach, *Die Mechanik in ihrer Entwickelung*, 1883, T. J. McCormack, London, 1902.
[3] Whewell, *loc. cit.* vol. II, p. 46; G. Sarton, *Isis*, No. 61, 1934, p. 244.
[4] E. N. da C. Andrade, quoting Wohlwill, *Galilei* (vol. I, Hamburg, 1909); Gerland, *Geschichte der Physik*, 1913; *Isis*, 1935, p. 164; *Nature*, 4 Jan. 1936.

in accordance with what mathematical relations, a great development *Galileo* of scientific method.

A falling body moves with constantly increasing speed. What is the law of the increase? Galileo's first hypothesis, quite reasonable in itself, was that the speed was proportional to the distance fallen through. But this supposition involved a contradiction,[1] and he therefore tried another, namely, that the speed increased with the time of fall. This hypothesis was found to involve no difficulty, and Galileo deduced its consequences, and compared them with the results of experiment.

The speed of a body falling freely proved too great for easy and accurate measurement with the instruments then available, and it was necessary to bring the speed within convenient limits. Galileo first convinced himself that a body falling down an inclined plane acquired the same velocity as though it had fallen through the same vertical height. He then experimented with inclined planes, and found that the results of his measurements agreed with those calculated from the hypothesis that the speed is proportional to the time of fall, and its mathematical consequence that the space described increases as the square of the time. He also re-discovered the fact that (for small movements) the time of swing of a pendulum is independent of the displacement: thus gravity increases the speed of the bob by equal amounts in equal times.

Again, Galileo found that, if friction be negligible, after running down one plane, a ball will run up another to a vertical height equal to that of its starting point whatever be the slope. If the second plane be horizontal, the ball will run along it steadily with uniform velocity.

Now, except perhaps by the Greek atomists and a few moderns like Leonardo and Benedetti (1585), it was assumed that every motion required a continual force to maintain it. The planets had to be kept in motion by Aristotle's Unmoved Mover, or by Kepler's action of the Sun, exerted through the aether. By Galileo's investigation it became clear that it is not motion, but the creation or destruction of motion, or a change in its direction, which requires external force. When matter is endowed with inertia, and the planetary system is set in motion, it needs no force to keep the planets moving; though some cause is required to explain their continual deviation from a straight path as they swing round the Sun in their orbits. Never before had

---

[1] Galileo's proof is unsatisfactory, but, as Broad points out, starting from rest, such a body could acquire no velocity till it had fallen some distance, and could fall no distance till it had acquired some velocity.

Galileo   it been possible even to formulate the problem, but now the way was open and the man was at hand. In 1642, the year that Galileo died, Isaac Newton was born.

Another important discovery in dynamics was made by Galileo. The path of a projectile had been the subject of much speculation. Galileo saw that its motion could be resolved into two components— one horizontal, which held its velocity unchanged, and one vertical, which followed the laws of falling bodies. The combination of the two gave a parabola.

The philosophic ideas in Galileo's mind show his affinities with Kepler on one side and with Newton on the other. Like Kepler, he looked for mathematical relations in phenomena, not however in a search for mystical causes, but in order to understand the immutable laws in conformity with which nature works, caring nothing "whether her reasons be or be not understandable by man".[1]

Here we see at once how far Galileo had travelled from the homo-centric philosophy of Scholasticism, in which the whole of nature is made for man. To Galileo, on the other hand, it appeared that God thinks into nature this rigorous mathematical necessity, and then through nature so makes "the human understanding that it, though at the price of great exertion, might ferret out a few of her secrets".

Euclid and his predecessors had reduced geometry to mathematical order. Hipparchus, Copernicus and Kepler had shown that astronomy could be reduced to geometry. Galileo set out to do the same for terrestrial dynamics, to reduce them also to a branch of mathematics. In creating a new science from the confused medley of observed phenomena and vague ideas which form its subject matter, the first step is always to pick out concepts which can be given exact definition, good at all events for a time, and if possible in a form which enables us to submit them to quantitative mathematical treatment. In order to put his problem of the acceleration of falling bodies into a shape possible of investigation, Galileo first gave exact mathematical form to the old concepts of distance and time. Aristotle and the Schoolmen were chiefly interested in the ultimate cause of things and treated terrestrial motion, not as analogous to the celestial motions of astronomy, but as a branch of metaphysics. Hence motion had been analysed in terms of substance, with the help of such vague ideas as action, efficient cause, end, and natural place. Little was said or thought about the motion itself, save that a few distinctions were drawn between natural and violent motion, motion in a straight line

[1] Burtt, *loc. cit.* p. 64.

and motion in a circle. All this was useless to Galileo, who wished to *Galileo* study not why but how motion occurred. The qualitative method made space and time somewhat unimportant categories in Aristotelian thought. Galileo gave them that primary and fundamental character which they have held in physical science since his day. He and others realized further that there was some quantity in inertia other than weight, but an exact definition of mass was first given by Newton, and the concept of energy was only formulated and defined in the middle years of the nineteenth century.

Nevertheless the first and most difficult step in mathematical dynamics was taken by Galileo, the step which passed from the vague teleological categories, into which Scholasticism analysed change and movement, to the definite mathematical concepts of time and space. Professor Burtt holds that this step has led to many of our present philosophic difficulties. It may perhaps be replied that it has revealed and clarified difficulties obscured and concealed by Aristotelian physics. However that may be, it is certain that, without the new outlook of Galileo, dynamical science could not have developed as it did. It was not Galileo's fault that some of his followers over-estimated the bearing of that science on the problem of metaphysical reality. Indeed he was content to wait in acknowledged ignorance upon questions that can only be answered by rash speculation or deduced from philosophic systems. He confessed that he knew nothing about the nature of force, the cause of gravity, the origin of the Universe. Rather than express extravagances, he declared it better "to pronounce that wise, ingenuous and modest sentence, 'I know it not'".

Perhaps an equally great change was made by Galileo in the philosophy of the other branches of physics. Kepler had accepted the distinction between the primary or inseparable qualities of bodies, and the secondary, which are less real and fundamental. Galileo went further, and realized that secondary qualities are merely subjective effects on the senses, and unlike primary qualities which, he held, cannot be separated in any way from the bodies of which they are qualities. Here he comes into line with the ancient atomists, whose philosophy had recently been revived. Galileo says:

I feel myself impelled by necessity, as soon as I conceive a piece of matter or corporal substance, of conceiving that in its own nature it is bounded and figured by such and such a figure, that in relation to others it is large or small, that it is in this or that place, in this or that time, that it is in motion or remains at rest, that it touches or does not touch another body, that it is single, few or many; in short by no imagination can a body be separated from such conditions. But that it must be white or red, bitter or sweet, sounding or mute, of a pleasant or unpleasant odour,

F

Galileo I do not perceive my mind forced to acknowledge it accompanied by such conditions; so if the senses were not the escorts perhaps the reason or the imagination by itself would never have arrived at them. Hence I think that those tastes, odours, colours, etc. on the side of the object in which they seem to exist, are nothing else but mere names, but hold their residence solely in the sensitive body; so that if the animal were removed, every such quality would be abolished and annihilated.[1]

In this line of thought Galileo rediscovered the principle so tersely expressed by Democritus in terms of atoms and a void.[2] Galileo too accepted the atomic theory of matter, and discussed in some detail how differences in number, weight, shape and velocity in atoms may cause differences in taste, smell, or sound.

Here again Galileo turned away from the picture of nature as it appeared to his contemporaries. The very qualities which to the plain man are most real, colour, sound, taste, smell, hotness or coldness, became to Galileo merely sensations in the observer's mind, produced by the arrangement or movement of atoms, themselves subject to immutable mathematical necessity. The atoms, though blind slaves of nature, are, to him at least, real, the secondary qualities are but phantoms of the senses. It was left for Bishop Berkeley a century later to suggest that, in ultimate analysis, the primary qualities also are but mental concepts based on sense perceptions.

Galileo's treatment of these problems has been blamed for the dualist and materialist philosophies which most certainly developed from it. To do so is perhaps to fall into the same errors that ensnared the French Encyclopaedists: to mistake the relations both of one of the sciences to the whole, and of science in general to the problem of metaphysical reality. But these problems will be dealt with more fully in later chapters of this book.

From Descartes to Boyle René Descartes (1596–1650), a younger contemporary of Galileo, laid the foundations of modern critical philosophy, and invented new mathematical methods useful in physical science. He was born in Touraine, of a family of the demi-noblesse and studied under Jesuits at La Flèche, but his chief work was accomplished during twenty years in Holland, and he died at Stockholm in the service of Queen Christina.

Descartes showed how much unverified assumption lay beneath the generally received philosophic ideas. He turned from the still powerful mediaeval accumulations of interwoven thought, built up from Greek philosophy and Patristic doctrine, and tried to raise a new philosophy, based only on human consciousness and experience,

---

[1] Burtt, *loc. cit.* p. 75.   [2] See above, p. 23.

ranging from the direct mental apprehension of God to observation and experiment in the physical world. Nevertheless traces of Scholastic doctrine remained in his mind.[1]

In mathematics Descartes, and independently Fermat, took the great step of applying the processes of algebra to geometry, in this developing ideas found among the Hindus, Greeks and Arabs, and carried further by moderns, especially Viète. Hitherto each geometrical problem had to be solved by a fresh display of ingenuity, but Descartes introduced a method by which this isolation was broken down. The primary idea of co-ordinate geometry is easily stated. Two straight lines, OX and OY, are drawn at right angles to each other from a fixed point O, or origin. These lines may then be used as axes to specify the position of any point P in their plane by stating the distance OM or x of the point from one axis, and its distance PM or y from the other. The distances x and y are called the co-ordinates of the point, and different relations between x and y correspond to different curves in the plane of the diagram. Thus if y increases proportionately as x increases, that is if y is equal

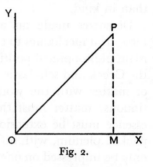

Fig. 2.

to x multiplied by a constant, we pass evenly over the diagram in the straight line OP. If y is equal to x^2 multiplied by a constant, we have a parabola, and so on. Such equations may be treated algebraically and the results interpreted geometrically. In this way solutions to many physical problems, insoluble or very difficult before, were made possible. Descartes' treatise on geometry was studied and his methods used by Newton.

Descartes pointed out the importance of the work done by a force, the modern concept of energy. He regarded physics as reducible to mechanism, and even considered the human body as being analogous to a machine. He accepted Harvey's discovery of the circulation of the blood through the arteries and veins and argued in its favour in the controversy which arose, but he did not believe that the blood was driven round by the contraction of the heart. He thought with the mediaevalists and Fernel that the human machine was kept at work by heat generated in the heart by natural processes. Thus to him the soul (*l'âme raisonnable*) is quite distinct from the body (*machine de terre*) which it inhabits, and governs. He held the Galenic theory

[1] Étienne Gilson, *Formation du Systeme Cartésien*, Paris, 1930.

that the blood generates in the brain "a very subtle air or wind called the animal spirits". But to him, as to van Helmont, the "animal spirits" are not the soul, though they fit the brain to receive the impressions of the soul and also of external objects, and then flow from the brain through the nerves to the muscles and give movement to the limbs.

Thus Descartes was the first to formulate complete dualism, that sharp distinction between soul and body, mind and matter, which afterwards became so general a belief and so important a philosophy. Before his day, and among many afterwards, the soul was regarded as of the nature of air or fire; mind and matter differed more in degree than in kind.

Descartes made an attempt to apply the known principles of terrestrial mechanics to celestial phenomena, and here, in spite of his main philosophical position, he seems to have based his treatment on the Greek and scholastic ideas of antithesis. He contrasted the world of matter with the world of spirits. Spirits are personal, discontinuous: matter must therefore be impersonal, continuous, and its essence must be extension. The physical universe must be a closely packed plenum, with no empty spaces. In such a world motion can only be impressed on one body by contact with another, and can only occur in closed circuits; there is no vacuum into which a body can find room to pass. Hence Descartes framed his famous theory of vortices in a primary matter or aether, invisible but filling all space. As a straw floating on water is caught in an eddy and whirled to the centre of motion, so a falling stone is drawn to the Earth and a satellite towards its planet, while the Earth and the planet, with their attendant and surrounding vortices, are whirled in a greater vortex round the Sun.

At a later date Newton showed mathematically that the properties of Cartesian vortices were inconsistent with observation. For instance, the periodic times of different parts of a vortex must be in the duplicate ratio of the distances from the centre, and this must hold good if the planets in their vortices are to be carried round in the Sun's vortex. The relation, however, cannot be reconciled with Kepler's third law, which, as explained above, tells us that the squares of the periodic times are in proportion to the cubes of the mean distances. Nevertheless, this theory of vortices obtained great vogue before, and indeed after, the publication of Newton's work. It was a bold attempt to reduce the stupendous problem of the sky to dynamics, and as such made its mark on the history of scientific thought. It reduced the physical Universe to a vast machine, expressible, though, as Newton showed, inaccurately, in mathematical terms.

Descartes' vortices, which produced motion by contact, seemed to his contemporaries much more mechanically comprehensible than forces acting at a distance to produce acceleration, as imagined by Galileo, and afterwards rationalized by Newton, for neither Galileo nor Newton explained the cause or mode of operation of the forces.

Descartes' machine was fundamentally different from the still prevalent views of Plato and Aristotle and the Schoolmen, according to whom God had created the world in order that, through man the crown of it all, the whole process might return to God. In Descartes' scheme, God endowed the Universe with motion at the beginning, and afterwards allows it to run spontaneously, though in accordance with His Will. It is pictured as material rather than spiritual, indifferent rather than teleological. God, ceasing to be the Supreme Good, is relegated to the position of a First Cause.

To Descartes, as to Galileo, the primary qualities, chief of which is extension, are mathematical realities, the secondary are mere translations of the primary by the human senses. But thought is as real as matter—*cogito ergo sum*. Hence Descartes arrived at a clear-cut dualism, shown also in his physiology. On one side there is a world of bodies, their essence being extension; on the other there is the inner realm of thought: *res extensa* as opposed to *res cogitans*. To Descartes matter is really dead and possesses no activity except motion derived from God in the beginning. Some who have called themselves materialists are in analysis pantheists, but Descartes, on one side of his dualism, is a real philosophic materialist, with no idea that the particles of matter are in any sense alive.

Cartesian dualism raises the question of the interrelation of these apparently unrelated entities, mind and matter. How can the unextended, immaterial mind know and produce changes in the extended, material world? How can material things produce immaterial sensations? The answer of Descartes and his followers was, in effect, that God had made things so; and for those who find themselves in dualism, there is much to be said for that answer.

The Aristotelian teaching at Oxford was criticized by Joseph Glanvill, who supported the views of Bacon and Descartes. Descartes' philosophy had a great vogue, especially on the Continent. But his system was criticized by Thomas Hobbes (1588–1679), who, after visiting Galileo, developed dynamical science into a mechanical philosophy. Not understanding the exact method of mathematical dynamics, Hobbes thought it applicable to all existence. He would have none of the Cartesian dualism: the brain was the organ of thought, and the only reality was matter in motion. Either ignoring or not seeing the difficulties, Hobbes took sensation, thought and consciousness as phantasms due to the action of atoms in the brain.

Hobbes was the first great modern exponent of a mechanical philosophy, and he met with much ignorant obloquy and some instructed criticism. The Cambridge Platonists pointed out that a theory which made extension and its modes the only real properties of bodies could not explain life and thought, and tried to reconcile religion and mechanical philosophy by an apotheosis of space. This process was carried further by Malebranche, who identified Infinite Space with God Himself, a substitute for the Aristotelian Pure Form or Absolute Actuality. Spinoza held a doctrine of one infinite substance, of which all finite existences are modes or limitations.[1] God is thus the immanent cause of a consistent Universe, and the Cartesian dualism of mind and matter is resolved in a higher unity when viewed *sub specie aeternitatis*. Thus philosophers escaped from their difficulties by an appeal to God. Nevertheless, Hobbes produced an effect on scientific thought.

Sir Kenelm Digby ridiculed the Aristotelian essential qualities, and held with Galileo that all phenomena were to be explained by particles in "locall Motion". Again, the implications of Galileo's mathematical physics were set forth by Newton's teacher Isaac Barrow (1630–1677). The object of science is to study the sensible realm, especially in so far as it shows quantitative continuity, and mathematics is the art of measurement. Thus physics, in so far as it is a science, is wholly mathematical. The best type of mathematics is geometry. Weights, forces and times, quantities which had become important since Galileo, are difficult to relate to the concept of body as being that which is extended. If time is defined and measured by motion, we are in danger of a logical circle, for the rate of a motion involves the idea of time.[2] But Barrow said that space and time are absolute, infinite and eternal, because God is omnipresent and everlasting. Space extends without limit continuously, and time flows for ever evenly and independently of sensible motions. Here we meet the first clear formulation of the ideas of absolute time and space as held by Newton. Time and space are represented by Barrow as being independent of human

[1] H. A. Wolfson, *The Philosophy of Spinoza*, Harvard, 1934; *Isis*, No. 64, 1935, p. 543.
[2] G. Windred, "The History of Mathematical Time", *Isis*, April 1933, No. 55, Vol. XIX (1), p. 121.

perception and knowledge, existing in their own right, save in their relation to God. As Professor Burtt says: "From being a realm of substances in qualitative and teleological relations, the world of nature had definitely become a realm of bodies moving mechanically in space and time".[1] Nevertheless, Barrow, Newton and their immediate followers did not deduce a mechanical, anti-religious philosophy from their new mechanical science. Gassendi too, who revived the atomic theory of Epicurus, was a practising Catholic priest. Again, a useful reminder that all could not be reduced to simple mathematical terms was given by Robert Boyle, the physicist and chemist, and a philosopher of a very moderate, pleasing and English variety.

As a man of science he carried on the experimentalist tradition of Gilbert and Harvey, and he accepted the theory of experimental method set forth by "our great Verulam". He looked for relations between qualities immediately perceived without necessarily seeking for ultimate causes, whether those causes be scholastic or mathematically mechanical. To explain a fact is merely to deduce it from something else better known. In particular he wished to deal thus with the chemistry of common things without reference to the prevailing half-mystical theories of chemical principles or elements. He perceived the importance of the atomic theory recently revived by Gassendi, sought to reconcile it with the Cartesian elements of space, and used it in his chemical speculations and in his physics to explain the phenomena of heat.

Boyle accepted, as indeed he must, the view that "secondary qualities" are only phantoms of the sensations, but he justly pointed out that after all "there are *de facto* in the world certain sensible and rational beings that we call men". Since, then, man with his senses is a part of the Universe, the secondary qualities are as real as the primary. Here Boyle, from an opposite side, touched a result reached by Berkeley, and, moreover, used an argument which still seems valid. The mechanical world and the thinking world are both parts of the whole world which philosophy has to face. It may be necessary to treat them as entirely separate from each other in order to bring the problem within human understanding; but the separation is due to our need of simplifying the problem by treating it successively from different aspects. A better mind than ours might be able to see the world steadily and see it whole.

Boyle expressed his philosophy in religious terms. Man's rational soul, which bears the image of its Divine Maker, is "a nobler and

From Descartes to Boyle

[1] Burtt, *loc. cit.* p. 154.

more valuable being than the whole corporeal world" God not only made the world in the beginning, but His "general concourse" is continually needed to keep it in being and at work. This, the physical aspect of the Christian doctrine of immanence, is a partial return to the old Indian and Arabic idea of continual creation. The immediate causes are mechanical, but the ultimate causes are non-mechanical.

As a physicist Boyle, helped by Hooke, improved the air-pump invented in 1654 by von Guericke, and used this "Pneumatical Engine" in his work on the "Spring and Weight of the Air". He found that air is a material substance having weight, and proved that the volume of a given quantity of air is inversely proportional to the pressure, a relation later but independently discovered by Mariotte. Boyle observed the effect of atmospheric pressure on the boiling-point of water; he collected many facts about electricity and magnetism; improved Galileo's thermometer by sealing it hermetically, and recorded the unvarying high temperature of the healthy human body; he recognized in heat the results of a "brisk" molecular agitation. As a chemist he distinguished a mixture from a compound; he prepared phosphorus, and actually collected hydrogen in a vessel over water, though he described it as "air generated *de novo*"; he obtained acetone and isolated methyl alcohol from the products of the distillation of wood; he studied the form of crystals as a guide to chemical structure.

But Boyle's greatest advance on the general outlook of his day is to be found in his rejection of the survival in Scholasticism of the "forms" of Plato and Aristotle, of the four "elements", and of the alternative chemical hypothesis that the basis of substances is to be sought in the "principles" or "essences" of salt, sulphur and mercury. In his more modern application of the term, none of these were true elements.

His ideas are set forth in a trialogue published in 1661 and 1679 entitled *The Sceptical Chymist: or Chymico-Physical Doubts and Paradoxes, touching the Experiments whereby Vulgar Spagirists are wont to Endeavour to Evince their Salt, Sulphur and Mercury to be the True Principles of Things.* Boyle's spokesman thus explains his position:

Notwithstanding the subtile reasonings I have met with in the books of the Peripatetiks, and the pretty experiments that have been shew'd me in the Laboratories of Chymists, I am of so diffident or dull a Nature as to think that if neither of them can bring more cogent arguments to evince the truth of their assertion than are wont to be brought; a Man may rationally enough retain some doubts concerning the very number of those materiall Ingredients of mixt bodies, which some would have us call Elements and others Principles.

It is pointed out that fire, which has been assumed to resolve things into their elements, really produces very different effects at different degrees of heat, and often gives rise to new bodies which are clearly also complex. Gold withstands fire and certainly yields neither salt, sulphur nor mercury, but it can be alloyed with other metals, or dissolved in aqua regis, and yet recovered in its original form, suggesting unalterable "corpuscles" of gold, which survive combinations, rather than Aristotelian elements or Spagirist principles. A cautious proposition is offered: "It may likewise be granted, that those distinct Substances, which Concretes generally either afford or are made up of, may without very much Inconvenience be call'd the Elements or Principles of them". Boyle thus broke away from all previous association of ideas, and formulated a modest definition of an element which might still be used, despite the revolutions which have changed the face of chemistry since he wrote. Boyle himself did not exploit all his ideas experimentally, but others made unconscious use of them, and, a century after Boyle's day, they were adopted by Lavoisier, and became the basis of modern chemistry.

From Descartes to Boyle

Boyle refused a peerage and the Provostship of Eton. His versatility was commemorated in an Irish epitaph which, it is said, described him as "Father of Chemistry and Uncle of the Earl of Cork".

Before leaving the mathematical and physical science of this period, it is necessary to refer briefly to Blaise Pascal (1623–1662), most widely known as a theologian, who was the founder of the mathematical theory of probability, the study of which, originating in a discussion concerning games of chance, has proved to be of great importance in recent science and philosophy, as well as in the subject of social statistics. Indeed the intellectual basis of all empirical knowledge may be said to be a matter of probability, expressible in terms of a bet.

Pascal and the Barometer

Pascal also experimented on the equilibrium of fluids. In 1615 Beekman, followed in 1630 by Balliani, noted that the action of water-pumps compressed air. Galileo stated that a workman told him a pump would not raise water more than "eighteen coudées" (presumably about 27 feet), and experiments were made by Berti (or Alberti) about 1640 in Rome. This led Torricelli in 1643 to construct a mercury barometer in which, as he expected, the height of the column of that dense substance was less—about 30 inches.[1] Then, under Pascal's direction, a barometer was carried up the Puy de Dôme, and the height of the mercury column was seen to diminish as the

[1] C. de Waard, Thouars, 1936; review by G. Sarton, *Isis*, No. 71, 1936, p. 212.

Pascal and the Barometer instrument was taken up the mountain and the pressure of the atmosphere became less. Thus the column is held up by the pressure of the air, and not by nature's "abhorrence of a vacuum", as taught by the Aristotelians.

Witchcraft Belief in witchcraft[1] and the practice of magic are of course prehistoric, and may indeed form the matrix of ideas from which both early religions and natural science crystallized out. But, when the Church first conquered the world, magical fertility cults and other forms of witchcraft were regarded by intelligent men as relics of paganism and not much feared. Saint Boniface (680–755) classed belief in witches among the wiles of the Devil, and the laws of Charlemagne made it murder to put anyone to death on a charge of witchcraft. The Church, too, took a lenient view—to call up Satan knowing it to be wrong was not heresy; it was merely sin.

But in the later Middle Ages, the Devil became more prominent. The magic of fertility cults revived in connection with Manichaean heresies till Satan became a disinherited Lucifer, an object of worship to the oppressed. Saint Thomas Aquinas exercised his subtle ingenuity in explaining away the former attitude of the Church towards witchcraft, and argued that, while it had been declared heresy to believe that the Devil could create *natural* thunderstorms, it was not contrary to the Catholic Faith to hold that, with God's permission, he could make *artificial* ones. Pope Innocent VIII in 1484 gave the formal sanction of the Church to the popular belief in intercourse with Satan or his demons, and in the active evil powers of sorcerers and witches. All such sinners then became heretics, and a new and terrible weapon was forged for orthodoxy: heretics could be declared sorcerers and popular fury roused against them. Some of the victims, honestly holding their Manichaean heresy or primitive cult as a religion, went to the stake as martyrs for practising its rites. Many others were falsely accused.

At the Reformation these ideas were taken over by the Protestants, who could use the Scriptural injunction "Thou shalt not suffer a witch to live" without having to explain away ancient Church canons which threw doubt on the reality of witchcraft. Protestants vied with Romanists in hunting witches. On the Continent, where confessions

---

[1] See W. T. Lecky, *History of Rationalism*; Margaret Alice Murray, *The Witch Cult in Western Europe*, Oxford, 1921; G. L. Kittredge, *Witchcraft in Old and New England*, Cambridge, Mass., 1929; C. L'Estrange Ewen, *Indictments for Witchcraft*, 1559–1736, London, 1929; Lynn Thorndike, *A History of Magic and Experimental Science*, 4 vols. (others to follow), New York to 1934; *Isis*, No. 66, 1935, p. 471.

and accusations against others were legally and regularly obtained *Witchcraft* by torture, nearly all of those accused confessed. In England, where torture was only legal for the Prerogative Courts and denied to the Common Law, they mostly died protesting their innocence. The total number of victims for the whole of Europe in two hundred years is variously estimated at three-quarters of a million upwards. It was difficult for those who were accused to escape. If they pleaded guilty, they were forthwith burnt alive; if not, they were tortured till they confessed.

In *Malleus Maleficarum*, a fifteenth-century text-book for Inquisitors, may be seen an account of the methods to be used in trying witches.[1] The barbarity and perfidy of the legal processes described are almost beyond belief. Any means of obtaining a confession are authorized. Both before and after torture the judge should promise the accused her life, without telling her that she will be imprisoned. The promise should be kept for a time, but then she should be burned. In other cases the judge should promise to be merciful, "with the mental reservation that he means he will be merciful to himself or to the State".

Very few ventured to risk a dreadful death by protesting publicly against the mania. Perhaps the first was the physician Cornelius Agrippa (1486–1535), and possibly the second was John Weyer physician to Duke William of Cleves, on whose protection he depended. In 1563 Weyer published a book to prove that so-called witchcraft is usually due to delusions induced by demons, who take advantage of the weaknesses of women to bring about superstitious cruelties and the shedding of innocent blood in which they delight.[2] Reginald Scot, a Kentish squire, in his *Discoverie of Witchcraft* (1584), took the modern, common-sense view that the whole thing is a mixture of ignorance, illusion, roguery and false accusation. Scot's book was reprinted several times, and for a while did "make great impressions on the magistracy and clergy".[3] A Jesuit, Father Spee, accompanied nearly two hundred victims to the stake at Würzburg in less than two years.[4] Horrified at the experience, he declared that he was convinced they were all innocent. They had made the usual confession because they preferred to die rather than be tortured again. In 1631 he published anonymously a book in which he said that "Canons, Doctors, Bishops

[1] *Malleus Maleficarum*, translated into English by Montague Summers, London, 1928; review in the *Nation and Athenæum*, November 24th, 1928.
[2] E, T. Withington, "Dr John Weyer and the Witch Mania", *Studies in the History and Method of Science*, Oxford, 1917.
[3] Art. "Scot", in *Dictionary of National Biography*.
[4] Withington, *loc. cit.*; C. L'Estrange Ewen, *Witch Hunting*, London, 1929.

Witchcraft   of the Church could all be made to confess to sorcery by the tortures used".

But these brave men, whose names deserve to be held in ever-lasting remembrance, could not stop the madness which had infected all classes. James I wrote a book on witchcraft in which he reprobated Weyer and Scot; even great physicians like Harvey and Sir Thomas Browne assisted at the examination of witches, and the orgy of torture and fire went on all over Europe till the end of the seventeenth century or later. The story forms the blackest and most disgraceful page in the history of mankind till recent totalitarian days.

The belief in witchcraft decayed with as little apparent reason as it arose. The civilized world gradually discovered that it had ceased to believe in the existence of witches even before it had given up the practice of burning them. It was not that the world grew more tolerant or more humane, but that it had become more sceptical and was ceasing to fear the power of a witch. It was indeed preparing itself for the rationalistic philosophy and the cold intellectualism of the eighteenth century, which, here at any rate, have one good deed to their credit. Clearly this change of attitude was due chiefly to the advance of science, which slowly defined the limits of man's mastery over nature, and disclosed the methods by which this mastery is attained. This stage was only reached in later years, and the great period dealt with in this chapter was disfigured throughout by the irrational belief in witchcraft. Even now, three hundred years later, such beliefs lie only just below the surface, ready to revive among the uneducated in every class.

Mathematics   The prevailing confusion between magic and science is well seen in the person of John Dee (1527–1608), who spent much time in astrology, alchemy and spiritualism, but was also a most competent mathematician and an early supporter of the Copernican theory. He wrote a learned preface to an English translation of Euclid, published by Billingsley in 1570. When Pope Gregory XIII corrected the erring calendar by ten days in 1582, Dee was employed by Elizabeth's Government to report on the means of adopting the reform, and it was only the adverse opinion of some Anglican Bishops that caused a delay in England of 170 years. Dee brought from the Low Countries in 1547 an astronomer's staff and ring by Frisius, and two globes made by Mercator, famous for his projection of maps on a plane, with lines of latitude and longitude at right angles. Applied mathematics were also facilitated by Stevinus' invention of decimal fractions.

Throughout this period the art of navigation was improved in *Mathematics* effective fashion. Beginning as we have seen (p. 109) with the Portuguese Prince Henry, it draws to a close with the famous names of Hawkins, Frobisher, Drake and Ralegh. The Dutch, under such men as Erikszen and Hontman, began exploration at the end of the sixteenth century, and soon established settlements in the East and West Indies. A Charter was granted to a Dutch East India Company in 1601, shortly before the foundation of the corresponding English Company.

At the boundary of the next period stands the lonely figure of Jeremiah Horrocks (1617–1641), who, in a poor Lancashire curacy, following Kepler's work, ascribed to the Moon an elliptic orbit with the Earth in one focus, and predicted and observed for the first time a transit of Venus across the Sun's disc. This enabled him to correct the received trace of the planet's orbit and the estimate of its diameter. Fifty years later Newton himself acknowledged his debt to Horrocks.

In this chapter we have seen at last the true beginnings of modern *The Origins* science. At the Renaissance natural science was still a branch of *of Science* philosophy; but during the period just reviewed it succeeded in finding its own method of observation and experiment, illumined, where such methods are applicable, by mathematical analysis. Copernicus and Kepler, it is true, still sought ultimate causes in mathematical harmony, and this train of thought persisted long after the time of Newton in a tendency to think that when a phenomenon could be expressed quantitatively in mathematical terms it was explained philosophically as well as scientifically. This tendency, however, did not hamper the experimentalists. They cast off the gilded chains of a rational, universal synthesis, whether Aristotelian or Platonic, and thus became free to accept facts humbly, even though the facts could not be incorporated in a general scheme of knowledge. Here and there the facts began to fit together like the pieces of a puzzle, till parts of a pattern emerged. In the next period this movement was carried on in Newton's formulation of the laws of gravity, the first great scientific synthesis, and then perhaps swung too far in the exaggerated mechanical philosophy of the French Encyclopaedists of the eighteenth century.

CHAPTER IV

THE NEWTONIAN EPOCH

The State of Science in 1660—Scientific Academies—Newton and Gravitation—
Mass and Weight—Improvements in Mathematics—Physical Optics and Theories
of Light—Chemistry—Biology—Newton and Philosophy—Newton in London.

*The State
of Science
in 1660*

WE have now reached the most important time in the early development of modern science, for by Newton's supreme achievement the
work of Galileo and of Kepler was incorporated with that of Newton
himself in the first great physical synthesis. It may be well to
sketch in bare outline the state of science and philosophy to which
Europe had been brought by the changes described in the preceding
chapters.

The scholastic structure of universal knowledge, useful as it was as
a training in rationalism, had long become inadequate. It had been
shaken by the revival of nominalism by Duns Scotus and William of
Occam, by the Neo-Platonic movement which gave a philosophic
basis for the work of Copernicus and Kepler, and finally by the results
of the mathematical and experimental methods of Galileo, Gilbert
and their followers. Gilbert and Harvey had shown how experiment
could be used empirically, and Galileo had proved that mathematical
simplicity, which to Copernicus and Kepler was the underlying
meaning of celestial phenomena, could be discovered also in terrestrial
motion. The scholastic substances and causes, in terms of which
motion had been loosely described in attempts to explain *why* things
move, were thus replaced by time, space, matter and force, concepts
now first clearly defined and used mathematically to discover *how*
things move, and to measure the actual velocities and accelerations
of moving bodies.

Galileo had also proved experimentally that no continual exertion
of force was needed to keep a body in motion. Once started it would
travel forward in virtue of an innate quality somehow connected with
weight. Here Galileo touched the concept of mass and inertia, and,
though he did not define it clearly, his observations on falling bodies
were enough, if properly understood, to show its exact relation with
weight. But the pride of place given by the Scholastics to the Aristotelian substance and qualities had definitely passed to matter and
motion. The mystical meaning assigned to mathematical harmonies

by Copernicus and Kepler was in process of being transmuted into the idea that when a change could be expressed mathematically in terms of matter and motion it could also be explained mechanically, either by Galileo's forces or by contact in some such way as Descartes imagined in his vortices. Boyle could still in 1661 argue against the scholastic concepts as ideas to be reckoned with in chemistry; in physics they were dead, though not yet buried, and echoes of old controversies are to be heard in the writings of Newton and his contemporaries. The power of the new mathematical method in dynamics became more evident when, in 1673, Huygens published his researches on gravity, the pendulum, centrifugal forces and the centre of oscillation.

The State of Science in 1660

The general ideas of the atomic theory were adopted by Galileo, and the form given to it by Epicurus was revised and expounded more fully by Gassendi. This brought the conception of nature as being fundamentally composed of matter in motion, first realized in the large-scale phenomena of dynamics and astronomy, into man's picture of the intimate structure of bodies. The atomic theory was not necessary for Galileo's dynamics, but it fitted in well with the general scientific outlook which followed from his work.

Another Greek concept which was beginning to play its part in seventeenth century thought was that of an inter-planetary aether. Kepler invoked it to explain how the Sun kept the planets moving; Descartes saw it in the guise of a subtle fluid or primary matter, which formed the vortices of his celestial machine, and thus provided for weight and other qualities not derivable from pure extension; Gilbert used it to explain magnetic attraction, and Harvey as a means of conveying heat from the Sun to the heart and blood of living animals.

The idea of aether was still confused with Galen's concept of aethereal or psychic spirits, which was used by the mystic school in an attempt to explain the nature of being.[1] It must be remembered that the modern distinction between matter and spirit had not become clear. The "soul", the "animal spirits", and similar concepts were still regarded as "emanations", "vapours", things to us material. The unity of matter and spirit was thus maintained, except by Descartes, who was the first to see plainly an essential distinction between matter extended in space and the thinking mind. For most men of the period, the line seems to have been drawn between solids and liquids, on the one side, and air, fire, aether and spirit on the

[1] A. J. Snow, *Matter and Gravity in Newton's Physical Philosophy*, Oxford, 1926, p. 170.

other. Thus, to explain phenomena in terms of "aether" was to leave room for direct Divine interposition.

The current ideas are well shown by Gilbert, who supposed that magnetic forces are due to effluvia which draw bodies to the magnet, and that gravity is of the same nature as magnetic forces, each body possessing a "soul", which emanates through space and draws all things unto it.

Finally we must remember that all competent men of science and almost all philosophers of the middle of the seventeenth century looked on the world from the Christian standpoint. The idea of an antagonism between religion and science is of a later date. Gassendi in reviving atomism was careful to avoid the connection with atheism given to it by the ancients. Descartes, who was accused by his opponents of having devised so effective a cosmic mechanism that it left no room for Providential control, held that the mathematical laws of nature had been established by God, Who could alternatively be reached through the world of thought. Thomas Hobbes, it is true, confined philosophy to the positive knowledge gained by natural science, attacked theology, and called religion accepted superstition. Yet he agrees that religion based on Holy Scripture should be established and enforced by the State. His attitude, however, was exceptional. Speaking generally, the fundamental theistic assumption was made by all enquirers, not for purposes of apologetic, but because it was regarded as a universally accepted datum with which any theory of the Cosmos must necessarily conform.

There were still survivals of mediaeval ways of thought; Boyle found it necessary to argue against scholastic ideas of chemistry no less than against those of the "Spagirists". Though the Copernican theory was accepted by mathematicians and astronomers, the Ptolemaic system was propounded in popular text books. Astrology was still taken seriously. The Civil War gave opportunity to astrologers to find, in the changes and chances of the times, almost certain fulfilment of any prophecy they made.[1] Even Newton, in his early days, seems to have thought astrology worth investigating. When he matriculated at Cambridge in 1660 and was asked what he wished to study, he is said to have replied: "Mathematics, because I wish to test judicial astrology".[2] Here we have a vivid illustration of the change in mental outlook which took place during Newton's life,

---

[1] *Dict. Nat. Biography*, "William Lilly", "Henry Colley", "John Case".
[2] Reverend H. T. Inman, *Sir Isaac Newton and one of his Prisms*, Oxford (privately printed), 1927.

a change chiefly produced by Newton's own work. Although astrological works, especially in the form of almanacs, continued to be issued long after his time, by the end of the seventeenth century they appealed only to the ignorant. *The State of Science in 1660*

There were other influences which helped to mould Newton's intellectual environment. The new learning, for long blocked by the Aristotelians, had by this time found its way into some of the Universities. The number of those concerned with natural philosophy was increasing rapidly, and one sign of this increase was the establishment of societies or academies consisting of men who met together to discuss the new subjects and to further their progress. The earliest of such societies appeared in Naples in 1560 under the name of *Accademia Secretorum Naturae*. From 1603 to 1630 the first *Accademia dei Lincei*, to which Galileo belonged, existed in Rome, and in 1651 the *Accademia del Cimento* was founded at Florence by the Medici. In England a society began to meet in 1645 at Gresham College or elsewhere in London under the name of the Philosophical or Invisible College. In 1648 most of its members moved to Oxford owing to the Civil War, but in 1660 the meetings in London were revived, and in 1662 the society was formally incorporated by Charter of Charles II as The Royal Society. In France the corresponding *Académie des Sciences* was founded by Louis XIV in 1666, and similar institutions soon appeared in other countries. Their influence in securing adequate discussion, in focussing scientific opinion, and in making known the researches of their members has had much to do with the rapid growth of science since their foundation, especially as most of them soon began to issue periodical publications. The oldest independent scientific periodical seems to have been the *Journal des Savants*, which was first issued at Paris in 1665. Three months later it was followed by the *Philosophical Transactions of the Royal Society*, at first the private venture of its secretary. Other scientific journals appeared before long, but, to the end of the seventeenth century or later mathematicians had to rely chiefly on letters to each other as a means of getting their work known—an inefficient system that led to disputes about priority, as, for instance, between Newton and Leibniz. *Scientific Academies[1]*

Kepler's work gave a model of the solar system, but the scale of the model—the actual dimensions of the system—could not be fixed till one distance had been measured in terrestrial units.

---

[1] T. Sprat, Bishop of Rochester, *History of the Royal Society*, 1667; *Record of the Royal Society*, London, 1912...; Martha Ornstein, *Scientific Societies in the Seventeenth Century*, Chicago and Cambridge, 1928; R. W. T. Gunther, *Early Science in Oxford*, 1921 *et seq.*; H. Brown, *Scientific Organisation in France*, Baltimore, 1934.

In 1672–3 Jean Richer was sent by Colbert, the Minister of Louis XIV, to Cayenne in French Guiana in order to carry out astronomical observations useful in navigation. Among his measurements was the parallax of the planet Mars, and the most striking consequence of his work was a realization of the huge sizes of the Sun and the larger planets and the stupendous scale of the solar system. The Earth and man on it shrank in comparison.

We have now sketched in outline the scientific knowledge and philosophic opinion in which Newton began his work. Isaac Newton (1642–1727) was the delicate, posthumous and single child of a small landowner, who farmed his 120 acres. His son was born at Woolsthorpe in Lincolnshire, and educated at Grantham Grammar School. He entered Trinity College, Cambridge, in 1661, where he attended the mathematical lectures of Isaac Barrow. He was elected a Scholar of the College in 1664 and a Fellow in 1665. In 1665 and 1666, driven to Woolsthorpe by an outbreak of plague at Cambridge, he turned his attention to planetary problems. Galileo's researches had shown the need of a cause to keep the planets and their satellites in their orbits and prevent them from moving off in straight lines through space. Galileo had represented this cause as a force, and it remained to show that such a force, or its equivalent, existed.

Newton is said by Voltaire to have grasped the clue while idly watching the fall of an apple in the orchard of his home. He was led to speculate about the cause of the fall, and to wonder how far the apparent attraction of the Earth would extend, whether, indeed, since it was felt in the deepest mines and on the highest hills, it would reach the Moon and explain that body's continual fall towards the Earth away from a straight path. The idea of a force decreasing as the square of the distance increased appears to have been in Newton's mind already, and, in fact, in other men's also. In a memorandum in Newton's handwriting, found among the collection of Newtonian papers which Lord Portsmouth, a descendant of Newton's half-sister Hannah Barton, presented to the University of Cambridge in 1872, the following account of these early investigations is given:

And the same year I began to think of gravity extending to ye orb of the Moon, and having found out how to estimate the force with wch a globe revolving within a sphere presses the surface of the sphere, from Kepler's Rule of the periodic times of the Planets being in a sesquialterate proportion of their distances from the centers of their Orbs I deduced that the forces wch keep the Planets in their Orbs must be reciprocally as the squares of their distances from the centers about wch they revolve: and thereby compared the force requisite to keep the Moon in her Orb with the force of gravity at the surface of the Earth, and found them answer pretty nearly. All this was in the two plague years of 1665 and 1666, for in those days I was in the prime of my age for invention, and minded Mathematics and Philosophy more than at any time since. What Mr Hugens has published since about centrifugal forces I suppose he had before me.

Newton and Gravitation

It will be seen that there is no mention here of the story related by his friend Pemberton that Newton put away his calculations because, owing to the use of an inaccurate estimate of the size of the Earth, the force needed to keep the Moon in her orbit did not agree with that of gravity. On the contrary, Newton says that he "found them answer pretty nearly". This has been pointed out by Professor Cajori,[1] who also gives evidence to show that several good enough estimates of the Earth's size were available and likely to be known to Newton in 1666. Among them was one by Gunter, which gave one degree of latitude as $66\frac{2}{3}$ English statute miles, instead of the 60 miles which Pemberton suggests that he used. Cajori says:

In view of Newton's purchase of "Gunter's book" it is very probable, almost certain, that he knew Gunter's estimate for the size of the earth, $1° = 66\frac{2}{3}$ Eng. St. mi., which is approximately Snell's value. If Newton used $66\frac{2}{3}$, he obtained 15·53 feet, instead of the correct 16·1 feet as the fall of a body from rest in a second. This is an error of $3\frac{1}{2}\%$. Perhaps such a result would have elicited his remark that he "found them answer pretty nearly".

A more likely reason for Newton's delay in publishing his calculations was pointed out in 1887 by J. C. Adams and J. W. L. Glaisher. There was one great difficulty in the way of gravitational theory, which Newton at any rate appreciated. The sizes of the Sun and planets are so small compared with the distances between them that, in considering their mutual relations, the whole of each body may fairly be treated, approximately at all events, as concentrated in one place. But the Moon is relatively less distant from the Earth, and it was doubtful if taking either body as a massive point could be justified. Still more, in calculating the mutual forces of the Earth and the apple, we have to remember that, as compared with the size of the apple or the distance between the two bodies, the Earth is gigantic. The problem of calculating for the first time the combined attraction of all its parts on a small body near its surface was obviously one of great difficulty. This was probably the chief reason why Newton put aside his work in 1666. Cajori states that Newton also realized the variations of gravity with latitude and the effect of centrifugal force due to the rotation of the Earth, and says that he found their elucidation "more difficult than he was aware of". Newton seems to have

---

[1] *Sir Isaac Newton*, History of Science Society, Baltimore, 1928, p. 127.

returned again to the problem about 1671, but once more took no steps towards publication. Possibly the same considerations deterred him, and moreover he was much worried at that time by the controversies into which his optical experiments had led him, and says "I had for some years past been endeavouring to bend myself from philosophy to other studies". Indeed, he seems to have been more interested in chemistry than in astronomy, and in theology than in any branch of natural science, while in later years he grudged the time which "philosophy" took from his duties at the Mint.[1]

In 1673 Christian Huygens (1629–1695), son of a Dutch diplomatist and poet, published his work on dynamics, *Horologium Oscillatorium*. Assuming the principle of the conservation of *vis viva*—now called kinetic energy—in dynamical systems, Huygens obtained the theory of the centre of oscillation, and opened a new method applicable to many mechanical and physical problems. He determined the relation between the length of a pendulum and its time of vibration, invented the balance-spring for watches, and developed the theory of evolutes, including the properties of the cycloid.

But for our immediate purpose his most important results are those on circular motion with which the book ends, though, as has been said before, Newton must have reached the same conclusions in 1666. We may put them in simpler and more modern form.[2] If a body of mass m describes with a velocity v a circular path of radius r, as does a stone whirled at the end of a string, then, according to Galileo's principle, a force must act towards the centre. Huygens proved that the acceleration α produced by this force must be equal to v^2/r.

By 1684 the general question of gravitation was in the air. Hooke, Halley, Huygens and Wren seem independently to have shown that,

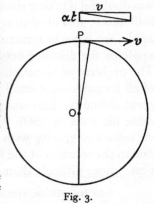

Fig. 3.

[1] L. T. More, *Isaac Newton, a Biography*, New York and London, 1934.

[2] The acceleration α towards the centre of motion, acting for a short time t, will produce a radial velocity αt. Let us suppose that the velocity in the circular path in Fig. 3, and therefore the velocity at any moment along the tangent to the circle, is v. Then, in the small rectangle at the top of the figure, which represents the velocities along the radius and along the tangent, the adjacent sides are in the ratio of $\alpha t/v$, and this ratio is equal to the small angle between the radii drawn to two successive points on the circumference, or vt/r. Therefore

$$\frac{\alpha t}{v} = \frac{vt}{r} \text{ and } \alpha = \frac{v^2}{r}.$$

Since force, as defined by Newton, is measured by the product of mass and acceleration, the centripetal force necessary to maintain a body in circular motion is mv^2/r.

if the planetary orbits, really ellipses, were taken as circles, the inverse square must be the law of force.[1] This follows at once from Huygens' proof that α in a circle with radius r is v^2/r and Kepler's third law—that the squares of the periodic times, and therefore the values of r^2/v^2, vary as r^3. The latter result shows that v^2 varies as $1/r$. Hence v^2/r, that is the acceleration, and therefore the force, varies as $1/r^2$.

Newton and Gravitation

Several Fellows of the Royal Society, carrying the matter further, had been discussing in particular whether a planet moving under attraction in accordance with the inverse square relation, as suggested by Kepler's third law, would describe an ellipse in accordance with his first law. Halley, despairing of obtaining a mathematical solution from other sources, went to visit Newton at Trinity College in Cambridge, and found that he had solved the problem two years before, though he had mislaid his notes. However, Newton wrote out another solution and sent it and "much other matter" to Halley in London. Under Halley's stimulus, Newton returned to the subject, and in 1685, overcoming the difficulties of the calculation, he proved that a sphere of gravitating matter attracts bodies outside it as though all its mass were concentrated at the centre. This successful demonstration justified the simplification by which the Sun, the planets, the Earth and the Moon were taken as massive points, and raised the rough approximate calculations to proofs of great accuracy. The importance of the demonstration was brought out by Dr J. W. L. Glaisher, who says:

No sooner had Newton proved this superb theorem—and we know from his own words that he had no expectation of so beautiful a result till it emerged from his mathematical investigation—than all the mechanism of the universe at once lay spread before him....It was now in his power to apply mathematical analysis with absolute precision to the actual problems of astronomy.[2]

This success cleared the way for Newton's original investigation, by which he sought to connect astronomical forces with the Earth's pull on bodies falling to the ground. Using Picart's new measurement of the Earth, he returned to his old question of gravity and the Moon. The Earth could now be taken as having a centre of attraction at the centre of its form, and the verification of his surmise was simple. The distance of the Moon is about 60 radii of the Earth, and the earth's radius is about 4000 miles. It follows that the Moon falls towards the Earth away from a straight path by about 0·0044 feet in one second. If the inverse square law were true, the same force

[1] W. W. Rouse Ball, *History of Mathematics*, London, 1901, p. 342.
[2] J. W. L. Glaisher, *Address on the bi-centenary of the publication of Newton's* Principia, 1887.

would be $(60)^2$, or 3600, times as intense on the surface of the Earth, and should there cause a body to fall 3600×0.0044, or about 16 feet, in one second. This was in accordance with the facts of contemporary observation, and the proof was complete. Newton had demonstrated that the familiar fall to the ground of an apple or a stone and the majestic sweep of the Moon in her orbit are due to one and the same unknown cause.

His proof that gravity must make a planetary orbit an ellipse meant the rationalization of Kepler's laws, and extended the result he had obtained for the moon to the motions of the planets. The whole intricate movement of the solar system could then be deduced from the one assumption that each particle of matter behaved as though it attracted every other particle with a force proportional to the product of the masses and inversely proportional to the square of the distance between them. The movements so deduced were found to agree accurately with those observed for two centuries. Even comets, with motions hitherto held to be irregular and incalculable, were brought into line; in 1695 Halley wrote that the path of the comet he had seen in 1682 showed that it was controlled by gravity; it returned periodically, and indeed was the same comet as that pictured in the Bayeux tapestry, a portent which was thought to presage disaster to the Saxons in 1066.

The heavenly bodies, to Aristotle divine, incorruptible, and different in kind from our imperfect world, were thus brought into the range of man's enquiry, and were shown to work in one gigantic mathematical harmony, in accordance with the dynamical principles established by the terrestrial experiments and inductions of Galileo and Newton. The publication in 1687 of Newton's *Principia*, the Mathematical Principles of Natural Philosophy, marks perhaps the greatest event in the history of science—certainly the greatest till recent years.

Among the secondary effects of gravitation are the tides. Much confusion existed on this subject before Newton considered it. Kepler thought that the tides were due to the Moon, but Kepler was an astrologer, and believed in many other stellar and planetary influences. Probably it was for this reason that Galileo laughs at him for having "given his ear and assent to the Moon's predominancy over the water, and to occult properties and such like trifles".[1]

In the *Principia* a sound basis for tidal theory was laid down for the first time. Newton investigated mathematically the gravitational

---

[1] *System of the World*, Galileo Galilei, Fourth Dialogue, quoted by J. Proudman, *Isaac Newton*, ed. W. J. Greenstreet, London, 1927, p. 87.

effect of the Moon and the Sun together on the waters of the Earth, *Newton and*
allowing for the inertia of moving water, and the disturbing effects of *Gravitation*
narrow seas and channels. The conditions are very complex, but the
theory has been elaborated in detail since Newton's day by many
mathematicians, among whom we may mention Laplace and Sir
George Darwin. But the general treatment given in the *Principia* still
holds good.

The idea of mass as giving matter the property of inertia and as *Mass and*
distinct from weight, first appears implicitly in the work of Galileo *Weight*
and explicitly in the writings of Balliani, a Captain of Archers at
Genoa, who distinguished between *moles* and *pondus*.[1] The distinction
was made more definite in the *Principia*. Newton approached mass
from the side of density, having in mind the experiments of Boyle on
the pressure and volume of air. Since pressure p and volume v are
inversely proportional to each other for a given amount of air, their
product, pv, is constant, and may be taken as measuring the quantity
of matter in the volume of the air used, or, on the atomic theory, as
giving the number of particles squeezed into that volume. Newton
defined mass as "the quantity of matter in a body as measured by the
product of its density and bulk", and force as "any action on a body
which changes, or tends to change, its state of rest, or of uniform
motion in a straight line".

He then summarizes the results of observation and definition in
three laws of motion:

Law I. Every body perseveres in its state of rest or of uniform motion in
a straight line, except in so far as it is compelled to change that state by impressed
forces.

Law II. Change of motion (i.e. rate of change of momentum $= m\alpha$) is proportional
to the moving force impressed, and takes place in the direction of the straight line
in which such force is impressed.

Law III. Reaction is always equal and opposite to action; that is to say, the
actions of two bodies upon each other are always equal and directly opposite.

Newton's formulation of fundamental dynamical principles sufficed
to support the development of the subject for two hundred years. No
serious criticism of the assumptions that underlie it was made till
1883, when Ernst Mach published the first edition of his Mechanics.[2]
Mach pointed out that Newton's definitions of mass and force leave
us in a logical circle, for we only know matter through its effects on
our senses, and we can only define density as mass per unit volume.

[1] See "Newton and the Art of Discovery", by J. M. Child, in *Isaac Newton*, p. 127.
Mr Child thinks that Newton may have been influenced by Balliani.
[2] Dr E. Mach, *Die Mechanik in ihrer Entwickelung*, 1883.

In summarizing the history of the origins of dynamics, Mach shows that the dynamical work of Galileo, Huygens and Newton really means the discovery of only one fundamental principle, though, owing to the historical accidents inevitable in a completely new subject, it was expressed in many seemingly independent laws or statements.

When two bodies act on each other, as, for instance, by their mutual gravitation or by a coiled spring which joins them, the ratio of the opposite accelerations which they produce on each other is constant and depends only on something in the bodies which may, if we please, be called mass. This principle being established experimentally, we can define the relative masses of the two bodies as measured by the inverse ratio of their opposite accelerations, and the force between them as the product of either mass and its own acceleration.

We thus escape the logical circle involved in Newton's definitions of mass and force, and obtain a simple statement based on experiment from which may be derived the various principles enunciated by Galileo, Huygens and Newton—the laws of falling bodies, the law of inertia, the concept of mass, the parallelogram of forces, and the equivalence of work and energy.

By experiments on falling bodies, Galileo found that the velocity increased proportionally with the time. This gives as the primary relation that the gain of momentum is measured by the product of the force and the time, or $mv = ft$, the Newtonian law. But had Galileo happened first upon the fact that the square of the velocity produced by an acceleration α increased with the space s traversed, the relation $v^2 = 2\alpha s$, which is equivalent to Huygens' equation of work and energy, $fs = \frac{1}{2}mv^2$, would have appeared primary. Thus it was chiefly an accident of history which caused force and momentum to seem simpler and more important, and delayed the acceptance of the ideas of work and energy. But they are connected, and either can be derived from the other.

To return to Newton's definitions, we can escape from the logical circle in another way, which, though it may be less complete than Mach's method, throws light on the problems involved. Newton recognized that we get the mechanical notion of force from the sensation of muscular effort, and he might have found a way out of the circle by this road. Dynamics may be regarded as the science whereby we rationalize our sensations about matter in motion, as the science of heat is concerned with our sensation of warmth. We have primary ideas derived from experience about space or length and about time;

our muscular sense similarly gives us the idea of force. Equal forces, as roughly measured by this sense, are found to produce different accelerations on different pieces of matter, and the inertia of each piece, its resistance to the force f, may be called its mass and defined as measured inversely by the acceleration α produced by a given force. Thus $m = f/\alpha$. In this way, the idea of mass is derived from a mental state, our muscular sensation of force. The method may perhaps be criticized by some as bringing psychology into physics, but it is of some interest to note that it is possible to avoid the logical circle of physics by doing so.

Having thus acquired a definite concept of mass, we find by experiment that the relative masses of bodies remain roughly constant. We can then make the hypothesis that this approximate constancy is rigorously true, or, at all events, true to a high degree of accuracy, and use mass M as a third fundamental unit to those of length L and time T. All the innumerable deductions from this assumption were found to conform with observation and experiment quite accurately till the days of J. J. Thomson and Einstein. It was therefore abundantly verified, and still holds good save in very exceptional cases.

Mass being measured by inertia, there remained the problem of finding its relation to weight, the force with which matter is drawn towards the Earth. This problem also was cleared up by Newton.

The experiments of Stevinus and Galileo had shown that two bodies of different weights, W_1 and W_2, fall to the ground at the same rate. The weights are the forces produced by gravity, and the experimental result proves that the accelerations α_1 and α_2, under the forces produced by gravity, are the same. With the definition of mass given above, the relative masses m_1 and m_2 of the two bodies are defined by the relations

$$m_1 = W_1/\alpha_1 \quad \text{and} \quad m_2 = W_2/\alpha_2,$$
or $$\alpha_1 = W_1/m_1 \quad \text{and} \quad \alpha_2 = W_2/m_2.$$

Now it is impossible by any juggling with formulae,[1] or any metaphysical considerations such as those which the Scholastics took over from Aristotle, to tell what is the relation between the two accelerations of these two different bodies when falling freely. It needed Stevinus' and Galileo's experiments with falling weights to prove that, as a matter of fact, $\alpha_1 = \alpha_2$. But this being proved, it follows from the

[1] Unless the juggler be Einstein and the formulae contain the principle of Relativity, which is itself based on experiment. Mach seems to go wrong here; he states that the proportionality of weight and mass follows from his definition of mass, but implicitly he introduces the result $\alpha_1 = \alpha_2$.

definitions of mass, weight and force, as formulated in the equations,
that

$$\frac{W_1}{m_1} = \frac{W_2}{m_2} \quad \text{or} \quad \frac{W_1}{W_2} = \frac{m_1}{m_2},$$

that is, that the weights of the two bodies are proportional to their
masses, a truly remarkable result, which requires that gravity, as
Newton said, "must proceed from a cause that...operates not
according to the quantity of the surfaces of the particles on which it
acts (as mechanical causes are used to do), but according to the
quantity of the solid matter which they contain".[1] Newton's astronomical results show indeed that the cause of gravity must "penetrate
to the very centres of the sun and planets, without suffering the least
diminution of its force".

Galileo's experiments did not attain, and indeed were not susceptible
of, any great accuracy. Balliani, in repeating them more carefully,
let fall a ball of iron and a ball of wax of the same size, simultaneously
from the same point. He found that when the iron ball had fallen
50 feet to the ground, the waxen ball had still a foot to fall. He
rightly explained the difference as due to the resistance of the air,
which is the same for both but is more effective in opposing the lesser
weight of the wax.[2] Newton set out to examine the result more
closely. He showed mathematically that the time of swing of a
pendulum must vary directly as the square root of the mass and
inversely as the square root of the weight. He then made careful and
accurate experiments on different pendulums, using bobs of the same
size so that the resistance of the air was the same on them all.
Some of the bobs were solid, of different materials, and some were
hollow and filled with different liquids or particles such as grain. In
all cases he found that, for pendulums of the same length at the same
place, the times of swing were equal within the narrow limits of error
of the measurement. Thus Newton confirmed, to much greater
accuracy, the result which might have been inferred from Galileo's
experiment, that weight is proportional to mass.

One of the immediate results of the application of mathematical
mechanics to the problems of astronomy was the need of improvement
in the mathematical tools used in the researches. For this reason the
period which saw the labours of Kepler, Galileo, Huygens and
Newton was marked also by a great increase in mathematical
knowledge and skill.

[1] *Principia*, 1713 ed. pp. 483–484.   [2] J. M. Child, *loc. cit.*

The infinitesimal calculus was developed in different forms by Newton and Leibniz, and, in spite of a later controversy, it seems independently.[1] The introduction of the idea of varying velocity demanded a method of dealing with the rates of variation of changing quantities. A constant velocity is measured by the space s described in a time t, and the quantity s/t will be the same however great or small s and t may be. But, if the velocity vary, its value at any instant can only be found by taking a time so short that the velocity does not change appreciably, and measuring the space described in that short time. When s and t are reduced without limit and become infinitesimal, their quotient gives the velocity at the instant, and this was written by Leibniz as ds/dt, which is called the differential coefficient of s with regard to t. Newton, in his method of fluxions, wrote the same quantity as $\dot{s}$, a notation which is less convenient and is now superseded by that of Leibniz. We have taken as an example space and time, but any two quantities which depend on each other may be treated in the same way, and the rate of variation of x and y may be written as dx/dy in Leibniz's notation or $\dot{x}$ in Newton's.[2]

The converse process, the summation of differentials, or the estimation of a quantity itself from a knowledge of its rates of change, is called integration, and is usually an operation of greater difficulty. It is needed in such problems as Newton's calculation of the attraction of a whole sphere from the attractions of each of its myriad particles.[3] Archimedes used an equivalent method to calculate areas and volumes, but, too much in advance of the age, his method was lost.

An equation which contains differential coefficients is called a differential equation. Most physical problems can be formulated as differential equations; the difficulty usually is to integrate and thus to solve them.[4] That Newton was acquainted with the principle is

---

[1] L. T. More, *Isaac Newton*, New York, 1934, p. 565 *et seq.*

[2] The values of these differential coefficients for different functions can be calculated; for instance, if $y = x^n$, it can be shown that $dy/dx = nx^{n-1}$.

[3] To each differentiation there corresponds an integration; thus, to the example of differentiation given above, there corresponds the integral of x^n. It can be shown that

$$\int x^n \, dx = \frac{x^{n+1}}{n+1} + c,$$

unless n is -1, when the integral is $\log x + c$. In each case c is an unknown constant, which, in many practical problems, can be eliminated.

[4] As a simple example, the equation $y \, dx + x \, dy = 0$ can be rearranged as

$$\frac{dx}{x} + \frac{dy}{y} = 0.$$

The terms can then be integrated singly, and we get

$$\int \frac{dx}{x} + \int \frac{dy}{y} = c \quad \text{or} \quad \log x + \log y = c.$$

shown by the fact that he calculated a table giving the refraction of a ray of light passing through the atmosphere by a method equivalent to forming the differential equation to the path of the ray.[1]

In the *Principia*, Newton converted his results, many of which were probably obtained by Descartes' co-ordinates or by fluxions, into the form of Euclidean geometry. The infinitesimal calculus only slowly became known; but, in the shape given it by Leibniz and Bernouilli, it is the basis of modern pure and applied mathematics.

Newton also made advances in many other branches of mathematics. He established the binomial theorem, developed much of the theory of equations, and introduced literal indices. In mathematical physics, besides the work on dynamics and astronomy already described, he founded lunar theory, and calculated tables by which the future position of the Moon among the stars could be predicted—work of the utmost value in navigation. He created hydrodynamics, including the theory of the propagation of waves, and made many improvements in hydrostatics.

Newton's work on optics, even if it 'stood alone, would have placed him in the front rank of men of science.[2] The true law of refraction, that the sines of the angles of incidence and refraction bear a constant ratio, had been discovered in 1621 by Snell, while Fermat had pointed out that this was the path which gave a minimum time of passage. In 1666 Newton procured "a triangular glass prism to try the celebrated phenomena of colours", and he chose optics as the first subject of his lectures and researches. His first published scientific paper was on light, and appeared in the *Philosophical Transactions of the Royal Society* in 1672. De la Pryme states in his diary that in 1692 Newton left a light burning in his room when he went to Chapel. This started a fire which destroyed his papers, and among them twenty years' work on optics. But there is no reference to this loss in Newton's preface to his book, which says: "A Discourse about Light was written at the desire of some Gentlemen of the Royal Society, in the year 1675...and the rest was added about twelve years after."

A theory of the rainbow was propounded in 1611 by Antonio de Dominis, Archbishop of Spalatro, who suggested that the light reflected from the inner surface of raindrops was coloured by traversing different thicknesses of water. A better account was given by Descartes, who

---

[1] Letter to Flamsteed. *Catalogue of the Newton MSS.*, Cambridge, 1888, p. xiii.
[2] *Opticks, or a Treatise of the Reflections, Refractions, Inflections and Colours of Light*, by Sir Isaac Newton, Knt, London, 1704, 1717, 1721, 1730. See also "Newton's Work in Optics", by E. T. Whittaker, in *Isaac Newton*, ed. W. J. Greenstreet, London, 1927; and in *A History of Theories of the Aether and Electricity*, E. T. Whittaker, 1910.

connected the colour with the refrangibility, and calculated successfully the angle of the bow. Marci passed white light through a prism
and found that a coloured ray was not further dispersed by a second
prism. Newton cleared up the subject by extending the experiments,
and reconstituting white light by bringing together the coloured rays.
He also traced to similar causes the colours which disturb the vision
through telescopes, and, concluding erroneously that the dispersion
of white light into colour could not be prevented without at the same
time preventing the refraction on which magnification depends,
he gave up as hopeless the attempt to improve existing refracting
telescopes, and invented a reflecting telescope instead.

In the next place he examined the colours of thin plates, well
known in bubbles and in other films and already described by Hooke.
By pressing a glass prism on to a lens of known curvature, the colours
were formed into circles, since called "Newton's rings". Careful
measurements were made of these rings and compared with estimates
of the thickness of the air film from point to point. The experiments
were repeated using light of one colour only, when alternate light and
dark rings became visible. Newton concluded that light of each
definite colour was subject to fits of easy transmission and easy
reflection. If the rings formed by white light were looked at by
reflected light, the particular colour which at a given thickness
happened to be transmitted was not reflected to the eye, so that the
eye saw white light deprived of that one constituent, that is, saw
a complex colour. Newton inferred that some, at all events, of the
colours of natural objects are due to their minute structure, and
calculated the dimensions necessary to give these effects.

He also repeated and extended the experiments by which Grimaldi
had shown that very narrow beams of light, ordinarily travelling in
straight lines, are bent at the sharp edges of obstacles, so that the
shadows are larger than they should be, and fringes of colour are
formed. Newton showed that the bending is increased by passing
light through a narrow slit between two knife edges, and he made
careful observations and measurements of the breadths of the slit and
the angles of deflection.

He also examined the unusual refraction effects discovered by
Huygens in Iceland spar. In this mineral one incident ray gives rise
to two refracted rays, and, when one of these rays is isolated, it will
pass through another crystal of spar if the axis be parallel to that of
the first crystal, but it will not pass if the axis of the second crystal be
at right angles to that of the first. Newton saw that these facts

indicated that whatever a ray of light may be, it cannot be symmetrical, but must somehow be different on its different sides. This is the essence of the theory of polarization.

Besides all this evidence, another fact had to be taken into account in considering the nature of light. In 1676 Roemer had observed that, when the Earth is between the Sun and Jupiter, the eclipses of his satellites happen seven or eight minutes earlier than the normal times, and, when the earth is beyond the sun, seven or eight minutes later. In the latter case the light of the satellites has to travel a distance greater than in the former by the diameter of the earth's orbit, and, from the observed discrepancy, it became clear that light cannot be propagated instantaneously but travels in a finite time.

Newton says that he planned further experiments on light, but that, as it proved impossible for him to do them, he drew no definite conclusions as to its nature, and only proposed some queries for others to follow up and answer. His final opinion seems to be summarized in Query 29:[1]

Are not the Rays of Light very small Bodies emitted from shining Substances? For such Bodies will pass through uniform Mediums in right Lines without bending into the Shadow,[2] which is the nature of the Rays of Light....If Refraction be perform'd by Attraction of the Rays, the Sines of Incidence must be to the Sines of Refraction in a given Proportion.

It is easy to show that, on the emission theory, this "given Proportion" must measure the ratio of the velocity of light in the denser to that in the rarer medium. Newton continues:

Nothing more is requisite for putting the Rays of Light into Fits of easy Reflexion and easy Transmission, than that they be small Bodies which by their attractive Powers, or some other Force, stir up Vibrations in what they act upon, which Vibrations being swifter than the Rays, overtake them successively, and agitate them so as by turns to increase and decrease their Velocities, and thereby put them into those Fits. And lastly, the unusual Refraction of Island Crystal looks very much as if it were perform'd by some kind of attractive virtue lodged in certain Sides both of the Rays, and of the Particles of the Crystal.

The idea that light is made of particles projected into the eye may be traced back to the Pythagoreans, while Empedocles and Plato taught that something was emitted from the eye as well. This quasi-tentacular theory was held also by Epicurus and Lucretius, who had a confused notion that the eye sees a body somewhat as the hand may feel it with a rod. Aristotle opposed this view, and thought that light was an action (ἐνέργεια) in a medium. All these were mere guesses,

---

[1] *Loc. cit.* p. 347.
[2] That is, ignoring the very small bending due to diffraction.

and as such equally worthless, whether right or wrong. But some definite evidence was adduced by Alhazen in the eleventh century to show that the cause of vision proceeded from the object and not the eye, though the tentacular view recurred at intervals long after his day.

Descartes held that light was a pressure transmitted through his plenum of space. Robert Hooke suggested that it was a rapid vibration in a medium, and this undulatory theory was worked out in some detail by Huygens. By a geometrical construction (Fig. 4), Huygens traced the process of refraction. When a wave-front (*AC*) of light impinges from air on a surface (*AB*) of water, each point on the surface becomes the centre of one little circular wavelet reflected back into the air, and of another spreading out into the water. If the wavelets be drawn for successive points on the surface, they will intersect each other in new wave-fronts, one in air and one (*DB*) in water. Along these wave-fronts, and there alone, the

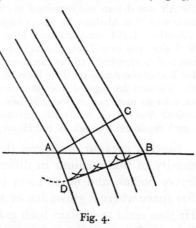

Fig. 4.

wavelets reinforce each other and produce sensible effects. The wave-fronts thus produced conform to the known laws of reflection and refraction. If the speed of light be less in water than in air, an assumption opposite to that necessary for the emission theory, the radius of the wavelets in water at a given moment will be less than those of the wavelets in air, and the refracted rays will be bent towards the normal as they are in nature.

The chief difficulty in the way of this wave theory was to explain the existence of sharp shadows, that is, to explain the rectilinear propagation of light. Ordinary waves bend round obstacles and show no such properties. A hundred years later Fresnel surmounted the difficulty by showing that the extreme smallness of the wave-lengths of light compared with the dimensions of the obstacles explained the difference. But to Newton rectilinear rays seemed to demand a corpuscular theory.

Yet in the passage quoted above, he finds it necessary to imagine vibrations of some kind, swifter than the rays, to explain their periodicity. In previous queries he clearly contemplated an aether playing other similar secondary parts. For instance in Query 18:[1]

If in two large tall cylindrical Vessels of Glass inverted, two little Thermometers be suspended so as not to touch the Vessels, and the Air be drawn out of one of these Vessels, and these Vessels thus prepared be carried out of a cold place into a warm one; the Thermometer *in vacuo* will grow warm as much, and almost as soon as the Thermometer which is not *in vacuo*. And when the Vessels are carried back into the cold place, the Thermometer *in vacuo* will grow cold almost as soon as the other Thermometer. Is not the Heat of the warm Room convey'd through the Vacuum by the Vibrations of a much subtiler Medium than Air, which after the Air was drawn out remained in the Vacuum? And is not this Medium the same with that Medium by which Light is refracted and reflected, and by whose Vibrations Light communicates Heat to Bodies, and is put into Fits of easy Reflexion and easy Transmission? And do not the Vibrations of this Medium in hot Bodies contribute to the intenseness and duration of their Heat? And do not hot Bodies communicate their Heat to contiguous cold ones, by the Vibrations of this Medium propagated from them into the cold ones? And is not this Medium exceedingly more rare and subtile than the Air, and exceedingly more elastick and active? And doth it not readily pervade all Bodies? And is it not (by its elastick force) expanded through all the Heavens?

Newton goes on to suggest that refraction is due to the different density of this medium in different bodies; that it is less dense in heavy bodies, and much rarer within the Sun and planets than in free space where it grows denser as the distance from matter increases. He thus seeks to explain both gravitation and that higher velocity of light in dense media which is needed in the emission theory. The diffraction at the edges of obstacles is a kind of refraction produced by the effect of matter on aether extending beyond the surface. Thus to Newton aether forms the intermediary between light and ponderable matter. But we must remember that all these suggestions are put forward merely as queries at the end of the main part of the book. In view of the fact that Newton distinctly states that further experiments are needed, and that he puts forward the queries for others to answer, the complaint that Newton's authority delayed the acceptance of the undulatory theory of light seems to be valid only against those who accepted a query as necessarily implying the answer suggested.

It will be seen that a crucial experiment, which would decide between the two theories, is possible if the velocity of light can be measured or compared in air and in water. This was first done by direct observation by Foucault about 1850. The velocity was found to be less in water, as required by the wave theory.

But the recent discovery of the swiftly moving corpuscles or electrons in cathode rays and in radio-active processes shows that particles very

[1] *Loc. cit.* p. 323.

like those imagined by Newton can now be observed; indeed, the most striking feature about Newton's theory is its resemblance to quite modern conceptions, for to Newton, as to Planck and J. J. Thomson, "the structure of light is essentially atomic", while Schrödinger and others have had to imagine a complex of particles and waves, which recalls even more vividly Newton's ideas. When we remember that all these and other discoveries were the achievement of a young man, who devoted his later years as Master of the Mint to the practical work of recoinage, and his leisure to writings on speculative theology, we may well be astonished at the mind of him who, like Democritus of old, *genus humanum ingenio superavit*.

The union of chemistry and medicine described in the previous chapter continued to dominate both subjects till the end of the seventeenth century. The iatro-chemists gradually cleared chemistry from what had become its disreputable dependence on alchemy, and brought it within the range of professional study. The number of known substances and reactions was largely increased, and a foundation was laid for an improvement in chemical theory.

We have seen how Robert Boyle in his *Sceptical Chymist* controverted the survivals of "fire theories"—the Aristotelian four elements on the one hand and the prevalent chemical doctrine of the three principles of salt, sulphur and mercury on the other. His book marks a turning point on the road to modern views of chemistry.

Newton fitted up a laboratory in the garden behind his rooms between the Great Gate and the Chapel in Trinity College. Doubtless it was here that he carried on his experiments in optics and other physical subjects, but he studied chemistry too. His relative and assistant, Humphrey Newton, states:[1]

He very rarely went to bed before two or three of the clock, sometimes not till five or six...especially at spring and fall of the leaf, at which time he used to employ about six weeks in his elaboratory, the fire scarce going out night or day, he sitting up one night and I another, till he had finished his chemical experiments.

Newton's chemical interests seem to have been chiefly concerned with metals, with the causes of chemical affinity, and with the structure of matter. In the 31st Query in his *Opticks* we read:

Have not the small Particles of Bodies certain Powers, Virtues or Forces, by which they act at a distance, not only upon the Rays of Light for reflecting, refracting and inflecting them, but also upon one another for producing a great part of the Phaenomena of Nature? For it's well known that Bodies act one upon another by the Attractions of Gravity, Magnetism and Electricity; and these

[1] *Sir Isaac Newton*, History of Science Society, Baltimore, 1928, p. 214.

G

Chemistry Instances shew the Tenor and Course of Nature, and make it not improbable but that there may be more attractive Powers than these. For Nature is very constant and conformable to herself. How these Attractions may be perform'd, I do not here consider. What I call Attraction may be perform'd by impulse, or by some other means unknown to me. I use that Word here to signify only in general any Force by which Bodies tend towards one another, whatsoever be the Cause. For we must learn from the Phaenomena of Nature what Bodies attract one another, and what are the Laws and Properties of the Attraction, before we enquire the Cause by which the Attraction is perform'd. The Attractions of Gravity, Magnetism and Electricity, reach to very sensible distances, and so have been observed by vulgar Eyes, and there may be others which reach to so small distances as hitherto to escape Observation; and perhaps electrical Attraction may reach to such small distances, even without being excited by Friction.

For when Salt of Tartar runs *per deliquium* is not this done by an Attraction between the Particles of the Water which float in the Air in the form of Vapours? And why does not common Salt, or Salt-petre, or Vitriol, run *per deliquium*, but for want of such an Attraction?...And is it not from the like attractive Power between the Particles of Oil of Vitriol and the Particles of Water, that Oil of Vitriol draws to it a good quantity of Water out of the Air, and after it is satiated draws no more, and in Distillation lets go the Water very difficultly? And when Water and Oil of Vitriol poured successively into the same Vessel grow very hot in the mixing, does not this Heat argue a great Motion in the parts of the Liquors? And does not this Motion argue that the Parts of the two Liquors in mixing coalesce with Violence, and by consequence rush towards one another with an accelerated Motion?

It is probable that Newton spent more time over alchemy and chemistry than over those physical researches which have made him famous. He wrote no book on his chemical work, and beyond the queries in the *Opticks* the only record is to be found in his manuscript notes in the Portsmouth collection. These papers show a special interest in alloys; for instance, Newton states that the most fusible alloy of lead, tin and bismuth contains those metals in the proportions of $5:7:12$. The notes include many extracts copied from alchemical writings, and accounts of a multitude of chemical experiments on flame, on distillation, on the extraction of metals from their ores and on many other substances and their reactions. The manuscripts were examined and a calendar prepared and published in 1888,[1] but the extracts given are short, and a new study of the collection seems desirable. It is clear that while Newton made no such striking discoveries in chemistry as he did in physics, yet he showed insight much beyond that of other chemists of his time, as for instance into the meaning of flame, which he concluded only differed from vapour as do bodies red-hot and not red-hot.[2] This is a far more modern view than that of the Aristotelians who held that fire was one of the four

[1] *A Catalogue of the Portsmouth Collection of Books and Papers written by or belonging to Sir Isaac Newton*, Cambridge, 1888.
[2] *Ibid.* p. 21.

elements, or of those contemporary chemists who sought to explain *Chemistry* things in terms of the principles of salt, mercury and sulphur.

Newton's views on the constitution of matter have been given above. His acceptance of the atomic theory established it as orthodox, though it could not yet be put in the exact and quantitative form afterwards set forth by Dalton. Voltaire writes in the *Dictionnaire Philosophe*:[1]

> The Plenum is to-day considered a chimera...the void is recognized; bodies most hard are looked upon as full of holes like sieves, and in fact this is what they are. Atoms are accepted, indivisible and unchangeable, principles to which is due the permanence of the different elements and of the different kinds of beings.

The effect produced on the study of the tissues and organs of animals *Biology* by the improvement of lenses and the invention of the compound microscope has been described in the last chapter. During the period with which we are now concerned, similar methods were extended to botany, especially by Grew and Malpighi (1671), and correct ideas began to be formed about the cells and organs of plants.

From Theophrastus to Cesalpinus no attention seems to have been given to the reproductive organs. The first to return to that study was probably Nehemiah Grew, who in 1676 read a paper to the Royal Society on the Anatomy of Plants. He speaks of the stamens as the male organs, and describes their action, but refers the credit for the idea to Sir Thomas Millington, then Savilian Professor at Oxford. Confirmatory evidence and additional details were given by Camerarius of Tübingen, by Morland, and by Geoffroy, in a memoir presented to the Academy in Paris. By these botanists it was made clear that, in the absence of pollen from the anthers of the stamens, no fertilization of the ovum or formation of seed is possible.

The earlier classifications of both animals and plants were based chiefly on utilitarian ideas, or on such obvious external characteristics as led to the division of plants into herbs, trees and shrubs. But in 1660 John Ray (1627–1705),[2] a man of high distinction in the history of biology, published the first of a series of works on systematic botany, which led to a great improvement in classification and also to advances in morphology, such as the recognition of the true nature of buds. Ray was the first to see the importance of the distinction between monocotyledons and dicotyledons in the embryos of plants, and, by using also the fruit, flower, leaf, and other characters, he initiated a natural system of classification, and indicated many of the plant orders still used by botanists. He then turned to the comparative

---

[1] Translated by Ida Freund, *The Study of Chemical Composition*, Cambridge, 1904, p. 283.
[2] *John Ray*, by C. E. Raven, Cambridge, 1943.

Biology anatomy of animals, and again made an advance towards a natural classification, in quadrupeds, birds and insects. Ray travelled much, often with Francis Willughby, studying plants and animals. He ceased to regard the ancients as the ultimate authority, and founded modern natural history on the sure basis of observation.

Newton and Philosophy[1] The two most important consequences of Newton's labours were the establishment of the validity of terrestrial mechanics in celestial space, and the removal of unnecessary philosophic dogma from the structure of natural science. The Greek and mediaeval view, that the heavenly bodies were of special and divine nature, had been partly dissolved by Galileo's telescope, but Newton carried the process much further. Philosophy, moreover, was still confused with science. Even Descartes, in framing a mechanical theory of astronomy, founded it upon a scholastic antithesis, and upon the metaphysical view that the essence of matter was extension. Hence Newton's detachment from such preconceptions marks a real advance. How far a new metaphysics was implicit in his interpretation of his results will be considered later.

The way in which the meaning of his work was regarded by his immediate disciples can be seen by Roger Cotes' Preface to the second edition of the *Principia*. Here the surviving scholastic philosophy, with its innate and inexplicable qualities, is contrasted with the Cartesians' premature attempt at a mechanical system of nature founded on a plenum filled with vortices, and with Newton's method of accepting only those hypotheses which can be shown to be in accordance with observation. Cotes says:

Those who have treated of natural philosophy may be nearly reduced to three classes. Of these, some have attributed to the several species of things specific and occult qualities, on which, in a manner unknown, they make the operations of the several bodies to depend. The sum of the doctrine of the schools derived from Aristotle and the Peripatetics is herein contained. They affirm that the several effects of bodies arise from the particular natures of those bodies; but whence it is that bodies derive those natures they do not tell us, and therefore they tell us nothing. And being entirely employed in giving names to things, and not in searching into things themselves, we may say, that they have invented a philosophical way of speaking, but not that they have made known to us true philosophy.

Others, therefore, by laying aside that useless heap of words, thought to employ their pains to better purpose. These supposed all matter homogeneous, and that the variety of forms which is seen in bodies arises from some very plain and simple affections of the component particles; and by going on from simple things to those which are more compounded, they certainly proceed right, if they attribute no other properties to those primary affections of the particles than nature has done.

[1] See in particular the Preface and Scholium in the *Principia*, and Queries in the *Opticks*. Also A. J. Snow, *Matter and Gravity in Newton's Physical Philosophy*, Oxford, 1926; E. A. Burtt, *The Metaphysical Foundations of Modern Science*, New York, 1925.

But when they take a liberty of imagining at pleasure unknown figures and magnitudes, and uncertain situations and motions of the parts; and, moreover, of supposing occult fluids, freely pervading the pores of bodies, endued with an all-performing subtilty, and agitated with occult motions; they now run out into dreams and chimeras, and neglect the true constitution of things; which certainly is not to be expected from fallacious conjectures, when we can scarcely reach it by the most certain observations. Those who fetch from hypotheses the foundation on which they build their speculations, may form, indeed, an ingenious romance; but a romance it will still be.

There is left, then, the third class, which profess experimental philosophy. These, indeed, derive the causes of all things from the most simple principles possible; but, then, they assume nothing as a principle that is not proved by phaenomena. They frame no hypotheses, nor receive them into philosophy otherwise than as questions whose truth may be disputed. They proceed, therefore, in a twofold method, synthetical and analytical. From some select phaenomena they deduce by analysis the forces of nature, and the more simple laws of forces; and from thence by synthesis shew the constitution of the rest. That is that incomparably best way of philosophizing which our renowned author most justly embraced before the rest, and thought alone worthy to be cultivated and adorned by his excellent labours. Of this he has given us a most illustrious example by the explication of the System of the World, most happily deduced from the theory of gravity.

Underlying Newton's dynamics and astronomy are the conceptions of absolute space and time. Newton says that he "does not define Time, Space and Motion, as being well known to all", but he distinguishes between, on the one hand, relative space and time as measured by our senses in terms of natural bodies and motions, and, on the other, absolute space which exists immovably and absolute time which flows equably "without regard to anything external". The idea of "flow" brings in that of time as a necessary component; hence this definition of time involves an element of circularity, though it served Newton well enough.[1] Galileo's ball moved in a straight line on the Earth. But the Earth revolves on its axis and moves round the Sun, while the Sun and its planets may travel through the heaven of stars. Newton concluded that a body moves in a straight line through absolute space with a constant speed, unless deflected by some force. Mach pointed out in 1883 that it was not legitimate to push this reasoning beyond reference to the fixed stars, and in the light of recent knowledge, we can see even more clearly that the ideas of absolute time and of absolute space are doctrines which do not necessarily follow from the physical phenomena, though perhaps in the seventeenth century those ideas were fair assumptions from the facts of ordinary experience. Indeed, to avoid using the idea of absolute rotation is still a difficulty for the Complete Relativist.

[1] G. Windred, "History of Mathematical Time", *Isis*, No. 19, 1924, p. 121 and No. 58, 1933, p. 192.

Newton's work was assailed by Huygens and Leibniz as unphilo-sophical, because he offered no explanation of the ultimate cause of gravitational attraction. Newton was the first to see clearly that an attempt at an explanation, if necessary or possible at all, comes at a later stage. He took the known facts, formed a theory which fitted them and could be expressed in mathematical terms, deduced mathe-matical and logical consequences from the theory, again compared them with the facts by observation and experiment, and saw that the concordance was complete. It was not necessary to know the cause of the attraction; Newton regarded that as a secondary and inde-pendent problem, as yet only in the stage suitable for speculation. We might now go further, and say that it is not even necessary to know that such an attraction really exists. All the complex planetary motions *happen as though* each particle in the solar system attracts every other in agreement with the law of mass and inverse square, and that is enough for the mathematical astronomer.

Newton's attracting particles are not necessarily atoms, but it is clear that they can well play that rôle. Newton is brought back to particles in his chemical researches, and his views on the nature of matter are given in the oft-quoted words at the end of the *Opticks*:

All these things being consider'd, it seems probable to me, that God in the Beginning form'd Matter in solid, massy, hard, impenetrable, moveable Particles, of such Sizes and Figures, and with such other Properties, and in such Proportion to Space, as most conduced to the End for which he form'd them; and that these primitive Particles being Solids, are incomparably harder than any porous Bodies compounded of them; even so very hard, as never to wear or break in pieces; No ordinary Power being able to divide what God himself made one in the first Creation....It seems to me farther, that these Particles have not only a *Vis inertia*, accompanied with such passive Laws of Motion as naturally result from that Force, but also that they are moved by certain active Principles, such as is that of Gravity, and that which causes Fermentation, and the Cohesion of Bodies. These Principles I consider not as occult Qualities, supposed to result from the specific Forms of Things, but as general Laws of Nature, by which the Things themselves are form'd; their Truth appearing to us by Phaenomena, though their Causes be not yet dis-cover'd. For these are manifest Qualities, and their Causes only are occult. And the *Aristotelians* gave the name of occult Qualities not to manifest Qualities, but to such Qualities only as they supposed to lie hid in Bodies, and to be the unknown Causes of manifest Effects; Such as would be the Causes of Gravity, and of magnetick and electrick Attractions, and of Fermentations, if we should suppose that these Forces or Actions arose from Qualities unknown to us, and uncapable of being discovered and made manifest. Such occult Qualities put a stop to the Improvement of natural Philosophy, and therefore of late years have been rejected. To tell us that every Species of Things is endowed with an occult specifick Quality by which it acts and produces manifest Effects, is to tell us nothing: But to derive two or three general Principles of Motion from Phaenomena, and afterwards to tell us how the

Properties and Actions of all corporeal Things follow from those manifest Principles, would be a very great step in Philosophy, though the Causes of those Principles were not yet discover'd: And therefore I scruple not to propose the Principles of Motion above mention'd, they being of very general Extent, and leave their Causes to be found out. *Newton and Philosophy*

It is a testimony to the wisdom of Newton's true scientific spirit of caution that, since his day, in spite of many attempts, no satisfactory mechanical explanation of gravitational attraction has been given, and that, in the light of Einstein's researches, the problem has now been shifted to the realms of non-Euclidean geometry. In the *Principia* Newton said, "Hitherto I have not been able to discover the cause of those properties of gravity from phaenomena, and I frame no hypotheses". He only published a suggestion in the form of a query in his book on *Opticks*, a suggestion based on the pressures of a hypothetical inter-planetary aether, getting denser the further away from matter, and thus pressing bodies together. But guesses played no part in his inductive examination of the facts or in his mathematical deductions from his theory.

Returning to his more definite opinions, his view of nature is shown in the Preface to the *Principia*:[1]

The difficulty of philosophy seems to consist in this—from the phaenomena of motions to investigate the forces of nature, and then from these forces to demonstrate the other phaenomena; and to this end the general propositions in the first and second books are directed. In the third book we give an example of this in the explication of the System of the World; for by the propositions mathematically demonstrated in the first book, we there derived from the celestial phaenomena the forces of gravity with which bodies tend to the sun and the several planets. Then from these forces, by other propositions which are also mathematical, we deduce the motions of the planets, the comets, the moon, and the sea. I wish we could derive the rest of the phaenomena of nature by the same kind of reasoning from mechanical principles; for I am induced by many reasons to suspect that they may all depend upon certain forces by which the particles of bodies, by causes hitherto unknown, are either mutually impelled towards each other, and cohere in regular figures, or are repelled and recede from each other; which forces being unknown, philosophers have hitherto attempted the search of nature in vain; but I hope the principles here laid down will afford some light either to that or some truer method of philosophy.

Here he clearly contemplates the possibility of explaining all natural phenomena in mathematical terms of matter and motion, though whether he means the "phaenomena of nature" to include those of life or mind is not stated. But as far as other things go, he accepts as possible the mechanical view first propounded by Galileo.

[1] English translation by A. Motte, ed. 1803, p. x.

He accepts also Galileo's distinction between primary qualities, such as extension and inertia, which can be handled mathematically, and secondary qualities, such as colour, taste, sound, which are but sensations in the brain induced by the primary qualities.[1] Man's soul or mind is localized in the brain or sensorium, to which motions are conveyed from external objects by the nerves and from which motions are transmitted to the muscles.[2]

Professor E. A. Burtt holds that all this shows that, in spite of Newton's empiricism and insistence on the need for experimental verification at every turn, in spite of his rejection of all philosophic systems as a basis for science and of all unverifiable hypotheses in its building, he did of necessity assume implicitly a metaphysical system which had all the greater influence on thought because it was not explicitly stated.[3]

Newton's authority was squarely behind that view of the cosmos which saw in man a puny irrelevant spectator (so far as a being wholly imprisoned in a dark room can be called such) of the vast mathematical system whose regular motions according to mechanical principles constituted the world of nature. The gloriously romantic universe of Dante and Milton, that set no bounds to the imagination of man as it played over space and time, had now been swept away. Space was identified with the realm of geometry, time with the continuity of number. The world that people had thought themselves living in—a world rich with colour and sound, redolent with fragrance, filled with gladness, love and beauty, speaking everywhere of purposive harmony and creative ideals—was crowded now into minute corners in the brains of scattered organic beings. The really important world outside was a world hard, cold, colourless, silent and dead; a world of quantity, a world of mathematically computable motions in mechanical regularity. The world of qualities as immediately perceived by man became just a curious and quite minor effect of that infinite machine beyond. In Newton the Cartesian metaphysics, ambiguously interpreted and stripped of its distinctive claim for serious philosophical consideration, finally overthrew Aristotelianism and became ·he predominant world-view of modern times.

Doubtless this eloquent passage represents truly the reaction of those who disliked the new scientific outlook. Yet to Newton and his immediate followers it would have seemed quite unfair. To them the wonderful order and harmony which Newton had brought into the picture of the world gave more aesthetic satisfaction than any confused kaleidoscopic view of nature seen by the naïve outlook of common sense, by the misleading concepts of Aristotelian categories, or by the mythical imagery of poets, and spoke to them more plainly of the beneficent activity of an all-powerful Creator. The world of colour, love and beauty was still there, though, like the Kingdom of Heaven,

[1] *Opticks*, 3rd ed. p. 108.　　　　　　[2] *Ibid.* p. 328.
[3] E. A. Burtt, *The Metaphysical Foundations of Modern Science*, New York, 1925, p. 236.

it was within the soul of man, a soul inspired by the Spirit of God, which sustains all creation in its majestic complexity, knows far more of its beauty than is visible to man, and beholds it as very good.

The true Newtonian attitude was admirably expressed by Joseph Addison in his famous ode:

> The spacious firmament on high,
> With all the blue etherial sky,
> And spangled heav'ns, a shining frame,
> Their great Original proclaim:
>
> .   .   .   .   .
>
> What though, in solemn silence, all
> Move round the dark terrestrial ball?
> What tho' nor real voice nor sound
> Amid their radiant orbs be found?
>
> In reason's ear they all rejoice,
> And utter forth a glorious voice,
> For ever singing as they shine,
> "The hand that made us is divine".

Indeed, with a very slight misunderstanding of Addison's meaning, he may be taken as giving a prophetic answer to Doctor Burtt.

It must be allowed that, at a later date, Newton's science was taken by others as the basis of a mechanical philosophy, but that was not the fault of Newton or his friends. They did their best, in the theological language which was natural to them, to make clear their belief that Newtonian dynamics did not controvert, rather indeed strengthened, a spiritual view of reality. It might have been safer had they taken explicitly with Newton's science Descartes' metaphysical philosophy of dualism, which left a clear, if more limited, place for mind and soul. Nevertheless, to them theism was fundamental and unquestioned, and they had no fear in accepting fully and entirely the new science.

The meaning of the mechanical view of nature in the light of present knowledge will be considered in later chapters of this book. Newton's assumption that, for "the mathematical principles of natural philosophy", the world consists of matter in motion, seems little more than a definition of the aspect from which dynamical science finds it convenient to regard nature. There are many other aspects, physical, psychological, aesthetic, religious, and only when they are studied together can we hope to catch a vision of reality.

Newton, in spite of his mathematical power, tried to maintain an empirical attitude. He continually repeats that he makes no hypotheses, meaning metaphysical, unverifiable hypotheses, or those theories which are accepted on authority, and puts forward nothing that cannot be confirmed by observation or experiment. It was not that he had no philosophic or theological interests: quite the contrary. He was a philosopher and a deeply religious man, but he regarded these subjects as a vision to be seen from the topmost pinnacles of human knowledge, and not as the foundation on which it must be built: the end and not the beginning of science. The *Principia* opens with definitions and laws of motion which summarize the known facts. Two volumes are filled with the mathematical deductions from these statements which established the great sciences of dynamics and astronomy. A "General Scholium" of seven pages at the end of the book, added in the second edition, contains all that Newton thought could fairly be written in such a work on the metaphysical import of his physical discoveries. It is expressed in the natural theological language of the time. Its sense is that of the argument from design. "This most beautiful System of the Sun, Planets and Comets", he wrote, "could only proceed from the counsel and dominion of an intelligent and powerful Being...." God "endures for ever and is everywhere present, and by existing always and everywhere, he constitutes duration and space". Thus to Newton, absolute time and space are constituted by the everlasting and boundless Presence of God.

In the less systematic and less formal queries in the book on *Opticks*, Newton tells us more about his speculative opinions. "The main Business of Natural Philosophy is to argue from Phaenomena without feigning Hypotheses, and to deduce Causes from Effects, till we come to the very first Cause, which certainly is not mechanical....Does it not appear from Phaenomena that there is a Being incorporeal, living, intelligent, omnipresent, who in infinite Space as in his Sensory, sees the things themselves intimately, and thoroughly perceives them, and comprehends them wholly by their immediate presence to himself." [1]

Newton does not conceive of God merely as a First Cause Who makes and starts a machine which then runs for ever alone. God is immanent in nature; "He governs all things and knows all things that are or can be done....Who being in all Places, is more able by his Will to move the Bodies within his boundless uniform Sensorium, and thereby to form and reform the Parts of the Universe, than we are by our Will to move the Parts of our own Bodies".[2] With a shortsightedness unusual in him, Newton also invoked God to correct by direct interposition irregularities which may gradually accumulate in the

[1] *Opticks*, Query 28.   [2] *Opticks*, 3rd ed. p. 379.

solar system owing to disturbing causes, such as the action of comets.[1]
When Laplace showed that such causes correct themselves, and proved
the essential dynamical stability of the solar system, this argument
was used against the conclusion which it had been framed to
establish.

Newton's metaphysical ideas were expounded and somewhat misinterpreted by Richard Bentley in his sermons and by Samuel Clark.[2]
Bentley concludes that "universal gravitation, a thing certainly
existent in nature, is above all mechanism and material cause, and
proceeds from a higher principle, or divine energy and impression",
though its routine may be described in mechanical terms. Clark
finds it necessary to suppose that·

Gravity cannot be explained by mutual impulsive attraction of matter, because
every impulse acts in proportion to the mass of a body. Consequently, there must
be a principle which can get inside of a solid and hard body, and—*because attraction
at a distance is absurd*—therefore we must postulate *a certain immaterial spirit, which
governs matter according to well ordered rules*. This immaterial force is universal in
bodies, everywhere and always....Gravity or the weight of Bodïes is not any
accidental Effect of Motion or of any very subtile Matter, but an original and
general Law of all Matter impressed upon it by God, and maintained in it by some
efficient power, which penetrates the solid Substance of it.

Newton did not regard gravity as a fundamental property of matter,
but as a phenomenon to be explained by further research into physical
causes. But Bentley and Clark took his belief in a metaphysical,
ultimate and final cause of nature as the direct and immediate cause
of gravity, from which he had carefully separated it. Here we see
a misunderstanding of Newton used in a theistic direction, as it came
to be used later in the opposite sense. Indeed, Newton seems fated to
have been misunderstood. Action at a distance, which he held to be
absurd, was reckoned his essential idea, and its establishment his
greatest achievement. The "most beautiful System of the Sun, Planets
and Comets", which to Newton could only proceed from a beneficent
Creator, was used in the eighteenth century as the basis for a mechanical
philosophy, and replaced the atomism of the ancients as the starting
point of an atheistic materialism.

It is evident that in the age of Newton—the age of the first great
synthesis of scientific knowledge—the revolution in the intellectual
outlook of mankind involved a revolution in the statement of dogmatic
religious belief. On the one hand, it was impossible to continue to
hold the naïve conception of the Cosmos which had become embedded

---

[1] *Opticks*, 3rd ed. p. 378.
[2] See A. J. Snow, *Matter and Gravity in Newton's Physical Philosophy*, Oxford, 1926, p. 190.

Newton and Philosophy

in Aristotelian and Thomist philosophy, impossible any longer to gaze into heaven just above the sky and to shudder at the rumblings of hell beneath the ground. Light ceased to be an all-pervading mysterious substance of colourless purity, the very dwelling-place of God, and became a physical manifestation, having laws to be investigated with mirrors and lenses, and colours to be analysed by a prism. On the other hand, the type of instinctive inarticulate Platonism which is seen in pietism and mysticism was equally inapplicable to the new mental attitude. Men were left with the more rational Platonism, which, like the first type, held that eternal truth is reached by an innate power or revelation from within, yet regarded mathematical or geometrical harmony as the essence of being. This variety of Platonism led through the ideas of Galileo and Kepler to the mathematical system of Newton. It accepted the inner power or revelation as the basis of reason, and the theory then became a form of intellectualism, which sought to find the truth about the Divine Nature both in the physical order of the Universe, and in the moral law. "In this way a severe rationalism was put forward in opposition to all the romantic forms of religion that went by the name of 'enthusiasm'. The seat of religious belief was thus moved from the heart to the head: mysticism was excommunicated by mathematics ...the way was opened for a liberal Christianity which might ultimately supersede traditional beliefs", and for the "religion within the limits of reason" sought by Kant.[1]

Newton in London

Newton played an important part in defending the University of Cambridge against the attack on its independence by James II. He was elected to the Convention Parliament which settled the succession of the Crown, and was again elected in 1701.

In 1693 he suffered from a nervous breakdown, and his friends decided that it would be well for him to leave Cambridge. They obtained for him the post of Warden of the Mint, and later he became Master, the highest office there. He gave up his chemical and alchemical researches, and put the papers concerning them into a locked box.

His move to London marked a complete change in his life. His scientific achievements won for him a pre-eminent position, and for twenty-four years, from 1703 till his death, he was President of the Royal Society, which gained much authority by his unique powers and reputation. In spite of the absence of mind which marked his early years, his work at the Mint showed that he had become an

[1] G. S. Brett, *Sir Isaac Newton*, Baltimore, 1928, p. 269.

able and efficient man of affairs, though he was always nervously intolerant of criticism or opposition.

His niece Catherine Barton, a witty and beautiful woman, kept house for him, and it was on this second part of his life that the eighteenth century built up its Newtonian legend. Catherine married John Conduitt; their only child became the wife of Viscount Lymington and the Lymingtons' son succeeded to the Earldom of Portsmouth. Thus Newton's belongings passed into the possession of the Wallop family. In 1872 the fifth Lord Portsmouth gave some of Newton's scientific papers to the Cambridge University Library. At a later date some more of his books and papers were sold. Some of the papers were acquired by Lord Keynes; the books were bought by the Pilgrim Trust, and have now (1943) been presented to Trinity College.

CHAPTER V

THE EIGHTEENTH CENTURY

Mathematics and Astronomy—Chemistry—Botany, Zoology and Physiology—
Geographical Discovery—From Locke to Kant—Determinism and Materialism.

Mathematics and Astronomy

IT was unfortunate that the difference in notation used by Newton and Leibniz in their separate discoveries of the infinitesimal calculus was complicated by a dispute about priority. For one or both of these reasons, there arose a divergence between the work of the English and Continental mathematicians. The former used Newton's symbols, but for the most part neglected his new process of analysis to follow the geometrical methods in which he was accustomed to recast his results. Consequently the English school had little share in the development of the new calculus in the first half of the eighteenth century, carried out on the Continent especially by James Bernouilli. But experimentally one blank in Newton's scheme was filled later by measurements of actual gravitational terrestrial forces, and thus of the gravitation constant; Maskelyne about 1775 observed the deflection of a plumb line on opposite sides of a mountain, and in 1798 Henry Cavendish described observations on the attraction between two heavy balls in a delicate torsion balance devised by Michell. This method was also used by Boys in 1895. He found that two point masses of 1 gramme each, 1 centimetre apart, would attract one another with a force of $6\cdot6576 \times 10^{-8}$ dynes, which makes the density of the Earth $5\cdot5270$ times that of water.

Newton's work was made known in France by the writings of Maupertuis and others, and carried on by d'Alembert, Clairault and Euler. Voltaire spent the years from 1726 to 1729 in England,[1] and with Madame du Châtelet published a popular treatise on the Newtonian system, which proved a source of inspiration to many of the writers in the famous French *Encyclopédie*.

The first edition of that unequal work was published, under great difficulties, between 1751 and 1780, in thirty-five folio volumes, Diderot being general editor and, for the early years, d'Alembert taking charge of the articles on mathematics. The work served to focus

[1] M. S. Libby, *Voltaire and the Sciences*, New York, 1935; Merton, *Isis*, No. 68, 1936, p. 442.

scientific thought. Its general tone was preponderatingly theistic but heretical, with an increasing tendency to attack the Government, the Roman Church, and finally Christianity itself.

Mathematics and Astronomy

In mathematics and its applications Taylor (1715) and Maclaurin (1698–1746) showed how to expand certain series, and used them in the theory of vibrating strings and in astronomy. Bradley obtained a definite velocity for light from observations of the aberration of the stars (1729; see p. 399). Euler (1707–1783) created new departments in analysis, revised and improved many branches of mathematics, and published books on optics and on the general principles of natural philosophy.

Joseph Louis Lagrange (1736–1813), perhaps the greatest mathematician of the century, was chiefly interested in pure theory. He created the calculus of variations, and systematized the subject of differential equations. But his sweeping generalizations could often be used in physical problems. He himself published work on astronomy, in which he advanced the treatment of the difficult problem of calculating the mutual gravitational effect of three bodies. Also, in his great treatise *Mécanique Analytique*, he founded the whole of mechanics on the conservation of energy in the form of the principles of virtual velocities and least action.

The principle of virtual velocities (or virtual work), used by Leonardo da Vinci to deduce the law of the lever, was defined by Stevin as "What is gained in power is lost in speed". Maupertuis gave the name of "action" to the sum of the products of space (or length) and velocity, and, assuming for metaphysical reasons that *something* should be a minimum in such processes as the propagation of light, showed that the facts agreed with the supposition that light chose the path of least action. Lagrange extended the principle to the motion of any bodies, the "action" being defined as the space integral of the momentum or double the time integral of the kinetic energy. We shall meet this quantity action again in Hamilton's equations, and finally in Planck's recent quantum theory.

Lagrange's differential equations gave to the subject a new generality and completeness. They reduced the theory of mechanics to general formulae from which can be derived the particular equations needed for the solution of each separate problem.[1]

But even more was done to develop the Newtonian system by

---

[1] By Newton's second law of motion, the rate of change of momentum of a particle is equal to the impressed force. Applying this along each of three axes x, y and z at right angles to each other, we have $m\ddot{x} = X$, $m\ddot{y} = Y$ and $m\ddot{z} = Z$, where m is the mass and X, Y and

Pierre Simon de Laplace (1749–1827), the son of a cottager in Normandy, who, by his own abilities and skilful successive adaptations to a changing environment, ended as a Marquis of .the Restoration.

Laplace improved the treatment of problems of attraction by adapting Lagrange's method of potential,[1] and he completed Newton's work in one most important aspect, for he proved that the planetary motions were stable, the perturbations produced either by mutual influences, or by external bodies such as comets, being only temporary. Thus Newton's fear that the solar system would become deranged with time by its own action was shown to be unwarranted.

In 1796 Laplace published his *Système du Monde*, which contains a history of astronomy, a general account of the Newtonian system, and of the nebular hypothesis, according to which the solar system was evolved from a rotating mass of incandescent gas, à suggestion which had been made in 1755 by Kant, who went further than Laplace, and imagined creation *ex nihilo* and the formation of the nebula from primordial chaos. Modern research shows that this hypothesis is not sound for the comparatively small structure of the Sun and planets, but may hold good for the larger aggregates of stars, seen in the process of formation in the spiral nebulae and at a later stage of development in our own stellar galaxy or "Milky Way".

Laplace's analytical discussion was given in his larger work, *Mécanique Céleste*, in 1799–1805,[2] in which he translated the substance of Newton's *Principia* into the language of the infinitesimal calculus, and completed it in many details.

Z are the components of the force acting. From these expressions Lagrange deduced general equations of motion in the form

$$\frac{d}{dt}\frac{dL}{d\dot{q}} - \frac{dL}{dq} = Q,$$

where L, the Lagrangian function, represents the difference between the kinetic and potential energies of the system, t the time and Q the external force acting on the system so as to tend to increase any co-ordinate q.

[1] The physical meaning of potential may be suggested by saying that the rate of decrease of potential in any direction measures the force in that direction on the unit, mass, electric charge or whatever it be. Laplace showed that the potential V always satisfies the differential equation

$$\nabla^2 V = \frac{\partial^2 V}{\partial x^2} + \frac{\partial^2 V}{\partial y^2} + \frac{\partial^2 V}{\partial z^2} = o.$$

$\nabla^2 V$ may be termed the local concentration of V. Poisson obtained (1813) a more general form, $\nabla^2 V = -4\pi\rho$, a relation which appears in all branches of mathematical physics and "may represent analytically some general law of nature which has not been yet reduced to words" (Rouse Ball).

[2] A final historical volume was issued in 1825.

Rouse Ball gives the following account of what happened when Laplace went to present his book to Napoleon: *Mathematics and Astronomy*

Someone had told Napoleon that the book contained no mention of the name of God; Napoleon, who was fond of putting embarrassing questions, received it with the remark, "M. Laplace, they tell me you have written this large book on the system of the universe, and have never even mentioned its Creator". Laplace, who, though the most supple of politicians, was as stiff as a martyr on every point of his philosophy, drew himself up and answered bluntly, "Je n'avais pas besoin de cette hypothèse-là". Napoleon, greatly amused, told this reply to Lagrange, who exclaimed, "Ah! c'est une belle hypothèse; ça explique beaucoup de choses".

Laplace co-ordinated all existing work on probability and explained capillarity by the assumption of forces of attraction insensible at all save minute distances. He also explained the fact that too small a figure was given for the velocity of sound in air by Newton's formula of the square root of the elasticity divided by the density. Laplace traced the discrepancy to heat which, developed in the wave by the sudden compression and absorbed by the sudden expansion alternately, increases the elasticity of the air, and therefore the velocity of the sound.

Further work on gravitational astronomy did little more than complete the work of Newton and Laplace. What seemed a final test of the validity of Newton's hypothesis of attraction was given in 1846 by prediction of the existence of an unknown planet, a reversal of the method of Newton and Laplace. The perturbations from its orbit of the planet Uranus were not fully to be accounted for by the action of the other known bodies, and, to explain these irregularities, the influence of a new planet was assumed, and its necessary position calculated independently by John Couch Adams of Cambridge and the French mathematician Leverrier. Turning his telescope to the position indicated by Leverrier, the astronomer Galle of Berlin detected a planet to which the name of Neptune was given.

The accuracy of Newton's theory proved to be amazing. For two centuries every fancied discrepancy was resolved, and, by help of the theory, generations of astronomers were able to explain and predict astronomical phenomena. Even now the experimental resources of civilization must be exhausted in order to show that Newton's law of gravity involves certain minute discrepancies with our present knowledge of astronomy. Lagrange described the *Principia* as the greatest production of the human mind, and Newton, not only as the greatest genius that had ever existed, but also as the most fortunate: "for there is but one universe, and it can happen to but one man in the world's history to be the interpreter of its laws". The verdict would be expressed otherwise now, in the light of the stupendous complexity of nature since revealed to us. But it serves well to show the effect in the next century of Newton's work on one of the minds best able to appreciate it.

In the early years of the eighteenth century, experimental chemistry was carried further by many skilful observers. Wilhelm Homberg studied the combination of alkalies with acids in different proportions, and thus supplied evidence in favour of the theory that a salt is formed by the union of an acid and a base. This theory, which arose from the work of Sylvius, was the starting point of many of the modern ideas of chemical structure, and fills an important place in history.

The next generation was marked by the work of Hermann Boerhaave of Leyden, who published in 1732 "the most complete and luminous chemical treatise of his time",[1] and of Stephen Hales, who investigated gases such as hydrogen, the two oxides of carbon, sulphur dioxide, marsh gas and others, regarding them all as air modified or "tinctured" in different ways by the presence of other bodies.

The chief difficulty of the early chemists was to understand the phenomena of flame and combustion. When bodies are burnt, it seems that something escapes. This something, for long identified with sulphur, was called "phlogiston", the principle of fire, by G. E. Stahl (1660–1734), physician to the King of Prussia. His theory, developed from the ideas of Beccher, was widely accepted after his death, and dominated the chemical thought of the later years of the eighteenth century. Both Rey and Boyle had shown that when metals were burnt the solid increased in weight; therefore phlogiston must possess a negative weight, and Aristotle's conception of a body essentially light was born again out of due time. Chemical science, ignoring the achievements of physics, learnt to express its facts in terms of this hypothesis. Owing to its influence, as well as to that of older theories, isolated investigations which pointed to more modern views failed to impress the minds of chemists; the facts had to be rediscovered and then reinterpreted.

As described in Chapter III, the existence of an active principle in the air and its significance in respiration and combustion had been demonstrated a century before the final discovery of oxygen. Oxygen was prepared from saltpetre by Borch in 1678, and once more in 1729 by Hales, who collected it over water. Carbon dioxide was obtained

[1] Sir Ed. Thorpe, *History of Chemistry*, vol. i, London, 1921, p. 67.

and given the name "gas silvestre" by van Helmont about 1640, and the isolation of hydrogen may even be traced back to Paracelsus, who described the action of iron filings on vinegar. Yet all these observations were forgotten and their significance lost; air was still believed to be the only gaseous element.

In the eighteenth century chemical industry began to stimulate the science. Joseph Black of Edinburgh, about 1755, discovered that a new ponderable gas, distinct from atmospheric air, was combined in the alkalies. He named this gas "fixed air". It was what we now call carbon dioxide or carbonic acid. In 1774 Scheele discovered chlorine. Joseph Priestley (1733–1804) prepared oxygen by heating mercuric oxide, and discovered its unique power of supporting combustion. Following earlier work (p. 121) he also showed that it was essential to the respiration of animals. But he described it as dephlogisticated air, and failed to perceive that his discovery had turned a new page in the history of science. Henry Cavendish (1731–1810) demonstrated the compound nature of water in 1781 (published in 1784), thus dethroning it from its proud position as one of the elements. But he still described its constituent gases as phlogiston and dephlogisticated air. In 1783 James Watt published the same views, which afterwards led commentators to a controversy about priority.

Antoine Laurent Lavoisier (1743–1794), who was sent to the guillotine with other farmers of the taxes, since "the Republic had no need of savants", disproved the prevalent idea that water was converted into earth when boiled. He showed that the residue left was dissolved from the vessels (glass, etc.), and that water, repeatedly distilled, was pure and constant in density.

Lavoisier repeated the experiments of Priestley and Cavendish, accurately weighing his reagents and products. For instance, in one experiment he heated to just below its boiling-point 4 ounces of mercury in contact with 50 cubic inches of air. Red calx of mercury was formed and increased till the twelfth day. The weight of the calx was 45 grains, and the volume of the residual air was 42 to 43 cubic inches, $\frac{5}{6}$ of the original volume. The residual air would not support combustion, and small animals died in it in a few minutes.

The 45 grains of red calx were then heated strongly in a small retort. $41\frac{1}{2}$ grains of metallic mercury and a gas were formed. The latter was collected over water, measured, and found to fill 7 to 8 cubic inches and to weigh $3\frac{1}{2}$ to 4 grains. But $41\frac{1}{2} + 3\frac{1}{2} = 45$ grains, so that all the substance was accounted for—the total mass had

Chemistry remained constant. The gas maintained both flame and life more vigorously than ordinary air. Lavoisier says:

> Reflection on the conditions of this experiment shows that the mercury on calcining absorbs the salubrious and respirable portion of the atmosphere, and that the portion of the air which remains behind is a noxious kind of gas incapable of supporting combustion and respiration. Hence atmospheric air is composed of two elastic fluids of different and so to speak opposite nature.

Lavoisier grasped the all-important fact that to explain this and many similar experiments, as well as those of Priestley and Cavendish, the theory of phlogiston was not needed, that it was unnecessary to invent a body with properties fundamentally different from those of other material substances. Newton had based his mechanics on the assumption that mass was constant, an assumption justified by his success. He proved also that, while mass and weight were different conceptions, they were accurately proportioned to each other when compared experimentally. Lavoisier, by the unanswerable evidence of the balance, showed that, although matter may alter its state in a series of chemical actions, it does not change in amount; the quantity of matter is the same at the end as at the beginning of every operation, and can be traced throughout by its weight. The constituents of water were seen to be gases with the ordinary properties of matter, possessing mass and weight, and Lavoisier named them hydrogen (the water-forming element) and oxygen (the acid-forming element).[1] Burning and respiration were finally shown to be alike in kind; one a quick, and the other a slow, process of oxidation, each leading to an increase in weight equal to the weight of oxygen combined. The conception of phlogiston with negative weight vanished from science. The principles established by Galileo and Newton in mechanics were carried over into chemistry.

Botany, Zoology and Physiology We must now pick up the story of Biology as it was left by Ray. Ray seems to have obtained some of his terminology from the work of Jung, and through Ray it passed to Linnaeus (Carl von Linné, 1707–1778), the son of a Swedish clergyman, who founded his famous system of classification on the sex organs of plants. This classification held its own till replaced by the modern system which, returning by the light of evolution to the ideas of Ray, and considering all the characters of the organism, tries to place the plants in groups which express their natural relations.

---

[1] Both proved misnomers: hydrogen is present in many compounds besides water, and acids exist without oxygen; e.g. in 1808 Davy could extract nothing from hydrochloric acid but hydrogen and chlorine, both elements.

An approach to a systematic double nomenclature in plants was made by Bauhin and Tournefort, and carried further by Linnaeus. Linnaeus turned his attention also to the varieties of the human species, having been struck by the obvious differences of race brought to his notice during his wanderings among the Laplanders in his search for Arctic plants. In his *System of Nature* he placed man with apes, lemurs and bats in the order of "Primates", and subdivided man into four groups according to skin colour and other characteristics.

A corresponding development in the knowledge of animals was stimulated by the information acquired by travellers, and by the arrival of specimens of rare and strange beasts to grace the various royal menageries. The close of the first stage in modern zoological science was marked by the publication by Buffon (1707–1788) of an encyclopaedic *Natural History of Animals*. Here again the microscope when applied gave an insight first into intimate structure and then into the functions of the different organs, and moreover showed the existence of vast numbers of minute living bodies, both animal and vegetable, hitherto unsuspected. Though regarding Linnaeus' classification as "une vérité humiliante pour l'homme", Buffon could not close his eyes to the evidence pointing towards animal relationships, and he ventured the remark, which he afterwards withdrew, that, had it not been for the express statements of the Bible, one might be tempted to seek a common origin for the horse and the ass, the man and the monkey.

In ancient and mediaeval times men believed that living things night arise spontaneously from dead matter. Frogs, for instance, might be generated from mud by sunshine, and, when the new world was discovered, it was suggested that perhaps the aboriginal Americans, whose descent from Adam was difficult to trace, might have had the same kind of origin. The first serious doubt about spontaneous generation seems to have been raised by Francesco Redi (1626–1679), who showed that, if the flesh of a dead animal were protected from insects, no grubs or maggots appeared in it. Redi's experiments were considered to be incompatible with the teaching of the Scriptures, and were attacked on that ground; an interesting fact in the light of the controversy which arose in the nineteenth century over the work of Schwann and Pasteur. Here the protagonists had changed sides. Vogt, Haeckel and other materialists upheld the belief in spontaneous generation as a naturalistic explanation of the origin of life, while orthodox theologians welcomed negative results as showing that life had only arisen by a direct act of God. Even in our own day attempts to prove spontaneous generation were reprobated as being based on the assumption that life might arise without direct creation. It seems difficult for some minds to accept facts without reference to their fancied implications. But, to return to the eighteenth century, we find that Redi's work was repeated by the Abbé Spallanzani (1729–1799), who confirmed the experiments, and proved that not even minute forms of life would develop in decoctions which had been boiled vigorously and then protected from the air. Here we see anticipations of Pasteur and of modern bacteriology.

In Chapter III we left animal physiology when Sylvius had thrown aside van Helmont's spiritualistic ideas of ferments governed by *archaei* under the rule of the sensitive soul, and was trying to explain digestion, respiration and other functions of the body by means of an effervescence like that which occurs when vitriol is poured on iron filings or on ashes long exposed to.the air.

The pendulum now swung back again.[1] Stahl carried over into physiology the mental outlook from which he had studied chemistry. He maintained the view that all the changes of the living body, though they might superficially resemble ordinary chemical actions, were yet fundamentally different, because they were directly governed by a sensitive soul, *anima sensitiva*, which pervaded all parts.

Stahl's "sensitive soul", unlike that described by van Helmont, had no need of intermediaries—*archaei* or ferments. It controlled directly the chemical and other processes of the body. It differed entirely from the "rational soul" of Descartes' philosophy. To Descartes with his sharp dualism, the human body apart from the soul was a machine, governed by ordinary mechanical laws. To Stahl it was not governed by ordinary physical and chemical laws; but, as long as it was alive, it was controlled in all details by the sensitive soul on a plane far above physics and chemistry. The living body was fitted for special purposes —to be the true and continued temple of the soul, which built up the body and used it for vital ends. The link between soul and body, according to Stahl, was to be found in motion; the preservation and repair of structures, sensation and its concomitants, are modes of motion directed by the sensitive soul. Thus Stahl was the founder of modern vitalism, though his "sensitive soul" passed later into a vaguer "vital principle".

Meanwhile those who did not follow Stahl were divided into a mechanical school and a school that laid more stress on chemical fermentation. Boerhaave combined these views in his *Institutiones*

[1] Sir M. Foster, *History of Physiology*, Cambridge, 1901.

Medicae (1708), though he held that digestion was more of the nature of solution than of fermentation. Dr Singer says that, considering the wide range of his powers, Boerhaave must be regarded as the greatest physician of modern times.[1]

Botany,
Zoology and
Physiology

Later in the century, by experiments on kites, dogs and other animals, new insight into digestion was gained, especially by de Réaumur and Spallanzani. Blood pressure was first measured experimentally in horses by Stephen Hales,[2] who also measured the pressure of the sap in trees.

Sir Michael Foster considered that the year 1757 marks "the dividing line between modern physiology and all that went before", because in that year was published the first volume of the *Elementa Physiologiae* of Albrecht von Haller (1708–1777).[3] In this work, of which the eighth and last volume left the press in 1765, Haller gives a systematic and candid account of the then state of physiological knowledge about all parts of the body. He himself made important advances in the study of the mechanics of respiration, of the development of the embryo, and of muscular irritability.

He recognized a force inherent in muscle, which for some little time survives the death of the body. But usually the muscles are called into action by another force carried to the muscles from the brain by the nerves. Experiments show, he says, that nerves alone feel; they are therefore the only instruments of sensation as, by their action on muscles, they are the only instruments of movement. All the nerves are gathered into the *medulla cerebri* in the central parts of the brain, whence it may be inferred that "this central part of the brain feels and that in it are presented to the mind the impressions which the nerves, distributed at their extreme ends, have carried to the brain". This is confirmed by the phenomena of disease and by experiments on living animals. Passing on to "conjectures" he suggests that the nervous fluid is "an element of its own kind", that the nerves are hollow tubes to contain it, and that, since both sensation and movement have their source in the medulla of the brain, the medulla is the seat of the soul.

While astronomy was throwing light on the motion of the heavenly bodies, and physiology was groping amid the mysteries of the human frame, geographical discovery was widening the knowledge of the surface of the Earth. The art of navigation had been much improved.

Geographical
Discovery

[1] C. Singer, *A Short History of Medicine*, Oxford, 1928, p. 140.
[2] *Stephen Hales* by A. E. Clark-Kennedy, Cambridge, 1929.
[3] Foster, p. 204.

Stevin invented decimal arithmetic at the end of the sixteenth century, Napier introduced logarithms in 1614, and Oughtred the slide rule in 1622. The measurement of longitude became possible when the position of the Moon among the stars could be predicted by Newton's lunar theory, and thus the apparent time of the same celestial phenomenon obtained at two places. The measurement only became easy and accurate when John Harrison improved the chronometer in 1761–1762 by compensating the effect of changes in temperature by the unequal expansion of two metals. When that was done, Greenwich time could be taken on each ship, and compared with astronomical events so as to give the longitude.

In the seventeenth and eighteenth centuries systematic exploration of the globe began to be undertaken. If the explorers of this period cannot claim for their voyages the full romance associated with the pioneers of discovery in the fifteenth and sixteenth centuries, pioneers who first revealed the Earth as we now know it,[1] the work of these later navigators is remarkable for the growth of the spirit of scientific investigation which it displays, and it had much to do with the general change in intellectual outlook registered in the French Encyclopaedia.

Among the explorers, I must mention, as in private duty bound, William Dampier (1651–1715), who was one of the first to show the new attitude of mind. His keen eye noted every new tree or plant, and his facile pen described its form and hue with careful accuracy. His *Discourse on Winds* became a classic of meteorology, and he also made notable advances in knowledge both in hydrography and in terrestrial magnetism.[2]

Dampier began his adventures as a buccaneer, and had to make his own way in the world till his books made him famous. Seventy years later, however, scientific interest in exploration had much increased, and with it the status of the explorer. Captain James Cook (1728–1779), who had published work on a solar eclipse, was sent out at the instance of the Royal Society to observe a transit of Venus from Tahiti in the South Pacific Ocean. His later voyages of discovery were conducted with the hope of finding an Antarctic Continent. In this they failed, but they secured much information of scientific value, such as the cause and treatment of scurvy, and the geography of Australia, New Zealand and the Pacific Ocean.

[1] W. Olmsted, *Isis*, 94, p. 117 (1942).
[2] *Dampier's Voyages*, London, 1699, 1715, 1906; Clennell Wilkinson, *Life of William Dampier*, London, 1929; *Journal Royal Geographical Society*, Nov. 1929, 74, p. 478.

In England, Dampier's books of "Voyages" led to a literary out-burst, for which Defoe set the fashion in *Robinson Crusoe* and Swift in *Gulliver's Travels*. The voyages of Dampier, Cabot, Baudier, Chardin, Bernier and others had much to do with the general intellectual development of France in the years before the Revolution.[1] Several of those who wished to criticize the world under the French Monarchy wrote books to show how much better it would be in a far island Utopia. By the real observations and false conclusions of actual explorers and the imaginations of the romancers, cults arose of fancied "Républiques d'Outre Mer", of "Le Bon Sauvage" and "Le Sage Chinois". The virtues of other religions, Buddhist, Confucian or Pagan, were extolled, and used by Deists and other anti-Christians to attack the Roman Church.

Geographical Discovery

This literature probably had more effect among the people at large than had the writings of philosophers and men of science, and may explain why the eighteenth century accepted readily the views of Rousseau and Voltaire, views so different from those expressed a hundred years before by Pascal and Bossuet. The rosy pictures of primitive life helped such fallacies as the theory of the social contract, the inevitability of progress, and the perfectibility of mankind, as well as such follies as the Revolutionary Reign of Reason. Mistakes like these are best corrected by history and anthropology. Man, we find, when he advances at all, does so not by *a priori* reasoning based on fair-seeming premises, but by a rough, stumbling process of trial and error.

The idea of the "noble savage" in romantic literature[2] is the equivalent of the "golden age" of the ancients, and appears in Tacitus' descriptions of the Germans. Columbus revived it in modern times, and in Montaigne it is fully developed. The first to use the actual words "noble savage" in English was perhaps Dryden, but during the romanticism which began in England about 1730 and reached its height about 1790 the idea was frequently employed. Doubtless the Biblical Garden of Eden had much to do with the view that civilization was corrupt compared with primitive life.

In attempting a summary of the scientific thought of the eighteenth century, not only must we consider the work of the great physicists, chemists and biologists, but also that of some writers who were primarily philosophers.

From Locke to Kant

[1] W. H. Bonner, *Captain William Dampier and English Travel Literature*, Stanford, California and Oxford, 1934; Geoffroy Atkinson, *Les Relations des Voyages du XVIII Siècle et l'Évolution des Idées*, Paris, 1925.
[2] H. N. Fairchild, *The Noble Savage*, Columbia Press and London, 1928.

The philosopher John Locke (1632–1704), though most of his life fell in the seventeenth century, belonged in spirit to a later age. He practised as a physician, and in 1669 found it necessary to argue against scholastic disputations in medicine and in favour of an appeal to experience as exemplified in the methods of his friend Dr Sydenham, who observed diseases and studied epidemics scientifically. Locke even performed an operation on one Lord Shaftesbury and brought another into the world. But nevertheless his chief work must be taken to be the philosophical *Essay Concerning Human Understanding* (1690).

Both in political and philosophic thought Locke represents a moderate and rational liberalism, in contrast with the political absolutism and philosophic radicalism of Hobbes. Locke had a wholesome British respect for facts and aversion to abstract *a priori* reasoning. He examined the limits of possible human knowledge, and protested against anything being held to be independent of rational criticism. Ideas are not innate, though some knowledge may be self-evident to the educated reason. Other knowledge must be acquired by rational demonstration. All human thoughts are due to experience, either of external things (sensations) or of perception of the operations of our minds (reflections).

From a study of the minds of children and simple folk, Locke infers that the senses first suggest to us primary ideas, such as extension, motion, sound or colour. Then comes an association of what is alike in them, leading to abstract ideas. Thus to sensation comes the internal sense of reflection. We know nothing of substances except their attributes, and those only from sense-impressions such as touch, sight or sound. Only from the attributes showing themselves frequently in a constant connection do we gain the complex idea of a substance underlying the changing phenomena. Even feelings and emotions arise from the combination and repetition of sensations.

When we begin to fix by means of words the abstract ideas thus formed, there is danger of error. Words should not be treated as adequate pictures of things; they are mere arbitrary signs for certain ideas—signs chosen by historical accident, and liable to change. Here Locke's criticism of the understanding passes into a criticism of language—a new idea of great value.

Locke originated modern introspective psychology. Others had looked inward, but, one and ail, they had dogmatized after only a hasty glance. Locke quietly and steadily watched the operations of his own mind, just as he watched the symptoms of his patients. He came to the conclusion that knowledge is the discernment of agreement or disagreement, either of our thoughts among themselves or between our thoughts and the external phenomena independent of them. A man is sure that he himself exists, and as he had a beginning there must, to account for it, be a First Cause, which is God the Supreme Reason. But relations between our thoughts and external things can only be established by induction from particular instances. Thus knowledge of nature can only be an affair of probability, liable to be upset by the discovery of new facts.

Thomas Aquinas deduced a synthesis of knowledge from mediaeval theology and the philosophy of Aristotle. Locke, with characteristic British practical sense, and a wide outlook on life and thought acquired at a critical period of history, wrote on the "Reasonableness of Christianity", and essayed to found a rational religion as well as a rational science on the sure ground of experience. Both attempted a synthesis. But while Aquinas' scheme had the rigidity and absoluteness of its chief constituents, Locke's contained the possibility of continual adaptation to the varying needs of intellectual development, and an insistence on the toleration of various religious opinions, which, in an age when every party believed itself to be the sole depository of absolute truth, was perhaps Locke's greatest proof of originality.

To a certain extent his philosophy supplied a complement to Newton's science, and the two together produced a notable reaction in the mind of George Berkeley (1684–1753), sometime Bishop of Cloyne in Ireland.

Realizing the danger of a mechanical and materialistic philosophy in a science of matter in motion, a danger which lay hid, even from Newton himself, Berkeley took the bold course. Accepting the new knowledge and its picture of the world as true, he asked in effect, "What is the world of which it is true?" and pointed out that the only answer is that it is the world revealed by the senses, and it is only the senses which make it real. Since the so-called primary qualities, extension, figure and motion, are themselves only ideas existing in the mind, they, like the secondary qualities, cannot exist in an unperceiving substance.[1] In his Preface to the 1901 edition of Berkeley's *Works*, Campbell Fraser thus puts it:

The whole material world, as far as it can have any practical concern with the knowings and doings of men, is real only by being realized in like manner in the percipient experience of some living mind....Try to conceive an eternally dead universe, empty for ever of God and all finite spirits, and you find you cannot.... This does not mean denial of the existence of the world that is daily presented to

[1] Berkeley's *Complete Works*, vol. i, p. 262.

our senses...the only material world of which we have experience consists of the appearances which are continually rising as real objects in a passive procession of interpretable signs, through which each finite person realizes his own individual personality; also the existence of other finite persons; and the sense-symbolism that is more or less interpreted in the natural sciences, all significant of God...God must exist because the material world, to be a real world, needs to be continually realized and regulated by living Providence.

All this to the plain man seems to be a denial of the existence of matter. It has led to endless criticism, both well-informed and ill, from the days of Samuel Johnson, who thought he had refuted Berkeley by kicking a stone, to those of a recent writer of Limericks. But it seems true that *the world we know* is only made real by the senses; we cannot know (though we may make inferences about) the world of hypothetical reality which may or may not lie within it. But perhaps that is not Berkeley's interpretation of his philosophy.

Berkeley does not, as is sometimes said, deny the evidence of the senses. On the contrary, he confines himself to the evidence of the senses. Locke thought that a belief in the existence of a real world of matter behind phenomena is a reasonable inference from our knowledge of its qualities, though we cannot know its ultimate nature. Berkeley denied the reality of that unknown world, and held that reality exists in the world of thought alone.

An attitude still more sceptical as regards the possibilities of knowledge was taken by David Hume (1711–1776), who, using Berkeley's arguments, denied reality to mind as well as to matter. Berkeley banished the occult substratum which the men of science had conceived to explain the phenomena of matter; Hume banished also the occult substratum which the philosophers had invented to explain the phenomena of mind. All that is real is a succession of "impressions and ideas".

Hume revived the interminable controversy about the meaning of causation. To him, our idea that one event is the cause of another is due to an association of the ideas of the two events, produced by a long list of instances in which the one has preceded the other. It is merely an affair of experience; in nature events are conjoined, but we cannot infer that they are connected causally. To those empiricists who profess to establish general principles by induction from the facts of experience, Hume points out that, in appealing exclusively to sense-experience, they have made it impossible to pass beyond custom-bred expectation to the inductive inference of universal laws. Thus Hume argues that the principle of causality is merely an instinctive belief: "Nature has determined us to judge, as well as to breathe and to feel".

Hume's contention that causality is neither self-evident nor capable of logical demonstration was fully accepted by Immanuel Kant (1724–1804),[1] who realized also that the same was true of all other principles fundamental to science and philosophy. The inductive proof of general laws from the data of experience is only possible upon the prior acceptance of rational principles independently established, so that we may not look to experience for their proof. Either Hume's sceptical conclusions must be accepted, or we must find some criterion free from the defects of the rationalist and empirical methods of proof. "How are synthetic *a priori* judgments possible?"

From Locke to Kant

Leibniz, like Hume, had denied the possibility of proving general principles empirically, but, accepting the existence of general principles, he had drawn the opposite conclusion—that pure reason is greater than sense-perception, is indeed, the revealer of external unchanging truth, not only the actual and real constitution of the material world, but also the wider realm of all possible entities. The real is only one of the many possibilities in the universe of truth.

To Hume, "thought is merely a practical instrument for the convenient interpretation of our human experience; it has no objective or metaphysical validity of any kind". To Leibniz, "thought legislates universally; it reveals the wider universe of the eternally possible; and, prior to all experience, can determine the fundamental conditions to which that experience must conform.... There is no problem, scientific, moral or religious which is not virtually affected by the decision as to which of these alternatives we are to adopt, or what reconciliation of their conflicting claims we hope to achieve".[2] Our modern belief in biological evolution favours the first view: thought may be a mere instrument developed by natural selection for self-preservation. But recent mathematics favour the second: thought has transcended Euclidean space, defining new kinds of space such as no experience reveals.

Kant's task was to discuss these opposing views, and save as much of Leibniz's pure reason as Hume had left undamaged. He starts from the ground common to both—that universality and necessity cannot be reached by any empirical method. He takes the validity of *a priori* thought from Leibniz, but he accepts from Hume the belief that the rational elements in it are of a synthetic nature. The principles which lie at the base of knowledge have therefore no intrinsic necessity or absolute authority. They are prescribed to human reason, and are verifiable in fact; they are conditions of sense-experience, of our

[1] N. Kemp Smith, *A Commentary to Kant's "Critique of Pure Reason"*, London, 1918.
[2] N. Kemp Smith, *loc. cit.* p. xxxii.

knowledge of appearance; but not applicable to the discovery of ultimate reality; they are valid within the realm of experience, but useless for the construction of a metaphysical theory of things in themselves. Kant's rationalism accepts the *a priori* which cannot be shown to be more than relative to human experience.

To Kant, the limits of scientific investigation are laid down by the Newtonian methods of mathematical physics; thus alone, he holds, can scientific knowledge be obtained. And such knowledge, he points out, is of appearance and not of reality. Kant's restriction of scientific knowledge to that won by the methods of mathematical physics is too narrow and would exclude much modern biology. But his distinction between appearance and reality is still of philosophic value. The world of science is the world revealed by the senses, the world of phenomena, of appearance; it is not necessarily the world of ultimate reality.

To Newton, space and time are, by the Will of God, existent in and by themselves, independent alike of the mind which apprehends them and of the objects with which they are occupied. To Leibniz, on the other hand, space and time are empirical concepts, abstracted from our confused sense-perceptions of the relations of real things. Kant points out that, while we cannot tell whether time (or space) is metaphysically real, the *consciousness* of time, in our apprehension of change, is certainly real, and a similar distinction seems to hold for extension or space. Thus he hovers between Newton and Leibniz. He will not finally classify space and time either with the data of the bodily senses or with the concepts of the understanding. They combine predicates seemingly contradictory, and have led to unresolved "antinomies of reason" from the days of Zeno onwards. The world of physics is a manifold of events; the mind distributes them in space and time, but in doing so produces relations between phenomena which prove ultimately to be self-contradictory. We cannot say whether the mechanical picture of events, certainly true in detail, has an ultimate teleological explanation and meaning—some part in working towards an end. We can frame such deep questions, but must be content to leave them unsolved. Now some people hold that, of all the older philosophies, Kant's metaphysic best represents the position to which physical and biological science point in recent years. Relativity and the quantum theory; biophysics, biochemistry and the idea of purposeful adaptation; all the latest developments of science, these people say, have brought scientific philosophy back to Kant.[1] On the other hand, it is

---

[1] See J. B. S. Haldane, *Possible Worlds*, London, 1927, p. 124.

fair to give the opposite opinion of the Earl Russell, who says: "Kant deluged the philosophic world with muddle and mystery, from which it is only now beginning to emerge. Kant has the reputation of being the greatest of modern philosophers, but to my mind he was a mere misfortune."[1] This is another instance of the want of a consensus of opinion which still appears in metaphysical questions.

From Locke to Kant

The concordance which some people see between Kant's philosophy and the indications of modern science may be due, partly at any rate, to the fact that Kant himself was a competent physicist. He anticipated Laplace in formulating a nebular hypothesis to explain the origin of the solar system. He was the first to point out that tidal friction must have a slow retarding effect on the Earth's rotation, and that by its reaction it has forced the Moon to present always the same face to the Earth. He showed that the different linear velocities of successive zones on the Earth as it rotates explain the "trade" winds, and other similar steady currents of air. He wrote also on the Causes of Earthquakes, on the Different Races of Men, on Volcanoes in the Moon, and on Physical Geography. Thus it is obvious that Kant had a wide knowledge of the science of his time. He had also the scientific restraint which accepts a suspension of judgment when a decision between alternative possibilities (or impossibilities) cannot logically be made. This attitude is evident also in his treatment of the problem of reality.

Locke and Hume regarded metaphysical reality as beyond investigation by human reason. To Hume especially, ultimate problems seemed insoluble by what he regarded as the only method of acquiring knowledge. He considered it dangerous to defend Christianity by logical arguments, saying (possibly ironically) that "our holy religion is founded on faith not on reason". Here we have a modern equivalent of the late mediaeval revolt against the rational synthesis of Scholasticism. Speculative philosophy was still moving in a periodic orbit, while science had started on its steady advance.

Descartes and his successors assume in their dualism that consciousness is ultimate and cannot be analysed. Kant tries to go further and to dissect consciousness into factors. It involves active judgment, an awareness of meaning; it does not reveal itself, but only its objects. So far as our mental states are known at all, they are known objectively, as we know outside bodies. Thus our subjective states, sensations, feelings, desires, are objective in the sense that they are objects of consciousness; they are part of the order of nature which our

---

[1] *An Outline of Philosophy*, London, 1927, p. 83.

From Locke to Kant

consciousness reveals. Hence the moral sense is as real as the starry heaven, indeed more real, because it is explicable only on the assumption that it is part of the autonomous activity of a Being which is real and not apparent only. The moral law is the one form in which reality discloses itself to the human mind. Reason prescribes as the end of our actions, as the *summum bonum*, happiness in accordance with moral worth. To our limited minds this seems possible only in a future life, and under the rule of an omnipotent Deity, but Kant holds that we must not conclude that this necessity represents the actual fact merely because it seems to us the only explanation.

Determinism and Materialism

Newton and his immediate disciples used the new dynamical science to demonstrate the wisdom and goodness of an all-powerful Creator. In Locke's philosophy this tendency was less vigorous, and it was ruled out altogether in Hume's separation of reason and faith.

In the second half of the eighteenth century the change of outlook became more general. The ablest men in all departments of life, in France at any rate, were for the most part sceptical in matters of religion. Voltaire's attacks on the clergy and their teaching were but the most witty examples of a widespread tendency of thought. Locke and the English Deists had their continental counterparts, Voltaire and others, who undermined orthodoxy, in much the same way as the existence of the Whig Monarchy in England tended to loosen the authority of legitimism in other countries.

Towards this general wave of heretical thought the mechanical philosophy brought perhaps the most important contribution. The astonishing success of the Newtonian theory in explaining the mechanism of the heavens led to an overestimate of the power of mechanical conceptions to give an ultimate account of the whole Universe. As Mach says,[1] "The French Encyclopaedists of the eighteenth century imagined they were not far from a final explanation of the world by physical and mechanical principles; Laplace even conceived a mind competent to foretell the progress of nature for all eternity, if but the masses and their velocities were given." Few would venture to make such a sweeping statement nowadays, and definite indications have quite recently appeared to suggest that such determinism is unlikely. But, when first formulated, it was a natural exaggeration of the power of the new knowledge which had impressed the minds of men with its range and scope, before they realized its necessary limits. In fact we have a repetition in changed circum-

[1] E. Mach, *Die Mechanik in ihrer Entwickelung*, 1883, Eng. trans. T. J. McCormack, London, 1902, p. 463.

stances of the story of the Greek Atomists, who extended their *Determinism* *and* successful speculative views of physics to the world of life and thought, *Materialism* unconscious of the logical chasms which lay between, chasms not bridged, but only revealed and partially explored, by the work of two thousand years.

Newton thought that his music of the spheres sang of an all-wise and all-powerful God, and, in his modesty, likened himself to a child finding pretty pebbles on the shore while the ocean of truth lay unknown before him. But others were less cautious. In England, during the middle seventeenth century, religious differences were acute, but in the eighteenth the Church was comprehensive and, for the most part, liberal-minded; moreover, each man was free to invent a new religion to suit himself, and a considerable number availed themselves of their freedom. Thus the mechanical outlook never became so prevalent as in the more logical France, where Roman absolutism was the only effective religion. Newton's countrymen in general retained not only Newton's science, but Newton's philosophy and their own religious faith. This English tendency to hold simultaneously beliefs which, in the knowledge of the time, seem incompatible, is a constant surprise to continental minds. It probably arises from an instinctive apprehension among a political people that there is usually much to be said for both sides of a question, and that further knowledge may reconcile the seeming incompatibles. In abler minds it discloses a truly scientific power of following two lines of useful thought, while suspending judgment on their deeper implications and correlations for the examination of which there is not yet evidence available.

On the other hand, Newton's French disciples taught that the Newtonian system indicated reality as a great machine, in all essentials already known, so that man, body and soul, became part of an invincible and mechanical necessity. Voltaire, for instance, in his *Ignorant Philosopher*, remarks that, "it would be very singular that all nature, all the planets, should obey eternal laws, and that there should be a little animal, five feet high, who, in contempt of these laws, could act as he pleased, solely according to his caprice". Voltaire ignores the problems of the meaning of natural laws, of the significance of life, of the nature of the human mind, of the essence of free-will. Nevertheless, he expresses vividly the current French assumptions as to the philosophic and religious import of the Newtonian cosmogony.

While the philosophers were interpreting Newton's system of dynamics as giving information about appearance only, and not about

H

Determinism and Materialism

ultimate reality, and the Deists were using it to attack Roman orthodoxy, a more popular current of thought was setting strongly in the
direction of materialism, a word first used in the eighteenth century.
Whether or no the hard impenetrable atoms were formed in the
beginning by God, as Newton held, they had very little to do with
Him when they got into the heads of some of Newton's continental
interpreters, and were used to revive the philosophy of the ancient
Atomists.

The name materialism is often employed in a loose sense as synony-
mous with atheism, or indeed as a term of abuse for any philosophy
which does not square with the prevailing orthodoxy. But to us it has
its stricter meaning—a belief that dead matter, in hard unyielding
lumps, the solid impenetrable Newtonian particles or their modern
complex equivalents, is the sole ultimate reality of the Universe; that
thought and consciousness are but by-products of matter; and that
there is nothing real underlying it or existing beyond it.

The ancient Atomists attributed sensation not to the substance of
the atoms but to their arrangement and movement. This view was
accepted on the revival of materialism by de la Mettrie (1748) and
Maupertuis (1751), but Robinet (1761) assigned sensation to matter
itself.[1]

The allied ideas of mechanical determinism were also emphasized
by the French materialists, especially by de la Mettrie in his work
L'Homme Machine. By attacking Christian morality as well as theism,
de la Mettrie incurred widespread reprobation, and for long his name
was used as a warning example of the dire effects of unorthodox beliefs.
Another famous book, *La Système de la Nature*, seems to have been
written chiefly by Holbach, who, in opposition to the dualism of
Descartes, argued that since man, a material being, thinks, therefore
matter is capable of thought. This is the antithesis of the doctrine
of Leibniz, who, in his monads, spiritualized matter instead of
materializing the soul.

Materialism takes the phenomenal world as real, naïvely and dog-
matically. Its attempt to explain consciousness, like those made by
other philosophies, is an obvious failure, for how can the motion of
senseless particles produce consciousness, or, in the alternative, what
is the endowment of matter itself with sensation but an assumption
of the very thing to be explained, a restatement of the problem at
issue? Materialism cannot even refute Berkeley's idealism, at the

[1] F. A. Lange, *Geschichte des Materialismus*, Eng. trans. E. C. Thomas, vol. II, 3rd ed.
London, 1925, p. 29.

opposite pole of thought. It cannot survive the destructive analysis of any critical philosophy. Yet, since it can be "understanded of the people", while philosophic criticism cannot, it supplied for a time the best uninstructed alternative to uninstructed orthodoxy. Moreover, it is the simplest and least mentally fatiguing way of making that intelligible picture of the world which science needs for its advance, or, at all events, needed during the eighteenth and nineteenth centuries. For rough, everyday use, it has its advantages, indeed it is necessary for each *detail* of science, but there is always the danger that it should be taken as the necessary philosophy of science as a whole, and, as a philosophy, gain the prestige which the success of detailed science inevitably gives. This happened for a while in the nineteenth century.

Determinism and Materialism

But, as soon as we think a little deeper, we see that matter, like all the other concepts of science, is only known to us through its effects on the senses—we are brought again to the problem of knowledge. The world of science is the world of appearance, revealed and conditioned by our senses and our minds; it is not necessarily the world of reality. In a later chapter we shall see how the hard, massy, ultimate particles of Lucretius and Newton have been resolved into complex systems of protons, electrons, and other particles, nonmaterial, perhaps only to be represented by wave-equations. We shall see too how, in the light of relativity, matter has ceased to be something which persists in time and moves in space, and has become a mere system of interrelated events. In the eighteenth century such possibilities were still hidden in the future; but Locke and Berkeley and Hume had already shown that nature, as apprehended through the senses, does not necessarily reveal reality. Even with the knowledge then available, materialism, in ultimate analysis, should have failed to satisfy.

CHAPTER VI

NINETEENTH-CENTURY PHYSICS

The Scientific Age—Mathematics—Imponderable Fluids—Units—The Atomic Theory—The Electric Current—Chemical Effects—Other Properties of Currents—The Wave Theory of Light—Electromagnetic Induction—The Electromagnetic Field of Force—Electromagnetic Units—Heat and the Conservation of Energy—The Kinetic Theory of Gases—Thermodynamics—Spectrum Analysis—Electric Waves—Chemical Action—Theory of Solution.

The Scientific Age

IF the nineteenth century has a just claim to be regarded as the beginning of the scientific age, the reason is to be sought not merely, or even chiefly, in the rapid growth of our knowledge of nature for which that century was remarkable. The study of nature is as old as mankind: in the primitive arts of life we have the application of fragmentary knowledge of the properties of matter, and in early myth and fable we have theories of the origin of the world and of man, founded on the evidence then available. But, during the last hundred or hundred and fifty years, the whole conception of the natural Universe has been changed by the recognition that man, subject to the same physical laws and processes as the world around him, cannot be considered separately from the world, and that scientific methods of observation, induction, deduction and experiment are applicable, not only to the original subject-matter of pure science, but to nearly all the many and varied fields of human thought and activity.

In the great inventions of former ages we see the needs of practical life stimulating the craftsman to further achievement: the need precedes and calls forth the invention, unless the invention be the result of accidental discovery. But during the nineteenth century we see scientific investigation, undertaken in a search for pure knowledge, beginning to precede and to suggest practical applications and inventions. The invention when produced opens a new field both for scientific research and industrial development. For example, Faraday's electromagnetic experiments led to the invention of the dynamo and other electromagnetic machines, which, in their turn, have put new problems and new powers of solving them into the hands of men of science. Maxwell's mathematical investigation of electromagnetic waves led in fifty years to wireless telegraphy and telephony, arts which set new problems to the physicists. The discovery by Pasteur, that fermentation, putrefaction and many diseases are due to the action of microscopic living organisms, has produced immensely important results in industry, medicine and surgery. Mendel's experiments in the cloister of Brünn on the heredity of peas have already led to systematized plant-breeding, to improved types of wheat and other grain, and to a knowledge of the principles governing the inheritance of some of the specific qualities of plants and animals, a knowledge which in the future may have incalculable effects on the welfare of the human race. When, from toiling obscurely in the rear of empirical arts, science passed on and held up the torch in front, the scientific age may be said to have begun. *The Scientific Age*

Many of the lines of thought characteristic of the nineteenth century had already come into being when the century opened, and it is impossible to make a sharp chronological division. Moreover, in the applications of technical science, the great industrial revolution which is still in progress had already begun. One of its chief instruments, the steam engine, had reached a serviceable form when James Watt patented the principle of the condenser in 1769. This was a practical invention, to which, at a later stage, scientific principles were applied to carry out developments and improvements. But the electric telegraph, the other great agent in revolutionizing the social conditions of the world, was a consequence of research in pure science, a research the origins of which can be traced back to Galvani's work in 1786. In return, the mirror galvanometer, invented to facilitate submarine telegraphy, proved of the utmost benefit to pure science.

To some men the practical applications of science stand for its main achievement. But the effect of such activities on human thought, though great, is indirect, slow and cumulative. The gradual and apparently inevitable extension of man's power over the material resources of nature gives applied science, by means of which the advance is chiefly secured, an importance in the eyes of uninstructed people far beyond that with which they endow pure knowledge. Indeed, to them, as one triumph after another is won, the effect to all appearance is that of an invincible if slow advance. It seems that no limits can be assigned to the extension of man's mastery over nature; and it is assumed, without warrant, that the mechanical principles by the application of which that expansion is made are competent to account for the whole Universe.

The broad tendency of the period now to be brought under review is the gradual extension of the experimental and mathematical methods of dynamics to the other subjects of physics, and, as far as applicable, to chemistry and biology also. The study of science was, for a time at any rate, divorced from the pursuit of philosophy. Throughout the nineteenth century, most men of science, consciously or unconsciously, held the common-sense view that matter, its primary properties and their relations, as revealed by science, are ultimate realities, and that human bodies are mechanisms, though perhaps occasionally controlled or influenced by minds. When they thought about ultimate scientific concepts, many physicists realized that these opinions, convenient as working assumptions, would not stand critical examination; but, in the laboratory as in practical life, there was no time for philosophic doubt.

On the foundations laid down by Newton and Lavoisier, physics and chemistry raised an ever-growing and concordant structure. In the light of this success, it came to be assumed that the general lines had been drawn once for all, that no strikingly new discoveries were likely, that the only work which remained to be done was to carry scientific measurement to greater accuracy, and to fill a few obvious gaps in knowledge. This, indeed, was the belief till the very eve of the revolutionary developments at the end of the nineteenth century.

During the nineteenth century many new departments of mathematics came into being. Among them must be mentioned the theory of numbers, theories of forms and groups, the development of trigonometry into theories of functions of multiple periodicity, and the general theory of functions. Synthetic and analytic methods created a new geometry, while the application of many of these methods to physical problems was perhaps the greatest among those stimuli which led later to the tremendous advances in physical science.

The details of the history of mathematics are outside the scope of this book, which is concerned only with the main outlines of those branches which are of special importance in the more fundamental parts of physics.

In his *Théorie analytique de la chaleur*, published in 1822, Fourier, dealing with the theory of conduction, showed that any function of a variable, whether continuous or discontinuous, can be expanded in a series of sines of multiples of the variable; a result since used in analysis by methods in which Poisson led the way. Gauss developed the work of Lagrange and Laplace, and applied his results to electricity. He also established the theory of errors of measurement.

The great advance made in dynamics by Lagrange when he formulated his differential equations of motion was carried further by Sir William Rowan Hamilton (1805–1865). Hamilton expressed the kinetic energy in terms of the momenta and the co-ordinates of a system, and discovered how to transform the Lagrangian equations into a set *Mathematics* of differential equations of the first order for the determination of the motion.[1] Hamilton also invented quaternions.

The assumptions which underlie Euclidean geometry were discussed by Saccheri in 1733, by Lobatchewski in 1826 and 1840, by Gauss in 1831 and 1846, and by Bolyai in 1832. General attention was directed to non-Euclidean geometry by Riemann in 1854, and further work was done by Cayley, Beltrami, Helmholtz, Klein and Whitehead. These writers showed that it is possible to discuss mathematically the properties of non-Euclidean space, irrespective of the answer to the question whether such space is known to the senses. Their researches became of physical importance when Einstein formulated the modern theory of relativity.

The concept of intensity of heat is derived from our sense-percep- *Imponderable* tions and the thermometer enables us to measure it. Amontons had *Fluids* improved the early instruments by using mercury, and Fahrenheit, Réaumur and Celsius had formulated scales. The transfer of heat and the distinction between radiation, convection and conduction, and also the concept of heat as a quantity, remained to be dealt with later. Although the most acute of the natural philosophers, Newton, Boyle and Cavendish, inclined to the opinion that heat was a vibratory agitation of the particles of bodies, their opinion could not be developed in the absence of definite conceptions corresponding to our notions of energy. The advances which were waiting to be made needed the idea of heat as a measurable quantity, unchanged in amount as it passed by contact from one body to another. To undertake experiment, using this conception as a guide, men wanted a definite and suitable representation of the nature of heat. This was at hand in the theory that heat was a subtle, invisible, weightless fluid, passing between the particles of bodies with perfect freedom.

---

[1] If $p_1, p_2, \ldots$ be the momenta, and $q_1, q_2, \ldots$ be the co-ordinates, the Lagrangian equations become $\dot{p}_1 = -\partial H/\partial q_1, \ldots$ and $\dot{q}_1 = -\partial H/\partial p_1, \ldots$, where H is the total energy.

The potential ψ in a field of force is defined so that the resultant force in any direction is measured by the rate of decrease of potential in that direction,

$$F = -\left(i\frac{d\psi}{dx} + j\frac{d\psi}{dy} + k\frac{d\psi}{dz}\right)$$

Hamilton's operator

$$\left(i\frac{d}{dx} + j\frac{d}{dy} + k\frac{d}{dz}\right)$$

is written as ∇, and the first equation becomes

$$F = -\nabla\psi.$$

The symbol of operation ∇ directs us to measure the rate of increase of ψ in each of three rectangular directions and then to compound the vector quantities thus found into one.

Joseph Black (1728–1799) cleared up the confusion between heat and temperature, calling them quantity and intensity of heat. Led by the facts of distilleries, he investigated the change of state from ice to water, and from water to steam, and found that large quantities of heat were absorbed with no change in temperature—were, as he said, rendered latent. He supposed that the thermal fluid or caloric united with ice to form water as a quasi-chemical compound, and again with water to form steam. His measurements indicated that, to melt a given mass of ice, it needed as much heat as would raise the temperature of an equal mass of water through 140° Fahrenheit, the true figure being 143°. He underestimated the latent heat of evaporation, finding 810° F. instead of 967°. But accuracy in this determination is difficult. Black also originated the theory of specific heat to explain the different amounts of heat needed to produce the same change of temperature in different substances, leaving the detailed measurements to his pupil Irvine to work out. He thus established the method of calorimetry, or the measurement of a quantity of heat. The caloric or fluid theory of heat sufficed to guide the course of the science till Helmholtz and Joule, between 1840 and 1850, demonstrated the equivalence between heat and work, and established the idea of heat as a mode of motion.

A similar fluid theory, or rather two rival fluid theories, served to guide those who were investigating the phenomena of electricity. The attractions and repulsions between bodies electrified by friction may be described on the supposition that there is a substance, electricity, which, like heat, is a quantity subject to the laws of addition and subtraction. In an early stage of its history, however, the existence of two distinct and opposite varieties of electricity was clearly recognized. An electric charge developed by rubbing glass with silk will neutralize a charge produced by rubbing ebonite with fur. These results were explained by the supposition of two fluids with opposite properties, or of one fluid, of which an excess or defect from the normal quantity gives rise to the electrified state. The terms of speech appropriate to the one-fluid theory, with its positive and negative electricities, are still with us, though, as we shall see later, electricity is now known to be not a continuous fluid but corpuscular. Experiments were facilitated when larger quantities of electricity were produced by electrical machines, and stored in condensers, such as the Leyden jar—a glass bottle coated inside and outside with tinfoil. The difference between conductors and insulators was made clear by Stephen Gray (1729), du Fay (1733) and Priestley (1767), the names being invented by Desaguliers (1740).

As soon as the spark and noise of an electric discharge were noticed, *Imponderable* their resemblance to lightning and thunder was recognized, and the *Fluids* identity in nature of the two phenomena suspected. The problem of the establishment of this identity, the bringing of the thunderbolts of Jove into conformity with the laws of physics, seems to have possessed a fascination for the mind of Benjamin Franklin (1706–1790), and many of his later letters are filled with the description of experiments repeating on a small scale, with the charges of Leyden jars, the effects of lightning in fusing metals, rending materials, etc.

The action of sharp points in discharging electrified bodies suggested the idea of the lightning conductor to d'Alibard and others in France. In order "to determine the question whether the clouds that contain lightning are electrified or not" an iron rod forty feet high was erected at Marli in 1752. When thunder clouds passed, sparks were drawn from the lower end of the rod. This experiment was repeated in other countries, with complete success—a success too complete, indeed; in the case of Professor Riehmann of St Petersburg, who was killed by a shock from an iron rod erected on his house. Meanwhile Franklin himself had safely carried out a similar experiment by means of a kite.

To the top of the upright stick of the kite is to be fixed a very sharp pointed wire, rising a foot or more above the wood. To the end of the twine, next the hand, is to be tied a silk ribbon, and where the silk and twine join a key may be fastened. This kite is to be raised when a thunder-gust appears to be coming on, and the person who holds the string must stand within a door or window, or under some cover, so that the silk ribbon may not be wet; and care must be taken that the twine does not touch the frame of the door or window. As soon as any of the thunder-clouds come over the kite the pointed wire will draw the electric fire from them, and the kite, with all the twine, will be electrified, and the loose filaments of the twine will stand out every way and be attracted by an approaching finger. And when the rain has wet the kite and twine, so that it can conduct the electric fire freely, you will find it stream out plentifully from the key on the approach of your knuckle. At this key the phial may be charged; and from electric fire thus obtained spirits may be kindled, and all the other electric experiments be performed, which are usually done by the help of a rubbed globe or tube, and thereby the sameness of the electric matter with that of lightning completely demonstrated.

During the eighteenth century, many experiments were made on the electrification produced by heating certain minerals and crystals, such as tourmaline; and attention was drawn once more to the be-numbing power of shocks given by torpedo and other electric fish. Their electrical organs were examined, and the shocks they inflict were ascribed definitely to electrical manifestations.

Investigations were made at the end of the eighteenth century on electric and magnetic forces. The torsion balance, a light horizontal bar hung at its middle by a long fine wire inside a glass case, was invented about 1750 by Michell, and again in 1784 by Coulomb, a French military engineer. He placed an electrified ball at the end of the bar, and deflected it by another ball brought near. He also replaced the bar by a steel magnet, and deflected one of its poles by that of another magnet. In this way he found that both the electric and magnetic forces diminished as the square of the distance increased, thus proving for these forces the same relation as Newton had demonstrated for gravitation. Moreover, the electric force was found to be proportional to the amount of electric charge, and could therefore be used to measure it. The same law of electric force had been discovered in another way by Priestley and again by Cavendish.[1] They proved experimentally that there is no electric force inside a closed charged conductor of any form, and therefore none inside a sphere. Newton had shown mathematically that, if the inverse square law holds good, a uniform shell of gravitating matter exerts no force on a body inside it, and no other law of force will give this result; a similar investigation applies to electric forces.

The law of force being established, mathematicians took over the subject of electrostatics, and deduced an elaborate system of relations which proved concordant with observation wherever it was possible to make a comparison. The distribution of electric charge on the surface of conductors, the electric forces and potentials in their neighbourhood, the electrostatic capacity of different arrangements of conductors and insulators, proved amenable to mathematical treatment in the skilful hands of Gauss, Poisson, Green and others.

The theory of a weightless, incompressible electric fluid is consistent with the idea of electricity as a definite quantity, and, though not necessary for these researches, did, as a matter of fact, give a convenient picture by which the phenomena could be represented and examined.

Of more historical importance was the attention directed to the electric force. Like gravitation, it appeared to act at a distance across intervening space. For mathematicians no further explanation was needed; but physicists soon began to speculate about the nature of this space, which somehow could transmit two, apparently distinct, forces. This led, as we shall see, to modern theories of what are now called "field physics".

Units   The multiplicity of weights and measures, which afflicted, and

---

[1] Sir P. Hartog, "The Newer Views of Priestley and Lavoisier", *Annals of Science*, August 1941, quoting work by A. N. Meldrum and others.

indeed still afflicts, the world, was first replaced by a logical and con- *Units*
venient decimal system by the French. A Report was presented to the
National Assembly in 1791; the necessary measurements were finished
and adopted in 1799; the system was made permissive in 1812, and
compulsory in 1820.

The fundamental unit of length, the metre, was meant to be one
ten millionth part of a quadrant of the Earth through Paris. Once
adopted, however, the practical unit is the distance at 0° Centigrade
between two marks on a certain metallic bar, and this has not been
altered though an increased accuracy of geodetic measurement has
shown that the length is not the exact fraction of an earth quadrant
that it was meant to be. The unit of volume, the litre, should be a cube
with a side of one decimetre (one-tenth of a metre) in length, but, as
this is difficult to measure, the litre was defined in 1901 as the volume
of one kilogramme of pure water at the pressure of one atmosphere
and 4° C., its temperature of maximum density.

The unit of mass, the kilogramme, was meant to be the mass of a
cubic decimetre of water at 4° C., though it is now a mass equal to
that of a platinum-iridium standard made in 1799 by Lefèbre-Ginneau
and Fabbroni. The accuracy of their work is shown by Guillaume's
latest (1927) value of the litre, viz. 1000·028 cubic centimetres.

The unit of time, the second, is defined as the 1/86400 part of the
mean solar day, the time, averaged over the year, between successive
transits of the centre of the Sun's disc across the meridian.[1]

In 1822 Fourier, in his *Théorie de Chaleur*, pointed out that secondary
or derived quantities had certain dimensions when expressed in terms
of fundamental quantities. Thus if we denote length by L, mass by
M and time by T, the dimensions of a velocity (v), that is the length
described in a unit of time, are L/T or LT^{-1}. Acceleration, the velocity
added in unit time, has dimensions v/T, that is L/T^2 or LT^{-2}. Force
(f) is mass × acceleration, or MLT^{-2}; work is ML^2T^{-2}. The derivation
by Gauss of electric and magnetic units from these dynamical units
will be described later.

About 1870, an international agreement was reached to adopt for
scientific measurements a system based on the centimetre (the
hundredth part of a metre), the gramme (the thousandth part of a
kilogramme) and the second as the three fundamental units. This is
usually referred to as the c.g.s. system.

In preceding chapters the atomic philosophy has been traced from *The Atomic*
the days of Democritus onwards. Discredited by Aristotle, it was in *Theory*

[1] For definitions of units, see *Report of the National Physical Laboratory for 1928.*

abeyance during the Middle Ages, and was only effectively revived after the Renaissance. Galileo regarded it favourably; Gassendi restated it in terms of Epicurus and Lucretius; Boyle and Newton used it in their chemical and physical speculations. It then fell into the background, though it still permeated scientific thought.

At the beginning of the nineteenth century, it was put forward anew as the explanation of physical properties such as the existence of solid, liquid and gaseous states of matter and of the definite quantitative facts of chemical combination.

The overthrow of the theory of phlogiston brought clearly to light the three states or phases of matter, solid, liquid and gaseous. A substance is usually best known in one of the phases, as water in the form of liquid, but it can generally be converted into either of the three, as water can be frozen into ice, or evaporated into steam. This advance in knowledge was followed by the study of the laws of chemical combination. Gases, in which the laws can be traced most simply, had ceased to be mysterious, half-spiritual entities, and had now been brought into relation with other bodies.

As the result of careful analysis, it had been found, especially by Lavoisier, Proust and Richter, against the weighty opinion of Berthollet, that a chemical compound is always made up of precisely the same amount of the constituent parts, to the accuracy then possible, and this fixity of composition played an essential part in the scheme of the new chemistry. Water, however obtained, always consists of hydrogen and oxygen combined in the ratio of one to eight. Thus the conception of combining weight was reached, the combining weight of oxygen being eight, if that of hydrogen be taken as unity. When two elements combine in more than one way to form more than one compound, the proportion of the constituents in one compound was found to be simply related to the proportion in the other: fourteen parts of nitrogen combine with eight of oxygen in one compound and with sixteen parts, exactly double, in another. Fixity of composition however, as we shall see later, is not necessarily exact in our present days of isotopes.

John Dalton (1766–1844), the son of a Westmorland handloom weaver, in his scanty leisure as a school teacher, acquired a knowledge of mathematical and physical science. He obtained a teaching post in Manchester, where he began to experiment on gases. The properties of gases, he saw, are best explained by a theory of atoms,[1] and at a later date he applied the same ideas to chemistry, pointing out

---

[1] *The Absorption of Gases by Water*, Manchester Memoirs, 2nd Series, vol. 1, 1803, p. 271.

that combination can be represented as the union of discrete particles with definite weights characteristic of each element. He says:[1]

There are three distinctions in the kinds of bodies, or three states, which have more specially claimed the attention of philosophical chemists; namely, those which are marked by the terms elastic fluids, liquids, and solids. A very famous instance is exhibited to us in water, of a body, which, in certain circumstances, is capable of assuming all three states. In steam we recognize a perfectly elastic fluid, in water a perfect liquid, and in ice a complete solid. These observations have tacitly led to the conclusion which seems universally adopted, that all bodies of sensible magnitude, whether liquid or solid, are constituted of a vast number of extremely small particles, or atoms of matter bound together by a force of attraction, which is more or less powerful according to circumstances....

Chemical analysis and synthesis go no farther than to the separation of particles one from another, and to their reunion. No new creation or destruction of matter is within the reach of chemical agency. We might as well attempt to introduce a new planet into the solar system, or to annihilate one already in existence, as to create or destroy a particle of hydrogen. All the changes we can produce consist in separating particles that are in a state of cohesion or combination, and joining those that were previously at a distance.

In all chemical investigations, it has justly been considered an important object to ascertain the relative *weights* of the simples which constitute a compound. But unfortunately the enquiry has terminated here; whereas from the relative weights in the mass, the relative weights of the ultimate particles or atoms of the bodies might have been inferred, from which their number and weight in various other compounds would appear, in order to assist and to guide future investigations and to correct their results. Now it is one great object of this work, to shew the importance and advantage of ascertaining *the relative weights of the ultimate particles, both of simple and compound bodies, the number of simple elementary particles which constitute one compound particle, and the number of less compound particles which enter into the formation of one more compound particle.*

If there are two bodies, A and B, which are disposed to combine, the following is the order in which the combinations may take place, beginning with the most simple: namely,

1 atom of A + 1 atom of B = 1 atom of C, binary.
1 atom of A + 2 atoms of B = 1 atom of D, ternary.
2 atoms of A + 1 atom of B = 1 atom of E, ternary.
1 atom of A + 3 atoms of B = 1 atom of F, quaternary.
3 atoms of A + 1 atom of B = 1 atom of G, quaternary.

The following general rules may be adopted as guides in all our investigations respecting chemical synthesis.

1st. When only one combination of two bodies can be obtained, it must be presumed to be a binary one, unless some cause appear to the contrary.

2d. When two combinations are observed, they must be presumed to be a binary and a ternary.

3d. When three combinations are obtained, we may expect one to be a binary, and the other two ternary...etc.

[1] John Dalton, *New Systems of Chemical Philosophy*, Manchester, 1808 and 1810. Reprinted in the *Cambridge Readings in Science*, p. 93.

From the application of these rules, to the chemical facts already well ascertained, we deduce the following conclusions: 1st. That water is a binary compound of hydrogen and oxygen, and the relative weights of the two elementary atoms are as 1:7, nearly; 2d. That ammonia is a binary compound of hydrogen and azote, and the relative weights of the two atoms are as 1:5, nearly; 3d. That nitrous gas is a binary compound of azote and oxygen, the atoms of which weigh 5 and 7 respectively:...4th. That carbonic oxide is a binary compound, consisting of one atom of charcoal, and one of oxygen, together weighing nearly 12; that carbonic acid is a ternary compound, (but sometimes binary) consisting of one atom of charcoal, and two of oxygen, weighing 19; etc., etc. In all these cases the weights are expressed in atoms of hydrogen, each of which is denoted by unity....

Dalton's account naturally contains the errors inevitable at the time: he regards heat as a subtle fluid; his combining weights are not accurate, oxygen, for instance, being given as 7 instead of 8 when hydrogen is unity. His assumption that, if only one compound of two elements is known, it should be taken to be a union of atom to atom, is by no means universally true, and led to errors in his ideas of the constitution of water and of ammonia. Nevertheless, Dalton made one of the great advances in the history of science, and converted a vague hypothesis into a definite scientific theory.[1]

Dalton represented the elementary atoms symbolically by dots, crosses or stars drawn within little circles. This method was improved by the Swedish chemist Jöns Jakob Berzelius (1779–1848) who introduced our present system, whereby letter-symbols are used to denote the relative mass of an element corresponding to its atomic weight. Thus H denotes not vaguely hydrogen, but a mass of hydrogen equal to 1—one gram, one pound, or what we please—and O represents a mass of oxygen equal to 16 in the same units.

The chief experimental work of Berzelius was the determination of atomic weights, or rather equivalent combining weights, with the greatest accuracy then possible. He also discovered several new elements, investigated many compounds, and opened a new chapter in the study of mineralogy. He shared with Davy the work of establishing the fundamental laws of electro-chemistry, and was thereby led to see an intimate connection between electric polarity and chemical affinity. Indeed, he carried this conception too far for the time, holding that all atoms contain either positive or negative electricity, by whose relative forces they combine. Every compound was regarded as being made up of two parts electrically opposite, and if compounds combined with each other, it was imagined to be due to an excess of

[1] A. J. Berry, *Modern Chemistry*, Cambridge, 1946.

opposite electric charges. This dualistic theory was not adequate to deal with advancing knowledge, and it gave way to a theory of types when organic chemistry became prominent. But it is now certain that chemical and electric phenomena are intimately related, though not in the simple way imagined by Berzelius.

The insufficiency of Dalton's atomic conceptions as they stood became apparent when the phenomena of gaseous combination were studied more extensively. Gay-Lussac (1778–1850) showed that gases always combine in volumes that bear simple ratios to each other, and Amerigo Avogadro, Conte di Quaregna (1776–1856), pointed out in 1813 that, on Dalton's theory, it followed from Gay-Lussac's observation that equal volumes of all gases must contain numbers of atoms bearing simple ratios to each other. A similar conclusion was drawn independently by Ampère in 1814, but it was forgotten or ignored till the subject was cleared up by Cannizzaro in 1858. It was then seen, both from the facts of gaseous combination and from physical considerations, that a distinction is necessary between the chemical atom, the smallest part of matter which can enter into combination, and the physical molecule, the smallest particle which can exist in a free state. The simplest method of expression of Avogadro's hypothesis is to suppose that equal volumes of gases contain the same number of molecules. We shall see below that this result can also be deduced mathematically from a physical theory which supposes that the pressure exerted by a gas is due to the impact of molecules in a state of perpetual movement and collision.

But, to return to the case of water, two volumes (and therefore two molecules) of hydrogen combine with one of oxygen to form two volumes (or molecules) of steam. It will be seen that the simplest theory which will explain these relations is one that supposes that the physical molecules of hydrogen and oxygen each contain two chemical atoms, and that the molecule of water vapour has the chemical composition represented by H_2O, the combination being represented by the equation

$$2H_2 + O_2 = 2H_2O.$$
$$\text{(2 vols.)} \quad \text{(1 vol.)} \quad \text{(2 vols.)}$$

Thus, since the combining weight of oxygen is 8 and one atom of oxygen combines with two of hydrogen, if the atomic weight of hydrogen be taken as unity, that of oxygen is not 8 but 16. Dalton's combining weights, therefore, need to be brought into line with the facts revealed by later experiments before we can assign to the elements their true atomic weights. This was first done systematically, in the light of all the evidence, by Cannizzaro.

The atom of oxygen, combining with two atoms of hydrogen, is said to possess a valency of two. This concept of valency underlay much of the chemical speculation of the succeeding years.

The number of known elements has grown from the twenty recognized by Dalton till now some ninety different kinds of matter have been recorded. The work of discovery has proceeded fitfully. When any new method of research has been applied to chemical problems, a new group of elements has frequently come to light. The separating power of the galvanic current enabled Sir Humphry Davy (1778–1829) to isolate the alkaline metals potassium and sodium in 1807. At a later date spectrum analysis showed the existence of such substances as rubidium, caesium, thallium and gallium. The methods of radio-activity have disclosed elements like radium and its family, and Aston's mass spectrograph has revealed many isotopic elements.

A connection between the atomic weights of the elements and their physical properties was sought by Prout in 1815, and later by Newlands and de Chaucourtois. This connection was successfully demonstrated in 1869 by Lothar Meyer and by the Russian chemist Mendeléeff (1834–1907). On arranging the names of the elements in a list in order of ascending atomic weights, Mendeléeff found that they displayed a certain periodicity—that, as Newlands had shown earlier, each eighth element had somewhat similar properties, while all the elements could be fitted into a complete table in which these similar elements could be placed under each other in columns. The Periodic Table thus constructed gave a means of assigning correct atomic weights to elements of doubtful valency, and blanks in the table were filled hypothetically by Mendeléeff, who thus predicted the existence and properties of unknown elements, some of which were afterwards discovered.

Mendeléeff regarded his Periodic Law as a purely empirical statement of fact. But such relations inevitably bring to mind the old idea of a common basis of matter. Many men, thinking that this common basis might be hydrogen, sought to demonstrate that, if the atomic weight of hydrogen be taken as unity, the weights of the other elements were all whole numbers. But, though many approached whole numbers, several elements, such as chlorine $= 35 \cdot 45$, obstinately refused to conform to this scheme, nor did increasing accuracy in the determination of atomic weights by Stas and others reduce the discrepancies. The proof of a common basis of matter and the reduction of atomic weights to whole numbers had to wait for another half century; they were beyond the experimental and theoretical resources of that time.

The different forms of apparatus for the production of electricity, as hitherto described, are all intended primarily to enable us to give a static charge to some insulated body. It is true that, if a conducting circuit be formed, joining an electric machine with the earth, a more or less continuous flow of electricity must proceed along the circuit. Even in the most elaborate form of frictional machine, however, the amount of electricity passing in a second is so small that it is difficult to detect the current in the conducting wires; though, if an air gap be interposed, the high differences of electric potential produced by the machine result in visible sparks.

At the beginning of the nineteenth century a new field of research was opened up by the discovery of the galvanic or voltaic cell. This arrangement gave rise to a series of phenomena, grouped originally under the name of galvanism, which, by the efforts of many observers, were gradually brought into relation with those already grouped under the name of electricity. It finally became clear that a galvanic current is nothing more or less than a flow of electricity, enormous in quantity compared with that given by an electric machine, but driven along by potential differences which are only a minute fraction of those involved in the older type of apparatus. Since no accumulation of electricity can be detected at any point in the circuit, it follows that the current may be represented figuratively by the flow of an incompressible fluid along rigid and inextensible pipes.

The discovery of the voltaic cell was due to a chance observation, which seemed at first to lead in a different direction. About the year 1786, an Italian named Galvani noticed that the leg of a frog contracted under the influence of a discharge from an electric machine. Following up this discovery, he observed the same contraction when a nerve and a muscle were connected with two dissimilar metals, placed in contact with each other. Galvani attributed these effects to a so-called animal electricity, and it was left for another Italian, Volta, of Pavia, to show that the essential phenomena did not depend on the presence of an animal substance. In 1800 Volta invented the pile known by his name, which, in the opening years of the following century, provided a means of investigation yielding results of intense interest in his hands and in those of his contemporaries in other countries. The scientific journals of the time[1] are full of the marvels

[1] See especially *Nicholson's Journal* for those years.

The Electric Current of the new discoveries, the study of which was taken up with an ardour little short of that shown a century later in the elucidation of the phenomena of electric discharge through gases and radio-activity.

Volta's pile consisted of a series of little discs of zinc, copper, and paper moistened with water or brine, placed one on top of the other in the order—zinc, copper, paper, zinc, etc.... finishing with copper. Such a combination is really a primitive primary battery, each little pair of discs separated by moistened paper acting as a cell, and giving a certain difference of electric potential, the differences due to each little cell being added together and producing a considerable difference of potential (or electromotive force as it is inaptly called) between the zinc and copper terminals of the pile. Another arrangement was the crown of cups, consisting of a series of vessels filled with brine or dilute acid, each of which contained a plate of zinc and a plate of copper. The zinc of one cell was fastened to the copper of the next, and so on, an isolated zinc and copper plate, in the first and last cell respectively, forming the terminals of the battery. Volta thought that the origin of the effects was to be sought at the junctions of the two metals; hence the order of the discs in the pile and the terminal metal plates in the crown of cups. These plates and the corresponding discs in the pile were soon found to be useless, though they figure extensively in early pictures of the apparatus.

If a current be taken from Volta's pile or crown of cups, that current rapidly diminishes in intensity, owing chiefly to a film of hydrogen which forms on the surface of the copper plates. This electrolytic polarization may be prevented by surrounding the copper plates with a solution of copper sulphate, so that copper is liberated instead of hydrogen, or by replacing the copper plates with carbon placed in an oxidizing mixture, such as nitric acid or a solution of potassium bichromate, which converts the hydrogen into water.

Chemical Effects The fundamental observation, from which arose the science of electro-chemistry, was made in the year 1800, immediately on the news of Volta's discovery reaching England. Using a copy of Volta's original pile, Nicholson and Carlisle found that when two brass wires leading from its terminals were immersed near each other in water, there was an evolution of hydrogen gas from one, while the other became oxidized. If platinum or gold wires were used, no oxidation occurred, but oxygen was evolved as gas. They noticed that the volume of hydrogen was about double that of oxygen, and, since this is the proportion in which these elements are contained in water, they explained the phenomenon as a decomposition of water. They also noticed that a similar kind of chemical reaction went on in the pile *Chemical* itself, or in the cups when that arrangement was used. *Effects*

Soon afterwards Cruickshank decomposed the chlorides of magnesia, soda and ammonia, and precipitated silver and copper from their solutions—a result which afterwards led to the process of electroplating. He also found that the liquid round the pole connected with the positive terminal of the pile became alkaline and the liquid round the other pole became acid.

In 1806 Sir Humphry Davy (1778–1829) proved that the formation of the acid and alkali was due to impurities in the water. He had previously shown that decomposition of water could be effected although the two poles were placed in separate vessels connected together by vegetable or animal substances, and had established an intimate connection between the galvanic effects and the chemical changes going on in the battery.

The identity of "galvanism" and electricity, which had been maintained by Volta, and had formed the subject of many investigations, was established in 1801 by Wollaston, who showed that the same effects were produced by both, while in 1802 Erman measured with an electroscope the potential differences furnished by a voltaic pile. It became clear that the older phenomena gave "electricity in tension", and the newer, "electricity in motion".

By a convention universally adopted, we agree to suppose that an electric current flows in the direction of the so-called positive electricity, that is, from the zinc to the copper (or carbon) plate within the battery, and from the copper to the zinc along the wire outside. In accordance with this convention, the copper plate is called the positive and the zinc plate the negative terminal of the battery.

In 1804 Hisinger and Berzelius stated that neutral salt solutions could be decomposed by electricity, the acid appearing at one pole and the metal at the other, and drew the conclusion that nascent hydrogen was not, as had been supposed, the cause of the separation of the metals from their solutions. Many of the metals then known were thus prepared, and in 1807 Davy decomposed potash and soda, which had been considered to be elements, by passing the current from a powerful battery through them when in a moistened condition, and in this way he isolated the surprising metals potassium and sodium. Davy was an able, brilliant and eloquent Cornishman, who, appointed Lecturer on Chemistry at the newly founded Royal Institution, drew large and fashionable audiences by the interest of his discourses.

The decomposition of chemical compounds by electrical means indicated a connection between chemical and electrical forces. Davy "advanced the hypothesis that chemical and electrical attractions were produced by the same cause, acting in the one case on particles, in the other on masses". This idea was developed by Berzelius, who, as we have already seen, regarded every compound as formed by the union of two oppositely electrified parts—atoms or groups of atoms.

The remarkable fact that the products of decomposition appear only at the poles was perceived by the early experimenters on the subject, who suggested various explanations. Grotthus in 1806 supposed that it was due to successive decompositions and recombinations in the substance of the liquid, the opposite parts of contiguous molecules being exchanged along lines stretching from one pole to the other, the opposite atoms at the two ends of the chain being set free.

After the primary discoveries in electro-chemistry, there was a pause till the subject was taken up by the great experimenter Michael Faraday (1791–1867) who had been Davy's assistant in the Laboratory of the Royal Institution and succeeded him there.

A new terminology was introduced by Faraday in 1833 on Whewell's advice. Instead of the word *pole*, which implied the old idea of attraction and repulsion, he used the word *electrode* (ὁδός = a way, path) and called the plate by which the current is usually said to enter the liquid, the *anode*, and that by which it leaves the liquid the *cathode*. The parts of the compound which travel in opposite directions through the solution he called *ions* (ἴω = I go)—*cations* if they go towards the cathode, and *anions* if they go towards the anode. He also introduced the word *electrolysis* (λύω = I loose, dissolve) to denote the whole process.

By a series of masterly experiments, Faraday reduced the complexity of the phenomena to two simple statements known as Faraday's laws. Whatever be the nature of the electrolyte or of the electrodes, the mass of substance liberated is proportional to the strength of the current and to the time it flows, that is to the total amount of electricity which has passed through the liquid. Secondly, the mass of a substance liberated by a given quantity of electricity is proportional to the chemical equivalent weight of the substance—not to the atomic weight, but to the combining weight, that is, the atomic weight divided by the valency, so that, while 1 gramme of hydrogen is liberated, $16 \div 2$, or 8 grammes of oxygen appear. The mass of a substance liberated by the passage of unit quantity of electricity is known as its electro-chemical equivalent. For instance, when a current of

1 ampere, one-tenth of a c.g.s. unit, flows for 1 second through an acid solution, $1 \cdot 044 \times 10^{-5}$ gramme of hydrogen is liberated, while from the solution of a silver salt $0 \cdot 001118$ gramme of silver is deposited. This latter weight can be measured so easily and accurately that it has been adopted for a definition of the ampere as a practical unit of current.

Chemical Effects

In every case of electrolysis, Faraday's laws seem to apply; the same definite amount of electricity is associated with the liberation of unit equivalent mass of substance. Electrolysis must be regarded as the carriage by the moving ions of opposite electric charges in opposite directions through the liquid. Each ion carries with it a definite charge of electricity, positive or negative, which is given up to the electrode by the liberation of the ion if the electromotive force is enough to overcome the opposing force of polarization. As von Helmholtz said at a later date, Faraday's work shows that "if we accept the hypothesis that the elementary substances are composed of atoms, we cannot avoid concluding that electricity also is divided into definite elementary portions which behave like atoms of electricity". Thus, not only do Faraday's experiments underlie the later development in theoretical and applied electro-chemistry, but are the basis of modern atomic and electronic science.

While the early experimenters chiefly directed their attention to the chemical effects of galvanic currents, other phenomena were not overlooked. It was soon found that, when passing through a conductor of any kind, the current evolved heat, the amount of which depended on the nature of the conductor. This thermal effect is now of great practical use in electric lighting, heating, etc. On the other hand, in 1822, Seebeck found that, if one junction of two unlike metals be heated, an electric current flows. Of even wider interest is the power a current has of deflecting a magnetic needle, discovered in 1820 by Oersted of Copenhagen, who found that the effect "passes to the needle through glass, metals" and other non-magnetic substances. He also recognized that what he, or his translator, called "the electric conflict" "performs circles", or, as we should say, that there are circular lines of magnetic force round a long straight current.

Other Properties of Currents

The importance of Oersted's observations was recognized at once, especially by André Marie Ampère (1775–1836), who showed that not only were magnets acted on by forces in the neighbourhood of currents, but that currents exerted forces on each other. By experiments with movable coils, he investigated the laws of these forces, and showed mathematically that all the observed phenomena were consistent with the supposition that each short element of current of length dl produced at a point outside it a magnetic force $cdl \sin \theta / r^2$, where c is the strength of the current, r the distance from the element to the point, and θ the angle between r and the direction of the current. The forces due to electric currents, thus reduced to a law of inverse squares, were thereby brought into line with gravitation and with the forces between magnetic poles and between electric charges. This was another step towards "field physics".

The current elements, of course, cannot be obtained experimentally in isolation, but nevertheless Ampère's formula enables us, by summing up the effects of all the elements, to calculate the magnetic fields in the neighbourhood of electric currents.[1]

From Ampère's formula we can also deduce the mechanical forces on currents placed in magnetic fields. The magnetic force in air due to a pole of strength m is m/r^2; thus m is equivalent to $cdl \sin \theta$. The mechanical force on m in a field H is Hm, and therefore the force in air on Ampère's current-element is $Hcdl \sin \theta$. To calculate the mechanical force on an actual circuit from this formula is then only a question of mathematics.

Telegraphy began with visual signalling. The many "Telegraph Hills" about the country mark the sites of long dismantled semaphores which were to wave quickly to London the news of Napoleon's landing. Each fresh discovery in electricity led to suggestions for electric telegraphs, but nothing came of them till Ampère applied his electromagnetic results. After his work, the invention and adoption of a practical instrument was a mere exercise in mechanical ingenuity and financial confidence.

Much was done about 1827 by Georg Simon Ohm (1781–1854) to pick out from the phenomena quantities suitable for exact definition. He replaced the prevalent vague ideas of "quantity" and "tension" by the conceptions of current strength and electromotive force. The latter quantity corresponds with potential, already used in electrostatics. When the tension or pressure is high, it needs more work to carry electricity from one point to another, and hence difference of potential or electromotive force may be defined as the work done against the electric forces in carrying unit quantity of electricity from one point to another.

---

[1] For instance, at the centre of a circular current, the distance from each element of the current is the same, and, θ being everywhere a right angle, $\sin \theta$ is unity. Thus the magnetic force H is given by the relation

$$H = \Sigma \frac{cdl \sin \theta}{r^2} = \frac{c \cdot \Sigma dl}{r^2} = \frac{c \times 2\pi r}{r^2} = \frac{2\pi c}{r}.$$

Ohm's work on electricity was based on the researches of Fourier on the conduction of heat (1800–1814). Fourier worked out mathematically the laws of the conduction of heat on the assumption that the flux of heat was proportional to the gradient of temperature. Ohm substituted potential for temperature, and electricity for heat, and proved the usefulness of these conceptions by experiment. He found that, if a current from a battery of voltaic cells or Seebeck's thermo-couple flows through a uniform wire, the rate of fall of potential is constant. Ohm's law is usually put in the form that the current c is proportional to the electromotive force E or

$$c = kE = \frac{E}{R},$$

Other Properties of Currents

where k is a constant which may be called the conductivity, and its reciprocal, $1/k$ or R, is known as the resistance. R depends only on the nature, temperature and dimensions of the conductor, being proportional directly to its length, and inversely to its area of cross section. The latter fact indicates that a current flows uniformly through the whole substance of the conductor. This will be found to need some qualification in the case of very rapidly alternating currents.

After the labours of Ampère and of Ohm, the subject of current electricity had reached that important stage in a new physical science when satisfactory fundamental quantities have been selected and defined, and a firm basis found for mathematical development.

Another old idea resuscitated and established early in the nineteenth century was the wave-theory of light. Held vaguely by Hooke and others in the seventeenth century, it was, as has already been said,[1] put in a more definite form by Huygens. Newton rejected it on two grounds. Firstly, it did not then explain shadows, since waves of light he thought would naturally bend round obstacles as did those of sound. Secondly, the phenomena of double-refraction in Iceland spar indicated that rays of light were different on different sides, and waves with vibrations in the direction of propagation could not have such differences. These two difficulties were overcome by Thomas Young (1773–1829) and Augustin Jean Fresnel (1788–1827), who put the theory into its modern form. Nevertheless it is worth remembering that Newton held that the colours of thin plates indicated that the corpuscles in a ray of light produced accompanying waves in an aether—a theory amazingly like that now invoked to explain the properties of electrons.

The Wave-Theory of Light

[1] Chapter IV, p. 163.

The Wave-
Theory of
Light

Young passed a very narrow beam of white light through two pin holes in a screen, and placed another screen beyond the first. Where the rays from the two pin holes overlapped on the second screen, he saw a series of brilliantly coloured bands. The bands are due to the interference of the similar waves from the two pin-hole sources. If one wave has half a wave-length further to travel than the other to reach the screen, the crest of the one wave will coincide with the trough of the next, and darkness will result. If the distances traversed by the two waves be the same, the crests will be superposed and the light will be doubled. The light actually seen is that composite light left when light of one wave-length is removed from the white light. If, instead of composite white light, simple coloured light is used, the bands are alternately bright and dark instead of coloured.

From the dimensions of the apparatus and the breadth of the bands, it is clear that the wave-lengths of the different coloured lights can be calculated. They prove to be exceedingly short—of the order of one fifty-thousandth part of an inch, or the one two-thousandth part of a millimetre, agreeing with the lengths of Newton's fits of easy reflection and easy transmission. From this it follows that the dimensions of ordinary obstacles in the path of a beam of light are very large compared with the wave-lengths, and a mathematical investigation proves that, if an advancing wave-front be supposed resolved into a number of concentric rings round the point of the wave-front nearest to the eye, the effects of all the rings except those near the point interfere and cancel each other, so that the eye only sees light coming to it along one direct path. That is, light travels almost solely in straight lines, and the bending round obstacles is confined to the minute effect known as diffraction.

Newton's other difficulty was overcome by Fresnel. Hooke had somewhat casually suggested that the vibrations which constitute light might be transverse to the direction of the rays, and Fresnel pointed out that this suggestion gave the possibility of unlikeness in the different sides of a ray. If we look at an advancing wave-front of light, linear vibrations may be either up and down, or right and left. Such linear vibrations would give what may be called plane-polarized light. If a crystal in one position lets one vibration through but not the other, a second similar crystal, turned round its axis through a right angle, will stop the light emerging from the first crystal. These are just the phenomena seen with Iceland spar.

Fresnel developed the wave-theory of light mathematically to a high degree of perfection. Certain difficulties remained but, speaking broadly, a remarkable concordance was obtained between his complete theory and the observed phenomena. He and those who followed, Green, MacCullagh, Cauchy, Stokes, Glazebrook and others, established the classical wave-theory for a century.

The Wave-Theory of Light

If the waves of light be transverse to the direction of propagation, the medium must be so constituted as to transmit such waves. Neither gases nor liquids can do so; and it follows that, if light is a mechanical wave-motion, the luminiferous aether must have properties analogous to those of a solid—it must possess rigidity. This was the beginning of a long series of elastic solid theories of the aether. The reconciliation of the necessary light-carrying properties with an absence of appreciable resistance to the motion of the planets, taxed heavily the ingenuity of the physicists of the first seventy years of the nineteenth century. At a later date, attempts were made to explain the necessary rigidity by imagining gyrostatic aethers in rotational motion.

As Einstein has pointed out,[1] the success of the wave-theory of light made the first breach in Newtonian physics, though the fact was not understood at the time. Newton's theory of corpuscles of light travelling through empty space fitted well with the rest of his philosophy, though it is not easy to see why the corpuscles should move with only one constant velocity. But, when light came to be regarded as wave-motion, it ceased to be possible to believe that everything real was made up of particles moving in absolute space. The aether was invented to preserve the mechanical outlook, and, as long as light could be thought of as mechanical waves in a quasi-rigid medium, the aether fulfilled this function, though, as it was supposed to penetrate everywhere, it was, in a sense, identical with space itself. But Faraday showed that space had electric and magnetic properties, and when Clerk Maxwell proved that light was an electromagnetic wave, the aether ceased to be necessarily mechanical.

The wave-theory of light opened the first chapter in what is now called field physics. The second, written in the work of Faraday and Maxwell, connected light with electromagnetism, and, in the third, Einstein explained gravitation in terms of geometry. Gravitation may some day be brought into connection with light and electromagnetism in a still wider synthesis. This has been attempted by Eddington.

The induction of statical charges of electricity by other charges, and the similar action exerted by magnets on soft iron, suggested to the early experimenters that like effects might be obtained with the steady currents given by voltaic cells. Faraday, for instance, wound two

Electromagnetic Induction

[1] *The Times*, 4 February 1929.

helices of insulated wire on the same wooden cylinder, but could observe no deflection of a galvanometer in one coil when a steady current was maintained through the other by a voltaic battery.

His first successful experiment, which opened a new era in the history of electrical science, was thus described to the Royal Society on 24 November 1831.

> Two hundred and three feet of copper wire in one length were wound round a large block of wood; other two hundred and three feet of similar wire were interposed as a spiral between the turns of the first coil, and metallic contact everywhere prevented by twine. One of these helices was connected with a galvanometer, and the other with a battery of one hundred pairs of plates four inches square, with double coppers, and well charged. When the contact was made, there was a sudden and very slight effect at the galvanometer, and there was also a similar slight effect when the contact with the battery was broken. But whilst the voltaic current was continuing to pass through the one helix, no galvanometrical appearance nor any effect like induction upon the other helix could be perceived, although the active power of the battery was proved to be great by its heating the whole of its helix, and by the brilliancy of the discharge when made through charcoal.
>
> Repetition of the experiment with a battery of one hundred and twenty pairs of plates produced no other effect; but it was ascertained, both at this and the former time, that the slight deflection of the needle occurring at the moment of completing the connection, was always in one direction, and that the equally slight deflection produced when the contact was broken, was in the other direction.
>
> The results which I had by this time obtained with magnets led me to believe that the battery current through one wire did, in reality, induce a similar current through the other wire, but that it continued for an instant only, and partook more of the nature of an electrical wave passed through from the shock of a common Leyden jar than of the current from a voltaic battery, and therefore might magnetize a steel needle, though it scarcely affected the galvanometer.
>
> This expectation was confirmed; for on substituting a small hollow helix, formed round a glass tube, for the galvanometer, introducing a steel needle, making contact as before between the battery and the inducing wire, and then removing the needle before the battery contact was broken, it was found magnetized.
>
> When the battery contact was first made, then an unmagnetized needle introduced into a small indicating helix, and lastly the contact broken, the needle was found magnetized to an equal degree apparently as before; but the poles were of a contrary kind.

With the much more delicate galvanometers we now possess, it is easy to repeat Faraday's experiments with the primary current derived from a single voltaic cell, and to show that similar transient currents are produced by moving the primary and secondary circuits relatively to each other, or by moving a permanent magnet relatively to a coil connected with a galvanometer. Faraday's discovery of electromagnetic induction has proved to be the foundation of a vast industrial development: almost all electric machinery of practical importance depends on the principles of the induction of currents.

Ampère was content to discover the laws of electromagnetic force in mathematical form, without enquiring by what mechanism the force was propagated. But Faraday, who followed him, was not a mathematician and was keenly interested in picturing the physical properties and state of the intervening space or electromagnetic field of force. If a card be laid on a bar-magnet, and iron filings be scattered over the card, they cling together in chains, showing the lines in which the magnetic force acts. Faraday imagined that such lines or tubes of force, connecting magnetic poles or electric charges, have a real existence in a magnetic or an electric field, perhaps as a chain of polarized particles. If they were in a state of strain like rubber cords, stretched longitudinally and compressed transversely, they would spread themselves throughout the medium and would draw magnetic poles or electric charges together, thus explaining the phenomena of attraction. Whether real or not, Faraday's lines of force give a ready and convenient way of representing the stresses and strains in the insulating medium or electric field.

The Electro-magnetic Field of Force

Faraday examined this dielectric medium in another way. He found that the electrostatic capacity of a conductor, that is, the quantity of electricity it holds at a given potential or pressure, increased when the air surrounding it was replaced by another insulator like shellac or sulphur, increased in a ratio which he called the specific inductive capacity of the insulator.

Faraday's ideas were in advance of his time and were expressed in unfamiliar language. But when, thirty years later, Clerk Maxwell translated those ideas into mathematical form and developed them into a theory of electromagnetic waves, their full importance was realized—at once in England, more slowly in other lands. Thus Faraday laid the foundations of three great branches of practical electric science—electro-chemistry, electromagnetic induction, and electromagnetic waves. Moreover, his insistence on the importance of the electromagnetic field of force was the historical starting point of the electrical side of modern theories of field physics.

To the two German mathematical physicists, C. F. Gauss (1777–1855) and W. E. Weber (1804–1891), we owe the invention of a scientific system of magnetic and electric units, not defined arbitrarily in terms of quantities of the same kind as themselves, but based on the fundamental units of length, mass and time.

Electro-magnetic Units

In 1839 Gauss published his "general theory of forces attracting according to the inverse square of the distance". Electric charges and magnetic poles as well as gravitating matter conform to this relation, and an electric charge or magnetic pole of unit strength may be defined as one which, separated by unit distance (one centimetre) in air from an equal similar charge or pole, repels it with unit force (one dyne). If another medium replaces air, the force will be less in a certain ratio, k for electric forces and μ for magnetic forces. k is Faraday's specific inductive capacity, which here appears as a dielectric constant, and μ is a quantity which was afterwards named the magnetic permeability of the medium. On this foundation, Gauss raised an imposing structure of mathematical deduction.[1]

Ampère and Weber showed experimentally that coils of wire carrying electric currents acted in the same manner as magnets of the same size and shape, a circular current being equivalent to a circular disc magnetized at right angles to its plane, so that one face is a north-seeking pole and the other face a south-seeking pole. This unit current may be defined as that current which is equivalent to a magnetic disc of unit magnetic strength, a definition which may be shown mathematically to lead to the result that the magnetic field, that is, the force on a unit magnetic pole, at the centre of a circular current is $2\pi c/r$,

---

[1] As an example we may take what is known as Gauss' theorem. Let a quantity of electricity be imagined to be surrounded by a closed surface, and let that surface be supposed dissected into a number of small areas, any one of which may be called α, with an electric force N acting at right angles to it. Then Gauss proved that the sum of all the quantities αN is equal to 4π times the total amount of electricity e within the surface, however that electricity be distributed. That is,

$$\Sigma \alpha N = 4\pi e,$$

a relation which can easily be obtained from the law of force by simple mathematics. If we take into account the dielectric constant of the insulating medium inside the surface, this expression becomes

$$\Sigma \alpha N = \frac{4\pi e}{k} \text{ or } \Sigma \alpha N k = 4\pi e.$$

The quantity $\Sigma \alpha N k$ is called the total normal induction over the surface.

Similar equations hold for gravitational or magnetic forces, and can be used to deduce results only otherwise to be obtained by difficult mathematics. For instance, suppose we have a sphere of gravitating matter of mass m. Let us imagine that we surround it by a concentric spherical surface of radius r. Over this surface Gauss' theorem holds. Hence,

$$\Sigma \alpha N = 4\pi m.$$

But everything is here symmetrical, N is constant, and equal to the total force F. Therefore,

$$4\pi m = N \times \Sigma \alpha = F \times 4\pi r^2,$$

and $$F = \frac{m}{r^2}.$$

This is the same gravitational force that would be exerted by a heavy particle of mass m placed at the centre of the gravitating sphere. Thus, with the simplest mathematics, we have proved Newton's famous result that a uniform sphere attracts as though its mass were concentrated at the centre, and incidentally we have illustrated the power of Gauss' method. Much of the theory of electrostatics and magnetism may be built up on Gauss' theorem by the use of mathematics, somewhat more complicated perhaps, but no more difficult. See my text-book, *Experimental Electricity*, Cambridge (1905–1923).

where c is the strength of the current and r the radius of the circle, an expression which of course agrees with that deduced from Ampère's formula. Therefore, by suspending a small magnetic needle at the centre of a large circular coil of wire (an arrangement known as a tangent galvanometer), and observing the deflection produced by passing a current through the coil, we can measure the current in absolute or centimetre-gramme-second (c.g.s.) units. The common unit of current or ampere is designed to be the tenth part of the unit as thus defined, though, for practical purposes and convenience of measurement, the definition has for many years been based on the amount of silver deposited electrolytically as explained above. There has been however a proposal to revert to the theoretical definition.

Electro-magnetic Units

In the eighteenth and nineteenth centuries heat became of great practical importance owing to the development of the steam engine, and this in turn caused renewed attention to be given to the theory of the subject.

Heat and the Conservation of Energy

As we have seen, the caloric theory, according to which heat is an imponderable fluid, played a useful part in suggesting and interpreting experiments on the measurement of quantities of heat. But, as a physical explanation, the theory of molecular agitation had always appealed to the more acute natural philosophers, such as Boyle and Newton. In 1738 Daniel Bernouilli had shown that, if a gas be imagined to consist of molecules in motion in all directions, the impact of the molecules on the walls of the containing vessel would explain the pressure, and the pressure would increase proportionately as the gas was compressed or the temperature raised, as experiment required.

The development of heat by friction was explained by the calorists on the supposition that the filings or abrasions, or the main substance in its final state after friction, possessed a smaller specific heat than the substance at first, so that heat was squeezed out and thus made manifest. But in 1798 an American, Benjamin Thompson, who in Bavaria became Count Rumford, showed by experiments on the boring of cannon that the heat evolved was roughly proportional to the total work done, and bore no relation to the amount of shavings. Nevertheless, the fluid theory survived for another half century.

But by 1840 it had become apparent that some at all events of the different powers of nature were mutually convertible. In 1842 J. R. Mayer upheld the possibility of the conversion of work or *vis viva* into heat and heat into work. Assuming that when air is compressed all the work appears as heat, Mayer calculated a numerical value for its mechanical equivalent.[1] In the same year Sir W. R. Grove, English judge and man of science, known by his invention of a voltaic cell, explained in a lecture the idea of the interrelation of natural powers, and elaborated it in a book published in 1846 under the title of *The Correlation of Physical Forces*.[2] This and the independent study in 1847 by the great German physiologist, physicist and mathematician H. L. F. von Helmholtz (1821–1894), *Ueber die Erhaltung der Kraft*,[3] contained the earliest general account of the principle now known as the "conservation of energy".

During the years from 1840 to 1850 James Prescott Joule (1818–1889) measured experimentally the amount of heat liberated by the expenditure of electrical and mechanical work.[4] He first proved that heat generated by the passage of an electric current in a conductor is proportional to the resistance of the conductor and to the square of the strength of the current. He then forced water through narrow tubes, compressed a mass of air, and heated liquids by the rotation of paddle wheels. He found that, however work was done, the expenditure of the same amount of work resulted in the development of the same quantity of heat, and from this principle of equivalence he concluded that heat was a form of energy. Even then "it was many years... before any of the scientific chiefs began to give their adhesion", though Stokes told William Thomson that "he was inclined to be a Joulite". In 1853 Helmholtz, during a visit to England, observed much scientific interest in the subject, and in France found that Regnault had adopted the new views. Joule's final results showed that to warm one pound of water through 1° Fahrenheit, at any temperature between 55° and 60°, needed the expenditure of about 772 foot-pounds of work. Later experiments indicate 778 as a figure more nearly accurate.

Joule's definite experimental result that work and heat were equivalent gave power and point to the idea called by Grove the "correlation of forces", and by Helmholtz "the persistence of force". That idea was thus developed into the definite physical principle which came to be known as the "conservation of energy". Energy, as an exact physical quantity, was new to science. The concept which underlay it had previously been expressed by an inaccurate and confusing duplication of meaning of the word "force", a confusion which had been pointed out by Young. Energy may be defined as the power

[1] *Liebig's Annalen*, May, 1842.
[2] W. R. Grove, *The Correlation of Physical Forces*, London, 1846.
[3] Helmholtz, *Abhandlung von der Erhaltung der Kraft*, 1847.
[4] J. P. Joule, *Collected Papers*.

of doing work, and, if the conversion be complete, may be measured by the work done. The use of the word "energy" in this specialized sense is due to Rankine and William Thomson, the latter of whom adopted Young's distinction.

Heat and the Conservation of Energy

Joule's experiments showed that, in the cases he investigated, the total amount of energy in a system is constant, the quantity lost as work reappearing as heat. General evidence led to the extension of this result to other changes, where, for instance, mechanical energy is converted into electrical energy, or chemical energy into animal heat. Till recent years, all known facts were consistent with the statement that the total energy of an isolated system is constant in amount.

The principle of the conservation of energy, thus established, is comparable with the older principle of the conservation of mass. Newtonian dynamics are founded on the recognition that there is a quantity, for convenience called the mass of a body, which remains constant throughout all motion. In the hands of the chemists, the balance showed that this principle holds good also when chemical changes occur. The matter in a body burning in air is not annihilated. When the resultant substances are collected, their total weight is the joint weight of the original body and the air which has been consumed.

And so with energy: another quantity besides mass emerges in our consciousness, chiefly because it remains unchanged throughout a series of transformations. We find it convenient to recognize the existence of that quantity, to use it as a scientific concept, and to give it a name. We call it energy, measure its changes by the amount of work done or by the amount of heat developed, and, somewhat laboriously and after much doubt, rediscover its constancy.[1]

By none of the processes known to nineteenth-century physics could matter or energy be created or destroyed. In the twentieth, there have appeared indications that matter itself is a form of energy, and that transformations from one form to the other are not impossible, but, until recent years, matter and energy were rigidly distinguished.

The principle of the conservation of energy was first applied to chemistry about 1853 by Julius Thomsen, who recognized that the heat evolved in a reaction is a measure of the difference of energy content of the system before and after the reaction. Again, since the final energy of a closed system must be the same as its initial energy, it became possible in some cases to predict the final state of the system without reference to intermediate steps, to pass at once to the solution of a physical problem without tracing the process by which the goal

[1] See Chapter XII.

Heat and the Conservation of Energy

is attained, as Huygens did in the more limited problems of mechanics. Because of this practical use, and for its own intrinsic interest, the principle of the conservation of energy may be regarded as one of the great achievements of the human mind.

But it had its philosophic dangers. Since the principles of the conservation of matter and energy were found to hold good in all circumstances which could then be investigated, it was natural to stretch the principles into the form of general laws. Matter became eternal and indestructible; the amount of energy in the Universe became constant and immutable, in all conditions and for all ages. The principles passed from safe guides for small empirical advances in knowledge into great philosophic dogmas of doubtful validity.

The Kinetic Theory of Gases

In 1845 J. J. Waterston, in a manuscript memoir, for long lying forgotten in the archives of the Royal Society, developed further the kinetic theory of gases, made more important by the identification of heat and energy. In 1848 Joule also was at work upon the same subject. These two investigators carried the theory beyond the point reached by Bernouilli, and calculated independently the average velocity of movement of the molecules.[1] In 1857 the first adequate kinetic theory of matter was published by Clausius.[2]

Owing to the chances of molecular collision, which are assumed to occur with perfect elasticity, at any instant there will be molecules moving with all velocities and in all directions. The total energy of translation of all the molecules measures the total heat content of the gas, and the average energy of each molecule measures the temperature. From these premises it can be deduced mathematically that the pressure p is equal to $\frac{1}{3}nmV^2$, where n is the number of molecules in unit volume, m the mass of each, and V^2 the average value of the square of the velocity.[3]

[1] *Life of Lord Rayleigh*, p. 45; Joule's *Collected Papers*. Also art. "Joule", in *D.N.B.* by Sir Richard Glazebrook.

[2] O. E. Meyer, *Kinetic Theory of Gases*, Eng. trans. R. E. Baynes, London, 1899.

[3] If one molecule be moving with velocity V, that velocity can be resolved into three components, u, v, and w, at right angles to each other, and, since the component energies must equal the total energy,

$$V^2 = u^2 + v^2 + w^2.$$

On the whole the molecules will be moving equally in all directions, so that,

$$V^2 = 3u^2.$$

If the gas be contained in a centimetre cube, one molecule, moving to and fro between opposite faces with the resolved velocity u, will strike one face $\frac{1}{2}u$ times a second. If m be its mass, the change of momentum when it strikes the face and rebounds is $2mu$, and the change of momentum per second is $2mu \times \frac{1}{2}u$ or mu^2. If there are n molecules in the cubic centimetre, the total rate of change of momentum on one unit face, which measures the pressure p, is

$$p = nmu^2 = \frac{1}{3}nmV^2.$$

But *nm*, the total mass of gas in unit volume, measures its density, so that, if temperature and therefore V^2 be constant, the pressure of a gas is proportional to its density or inversely proportional to its volume—a law which was discovered experimentally by Boyle. If the temperature vary, since *p* is proportional to V^2, the pressure must increase with the temperature—the law of Charles. If we have two gases at the same pressure and temperature, it follows from the equation that the number of molecules in unit volume is equal for the two gases—the law obtained by Avogadro from chemical facts. Finally, for the two gases, the molecular velocity *V* must be inversely proportional to the square root of *nm*, the density, a relation that explains the rates at which gases diffuse through porous partitions, the law of which had been discovered experimentally by Thomas Graham about 1830.

From these deductions we see that the elementary kinetic theory, as given by Bernouilli, Joule and Clausius, is in accordance with the simpler experimental properties of gases. Moreover, as Waterston and Joule showed, the theory enables us to calculate approximately the molecular velocities. For instance, with hydrogen the volume of unit mass is 11·16 litres, or 11,160 cubic centimetres, at 0° C. and at the standard atmospheric pressure of 760 millimetres of mercury or $1·013 \times 10^6$ dynes per square centimetre. Hence the equation $p = \frac{1}{3}nmV^2$ leads to the result that *V* is 1844 metres, or more than a mile a second. For oxygen the corresponding number is 461 metres per second. These figures give the square root of the average value of V^2; the average value of *V* itself, the molecular velocity, is a little smaller. The actual number of molecules in one cubic centimetre of a gas at 0° C. and atmospheric pressure was first calculated from the kinetic theory by Loschmidt in 1865 as $2·7 \times 10^{19}$.

Maxwell and Boltzmann applied to the distribution of velocities Gauss' law of error, derived from the theory of probability, now of importance in many branches of enquiry. The theory shows that molecules subject to chance collisions may be divided into groups, each group moving within a certain range of velocity in a manner illustrated in Figure 5. The horizontal ordinate measures the velocity, and the vertical ordinate the number of molecules which move with it. The most probable velocity is taken as unity. It will be seen that the number of molecules moving with a velocity only three times the most probable velocity is almost negligible. Similar curves may be drawn to illustrate the distribution of shots on a target, of the errors in a physical measurement, of men arranged in groups according to height or weight, length of life, or ability as measured by examination. Both in physical and in biological science and in sociology, the theory of probability and the curves of error are now of great importance. It is impossible to predict the length of life of an individual man, or the velocity of a particular molecule at any future instant; but, with a sufficient number of molecules or men, we can deal with

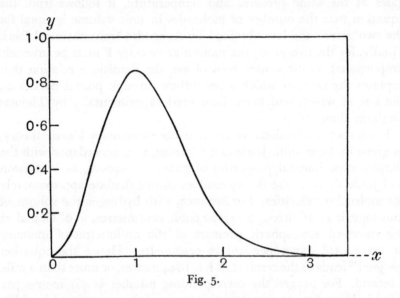

Fig. 5.

them statistically, and predict within narrow limits how many will be moving within a certain range of velocity, or how many will die in a given year—philosophically we may say that we reach a form of statistical determinism, though, at this stage, individual uncertainty remains.

The tendency of molecules, originally moving with other velocities, to reach the Maxwell-Boltzmann distribution, which is the most probable arrangement, was investigated by Boltzmann and Watson. It proved to be equivalent to the tendency of a thermodynamic quantity, known as entropy, to reach a maximum. The process of reaching this most probable condition, in which the entropy is a maximum and the velocities distributed according to the law of error, is analogous to the shuffling of a pack of cards. It happens spontaneously in nature as time goes on. It has now become of great scientific, indeed of philosophic importance.

Maxwell also showed that the viscosity of a gas must depend on the mean free path, that is, the average distance a molecule moves between two collisions. For hydrogen the mean free path is about 17×10^{-6} centimetres and for oxygen $8 \cdot 7 \times 10^{-6}$ centimetres. The frequency of collision is of the order of 10^9 per second, and this very high number shows why, in spite of the great velocity of their molecules, gases diffuse so slowly. The viscosity of a gas does not diminish with the density, as one might expect, but, till very low densities are reached, remains constant as the gas is exhausted. The verification by experiment of this theoretical result gave early confidence in the more advanced parts of the theory.

Temperature is measured on the kinetic theory by the average energy of translation of the molecules, but they may also possess energy of rotation, vibration, etc. Maxwell and Boltzmann showed that the total energy should be proportional to the "number of degrees of freedom" of a molecule, that is, to the number of co-ordinates needed to specify its position completely. The position of a point in space is fixed by three co-ordinates, and thus the motion of the molecules as wholes, by which temperature is determined, involves three degrees of freedom. If the total number of degrees be n, when a gas is heated a fraction of the heat energy $3/n$ goes into energy of translation to raise the temperature, and the rest, $(n-3)/n$, is used by the molecule in other ways. When a gas is heated at constant volume, all the heat is used to increase molecular energy, but, at constant pressure, the volume will increase, and therefore work is also done against the pressure of the atmosphere. From this it can be shown to follow that the ratio γ of the two specific heats, at constant pressure and at constant volume, is given by $1 + 2/n$, so that, if $n = 3$, $\gamma = 1 + \frac{2}{3} = 1 \cdot 67$. At the time when Maxwell made his calculation, he knew of no gas which gave this ratio, but it was afterwards found to hold good for gases with monatomic molecules, such as mercury vapour, argon and helium, which therefore behave as single points as far as the absorption of heat energy is concerned. Ordinary gases, such as hydrogen and oxygen, have diatomic molecules. They are found to give a value for γ of $1 \cdot 4$, indicating molecules with five degrees of freedom.

Boyle's Law, in the form $pv = \text{constant}$, can be expanded into $pv = RT$, when changes of temperature are brought into account, R being a constant. The effect of molecular attraction, which must depend on the square of the density, or a/v^2, where a is a constant, is to increase p to $p + a/v^2$. The effect of the volume b, occupied by the substance of the molecules themselves, and therefore not subject to compression, is to decrease v to $v-b$. Thus Van der Waals in 1873 obtained the equation

$$\left(p+\frac{a}{v^2}\right)(v-b)=RT,$$

which was found to express fairly well the variations from Boyle's Law observed in some imperfect gases.

Such gases were examined experimentally by several physicists, especially about 1869 by Thomas Andrews,[1] who investigated the continuity of the gaseous and the liquid states, and showed that, above a definite critical temperature which was characteristic of each gas, no pressure, however great, would produce liquefaction. The liquefaction of a gas was seen to be a problem of reducing the temperature below the critical point.

Direct evidence of the action of molecules was obtained by the irregular movements of very small particles observed under a microscope by the botanist Robert Brown in 1827, and explained in 1879 by William Ramsay as being due to the bombardment of the particles by the molecules of the liquid in which they are suspended. Light vanes, blackened on one side and pivoted in very high vacua, were observed by Crookes to rotate in the direction of the polished faces when placed in sunlight. Maxwell explained this rotation as an effect of the additional heat absorbed by the blackened sides. This heat causes the molecules to rebound with greater velocity when they strike the vane and thus push back the blackened face.

In 1824 Sadi Carnot, the son of the "Organizer of Victory", pointed out that every heat engine needs a hot body or source of heat, and a cold body or condenser, and that, when the engine works, heat passes from the hotter body to the colder one. Carnot left in manuscript the idea of the conservation of energy, but his work was long misinterpreted in terms of the caloric theory, whereby heat is thought to pass through the engine unchanged in amount, doing work by falling in temperature, as water, falling from a height, does work on a water-wheel.

Carnot saw that to investigate the laws of heat engines, it is necessary to imagine first the simplest case—that of a perfectly frictionless engine in which there is no loss of heat by conduction. Furthermore he realized that, in the examination of the working of an engine, the engine must be supposed to be carried through a complete cycle of observations, so that the working substance, steam, compressed air,

[1] Royal Society, *Phil. Trans.* 1869, ii, p. 575.

or whatever it may be, is brought back to its initial state. If this is not done, the engine may be drawing work or heat from the internal energy of its working substance, and the external heat which passes through the engine may not be doing all the work.

Carnot's theory of cycles was put into modern form by Clausius and William Thomson, afterwards Lord Kelvin. When work is transformed into heat or heat into work, the relation between them is given by Joule's results. But, although it is always possible to transform the whole of a given quantity of work into heat, it is not generally possible to perform completely the reverse change. In steam engines and other heat engines it is found that only a fraction of the heat supplied is transformed into mechanical energy; the remainder, which passes from hotter to colder parts of the system, does not become available for the performance of useful work. Experience shows that every heat engine operates by taking a quantity of heat H from the source and giving up part of that heat, let us say h, to the condenser. The difference $(H-h)$ between these two quantities of heat is the maximum amount available for conversion into work W, and the ratio W/H of the actual work done to the heat absorbed may be taken as the efficiency E of the engine.

A theoretically perfect engine can be imagined which will lose no heat by conduction and no work by friction, so that

$$W = H - h,$$

and

$$E = \frac{W}{H} = \frac{H-h}{H}.$$

All such perfect engines must have the same efficiency, or it would be possible by coupling two engines together to obtain work from the heat energy of the condenser, or, by a self-acting mechanism, to pump heat continually from a cold body to a hot one, either of which is contrary to experience. Hence the efficiency, and therefore the ratio of the heat absorbed from the hot body to that given out by the cold one, is independent of the form of the engine or the nature of the working substance. These quantities must consequently depend only on the temperature of the source T, and that of the condenser t; and the ratio of the heat absorbed to that rejected may be used as a means of defining the ratio of the two temperatures by writing $T/t = H/h$, from which it follows that

$$E = \frac{H-h}{H} = \frac{T-t}{T}.$$

Thus William Thomson devised a thermodynamic scale of temperature which is absolute because it does not depend on the form of the apparatus or the nature of the substance in it. If the condenser of a perfect engine were at the zero of temperature, that is, if $t = 0$ or $E = 1$, no heat would be given to the condenser, all the heat absorbed would be converted into work, and the efficiency be unity. No engine can give out more work than the mechanical equivalent of the heat it absorbs, or have an efficiency greater than unity. Hence this zero of temperature is an absolute zero—nothing can be colder.

The thermodynamic scale as thus defined is only a theoretical one. It is not possible practically to compare two temperatures by measuring the ratio of the quantities of heat absorbed and rejected by a perfect engine—if only for the reason that a perfect engine cannot be made. Hence it is necessary to translate the thermodynamic scale into practical terms.

In one of his investigations, Joule, like Mayer before him, used the compression of air as a means of converting work into heat. But Joule justified its use by repeating a forgotten experiment of Gay-Lussac, and showing that, when air was allowed to expand without doing work, no appreciable change of temperature occurred. Thus it follows that there is no alteration in the molecular state of the gas on expansion or contraction, and all the work done in compressing it appears as heat. Thomson and Joule devised a more delicate method of experiment, and proved that, when gases were forced through a porous plug and allowed to expand freely beyond it, the changes of temperature were very small, air being slightly cooled and hydrogen being even more slightly heated. From a mathematical consideration, it follows that an air or hydrogen thermometer (zero about $-273°$ C.) nearly agrees with the absolute or thermodynamic scale, the small differences being calculable from the heat effects on free expansion.

The consequences of thermodynamical reasoning have not only enabled the engineer to place on a firm footing the theory of the heat engine, but have aided materially the progress of modern physics and chemistry in many other directions. Faraday liquefied chlorine by pressure alone in a very simple apparatus. But the theory of an absolute scale of temperature and the porous plug experiments of Thomson and Joule pointed the way to that modern series of researches which eventually liquefied all known gases and thus completed the proof of the continuity of all types of matter in its three phases. The porous plug effect, minute at ordinary temperatures, becomes large when gases are previously cooled, and, when a cold gas is forced continuously through a nozzle, it is cooled further and *Thermo-* can be used to cool the on-coming stream of gas. The process is thus *dynamics* made cumulative, and the gas is finally cooled below its critical point and liquefied. Sir James Dewar thus liquefied hydrogen in 1898, and Kamerlingh-Onnes liquefied helium, the last gas to surrender, in 1908. The vacuum-lined glass vessels, invented by Dewar for lique-faction experiments, are now familiar as thermos flasks.

Much research has been done on the effect of these extremely low temperatures on the properties of various materials. One of the most striking changes is in electric conductivity, which increases enorm-ously; for instance, lead at the temperature of liquid helium has a conductivity about a thousand million times greater than at $0°$ C. An electric current, once started in a circuit of such a cooled metal, will flow, hardly diminished, for many hours.

To obtain useful work from a supply of heat, a temperature in-equality is necessary. But, in nature, temperature inequalities are constantly being diminished by conduction of heat and in other ways. Hence, in an isolated system with irreversible changes going on, the heat energy tends steadily to become less and less available for the performance of useful work, or conversely the mathematical function called by Clausius the entropy, constant in a reversible system, tends to increase. When the availability of the energy becomes a minimum or the entropy a maximum, no further work can be done, and thus the necessary conditions of equilibrium of the system can be deter-mined. In a similar way, equilibrium in an isothermal system (i.e. one at constant temperature) is reached when the thermodynamic potential, another mathematical function, developed by Willard Gibbs, is a minimum. Thus the theory of chemical and physical equilibrium has been built up by Clausius, Kelvin, Helmholtz, Willard Gibbs and Nernst. A great part of modern physical chemistry, with many industrially important technical applications, is merely a series of experimental illustrations of Willard Gibbs' thermodynamic equations.

One of the most useful results is known as the Phase Rule.[1] If a system has n different components (e.g. two, water and salt) and r phases (e.g. four, the two solids, the saturated solution and the vapour), it follows from Gibbs' theorem that the number F of degrees of freedom will be $n-r$, to which must be added two more for temperature and pressure. Thus we get the phase rule in the form

$$F = n - r + 2.$$

[1] Alexander Findlay and A. N. Campbell, *The Phase Rule*, London, 1938.

A second equation, known at an earlier date, gives the relation between L the latent heat of any change in state, T the absolute temperature, p the pressure and $v_2 - v_1$ the change in volume, in the form

$$L = T \frac{dp}{dT} (v_2 - v_1) \quad \text{or} \quad \frac{dp}{dT} = \frac{L}{T (v_2 - v_1)}.$$

The principle of this equation, originally due to James Thomson, was developed about 1850 by William Thomson (Lord Kelvin), Rankine and Clausius, and applied, especially to chemistry, at a later date by Le Chatelier and others. The latent heat equation, combined with the phase rule, gives the general theory of equilibrium of different phases and the rate of change of pressure with temperature when the system departs from equilibrium. It also follows that an external action on the system produces an opposing reaction within it.

In the phase rule equation, if $r = n + 2$, F is 0, and the system is non-variant. When, for example, with one component, three phases of water-substance, ice, water, and vapour, are assembled, they can be in equilibrium only at one particular temperature and then only if the pressure be adjusted to one particular value. If two phases, say water and vapour, are present, $r = n + 1$ and $F = n = 1$, so that the system has one degree of freedom. The two phases can be in equilibrium at any point along a pT curve, the slope of which from point to point is determined by the latent heat equation. Systems of more than one component are, of course, more complicated.

One application of the phase rule relations, of great importance both for science and industry, is the investigation of the constitution of alloys, an investigation which has given us many metals with qualities useful for special purposes.[1] The theory has been developed chiefly with the help of three experimental methods. First, the microscopic examination of polished sections of metals etched by suitable liquids, was developed chiefly on iron by H. C. Sorby of Sheffield about 1863, followed by Martens of Charlottenburg, and much improved since. This method shows clearly the crystalline structure of metals and their alloys. Secondly, the thermal method, in which a molten metal is allowed to cool, and measurements made of time and temperature. When a change of state, e.g. from liquid to solid, occurs, the fall in temperature becomes slower, or stops altogether for a while. As examples, the work (1900) of Roozeboom on Gibbs' theory and the experiments of Heycock and Neville may be cited. Thirdly, the

---

[1] C. H. Desch, *Metallography*, 4th ed., London, 1937.

method of X-rays, introduced later by Laue and Sir William and *Thermo-*
Sir Lawrence Bragg, threw light on the atomic structure of solids, *dynamics*
whether salts, metals, or alloys, and opened a new field of general
atomic research.

The simplest equilibrium of a binary system may be illustrated by
the work of Heycock and Neville on silver and copper. Along the
curve AE (Fig. 6), pure silver is freezing out of the liquid, and along
BE pure copper. At E crystals of silver and copper appear together,
so that solidification proceeds at a constant temperature. The metal
of this composition, 40 atomic percentages of silver and 60 of copper,
has a regular structure, and is therefore known as a eutectic alloy.

If the solid can vary in composition as well as the liquid, we get
"mixed crystals" or "solid solutions" and much more complex
phenomena. It is these which were first elucidated by Roozeboom
with the aid of Willard Gibbs' theory. In the diagrams representing
solid solutions, the intersection of two curves of solid solubility gives a
point of minimum temperature known as a eutectoid point. Here two
solid phases crystallize together from other solid phases, and a eutectoid
alloy, somewhat similar in structure to a eutectic, is formed. Fig. 7 is
a modern modification of Roozeboom's diagram for mixtures of iron
and carbon containing less than 6 per cent. of carbon, showing the
various compounds and solid solutions which have been identified
and given names, and changes at definite temperatures even in
alloys which are completely solid. Such diagrams enable us to trace
the connection between composition, temperature adjustment, and
physical properties, and the results of "tempering" iron and steel.

Of recent years, many new alloys have been produced with properties fitted for different uses. Especially is this the case with alloys
of iron. Peaceful substances, like stainless steel free of rust, and
munitions of war in countless variety, contain small quantities of
nickel, chromium, manganese, tungsten, and other elements, which,
with appropriate temperature treatment, make iron hard or tough,
or give it other qualities which are needed. On the theory and
experiment set forth above, these recent practical developments are
based. Examples of such alloys follow.

Nickel added to steel in the proportion of 3 per cent. increases the
strength without decreasing the ductility. With 36 per cent. of nickel,
carbon being low, the coefficient of expansion is negligible, and the
alloy, useful for many purposes, is called invar. Chromium gives
stable carbides, and, in moderate proportions, steel alloys which resist
corrosion. Nickel-chromium steels are of importance in engineering,

*Thermo-
dynamics*

especially when some molybdenum is added. Manganese also makes
the carbides more stable, but high proportions give brittle alloys till
Hadfield steel is reached, containing 12 per cent. manganese; working

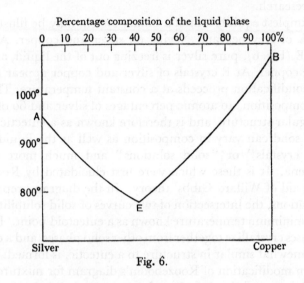

Percentage composition of the liquid phase

Fig. 6.

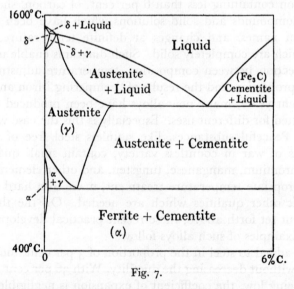

Fig. 7.

the surface makes this alloy extremely hard and resistant to wear, as,
for instance, in rock-crushing. The heavy tungsten atom lessens
mobility in the solid solutions, so that it hinders grain growth, and

retards phase changes. Tungsten steels are therefore used for permanent magnets, as are alloys of steel and cobalt. *Thermo-dynamics*

Among the non-ferrous alloys, those of aluminium are of special interest and practical importance. Their examination was begun seriously about 1909 by Wilm and others, and was developed mainly to meet the demands of the aircraft industry for metals both light and strong. Among them, for example, is one to which the name of duralumin was given, containing 4 per cent. of copper, 0·5 per cent. magnesium and 0·5 per cent. manganese, the rest being aluminium. By age-hardening this metal can be given a strength equal to that of mild steel. Many different alloys of aluminium are used, as well as those of other metals with special properties.

The principle of the conservation of energy is the first law of thermodynamics, and the tendency of energy to become less and less available is the second law. These ideas, extended to the whole stellar Universe, were taken to indicate that cosmical energy is continually wasting into heat by friction, and heat energy is continually becoming less available by the reduction of inequalities of temperature. Thus physicists were led to contemplate a distant future in which all the stores of energy available in the Universe will have been converted into heat uniformly distributed through matter in mechanical equilibrium, and all further change will become for ever impossible. But this conclusion rested on several unproved assumptions. It supposed that generalizations made from limited observations were true in wider conditions which were as yet largely undetermined; it supposed that the stellar Universe may be treated as an isolated system into which no energy is entering; it supposed that individual molecules, the velocities of which are subject to continual alteration owing to collisions, cannot be followed and separated into fast-moving and slow-moving groups.

Maxwell imagined a minute being or daemon, with faculties fine enough to follow the individual molecules, placed in charge of a frictionless sliding door in a wall separating two compartments of a vessel filled with gas. When a fast-moving molecule moves from left to right the daemon opens the door, when a slow-moving molecule approaches, he (or she) closes the door. The fast-moving molecules accumulate in the right-hand compartment, and slow ones in the left. The gas in the first compartment grows hot and that in the second cold. Thus the power of controlling individual molecules would enable diffused energy to be reconcentrated.

In the conditions of nature known in the nineteenth century, the principle of the dissipation of energy held good as long as molecules could only be treated statistically; the energy by which we live and move seemed to be growing continually less available, and the process of thermodynamic decay threatened slowly to drain away the life of the Universe. How far this conclusion has been modified or confirmed in new terms by recent knowledge will be seen in a later chapter. Here it should be noted that the thermodynamic condition of maximum entropy or greatest dissipation of energy is reached when molecules have their velocities distributed in accordance with the Maxwell-Boltzmann law, the probability of which distribution is a maximum. Thus thermodynamics are linked to the known laws of probability and to the kinetic theory of matter.

The classical distinction between the celestial and terrestrial spheres, which lasted during the whole of the Middle Ages, was broken down by Galileo and Newton, when the mechanical laws of falling bodies, established by experiment, were shown mathematically and by observation to hold throughout the solar system.

But, to complete the proof of identity, it was necessary to demonstrate similarity in structure and composition as well as in motion, to prove that the familiar chemical elements, of which all earthly things are made, exist also in the substance of Sun, planets and stars. It may well have seemed a hopeless problem. Yet, in the middle of the nineteenth century, a solution was found.

Newton had shown that the band of colours produced by passing the Sun's rays through a glass prism was due to the decomposition of white light into physically simpler components. In 1802 Wollaston discovered that this luminous spectrum of sunlight was crossed by a number of dark lines, and, in 1814, Joseph Fraunhofer rediscovered these lines and, increasing the dispersion by using more than one prism, mapped them carefully. On the other hand, light from flames tinged with metals or salts was found, originally by Melvil in 1752, to give spectra showing characteristic bright coloured lines on a dark ground, and in 1823 Sir John Herschel again suggested that these lines might be used as a test for the presence of the metals. This led to observations in which the position of spectral lines was mapped and recorded.

In 1849 Foucault examined the spectrum of the light from a voltaic arc between carbon poles, and noticed that a bright double line, between the yellow and the orange, coincides exactly with the dark double line called D by Fraunhofer. Foucault found that, when the sun's light is passed through the arc, the line D appears darker than usual, and, when the light from one of the carbons, which of itself gives a continuous bright spectrum with no black lines, is passed through the arc, the black D lines appear. "Thus", says Foucault, "the arc presents us with a medium which emits the rays D on its own account, and which at the same time absorbs them when they come from another quarter."

Spectrum Analysis

The theory of Fraunhofer's lines seems first to have been made plain by Sir George Gabriel Stokes (1819–1903) in his lectures at Cambridge, though with characteristic modesty he gave his ideas no wider publicity. Any mechanical system will absorb energy which falls on it in rhythmic unison with its own natural vibrations, just as a child's swing is set in motion by giving it a series of small impulses which coincide with its natural period of oscillation. The molecules of the vapours in the outer envelope of the Sun will absorb the energy of those particular rays coming from the hotter interior, of which the oscillatory period coincides with their own. The light which passes on will be deprived of light of that particular frequency of vibration (i.e. colour), and a black line in the solar spectrum is the result.

In 1855 an American, David Alter, described the spectra of hydrogen and other gases. During the years 1855 to 1863 von Bunsen, in conjunction with Roscoe, carried out a series of experiments on the chemical action of light, and in 1859, working with Kirchhoff, he devised the first exact methods of spectrum analysis, whereby chemical elements could be detected by their spectra even if present only in minute quantities. Two new elements, caesium and rubidium, were thus discovered.

In ignorance of Foucault's experiments, Bunsen and Kirchhoff passed the light from incandescent lime, which gives a continuous spectrum, through an alcohol flame into which common salt was put, and saw the D Fraunhofer lines. They repeated the experiment with lithium in the flame of a Bunsen gas burner, and obtained a dark line invisible in their solar spectrum. They concluded that sodium is present in the atmosphere of the Sun, and that lithium is absent, or present in quantities too small to be observed.

Spectroscopic astronomy, thus initiated, was greatly developed by the labours of Huggins, Janssen and Lockyer. In 1878, the last named physicist, observing a dark line in the green of the spectrum of the Sun's chromosphere not coincident with any known line in terrestrial spectra, predicted, jointly with Frankland, the existence of an element in the Sun to account for it, and called that element Helium. In 1895 the element was found by Ramsay in the mineral cleveite.[1]

Doppler pointed out in 1842 that, when a source of waves and an observer are in relative motion, the frequency of the waves as observed

[1] *Chemical Society Trans.* 1895, p. 1107.

is altered. When the source is approaching, more waves reach the observer per second, and the pitch of the sound or the light is raised, while if the source is receding the pitch is lowered. This change is well shown in the alterations of the note of the whistle of an engine as an express train dashes through a station. If a star be approaching the Earth, its spectral lines will be displaced towards the violet, and if it be receding, then towards the red. The Doppler effect though small is measurable, and, in the hands of Huggins and later of many others, it has yielded an immense amount of knowledge of stellar motion, and recently of other phenomena.

Meanwhile the identity in the physical nature of light and of radiant heat had been fully demonstrated. In 1800, Sir William Herschel had shown that a thermometer, placed in the solar spectrum, indicated heat effects which extended beyond the lowest visible red light. Soon afterwards Ritter found rays beyond the visible violet which would blacken nitrate of silver, the photographic action discovered by Scheele in 1777. Between 1830 and 1840 Melloni demonstrated that invisible radiant heat like light showed reflection, refraction, polarization and interference. The equivalence between emissive and absorptive powers was extended to radiant heat especially by Kirchhoff, Tyndall and Balfour Stewart; a black body, which absorbs all radiation, was found also to emit when hot complete radiation of all wave-lengths. Prévost, in his theory of exchanges (1792), pointed out that all bodies are radiating heat, though, when there is equilibrium, they receive as much as they give out.

Maxwell showed theoretically that radiation should exert a pressure on a surface on which it falls, and the pressure, though exceedingly small, has been demonstrated experimentally in more recent years. In 1875 Bartoli pointed out that the existence of this pressure enables us to imagine that a space filled with radiation might act as the cylinder of a theoretical thermodynamic engine, and in 1884 Boltzmann showed that it must follow that the full radiation of a black body increases as the fourth power of the absolute temperature, or $R = aT^4$, a law which had been discovered empirically by Stefan in 1879. This result is useful, not only in the theory of radiation, but also as a means of measuring the temperatures of furnaces, and even of the surfaces of the Sun and stars, by observation of the heat energy they give forth. As the temperature rises, not only does the total radiation increase in this manner, but the maximum energy emitted is displaced towards the shorter wave-lengths.

Finally, definite relations between the frequencies of the different spectral lines of one element, relations which have become so *Spectrum Analysis* important in the physics of the twentieth century, began to be noticed in the nineteenth. In particular, Balmer in 1885 showed that the four lines in the visible spectrum of hydrogen could be represented by an empirical formula. This formula was afterwards found by Huggins to express the frequencies of lines in the ultra violet, and also of lines in the spectra of nebulae and of the solar corona at a total eclipse, so that they are all probably due to hydrogen. Thus its presence was inferred in the nebulae and in the sun's corona.

As explained above, much of Faraday's experimental work on *Electric* electricity was inspired by his instinctive grasp of the importance of *Waves* the dielectric or insulating medium. When a current deflects a magnetic needle across space, or induces another current in an apparently unconnected circuit, we have either to imagine an unexplained "action at a distance", or to conceive the intervening space to be bridged with something through which the effect is transmitted. Faraday took the second point of view; he imagined lines of force or chains of particles in "dielectric polarization", and even pictured them, having left their source, travelling freely through space.

Faraday's ideas were put into mathematical form by James Clerk Maxwell (1831–1879), who pointed out that a change in Faraday's dielectric polarization was equivalent to an electric current. Since an electric current produces a magnetic field, the magnetic force being at right angles to the current, and a change in a magnetic field produces an electromotive force, it is clear that magnetic and electric forces are reciprocally related. As a change in dielectric polarization spreads through the insulating medium, therefore, it travels as an electromagnetic wave, the direction of the electric and magnetic forces being at right angles to each other in the plane of the advancing wave-front.

Maxwell found differential equations which showed that the velocity of such waves depended, as is natural, only on the electric and magnetic properties of the medium, and was given by the expression

$$v = 1/\sqrt{\mu k},$$

where μ is the magnetic permeability and k the dielectric constant, or the specific inductive capacity, of the medium.[1]

[1] Using mathematical methods developed from those of Lagrange and Hamilton, Maxwell obtained for a non-conducting medium the equations

$$k\mu \frac{d^2F}{dt^2} + \nabla^2 F = 0, \qquad k\mu \frac{d^2G}{dt^2} + \nabla^2 G = 0, \qquad k\mu \frac{d^2H}{dt^2} + \nabla^2 H = 0,$$

which determine the propagation of a disturbance moving with a velocity $v = 1/\sqrt{\mu k}$. For an elementary treatment, see my *Theory of Experimental Electricity*.

Since the electric force between two charges is inversely proportional to k, and the magnetic force between two poles is inversely proportional to μ, the electric and magnetic units which are defined in terms of those forces must involve k and μ. It can easily be shown that the ratio of the electrostatic to the electromagnetic value of any one unit, such for instance as the unit of quantity of electricity, involves the product of μ and k. Hence, by comparing experimentally two such units, the value of v, the velocity of an electromagnetic wave, can be determined.

Maxwell and several other physicists found that v, as thus measured, was about 3×10^{10} centimetres per second, practically the same as the velocity of light. Maxwell therefore concluded that light is an electromagnetic phenomenon, and that there is no need to invent more than one aether—the same aether will carry both light and electromagnetic waves, which are identical in kind though differing in wave-length.

But what about the elastic solid aether, in the theory of which so much good work had been expended? Are we to regard electromagnetic waves as mechanical waves in a quasi-rigid solid, or are we to express light in terms of electricity and magnetism, the meaning of which is unknown? Maxwell's discovery placed that dilemma before the world for the first time. Nevertheless he strengthened the general belief in the existence of a luminiferous aether. It was clear that it would perform electrical functions as well as carry light.

Maxwell's work, at once accepted in England, attracted less attention than it deserved on the Continent till, in 1887, Heinrich Hertz, using the oscillatory current given by the spark of an induction coil, produced and detected electric waves in space, showing experimentally that they possessed many of the properties of light. The aether, if there be an aether, is now crowded with "wireless waves", a development due primarily to the work of Maxwell and Hertz. But those waves are certainly *not* carried "on the air".

Maxwell focused the attention of physicists on the insulating medium as the most important part of an electrified system. It became clear that the energy of an electric current passes through the medium, while the current itself is but the line of dissipation of that energy into heat, a line of which the chief function is to guide the flow of energy along the path where dissipation is possible. With very rapidly alternating currents, such as those in the spark of an induction coil or a flash of lightning, the energy can only sink a little way into the conductor before the flow is reversed. Thus only the outer skin of a conducting wire or lightning rod is effective in carrying these currents, *Electric* and the electric resistance is much higher than it is for steady currents. *Waves*

The chief difficulty in accepting Maxwell's theory was its failure to give a clear account of electric charges, or at all events of those discrete, atomic electric charges indicated by Faraday's experiments on electrolysis. The conception of atomic charges became a problem of great importance soon after Maxwell's death, and to its consideration we must now turn. But a digression is first necessary.

The cause and mechanism of chemical action have been the sub- *Chemical* jects of speculation from early times, and occupied much of Newton's *Action* attention. Definite measurements were made in 1777 by C. F. Wenzel, who sought to estimate the chemical affinity of acids for metals by observing the velocity with which chemical change went on. He found that the rates of reaction were proportional to the concentration of his acids, that is, to the active mass of the reagent, a result reached independently by Berthollet.

In 1850 Wilhelmy examined the "inversion" of cane-sugar in presence of an acid, the process being the decomposition of the sucrose molecules into the simpler ones of dextrose and laevulose. He found that, as the concentration of the cane-sugar grew less while the reaction proceeded, the rate of change diminished proportionally in a geometrical progression with the time. This means that the number of molecules dissociating is proportional to the number present at any instant—a natural result, if we assume that the molecules of sugar dissociate independently of each other. Whenever this relation holds good for a chemical change we may infer that the molecules act singly, that the change is what is called a monomolecular reaction.

On the other hand, if two molecules react with each other—a dimolecular process—the rate of change will obviously depend on the frequency with which collisions occur, a frequency proportional to the product of the concentration or active masses of the two reacting molecules. If the molecular concentrations are equivalent, this product will be equal to the square of the concentration.

If the reaction be reversible, so that while two compounds AB and CD are reacting to form AD and CB, the two latter are also reacting to re-form AB and CD, equilibrium must be reached when the opposite changes are going on at equal rates, that is, when

$$AB + CD \rightleftarrows AD + CB.$$

This conception of a dynamical equilibrium was first clearly formulated in 1850 by A. W. Williamson. A full statement of the mass-law of chemical action was given by Guldberg and Waage in 1864; it was rediscovered by Jellet in 1873 and again by Van't Hoff in 1877. It can be deduced not only as above from kinetic theory, but also by thermodynamic principles from the energy relations of a dilute system. It has been confirmed experimentally in many chemical reactions.

As stated above, the inversion of cane-sugar goes on quickly in presence of an acid, and very much more slowly in its absence. The acid is unchanged, and seems merely to facilitate the action without taking part in it. This phenomenon was first discovered in 1812 by Kirchhoff, who found that starch could be converted into glucose in presence of dilute sulphuric acid. Humphry Davy observed that platinum induced the oxidation of alcohol vapour in air. Finely divided platinum was found by Döbereiner to bring about the combination of hydrogen and oxygen. In 1838 Cagniard de Latour, and independently Schwann, showed that the fermentation of sugar into alcohol and carbonic acid was due to the presence of a living organism, and Berzelius pointed out the analogy between fermentation and such inorganic reactions as those produced by platinum. Berzelius called such actions "catalysis" and to the agents producing them he assigned a "catalytic power". He suggested that the enormous number of chemical compounds formed in living bodies from common raw material, plant juice or blood, may be produced by organic bodies analogous to these catalysts. In 1878 such organic catalysts were called by Kühne "enzymes".

In 1862 Berthelot and Péan de St Gilles found that, when ethyl acetate and water are mixed in molecular proportions, after some weeks the ester ethyl acetate is partly hydrolysed, with the formation of ethyl alcohol and acetic acid at a steadily decreasing rate. Beginning with alcohol and acid, the reverse change went on, and the final proportions of equilibrium were the same. These reactions are very slow, but, in the presence of a mineral acid, the same equilibrium is reached in a few hours. Thus the acid acts as a catalyst; the function of a catalyst is seen to be to hasten a reaction in either direction. In a sense it plays the same part as a lubricant does in mechanical machinery. In 1887 the catalytic action of acids was co-ordinated by Arrhenius with their electrical conductivity.

Similar phenomena occur in gases. In 1880 Dixon found that the explosion of oxygen and hydrogen to form water-vapour will not occur if the gases are quite dry, as Mrs Fulhame had observed in 1794; in 1902 Brereton Baker showed that, when slow combination goes on and water is formed, no explosion follows. Armstrong suggested that

the water produced by the reaction itself is too pure to act as a catalyst. *Chemical Action*
Other cases are known where pure chemical substances are ineffective, and the presence of complex mixtures seems necessary. The importance of organic catalysts or enzymes in biochemistry will be described in future chapters.

In the closing years of the century new elements with inert chemical properties were discovered. The observation by the third Lord Rayleigh in 1895 that nitrogen obtained from air has a density greater than that of nitrogen liberated from its compounds led him and Sir William Ramsay to the discovery of the inert gas which they named argon.[1] This was followed by the discovery of helium (p. 241), krypton, neon, and xenon—five hitherto unknown elements obtained from the air in four years. Argon is now used in incandescent "gas filled" electric lamps. Argon and neon are used for illuminated signs, and neon for lighthouses, owing to the penetrating power of its red light. Helium, obtained with other natural gases escaping from the earth in Canada and the United States, was used for filling the balloons of airships. These new elements form a group in Mendeléeff's Periodic Table with zero valency, and fit in their right places in Moseley's Table of atomic numbers which we shall consider below. The later work of Aston and others on atomic weights and isotopes makes these gases of even greater theoretical importance than before.

The dissolution of substances in water and other liquids is a familiar *Theory of Solution*[2]
phenomenon. Some liquids, e.g. alcohol and water, mix with each other in all proportions, while others, like water and oil, will never mix. Solids like sugar dissolve freely in water, while metals are insoluble; air and similar gases are only slightly soluble, while ammonia and hydrogen chloride dissolve freely.

Physical changes may accompany solution. The volume may become less than the sum of the volumes of the solute and the solvent, and heat may be absorbed or evolved. Most neutral salts give a cooling effect when dissolved in water, though a few, such as aluminium chloride, give out heat. Acids and alkalies also usually evolve heat.

These reactions had been studied by many chemists, who recognized that they were of complex nature, involving both mixture and chemical combination, though the continuous variation in composition, unlike the definite proportions of other chemical compounds, showed that special relations were involved. But till the nineteenth

[1] Lord Rayleigh and (Sir) Wm. Ramsay, *Phil. Trans.* 1895. M. W. Travers, *The Discovery of the Rare Gases*, London, 1928.
[2] W. C. Dampier Whetham, *A Treatise on the Theory of Solution*, Cambridge, 1902.

century the phenomena of solution were not regarded as a separate problem.

The first systematic work on the diffusion of dissolved substances was done by Thomas Graham (1805–1869), whose experiments on the diffusion of gases have already been mentioned. Graham found that crystalline bodies, such as most salts, when dissolved in water pass freely through membranes and diffuse comparatively quickly from one part of the liquid to another. But substances like glue or gelatine, which form no crystals, diffuse very slowly when dissolved. Graham called the first class of bodies crystalloids, and the second colloids. It was thought at first that colloids were always organic substances, but many inorganic bodies, such as sulphide of arsenic, and even some metals like gold, can, by special treatment, be obtained in the colloidal state.

The invention of Volta's cell and the immediately resulting study of the electrical properties of solutions have already been described. In 1833 Faraday showed that the passage of a definite quantity of electricity through an electrolyte was always accompanied by an equally definite separation of ions at the electrodes. If we regard the current as carried by the movement of ions, this means that every ion of the same chemical valency carries the same charge, so that the charge on a univalent ion is a natural unit or atom of electricity.

In 1859 Hittorf made another advance in the subject. A solution between insoluble electrodes is diluted unequally in the regions near the two electrodes by the passage of a current. Hittorf saw that this fact gave a means of comparing experimentally the velocities with which the opposite ions move, since that electrode from which the faster ion comes will lose more electrolyte. Thus the ratio of the opposite ionic velocities could be found.

In 1879 Kohlrausch invented a satisfactory way of measuring the electric resistance of electrolytes. Owing to polarization, direct currents are inapplicable, but Kohlrausch overcame the difficulty by using alternating currents and spongy electrodes of large area, so as to reduce the surface density of any deposit. Instead of a galvanometer, he used as indicator a telephone, which is responsive to alternating currents. When polarization was thus eliminated, he found that electrolytes conformed to Ohm's Law, i.e. that the current was proportional to the electromotive force. Hence the smallest force produces a corresponding current in the body of the electrolyte; there is no reverse force of polarization except at the electrodes. The ions must therefore have freedom of interchange, as already suggested by Clausius.

Kohlrausch thus measured the conductivity of electrolytes, and *Theory of* pointed out that, as the current is carried by opposite streams of ions, *Solution* the conductivity must give a measure of the sum of the opposite ionic velocities. Combined with Hittorf's determination of their ratio, this gave a means of calculating the velocities of the individual ions. Hydrogen moves through water with a velocity of about 0·003 centimetre per second under a potential gradient of 1 volt per centimetre, while the ions of neutral salts range round about 0·0006 centimetre per second. The first of these numbers was confirmed experimentally by Sir Oliver Lodge, who traced the hydrogen ion as it moved through a jelly which was coloured by an indicator sensitive to hydrogen. The values for neutral ions were verified by the present writer, who watched their motion in coloured salts or by the formation of precipitates. These methods have since been improved by Masson, Steele, MacInnes and other investigators.[1]

Another view of solutions was disclosed by the Dutch physicist Van't Hoff. It had long been known that pressures might be set up by the passage of water into vegetable cells through their containing membranes, and the botanist Pfeffer had measured this osmotic pressure, using artificial membranes deposited chemically in the walls of porous pots. Van't Hoff pointed out that Pfeffer's measurements showed that osmotic pressure resembles gas pressure in its relations: it is inversely proportional to the volume, and increases with the absolute temperature. The reversible passage of water or other solvent through membranes impermeable to the solution, made it possible to imagine an osmotic cell to be the cylinder of a theoretically perfect engine, and thus Van't Hoff was able to apply thermodynamic reasoning to solutions, opening a quite new field of research. He connected the osmotic pressure of a solution with other physical properties, such as freezing-point and vapour pressure, so that, from a measurement of freezing-point, a comparatively easy operation, the osmotic pressure can be calculated. Van't Hoff proved theoretically that the absolute value of the osmotic pressure of a dilute solution must be the same as the pressure of a gas at the same concentration, and showed that experiment confirmed this result. It does not follow, as some assumed, that the causes of the pressures are the same, or that the dissolved substance is in a gaseous state. Thermodynamic reasoning has nothing to say about mechanism; it discloses relations between connected quantities but nothing about the nature of the connection. Osmotic pressure may be due to impact like gas pressure; it may be

[1] See A. J. Berry, *loc. cit.*, and Report of the Chemical Society, 1930.

Theory of Solution

due to chemical affinity or chemical combination between the solvent and solute. Whatever its nature, if it exist at all, it must conform to thermodynamic principles, and therefore, as Van't Hoff proved, in dilute solution it must obey the gas laws. Its cause however remains undetermined, at all events by thermodynamics.

In 1887 Arrhenius, a Swede, showed that osmotic pressure was connected with the electrical properties of solutions. The pressures of electrolytes were known to be abnormally great, a solution of potassium chloride or any similar binary salt, for example, having twice the osmotic pressure of a solution of sugar of the same molecular concentration. Arrhenius found that this excess pressure was connected not only with electrolytic conductivity but also with chemical activity, such as the catalytic power of acids in facilitating the alcoholic fermentation of sugar. He concluded that it indicated a dissociation of the ions from each other, so that, for example, in a solution of potassium chloride, while there may exist some electrically neutral KCl molecules, there are also potassium ions and chlorine ions carrying positive and negative electric charges respectively, and it is these ions which give the solution electrolytic conductivity and chemical activity. The more the solution is diluted, the more salt is dissociated, till, at great dilution, the liquid contains only K^+ ions and Cl^- ions, which, separated from each other, are thought by some to be combined with the solvent.

The work of Kohlrausch, Van't Hoff and Arrhenius has proved the starting point of a vast superstructure of physical chemistry, in which thermodynamics and electrical science have been combined in an ever-growing extension of theoretical knowledge and of practical industrial applications. Furthermore, it must not be overlooked that the theory of solutions gave the idea of an electrical ion to those great physicists who, investigating the conduction of electricity through gases, have built up the most characteristic part of modern science.

The direct measurement of osmotic pressure, very difficult from the experimental point of view, was carried to high concentrations of solution by Morse and Whitney in America (1901) and by the Earl of Berkeley and E. G. J. Hartley in England during the years 1906–1916.[1] Morse and his colleagues used essentially the method of measurement introduced by Pfeffer, much improved in detail. Berkeley and Hartley, instead of observing the pressure set up in a semi-permeable cell by the inflow of the solvent, subjected the solution to

[1] *Phil. Trans. Royal Society*, A, 1906, 206, etc. Alexander Findlay, *Osmotic Pressure*, London, 1919.

a gradually increasing pressure, till the solvent reversed its movement and was squeezed out. They compared their results with equations of the Van der Waals type (see p. 232), and, for cane sugar and glucose, found the best concordance with an expression of the form

$$\left(\frac{A}{v} - p + \frac{a}{v^2}\right)(v - b) = RT.$$

Applying the chemical law of mass action (p. 245) to the dissociation of electrolytes imagined by Arrhenius, Ostwald obtained a dilution law

$$\frac{\alpha^2}{V(1 - \alpha)} = K,$$

where α is the ionization, V the volume of solution, and K a constant. This equation holds good for weak electrolytes, e.g. acids and salts dissociated only to a slight extent, when the expression reduces to $\alpha = \sqrt{VK}$, but it fails for highly dissociated electrolytes, and this failure was for long an obstacle in the acceptance of the ionization theory.

The difficulty has largely been overcome by more recent work. In the years 1923–1927, Debye, Hückel and Onsager pointed out that, owing to inter-ionic forces, an ion will form an atmosphere of ions of opposite sign.[1] When the ion moves, it has to build up a new atmosphere in front, while behind it the atmosphere will be dispersed. This action, and a retarding electrical drag, makes the reduction in mobility proportional to the square root of the concentration. A somewhat complex equation was thus deduced, which, with allowances for possible ionic association, agrees approximately with the experimental relation between concentration and conductivity even in concentrated solutions of strong electrolytes.

Whereas Arrhenius held that strong electrolytes were only partially dissociated, the more recent work indicates complete ionization, the diminution of relative conductivity in concentrated solutions being due to a decrease in ionic velocity. This view was also suggested when analysis by X-rays showed that, even in solid crystals, the atoms exist separately from each other (pp. 384, 427–8).

[1] R. W. Gurney, *Ions in Solution*, Cambridge, 1936.

CHAPTER VII

NINETEENTH-CENTURY BIOLOGY

The Significance of Biology—Organic Chemistry—Physiology—Microbes and Bacteriology—The Carbon and Nitrogen Cycles—Physical Geography and Scientific Exploration—Geology—Natural History—Evolution before Darwin—Darwin—Evolution and Natural Selection—Anthropology.

The Significance of Biology

IN the epoch of science which began with the Renaissance the greatest revolution in thought was that produced by the progress made in astronomy and physics. It so happened that when Copernicus dethroned the Earth from its proud position as the centre of the Universe, and Newton brought the phenomena of the heavens under the sway of the mechanical laws familiar in everyday life, many of the tacit assumptions on which a whole theory of Divine revelation had been built up were also undermined. A complete change of outlook was thus brought about, although many years passed before the full effects were realized. The current conceptions of the Earth as the centre of the Cosmos, and man as the unique object and meaning of creation held their place in popular beliefs long after the astronomical ideas with which it was thought they were connected had been abandoned by the instructed.

In the great advance which marked the nineteenth century, it was not the vast development of physical knowledge, and still less the enormous superstructure of industry raised on that knowledge, which most effectually widened man's mental horizon and led to one more revolution in his ways of thought. The point of real interest shifted from astronomy to geology, and from physics to biology and the phenomena of life. The hypothesis of natural selection, which first gave an acceptable basis for the old idea of evolution, carried the human mind over the next long stage of its endless journey, with Darwin as the Newton of biology—the central figure of nineteenth-century thought. Natural selection may be unable alone to explain all the many facts which have since come to light, but the theory of evolution itself rests on a broad foundation which time has only strengthened.

To trace the history and significance of evolutionary philosophy, it will be necessary to follow biological knowledge from the point where it was dropped in Chapter v. Among the sciences underlying biology, physics and physical chemistry have already been passed in review, but organic chemistry, which first emerged as a definite separate science in the nineteenth century, remains to be considered.

The chemistry of the complicated substances which are found in the bodies of plants and animals is chiefly the chemistry of that remarkable element carbon. The atoms of carbon possess the property of combining with each other, as well as with atoms of other elements, to form very complex molecules. We have seen how the old theory of a distinct vital principle survived in opposition to the equally old theory that in living bodies, as in the outside material world, mechanism would ultimately explain all happenings. It had long been thought that the complicated substances which are characteristic of animal and vegetable tissues could only be formed by vital processes, and the belief in a spiritual interpretation of life was thought to stand or fall with this view. But in 1826 the artificial preparation of ethyl alcohol by Hennell, and in 1828 of urea from cyanic acid and ammonia by Friedrich Wöhler, showed that substances hitherto only found in living matter could be made in the laboratory. Other artificial preparations followed, till in 1887 Emil Fischer succeeded in building up fructose (fruit-sugar) and glucose (grape-sugar) from their elements. For nearly two hundred years organic matter was analysed only by dry distillation, the results being recorded in weighed fractions—the gaseous part, the phlegma, the oil and the carbon residue.[2] Nevertheless, by the late eighteenth century many organic compounds were known, and Scheele had isolated several organic acids.

The first fundamental problem of organic chemistry is the determination of the elements present in a compound and its percentage composition. This is now done by burning the compound in the oxygen given off from oxide of copper and measuring the amounts of the products of combustion. The methods of analysis were invented chiefly by Lavoisier, Berzelius, Gay-Lussac and Thénard, and they were so far perfected by Justus Liebig that in 1830 the empirical composition of carbon compounds could be determined with fair accuracy. A surprising result was the discovery of isomerism—that certain compounds, quite different in chemical and physical properties, had the same percentage composition; e.g. silver cyanate and silver fulminate, urea and ammonium cyanate, butyric and *iso*butyric acids. Berzelius explained this phenomenon as being due to a different arrangement and connection between the atoms in the molecules of

---

[1] See for example Sir Edward Thorpe, *History of Chemistry*, London, 1921.
[2] M. Nierenstein, *Isis*, No. 60, 1934, p. 123.

the two isomeric compounds. A similar phenomenon was also found among the elements—Lavoisier proved the chemical identity of charcoal and the diamond.

Berzelius' idea was developed further when the conception of chemical valency was brought forward by Frankland (1852), by Couper and by Kekulé (1858). Empirical formulae, e.g. C_2H_6O for common alcohol, grew into constitutional formulae, such as

$$
\begin{array}{ccc}
& H & H \\
& | & | \\
H- & C- & C-OH \\
& | & | \\
& H & H
\end{array}
$$

for the same body, in which the tetravalency of carbon, emphasized by Kekulé, is indicated by its linkages to other atoms such as hydrogen, or to groups of atoms such as hydroxyl, OH.

In 1865, in a paper on the aromatic compounds, Kekulé extended these ideas to explain the constitution of benzene C_6H_6, the simplest of such compounds. Instead of an open chain like the one given for ethyl alcohol, Kekulé pointed out that the chemical properties and reactions of benzene could only be explained by joining the ends of the chain to form a closed ring as represented by the diagram

By imagining one or more of the hydrogens replaced by other atoms or by groups, the constitution of the more complex aromatic compounds can be expressed.

In this way organic chemistry has been rationalized. The existence of new compounds, indicated by the theoretical possibilities of these structural formulae, has been predicted, while many of the compounds so predicted have been prepared and isolated. Thus, as far as organic compounds are concerned, the theory of structural formulae has enabled us to apply deductive methods to chemistry.

In 1844 Mitscherlich, who had previously pointed out the relation between atomic constitution and crystalline form, drew attention to the fact that isomers of tartaric acid, though possessing the same chemical reactions, the same percentage composition and the same *Organic* constitutional formulae, had different optical properties. In 1848, *Chemistry* Louis Pasteur (1822–1895), on recrystallizing racemates, noticed that two kinds of crystals were formed, related to each other as a right hand to a left hand or an object to its image in a mirror. When the two kinds of crystals were picked out, separated from each other and redissolved, one solution was found to rotate the plane of polarization of polarized light to the right and the other to the left. The first solution proved to contain a compound of ordinary tartaric acid, and the second a new salt, which, mixed with the first, gave a salt of racemic acid. The resolution of racemic acid and similar bodies can be brought about by the selective action of living bodies such as yeast. Indeed many products obtained from living substances are optically active, while, if made synthetically in the laboratory, they are inactive.

In 1863 Wislicenus concluded from similar phenomena in the case of lactic acid that the two modifications must be due to different arrangements of the atoms in space. In 1874 this idea was taken up independently by Le Bel and Van't Hoff. They inferred that all optically active carbon compounds contained an unsymmetrical atomic structure. Van't Hoff pictured the carbon atom *C* as occupying the centre of a tetrahedron, at the angles of which four other atoms or groups of atoms were placed (Fig. 8). If the four are all different, we get an asymmetrical structure, and two varieties are possible, related to each other as are the object and image in a mirror. Similar phenomena have been discovered with the compounds of elements other than carbon, especially nitrogen, by Le Bel, H. O. Jones, Pope, Kipping and others.

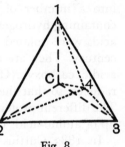

Fig. 8.

In 1832 Liebig and Wöhler pointed out that in many cases a complex group of atoms—a radicle, as it came to be called—held together as it passed by chemical reaction through a series of compounds, behaving in this respect like the atom of an element. For instance the group OH, hydroxyl, is found not only in water, but in all caustic alkalies and again in alcohols, while countless complex radicles can be traced in, and are necessary to the processes of, organic and bio-chemistry.

The idea of radicles led naturally to the theory of types, propounded by Laurent and Dumas, and worked out by Williamson, Gerhardt and others from 1850 onwards. Compounds were classified according to their types, oxides, for example, being supposed to be

Organic Chemistry built up on the type of water, the hydrogen atoms being replaced, wholly or in part, by other chemically equivalent atoms or groups of atoms. These conceptions of radicles and types replaced Berzelius' idea of electrical dualism.

An enormous number of the organic substances which make up living matter were gradually isolated, and, during the second half of the century, many were synthesized from their elements. They came to be grouped as members or derivatives of one or other of three classes of compounds:

(1) Proteins, containing the elements carbon, hydrogen, nitrogen, oxygen, with (in some cases) sulphur and phosphorus.

(2) Fats, containing carbon, hydrogen and oxygen.

(3) Carbohydrates, containing carbon, hydrogen and oxygen, the hydrogen and oxygen being present in the proportions in which they form water.

Of the three classes, the proteins have the most complex chemical structure, based principally on nitrogen. They are easily broken down into a number of proximate constituents known as amino-acids, containing hydrogen and nitrogen in the group NH_2. Many of these acids were isolated and chemically examined during the nineteenth century. They are of varied structure, but all contain one or more acidic carboxyl (COOH) radicles and one or more basic amino radicles, so that they possess the properties of both acids and bases. The different proteins found in various kinds of living tissue are made up of amino-acids combined in different proportions.

In 1883 Curtius built up artificially a substance which gave a chemical reaction characteristic of protein products. At later dates Fischer investigated its structure and that of similar compounds. He devised several methods for combining amino-acids into complex bodies resembling the peptones which are produced by the action of digestive ferments on proteins. These he called polypeptides. Thus, before the end of the century, progress was made towards determining the nature, and even towards the synthesis, of some constituents of living organisms, though proteins themselves are more complex.

Physiology One of the earliest conceptions in nineteenth-century physiology was due to Bichat (1771–1802)—the idea that the life of the body is the outcome of the combined lives of the constituent tissues, the specific characters of which Bichat himself did much to determine. He held that there is in life a conflict between vital forces and those of physics and chemistry, which after death resume their undivided sway and destroy the body.

The localization of the functions of the brain had already been suggested by isolated observations, such as that made in 1558 by Massa of Venice, who noted that injury to the parts behind the left eye interfered with the function of speech. Haller[1] had traced the nerves to a common junction in the *medulla cerebri*, but, as late as 1796, competent anatomists were still identifying the fluid in the ventricles of the brain with Galen's "animal spirits" and the Aristotelian *sensorium commune*, or the "organ of the soul". This theory was finally disproved by the dissections of F. J. Gall (1758–1828), a physician who worked first at Vienna and then at Paris.[2] Following up Massa's observation, Gall demonstrated the real structure of the brain, and taught "that the grey matter was the active and essential instrument of the nervous system and the white matter the connecting links". Gall was accused of materialism, and blamed for his insistence on the importance of heredity—an idea then repugnant to ecclesiastical views of moral responsibility. A greater trouble was his habit of mixing undoubted facts with much erroneous theory. This enabled his dismissed assistant Spurzheim to degrade Gall's work on localization by building on it the follies of "phrenology", and produced an opinion that Gall too was but a sorry charlatan. Yet on the solid parts of Gall's labours modern neurology is founded.

The form of vitalism held by Bichat was modified by Majendie, another French physiologist, who considered that some phenomena of living bodies were due to an inexplicable vital principle. From 1870 onwards, Majendie worked hard and successfully at many phenomena which he thought fit subjects for experimental investigation. In reaction from the dominant theoretical views, he worshipped experiment, even blind experiment; indeed he seems to have been one of the very few experimentalists who adopted the Baconian method. He proved that, as divined by Sir Charles Bell, the anterior and posterior roots of spinal nerves have different functions—a fundamental discovery in the physiology of the nervous system. Majendie also founded experimental pharmacology—the investigation of the effects of drugs—and proved that the main cause of the movement of blood in the veins is the pumping action of the heart.

Descartes and his disciples held that a stimulus transmitted through nerve-fibres to the central system is converted automatically into an outgoing nervous impulse which excites the appropriate organ or muscle, so that the body of man is a machine. This view was taken by

[1] See above, p. 187.
[2] Article by G. Elliot Smith, *The Times*, August 22nd, 1928.

Physiology   the iatro-medical school, and evidence on the problem at issue was drawn from the work of Bell, of Majendie, and of Marshall Hall (1790–1857), who established the difference between volitional and unconscious reflex action. Many of the common acts of life, coughing, sneezing, walking, breathing, may be taken as reflexes, and other processes formerly thought to involve complex mental operations were referred in the later years of the nineteenth century to reflex action, especially by J. M. Charcot (1825–1893) and his pupils. In the twentieth century further evidence on these problems has accumulated.

In Germany the most prominent physiologist in the early years of the nineteenth century was Johannes Müller, who collected all available knowledge in his famous *Outlines of Physiology*, and did much work himself on nervous action. He made the fruitful discovery that the kind of sensation we experience does not depend on the mode of stimulation of the nerves, but on the nature of the sense-organ; for instance, light, pressure or mechanical irritation, acting on the optic nerve and the retina, all produce visual sensations. This discovery gave a physiological basis for the philosophical belief, as old as the days of Galileo, that man's unaided senses give him no real knowledge of the external world.

Notwithstanding the success of this work, even those who were advancing physiology by means of physical and chemical experiments showed a tendency to think that much remained beyond the reach of these methods. And others, whose chief interests were in morphology, took a more thoroughly vitalist outlook. This was especially the case in France, where, in spite of Majendie's experiments, the scientific atmosphere was more that of natural history than physiology, and the influence of the naturalist Cuvier was exerted in favour of vitalism.

Majendie's most famous disciple was Claude Bernard (1813–1878),[1] who, equally skilful with his master in experiment, recognized also the need for thought and imagination in planning work to be done afterwards in the laboratory. Bernard's work was mainly concerned with the action of the nervous system on nutrition and secretion; it was carried out on the one hand by experimental investigation on nerves, and on the other by direct chemical research. It foreshadowed many of the results of the modern subject of biochemistry.

In Müller's book the chemical changes undergone by food in the stomach were treated as though they constituted the whole process of digestion. In 1833 the American army surgeon Beaumont published many new facts about digestion observed in a patient with a gun-shot

---

[1] Michael Foster, *Claude Bernard*, London, 1899.

wound which left a hole into his stomach. Bernard produced the *Physiology* same condition in animals, and showed that pancreatic juice disintegrates the fats discharged by the stomach into the duodenum, decomposes them into fatty acids and glycerine, converts starch into sugar and dissolves nitrogenous matter or proteins.

Dumas and Boussingault taught that there was a complete contrast in function between plants and animals. Plants absorb inorganic bodies and build them up into organic substances. Animals, essentially parasitic, live by breaking down these substances into inorganic, or at all events simpler, residues; they take organic food as it is given them, sometimes modify it, but, it was thought, can never build up fat, carbohydrate or protein. Bernard showed by experiments on dogs that the liver produced the carbohydrate dextrose from the blood by internal secretion under the control of the nerves. By later experiments he proved in 1857 that the liver when alive formed a starch-like substance named by him glycogen, which, by fermentation independent of life, gave rise to dextrose. Thus he threw light on diabetes, and showed that animals could build up some organic substances.

Bernard's third great discovery was the function of what are called vaso-motor nerves, which are put into motion involuntarily by sensory impulses and control the blood vessels. To this discovery he was led by an investigation of the "animal heat" developed by the section of a nerve—heat which finally proved to be due to dilation of the blood vessels. "There is hardly a physiological discussion of any width", says Foster, "in which we do not sooner or later come upon vaso-motor questions" which arose from one simple experiment of Bernard on a living animal, "an experiment which Bernard, had he lived in this country and in our day, might have been prevented from doing; his work...strangled at its very birth." Indeed it is clear from history that essential parts of our knowledge of all the important organs and functions of the body, circulation, respiration, digestion, what you will—knowledge upon which the whole of modern physiology, of modern medicine and of modern surgery rest—were obtained by experiments on animals. Those who try to prevent all further advance in knowledge by this method take on themselves a terrible moral responsibility, which is in no wise lightened by ignorance of the facts or of the momentous issues involved.

Investigation of the nervous system was carried further by E. H. and E. F. Weber, who discovered inhibiting actions such as the stoppage of the heart's beat by the stimulation of the vagus nerve.

Further knowledge of respiration was acquired in 1838 by Magnus, who showed that arterial and venous blood contain both oxygen and carbon dioxide, though in different proportions. He thought the gases were dissolved in blood, but in 1857 L. Meyer proved that some kind of loose chemical compound is formed. Bernard explained the poisonous action of carbon monoxide by showing that it irreversibly displaces oxygen from the haemoglobin in the red blood corpuscles, whereupon the haemoglobin becomes inert and can no longer carry oxygen to the tissues of the body.

Harvey had put the science of observational embryology on a correct basis in his *De Generatione Animalium* in 1651, but the true originator of the modern development was Caspar Frederick Wolff (1733–1794), who was born in Berlin, and died at St Petersburg, to which place he had been summoned by the Empress Catherine. Wolff's work was discredited and neglected during his lifetime, but in truth he foreshadowed all the modern theories of structure. He made a study of cells by means of the microscope, and showed the progressive formation and differentiation of the various organs in a germ originally homogeneous in character.

This multiplication and differentiation of cells was shown by von Baer (1792–1876) to be a process common to all embryonic development, and it was recognized that growth proceeds on identical lines throughout the animal kingdom. In 1827 von Baer re-discovered the ovum of mammals, first seen by Cruickshank in 1797, and finally disproved the theory that the egg contains the complete animal in miniature. He may be said to have created modern embryology.[1] He criticized the theory of Meckel (1781–1833) that the history of the individual recapitulates the history of the species, and indeed the premature acceptance of this hypothesis made embryology towards the end of the century the favourite method of studying evolution. Men thought that it disclosed, in the history of each individual, facts which were only otherwise to be discovered with infinite difficulty by an extensive comparative survey of the animal kingdom.

The cell theory of living structure began in the seventeenth century.[2] Hooke saw "little boxes or cells" under the microscope, and he was followed by Leeuwenhoek, Malpighi, Grew and others. But the great development took place in the early part of the nineteenth century, when Mirbel, Dutrochet and their followers gradually put

---

[1] E. Nordenskiöld, *The History of Biology*, Eng. trans. London, 1929, p. 363; G. Sarton, *Isis*, Nov. 1931.
[2] Woodruff, Conklin, Klarling: *American Naturalist*, vol. LXXIII, pp. 481 and 517.

the theory into a definite form, and traced the formation of vegetable *Physiology* and animal tissues by the successive division of cells arising from fertilized ova. The cell theory was the cumulative work of many investigators.

Hugo von Mohl of Tübingen investigated the contents of cells, and called the plastic substance within the cell wall by the name of protoplasm. Karl von Nägeli found that this substance was nitrogenous. Max Schultz, collecting the facts, described the cell as a "mass of nucleated protoplasm", and held that protoplasm was the physical basis of life.

Rudolf Virchow (1821–1902) of Berlin, carried the cell theory into the study of diseased tissues, and thus opened a new chapter in medicine. In his book on *Cellular-pathologie* (1858) he showed that morbid structures consist of cells derived from pre-existing cells. For instance, cancer depends on the pathological growth of cells, and, if a cure is ever found, it must be based on the control of cell activity.

Simultaneously with the extension of chemistry to cover many vital changes, much advance was made in applying physical principles to the problems of physiology. Harvey explained the motion of the blood as that of a fluid pumped through the tubes of arteries and veins by the mechanical action of the heart, a theory which gave a naturalistic turn to physiological enquiry. But, in the second half of the eighteenth century, the difficulty of the problem led to the almost universal adoption of the hypothesis of vitalism, the *force hyperméchanique* of the French school, which retained its influence till the middle of the nineteenth century. Then the change of opinion, begun by the synthesis of organic compounds and by the physiological work we have described, was reinforced on the physical side by the use of physical apparatus in physiology by Karl Ludwig, and by the work of Mayer and von Helmholtz, who suggested that the principle of the conservation of energy must apply to the living organism.

This was accepted by many as so probable as to need no demonstration, but it was only accurately proved experimentally many years later. Liebig, it is true, had taught that animal heat is not innate, but is the result of combustion. Quantitative proof, however, was only obtained when the heat-value of different kinds of food was measured by burning them in a calorimeter. In 1885 Rubner gave 4·1 calories[1] per gram as the heat-value for proteins and carbohydrates, and 9·2 for fats. In 1899 Atwater and Bryant published the results of more

[1] This is the so-called "great calorie", the heat which would raise one kilogramme of water one degree Centigrade. It is 1000 times the calorie used in physics.

K

extensive experiments in America. Allowing for the part of the different foods not made available by digestion, they corrected Rubner's figures to 4·0 for proteins and carbohydrates, and 8·9 for fats. The food needed each day for a man in heavy work had a fuel-value of 5500 calories, while a man doing no muscular work needed food to the value of only 2450 calories. More recent work by T. B. Wood and others on farm animals has separated the maintenance ration, the food needed to keep the animal in a stationary state, from the additional food required for growth, milk-production, etc.

To examine the question of the conservation of energy, it is necessary to measure the intake of energy in food and the output in muscular work, heat and excrement. Estimates of income and expenditure in dogs were given by Rubner in 1894, and the two quantities agreed within 0·47 per cent. Experiments on men were published by Atwater, Rosa and Benedict in 1901, and showed agreement within two parts in a thousand. If, as is probable, intellectual work or other uncounted activities use up energy, the amount must be small.

This general accordance with the principle of the conservation of energy showed that the physical activities of the body could be traced ultimately to the chemical and thermal energy of the food taken in. It was natural, if not strictly logical, to conclude that, as the total output of energy was in accordance with physical laws, the intermediate processes could also be described completely by those laws.

The naturalistic standpoint was further strengthened not only by the establishment of the cellular theory by the work of many observers, but by other investigations including those into cell structure and cell function. The knowledge of physical phenomena associated with the solution of jelly-like substances or colloids, was rapidly applied to physiological problems, while the phenomena of nervous action were found to be accompanied by electrical changes.

The type of idiocy known as cretinism was proved to be due to the failure of the thyroid gland, and in 1884 Schiff discovered that the effects of the removal of the thyroid gland from animals could be obviated if the animal were fed with an extract from the gland. This result was soon applied to mankind, and many children who would formerly have remained hopeless idiots for life have been converted into happy and intelligent beings.

This elucidation by scientific methods of many bodily processes led in the middle of the century to an increase in mechanistic philosophy. The belief arose that physiology was but a special case of "the physics of colloids and the chemistry of the proteids". Whatever be the

truth about the whole physiological problem, and the underlying *Physiology*
psychological and metaphysical questions, it became clear that, for
the progress of science, which deals with single parts or aspects of
nature in isolation, it is necessary to assume that physiological processes in detail are comprehensible. If knowledge is to advance, those
natural principles must be applied which have already been established,
and, from the limited point of view of science, natural principles find
their best ultimate statement in the fundamental concepts and laws
of physics and chemistry. Whether these analytic methods and concepts are adequate to solve the synthetic problem of the animal
organism as a whole, is another and much more profound question.
And, to take the extreme case, in man the mind, according to one
theory, may use the body as a musician plays on his instrument, even
though the instrument is but a physical mechanism.

In the third quarter of the nineteenth century, the study of catalytic
actions, analogous to those found in inorganic chemistry, was extended to large numbers of processes going on in living organisms.
Organic catalysts or ferments had become of great importance in
biochemistry by 1878, and, in that year, the special name of enzymes
(ἐν ζύμη, in yeast) was given them by Kühne, who did much to
elucidate their action. The essential quality of a catalyst or enzyme is
that it facilitates a reaction like oil in a machine, and so changes the
rate, without itself entering as a constituent into the final substances
in equilibrium. Enzymes are often colloids, and carry electrical
charges which may play a part in their action. Indeed, Arrhenius
pointed out in 1887 that ions themselves may act as catalysts, as in
the inversion of cane sugar. The influence of ions on colloid enzymes
was investigated by Cole, Michaelis and Sörensen in 1904 and onwards.
Organic processes usually need specific enzymes. Some are present
in such small quantities that they can only be detected by their
appropriate reaction; others can be isolated and examined. Among
the more important enzymes may be mentioned: amylase, which
decomposes starch; pepsin, which decomposes proteins in an acid
medium; trypsin, which decomposes proteins in an alkaline medium;
lipase, which decomposes esters; and so on. Although in the living
body the most obvious use of enzymes is to facilitate the breaking
down of complex bodies into those more simple, their action is
reversible. They increase the speed of a reaction in whichever direction
it naturally goes.

One of the most striking developments of nineteenth-century biology *Microbes and*
was the growth in knowledge of the origins and causes of microbic *Bacteriology*

diseases in plants, in animals and in man. This knowledge, by increasing our direct control over our environment, has had, like other practical applications of science, a marked influence on our ideas of the relative positions of man and "nature". About 1838 Cagniard de Latour and also Schwann discovered that the yeast present in fermentation consists of minute living vegetable cells, and that the chemical changes which take place in the fermenting liquor are due in some way to the action of the life of these cells. Schwann also perceived that putrefaction was a similar process, and showed that neither fermentation nor putrefaction would occur if precautions were taken to destroy by heat all existing living cells in contact with the substance examined, and to preserve it thereafter from contact with all air save that which had passed through red-hot tubes. Thus both fermentation and putrefaction were proved to be due to the action of living micro-organisms.

These results were confirmed and extended about 1855 by Pasteur, who disproved every known case of supposed spontaneous generation by showing that the presence of bacteria could always be traced to the entrance of germs from outside, or to the growth of those already present. Pasteur demonstrated that certain diseases, such as anthrax, chicken-cholera and the silk-worm disease, were caused by specific microbes. At a later date the germs characteristic of other diseases, many of them prevalent among mankind, have been discovered and their life-history traced.

In 1865 Lister heard of Pasteur's experiments, and by 1867 was applying the results to surgery. He first used carbolic acid (phenol) as an antiseptic; though later in cleanliness found an effective aseptic treatment. Lister's application to surgery of Pasteur's results, and the previous discovery of anaesthetics by Sir Humphry Davy, by W. T. G. Morton in Massachusetts and by Sir J. Y. Simpson in Edinburgh, made safe surgical operations hitherto quite impossible. The outcome of these discoveries in hygiene, medicine and surgery is perhaps most clearly shown in the reduction of the annual death-rate of cities like London from about 80 per thousand two centuries ago to the 1928 figure of some 12 per thousand.

In 1876 Koch found that the spores of the anthrax bacilli were more resistant than the bacilli themselves. The micro-organism which causes tuberculosis was discovered by Koch in 1882, and it was Koch who so developed the technique of bacteriology that it became an art as well as a science, essential in the problems of public health and preventive medicine. The specific micro-organism when isolated is allowed to reproduce itself in a pure culture in gelatine or other medium. Its real pathogenic effects can then be determined on animals.

It has been found that, in some cases at all events, it is the presence of a definite enzyme in the microbic cells, or its production by their activity, that causes the changes associated with their life. In 1897 Büchner expressed from yeast cells their characteristic enzymes, and showed that they could cause the same fermentation that living yeast cells produce. As usual in such actions, the enzymes themselves remained unchanged at the end of the operation; their mere presence is sufficient to start and hasten the chemical action.

In 1718 Lady Mary Wortley Montagu introduced from Constantinople the practice of inoculation for small-pox. At the end of the eighteenth century, Benjamin Jesty acted on the common belief that dairy-maids who suffered from the milder cow-pox did not catch small-pox, and Edward Jenner, a country doctor at Berkeley, examined the subject scientifically and devised the method of vaccination, by which inoculation with the virus, after its attenuation into cow-pox by transmission through a calf, causes partial or complete freedom from the severer form of the malady. From this discovery began our knowledge of immunity. Some pathogenic organisms produce poisonous substances or toxins, discovered in putrefying matter in 1876. By 1888 toxins had been obtained from bacteria by filtering them off from their fluid cultures. In the case of diphtheria, toxin so obtained from cultures of the bacteria is injected in gradually increasing doses into a horse, whose tissues manufacture an anti-toxin. Serum from such an immunized horse will protect human beings who have been exposed to infection, and assist in the recovery of those already suffering from diphtheria. In other cases, by sterilizing cultures of bacteria, vaccines have been prepared which confer partial or complete immunity from the disease produced by the bacteria when alive. In 1884 Metschnikoff discovered "phagocytes", white blood corpuscles, able to deal with some offending bacteria.

Jenner's principle of attenuation was extended to other diseases by Burdon-Sanderson, Pasteur and others. In the case of rabies or hydrophobia, Pasteur showed that inoculation was generally effectual even after infection. The mortality from this horrible and previously incurable disease was thus reduced to about one per cent. of the cases treated. No bacteria can here be seen in a microscope. The disease is caused by a virus much smaller than ordinary bacteria.

The life-history of pathogenic micro-organisms is often very complicated, and some of them pass certain stages of their career in different hosts. Only by most careful experiments, carried out by the inoculation of living animals, can their properties be investigated. The hosts themselves sometimes remain unaffected by the invading microbe, and this immunity makes it exceedingly difficult to forecast the direction in which the source of infection must be sought. The final conquest of malaria or ague is an excellent example of the difficulties and dangers which surround research in infectious disease.[1] The malarial organism was discovered by Laveran, a French army surgeon, about 1880. Five years later Italian observers had shown that infection reached man from the bites of mosquitoes, and in the years 1894–1897, Manson and Ross proved that one special kind of mosquito (*Anopheles*) was infested by parasites that proved to be the organism in an early stage of development. Thus the correct method of attacking the ravages of malarial fever is to destroy the larvae of these insects by draining marshy land, and by covering with a thin coating of oil all pools of standing water which provide breeding-places.

Similarly Maltese or Mediterranean fever has been traced to the action of a microbe which passes part of its life in goats, and is communicated to man by means of the goats' milk, though the animals themselves appear to be perfectly healthy. The discovery of the connection between bubonic plague, rats, and the fleas or other parasites which help to bring the infection from the rats to human beings, provides another instance of the indirect methods by which disease-germs may enter the body and, when their life-history is known, can be fought with the best prospect of success.

The first thorough study of an ultra-microscopic virus was made by Löffler and Frosch in 1893. They showed that the lymph from an animal suffering from foot-and-mouth disease, when passed through a filter which would stop ordinary bacteria, would still infect a number of other animals in series. They inferred that they had to deal with a reproducing micro-organism and not with an inanimate poison. It was not clear whether these ultra-microscopic, filterable viruses, which cause many diseases in animals and plants, are particulate bacteria. In any case, they must approach molecular dimensions, and it has been suggested that they may represent a new type of non-cellular living matter.

Taking up again the problem of breathing, Lavoisier and Laplace proved that animal life involves an oxidation of carbon and hydrogen into carbon dioxide and water. In 1774 Priestley discovered that

---

[1] *Angelo Celli-Malaria*, Eng. trans., London, 1901.

air "spoilt" by mice was made once more capable of supporting life if green plants were left in it for some time. In 1780 Ingenhousz proved that this action of plants only goes on in sunlight. In 1783 Senebier showed that the chemical change involved is the conversion of "fixed air" into "dephlogisticated air", that is of carbon dioxide into oxygen. In 1804 de Saussure investigated this process quantitatively. These results led to Liebig's researches, and to his formulation of the general theory of the cyclical processes of change which carbon and nitrogen undergo as the bodies of plants and animals alternately grow and disintegrate.

The active substance in the building up of plants is the pigment chlorophyll. Its chemical constitution is now known but its complex reactions in sunlight are not yet fully understood. But it has the power, essential for the existence of life as we know it on the Earth, of using the energy of sunlight for the combination of the carbon dioxide of the air with water, liberating oxygen and combining carbon in the complex organic molecules of plant tissues. In the absorption spectrum of chlorophyll, the maximum absorption is seen to coincide with the maximum energy in the solar spectrum—a remarkable adaptation, however produced, of means to ends.

Some animals live on plants, some on each other, so that all are dependent on the energy of the Sun made available by chlorophyll. Animals in breathing oxidize carbon compounds into useful derivatives and others which are excreted, while the rest of the energy liberated by oxidation maintains bodily heat. Plants also slowly emit carbon dioxide, though in sunlight this change is masked by the reverse process. Both plants and animals give back to the air the carbon dioxide that plants have removed, while waste organic compounds are deposited in the ground. Here they are attacked by teeming multitudes of soil bacteria, by which they are broken down into innocuous inorganic bodies, while more carbon dioxide is poured into the air. Thus the carbon cycle is completed.

The corresponding cycle for nitrogen is of more recent discovery. Although Vergil in his *Georgics* recommended the farmer to take a crop of beans, vetch or lupins before wheat, the reason for the recognized beneficial effect was only worked out in 1888 by Hellriegel and Wilfarth.[1] Nodules on the roots of these leguminous plants contain bacteria which are able to fix nitrogen from the atmosphere, convert it by unknown chemical reactions into protein, and pass it on to the plant. Another process was traced in 1895 by Vinogradsky, who in

[1] Sir E. J. Russell, *Soil Conditions and Plant Growth*, 4th ed. London, 1921.

the soil found bacteria which obtain nitrogen directly from the air, the necessary energy being probably obtained from the decomposing cellulose of dead plants.

From both these sources plants may obtain nitrogen. Waste products containing nitrogen are converted in the soil, again chiefly by the help of appropriate bacteria, into ammonium salts, and finally into nitrates, the best source of nitrogen for plants to build up into proteins. Soil is a physical, chemical and biological complex, largely colloidal, which needs humus as well as mineral salts to maintain its balance.

The importance of mineral salts in agriculture was demonstrated by Liebig, but he overlooked the supreme need for nitrogen. This was investigated in the middle of the century by Boussingault and by Gilbert and Lawes at Rothamsted; their work was the foundation of the modern use of artificial manures. Of the elements necessary for plant life, those usually present in the smallest amounts are nitrogen, phosphorus and potassium. If one of these is present in insufficient quantities, it gives the limiting factor for the crop, which will only grow freely if more of the absent element is added in an available form. Minute quantities of other elements, such as boron, manganese and copper, are also necessary for plant life.

The scientific study of manuring gave farmers much greater freedom in methods of cultivation. Old courses of rotation of crops and fallows could be modified considerably when fertility was maintained by restoring the elements abstracted from the land in the growth of crops.

During the second half of the eighteenth and throughout the nineteenth century the work of systematic exploration of the world proceeded apace, and much of it was undertaken in a true scientific spirit. Trigonometrical surveys were begun in England in 1784, when the Ordnance Department measured a base-line on Hounslow Heath. Accurate maps, initiated by the French cartographer d'Anville, and good ocean charts were thus made possible.

We note the work of Baron von Humboldt (1769–1859), a Prussian naturalist and traveller, who found his most congenial home in Paris, where he helped Gay-Lussac in his work on gases (p. 211). He spent five years exploring the continent of South America and the seas and islands of the Mexican Gulf, and it was on observations collected during this expedition that he based the claims of physical geography and meteorology to be considered as accurate sciences. Von Humboldt was the first to map the Earth's surface in lines of average equal temperature—isothermal lines—by which he obtained a method of comparing the climates of different countries. He ascended Mount

Chimborazo and other peaks of the Andes in order to study the rate of decrease of temperature with increase in height above sea-level. He considered the origin of tropical storms and atmospheric disturbances; he noticed the position of zones of volcanic activity, and suggested that they corresponded to cracks in the Earth's crust; he investigated the distribution of plants and animals as affected by physical conditions; he studied the variations of intensity of the Earth's magnetic force from the poles to the equator, and invented the term "magnetic storm" to describe a phenomenon which he was the first to record.

Physical Geography and Scientific Exploration

The interest excited by von Humboldt's labours and personality gave an impetus to scientific exploration among the nations of Europe. In 1831 the *Beagle* was despatched by Great Britain on her memorable expedition "to complete the survey of Patagonia and Tierra del Fuego; to survey the shores of Chili, Peru and some islands in the Pacific; and to carry a chain of chronological measurements round the world". The expedition was declared to be "entirely for scientific purposes", and Charles Darwin sailed on board as official "Naturalist".

A few years later (1839) Joseph Hooker (1817–1911), son of the well-known botanist Sir W. J. Hooker, joined Sir James Ross in his Antarctic expedition, and spent three years studying plant life. Later on he proceeded to the northern frontiers of India, on an expedition which also was partly financed by the Government. In 1846 T. H. Huxley left England as surgeon in the *Rattlesnake*, and spent several years surveying and charting in Australian waters; though his eager mind and keen powers of observation chafed at the lack of opportunity given for accurate scientific research of general interest. Thus three of the men who played a great part in revolutionizing the thought of the nineteenth century each served an apprenticeship on one of the scientifically planned voyages of exploration. The culminating point of organized discovery and research was reached in the expedition of the *Challenger*, which was despatched in 1872, to cruise for several years in the waters of the Atlantic and Pacific, in order to make records dealing with every branch of oceanography, meteorology and natural history.

Oceanography in particular became of importance. Maury of the United States Navy took up the problems of winds and currents as they were left a century and a half earlier by Dampier, and much improved the navigation of ocean routes. A study of the teeming life of the sea revealed countless forms, from the drifting microscopic matter, named plankton by Henson, and the protozoan and radiolarian skeletons lying as ooze on the ocean floor, to the multitude of fish of all kinds and sizes, the ecology of which is ultimately dependent on the microscopic plants in the plankton.

By his attempt to give a rational theory of the origin of the solar system, Laplace had directed men's attention to the existence of the problem, and had quickened interest in the study of the Earth itself as a part of the solar system. It was unfortunate that the countries in which freedom of thought had most prevailed against the claims of papal authority should also be those in which the tyranny of the theory of the verbal inspiration of the Bible was most firmly established. A new contest had therefore to be waged before any view of the Earth's origin, other than that to be found in a literal interpretation of the Book of Genesis, could win a general approval. Even in the middle years of the nineteenth century it was seriously contended that fossils, suggesting as they did another story, had been hidden in the ground by God (or perhaps the Devil) in order to test the faith of man.

At a very early date some knowledge of rocks, metals and minerals had been acquired in the processes of mining. Leonardo da Vinci and Bernard Palissy had recognized in fossils the remains of animals and plants, as indeed had some of the Greek philosophers, but, in general, fossils were regarded as *lusus naturae*, the products of a mysterious *vis plastica*, or tendency in nature to produce certain favourite forms in various ways. The possibility of using them to help to trace the history of the Earth was only recognized by a few scattered observers like Niels Stensen (1669), whose ideas gained no general acceptance. The collection bequeathed by John Woodward (1665–1728), to the University of Cambridge, did much to establish the view that fossils were of animal and vegetable origin. In 1674 Perrault proved that the rainfall was more than enough to explain the flow of springs and rivers,[1] and Guettard (1715–1786) pointed out how weathering changed the face of the earth. Nevertheless, the facts were still forced into conformity with Biblical cosmogonies involving cataclysmic origins either by water or by fire, alternatives which led to a controversy between so-called Neptunists and Vulcanists.

The first to contend systematically against these views was James Hutton (1726–1797), who published his *Theory of the Earth* in 1785. Once more a practical acquaintance with natural processes paved the way for scientific advance. Hutton, in order to improve the husbandry on his small paternal estate in Berwickshire, studied home farming in

---

[1] F. D. Adams, *Science*, LXVII, p. 500, 1928, quoted in *Isis*, No. XIII, p. 180, 1929.

Norfolk, and foreign methods of agriculture in Holland, Belgium and *Geology* Northern France. For fourteen years he pondered over the familiar ditches, pits and river beds, and then, returning to Edinburgh, laid the foundations of the modern science of geology. Hutton recognized that the stratification of rocks and the embedding of fossils were processes which were still going on in sea, river and lake. "No powers", said Hutton, "are to be employed that are not natural to the globe, no action to be admitted except those of which we know the principle"— a true precept of science, which seeks to avoid all unnecessary hypotheses.

Hutton's "uniformitarian theory" was not generally accepted till Werner had pointed out the regular succession of geological formations; till William Smith had assigned relative ages to rocks by noting their fossilized contents; till Georges Cuvier had reconstructed extinct Mammalia from fossils and bones found in the neighbourhood of Paris; till Jean Baptiste de Lamarck had made a classification and comparison of recent and fossil shells; and finally till Sir Charles Lyell had collected in his *Principles of Geology* (1830–1833) evidence showing how the Earth is still being moulded by water, volcanoes and earthquakes, as well as all known facts about fossils. The cumulative effect of long-continued processes was then fully grasped for the first time; and men realized the possibility of tracing the history of the Earth, at any rate throughout its habitable ages, by means of the record of the rocks through inferences based on observation of natural operations that were still taking place.

The ecology of fossil forms indicates profound changes in life at definite periods. This conforms with the geological evidence of glaciation showing ice ages, evidence first marshalled by Agassiz and Buckland about 1840.

The problem of the origin and age of mankind is of special interest to the human race. The discovery of flint implements, still in use among primitive peoples, and of carved bone and ivory, lying in conjunction with the remains of animals now unknown, or extinct in Europe, enabled Lyell in 1863 to place man in position in the long series of organic types, and to show that his existence on the Earth must have extended over periods vastly greater than any contemplated by the accepted Biblical chronology. It now seems probable that our ancestors emerged from a more primitive state, and in a very real sense became men, at a time somewhere between a million and ten million years ago, while civilization is only an affair of some five or six thousand years.

After Buffon had produced his great *Natural History of Animals*, another Frenchman took up the subject of classification and placed it on a sound and definite basis. Georges Cuvier (1769–1832) was the son of a Protestant officer who had migrated from the Jura district into the region of the Würtemberg protectorate. He spent the period of the early Revolution and the Reign of Terror studying peacefully in Normandy, and then returned to Paris, where he soon won a prominent position in the Collège de France. His great claim to distinction lies in the fact that he was the first among naturalists to compare systematically the structure of existing animals with the remains of extinct fossils, and thus to demonstrate that the past, no less than the present, must be taken into account in any study of the development of living creatures. Cuvier stands on the threshold of the new age of scientific discovery, and his great book, *Le Règne Animal, distribué d'après son Organisation*, forms a connecting link between the work of men who studied the world and its phenomena as a stationary problem and of those who were impelled to look upon it as a series of shifting scenes in the great drama of evolution.

It was a misfortune that no close connection existed between men of science and the practical gardeners and farmers, who, by hybridization and selection, were producing new varieties of plants and animals or developing breeds already established. At the end of the eighteenth century, Bakewell improved the old longhorn type of cattle, and established a new and useful variety of the Leicester sheep. The brothers Colling applied Bakewell's methods to the shorthorns which existed in the valley of the Tees and thus founded the most important breed of English stock.

The spontaneous appearance of large variations was well known to horticulturists:

> An inferior variety of pear, for instance, may suddenly produce a shoot bearing fruit of superior quality; a beech tree, without obvious cause, a shoot with finely divided foliage; or a camellia an unwontedly fine flower. When removed from the plant and treated as cuttings or grafts, such sports may be perpetuated. Many garden varieties of flowers and fruits have thus originated.[1]

But most of the gardener's new varieties were obtained by crossing individuals of different varieties or even species. In the latter case it was known that the hybrids are usually less fertile than pure-bred species, and are sometimes quite sterile.

The idea of an evolutionary process in nature is at least as old as the days of the Greek philosophers. Heraclitus believed that all

[1] Art. "Horticulture", in *Ency. Brit.* 9th ed. 1881.

things were in a state of flux. Empedocles taught that the development of life is a gradual process, and that imperfect forms are slowly
replaced by forms more perfect. By the time of Aristotle, speculation
seems to have gone further, and to have conceived the idea that the
more perfect type might have not only followed in time but also have
been developed out of the less perfect. The atomists, who are often
claimed as evolutionists, seem to have contemplated the emergence
of each species *de novo*. But, in their belief that only those types
survived which were fitted to their environment, they touched in
spirit the essence of the theory of natural selection, though their basis
of fact was insufficient. It has been truly observed that in science
"being right is no excuse whatever for holding an opinion which has
not been based on an adequate consideration of the facts involved in
it". As in so many other branches of knowledge, the Greek philosophers could do no more than formulate the problem and make
speculative guesses at its solution.

Indeed, it required two thousand years of time, and the labours of
many quiet and unphilosophic physiologists and naturalists, to collect
enough observational and experimental evidence to make the idea of
evolution worth the consideration of men of science. It is a good
illustration of the true scientific attitude of suspension of judgment in
the face of inconclusive data that naturalists, for the most part, left
evolution to the philosophers, and that, till Darwin and Wallace
published their simultaneous work, the balance of scientific opinion,
when expressed at all, was against the theory. On the other hand,
the philosophers also played their true part in maintaining speculation about a theory not yet ripe for scientific treatment. They kept
open a question of paramount importance, and formulated solutions
which, in due time, might serve as working hypotheses for the men
of science with whom lay the ultimate decision. Hence it is in the
nature of the case that when, in the revival of learning, the idea of
evolution once more appears, it is to be found chiefly in the writings
of philosophers—Bacon, Descartes, Leibniz and Kant. The scientists,
meanwhile, were slowly working at facts which would eventually lead
them in the same direction through Harvey's embryology and Ray's
system of classification. Some philosophers even reached quite modern
ideas in their conceptions of the present mutability of species and the
possibility of its experimental examination, but it must not be overlooked that others, who are claimed as evolutionists—forerunners of
Darwin—took evolution in an ideal, not in a real, sense. Some
of Goethe's views seem to have been of this nature, as were those of

Schelling and Hegel. To them, the connection between species lay in the inner ideas which represented them in the conceptual sphere. "The metamorphosis", says Hegel, "can be ascribed only to the notion as such, because it alone is evolution...it is a clumsy idea...to regard the transformation from one natural form and sphere to a higher as an outward and actual production."

This ideal point of view does not, however, destroy the usefulness of the philosophic contribution to evolutionary theory. It is most interesting and remarkable that the division of labour and the difference of outlook between philosophers and naturalists was continued up to the last possible moment. Herbert Spencer, though a competent biologist, was primarily a philosopher. He was preaching a full-grown, concrete evolutionist doctrine in the years that immediately preceded the publication of Darwin's *Origin of Species*, while as yet most of the naturalists would have none of it. Even the botanist Godron, who collected much evidence about variation, rejected the idea of evolution as lately as 1859, the year of the publication of Darwin's work. Philosophers were right and naturalists were right; they were each following their true road. The philosophers were dealing with a philosophic problem, one not ripe for scientific examination. The naturalists were exercising true scientific restraint in not taking, even as a working hypothesis, a speculation for which there was as yet available no convincing evidence, and no satisfying suggestion of a mode of operation.

Nevertheless, even in the eighteenth century, and increasingly in the first half of the nineteenth, one naturalist after another ran counter to the prevailing consensus of scientific opinion, and upheld some form of evolutionary theory. Buffon, who oscillated between the orthodoxy of the Sorbonne and a belief in "l'enchaînement des êtres", put forward a theory of the direct modification of animals by external conditions. Erasmus Darwin, poet, naturalist and philosopher, caught a glimpse of the revelation which was to be given in its fullness to his grandson, and taught that from "the metamorphoses of animals, as from the tadpole to the frog...the changes produced by artificial cultivation, as in the breeds of horses, dogs and sheep,... the changes produced by conditions of climate and season,...the essential unity of plan in all warm-blooded animals,...we are led to conclude that they have been alike produced from a similar living filament".

The first connected and logical theory is that of Lamarck (1744–1829), who sought to determine the cause of evolution by a consideration of the cumulative inheritance of modifications induced by the action of environment. While, *pace* Buffon, the effect of change in environment on the structure of the individual is often small, Lamarck held that, if the necessary changes in habits became constant and lasting, they would modify old organs, or, by the need for new organs, call them into being. Thus the ancestors of the giraffe acquired longer and longer necks by continually stretching for leaves on branches just beyond their reach, and the change of structure thus acquired was developed and intensified by inheritance. Though no direct evidence of such inheritance could be adduced, it gave a reasonable and consistent working hypothesis for other naturalists, such as Meckel, to use and elaborate.

The attention drawn to the effect of environment on the individual, and the extent of the changes which may rightly be attributed to external circumstances, have probably had an enormous influence on thought and action. It is difficult to believe that, where the individual can sometimes be modified so profoundly, the species will remain unchanged. Hence, many of the social and philanthropic efforts of the nineteenth century were built up on a tacit assumption of the theory of modification through environment. Nevertheless, as years passed, it became clear that the biological inheritance of acquired characters, if it occurred at all, was very difficult indeed to detect. Discussion on this subject is not closed even yet.

Two more nineteenth-century evolutionists who maintained the direct action of environment on the individual were Étienne Geoffroy Saint-Hilaire and Robert Chambers, whose anonymous book, *Vestiges of Creation*, had a great vogue, and helped to prepare men's minds for Darwin.

But the man to whom Darwin was solely indebted for the central idea of his work, the man who, by a curious chance, gave the same clue to Wallace also, was the Reverend Thomas Robert Malthus (1766–1834), at one time curate of Albury in Surrey. Malthus, an able economist, lived at a time when the number of the English people was increasing rapidly. In 1798 he published the first edition of his *Essay on Population*. In it he proclaimed that the human race always tends to outrun its means of subsistence, and can only be kept within bounds by famine, pestilence or war, whereby the redundant individuals are eliminated. In later editions of the book, he admitted the importance of the prudential check, which then acted chiefly in the postponement of marriage, and thus, so far as its application to mankind is concerned, weakened his main argument in its striking simplicity.

Evolution before Darwin   Darwin has himself recorded the effect of this work on his mind. "In October 1838", he says, "I happened to read for amusement Malthus on Population, and being well prepared to appreciate the struggle for existence which everywhere goes on from long continued observation of the habits of animals and plants, it at once struck me that under these circumstances favourable variations would tend to be preserved, and unfavourable ones to be destroyed. The result of this would be the formation of new species. Here then I had a theory by which to work."

Darwin   The man to whom this flash of insight came was well fitted, both by heredity and environment, to make full use of it. Charles Robert Darwin (1809–1882) was the son of a remarkably able country doctor of ample means, Robert Waring Darwin of Shrewsbury. His grandfathers were Erasmus Darwin, who has already been mentioned, and Josiah Wedgwood, the potter of Etruria, who also was a man of scientific power and ingenuity. The Wedgwoods were Staffordshire people, an old family of small landowners; the Darwins, of the same landed class, came from Lincolnshire. Charles Darwin was educated first at Edinburgh with a view to a medical career, and then at Christ's College, Cambridge, with the intention of taking Holy Orders. He got his best training as a naturalist during the five years' voyage of the *Beagle* in South American waters. In tropical and sub-tropical lands, teeming with life, Darwin received the impression of the interdependence of all living things, and within a year of his return he began to compile the first of many note-books on the facts bearing on the transmutation of species. Fifteen months later he read Malthus' book, and found the clue which enabled him to frame a theory of the means whereby new species might develop.

The individuals of a race differ from each other in innate qualities. Darwin offered no opinion about the cause of these variations, but accepted the fact of their existence. If the pressure of numbers or the competition for mates be great, any quality which is of use in the struggle for life or mate has "survival value", and gives its possessor an advantage which carries with it an improved chance of prolonging life, or of securing a mate, and of rearing successfully a preponderating number of offspring to inherit the favourable variation. That particular quality therefore tends to spread throughout the race by the progressive elimination of those individuals who do not possess it. The race is modified, and a different and permanent variety may slowly be established. This was the new conception; and its importance in the history of thought was well put by Thomas Huxley, who, by his power of exposition, skill in dialectic and courage in controversy, did *Darwin* more than any other man to compel general acceptance for the views of Darwin and Wallace. Huxley says: "The suggestion that new species may result from the selective action of external conditions upon the variations from the specific type which individuals present—and which we call 'spontaneous' because we are ignorant of their causation—is as wholly unknown to the historian of scientific ideas as it was to biological specialists before 1858. But that suggestion is the central idea of the *Origin of Species* and contains the quintessence of Darwinism."

With this idea as a working hypothesis, Darwin spent twenty years collecting facts and making experiments. He read books of travel and treatises on sport, natural history, horticulture, and the breeding of domesticated animals. He carried out experiments on the crossing of tame pigeons; he studied the transport of seeds, and the geological and geographical distribution of plants and animals. In the assimilation of facts, in appreciating their bearing on all the complicated questions which arose, and in marshalling them at the last, Darwin showed a supreme ability. His transparent honesty, love of truth, and calm, even balance of mind, form a model of the ideal naturalist. Fertile in hypotheses as a guide to work, he never let a preconceived view blind him to facts. "I have steadily endeavoured", he wrote, "to keep my mind free so as to give up any hypothesis, however much beloved (and I cannot resist forming one on every subject), as soon as facts are shown to be opposed to it."

By 1844 Darwin had convinced himself that species are not immutable and that the main cause of their origin was natural selection, but he continued to work on year after year to gain yet surer evidence. In 1856 Lyell urged him to publish the results of his researches; Darwin, not satisfied with their completeness, delayed. On June 18th, 1858, he received from Alfred Russel Wallace a paper written in Ternate in the space of three days after reading Malthus' book. In this paper Darwin at once recognized the essence of his own theory. Unwilling to seize the priority of twenty years, which, though rightly his own, might destroy the interest of Wallace's contribution, Darwin placed himself in the hands of Lyell and Hooker, who arranged with the Linnaean Society to communicate on July 1st, 1858, Wallace's paper together with a letter from Darwin to Asa Gray dated 1857, and an abstract of his theory written in 1844.

Darwin then set to work and wrote out in condensed form the *Evolution and* results of his labours, and, on November 24th, 1859, his book was *Natural* published under the name of *The Origin of Species*. *Selection*

We have already traced the various converging streams of evolutionary thought—cosmological, anatomical, geological and philosophical, which, blocked by the prejudice in favour of the fixity of species, were yet collecting deeper and deeper behind the dam. Darwin's great torrent of evidence in favour of natural selection broke the barrier with irresistible force, and let loose the fertilizing flood over the whole realm of thought. Now that passing years have increased our knowledge of the facts, we can see that Darwin, and even more his disciples, like the Greek atomists before them, underrated the complexity of the great problem of life. While the general process of evolution is now evident from the facts of morphology and palaeontology, the details of the origin of species have even yet not been worked out. Natural selection alone seems an inadequate explanation. But the spirit of greater caution, which has come with later years, does not diminish the historical importance of Darwin's principle. It may ultimately be proved insufficient: but, at the time, it was the necessary hypothesis. The idea of natural selection led to the acceptance of a thing greater than itself—the theory of organic evolution.

At first the effect seemed to many people to be devastating, to overwhelm the philosophic and religious landmarks of the human race. We ought not, however, to condemn without reflection this widespread attitude of mind. Now that the idea of evolution has become a familiar factor in our intellectual outlook, it is difficult to realize how revolutionary it seemed, and how few were competent to judge the value of the evidence for it when laid before the world. The evidence depended on the detailed examination of living creatures and fossil remains, and was unfamiliar and indeed for the most part unknown to those who felt compelled either to deny the validity of the conclusions drawn, or to give up beliefs which had sustained long generations of their forefathers. Before we blame them, let us ask ourselves honestly whether, on the face of things, it is more obvious to believe in a common ancestor or in a separate act of creation for the frog and the peacock, the salmon and the humming-bird, the elephant and the mouse. Nevertheless the English love of country, with its plant and animal life, helped to give evolutionary ideas a fair hearing in a favourable atmosphere among those able to understand the evidence.

But even to some naturalists the ideas were repugnant. Sir Richard Owen, the great anatomist, wrote a strongly adverse criticism in the *Edinburgh Review*, and many of his colleagues agreed with his opinion.

But Hooker gave in his adhesion to Darwin's ideas at once, and he was immediately followed by Huxley, Asa Gray, Lubbock and W. B. Carpenter, while Lyell announced his conversion at the Royal Society dinner in the autumn of 1864.

Evolution and Natural Selection

From the first, Huxley was the protagonist of this band of evolutionists—"Darwin's bulldog", as he called himself. With magnificent courage, ability, and clearness of exposition, he bore the chief brunt of the attack made from many sides on Darwin's book, and again and again led successful counter-attacks on his discomfited foes.

Thomas Henry Huxley was born at Ealing in 1825, but he was descended from families located at Coventry and on the Welsh Marches, and he had the true fighting temperament of a border race. He tells us that, to the men of science of that generation, the publication of the *Origin of Species* had the effect as of a flash of lightning in the darkness.

"We wanted", he writes, "not to pin our faith to that or any other speculation, but to get hold of clear and definite conceptions, which could be brought face to face with facts and have their validity tested. The *Origin* provided us with the working hypothesis we sought. Moreover, it did the immense service of freeing us forever from the dilemma—Refuse to accept the Creation hypothesis, and what have you to propose that can be accepted by any cautious reasoner? In 1857 I had no answer ready, and I do not think that anyone else had. A year later we reproached ourselves with dulness for being perplexed with such an enquiry. My reflection when I first made myself master of the central idea of the *Origin*, was, 'How extremely stupid not to have thought of that!'"

The famous clash between Bishop Wilberforce and Huxley at the Oxford meeting of the British Association in 1860 has often been described.[1] Wilberforce had obtained a First-Class in the Oxford Mathematical Schools in his youth, and therefore, being regarded by his University as a master of all branches of natural knowledge, had been selected to uphold the cause of orthodoxy. The bishop, with no real understanding of the problem, endeavoured to kill the notion of evolution with ridicule, and was effectively answered in argument and severely rebuked for his ignorant interference by Huxley, while the embryological evidence for evolution was explained by Sir John Lubbock, afterwards Lord Avebury.

When it was found that neither argument nor ridicule could prevent the spread of Darwin's theory, his opponents took the usual step and denied its originality. But those best able to judge held a different

[1] *Life of Charles Darwin*, vol. II, p. 320; Leonard Huxley, *Life and Letters of Thomas Henry Huxley*, vol. I, p. 180.

opinion. Two years after the Oxford meeting, Huxley wrote to Sir Charles Lyell:

> If Darwin is right about natural selection, the discovery of this *vera causa* sets him to my mind in a different region altogether from all his predecessors. I should no more call his doctrine a modification of Lamarck's than I should call the Newtonian theory of the celestial motions a modification of the Ptolemaic system. Ptolemy imagined a mode of explaining those motions. Newton proved their necessity from the laws and a force demonstrably in operation. If he is only right, Darwin will, I think, take his place with such men as Harvey, and, even if he is wrong, his sobriety and accuracy of thought will put him on a different level from Lamarck.

Huxley indeed pointed out a defect in the evidence. The idea that species are due to a summation of variations ignores the fact that the products of crossing different though allied species are frequently in some degree sterile. If species have a common origin, it is difficult to see why this sterility should arise, and no clear case is known where a certainly sterile hybrid has been bred from fertile parents derived experimentally from a common origin.

> It is at the same point that the validity of the claim of natural selection as the main directing force was most questionable. The survival of the fittest was a plausible account of evolution in broad outline, but failed in application to specific differences. The Darwinian philosophy convinced us that every species must "make good" in nature if it is to survive, but no one could tell how the differences—often very sharply fixed—which we recognise as specific, do in fact enable the species to make good.[1]

But although Huxley pointed out the difficulty no one then felt it to be serious. It was assumed that further work would clear it up, and its full weight only became apparent when, in the twentieth century, scientific breeding experiments were made on a large scale. When the first strangeness had been overcome, the biologists of the time accepted evolution and regarded natural selection as its true and sufficient cause.

Though Virchow, most famous of continental ethnologists, did not accept Darwin's theory, it was in Germany that the idea of evolution by means of natural selection and the survival of the fittest was seized upon with the greatest avidity. Haeckel and other naturalists, and in their train Teutonic philosophers and political theorists, joined to create that *Darwinismus* which made many of his followers more Darwinian than Darwin.

Meanwhile Darwin's own methods of observation and experiment on variation and heredity fell into abeyance. Men accepted natural

---

[1] William Bateson, *Address to the American Association*, Toronto, 1922.

selection as the proved and adequate cause of evolution and of the origin of species. Darwinism ceased to be a tentative scientific theory and became a philosophy, almost a religion. Experimental biology turned to morphology and comparative embryology, developed specially by F. M. Balfour and O. Hertwig. The hypothesis that the development of the individual follows and illustrates the history of the race, suggested by Meckel and elaborated by Haeckel, endowed embryology with evolutionary meaning, and increased the neglect of the slower and more laborious methods of research.

Evolution and Natural Selection

The naturalist, who studied systematic botany or zoology in the field, and the breeder of new plants and animals in the garden or on the farm, were extending their sound knowledge of species and varieties. To naturalist and breeder species remained distinct, and new varieties were produced not by insensible gradations but by sudden, often large, mutations which bred true from the first. But none of the laboratory morphologists consulted the practical men, or gave enough weight to their empirical knowledge. "The evolutionist of the 'eighties", says Bateson, "was perfectly certain that species were a figment of the systematist's mind, not worthy of enlightened attention." But in the 'nineties, men trained in the laboratory, led on the Continent by de Vries and in this country by Bateson, returned to study variation and heredity.

Darwin himself, while believing natural selection to be the main cause of evolution, did not exclude the Lamarckian idea of the inheritance of characters acquired by the long action of use or disuse. Contemporary evidence was not enough to settle the question. But towards the end of the century August Weismann began a new chapter in the subject. Weismann showed that a sharp distinction must be drawn between the body (or soma) and the germ cells which it contains. Somatic cells can only reproduce cells like themselves, but germ cells give rise not only to the germ cells of a new individual, but to all the countless types of cell in his body. Hence the units which make up germ cells must be enough in number and in differences in kind and arrangement to provide for all the multitude of organisms which are found in nature. Germ cells descend from germ cells in a pure line of germ plasm, but somatic cells always trace their origin to germ cells. Thus the body of each individual is a comparatively unimportant by-product of his parents' germ cells; it dies, leaving no offspring. The main pedigree is that of the germ plasm, which shows an unbroken history from cell to cell.

On this view, the products of the germ cells are very unlikely to be affected by changes impressed on the body. Such an influence would resemble an effect on a man produced by changes in his uncle. The germ cells might be injured by the body containing them, but hardly modified in nature. Hence Weismann was led to examine critically the evidence for the inheritance of acquired characters, and, in every case, rejected it as inadequate. Since that time, observation and experiment have brought to light cases where long-continued changes in the environment have possibly produced some effect, but they seem to be exceptional, and are not accepted by all naturalists.

When Weismann announced his results, there was some consternation. Biologists had come to rely on "use and disuse" as explanations of unsolved riddles of adaptation. Evolutionary philosophers, especially Herbert Spencer, had put forward the inheritance of such acquired characters as the chief factor in racial development, while philanthropists, educationalists and politicians had tacitly assumed its truth as the underlying basis of social "progress". Biologists soon came generally to accept the new ideas; but Herbert Spencer to the end of his days engaged in active controversy with Weismann;[1] and political reformers, even unto this present, have ignored principles so contrary to their presuppositions. Yet it is clear that the acceptance of the non-inheritance of acquired characters means that "nature" is more than "nurture", heredity than environment. Improvement in the conditions of life can, and of course will, benefit the individual: it can do nothing, save by the indirect process of natural or artificial selection, to improve the inborn qualities of a race.

The particular types of mechanism suggested by Weismann to explain inheritance were perhaps but ingenious speculations, but they served to direct the researches of many of his followers to an examination of the exact processes by which germ cells are formed and somatic cells developed from them. These new researches began during the nineteenth century, but the most striking results appeared later, and it will be more convenient to deal with the whole subject in Chapter IX.

The end of the century also saw the beginning of another controversy which turned on new knowledge.[2] The upholders of pure Darwinism such as Weismann came to regard natural selection as a cause all-sufficient to explain adaptation and through it evolution. Moreover, the variations on which natural selection worked were

[1] G. C. Bourne, *Herbert Spencer and Animal Evolution*, Oxford, 1910.
[2] A. Weismann, *The Evolution Theory*, Eng. trans. J. A. and M. R. Thomson, London, 1904; Beatrice Bateson, *William Bateson, Naturalist*, Cambridge, 1928, p. 449.

assumed to be the small variations, which, for example, are found in a *Evolution and* continuous series in the stature of men. Among large enough numbers, *Natural* it will be possible to find men of heights differing by only the hundredth *Selection* part of an inch throughout a considerable range on each side of the mean. On such minute variations selection was supposed to work, and, given time, to produce new varieties and new species.

But before the new century began, some naturalists, notably de Vries and Bateson, using the accumulated experience of breeders, fanciers and horticulturalists as a starting-point for experiment, had found these ideas contrary to fact. Large mutations often occur, especially after crossing, and new varieties may be established at once. Then, in 1900, Mendel's forgotten work was rediscovered, and a new chapter opened. It seemed that, even if the selection of small variations could not explain evolution, these new ideas might do so. How far this hope was realized will be discussed later.

Of all the studies regenerated by Darwin, none derived more benefit *Anthropology* than anthropology, the comparative study of mankind. Indeed, it is hardly too much to say that modern anthropology arose from the *Origin of Species*. Huxley's classical study of human skulls was inspired by the Darwinian controversy, and was the beginning of that exact measurement of physical characters on which so much of the science now depends. The ideas of natural selection and evolution underlie all succeeding work.

Yet the ground had been prepared for anthropology in other ways also. The same love of novelty, the same eager curiosity, the same acquisitive collector's instinct, which introduced the plants and animals of other climes into European gardens and museums, brought back the artistic and industrial products of other people and the ceremonial objects of other religions, in all stages of development.

When the anthropologists were ready to take the field, much of the necessary material was at hand, already familiar, or partly classified, awaiting only the new gift of reinterpretation to open up another aspect of its inward meaning.

In the *Origin of Species* Darwin did not consider mankind in detail, though he pointed out that his conclusions with regard to species in general had an obvious bearing on the problem. In 1863, after an exhaustive examination of the anatomical evidence, Huxley stated that man in body and brain differed from some apes less than apes differed among themselves.[1] He therefore returned to the Linnaean classification and placed man as the first Family in the Order of

[1] T. H. Huxley, *Man's Place in Nature*, London, 1863.

Primates. Psychologically the gulf between man and ape is greater, but the vertebrate animals show mental processes corresponding to the human ones, though of less power and complexity. This was brought out by Brehm in his *Thierleben*, and by Darwin in his later works.[1] Wallace, on the other hand, still held that man was to be placed apart, "as not only the head and culminating point of the grand series of organic nature, but as in some degree a new and distinct order of being".[2]

Mankind has been divided into varieties or races chiefly by physical characters, though the idea of a correlation between physical characters and mental traits has been upheld. The colour of the skin has always been used to separate the white, yellow, brown and black races, and it is clear that other characters are linked with colour to give a real racial distinction between these four kinds of men, though subdivisions are necessary. Next in importance to colour comes the shape of the skull, which is generally specified by the method due to Retsius. Looking at the skull from above, the longer diameter from front to back is taken as 100. On this scale, the length of the shorter or cross diameter gives what is called the cephalic index. If it is less than 80, the skull is classed as long, and if more than 80, it is called broad.

As an example of these methods and their results, we may take the analysis of the population of Europe.[3] Considered physically, European people differ chiefly in three characteristics: stature, coloration and skull shape. On the average of large numbers, as we move northwards until we approach the Baltic region, the stature becomes greater and the colouring fairer, while the farther south we go, the shorter and darker becomes the population. In the intermediate Alpine region, stature and colouring are intermediate also. But the shape of the head tells a different tale. While both northern and southern folk are long-skulled, with a cephalic index of 75 to 79, the round-headed people of the hills have broader skulls with an index of 85 to 89.

To explain these facts it is assumed that in Europe there are three primary races: the first is a tall, fair, Northern race, found in its greatest purity round the shores of the Baltic. Secondly, there is a short, dark, Southern race living about the Mediterranean coasts and up the Atlantic seaboard. Both of these races have long skulls. But lying between them geographically is a broad-headed Alpine race,

[1] Charles Darwin, *The Descent of Man; The Expression of the Emotions in Man and Other Animals*.
[2] A. R. Wallace, *Natural Selection*, p. 324.
[3] W. Z. Ripley, *The Races of Europe*, Boston and London, 1899.

intermediate in colour and stature, inhabiting the mountainous regions *Anthropology* of Central Europe. From one aspect, the history of Europe is the history of the interaction and migration of these three races.[1] Similar methods of investigation, using other characters such as the texture of the hair, have been applied to the physical anthropology of other continents, where more primitive folk are to be found.

Since Lyell described what was left of man in the geological record, many discoveries have been made, whereby different races have been distinguished in remote prehistoric times. Much was done in the nineteenth century. It was shown that tens of thousands of years ago the cave-men were decorating their walls with spirited likenesses of the bison and the wild boar. At Neanderthal in 1856, and at Spy in 1886, still older remains came to light, showing the existence of more primitive types of man; and in 1893 Dubois discovered, in the late Pliocene deposits in Java, bones which most authorities hold to be those of a being intermediate in structure between the anthropoid apes and the earliest known forms of man.

Man cannot be descended from any species of ape now existing. But, if not a lineal descendant, he is at least a distant cousin. More variable forms may have preceded all those now extant and have been their common ancestors. It is certain that the process has been more complicated than was thought at first. The separate shoots that rise above the visible plain of history spring from a complex root system buried deeply in the ground of the irrecoverable past.

The application of statistical methods to anthropology may be said to have begun with the study of the Bills of Mortality by Sir William Petty and John Graunt in the seventeenth century, and was revived by the Belgian astronomer L. A. J. Quetelet (1796–1874). In 1835 and later years Quetelet showed that the theory of probability could be applied to human problems.[2] He found that the chest measurements of Scottish soldiers or the height of French conscripts varied round the average according to the same laws as are seen in the distribution of bullets round the centre of a target or in the runs of luck at a gaming table. Expressed graphically, as in Fig. 9, the measurements give a curve of variation which, except that it is almost symmetrical on both sides, resembles that giving the velocities of molecules in a gas (p. 230).

In 1869 Darwin's cousin Francis Galton applied the ideas of

---

[1] A. C. Haddon, *The Wanderings of Peoples*, Cambridge, 1911.
[2] *Sur l'Homme et le Développement de ses Facultés*, 1835. *Physique Sociale*, 1869. *Anthropométrie*, 1870.

heredity which appear in *The Origin of Species* to the inheritance of mental qualities in mankind.[1] He proved by tracing the distribution of marks among the candidates in an examination that the same laws hold as for physical qualities or molecular velocities. Most men have mediocre intellectual powers, and, as we pass towards genius on the one hand or idiocy on the other, the numbers fall off in the familiar way.

A Senior Wrangler obtained on the average about thirty times the number of marks of the lowest honours man, which, in turn, might have exceeded those of the pass men, had they entered for the same examination. Owing to the limits of time allowed, these numbers

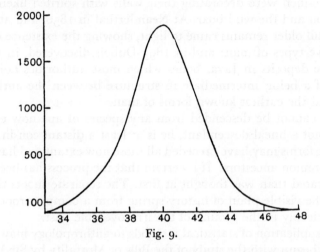

Fig. 9.

underestimate the differences in intellect, which are clearly enormous. Galton restricted the word "eminent" to those qualities which only appear in about 250 men in a million, and the word "illustrious" to those appearing in only one in a million or more. At the other end of the scale 250 in a million includes the hopeless idiots and imbeciles, who depart from the normal one way as much as the eminent do in the other. By studying books of reference, Galton found that eminent men have in the aggregate a far larger number of eminent relatives than have an equal number of men taken at random from the population. For instance, he reckoned that the chance of the son of a judge showing great ability was five hundred times as great as that of a man taken at random. If it be objected that judges have greater opportunities than most men of helping their sons, it may be replied that Galton's figures show it to be nearly as likely that a judge

[1] *Hereditary Genius*, London, 1869.

will have an able father as an able son, and even judges have small opportunity of educating or advancing their fathers. By such arguments, Galton fairly met the criticisms made on his work. Little stress can be laid on his exact figures, but the broad results are clear and unmistakable. While prediction cannot be made about individuals, on the average of large numbers the inheritance of ability is certain; the differences of innate ability are enormous; and the idea that all men are born equal, if it means equal in faculties, is demonstrably false.

Darwin's theory of natural selection led to the recognition that any change in the legal, social or economic environment must favour some strains in a mixed population more than others, and thus modify the average biological quality of the people. Galton had doubts from the first about the inheritance of acquired characters, and, when Weismann's work showed that there was no evidence in its favour that would stand critical examination, Galton's principles were strengthened immensely. It became clear that the influence of environment had been greatly overestimated, that education can but bring into prominence characters already in being, and that the biological qualities of a race can only be improved by favouring the better strains. The reason why breeding is all-important became manifest.

Biological inheritance must, of course, be sharply distinguished from the cultural inheritance which one generation hands on to the next by speech or writing, thus helping to fix national characteristics. But this meaning of inheritance is well recognized; the effect of biological inheritance is often overlooked.

CHAPTER VIII

NINETEENTH-CENTURY SCIENCE
AND PHILOSOPHIC THOUGHT

General Tendencies of Scientific Thought—Matter and Force—The Theory of
Energy—Psychology—Biology and Materialism—Science and Sociology—Evolution and Religion—Evolution and Philosophy.

*General
Tendencies
of Scientific
Thought* IN the seventeenth and eighteenth centuries the influence of that
nationalism which replaced the ecclesiastical universalism of the
Middle Ages began to be apparent. Science, indeed thought in
general, acquired strongly marked national characters and was accompanied by an intellectual separation between the nations, while the
several vernacular languages of Europe superseded Latin as the vehicle
for scientific writing. Journeys of intellectual discovery, such as those
of Voltaire to England in 1726, of Adam Smith to France in 1765, and
of Wordsworth and Coleridge to Germany in 1798, had to be undertaken before the Newtonian astronomy, the economics of the "physio-
crats", or the philosophy of Kant and Schelling could become known
in countries other than those of their authors.[1]

In the early years of the nineteenth century the scientific centre of
the world was Paris. In 1793 the Revolutionary Government had
guillotined Lavoisier, Bailly and Cousin, driven Condorcet to suicide,
and suspended the *Académie des Sciences*. But it soon found that it had
to appeal for help to the former members of that Society: "everything
was wanting for the defence of the country", science became a
necessity to society at large, and in 1795 the *Académie* was reopened
as part of the *Institut*. The mathematics of Laplace, Lagrange and
Monge, the new chemistry initiated by Lavoisier, and the geometrical
crystallography created by the Abbé Haüy, united to form a brilliant
constellation of physical sciences.

The theory of probability, founded by Pascal and Fermat in the
seventeenth century, was developed into a system by Laplace, and
applied not only to estimate the errors of physical measurement but
also to rationalize such human affairs as insurance and the statistics
of the problems of government and administration where large numbers
are involved. Cuvier carried exact research into comparative anatomy,

[1] J. T. Merz, *History of European Thought in the Nineteenth Century*, 4 vols. Edinburgh and
London, 1896–1914, vol. I, p. 16.

and, in his position as permanent secretary of the *Académie des Sciences*, did much to keep the scientific spirit up to a high standard in all subjects.

During the eighteenth century it was in France alone that science permeated literature; "no other country has a Fontenelle, a Voltaire, a Buffon"; and in the early nineteenth century this connection between science and literature was maintained on a lofty and dignified plane, largely owing to the constitution of the *Académie* as part of the *Institut*.

If the home of French science is to be found in the *Académie*, that of German lay in the Universities. But long after the methods of exact science were being used in Paris, the German Universities, while eminent in classical and philosophic studies, were teaching a hybrid *Naturphilosophie*, which deduced its conclusions from doubtful philosophic theories, instead of obtaining them by the patient study of natural phenomena. About 1830 this influence died away, partly owing to the mathematics of Gauss and to the chemical work of Liebig, who, trained at Paris under Gay-Lussac, had opened a laboratory at Giessen in 1826. From then till 1914, the systematic organization of research was carried further in Germany than in any other country, and German compendiums and analyses of the world's work were pre-eminent. Moreover the wider meaning of the word *Wissenschaft*, which includes all systematic knowledge, whether in what we should call science or in philology, history and philosophy, has done much to keep all these subjects in touch with each other and to give them all a correspondingly wider outlook.

Perhaps the most striking peculiarity of English science has been its individualist spirit—the frequency with which work of brilliant genius has been done by those with no academic position, such men as Robert Boyle, Henry Cavendish and Charles Darwin. In the first half of the nineteenth century, Oxford and Cambridge, unrivalled as places of liberal education, were not yet awake to the continental spirit of research. Complaints were frequent that the state of science was low in England,[1] and it needed the stimulus of an undergraduate society, formed by Babbage, Herschel and Peacock, to introduce continental mathematics, largely developed though they were from those of Newton, into the University of Cambridge.

But, in the middle of the century, Oxford and Cambridge were reformed, and rapidly became as efficient in modern studies as in the graceful activities which they had inherited from earlier times.

[1] See, for example, *Edinburgh Review*, vol. XXVII, 1816, p. 98, and C. Babbage, *Decline of the State of Science in England*, 1830.

Mathematical physics, first of the sciences, found once more a congenial home in Cambridge, and later, under the inspiration of Clerk Maxwell, Lord Rayleigh, J. J. Thomson and Rutherford, the world-famous experimental school of the Cavendish Laboratory grew up. The biological subjects followed, under the leadership of Michael Foster, Langley and Bateson, and Cambridge took its place as the great home of science we know to-day.

Thus, during the second half of the nineteenth century, the intellectual isolation of the nations of Europe, which had lasted through the first half, was again broken down. Facilities of transport increased personal intercourse, scientific periodicals and the proceedings of learned societies brought new results to the cognizance of all those interested, and science became once more international.

On the other hand, the different departments of knowledge became more specialized, and, as national barriers were overthrown, departmental isolation increased. At the beginning of the nineteenth century it was still possible for German Universities to have courses of lectures on *Encyclopädie*, under the impression that unity and completeness of knowledge could be found in one and the same arrangement of study.[1] Philosophy, under the influence of Kant, Fichte and Schleiermacher, still took into account all branches of knowledge, and in its turn still permeated scientific thought.

How science and philosophy for a time lost touch with each other will be described later. The process was doubtless hastened by the simultaneous segregation of science into sciences. The growth of knowledge went on so fast that no man could keep track of it all. Meanwhile laboratories, which hitherto had been the private rooms of individual "natural philosophers", were built and endowed by or for Universities, and brought the experimental method of study not only to those who were advancing knowledge by research, but also to the more elementary student. The opportunities thus provided for the more thorough study of each subject left less time for general surveys, and men of science tended not to see their wood for its trees. In recent years inter-connections between the different sciences are becoming more and more apparent, while mathematics and physics are pointing the way to a new philosophy. But, speaking generally, the fissiparous tendencies lasted till the end of the nineteenth century, save for a few broad generalizations, such as the principle of the conservation of energy, which was seen to hold good in physics, chemistry and biology alike.

[1] Merz, *loc. cit.* vol. I, p. 37.

In attempting to trace the effect produced on other subjects, and especially on philosophic thought, by the growth of science during the nineteenth century, it must not be forgotten that, as already pointed out, the effect during this period of the advance in mathematics and physics was much less than it had been in the sixteenth, seventeenth and eighteenth centuries. The volume of mathematical and physical research was far greater, and the change in scientific outlook which took place between the years 1800 and 1900 was enormous, yet, from the point of view of philosophy, no such revolutionary physical discoveries were made in that century as those of Copernicus and Newton, which altered so profoundly man's idea of the position and importance in the Universe of his world and himself. In the nineteenth century a like revolutionary result came from biology, when physiology and psychology examined the relations of mind and matter, and again when the theory of evolution was established by Darwin on the basis of natural selection.

During the Renaissance and the Newtonian Epoch, we have seen the links between science and philosophy gradually loosened by the action of men of science in devising a new method of induction and experiment proper to the study of nature. Yet the philosophers tried to maintain a *de jure* suzerainty over the whole field of knowledge, even though *de facto* the sovereignty over a large part of it had passed from them. Till the days of Kant they still framed their systems to include the results of physical science.

But we now come to a time when, chiefly owing to the influence of later Hegelians rather than of Hegel himself, the separation between science and philosophy became much more distinct.

The story is well told by Helmholtz,[1] who, writing in 1862, was near enough to the time fully to appreciate its effects:

It has been made of late a reproach against natural philosophy that it has struck out a path of its own, and has separated itself more and more widely from the other sciences [Wissenschaften] which are united by common philological and historical studies. This opposition has, in fact, been long apparent, and seems to me to have grown up mainly under the influence of the Hegelian philosophy, or, at any rate, to have been brought out into more distinct relief by that philosophy. Certainly, at the end of the last century, when Kantian philosophy reigned supreme, such a schism had never been proclaimed; on the contrary, Kant's philosophy rested on exactly the same ground as the physical sciences, as is evident from his own scientific works, especially from his "Cosmogony", based upon Newton's Law of Gravitation, which afterwards, under the name of Laplace's Nebular Hypothesis, came to

[1] H. Helmholtz, *Popular Lectures on Scientific Subjects*, Eng. trans. E. Atkinson, London, 1873, p. 5.

be universally recognized. The sole object of Kant's "Critical Philosophy" was to test the sources and the authority of our knowledge, and to fix a definite scope and standard for the researches of philosophy, as compared with other sciences. According to his teaching, a principle discovered *a priori* by pure thought was a rule applicable to the method of pure thought, and nothing further; it could contain no real, positive knowledge.... [Hegel's] "Philosophy of Identity"[1] was bolder. It started with the hypothesis that not only spiritual phenomena, but even the actual world—nature, that is, and man—were the result of an act of thought on the part of a creative mind, similar, it was supposed, in kind to the human mind. On this hypothesis it seemed competent for the human mind, even without the guidance of external experience, to think over again the thoughts of the Creator, and to rediscover them by its own inner activity. Such was the view with which the "Philosophy of Identity" set to work to construct *a priori* the results of other sciences. The process might be more or less successful in matters of theology, law, politics, language, art, history, in short in all sciences, the subject-matter of which really grows out of our moral nature, and which are therefore properly classed together under the name of moral sciences.... But even granting that Hegel was more or less successful in constructing, *a priori*, the leading results of the moral sciences, still it was no proof of the correctness of the hypothesis of Identity with which he started. The facts of nature would have been the crucial test.... It was at this point that Hegel's philosophy, we venture to say, utterly broke down. His system of nature seemed, at least to natural philosophers, absolutely crazy. Of all the distinguished scientific men who were his contemporaries, not one was found to stand up for his ideas. Accordingly, Hegel himself, convinced of the importance of winning for his philosophy in the field of physical science that recognition which had been so freely accorded to it elsewhere, launched out, with unusual vehemence and acrimony, against the natural philosophers, and especially against Sir Isaac Newton, as the first and greatest representative of physical investigation. The philosophers accused the scientific men of narrowness; the scientific men retorted that the philosophers were crazy. And so it came about that men of science began to lay some stress on the banishment of all philosophic influences from their work; while some of them, including men of the greatest acuteness, went so far as to condemn philosophy altogether, not merely as useless, but as mischievous dreaming. Thus, it must be confessed, not only were the illegitimate pretensions of the Hegelian system to subordinate to itself all other studies rejected, but no regard was paid to the rightful claims of philosophy, that is, the criticism of the sources of cognition, and the definition of the functions of the intellect.

For about half a century, especially in Germany, this separation between science and philosophy persisted. The Hegelians despised the experimentalists, somewhat as did the Greek philosophers. The men of science disliked and finally ignored the Hegelians. Even Helmholtz, in deploring this attitude, as is seen above, limited philosophy to its critical function—the elucidation of the theory of knowledge—and denied its claim to attack other more speculative problems, such as the deeper questions of the nature of reality and the meaning of the Universe.

[1] So called because it proclaimed the identity not only of subject and object, but of contradictories, such as existence and non-existence.

The philosophers, from their side, were equally blind, and used any weapon which came to their hand in their attack on the experimentalists. The poet Goethe had done good work in both animal and vegetable comparative anatomy, where the facts lay on the surface. But where deeper analysis was needed, as in physics, Goethe's method failed. A flash of poetic insight assured him that white light must be simpler and purer than coloured, and that therefore Newton's theory of colour must be wrong.[1] He would not consider the facts brought out by careful experiment or the inferences drawn from them. To him the senses must reveal at once the truth about nature, and the true inwardness of things be made visible by direct aesthetic imagination. He therefore framed a theory of colour in which white light was fundamental—a theory which could not stand the simplest physical analysis, and was supported by nothing but Goethe's abuse of Newton and by the compromising help of the Hegelians. It is not surprising that the men of science learnt to ignore the writings of the philosophers. But the complete separation could not last long, and science soon began once more to influence the general thought of the time.

In England a new variety of an old controversy arose between Whewell on the one hand, who maintained the *a priori* nature of mathematics, and Herschel and John Stuart Mill on the other, who held that Euclidean axioms, such as that two parallel straight lines produced to infinity can never meet, are inductions from experience.[2] Kant referred the validity of these axioms, as of other scientific concepts, to the nature of our minds, and nowadays the axioms might be regarded as mere definitions of the kind of space we were going to investigate in our geometry. Other axioms can be framed which lead to a geometry of non-Euclidean space. Indeed the work of Lobatchewski, Bolyai, Gauss and Riemann gradually showed that what we call space is a particular case of a general possible manifoldness which may have four or more dimensions. Our minds can frame the axioms and investigate the properties of these other kinds of "space". Experience, it is true, shows that the space we observe is approximately three-dimensional and Euclidean, but, examined more accurately by Einstein, it proved to be not exactly so, but to conform, as far as present accuracy goes, to one out of the many other possible kinds of space. Thus the Whewell-Mill controversy, like so many others, has faded away into a solution which contains the essence of both alternatives.

[1] Helmholtz, *loc cit.* p. 33.
[2] W. Whewell, *Philosophy of the Inductive Sciences*, London, 1840, and *History of the Inductive Sciences*, London, 1837; J. S. Mill, *Logic*, London, 1843.

L

Whewell distinguished the necessary axioms of mathematics from the merely probable hypotheses of natural science, which he recognized as being based on induction from experience, though, following Kant, he held that in every act of knowledge a formal or mental element co-operates with an element derived directly from sensation. Mill's attitude is partly due to the fact that, in his day, empiricists were still opposing, consciously or unconsciously, the old phantom of innate ideas—Platonic revelations from a super-sensual world. The same survival seems to have misled Ueberweg in his polemic against Kant.[1] Nineteenth-century empiricists often failed to see the strength or bearings of the view that experience does not lead us directly to things as they are, but is only a process by which the appearance of things arises in our minds, and that therefore the picture of nature we construct is partly determined *a priori* by the structure of our minds, as also is the fact that we have experiences at all.

Indeed, during the greater part of the nineteenth century, most men of science, especially biologists, thinking they were keeping clear of metaphysics, accepted uncritically the model of nature put together by science as ultimate reality. Some of the physicists and philosophers were more cautious. Even Herbert Spencer, whose work was based on the science of his day, held that the ultimate concepts of physics—space, time, atoms—involve mental inconsistencies which make it clear that the reality which underlies phenomena is unknowable. Here, he argued, science joins hands with religion, which, stripped of all doubtful elements, is the faith that all things are the manifestation of a Power that transcends our knowledge.

The philosophy of science was also studied in England by G. Boole, who (1854) introduced symbolic language and notation into logic; by W. Stanley Jevons, who, in his *Principles of Science* (1874), gave a high place to intuition in scientific methods of discovery; and by W. K. Clifford (1845–1879), who held that Kant's argument for the universality and necessity of geometrical truths was valid as against Hume's empiricism, but that the researches of Lobatchewski and Riemann proved that, while ideal space might be defined and investigated *a priori*, actual space and its geometry as known to us are products of experience. It is clear that Darwin's theory of natural selection has a bearing on this problem. It will therefore be reconsidered later in this chapter.

But Boole, Jevons and Clifford had little influence among men of

---

[1] See F. A. Lange, *Geschichte des Materialismus*, Eng. trans. E. C. Thomas, vol. II, 3rd ed. p. 173.

science. Even physicists had lost touch so entirely with philosophy that when in 1883 attention was called by Ernst Mach to the philosophical basis of mechanics, his work was ignored by some, slighted as fanciful by others, and over-estimated for originality by the few who studied and appreciated it.[1]

In writing his treatise on mechanics he made use of the historical method, then unusual. His criticism of Newton's definition of mass and his account of the fundamental discoveries of dynamical principles have been described in Chapter VI.

Taking up the tradition of Locke, Hume and Kant, Mach pointed out that science does but construct a model of what our senses tell us about Nature, and that mechanics, far from being necessarily the ultimate truth about Nature as some believe it to be, is but one aspect from which that model may be regarded. Other aspects, chemical, physiological and so forth, are equally fundamental and important. We have no right to assume a knowledge of absolute space or time, since space and time are but sensations, and the one can only be referred to the frame of the fixed stars, and the other to astronomical movement. Space as known to us is a concept derived from experience, for Riemann and other mathematicians have imagined different kinds of space, or space-like manifolds. "A body is a relatively constant sum of touch and sight sensations." A natural law is "a concise compendious rule" giving the result of past experience as a guide to future sense-perceptions. Most of Mach's ideas may be found in the writings of the older philosophers, but they came quite fresh to the unphilosophic men of science of the late nineteenth century.

From the philosophic point of view perhaps the first important single effect of the new developments in physical science was produced by Lavoisier's demonstration of the persistence of matter through all chemical changes. The idea of matter gained through the sense of touch is one of the earliest concepts given to science by common sense, and led to the metaphysical concept of substance as that which is extended in space and persistent in time. It has been seen in earlier chapters how, at certain periods in history, the experience of solidity in matter recurrently gave rise to a materialist philosophy. Lavoisier demonstrated scientifically that, through all the apparent changes and disappearances of chemical action, the total mass as measured by weight remained unaltered, and thus he strengthened immensely the

[1] Dr Ernst Mach, *Die Mechanik in ihrer Entwickelung historisch-kritisch dargestellt*, 1st ed. 1883, 4th ed. 1901, Eng. trans. T. J. McCormack, Chicago, 1893, 2nd ed. London, 1902.

common-sense view that matter was an ultimate reality, for persistence in time is one of the common-sense marks of reality.

But it was the general impression produced by the success of physical science that had the most momentous effect on philosophic thought in the first two-thirds of the nineteenth century. Dalton's atomic theory, the reduction of the phenomena of electricity and magnetism to mathematical laws, the concordance with experiment of the wave theory of light, the revelation by spectrum analysis of the composition of the Sun and stars, the explanation of the constitution of all the host of organic compounds by structural formulae, the production of new compounds and even of new elements, and the method of predicting their existence even before their discovery—all these and other triumphs gave an overwhelming sense of growing power both in the interpretation of Nature and in the control of natural forces. It was difficult to remember that one mystery was only cleared up by expressing it in terms of another, and that, in ultimate analysis, the fundamental problems of Reality remained much as they were. And, indeed, this fact was often forgotten as the first sixty or seventy years of the century passed away, and uncritical men came to believe more firmly first in matter and force and then in matter and motion as ultimate explanations.

It will be well to trace more carefully the threads of thought which led to the idea of the dominance of matter and force. Newton himself, in framing his hypothesis of universal gravitational attraction, never accepted gravity as an inherent and ultimate property of matter, or action at a distance as a physical explanation. He says that he has been unable to satisfy himself about the cause of the attraction, and only puts forth a query whether it might not be due to an aethereal medium, which, being denser in free space than near matter, presses gravitating masses towards each other. He lays no stress on this suggestion, but he distinctly regards gravity as needing explanation, and leaves its cause for future consideration.

Nevertheless, during the eighteenth and early nineteenth centuries, it came to be assumed by many philosophers and some physicists that the Newtonian system, an extension of Galileo's idea of force, involved action at a distance, and was to be distinguished in this from the school which traced its pedigree back to Descartes, and sought to explain the interactions of matter by some comprehensible mechanical means. For instance, while the French physicists Ampère and Cauchy were investigating electric forces mathematically on the Newtonian law of inverse squares, in England Faraday and (later) William Thomson and Clerk Maxwell were studying the effect of the intervening medium, and trying to picture a mechanism by which the electric forces could be transmitted through it.

Similar questions arose in atomic and molecular problems. To the ancients, and indeed to Gassendi and Boyle, the atoms only acted on each other by collision and contact. Atoms with rough surfaces, even with teeth or hooks, were imagined in order to explain cohesion and other properties of matter. But, if atoms can act on each other at a distance, these ideas become unnecessary. The kinetic theory, it is true, is superficially a return to the view that atoms or molecules act on each other by direct collision. But it has to be assumed that, when near, the molecules exert forces on each other, and moreover, since they must be supposed to rebound on collision, they must be taken as elastic, and therefore must have structure and be composed of smaller parts. Even if atoms are in practice indivisible, in imagination they can be divided to infinity, and ultimately we must picture an infinitely small particle, that is a point, which, since it influences other similar points, must be a centre of force. Such reasoning led Boscovitch, an eighteenth-century Jesuit, to regard the atoms themselves as immaterial centres of force, and, in the nineteenth century, logically minded French physicists such as Ampère and Cauchy saw that the atom of their day had in analysis become an unextended bearer of forces, the idea of solid particles being only retained in deference to the materialist instincts of unphilosophic minds. Nowadays the atom is no longer unextended; even the electron shows signs of a more minute structure, and is being sublimated into a source of radiation or a disembodied wave-system. When we look beyond the electron, we still seem to be left with the alternatives of regarding the ultimate units of matter as unextended centres of force, or of imagining an infinite series of structures, one within another, and each more minute than the last.

But, in spite of Boscovitch, Ampère and Cauchy, with their reduction of the atom to a mere centre of force, Newtonian science, based on particles of matter and the similar ideas applied by Lavoisier to chemistry, led many of those interested in such things to an opposite philosophy, which regarded hard lumps of matter as the sole reality, while the forces between them were accepted as their only mode of action. Helmholtz and other physicists regarded the reduction of a problem to mass and force as an adequate solution. In this they followed Newton. It was a mathematical solution, and as such satisfactory, though not a physical explanation. But those who were not familiar with physics thought they regarded a mathematical solution as an ultimate explanation.

In the eighteenth century, philosophic materialism, as explained in Chapter v, was revived in France; in the nineteenth, it arose anew in Germany.[1] The early protagonists, Moleschott, Büchner and Vogt, based their philosophy definitely on the results of science, and especially on those of physiology and psychology. But the title of Büchner's book, *Kraft und Stoff* (1855), shows that the ideas of force and matter as ultimate realities formed an essential part of the movement. Perhaps the attention thus called to the clear-cut results of natural science had a healthy effect after half a century of somewhat foggy Hegelian idealism, but it is remarkable that this revival of a materialist philosophy arose when among men of science matter had been replaced by the accurately definable quantity mass, and "force" was shown to mean ambiguously either force or energy. Moreover, these German writers confused their materialism with sensationalism and scepticism. The old idea, of a materialist conception of history, was revived, and, coalescing with exaggerated *Darwinismus*, was taken by some Communists as a basis for economics and politics.

The acceptance of the principle of the conservation of matter led to a somewhat crude materialism. The later establishment of the corresponding principle of the conservation of energy, though it could not be pressed into the service of philosophic materialism, was used as evidence for the allied theory of philosophic mechanism and determinism.

In the first place, it helped to throw doubt on the prevalent form of biological vitalism, which held that in living beings there exists a vital force, which controls or even suspends physical and chemical laws, adapts the organism to its environment, and shapes its ends. It was now seen that animals, like machines, can only move and do work when supplied with energy from without—with fuel in the form of food, and with air containing oxygen. If control be exercised by a vital principle, it must be in a more subtle way than had been assumed. It was still possible to imagine an evasion of the second (or statistical) law of thermodynamics by some such action as that of Maxwell's hypothetical daemon, but the first law—the principle of the conservation of energy—was seen to hold good in living as in dead systems.

Secondly, if the amount of energy in the Universe is limited and constant, we are faced with the possible cessation of the Sun's activity,

[1] F. A. Lange, *loc. cit.* vol. II, chaps. II, III.

as well as with the problem of the age of the Earth in the past and its life in the future. The old idea that the Sun was a hot body slowly cooling was seen to be inadequate; even if it were made of coal it would burn out and its heat be exhausted in a time all too short. But the new physical principles also showed that immense stores of energy would be converted into heat as the original nebula condensed and its parts fell together to form the Sun. Moreover, a steady contraction of the Sun, if still going on, would continue this evolution of heat, and, it was thought, perhaps give time enough for solar existence. In 1854 Helmholtz calculated that a contraction of one ten-thousandth part of its radius would supply the heat radiated by the Sun for more than 2000 years.

William Thomson, afterwards Lord Kelvin, estimated the age of the Earth by a similar calculation and used it to supplement others based (1) on the heat conducted upward through the crust of the Earth, and (2) on the frictional effect of the tides in lengthening the day. In 1862 he estimated that less than 200 million years ago the Earth was a molten mass, and in 1899 he shortened the limit to something between 20 and 40 million years. By this time, both the geologists and the biologists demanded a much greater time for the Earth and its inhabitants. A pretty quarrel arose, but the bases on which the physical calculations were founded were undermined, first by the discovery of possible new sources of heat in radio-activity, and then by the new atomic and cosmic theories of to-day. In the tremendous temperatures inside the Sun and stars, transmutation of one element into another, and even the direct conversion of matter into energy, are now held to occur, and would supply stores of heat far transcending those contemplated by the older theories. The historians of cosmic and organic evolution can now have as much time as they want.

The numbers involved in early calculations are not important. Whatever be the length of the past life of the Sun and Earth, the principles of the conservation and dissipation of energy pointed to a beginning and an end, and brought the investigation within the bounds of science.

William Thomson also studied the problem in another way with the help of the second principle of thermodynamics. Mechanical work can only be obtained from heat when heat passes from a hot body to a cold one. This process tends to diminish the difference of temperature, which is also decreased by conduction of heat, friction, and other irreversible processes. The availability of energy in an irreversible

The Theory
of Energy

system is always becoming less, and its converse—the quantity called by Clausius the entropy—is always tending to a maximum. Thus the energy of an isolated system, and therefore (it was assumed) of the Universe, is slowly passing into heat, uniformly distributed and therefore unavailable as a source of useful work. Eventually, it was thought, by this dissipation of energy the Universe must become motionless and dead.

Thomson's work, like that of Newton, was seized upon by those who confused physical science with mechanical philosophy, and our model of nature with ultimate reality. The "death of the Universe" was thought to be another proof of atheism and philosophic determinism. But, on the alternative theistic theory, if God created the World, there seems to be no good reason why He should not bring it to an end when He has had enough of it; and man's soul, being by this hypothesis spiritual and immortal, can regard with equanimity the supersession of a physical Universe in which it will have ceased long since to be confined. Again, the application of the principles of thermodynamics to cosmic theories, at all events on nineteenth-century evidence, was of doubtful validity. It was unjustifiable to extend to the Universe results inferred from such limited instances, even though they had been successfully used to predict the behaviour of finite isolated or isothermal systems. We now know that the problem is far more complicated than was understood when it was first formulated. Moreover, even if the beginning and the end of the Sun and the Earth as they exist at present were made clear by science, it must be pointed out that the bearing of the result on the metaphysical problem of the origin, meaning and end of the Universe as a whole is very small. The lives of the Sun and Earth, indeed of the whole galaxy of stars, might be traced from the primaeval nebula to the final dead state; we should but have traced a few stages in the evolution of the Cosmos, and should still be as far as ever from solving the mystery of its existence.

Psychology

The mind of man can be studied in two ways, rationally or empirically. Assuming some metaphysical system of the Universe— say, for instance, that of the Roman Church or that of the German materialists—we can deduce rationally the place of the human mind in that system and its relations thereto. On the other hand, assuming no such system, we can investigate the phenomena of mind by empirical observation and perhaps experiment. This empirical study can be made by two methods, by introspection of our own minds, or by objective observation and experiment on the minds of ourselves or of others. By this last course, psychology becomes a branch of *Psychology* natural science.

At the beginning of the nineteenth century, rational psychology was characteristic of Germany, where in the Universities it was combined with cosmology and theology in a broad study of metaphysics. Empirical psychology had already appeared in England and in Scotland, and followed introspective methods, which held the field for two-thirds of the century, especially in the hands of James Mill and Alexander Bain. In France a beginning had been made in the examination of mind in its outward manifestations as a physiological and pathological problem, and also by an examination of its external signs in language, grammar and logic.[1]

When the methods of science were extended to subjects other than those in which they arose, rational psychology was speedily replaced by empirical in all countries. In this form Herbart used it in Germany in opposition to the prevailing systematic idealist philosophy, though he still based his psychology on metaphysics as well as on experience. On the other hand, especially in the works of Lotze, it was made the basis of a deeper discussion of the materialist hypothesis than could be found in the writings of Vogt, Moleschott and Büchner. The Germans received with some surprise this empirical "psychology (Seelenlehre) without a soul", i.e. without a preconceived system of metaphysics, for the German mind, from Leibniz onward, has always sought to construct a broad rational theory of the Universe before examining any part of it. But empirical psychology came naturally to the "common-sense" outlook of Englishmen and Scotsmen. As often before, they were well able to follow a line of thought in isolation as far as it proved practically useful, without reference to its apparent logical effect on other subjects. British psychologists for the most part left theology to theologians and metaphysics to metaphysicians, even while their own methods, though empirical, were introspective. When they became experimental, this attitude of course became even easier. French psychology, chiefly in the hands of physiologists and physicians, naturally led the way in scientific experimental methods, and was in no danger from metaphysical systems. And, when psychology, like natural science, became international, the French contribution had perhaps the greatest influence.

The attitude of physical science, including physiology and experimental psychology, is analytic, regarding a problem successively from different aspects—mechanical, chemical or physiological—and, in

[1] J. T. Merz, *loc. cit.* vol. III, p. 203.

each, resolving the subjects of study into simple concepts, such as cells, atoms, electrons, and their mutual relations. But biology suggests that each living being is an organic whole, and, even more markedly, each man feels in himself a deep-seated consciousness of unity of being. While science deals with relations which can be verified by any competent observer, each man's mind is fully accessible only to himself. Hence this consciousness of unity cannot be adequately investigated by scientific methods. In physiology and experimental psychology, it is necessary to suppose that animals are subject to and explicable by physical and chemical principles, and that man is a machine, for no progress can be made on any other assumption. But when continental pseudo-logicians argued that this useful working assumption represented reality, and that man is *nothing but* a machine, the British, with their usual common-sense point of view, saw that though it was in accordance with one set of facts, it did not agree with another, and they were quite content to regard man as a machine in the physiological laboratory, as a being possessing free will and responsibility when they met him in the ordinary affairs of life, and as an immortal soul when they went to church. Each view was found to be a good working hypothesis for its own special purpose, so why not use them all at appropriate times and places? They may be reconciled some day in the light of future knowledge, and meanwhile they all help to get things done. This characteristic British attitude of mind was shown not only in the days of Newton and at the inception of modern psychology, but in many other scientific and philosophic problems of the nineteenth century and afterwards. Though it seems illogical to continental minds, it may still be the true scientific attitude. It takes theories as working hypotheses as long as they produce useful results, and, if they do so, does not shrink from employing simultaneously two theories which, in the then state of knowledge, look mutually inconsistent. If either proves incompatible with facts (or with cherished convictions), it can readily and easily be dropped. At the present time physics, hitherto the most rational of sciences, is using two fundamental theories apparently quite inconsistent with each other, thus perhaps justifying the British habit of mind.

Alexander Bain (1818–1903) was one of the first to use contemporary scientific knowledge in the empirical examination of mental processes by the introspective method. He followed Locke's theory that the phenomena of the mind can be traced back to sensations, and adopted "the association psychology" of British writers from Hume to James Mill, whereby higher and more complex ideas are supposed to be compounded out of simpler elements by association. Bain strengthened these principles by evidence drawn from physiology, though he did not fully appreciate the bearing that the French researches on morbid psychology had on the theory of the normal action of the mind, and he completed his main work before the days of evolution brought a realization of the contrasted influence of heredity and environment.

Even when psychology looked to natural science for help, there were for a time characteristic national differences in its application. In France and England it was the *methods* of science which were used—observation, hypothesis, deduction of consequences, and comparison of these with further observation and (later) experiment. In Germany, though idealist Hegelian metaphysics, which had come to be somewhat discredited, were no longer used as a basis, psychologists still sought to build on a metaphysical system. As natural science was in the ascendant, and Johannes Müller and Liebig were applying physiology and chemistry so successfully to medicine and industry, the psychologists took over scientific concepts, instead of only scientific method. They proceeded "to elevate the supposed elementary notions with which the natural sciences operated and which were in current use, such as matter and force, to the rank of fundamental principles for the mental sciences or even to that of articles of a new creed" This "led to an abstract and contracted view of mental phenomena, to hasty generalizations, and in the end to purely verbal distinctions".[1]

But about this time—the middle of the nineteenth century—the application of physical methods, brought in from different sides, produced a revolution in psychology. Curiously enough, psychophysics can be traced back to Bishop Berkeley, who, in his *New Theory of Vision*, referred our awareness of space and matter ultimately to the sense of touch. Its later development began with Galvani's discovery that the legs of frogs contracted when touched by two different metals. This observation, besides starting the great science of current electricity, led to wild speculations in physiology and psychology. Enthusiasts unqualified for scientific research, misusing Galvani's work and also Mesmer's investigation of the phenomena of hypnotism, falsely called "animal magnetism", degraded the study of the rôle of electricity in physiology till Helmholtz and du Bois Reymond applied scientific methods again a generation later.

We have seen how Gall's work on the localization of sensation in parts of the brain was similarly degraded by popular ignorance into

[1] Merz, *loc. cit.* vol. III, p. 211.

the absurdities of "phrenology", but, in more careful hands, it led to a great increase of knowledge of cerebral action. The special senses were studied from the physical side by Thomas Young, who revised and improved Newton's theory that colour vision depends on three primary colour sensations, and by Helmholtz, who, in his study of physiological acoustics, elucidated the physiological basis of music and speech. Again, in his physiological optics, Helmholtz not only advanced our knowledge of the sensation of sight and colour vision, but helped also to analyse our perceptions of space, using among other methods the stereoscope invented earlier by Sir Charles Wheatstone.

But it was E. H. Weber, of Leipzig, who began the present science of experimental psychology by his observations on the limits of sensation. For instance, touching different parts of the skin simultaneously with two pins, he measured their distance apart when they can just be felt as giving separate pressures. He also investigated the increase in a stimulus necessary to produce an increase in sensation. Here he discovered a definite mathematical relation—that the stimulus must increase according to its intensity at the beginning of each step, that is, in a geometrical progression.

Among the more philosophically minded, the new outlook had been early recognized by Beneke in his *Psychologie als Naturwissenschaft* (1833), Lotze (1852), who accepted mathematical methods as applicable to some parts of psychology, and Fechner, who first used the term "psychophysics" (1860). The modern school appears plainly in Wundt, of Leipzig, who, besides making measurements himself, as on the sensation of time, collected the different threads of enquiry into a coherent whole. While appreciating to the full the use of the analytic method in the study of special problems, Wundt never lost sight of the fundamental unity of the inner life. Here again the work of Darwin marked an epoch. His study of the expression of the emotions in animals and man opened the way to the modern subject of comparative psychology, which has thrown so much light on the human mind.

The most characteristic contribution of the later nineteenth century to the main psychological problem of the relation of mind and body is the theory of psychophysical parallelism. Its germ can be traced through Descartes, Spinoza and Leibniz to Weber, Lotze, Fechner and Wundt. Physical and psychical phenomena clearly run parallel; they are simultaneous if not connected. The theory regards consciousness as a concomitant epi-phenomenon of the more accessible though complex changes in the nervous system. For the purposes of psycho-

physics this is enough: we do not need to know whether the epi-
phenomena have independent existence. But conscious life has the
faculty of continuous growth as it becomes manifest in language,
literature, science, art and all the social activities—a growth in mental
values. Hence psychology has become connected with, and has given
new power to, the sciences of language, philology and phonetics, and
through them has found a way of penetrating from the outside world
to the inner world of thought.

The examination of the central problems of the unity of self-
conscious life is at present beyond the methods of exact science. Here
we pass into metaphysics. Is the feeling of unity the reflection of a
reality, and has the inner mind, soul, call it what we will, an independent existence? On the other hand, is it only a derived complex,
built up by the grouping together of sensations, perceptions and
memories, as later developments of "association psychology" suppose?
Does it control the body, is it a mere epi-phenomenon of the brain or
is there some higher unity? Cabanis suggested that the function of
the brain in its connection with thought should be studied as the
functions of other bodily organs, and this was put in coarse language
by Vogt, who said that the brain secretes thought as the liver secretes
bile. That materialist outlook is crude and unsatisfying, but it serves
to focus the greatest problem which psychology hands over to
philosophy.

If the discoveries of the principles of the conservation of matter and
energy, combined with the atomic theory, were used as the chief basis
of materialism, the simultaneous progress of physiology and psychology
in the first half of the nineteenth century led to a strengthening of the
mechanical philosophy, which, illogically but inevitably, was confused with materialism. Johannes Müller, with his *Handbuch der
Physiologie* (1833), and E. H. Weber were the pioneers of scientific
method in this subject in Germany. Then came the French influence,
especially in the physiology of the brain and nervous system, and the
psychology and treatment of mental disease founded on it. Next came
the application of statistics to human actions by Quetelet. This extension of science over new domains was seized on by Vogt, Moleschott,
Büchner and other German materialists to support their metaphysics.
The old arguments used a hundred years before in France were
revived and developed with the added weight of the new physics,
physiology and psychology behind them. In some continental countries,
ecclesiastical conservatism found effective means of suppressing these
views, till the struggle for political liberty was combined with that for

intellectual freedom, and culminated in the revolutionary outbreaks of 1848.

In the following years the industrial changes, which had already gone far in England, began to extend to the Continent. Science, and especially chemistry, came into closer relation with ordinary life. In practical England, this process had had little effect on religious orthodoxy, but, in logical France and metaphysical Germany, it certainly helped to swell the rising tide of mechanical and materialistic philosophy. Moreover, compared with idealist systems, materialism has a superficial simplicity. Büchner, in his *Kraft und Stoff* (1855), proclaimed that "expositions not intelligible to an educated man are not worth the ink they are printed with", and in Germany the "materialistic controversy" reached sections of the people that it never touched in other countries. As Lange says, "Germany is the only country in the world where the apothecary cannot make up a prescription without being conscious of the relation of his activity to the constitution of the universe".[1]

It is impossible to read the works of the Germans who called themselves materialists in the middle of the nineteenth century without seeing that theirs was no thorough-going, logical materialism like one side of the dualism of Descartes. Moleschott, Vogt and Büchner confuse materialism with naturalism, with sensationalism, even with agnosticism. Indeed, the name seems to cover in turn almost any views which could be opposed to the prevalent German idealism or to ecclesiastical orthodoxy. It was a philosophy of revolt, and used any stick which came to hand. Philosophic materialism, the idea that the only ultimate reality is to be found in lumps of dead matter, cannot explain consciousness or stand for a moment against critical analysis. But many of the systems with which in this Teutonic fog it was confused cannot be refuted out of hand. Hence the prolongation and general inconclusiveness of the discussion.

The great dividing line in this realm of thought, especially in Germany, was the work of Darwin. When the *Origin of Species* became generally known, German philosophers, led by Ernst Haeckel, developed Darwin's teaching into a philosophic creed. On this *Darwinismus* they founded a new form of monism allied to materialism, and thenceforward in all countries such controversies ranged themselves round the concept of evolution.

The general acceptance of the theory of evolution, as based by Darwin on natural selection, produced profound changes not only

[1] Lange, *loc. cit.* vol. II, p. 263.

in those sciences directly affected, but also in many other realms of thought. To a consideration of these changes we must now turn.

Even in the first half of the nineteenth century science began to influence many other branches of human activity as well as philosophy. Its dispassionate methods of enquiry, its effective combination of observation, logical reasoning and experiment, were found useful in other subjects. By the middle of the century this tendency began to be realized. Helmholtz says:

I do think that our age has learnt many lessons from the physical sciences. The absolute, unconditional reverence for facts, and the fidelity with which they are collected, a certain distrustfulness of appearances, the effort to detect in all cases relations of cause and effect, and the tendency to assume their existence, which distinguish our century from preceding ones, seem to me to point to such an influence.

When one looks at the history of politics, down to our own day, one tends to feel that Helmholtz was too optimistic. But perhaps comparison with former ages may go some way towards justifying him. Men learnt in the nineteenth century that the subject of economics, at all events, was suitable in parts for mathematical treatment, and that it would be the better throughout for dispassionate and expert study, the results of which, though sometimes mistaken, can at least be honest attempts to reach the truth.

In statistics, the methods of mathematics and physics were definitely applied to the problems of insurance and of sociology. As explained already, these applications were first made to anthropology by Petty and by Graunt in the seventeenth century and by Quetelet in the years from 1835 onwards. Quetelet showed how the numbers of men possessing a certain quality, such as stature, are grouped round the mean representing the extent of the quality in the average man, so that the theory of probability could be applied. He obtained results similar to those of games of chance or the distribution of molecular velocities,[1] and represented them on similar diagrams. The subject of social statistics was carried further in England by William Farr (1807–1883), who, from a post in the Office of the Registrar General, did much to improve medical and insurance statistics, and to put the census on a sound basis.

During the later years of the century, evolutionary philosophy modified profoundly men's conceptions of human society.[2] It has, in

---

[1] See p. 285.
[2] See Cowles on Malthus, Darwin and Bagehot, *Isis*, No. 72, 1937, p. 341.

fact, destroyed for ever the idea of finality, whether in the State as it is or in a future Utopia. Political institutions, no less than living beings, must fit their environment. Both are subject to variation, and, for the social weal, they must develop *pari passu*. Institutions successful with one race may fail lamentably with another. Representative Government on the British model may not be applicable to every nation. The demonstration of innate differences and variations in body and mind destroyed for ever the idea that biologically "all men are born equal".

A similar change passed over economics. The formal political economy of the earlier days of the science sought to establish laws of society, eternal, universal, valid for all times, in all places, and for all peoples. Doubt was thrown on this idea of absolute laws by the historical school, which, in many directions, has shown that every state of society has economic laws of its own, and that their application varies with the ever-varying environment.

The changes in political institutions and in economic conditions are not as slow as those in biology. Still, even in them, it is not possible to take short cuts to the next stage, or indeed to know where the next stage will lead us. Survivals of past times are found side by side with rudimentary forms ready for new growth. As morphology discloses in the animal body vestiges of organs useful in past phases of organic evolution, so the study of social institutions reveals traces of the older stages through which they have passed. From these traces, rightly interpreted, their history and origin may often be inferred. And, from a knowledge of history and origin, light is cast on present meaning and true significance, perhaps even on the probabilities of the future.

If man has been brought into being by the same processes of evolution as the animal races, he must be subject still to the same variation and selection. When Francis Galton, working on this idea about 1869, traced the inheritance of physical and mental qualities in mankind, it followed that selection must continue to operate not only in order to maintain the race in the direction that civilized men have agreed to consider upward, but even in order to prevent its deterioration. Galton gave the name Eugenics to the study of the inborn transmissible qualities of mankind and the application of the knowledge so obtained to the welfare of the human race.

In civilized states it is probable that the most powerful agent in natural selection is disease. Those specially liable to any particular weakness tend to die early and leave no offspring, and in this way the hereditary predisposition to the complaint is bred out of the race.

But any change in the environment, as explained in Chapter VII, whether produced by law, social custom or economic pressure, must favour some strains more than others in a mixed race, and thus modify the average biological quality of the population. Galton's work threw a new light on social questions: biological knowledge was shown to be applicable to politics, economics and sociology. But his ideas were too much out of harmony with nineteenth-century equalitarian thought to produce a great effect at once; it was only after the end of the century that they won even partial acceptance.

Science and Sociology

When we pass to the bearing of Darwin's work on theories of politics, we find that no consensus of opinion was reached. The principle of the survival of the fittest was used to revivify aristocratic ideas by Vacher de Bourget, Ammon and Nietzsche. But, on the other hand, it was urged that evil qualities may have an advantage in present conditions; that a secure aristocratic position removes competition and therefore selection; that "equality of opportunity" is of the essence of Darwinian progress. Moreover, socialists pointed to the societies formed by animals for mutual aid, and drew attention to their great survival value, thus finding in the lives of the bee and the ant arguments for a communistic order of society. But such a society leads to a finality of development, and ends by becoming stationary. The bee world has shown no signs of progress during the two thousand years that it has been under observation. It is rigid, utilitarian, self-sufficing—a model of communal life, when human desire and individual initiative have been bred out of the race. Such divergent results show at least one fact—that the application of the principle of natural selection to sociology is so complex a problem that almost any school of thought can obtain from it valid arguments for their own special tenets.

Yet it is a curious psychological fact that, whether in studying family history or in speculating about the origin of humanity, man prefers to fancy that he has fallen from the state of ancestors better than himself rather than to believe that he has risen in the social or racial scale. This faith in the value of heredity, like other such prepossessions, probably has more value than the nineteenth century was willing to believe, and should be treated with respect. Men may therefore be forgiven when they provide themselves, if Nature and the College of Arms have omitted to do so, with noble forebears, in much the same way as primitive races postulate a direct descent from the gods, or, if somewhat more modest, claim only a specific divine act of creation to have been exercised in their favour. Even civilized man, confronted with the choice between the Book of Genesis and the *Origin of*

Science and Sociology

Species, at first loudly proclaimed with Disraeli that he was "on the side of the angels".

Yet the evidence of man's affinity with animals was overwhelming, and soon prevailed within the limited circle where rational discussion was possible. As Copernicus and Galileo deposed the Earth from its position at the centre of the Universe, so Darwin took man from his cold pedestal of isolation as a fallen angel, and forced him to recognize his kith and kin in Saint Francis' little brothers, the birds. As Newton proved that terrestrial dynamics hold sway in the heights of heaven and in the depths of space, so Darwin sought to show that the familiar variation and selection, by which man moulds his flocks and herds, may explain the development of species and the origin of man himself from lower beings. The Darwinian hypothesis of natural selection may be unable to explain the conversion of one species into another in the world of to-day. But the broad concept of evolution has been only confirmed by more recent knowledge. Organic nature, like physical nature, can from this point of view be regarded as a whole—a new and mighty revelation to the human mind.

Evolution and Religion

If the influence of Darwin was great on sociology, he produced an even more profound effect on the theory of religion, and on those doctrines in which, at the time, religion was enshrined by theology. The destruction of the crude dogma of separate specific acts of creation, though it now seems to us but the most superficial of the results, was the most obvious, and over it the clash first came.

During the Middle Ages men had freely speculated from time to time on the natural origin of different forms of life.[1] The emphasis laid by the Protestant Reformers on the verbal inspiration of the Bible led to a more literal interpretation, and by the eighteenth century an acceptance of the details of the story of organic creation, as given in the first chapter of Genesis, became necessary to orthodoxy. In the nineteenth it was apparently believed by almost the whole Christian world. Geological study must have suggested doubts about the chronology of Archbishop Ussher, who put the date of creation in the year 4004 B.C., but even a well-informed man seriously contended in 1857 that God had put misleading fossils into the rocks to test the faith of mankind. It may be impossible logically to refute this argument; indeed the world may have been created last week, with fossils, records and memories all complete; nevertheless the hypothesis seems improbable.

---

[1] *Darwin and Modern Science*, Cambridge, 1909; Rev. P. N. Waggett, *Religious Thought*, p. 487.

The discussion which followed the publication of the *Origin of Species* in 1859 first challenged the popular belief in definite acts of creation for each species. Gradually the cumulative evidence for evolution, and for natural selection as, at all events, one factor in its process, penetrated the educated part of each nation. Again, the principle of natural selection seemed to weaken immeasurably the old "argument from design" of the Christian apologists. Adaptation of means to ends in plants and animals received a naturalistic interpretation, which, if not complete in the deepest recesses of the problem, went far towards a superficial solution. No longer was it thought necessary to invoke an intelligent and beneficent Artificer to explain the details of bodily structure or the protective markings on a butterfly's wing. If there was still need of a Creator, it seemed likely that He had turned away and left the great machine to spin unheeded down the ringing grooves of change.

But gradually it became clear that the destruction of untenable positions was a real service rendered to an unwilling theology by the revelation of evolution. Soon leading theologians, and later the more timid clergy, came to realize that creation must be regarded as a continuous process, that life, essentially one, was much more wonderful and mysterious than they had thought. To trace the method by which species, with their characteristic bodily and mental qualities, developed from earlier forms did little to explain the essential meaning and origin of life or the phenomena of consciousness, of will, of the moral and aesthetic emotions. Still less did it touch the terrible problem of existence—why anything (or nothing) *is*. There was still room— indeed the whole Universe—for a sense of awe and mystery, still room for reverent enquiry, for faith in things unseen. Instead of the childish story of the six days, with their separate acts of creation, the real problem of Being arose, stupendous, overwhelming.

While Huxley, the Duke of Argyll and the bishops were exciting themselves and the world about Darwin and the Book of Genesis, changes much more important and fundamental than those they were discussing were quietly going on. The idea that some of the orthodox beliefs and practices of our own day had developed from more primitive cults of the past had been suggested by isolated thinkers, among others by Hume and by Herder. But that idea only became an effective starting-point for the comparative study of religions under the stimulus of Darwin's work. The more recent results of this study belong to the twentieth century. But, before the end of the nineteenth, certain striking facts had emerged. Dr E. B. Tylor, one of the first

anthropologists in this field, published a book on Primitive Culture
in 1871. Darwin wrote:

> It is wonderful how you trace animism from the lower races up the religious
> belief of the highest races. It will make me for the future look at religion—a belief
> in the soul, etc.—from a new point of view.

The study of anthropology was advanced by others, working on
similar lines. In Sir James Frazer's *Totémism*, published in 1887,
information on totemism and marriage customs was collected from
widespread sources. Totemism is derived from animism, and involves an elaborate net of custom, woven round the idea of the totem,
or sacred animal, which is connected in a mystic way with the tribe
or the individual that bears its name. Savage life is dangerous, crises
are frequent, and ill-luck, incalculable and mysterious, is of all things
to be guarded against. Customs grow up which are thought to help
in crises and to prevent ill-luck: woe to him who transgresses them!

In the first edition of *The Golden Bough*, which appeared in 1890,
Frazer took as his text the rites at Nemi, near Aricia in Italy, where,
down to classical times, one priest reigned as *Rex Nemorensis* till slain
by another. Similar customs among primitive or savage peoples can
be traced back to sympathetic magic, whereby the drama of the year,
with death at harvest and a joyous resurrection at each new spring,
is symbolized by rites and ceremonies, and, it is thought, the continued
fertility of crops and herds can thus be secured to mankind. Sympathetic magic, mingled with other factors such as fear of the dead,
leads to ideas of superhuman gods or daemons, and the nature-rites,
including those of initiation and communion, are continued with new
meanings.

In some such way as this the anthropologists who first used the
concept of evolution found the mind of the savage to work, and the
framework of primitive religion to be formed. The bearing of their
discoveries on the early history of the religions of civilized races was
obvious, but it took some time to become widely known. It made less
noise than the somewhat superficial controversy about special acts of
creation, but, in the twentieth century, its ultimate effects have been
and will be much greater.

Thus, in several ways, the acceptance of the theory of evolution on
the basis of natural selection first disturbed, and then benefited the
theological or dogmatic framework of religion, which is so often confused with religion itself. Christian thought, save in obscurantist
quarters, accepted the theory of evolution, and is now slowly coming to

accept in general the modern outlook. Forced to reconsider its premises, it created a new spirit of reverent enquiry and freedom of thought. In place of the theory of a rigid and complete body of doctrine, delivered once for all to the Saints, a theory constantly liable to dislocation through the shocks of historical discovery, religious men gained the vision of an evolution of religious ideas, of continuous revelation marked at certain times by supreme outpourings, but never ceasing to interpret the Will of God to mankind. Moreover, by this modern spirit, they have been driven in the study of religion to give proper weight to that observational method which has proved so necessary in science. This has led to the consideration of the variety of religious experience, and to a recognition of the value of mystical insight as an individualist complement both to ritual as a communal act of worship and to authority as the guardian of tradition.

On the practical side of religion—the side of ethics—evolutionary ideas first brought science into close contact with the problem of the basis of morality. If the moral law has been delivered to mankind once for all amid the thunders of Sinai, there is no more to be said. Man has a perfectly valid reason for his ideals of conduct, and has nothing to do but obey, and, as far as in him lies, to make other people obey also.

But, if we are not sure about Sinai, we are driven to feel for other ground on which to plant our drowning feet. This has been sought in two places. Either, with Kant, we must accept the moral law of our consciences as an innate "categorical imperative", to be accepted as an ultimate, undoubted, though inexplicable fact, or alternatively we must look for some naturalistic explanation.

Bentham, Mill and the utilitarians looked for a naturalistic basis in the securing of "the greatest happiness of the greatest number", and thought that, if man's feeling of unity with his fellow-creatures was taught from infancy as religion is taught, with the whole force of education and practice, there need be no doubt about the force of the sanctions for altruistic conduct. Henry Sidgwick's criticism and reconciliation of the opposing intuitional and utilitarian schools led him to see the moral process as the removal of the centre of interest from the moment and the individual, to the longer life and wider range of social welfare.

But utilitarian ethics only came into touch with fundamentals when they were modified by the evolutionary philosophy. The first systematic attempt so to modify them was made by Herbert Spencer, but the more extreme form of evolutionary ethics appeared in the developments of Darwinism in Germany.

The main thesis, of course, is that moral instincts are chance variations preserved and deepened by natural selection. Families and races which possess those instincts gain an advantage in solidarity and co-operation over those that have them not. Thus, by inheritance, moral instincts are developed in mankind.

This is merely explanatory. It shows, on the hypothesis of natural selection, how moral instincts, once in being, grow in power. But the struggle for life takes place between individuals as well as between races, and the contrast between the moral law and the selfishness needed for success in that struggle impressed most writers rather than did the social unity indicated by the deeper analysis. They "saw nature red in tooth and claw", and thought that morality stood little chance. Thus Huxley held that the cosmic and moral orders are in perpetual conflict, that goodness or virtue is opposed to those qualities which lead to success in the struggle for existence.

For some time there was no dispute about the content of ethics. Neither intuitionists nor utilitarians nor evolutionists opposed the traditional or Christian morality; they were only concerned with its fate when the dogmatic religious sanction should be removed. On the practical side of ethics there was complete agreement; on the speculative side controversy and confusion.[1]

But, when metaphysical Germany and logical France fully assimilated the idea of natural selection, the lessons of the struggle for life were pressed to their conclusion. If evolutionary philosophy be accepted without reserve, are not the qualities which favour the survival of the fittest the real moral qualities? Nietzsche in particular taught that Christian morality was a slave morality, useless and outgrown, and that the super-man, to whom the world must look for enlightenment and control, would have freed himself completely from such hampering restrictions. Taken up by politicians and militarists, this teaching did much, in combination with the success of the wars of 1866 and 1870, to form the mentality of Germany, and to bring about the cataclysms of 1914 and 1939. In France the influence was more individual than political; but the "struggle-for-life" became a catchword among those, to be found in all ages, who wanted a finely sounding excuse for ignoring conventional morality.

It is easy to criticize this particular set of ideas. If brute strength and selfishness are the only qualities of survival value, on the evolutionary hypothesis itself there can be no explanation of the moral

[1] A. J. Balfour, in *Mind*, vol. III, 1878, p. 67; T. H. Huxley, in *Nineteenth Century*, vol. I, 1877, p. 539.

feeling or conscience, which certainly exists in most men. On the other hand, to explain the development of the moral sense as an outcome of natural selection between groups does not invalidate it, though it may weaken it to some men by changing its basis from an arbitrary precept of revealed religion to a social instinct of survival value, part of the wonderful whole in which our life is set.

Evolution and Religion

The complete theory of the Ethics of Naturalism has been studied critically in England especially by James Ward and W. R. Sorley.[1] Both writers conclude that the efforts of the supporters of naturalism to derive an ethical doctrine from the basis of evolution alone are fruitless, and that an idealist interpretation of the Universe is as necessary for secure ethics as for rational metaphysics.

The influence of Darwin on metaphysics might well be included in this section on religion, for, on the dogmatic side, religion is a metaphysic. Since, however, questions other than religious ones are involved, it will be better to deal with the whole subject under the next heading of evolution and philosophy.

In attempting to estimate the influence that the establishment of the theory of evolution had on philosophic thought, we must remember the history that has been traced in the foregoing pages.

Evolution and Philosophy

As thought has moved on from age to age, mechanical and spiritual theories of the Universe have alternated with each other in recurring pulsations which hitherto seem to have been necessary for a healthy growth of knowledge. With each great advance in science, with each subjection of a new kingdom to the rule of natural law (as the process comes to be regarded), the human mind, by an inevitable exaggeration of the power of the new method, tends to think that it is on the point of reaching a complete mechanical explanation of the Universe. The Greek atomists made a guess at the structure of matter, a guess which chances to accord with modern views, though, from the scientific point of view, their evidence for it was most exiguous. Not content with applying their theory to the inorganic world, they framed accounts and explanations of life and its phenomena on the idea of a "fortuitous concourse of atoms", all unconscious of the vast complexity of inorganic nature, and the still vaster world of new phenomena which had to be explored before the problem of life, for which they gave a confident solution, could even be approached. Yet the atomists did good work, and did it under the inspiration of a materialist philosophy. But the insufficiency of their evidence was recognized

[1] James Ward, *Naturalism and Agnosticism*, 1899; W. R. Sorley, *Ethics of Naturalism*, 1885, 1904.

by Plato and Aristotle, who, also on doubtful ground, framed two varieties of idealism, which, adapted successively by Christian theology, were handed on to the Middle Ages as the characteristic thought of ancient Greece.

When the growth of knowledge began afresh at the period of the Renaissance, the natural oscillations of opinion once more became apparent. The triumph of Copernicus, and the amazing success of Newton in interpreting the phenomena of the heavens, led up to an exaggeration of the power of their methods. Laplace thought that a skilful enough mind would be able to calculate the whole of the past and future history of the Universe from a knowledge of the momentary configuration and velocities of the masses composing it. At each step in advance this over-estimation of the possibilities of mechanism became a marked feature in contemporary thought. As each new piece of knowledge was assimilated, the old problems were seen in their essence to be unaltered; the poet, the seer and the mystic again came into their own, and, in new language, and from a higher vantage ground, proclaimed their eternal message to mankind.

Now, speaking broadly, a manifestation of this recurrent phenomenon of a wave of mechanical philosophy was the first main result of Darwin's success. Quite legitimately and without exaggeration, the establishment of the principle of evolution greatly strengthened the feeling of the intelligibility of nature, and gave new confidence to those who based their theory of life on scientific ground. With the new physiology and psychology it was the complement on the biological side of the contemporary tendencies in physics, tendencies which pointed to a complete account of the inorganic world in terms of eternal, unchanging matter, and a limited and strictly constant amount of energy.

The application to living beings of the principles of the conservation of matter and energy led to the exaggerated belief that all the various activities, physical, biological and psychological, of the existing organism would soon be explained as mere modes of motion of molecules, and manifestations of mechanical or chemical energy. The acceptance of the theory of evolution produced the illusion that an insight into the method by which the result had been obtained had given a complete solution of the problem, and that a knowledge of man's origin and history had laid bare the nature of his inward spirit as well as the structure of the human organism regarded from without. It was in Germany that this development of *Darwinismus* was most prevalent.

It is best seen in Haeckel's *Welträtsel*, The Riddle of the Universe.[1] Not only had Darwin shown that the evolution of the bodies of animals and men could be explained, partly at any rate, by natural selection; he had also given evidence to prove that the instincts of animals, like other vital processes, are subject to development under the influence of selection, and that the mental functions of man are allied to them and subject to similar changes. Haeckel founded on Darwin's work a complete and uncompromising monist philosophy. He asserted the unity of organic and inorganic nature. The chemical properties of carbon are the sole cause of living movement, and the simplest form of living protoplasm must arise from non-living nitrogenous carbon compounds by a process of spontaneous generation (though unluckily there was no direct evidence in favour of this conclusion). Psychical activity is merely a group of vital phenomena which depend solely on material changes in the protoplasm. Every living cell has psychic properties, and the highest faculties of the human mind, evolved from the simple cell-soul of the unicellular Protozoa, are but the sum total of the psychic functions of the cells of the brain.

This view may be compared and contrasted with that of W.K.Clifford, who agreed with Berkeley that mind is the ultimate reality, but held a form of idealist monism in which consciousness is supposed to be built up from atoms of "mind-stuff".

Haeckel claimed Darwin's support for his own complete system, and incidentally made plain the history of the immediate influence of Darwin on this type of philosophy.[2]

We are now fairly agreed in a monistic conception of nature, that regards the whole universe, including man, as a wonderful unity, governed by unalterable and eternal laws....I have endeavoured to show that this pure monism is firmly established, and that the admission of the all-powerful rule of the same principle of evolution throughout the universe compels us to formulate a single supreme law, the all-embracing "Law of Substance", or the united laws of the constancy of matter and the conservation of energy. We should never have reached this supreme general conception if Charles Darwin—"a monistic philosopher" in the true sense of the word—had not prepared the way by his theory of descent by natural selection, and crowned the great work of his life by the association of this theory with a naturalistic anthropology.

It is probable that Darwin would not have subscribed to the views of his most prominent German disciple. Indeed, with characteristic modesty, he was very reticent about the philosophic import of his

---

[1] Ernst Haeckel, *Die Welträtsel*, 1899, Eng. trans. London, 1900.
[2] E. Haeckel, chapter on "Darwin as Anthropologist", in *Darwin and Modern Science*, Cambridge, 1909, p. 151.

work. The problem of descent is more complicated than it appeared to Darwin's ardent followers. Whether a naturalistic solution of the more difficult problem of man's whole nature will ever be reached, it is impossible to say. But it is quite certain that as yet it has not been attained; nor will it be attained till many more alterations towards and away from mechanical philosophy have passed like waves over the human mind. Indeed, the particular wave induced by the coalescence of the theory of evolution with nineteenth-century physics has already gone. The very principle of evolution itself requires us to look forward to an ever-changing stream of thought, which will develop from age to age, while past experience goes to show that the development will not be steady and continuous, but intermittent and oscillatory.

The later German materialists and mechanists rested their case chiefly on biology. Their dogmas were criticized by the Berlin physiologist Emil du Bois Reymond and his brother Paul,[1] who pointed out that, even if the problems of life were reduced to those of physics and chemistry, the concepts of matter and force were but abstractions from phenomena, and gave no ultimate explanation. They argued that some problems are beyond human knowledge for ever—*ignorabimus*.

This limitation of the power of human faculty may be compared with Huxley's agnosticism, and Spencer's doctrine of the Unknowable. To fix such limits of knowledge was thought dangerous by Karl Pearson. In *The Grammar of Science*[2] he denied the name of knowledge to any result not reached by scientific methods, but asked with Galileo, "Who is willing to set limits to the human intellect?" While of course admitting much as unknown, he refused to accept a hopeless Unknowable for ever beyond the power of science to investigate.

The principle of natural selection was applied to the theory of knowledge by Herbert Spencer and Karl Pearson. Our fundamental notions may be obtained, or at all events developed, by the process of natural selection and inheritance. Notions and axioms best fitted to symbolize and describe the experience gained through the senses will be established in the course of generations, while others will die out. Thus the fundamental concepts of mathematics may be "innate ideas" in the individual, but the data of experience for the race. This is a fascinating theory, though it is not easy to see how an innate

---

[1] E. du Bois Reymond, *Ueber die Grenzen des Naturerkennens*, Leipzig, 1876; P. du Bois Reymond, *Ueber die Grundlagen der Erkenntniss in den exacten Wissenschaften*, Tübingen, 1890.
[2] 1st ed London, 1892.

appreciation of the axioms of Euclid or of Riemann can have much "survival value" or much advantage in "sexual selection". Possibly it is held to be linked with other, more attractive, qualities.

In one sense, the acceptance of the theory of natural selection is the completion of the philosophic work begun and mapped out by Francis Bacon, who taught that the method of empirical experiment was the sole road to natural knowledge. Darwin proved, as Democritus and Lucretius had guessed, that Nature herself uses the method of empirical experiment, both in the animal and vegetable worlds. She tries all possible variations, and, out of countless trials, succeeds in a few cases in establishing that new and greater harmony between the being and its environment from which evolution proceeds.

If accepted in its fullest sense, natural selection is the negation of all teleology. There is no end in view: merely a constant haphazard change both of individuals and of environment, and sometimes a chance agreement between them, which, for a brief moment, may give some appearance of finality.

Herbert Spencer's phrase for natural selection, "the survival of the fittest", standing alone begs the question. What is the fittest? The answer is: "The fittest is that which best fits the existing environment". It may be a higher type than that which preceded it, or it may be a lower. Evolution by natural selection may lead to advancement, but it may also lead to degeneration. As the first Earl Balfour pointed out, on the full selectivist philosophy the only proof of fitness is survival—that which is fit survives, and that which survives is fit. We may seek to break away from the circle by declaring that, on the whole, evolution has produced a rise in type, that man is higher than his simian ancestors. But then we are taking upon ourselves to pronounce authoritatively on what is higher and what is lower, and the thoroughgoing selectivist may reply that our judgment is itself formed by natural selection, and thereby is framed to appreciate and rate as higher that which, in reality, merely has survival value—that which, in fact, has permitted us to exist. From the purely naturalistic standpoint there seems no escape. We have to accept an absolute judgment by some other standard of what is high and low, good and evil, if we seek another outlook.

Indeed it may be pointed out that the order in which we place creation is largely a matter of race and racial religion. To the Oriental Buddhist, existence is an evil, consciousness a greater evil. To him, logically, the highest form of life is a simple cell of protoplasm in the tranquil depths of the ocean's bed, and all the evolution of the ages is in truth downward from that calm ideal, which is itself a fall from the inorganic matter that probably preceded it.

Darwin himself did not regard natural selection as a complete explanation of the evolutionary process. It says nothing about the causes of variations or mutations. They may be due to chance conjunctions of unit elements in the organism, which by the laws of probability would give the observed distribution of individuals round the mean or average; they may be due to other, more recondite, causes. Natural selection does not produce variations; it only cuts off those that are useless. It throws no light on the deeper problems of life: why life exists at all, and why it seems to press in wherever it can, up to and beyond the limits of subsistence.

When regarded from the aspect of analytical physiology, with its biophysics and biochemistry, man is by definition a machine, working by physical and chemical principles: old and new vitalism are alike inadmissible. But, regarded as a whole, as in natural history, any organism shows a synthetic unity as its characteristic expression of life, and man, carrying further what is seen in other animals, displays a higher unity in his mind and consciousness—a new aspect of life. The theory of evolution carries this synthetic process a step onward, and discloses an underlying unity in the whole organic creation. Life is one manifestation of the cosmic process. Life from a single cell of protoplasm to that infinitely complex structure, fearfully and wonderfully made, which we call man, is linked in all its parts by evolutionary ties. It forms one problem; a problem not to be investigated completely by the analytic method of science, which deals with it in successive aspects, and, in each, tries to reduce it to its simplest terms; a problem which needs also the synoptic view of philosophy, by which we can "see life steadily and see it whole"; a problem the solution of which, could we reach it, would show us also the solution of subordinate problems, and give us a firm basis for ethics, aesthetics and metaphysics, the inner meaning of the Good, the Beautiful and the True. And one clue to the solution is the theory of evolution elucidated by Darwin's principle of natural selection.

CHAPTER IX

FURTHER DEVELOPMENT IN BIOLOGY AND ANTHROPOLOGY

The Position in Biology—Mendel and Inheritance—The Statistical Study of Inheritance—Later Views on Evolution—Heredity and Society—Biophysics and Biochemistry—Viruses—Immunity—Oceanography—Genetics—The Nervous System—Psychology—Is Man a Machine?—Physical Anthropology—Social Anthropology.

SINCE the end of the nineteenth century great advances have been made in our knowledge of life and its manifestations, but the chief ideas by which those advances have been guided were formulated before 1901. Twentieth-century mathematics and physics, breaking away from the Newtonian scheme, have marked a veritable revolution in thought, and are now influencing philosophy profoundly. Twentieth-century biology is still following the main lines laid down before the century began. *The Position in Biology*

Towards the end of the nineteenth century, naturalists, accepting Darwin's work as final, had almost given up his characteristic method of experiment on breeding and inheritance. Evolution by natural selection was accepted as an established scientific principle—one might almost say as a scientific creed. It was thought that further information on its details could best be obtained from the study of embryology, a belief founded on the hypothesis of Meckel and Haeckel that the history of the individual follows the history of the species.

Of course there were exceptions. De Vries was already experimenting on variation, and in 1890 William Bateson (1861–1926) criticized the logical basis of the evidence for Haeckel's so-called "law", and advocated a return to Darwin's own methods.[1] He was thus led to plan and undertake those experiments on variation and heredity which he afterwards pursued so successfully. Of the difficulties which confronted the then prevalent Darwinian ideas about the origin of species, the two following were the most serious:

The first is the difficulty which turns on the magnitude of the variations by which new forms arise. In all the older work on evolution it is assumed, if the assumption is not always expressly stated, that the variations by which species are built up are *small*. But, if they are small, how can they be sufficiently useful to their possessors

[1] *William Bateson, Naturalist*, Memoir by Beatrice Bateson, Cambridge, 1928, p. 32.

to give those individuals an advantage over their fellows? That is known as the difficulty of *small or initial variations*.

The second difficulty is somewhat similar. Granting that variations occur, and granting too that if they could persist and be perpetuated species might be built up of them, how *can* they be perpetuated? When the varying individuals breed with their non-varying fellows, will not these variations be obliterated? This second difficulty is known as that of the *swamping effect of inter-crossing*.[1]

Bateson went on to point out that every breeder of plants or animals knows that while *small* variations from the normal do occur *large* variations also are common. De Vries and Bateson himself had by 1900 done enough scientific work on the subject to prove that large, discontinuous mutations are by no means rare, and that some of them, at all events, are transmitted in a perfect form to offspring. Thus new varieties, if not new species, may be established readily and quickly. There was no evidence about the *cause* of the variations; their existence had to be taken as a crude fact. But, accepting their existence, their discontinuity seemed to diminish the difficulties of Darwinian evolution. And, in this same year, 1900, new (or rather old and long forgotten) facts came to light.

Simultaneously with the later work of Darwin (1865), a series of researches was being carried on in the cloister of Brünn, which, had they come to his notice, might have modified the history of Darwin's hypothesis. Gregor Johann Mendel, a native of Austrian Silesia, an Augustinian monk, and eventually Abbot or Prälat of the Königskloster, not satisfied that Darwin's view of natural selection was sufficient alone to explain the formation of new species, undertook a series of experiments on the hybridization or cross-breeding of peas. He published his results in the volumes of the local scientific society, where they lay buried for forty years. Their rediscovery in 1900 by de Vries, Correns and Tschermak, and their confirmation and extension by these biologists, as well as by William Bateson and other workers, marks the first step in the recent development of heredity as an exact experimental and industrial science.

The essence of Mendel's discovery consists in the disclosure that in heredity certain characters may be treated as indivisible and apparently unalterable units, thus introducing what may perhaps be termed an atomic or quantum conception into biology. An organism either has or has not one of these units; its presence or absence is a sharply contrasted pair of qualities. Thus the tall and dwarf varieties of the common edible pea, when self-fertilized, each breed true to

---

[1] W. Bateson, *loc. cit.* p. 162. Quoted from *Journal of the Royal Horticultural Society*, 1900.

type. When crossed with each other, all the hybrids are tall, and *Mendel and*
outwardly resemble the tall parent. Tallness is therefore said to be *Inheritance*
"dominant" over dwarfness, which is called "recessive". But, when
these tall hybrids are allowed to fertilize themselves in the usual way,
they are found to be different in genetic properties from the parent
whom they resemble outwardly. Instead of breeding true, their offspring differ among themselves; three-quarters of them are tall and
one-quarter dwarf. The dwarfs in turn all breed true, but of the talls
only one-third breed true and produce tall plants, while the remaining
two-thirds repeat in the next generation the phenomena of the first
hybrids, and again produce pure dwarfs, pure talls and mixed talls.

These relations can be explained if we suppose that the germ cells
of the original plants bear tallness or dwarfness as one pair of contrasted characters. When a tall plant is crossed with a dwarf one, all
the hybrids, though externally similar to the dominant, tall parent,
have germ cells half of which bear tallness and the other half dwarfness in their potential characters. Each germ cell bears one or other
quality but not both. Thus when, by the chance conjunction of a male
with a female cell from these hybrids, a new individual is formed, it
is an even chance whether, as regards the qualities of tallness and
dwarfness, we get two like or two unlike cells to meet; and, if the cells
be like, it is again an even chance whether they prove both tall or both
dwarf. Hence, in the next generation, we get one-quarter pure talls,
one-quarter pure dwarfs, while the remaining half are hybrids, which
since tallness is a dominant, resemble the pure talls. Thus, in outward
appearance, three-quarters of the seedlings are tall.

In view of recent tendencies in physics, it is of great interest to note
this reduction of biological qualities to atomic units, the occurrence
and combinations of which are subject to the mathematical laws of
probability. Neither the motion of a single atom or electron, nor the
occurrence of a Mendelian unit in an individual organism can be
foretold. But we can calculate the probabilities involved, and, on the
average of large numbers, our predictions will be verified.

It will be seen that the methods of inheritance are different in the
cases of dominant and recessive characters. While an individual can
only transmit a dominant character to his descendants if he himself
shows it, in certain conditions a recessive character may appear
without warning in a pedigree. If two individuals mate who carry
the recessive character concealed in their germ cells, though not
outwardly visible in themselves, it will usually appear in about one-
quarter of their offspring. But, in the majority of cases, the conditions

of inheritance are far more complicated than would appear from the study of two simply contrasted qualities in the green pea. For instance, qualities may act as dominants or recessives according to sex; characters may be linked in pairs, so that one cannot appear without the other, or again they may be incompatible and never be present together.

Many Mendelian characters have been traced in plants and animals; while, as a practical guide in breeding, the method has been successfully applied to unite certain desirable qualities, and to exclude others of a harmful tendency. By working on these lines, plant breeders and animal breeders partly superseded "rule of thumb" methods by a science. For instance, Biffen established new and valuable species of wheat, in which immunity to rust, high cropping power and certain baking qualities were brought together in one and the same species, as the outcome of a long series of experiments based on the Mendelian laws of inheritance.

When Mendel's work was rediscovered, investigation into cell structure had revealed the fact that within each cell nucleus is a definite number of thread-like bodies which have been called chromosomes.[1] When two germ cells unite, in the simplest case, the fertilized ovum will contain double the number of chromosomes, two of each kind, one from each parent cell. When the ovum divides, every chromosome divides likewise, the two parts going to the two daughter cells. Thus each new cell receives one chromosome from each original chromosome. This occurs with each subsequent division, so that every cell of the plant or animal contains a double set of chromosomes, derived equally from the two parents.

The germ cells also have at first the double set of chromosomes, but, at their last stage of transformation into sperm cells or ova, the chromosomes unite in pairs. There is then a different kind of division: the chromosomes do not split, but the members of each pair separate, and each member goes into one of the daughter cells. Thus each mature germ cell receives one or other member of every pair of chromosomes and the number is halved.

The parallelism between these cell phenomena and the facts of Mendelian inheritance was noticed by several people, but the first to put the relation into the definite form which came to be accepted was Sutton. He pointed out that both chromosomes and hereditary factors undergo segregation, and that in each case different pairs of factors or chromosomes segregate independently of the other pairs.

[1] T. H. Morgan and others, *The Mechanism of Mendelian Heredity*, New York, 1915, especially chap. I.

But, since the number of hereditary factors is large in comparison with the number of pairs of chromosomes, it was to be expected that several factors should be associated with one chromosome, and therefore be linked together. In 1906 Bateson and Punnett discovered this phenomenon of linkage in the sweet pea, certain factors for colour and pollen-shape being always inherited together. The bearing of this discovery on the chromosome theory was pointed out by Lock. *Mendel and Inheritance*

From 1910 onwards T. H. Morgan and his colleagues in New York worked out these relations much more fully in the fruit fly, *Drosophila*, in which generations of large numbers succeed each other at intervals of ten days. They found an actual numerical correspondence between the number of groups of hereditary qualities and the number of pairs

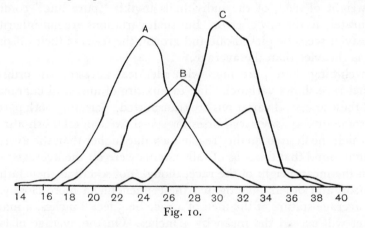

Fig. 10.

of chromosomes, each being four. Usually the number is larger; in the garden pea it is seven, in wheat eight, in the mouse twenty, in man twenty-three.

Even with twenty pairs of chromosomes, there will be over a million possible kinds of germ cells, and two such sets will give a possible number of combinations which is enormously greater. Thus it is easy to understand why no two individuals in a mixed race are identical.

Simultaneously with this Mendelian work, heredity was also investigated by the statistical study of large numbers. The application to human variation by Quetelet and Galton of the theory of probability with its statistical law of error has been continued in the twentieth century, especially by Karl Pearson and his colleagues in London. *The Statistical Study of Inheritance*

The normal curve of error, or something like it, is usually obtained from the study of large numbers, but certain dangers in its use were illustrated by the work of de Vries on the evening primrose. Fig. 10

M

represents the variation in length of the fruits of three varieties, the lengths being plotted horizontally and the number of individuals showing particular lengths vertically. The varieties A and C have a characteristic mean size of fruit and their curves closely resemble the normal. But B shows signs of subdivision into two separate groups at least. Had the seeds of all three varieties been measured together, the three curves would have coalesced into one, approaching the normal shape. It is often impossible to tell from the crude data whether the material is of one kind or whether, as in this case, two or more groups are involved.

Johannsen found that, if a single bean seed be made the starting-point of a family of self-fertilized descendants, the variations, say in weight of seed, of the individuals in this "pure line" conform accurately to the law of error. But such variations are not inherited; if heavier seeds be picked out and grown, the seeds of their offspring are no heavier than the average.

Excluding these pure lines with identical ancestry, an ordinary mixed race shows variations due to mixture of ancestral characters, and these ancestral variations are transmitted. Selecting both parents for some quality, say race-horses for speed, we can establish a strain in which the desired quality reaches a value higher than the average. Galton found that the sons of tall parents were on the average taller than the mean height of the race, though not so tall as their fathers. Pearson and others investigated these phenomena more closely. If the average stature of the men of a race be 5 feet 8 inches, a man of 6 feet will exceed the mean by 4 inches. On the average of large numbers, sons of fathers 6 feet tall have a height of about 5 feet 10 inches, so that they exceed the mean by 2 inches, by half as much as their fathers. This result is expressed by saying that the coefficient of correlation is one-half, or 0·5. If the sons had been equal in stature to the fathers, the coefficient would have been unity; had the sons' average height reverted to that of the race in general, there would have been no relation and the coefficient zero, and had the sons been shorter than the average of the race the coefficient would have been negative. Other qualities in plants and animals show similar relations, and, for any one quality, the coefficient of correlation between parents and offspring is generally between 0·4 and 0·6. Studies of variation and heredity, which like those of Mendel passed unheeded by biologists at the time, were carried on by R. L. de Vilmorin, a member of a long-established family of French seedsmen. He showed that in breeding plants the best results are not obtained by selecting individuals as parents, but by choosing a line of plants on its average performance. This outcome does not support the Darwinian idea of the inheritance of small variations.

Much controversy at one time went on between the Mendelians and the Biometricians who used statistical methods founded on Darwinian concepts. In any complete study of heredity there seems room for both kinds of enquiry.[1]

The theory of evolution, as a general account of the process of life on the Earth, has become more and more firmly established as palaeontological evidence has accumulated. For example, there were no Angiosperms—higher plants with protected seeds—in Carboniferous times: new orders and new species must therefore have arisen somehow on the Earth.

Some biologists still hold that natural selection acting on small variations is enough when long continued to explain evolution. Others think that, in Mendelian mutations, which may certainly give rise to new varieties, we see species in the making. But others again, and among them some of the leaders in modern thought, became doubtful, even sceptical. For instance, in 1922 Bateson said:

> In dim outline evolution is evident enough. From the facts it is a conclusion which inevitably follows. But that particular and essential bit of the theory of evolution which is concerned with the origin and nature of *species* remains utterly mysterious.[2]

Systematists still recognize distinct species, and neither Darwinian variation nor Mendelian mutation, as used in genetic experiments, seems to reach to those fundamental, underlying differences on which species depend. Perhaps in earlier ages living organisms were more plastic, and now that they have become fixed are only susceptible of superficial changes. There is evidence that occasionally a species may even now enter upon a phase of mutability; this is believed to have occurred with the evening primrose studied by de Vries.

The problem of the inheritance of acquired characters, considered in Chapter VII, is still a subject of controversy, the cases adduced in favour of such inheritance not being universally accepted as convincing. The segregation of germ cells from body cells found in animals does not occur at such an early stage in plants, and therefore in them the inheritance of acquired characters should be more likely. Among more recent evidence we may mention some collected by

[1] R. H. Lock, *Recent Progress in the Study of Variation, Heredity and Evolution*, London, 1907; and see below, Chapter XII.
[2] William Bateson, *loc. cit.* p. 395.

F. O. Bower, which seems to show that in ferns long-continued differences in the environment may produce heritable characters.[1]

Another difficulty has arisen. Variations seem to depend on elements being lost and not gained. Bateson says:

> Even in *Drosophila*, where hundreds of genetically distinct factors have been identified, very few new dominants, that is positive additions, have been seen, and I am assured that none of them are of a class which could be expected to be viable under natural conditions.... [But] our doubts are not as to the reality or truth of evolution, but as to the origin of species, a technical, almost domestic, problem. Any day that mystery may be solved. The discoveries of the last twenty-five years enable us for the first time to discuss these problems intelligently and on a basis of fact. That synthesis will follow on analysis, we do not and cannot doubt.[2]

Meanwhile the palaeontologists, especially in America, were collecting fossil remains of series of organisms in far greater numbers than ever before, ranging through many geological epochs and demonstrating a continuity of succession through different forms of life, which in some cases seem to suggest evolution along definitely directed lines. The problem became much more complex and difficult than was realized fifty years earlier. The broad drift of evolution is clear, but we must wait for more knowledge before attempting a new description of its details.

Heredity and
Society The application to mankind of our knowledge of heredity and variation was much extended by Mendelian research. Many deficiencies and diseases, such as colour blindness, the congenital cataract studied by Nettleship, and haemophilia, follow Mendelian rules in their descent. One normal character—the brown coloured pigment in the eye—was definitely proved by the work of C. C. Hurst to be Mendelian, but there were many indications that other hereditary qualities in man, like those in so many plants and animals, are Mendelian units. Indeed the almost exact equality in the numbers of boys and girls born into the world irresistibly suggested that sex itself is such a unit quality. If all female germ cells carry femaleness and half the male cells carry maleness and half femaleness, the phenomena would be explained.

In plants and animals we know that pairs of unit qualities may be linked together so that one cannot be present without the other, or, on the other hand, may repel each other so that the two cannot coexist. In man experiment is impossible, and observation is restricted to the few generations which are all that can usually be examined. There is little doubt that, were our powers of investigation

[1] F. O. Bower, *The Ferns*, Cambridge, 1923–1928, vol. III, p. 287.
[2] William Bateson, *loc. cit.* pp. 395–398.

extended, we should find in mankind too a conglomerate of unit qualities, derived from two parents, and related both to each other and to the chemical natures of the different secretions which the ductless glands pour into the blood-stream. Whether these Mendelian qualities make up the essential structure of man, or whether they form but a superficial pattern on a deeper, non-Mendelian substructure, remains a subject for future investigation. *Heredity and Society*

In 1909 an attempt was made to adapt Galton's ideas to the know-. ledge which had accumulated since 1869 when his work was published.[1] The importance which he assigned to heredity had been emphasized by the Mendelian researches of Hurst, Nettleship and others, and by the mathematical work of Karl Pearson and his pupils, who had much extended Galton's biometric methods. The evidence which had become available seemed to justify the examination of the assumption that the mixed populations of modern states must contain intermingled strains of different innate qualities, on which natural selection, controlled by legal, social and economic factors and changes, is continually at work. The different strains in a population will thus be altered in their relative numbers. Environment, training and education, though undoubtedly they may develop and give opportunity for the display of inborn characters, cannot create them. An able man, still more a genius, is born, not made, and the store of ability in a people is limited by nature.

Survival of the fittest is of no use to the race unless the fittest have a preponderating number of children, and this conclusion suggested an investigation of the average size of the family in different classes of the community. A statistical study of records showed that, from 1831 to 1840, families that had possessed hereditary peerages for at least two preceding generations had an average of 7·1 births to each fertile marriage, but that, in the decade 1881 to 1890, the number had fallen to 3·13. The laymen of sufficient prominence to find a place in the pages of *Who's Who* had an average of 5·2 children to each fertile couple before 1870 and only 3·08 after that date. In clerical families the corresponding figures were 4·99 and 4·2. Men in the Regular Army, who had attained the rank of Captain at least, gave numbers of 4·98 and 2·07. Thus, while there were differences in detail, the broad result emerged that the landed, professional and upper commercial classes had diminished their output of children to less than one-half. An almost equal fall was shown by statistics of Friendly

[1] W. C. Dampier Whetham and Catherine D. Whetham, *The Family and the Nation*, London, 1909.

Societies, whose members were drawn from the ranks of the skilled artisans. As it needs an average of about four children to each fertile marriage to maintain a population unaltered, it is clear that even in 1909 the most effective sections of the community were falling in numbers both relatively and absolutely. On the other hand, Roman Catholic families, the miners (for special causes), the unskilled labourers, and (much more alarming) the feeble-minded were maintaining the numbers of their children almost unaltered.

How serious the effects of this discrepancy might become was illustrated by a calculation. If a thrifty strain have three children to each fertile marriage and a death-rate of fifteen per 1000, it appeared that, in 100 years, each original 1000 would be represented by only 687 descendants. On the other hand, 1000 of an unthrifty strain, with a birth-rate of thirty-three and a death-rate of twenty per 1000, would in 100 years have 3600 descendants. If the numbers were equal in 1870 when the differential birth-rate began to be apparent, by 1970 the thrifty strain would be but one in six of the total, and by the year 2070 only one in thirty. It would be lost in the unthrifty stocks of predominant fertility.

During the twenty years that followed this investigation two more hopeful signs appeared. A Mental Deficiency Act did something (though not enough) to check the torrent of feeble-minded children, and, as F. A. Woods proved, both in England and America those members of the upper classes whose public record shows that they render service to the community have more children than do the "idle rich", Woods' average figures being 2·44 and 1·95 living children respectively.[1] This result probably indicates a good effect of the power of voluntarily controlling the birth-rate. Those who wish to evade the trouble, expense and responsibility of several children weed themselves out of the race. In 1909[2] the hope was expressed that it would come to be understood that to produce a larger number of children was a duty for healthy, able and conscientious parents, and it was pleasant to see that hope being fulfilled.

Nevertheless, for the time, the outlook remains disquieting. The intellectual work of the world, on which depends continued progress, and indeed the maintenance of the general standard of life, is done by a small fraction of the people, drawn for the most part from the classes who have cut down their output of children, though now not

[1] *Journal of Heredity* (American Genetic Association), vol. xix, Washington, D.C., June 1928.
[2] See *The Family and the Nation*, p. 228.

to the lowest level. Scholarships and other means of advancing the *Heredity and* able from all classes may supply the deficiency for a time, but the *Society* amount of ability in the country is limited, and is proportionately less in the lower ranks of society. If it be steadily picked out and raised from those ranks, it will be partially sterilized as it rises by a decreased birth-rate, and will leave behind it the dead level of an unintelligent proletariat. Gradually the strains of ability will be weeded out of the nation, with ever increasing danger to civilization. Socialist government, in which the State controls most of the means of production, might work with efficiency if not happiness in an autocratic or bureaucratic Empire, but it would probably break down in a democratic nation. Socialism and democracy, in spite of their association in current political phraseology, are probably in practice incompatible with each other. The recent predominance of autocratic communism in certain countries supports this idea.

The differential birth-rate is not the only selective action going on; we can trace many others. Probably a tendency to disease is still effective in destroying those liable, and thus favouring those stocks which are immune. Legislation, passed with quite other objects in view, often produces selective effects: death-duties are rapidly destroying the old landed families, on which the country has been wont to rely for unpaid work in the counties, and underpaid work in the Church, the Army and the Navy. Dean Inge argues that recent legislation will tend towards the extinction of the intellectual middle classes. The birth-rate among textile operatives is low owing to the habit of employing women in the textile mills, while that among miners, where paid employment is limited to men, remained high, at all events till the depression of 1925. We must give up the nineteenth-century idea of the nation as a number of individuals of equal potential capacity, only waiting for education and opportunity, and look on it as an interwoven network of strains of innate hereditary qualities, differing profoundly in character and value, and appearing and disappearing chiefly in accordance with natural or artificial selection. Almost any action, social, economic or legislative, favours some of these strains at the expense of others, and alters the average biological character of the nation.

These general ideas were given the weighty support of that eminent naturalist William Bateson in papers published in 1912 and 1919.[1] The old birth-rate combined with the new death-rate would have hardly left standing room on the earth in a few hundred years.

[1] William Bateson, *loc. cit.* p. 359.

Restriction of births is therefore necessary, but it is important to restrict the bad rather than the good strains in a nation. Moreover, competition is not only between individuals but between communities. There are inferior races as there are inferior families. Bateson says:

> Philosophers have declared that men are born equal. The naturalist knows that statement to be untrue. Whether we measure the bodily or the intellectual powers of men, we find that the inequality is extreme. Moreover we know that the progress of civilization has resulted solely from the work of exceptional men. The rest merely copy and labour. By civilization I mean, here as always, not necessarily a social ideal, but progress in man's control over Nature. As between individuals, so between nations, there is inequality.... The unequal distribution of illustrious men among the nations is a biological fact. France, Great Britain, Italy, Germany, and some smaller groups, have since the revival of learning contributed many men of the magnitude we have now in mind. Some have excelled more in special arts or sciences, as for instance, in painting, music, literature, astronomy, chemistry and physics, biology or engineering, but in a wide view of these manifold excellences there is no obvious disparity to be noted between those nations.

Bateson points out that some other nations have produced fewer great men, and refers that fact to their biological characters. This difficult problem cannot be taken as settled; the nations apparently inferior may not yet be industrialized; they may remain poor owing to the chances of history, and present fewer opportunities for able men to emerge. Environment cannot create ability, but it can very easily stifle it. Nevertheless, the biological factors have hitherto been inadequately studied by sociologists and practically ignored by politicians.

> The outcome of genetic research is to show that human society can, if it so please, control its composition more easily than was previously supposed possible.... Measures may be taken to eliminate strains regarded as unfit and undesirable elements in the population.[1]

The hope for the future lies in the sense of responsibility of the better stocks in the race. If they increase their output of children, as the work of F. A. Woods indicates they are beginning to do, the nations of the world can reverse the bad selection of the last seventy years, and gradually improve their average of health, beauty and ability.

The most marked feature of early twentieth-century physiology was the extension of the methods of physics and chemistry to physiological problems. Indeed, it can almost be said that physiology was resolved into biophysics and biochemistry.[2]

The physics and chemistry of colloids are of supreme importance

---

[1] William Bateson, *Mendel's Principles of Heredity*, Cambridge, 1909, pp. 304–5.
[2] Sir W. M. Bayliss, *Principles of General Physiology*, 4th ed. London, 1924. W. R. Fearon, *Introduction to Biochemistry*, 2nd ed. London, 1940.

in biology, for the protoplasm which forms the contents of living cells consists of colloids, the nucleus being more solid than the remainder. Colloids have also become prominent in agricultural science, for soil, formerly conceived of as hard particles worn down from rocks and mixed with decaying animal and vegetable matter, is now recognized to be a complex structure of organic and inorganic colloids, in which micro-organisms play an essential part. The ground beneath our feet is living not dead; the function of the soil and its multitude of inhabitants is to break up the raw materials it contains, or which it gains from without, and to supply them in forms available as food for plants. *Biophysics and Biochemistry*

The distinction between crystalloids and colloids was recognized by Graham in 1850, and it became clear that at all events one cause of the difference in properties was the large size of colloid particles compared with the molecules of crystallizable bodies. The solution of a crystalloid like sugar or common salt is a homogeneous liquid, but the solution of a colloid is a two-phase system, with a definite surface of separation between the phases, and area enough to show the phenomena of surface tension.

Some colloid particles are so large that they are visible in a microscope. The curious and irregular oscillatory motion of such particles was noticed by Robert Brown in 1828, and in 1908 Perrin produced evidence to show that this Brownian movement was due to the bombardment of neighbouring molecules. If this be so, the particles should acquire the same kinetic energy as the molecules, and, from their distribution and motion, three separate methods have given a numerical agreement with the consequences of Perrin's hypothesis.

The investigation of the properties of smaller colloid particles was facilitated by the invention of the "ultra-microscope" by Siedentopf and Zsigmondy in 1903. The wave-length of visible light lies between 400 and 700 $\mu\mu$ (thousandths of a millimetre), and particles smaller than this cannot be seen clearly. But, if a beam of intense light be directed on to them, it will be scattered, and, if an observer looks at the particles through a microscope with its axis at right angles to the beam, they will appear as bright discs in Brownian movement, if they are about the size of a wave-length, and will show as a general haze if they are much smaller. The electron microscope, still more powerful, will be described later.

The theory of colloids was considerably advanced by a study of their electrical properties. They move one way or the other in an electric field of force, and this shows that they carry positive or negative electric charges, probably owing to a preferential adsorption of ions. Sir W. B. Hardy found that, when the surrounding liquid was changed slowly, so that from being faintly acid it became faintly alkaline, the charge on certain colloids was reversed. At the "iso-electric" point, where the charge was neutralized, the system became unstable, and the colloid was precipitated from its solution.

Therefore, it appeared, the electric charge on the particles played some important part in their solution. As an example of coagulation known to all, we may refer to the fact that, when milk turns sour, the casein in it "curdles". It was known to Faraday that salts coagulate solutions of colloidal gold, and this phenomenon was investigated by Graham. Schultze noticed in 1882 that the coagulative power depended on the valency of the ions of the salt, and in 1895 Linder and Picton found the average coagulative powers of uni-valent, di-valent and tri-valent ions to be proportional to $1:35:1023$. In 1900 Hardy proved that the active ion was the one of sign opposite to that on the colloid particles. In 1899 the present writer investigated the subject by means of the theory of probability, on the assumption that a minimum number of unit electric charges had to be brought simultaneously into a certain space to neutralize the opposite charges on a number of colloid particles and allow them to coalesce. The electric charge carried by an ion is proportional to its chemical valency; therefore it will need the conjunction of two tri-valent ions, three di-valent ions or six uni-valent ions to give the same charge. Mathematical calculation shows that the coagulative powers should be as $1:x:x^2$, where x is some unknown number depending on the nature of the system. Putting $x=32$, we get $1:32:1024$ to compare with the observed values given above.[1] This is only an approximate theory, for it ignores the stabilizing influence of the opposite ion and other disturbing factors. But the method used seems capable of extension to other similar phenomena, indeed to chemical combination itself, while similar considerations of probability are now used in chemical thermodynamics and have become the basis of quantum physics.

The state of aggregation of the colloids in clay controls the physical nature of heavy soils, which only become porous and fertile when the plastic particles are coagulated. Again, since protoplasm is of colloidal structure, the electrical and other properties of colloids are of great interest in biology. For instance, the importance of the valency relation in physiology may be illustrated by one example discovered by Mines in 1912: the heart of the dog-fish is ten thousand times more

---

[1] *Phil. Mag.* [5], vol. XLVIII, 1899, p. 474; also Hardy and Whetham, *Journal Physiology*, vol. XXIV, 1899, p. 288.

sensitive to the action of various tri-valent ions than to a di-valent ion such as magnesium. Since coagulation of the colloids would usually kill the tissues which contain them, it is fortunate that they can be protected from the action of electrolytes. Faraday knew that the precipitating effect of "salt" on colloidal gold could be prevented by adding a trace of "jelly". Many such protective colloids which themselves form emulsions have since been investigated by Mines (1912) and other physiologists. The emulsoid seems to form a film over the colloid particles, protecting them from the ions.

Biophysics and Biochemistry

As water is purified by repeated distillation, its electrical conductivity sinks towards a limiting value corresponding to a concentration of hydrogen (H^+) and hydroxyl (OH^-) ions of about 10^{-7} gramme-molecules per litre.[1] If this water be acidified, the hydrogen-ion concentration of course rises, and, as a measure of the acidity of a medium, this quantity is in constant use, not only in general physical chemistry, but especially in soil-science and in physiology. For example, in physical chemistry the rate of "inversion" of cane sugar— its conversion into dextrose and laevulose—depends on the hydrogen-ion concentration. In agriculture, the acidity of soils is a measure of their need for treatment with lime. In physiology, the maximum range of hydrogen-ion concentration in human blood compatible with life appears to lie between $10^{-7.8}$ and $10^{-7.0}$, and the normal limits are $10^{-7.5}$ and $10^{-7.3}$. The change from the normal reaction to the most acid allowable is only such as occurs when one part of hydrochloric acid is added to 50 million of water.

The animal body contains elaborate mechanisms which preserve the exact adjustments necessary for life. For instance, Haldane and Priestley (1905) showed that the respiratory nervous centres are very sensitive to small increases of carbon dioxide in the blood, so that the action of breathing is hastened and the excess of carbon dioxide removed. Later work proved that the controlling factor is the hydrogen-ion concentration of the blood as affected by the dissolved carbonic acid. There are also direct chemical controls. Various substances present in the blood and tissues, such as bicarbonates, phosphates, amino-acids and proteins, react with acids to give neutral salts. Thus they shield the tissues from acids and preserve approximate neutrality; hence they are known as "buffers".

The study of the problems of nutrition was notably advanced during

[1] For convenience the hydrogen-ion concentration is usually written as P_H and expressed in negative logarithmic terms. Thus, since the hydrogen-ion concentration of pure water is 10^{-7}, its P_H is 7.

the first quarter of the twentieth century, especially when it was found that a diet amply sufficient to supply all energy requirements might fail to maintain growth. The classical experiments are those of Sir Frederick Gowland Hopkins in 1912. Hopkins showed that young rats, fed on chemically pure food, ceased to grow, but that growth began again when minute quantities of fresh milk were added. Fresh milk therefore contains what Hopkins called "accessory food factors", which are necessary for growth and health. Later work has distinguished many different kinds of these bodies, which are usually known as vitamins. Vitamins A and D are found chiefly in animal fats, such as butter and cod-liver oil, and in green plants, the distribution of the two being somewhat different. Vitamin A protects generally from infection and also from a form of eye-disease. It was later distinguished from D, which is necessary for the proper calcification of bones in the growing animal. A remarkable result appeared when it was proved that ultra-violet light, if allowed to act either on the child or on the food it ate, produced the same effect as vitamin D in preventing the disease of rickets. By extraction from active foodstuffs, the chemical substance responsible for this effect was isolated in 1927 by several independent workers, and its conversion into the vitamin under the influence of ultra-violet light was studied. It is a complex alcohol known as ergosterol, and was soon manufactured from yeast and irradiated to provide a form of "bottled sunlight". Vitamin B is found in the outer layers of various grains, in yeast, etc., and it protects from neuritis and from the disease of the nervous system known as beri-beri, which occurs in Eastern populations living to a large extent on polished rice. Vitamin C is present in fresh green plant tissues, and in certain fruits, especially the lemon, and is necessary to prevent scurvy. Later work in America indicated the existence of a fifth vitamin connected with the maintenance of fertility. In nearly all cases a very small quantity is enough to exert the characteristic effect. Some of these vitamins have since been separated into two or more, thus increasing the total number known.

The secretory organs have been proved to possess a far greater importance in the animal economy than was formerly realized. Besides those with obvious secretions such as the salivary glands, there are others which pour their products into the blood, and thereby supply different parts of the body with substances necessary for their health and growth.

The mechanism and function of these glands of internal secretion for long remained mysterious. In 1902 Bayliss and Starling found that pancreatic secretion, previously thought to be caused by a *Biophysics* nervous reflex, is induced by a chemical substance formed by the *and* action of acid on the intestine and carried through the blood to the *Biochemistry* pancreas. This substance, which they named secretin, is normally produced in the course of digestion, when the acid contents of the stomach enter the intestine and need the action of the pancreatic juice. The discovery of secretin called attention to other similar internal secretions, each of which is produced in one organ and carried by the blood to others, where its effect is manifested. Hardy suggested for these substances the general name of hormones (ὁρμάω, I rouse to activity), and this word, adopted by Bayliss and Starling, has become current in physiological literature.

Early in 1922 Banting and Best obtained from the pancreas of the sheep an extract which, injected into dogs rendered diabetic by removal of the pancreas, caused a regular reduction of the abnormally high concentration of sugar in the blood, by restoring the power of using the sugar. The extract is a hormone, which has been named insulin. It is now prepared on a large scale, and successfully used in alleviation of human diabetes.

The secretion of the thyroid gland is necessary for both bodily and mental health. If absent in the young, growth slows down, and the variety of idiocy known as cretinism results, while the patient assumes a characteristic physical appearance. Deficiency of thyroid occurring in the adult causes the state known as myxoedema. These conditions can be cured by treatment with thyroid extract, as was described in Chapter VII. On the other hand, excess of the hormone causes Graves' disease, exophthalmic goitre. The active principle of the gland, known as thyroxin, was isolated by Kendall in 1919, and its chemical con- stitution was determined by Harington (1926), who also synthesized it in the laboratory. Thyroxin contains a large amount of iodine, and it has been found that a diet deficient in iodine may produce disease, while the simple administration of salts of iodine may sometimes have the same effect as giving thyroid extract. The need in the animal economy of iodine and other mineral constituents of food has also been demonstrated by experiments on the feeding of cattle and other farm animals.

Some of the effects of the removal of the sexual glands have been known for centuries, but the subject has only been accurately studied in recent years. This work may be said to have begun in 1910 with the experiments of Steinach, who showed that qualities absent from castrated frogs could be developed by the injection of the substance of the testes of other frogs. Later experiments have shown that grafting the glands into mutilated or senile animals results, temporarily at all events, in a return of vigour.

Other examples of the action of internal secretions might be given. The small pituitary gland when over-active produces gigantism and a distortion of the features known as acromegaly, while want of pituitary secretion appears to cause dwarfism. Adrenalin, a hormone found in the suprarenal bodies, is discharged into the blood in conditions, such as fright, anaesthesia, etc., which stimulate certain nerves called the splanchnic nerves. Conversely, injection of adrenalin produces the physical symptoms which accompany emotion or fear. This hormone was isolated and its chemical constitution determined in 1901 by the Japanese Takamine.

While in the past, physiology has been open rather to biochemical than to biophysical investigation, at the present time physical methods of study are used more and more.[1] For example, measurements of osmotic pressure and of rates of sedimentation have been used to estimate the molecular weights of proteins (see pp. 256, 431).

Sir William and Sir Lawrence Bragg's method of examining crystal structure, which will be described in a later chapter, has been applied to fibrous substances such as cellulose, silk fibroin, the keratin of hair, and the myosin of muscle. Astbury and others find that X-ray photographs make it possible to explain in molecular terms the fibrous nature of these substances, and also the reversible change undergone by myosin and keratin on stretching. Langmuir's use of the constitutional formulae of organic substances to explain their physical properties has been carried further by N. K. Adam, who has found that the spatial arrangement of the atoms accounts for the behaviour of different molecules in surface films.

F. G. Donnan's theory of membrane equilibria, published in 1911, applies to a system of electrolytes divided by a membrane which is impermeable to one of the ionic species, usually a colloid. There will, according to the theory, be an unequal distribution of the diffusible ions between the two sides of the membrane, and a consequent difference in electric potential and osmotic pressure between the solutions on the two sides. This theory has many biological applications. By means of it, Loeb in 1924 successfully explained the colloidal behaviour of proteins, and later Van Slyke and his co-workers interpreted ionic events in the blood stream.

[1] Schmidt, *Chemistry of the Amino-acids and Proteins*, Springfield and Baltimore, 1938.

The chemistry as well as the physics of blood has lately become better understood.[1] The non-protein (or haematin) part of the haemoglobin molecule has been proved to consist of four pyrrole rings linked by an iron atom, and to be common to the respiratory substances of many forms of life. In the blood of all vertebrates and of some other animals, it is found combined with the protein globin as the oxygen-carrying substance haemoglobin. In almost all living cells it occurs in the group of respiratory catalysts known as cytochromes. In plants, Willstätter has shown the nucleus of the chlorophyll molecule to be essentially similar to haematin, with a magnesium atom replacing iron. He found two chlorophylls with slightly different composition, and in 1934 he was able to give diagrams of the structural formulae. Other metals also can enter into respiratory substances; for example, a compound of copper with a polypeptide is found in molluscs and crustaceans, and a vanadium-protein compound in the group of sea-creatures known as tunicates.

Biophysics and Biochemistry

Parallel with work on oxygen-transport in the blood has proceeded work on oxidations in the tissues.[2] These changes are of all degrees of complexity, but in every case involve action of enzymes on fuel molecules, allowing hydrogen atoms to be detached. Wieland ascertained that this process is effected by numerous specific enzymes, the dehydrogenases, present in all living tissues. In the simplest case, a molecule acted on by one of these dehydrogenases can yield up hydrogen to combine directly with oxygen. Usually, one or more respiratory carriers intervene in the process. These are substances which can be reversibly reduced and oxidized, so that they can receive hydrogen atoms and hand them on. Among them are co-enzymes containing vitamins of the B group; Keilin's cytochromes; Hopkins's tripeptide glutathione; and ascorbic acid (vitamin C). The main oxidations occur in the citric acid cycle of Krebs, common to practically all living tissues, removal of hydrogen being accompanied by release of carbon dioxide from the —CO.COOH group. Carbon dioxide is largely carried in the blood as bicarbonate, and Meldrum and Roughton have separated the enzyme carbonic anhydrase, responsible for the rapid release of carbon dioxide from blood bicarbonate in the lungs.

Advances in the work on respiratory enzymes have sometimes been made through the discovery of some specific poison for one or more of the enzymes involved. For example, cytochrome oxidase is put out

[1] E. H. F. Baldwin, *Comparative Biochemistry*, Cambridge, 1937.
[2] *Perspectives in Biochemistry*, edited by Needham and Green, Cambridge, 1937.

of action by cyanide and by carbon monoxide, and the dehydro-genases are inhibited by narcotics. Other enzymes are sensitive to arsenite, iodoacetate, and fluoroacetate. Further advances have been made possible by the availability of radioactive isotopes; inclusion of a radioactive atom in the molecule of a metabolite makes it easier to follow the changes it undergoes, and to recognize its products.

In the preliminary processes of breakdown of foodstuff molecules, the reactions are hydrolytic, involving the addition of water at the point of division. There is also the splitting off of amino groups; the processes leading to the excretion of these as urea have recently been investigated by Krebs, who finds a complicated cycle of reactions where a simple condensation of ammonia and carbon dioxide to give urea had been assumed to occur.

The cell can obtain energy without oxidation, by fermentation, the anaerobic disintegration of molecules. As Pasteur discovered, in the yeast cell the two processes are antagonistic, fermentation occurring in the absence of oxygen, and ceasing as oxidation is promoted. A reaction of this type is the breakdown of glycogen to lactic acid in muscle, the process responsible for muscular contraction, which was discovered by (Sir F. G.) Hopkins and (Sir W. M.) Fletcher in 1907. It has been analysed recently into eight chemical stages, involving the presence of two substances as phosphate carriers, and catalysed by a system of at least ten enzymes. Meyerhof, Embden, and Parnas have been among the chief workers in this field.[2] The equally complex fermentation of starch to alcohol by yeast has also been analysed, some stages in the process being identical with the muscle reactions.

Vitamins have been mentioned among the respiratory carriers and enzymes of the cell. The chemical structures of some of these substances, and the parts they play in the intricacies of cell metabolism, were becoming known before the war of 1939, thanks to the laborious endeavours of workers in many countries.[3] But for some time after their discovery, the only vitamin to have been identified chemically was the antirachitic vitamin D; how this substance exerts its function of regulating calcium and phosphorus metabolism remains obscure. Vitamin A, found by von Euler in 1929 to be closely allied to the plant pigment carotene, a complex unsaturated alcohol, is necessary

---

[1] C. A. Lovatt Evans, *Recent Advances in Physiology*, 6th ed., revised by W. H. Newton, London, 1939.

[2] *Perspectives in Biochemistry.*

[3] W. R. Fearon, *Introduction to Biochemistry*, 2nd ed. London, 1940. L. J. Harris, *The Vitamins*, Cambridge, 1938.

for the maintenance in health of certain tissues, including the central *Biophysics* nervous system, the retina, and the skin. Night blindness is an early *and* symptom of vitamin A deficiency, and the chemical reactions by which *Biochemistry* the vitamin reconstitutes the photo-sensitive chromo-protein of the retina have been elucidated by Wald. Vitamin E, involved in the maintenance of mammalian fertility, and vitamin K, required for normal coagulation of blood and protection against haemorrhage, have also been chemically identified; the latter is a quinone derivative.

"Vitamin B" has proved to be a mixture of substances. Vitamin B_1, or aneurin, the anti-neuritic vitamin, found in yeast, plant seeds, etc., was isolated in crystalline form by several groups of workers, and identified as a pyrimidine-thiazole compound. As mentioned above, it acts as part of the decarboxylase enzyme system which breaks down partially oxidized carbohydrate products, and it is the accumulation of these products in the absence of sufficient vitamin that causes the characteristic symptoms of polyneuritis and beri-beri. Some patients need the mass action of isolated B_1 for a cure.[1] Vitamin B_2, chemically ribo-flavin, is also concerned in cell oxidations. Another component of the vitamin B complex is nicotinic acid, chemically related to the nicotine of tobacco; it is a constituent of the co-dehydrogenase enzymes, and it probably assists in preventing pellagra, a poverty disease of populations confined mainly to a diet of maize meal. An allied pyridine compound, vitamin B_6, prevents a pellagra-like dermatitis occurring in rats. Factors known at present as B_3, B_4, and B_5 are under investigation, and an interesting species difference has appeared, B_3 being necessary for birds, and B_4 for mammals.

B_1 is necessary for all forms of animal life, and for plant life as well, being stored especially in plant seeds. Most plants are able to make it for themselves, but some bacteria, yeasts and fungi have the same need as animals for external supplies. Vitamin C, ascorbic acid, seems to be synthesized by most animals; the only species known to be liable to scurvy when deprived of the vitamin are man, monkey, and guinea-pig. Chemically, C is the simplest of the vitamins, being an unstable, highly reducing compound of formula $C_6H_8O_6$, allied to sugar in structure (see p. 253), and probably acting as a hydrogen-transport agent in cell metabolism. Its formation precedes that of chlorophyll and the carotenoids in germinating seeds, and it is likely that vitamin C will prove to be part of the mechanism for synthesizing these fundamental substances. In the animal body, it is present in large amounts in two of the endocrine glands, the pituitary and the adrenal cortex.

---

[1] E.g. the author of this book, during an attack of polyneuritis.

Vitamins have been defined as essential foodstuffs required only in minimal quantity. Again, they may be regarded as hormones which the organism is unable to produce for itself, hormones, like vitamins, being substances necessary in small amounts for the health and growth of various parts of the body. The study of the endocrines, or hormones produced by the glands of internal secretion, has become so specialized that it forms a new science of endocrinology, lying on the borderlines of physiology and pathology.[1]

Progress in our knowledge of the sex hormones has recently been rapid. Early work on the testicular hormone (p. 337) was followed by Allen and Doisy's discovery of new methods of demonstrating the re-establishment by ovarian extract of the oestrous cycle in rats deprived of ovaries. In 1927, Aschheim and Zondek found a convenient source of "oestrogen" in the urine of pregnant animals. Four closely allied oestrogens, collectively known as oestrin, have been isolated and chemically identified, and from the ovary is derived a fifth and most active, oestradiol. A related substance, progesterone, is found in the corpus luteum which forms in the ovary after the escape of the ovum, and is concerned with preparation for, and maintenance of, pregnancy. Four chemically similar androgens, or male sex hormones, have also been identified. Marrian (1930) has pointed out that both male and female hormones occur in animals of either sex, and they have been detected in plants also; a single substance may act as male or female hormone according to conditions. The sex hormones mentioned above are all sterols, derivatives of the hydrocarbon phenanthrene; they are closely related to vitamin D, which is slightly oestrogenic, and to the cancer-producing substances isolated from coal-tar by Kennaway and others. However, the sterol structure is not necessary for oestrogenic activity, for Dodds and his colleagues have synthesized powerfully oestrogenic substances of a much simpler hydrocarbon type.

Work on the sex hormones, and on pituitary secretion, has led to an understanding of the complicated hormonic pattern of the female sex cycle, and valuable therapeutic possibilities have been opened up. Useful tests for pregnancy depend on the recognition in urine of hormonic substances released into the circulation from the placenta.

Active preparations have been made recently of the hormones of the cortex of the adrenal gland, and have been found by Kendall to contain a mixture of sterol-like substances, for which the cortex appears to be a factory or storage depot. Cortical deficiency is known

---

[1] Cameron, *Recent Advances in Endocrinology*, 4th ed. London, 1940.

medically as Addison's disease, and experimental removal of the cortex leads to death in a few days.

The hormone of the parathyroid glands was first extracted in active form by Collip, in 1924, and was found to be apparently of protein nature. It regulates calcium and phosphorus metabolism. Deficiency of the hormone leads to lowered blood calcium; this may bring about tetany, a hyperexcitability of the nervous system, with attacks of muscular spasm, which often used to occur after surgical removal of a diseased thyroid gland, owing to removal of the unrecognized parathyroid glands also.

Perhaps the most interesting feature of recent work on the hormones is the recognition of the overriding and co-ordinating role of the pituitary gland. Pituitary hormones are responsible for evoking the secretion of the oestrogens and androgens, and the formation of the corpus luteum, thus determining the onset of puberty, the maintenance of the female sex cycle, and the course of events in pregnancy. A pituitary factor is responsible for the onset of lactation, and its effects can be demonstrated on the mammary glands of a female animal without ovaries or even of a male animal. Pituitary secretion also affects the thyroid gland and adrenal cortex. Pituitary extracts tend to raise body metabolism as a whole, increasing the amount of fat oxidized, but depressing carbohydrate consumption. Some of the pituitary hormones have been chemically identified; they are of protein nature.

The group of hormones is extended by some writers to include, under the name of neurocrines, the substances which are involved in the chemical transmission of influences from nerve endings to effector cells.[1] Such a substance is acetyl choline, known since 1867. In 1906 it was found that acetyl choline causes, when introduced into the circulation, a sharp but transient fall in blood pressure, due to temporary dilatation of the arterioles. This and other reactions produced by acetyl choline were found to resemble in general those caused by stimulating the vagus nerve or other nerves of the parasympathetic system, and Loewi and Navratil concluded that acetyl choline is probably the chemical transmitter of the nerve impulse. Owing to the presence of a specific hydrolysing enzyme, acetyl choline is extremely short-lived in the tissues, and it was not isolated from animal sources until Dale and Dudley obtained it from spleen in 1929. Just as acetyl choline seems to be released at the nerve endings of the parasympathetic system, so a transmitter substance is produced by

[1] Lovatt Evans, *loc. cit.*

stimulation of the sympathetic system. It has been named "sympathin" by Cannon, to whom much of the work on the subject is due. In many ways, it resembles adrenalin, the hormone of the medulla of the adrenal gland, e.g. in raising blood pressure, and rate of heart beat, but the two are thought to be co-operating rather than identical substances.

Modern physiology and biochemistry are slowly working their way into medicine, while clinical medicine is not only formulating problems but also giving information to the underlying sciences. As an example we may take gastric phenomena.[1] The recent story is based on William Beaumont's old work on the gastric processes in the stomach of a man with a gun-shot wound (1833), Bernard's investigations on the alimentary canal, and Pavlov's later experiments on the digestive glands, linking together physiology, pathology, and therapeutics.[2] The advent of radiology, and the use in 1897 by Cannon of an opaque meal containing bismuth, have enabled clinicians to examine the alimentary tract in a way impossible before.

The influence of diet is illustrated by the work of Minot of Harvard, who found in 1926 that pernicious anaemia, formerly usually fatal, was curable or held in check by feeding the patient on liver, or injecting liver extract. The factor responsible (vitamin B_{12}) was isolated in 1948; its structure includes a pyrrole nucleus, with a cobalt atom instead of the iron of haematin or magnesium of chlorophyll. In pernicious anaemia, defective gastric secretion prevents the absorption of the vitamin. Another example of practical medicine interacting with theoretical physiology is miner's cramp. Men doing heavy work in a hot atmosphere sweat profusely, and lose much salt in the sweat; if they drink fresh water the body fluids become too dilute, and disabling cramps result. Miners and stokers have a natural craving for heavily salted foods, and recently, on the suggestion of physiologists, have found it possible to avoid cramp by drinking a weak salt solution instead of water.

Viruses[3]   Since the early editions of this book appeared much work has been done on ultra-microscopic viruses. Many human diseases, such as small-pox, yellow-fever, measles, influenza and the common cold, now recognized as due to viruses, have long been studied; and in cattle, foot-and-mouth disease, in dogs, distemper, in plants, tulip-

---

[1] See p. 258; also J. A. Ryle, Chapter VII in *Background to Modern Science*, Cambridge, 1938.
[2] Pavlov, *The Work of the Digestive Glands*, London, 1910.
[3] Kenneth M. Smith, F.R.S., *The Virus*, Cambridge, 1940.

break, potato-leaf-roll, and tobacco-mosaic, are some of the best- *Viruses*
known examples of affections now referred to viruses.

While bacteria can be filtered from the fluids containing them by
unglazed porcelain, or compressed infusorial earth, viruses pass such
filters with the liquids. In 1892 Ivanovski proved this fact with
tobacco-mosaic, and it was rediscovered by Beizerinck seven years
later. Loeffler and Frosch showed the same phenomenon with foot-
and-mouth disease. However, special filters can now be made of
collodion films, prepared by the action of amyl alcohol and acetone
on nitro-cellulose, and possessing minute pores of regular size, which
can be measured by the rate of flow of water through a given area
of film.

These films give one method of estimating the size of virus particles,
though difficulty arises from differences in shape—e.g. rods and
spheres. Other methods depend on photography, on the ultra-violet
microscope, on a high-power centrifuge, and on an electron microscope, in which a magnetic field acts on electronic rays *in vacuo*. The
results agree adequately with each other. Particles are found ranging
from those which approach small bacteria in size, say 300 millimicrons,
to those of foot-and-mouth disease, the smallest yet measured—about
10 millimicrons—a millimicron being the millionth of a millimetre.

The chief problem which confronts us is the nature of the virus—is it
a minute living organism or a large chemical molecule? W. M. Stanley,
an American working at Princeton, using the chemical method of
"salting out", obtained from a suspension of tobacco-mosaic virus
a protein of high molecular weight which had all the properties of the
virus. This protein has crystalline affinities, and some viruses are
regular crystals. At the same time they have some of the properties of
living organisms; the diseases they cause are infectious, and the virus
particles reproduce themselves in the new host. Gortner and Laidlaw
independently have put forward the view that viruses are a highly
specialized form of parasitic organism. We may perhaps visualize a
naked nucleus using the host's protoplasm.

There is so much to be said for both the chemical and biological
theories that we may perhaps follow Kenneth Smith who writes:
"There is no precise definition of a living thing or exact criterion of
life. We cannot do better here than quote a remark made over 2000
years ago by Aristotle: 'Nature makes so gradual a transition from
the inanimate to the animate kingdom that the boundary lines which
separate them are indistinct and doubtful.'" Let us then leave this

Viruses problem, at present indeterminate, and regard viruses as border-line entities, at all events until more evidence is available.

The methods by which viruses travel are various. Within an animal host, they may move through the blood, nerves, or lymph, according to the kind of virus, while the transmission from one host to another is often a complex process, and its investigation may involve extensive and sometimes unsuccessful experiments. Some viruses are water-borne, and some air-borne. The virus of epidemic influenza retains its infective power for periods up to one hour when suspended in droplets of water floating in air. A plant virus causing tobacco-necrosis is an example of an air-borne infection. Sometimes a wound is necessary for entry into a new host, e.g. a scratch on an animal, or a bruised root-hair in a plant. Some viruses are carried by insect vectors, such as the greenfly, or aphis, which feeds on roses, and most of these carrier insects extract the sap and get the infection by means of a long sucking beak. Virus diseases of tomatoes and orna-mental plants are conveyed by insects known as thrips, while the virus of louping-ill in sheep, and that of red-water in cattle, are carried by ticks. Kenneth Smith has discovered a plant disease to produce which two viruses are needed, one borne by insects and one otherwise. These are merely examples, but they serve to show how diverse and how complex these relations are.

The method of conveyance is still unknown in many cases, both in plants and animals. The problem set us by foot-and-mouth disease is specially difficult. In some epidemics there seems to be no mechanical connection between one outbreak and another. Common insects seem not to be responsible; the infection may travel against the wind, so it is probably not wind borne. Possibly some animal, such as the rabbit, the rat, or the hedgehog, should sometimes be blamed, while the suggestion has been made that the virus is carried on the feet of migratory flocks of starlings, coming from the Continent. This idea is supported by the fact that sudden outbreaks rarely occur in Scotland, where migratory starlings do not go.

Immunity Experiments on the nature of viruses, and on their mode of trans-mission, enable us to make better attempts than would otherwise be possible, to prevent and control their ravages, though some early empirical methods were successful. In Chapter VII an account is given of the introduction of inoculation for small-pox, and the later change to vaccination, first tried by Benjamin Jesty, and examined more fully by Edward Jenner. An infectious disease is often found to make the sufferer immune to further attacks, and the cow-pox or *Immunity* vaccine used by Jenner, a weak strain of the small-pox virus, producing a mild local disease, is able to immunize the body against the virulent infection, probably by the formation of the same protective antibodies which are effective after small-pox itself. Similarly, Pasteur prepared weakened strains of rabies virus from the spinal cords of infected rabbits, and these weakened strains, if injected soon after exposure to the disease, were found to produce protective antibodies before the virulent strain could multiply.

The nature of the complex process called immunity is still far from clear. The discovery of "antitoxin" in the serum of animals immunized to tetanus was made by Behring and Kitasato in 1890, and was soon followed by observations which showed that the ability of an animal to produce antitoxins is a very general phenomenon.

Paul Ehrlich, chemist and bacteriologist, who was responsible for much of the early work on immunity, showed in 1891 that the vegetable proteins ricin and abrin each caused the production of a specific antitoxin when injected into animals.

By the end of the nineteenth century, it was recognized that the body reacts to the injection of bacteria and many other substances of a protein nature by developing new compounds which neutralize the substance injected. These new substances appear in the blood and body tissues and are known as "antibodies". The substances capable of causing this reaction are called "antigens".

More recently, the chemical basis of the specific properties of antigens has been demonstrated by Landsteiner, who prepared artificial antigens by coupling diazotized aromatic amines with proteins, and showed that the specificity was determined by the diazotized amine and not by the protein moiety of the molecule (1917). A further advance was made in 1923 by Heidelberger and Avery, who found that the "soluble specific substances" of the pneumococcus which act as antigens were chemically distinct, nitrogen-free polysaccharides.

The reactions between antigen and antibody are difficult of interpretation; immune reactions have been explained as the combination of oppositely charged colloidal particles, or as adsorption phenomena. Ehrlich maintained that actual chemical combination in definite proportions took place between antigen and antibody. Later work by Heidelberger and Kendal (1935) gives strong evidence of the chemical union of antigen and antibody in multiple proportions, and according to Heidelberger it is possible to express this union in terms of the laws of classical chemistry.

Immunity   Some virus diseases, such as foot-and-mouth disease in cattle and influenza in man, may show a variety of different strains, and immunity to one strain may not protect from others. But recently a vaccine was produced in Copenhagen which it was hoped would protect from the three main strains of foot-and-mouth virus.

Dunkin and Laidlaw found that the virus of distemper in dogs, weakened by formaldehyde, still gave a certain immunity which could be confirmed by subsequent injections of active virus. A second method depends on a double injection of active virus on one side of the animal, and of immune serum on the other.

Oceanography   The work on oceanography described in Chapter VII has been followed by more recent investigations, especially in the ecology of fish. The migrations of fish are both of biological interest and also of practical importance in commercial fisheries.[1] Usually we find a spawning movement towards a definite area, generally up-stream, then a dispersion down-stream in search of food. As examples we may take the cod and plaice in the North Sea, where the eggs and larvae are pelagic, and the salmon, which deposits its eggs in the upper reaches of rivers and streams, moves down to the sea, and back when mature to the same waters, thus showing individual memory.

The European eel spends its adult life in fresh waters and (as shown by Johannes Schmidt) migrates thousands of miles to spawn in the deep water of the Sargasso Sea. Schmidt also found that four other species of eel, which inhabit Sumatra, breed in a deep trough lying off the west coast, where they find near at hand water of the right depth (5000 metres) and appropriate salinity.

Many sea fish feed on diatoms and other minute organisms, which as stated in Chapter VII, are collectively known as plankton. A study of the prevalence and drift of plankton in the sea shows where food, and therefore fish, will later be found, and further information has accumulated since that Chapter was written. Much work has also been done, especially by Professor A. C. Hardy of Hull, on the drift of insects in the air over the North Sea.[2]

Genetics[3]   Since the earlier discoveries on cytology and chromosomes described above, much new work has been done, which has helped

[1] E. S. Russell, "Fish migration", *Biological Rev.* Cambridge, Phil. Soc. July, 1937.
[2] See *Reports of Development Commissioners*, H.M. Stationery Office.
[3] C. H. Waddington, *How Animals Develop*, London, 1935; *Introduction to Modern Genetics*, London, 1939. J. B. S. Haldane, in *Background to Modern Science*, Cambridge, 1938. R. C. Punnett, in *Background to Modern Science*, Cambridge, 1938. C. D. Darlington, *Recent Advances in Cytology*, London, 1937. *Evolution of Genetic Systems*, Cambridge, 1939. G. D. H. Bell, *The Farmers' Guide to Agricultural Research*, *J. Roy. Agric. Soc.* 1932.

forward the science of genetics, and begun to affect the practical art *Genetics* of the plant and animal breeders.

Chromosomes, bearing the hereditary factors or genes, occur in pairs in every cell, and in every cell-division each chromosome splits in half to reproduce the same number of pairs in the two new cell nuclei. But in the formation of reproductive cells the pairs of chromosomes separate, one going to each new cell, a process termed meiosis. The number of chromosomes in a reproductive cell is considered basic, and is called the "haploid" number. When fertilization occurs, two haploid numbers are brought together by the union of two nuclei, and the resulting new individual is said to be "diploid" in chromosome number. But multiplication of the chromosomes, or polyploidy, may take place, and more than two haploid sets may appear in the new vegetative cells. Thus there may appear triploids, tetraploids, etc., when the cells contain three or four or more times the haploid chromosome number. Polyploidy occurs, for example, in wheat, in oats, and in cultivated fruits. Thus sweet cherries are diploids, plums are hexaploids, while apples may be somewhat complex diploids or triploids. The polyploid state greatly affects questions of sterility; if a polyploid has an odd number of chromosomes in its vegetative cell which cannot be equally halved in the formation of reproductive cells, then irregularities in chromosome distribution are bound to take place, generally leading to sterility. For instance, in the genus *Prunus*, the odd multiple polyploids are so highly sterile that they produce no fruit, and are grown as flowering ornaments only. Many varieties of fruit, such as Cox's Orange Pippin among apples, various plums and all sweet cherries, are unable to fertilize themselves, and need the near presence of some other variety to set their fruit.

Progress has been made in solving the question of sex determination, in which two factors, hereditary and developmental, are involved. The suggestion set forth above to explain the near equality in the numbers of boys and girls is now known to be true. In man, and in various other groups of animals, all female germ cells carry the female quality only, while half the male cells carry maleness and half femaleness. In other groups of animals the relation is reversed and the female has both kinds of germ cells. The chromosomes which determine sex have, in some cases, been identified microscopically. For example, in the fruit fly *Drosophila*, on which so much genetic work has been done, the sex chromosomes are visible in the cells of the male in an unequal pair, one being hooked in shape.

Developmental factors in sex determination have been investigated

Genetics especially by Crew,[1] who has described the reversal of sex in fowls. The sex hormones play a part here. The case of the "freemartin" may be recalled—where a heifer calf is rendered sterile by the hormones of the twin bull calf. The potentially hermaphrodite larvae of the sea-creature, *Bonellia,* grow into male or female adults according as they attach themselves during development to another female or to the sea-floor. Chemically, like viruses, their chromosomes are composed of nucleo-protein, and the genes in the chromosomes, again like viruses, either reproduce themselves or persuade the rest of the cell to reproduce them.

The precise chemical stage of metabolism affected by a gene is now known in some cases. Thus in the mouse a gene has been discovered which causes dwarfing; the dwarf mice lack the cells that produce two pituitary hormones, and grow normally if the hormones are injected. A biochemical account of the action of thirty-five genes concerned in the production of flower pigments has been supplied by Miss Scott Moncrieff. The gene causing albinism leads to the absence of a pigment-producing enzyme from the cells of albino animals. A number of genes are known which are lethal to the organism, some preventing any development, others bringing it to an untimely end, as in plants which inherit genes inhibiting chlorophyll formation.

In this field the sciences of genetics and biochemistry now interact usefully; the geneticist helping the biochemist to analyse metabolic processes into successive stages, and the biochemist suggesting to the geneticist what genes are doing, and perhaps ultimately what they are. It is the duty of the biophysicist and biochemist to describe the phenomena of life as far as may be in terms of physics and chemistry, but there are still regions where, for the time at any rate, these explanations remain insufficient. For instance, as Sherrington insists,[2] the development of the various bodily organs in the embryo takes place before the function for which the organ is designed can be brought into play; all the complex structure of the eye is built up before the eye can see. Sensation and consciousness too are beyond physics and chemistry.

In the study of reproduction it is found that fertilization consists of two processes, stimulation of the ovum and the union of the egg and sperm nuclei. The process was first described in 1875 by Oscar Hertwig, who watched a sperm cell entering the egg of an echinoderm and saw the fusion of the two nuclei. Stimulation may sometimes be

[1] F. A. E. Crew, *Genetics of Sexuality,* Cambridge, 1927.
[2] Sir Charles Sherrington *Man on his Nature,* Cambridge, 1940.

effected partheno-genetically, and on this process much new work *Genetics* has been done, Spemann, for instance, having produced artificial twins. If a developing ovum divides by falling into two halves, it forms "identical twins", while if two ova are fertilized simultaneously "fraternal twins" result, which may be no more alike than any two children of the same parents.

For this work Spemann used modern methods of micro-surgery, investigating newts, since technical difficulties occur in such work on mammals. Pieces of tissue in special parts of an embryo determine the course of development, and are called by Spemann "organization centres". They seem to contain active chemical substances which give the necessary stimulus. For instance one of the "organizers" in Amphibia is chemically a sterol, like the sex hormones, vitamin D, and certain cancer-producing substances.

The further development of embryos has been traced, among others, by Vogt of Zürich, who touched gastrulating embryos with dye, and then watched the changes in the coloured cells. The study of the food supply of embryos was simplified by the collection of the known facts in Needham's book on chemical embryology.[1]

The rediscovery, about 1900, of Mendel's work, was followed by a controversy between Mendelians led by Bateson and Biometricians led by Karl Pearson and Weldon, who held the strict Darwinian view that evolution proceeded from small and continuous variations. Later years have seen the synthesis of these two opposing views, largely by the work of R. A. Fisher, who has made a new tool for research by his work in mathematical statistics. To test whether a set of facts conforms to Mendelian rules we now use the mathematical criteria invented by Pearson, and for examples of Mendelian inheritance in man, we turn to Pearson's collection of data. A somewhat speculative evolutionary theory based both on Darwinism and Mendelism has been developed mathematically by Norton, Haldane, Fisher and Wright, the gene rather than the individual being the chief unit. The study of the genetics of natural populations, started by Tsetverikov, has shown that in races apparently homogeneous large numbers of recessive genes may exist. The rate of natural selection will be higher the greater the varieties in a population, for the faster will the unfit be eliminated; according to Fisher, the rate of increase in fitness is proportional to the genetic variance.

The mutations which are the basis of Mendelian development often occur normally, some being explicable by chromosome events. But

[1] J. Needham, *Chemical Embryology* Cambridge, 1931.

Genetics Muller has found that in *Drosophila* the action of X-rays causes an increase in the number of mutations.

Recent discoveries of the remains of fossil man-like apes and ape-like men have given evidence on human evolution.[1] Fossils from Java and China show much similarity, but the Chinese *Pithecanthropus Pekinesis* suggests a slightly higher grade of development. Other palaeontological evidence of the origin of the Hominidae is found in dryopithecine fossils in the Tertiary deposits called Miocene and Pliocene. In some species of these fossils an approach to the special characters of modern anthropoid apes is seen, and this suggests that the divergence of the line leading to the Hominidae from that of the anthropoid apes, must have occurred in early Miocene times.

Recently discovered fossil apes from South Africa emphasize the possibilities of the Dryopithecinae as ancestors of the Hominidae, though a gap still exists needing more palaeontological discoveries to fill it. But the new material of the *Pithecanthropus* group serves to point to its hominid status; in particular the limb bones are comparable with those of modern man. Thus it is probable that the *Pithecanthropus* group gave the basis for the development of later types of man, an aberrant line being the Neanderthal type of later Mousterian date.

Passing to a consideration of fossils in general, we observe that, while Cambrian rocks, such as are found in North Wales, contain examples of most of the main groups, the fossil record fails below the beginning of Cambrian times. Somewhere between the Cambrian age, perhaps 500 million years ago and that of the oldest rocks, which radio-active evidence places at about 2000 million years, life must have appeared on the Earth.[2] The problem of the origin of life is still unsolved. The spontaneous generation of bacteria and other germs was disproved by Spallanzani and Pasteur (pp. 186, 264). It has been suggested that living matter may have been brought to the Earth from other planets. But no living organism could survive the intense and deadly short-wave radiation of space, from which we are protected by atmospheric oxygen. Therefore life must have begun on the Earth; and the discovery of viruses, bodies much smaller and presumably simpler than bacteria—living material on an almost molecular scale—reopens the old question. We can but ask "What are the environmental requirements of simple bodies like viruses, and can

[1] W. E. Le Gros Clark, "Palaeontological evidence bearing on human evolution", *Biological Rev.* Cambridge Phil. Soc. April, 1940.
[2] C. F. A. Pantin, *Nature*, 12 July 1941.

they be found in primordial inorganic matter?" The electron micro-scope may help, but there, for the time, the problem must rest. *Genetics*

One of the most important branches of physiology is the study of the nervous system. In an organism, as in a nation, efficiency and progress depend on common action among the units, and the nerves are the organs of communication between the units, and thus the chief factors in physiological synthesis. In this field, the modern pioneer work was done by Sir Charles Sherrington in the years from 1906 onwards. Dr Adrian has given me the following paragraphs: *The Nervous System*

In most complex animals the nerve cells and their delicate protoplasmic extensions form a central mass which communicates with other parts of the body by the peripheral nerve fibres. These are the channels by which messages pass from the sense organs (or receptors) to the central nervous system, and from it to the muscles and glands. The activity of the nerve fibres is accompanied by small changes of electric potential at their surface, and the investigation of these changes (aided in recent years by the introduction of valve amplification) has shown what kind of messages the fibres transmit. Both sensory and motor messages consist of a series of brief "impulses" differing little from one another but spaced close together or far apart according to the intensity of the stimulus. But this tells us little of what goes on in the central nervous system, and the outstanding problem is to discover how the incoming messages are co-ordinated there and the outgoing built up in such a way that the animal responds as a whole with the appropriate movements.

To solve this completely would mean accounting for the entire behaviour of an animal in physiological terms, but Sherrington has shown that a great deal of the "integrative action" of the nervous system can be made intelligible by the study of the simple reflexes and their interaction. For example, an orderly movement is only possible if the contraction of one group of muscles is accompanied by the relaxation of muscles antagonistic to it, and this is brought about by a dual effect of the incoming message which excites certain nerve cells and depresses or "inhibits" others. Again the time relations of the inhibitory and excitatory states have been shown to account for the smooth precision with which one reflex may succeed another. This work, initiated by Sherrington, has focused attention on the reflex as a key to the knowledge of nervous organization and (with Pavlov's work) has been responsible for the mechanistic trend in recent psychological theory.

The highest part of the central nervous system, the brain, is de-veloped in connection with the "distance receptors", as Sherrington calls them, the senses of sight and hearing, which put the animal into touch with distant objects. Mental functions have their seat in a part of the brain called the cerebrum, and especially in its cortex. By stimulation of limited regions of the cortex, localized movements of the limbs, etc. are produced; the effects of electrical stimuli were first investigated by Fritsch and Hitzig in 1870, and the areas of the cortex were mapped out and its reactions studied later, especially by Horsley, Sherrington, Graham Brown and Head.

The Nervous System

Another part of the brain, the cerebellum, has been shown to be concerned with balance, posture and movement, and the complicated co-ordinations needed for them. It acts in response to stimuli received from the muscles of the body and from the labyrinth of the ear.

The involuntary nervous system, which controls the unconscious bodily functions, was first investigated thoroughly by Gaskell (1886–1889) and Langley (1891 *et seq.*), who showed that, though it possesses a certain degree of subsidiary independent action, it is essentially an outflow from the cerebro-spinal system and under its general control.

Pavlov (1910) pointed out that it may be unnecessary to introduce psychological ideas, which is usually done as soon as the higher nervous functions are studied. The certain and unconditioned reflexes of the simpler functions pass into more complex reflexes conditioned by other factors, but the method of observing stimulation and resultant action may still be applied. A phenomenon which has been associated regularly with food may itself produce the reflex action proper to food: the dinner-bell may cause one's mouth to water. This method does not touch the problem of the ultimate nature of the intervening consciousness, but it has led to the development of a school of psychology called behaviourism, which, like physiology, ignores consciousness in its investigations.[1]

Psychology

The application of experiment to psychology, initiated by Weber and others in the nineteenth century, enabled later workers to develop a type of psychology which could definitely be classed among the natural sciences.[2] The acuteness of sight, taste, smell and feeling can be measured by mechanical devices. More complex tests of the same kind can estimate memory, attention, association, reasoning and other faculties; while another set of tests deals with fatigue, reaction to stimulus, and co-ordination between hand and eye. As an example we may instance the experiments of Miss Kellor of Chicago on the effects of emotion on respiration, as a result of which she found that negresses are less affected than white women. In all such investigations, psychology is using the objective and analytic method of natural science.

While pure physiologists studied the physics and chemistry of muscular contraction, of glandular secretion, of the conduction of nervous impulses and their connection with the central nervous system, those interested in psychology worked at the mental aspect

---

[1] Pavlov, *Conditioned Reflexes*, Eng. trans., Oxford, 1927.
[2] C. S. Myers and F. C. Bartlett, *Text-Book of Experimental Psychology*, Parts 1 and 2, Cambridge, 1925.

of these same physical manifestations. For instance, the investigations of Sir Henry Head on such affections as aphasia are of far more than merely medical interest. A large number of new psychological facts were obtained by neurologists during the War of 1914–1918 from the study of the mental effects of localized injuries.

The associationist school of Herbart, the Mills and Bain, regarded the Self or Ego not as a pre-existing source of psychological representations, as did the older orthodox view, but as pieced together by the association of discrete ideas. The physiology of the "conditioned reflexes", initiated by Pavlov, carried this line of thought further, and led naturally to the psychology of behaviourism developed by J. B. Watson in 1914 and the following years. The fundamental ideas were outlined in 1894 and 1900 by Lloyd Morgan, a British psychologist who founded the American school of animal psychology.

These investigators broke away from the prevalent interpretation of the actions of animals in terms of supposed consciousness, and set to work to observe their behaviour, and later on that of men, objectively as the facts of physics and chemistry are observed. No one from outside can detect a being's consciousness, sensation, perception or will; they must be ignored in the study of stimulus and response. If his cornea be touched, a man blinks, but the observer knows nothing about the intervening feeling of irritation.

In a new-born babe the number of unlearned responses is small, comprising only such fundamental actions as breathing, crying, etc. Fear is only excited by loud sounds or a sudden failure in support. But the child soon learns also to fear any conditions which accompany these things a few times, whether there is any real connection or not. Thus conditioned reflexes are built up. Once established, they can only be removed by a slow process of "unconditioning", whereby the automatic association is broken.

According to Watson, thought is a secondary product, which is slowly gained through the habit of language, as skill in tennis or golf is acquired by muscular activity. A child talks to himself as a reflex action from external stimuli; mental imagery builds itself round the words, and gradually he finds it better to stop talking aloud. But always a stimulus is supposed to produce rudimentary or suppressed speech. We talk and then we think—if indeed we think at all.

That there is some truth in this theory no one who listens to tea-table chatter or to political debate can deny, and, from the point of view of psychology, there is much to be learned from it. But its philosophic import should not be over-valued. As a man is regarded as a machine by the definitions of mechanics, so to the behaviourist he is merely a nexus of stimuli and responses, because behaviourism, by its own definitions and axioms, is merely the study of the relations between stimuli and responses. In so far as behaviourism is a success, it gives evidence that its assumptions will lead to results in accordance with facts, but, as in other similar cases, the evidence of the ultimate reality of those assumptions, for what it is worth, is metaphysical and not scientific.

Modern psychology is acquiring a practical application in the problems of industry. Industrial operations have to be performed by human beings subject to emotions, prejudices and impulses, and, for the most part, very little swayed by reason or "enlightened self-interest". It is the function of the industrial psychologist to study such factors, as well as simpler ones such as bodily fatigue, and to so adjust manufacturing operations that work shall cause as little weariness and as little repugnance as may be.

Each person has a natural rhythm of his own, and a definite rate of periodic movement in activity; it is necessary to take such individual peculiarities into account if the best results are to be obtained. The manual processes in factories have been studied closely, especially in America, and modifications introduced which have simplified the workman's movements or made them more rhythmical, thus saving him fatigue and increasing his rate of output.

Similarly, educational psychology began to make an observational and experimental study of the child's mind. Tests of mental activity and alertness were devised, and some indications gained as to means of detecting special aptitudes likely to be of use in deciding on the child's future.

Psychology also became increasingly important in medicine. Hitherto attempts to find material changes in the brain to correspond with the changes which take place in the mind have met with little success, and physiological and pathological tests may detect nothing abnormal even in the complete disorganization of the ideas and emotions which occurs in insanity. There is little doubt that physical changes do occur with every change of mood or thought, but, until we know about them, we must describe the mind and its disorders in psychological terms. Modern psycho-pathology covers a much wider field than its name would imply, for the study of the abnormal helps to reveal the normal. Its development is largely due to the widespread interest created by the work of Freud, who studied unconscious actions and their causes in a way which led to the mode of examination of the mind known as psycho-analysis. Freud's work strengthened the idea *Psychology* of determinism in modern psychology, explaining everything, from our most trivial mistakes to our most cherished beliefs, as due to the operation of powerful instinctive forces, which mature with the body and may be the cause of mental ill-health if their development is checked or distorted.

Another application of psychology, which may or may not give results of scientific value, is the so-called psychical research. Among the phenomena of "spiritualism" are doubtless many due to self-deception and even conscious and deliberate fraud. But, in the view of some competent observers, when deception and fraud are eliminated, there remains an unexplained residue which is worthy of scientific investigation. Special aptitudes, and experience of both hysteria and the art of the conjuror, are needed in those who set out to examine these phenomena. Much careful work is described in the publications of the Society for Psychical Research, but no consensus of competent opinion has yet been obtained either in favour of or against a spiritualistic interpretation. Till more knowledge properly attested by critical methods has been accumulated, judgment should be held in suspense.

In the history of biology, vitalism and mechanism have alternated *Is Man a* with each other for the last three hundred years. In Descartes' *Machine?* dualism, man's body, in contradistinction to his soul, was held to be purely mechanical, and indeed materialistic. The French Encyclopaedists of the middle and end of the eighteenth century went further, and, basing their philosophy on Newtonian dynamics, held that man, body and soul, was but a machine. This point of view was criticized not only by orthodox theologians, but by other writers more scientifically effective. At the end of the eighteenth century, vitalism was once more in the ascendant, largely owing to the influence of Bichat. Nineteenth-century physiology, with Claude Bernard as its protagonist, together with the theory of evolution by natural selection, led to a reaction in the direction of determinism, specially in the school of German philosophic materialists and also among biologists—Haeckel and others.

The more recent history of the controversy has been summarized by Nordenskiöld[1] and by Joseph Needham.[2] Experimental physiologists and psychologists, working on the implicit assumption that the laws of mechanics, physics and chemistry were applicable to living

[1] *Loc. cit.* p. 603 et seq.
[2] Joseph Needham, *Man a Machine*, London, 1927.

N

matter, have continually increased the field within which mechanism seems an adequate explanation of vital phenomena. But some biologists, sensible of the wide areas over which ignorance still reigns, or impressed with the apparent purposefulness of living organisms, have returned to the view that the facts can only be explained by regarding living things as organic wholes.

Among these observers we may specially mention von Uexküll (1922), who held that living organisms were peculiar in that they are units in time as well as in space, J. S. Haldane (1913), who stressed the tendency of animals to maintain constancy amid changes in their external and internal environments, and Driesch, who thought that early embryonic development can only be explained by a non-material guiding force. Others, such as J. A. Thomson, E. S. Russell and W. McBride, instanced one or more among the multifarious phenomena of life as impossible of explanation in mechanical terms.

Among the philosophers, E. Rignano has insisted that the essence of living matter is teleological—a purposiveness, a striving for a goal, which controls the growth and functions of the body and of the mind in a way quite beyond the power of the blind forces of mechanics and chemistry.[1] He argues, for instance, that

the living substance...selects from the very complex mixture of chemical substances dissolved in the nutritive liquid exactly those compounds or radicals capable of reconstructing it in the same specificity as before. And as *selection*, this process has a marked purposive aspect.

Now many of the arguments of the neo-vitalists rest on gaps in our present knowledge of biophysics and biochemistry. To rely on such temporary ignorance is dangerous. Some of the arguments have already been refuted by recent research. Others, like Rignano's given above, might have been refuted at the time they were used. It would have been only necessary to point out that besides the compounds "capable of reconstructing it" the living substance is quite ready to absorb toxic bodies which poison it.

Lotze argued that the function of mechanism in the world is absolutely universal and yet quite subordinate. The mechanistic view is the only one which supplies working hypotheses for the experimentalist to use. It is only "a point of view", but within its own limits it is supreme. Physical science regards nature from the aspect of number and measurement, and the mechanistic thread of thought is woven into its essential structure by the mental loom which forms it. The teleological aspect is, and must be, foreign to science, though

[1] E. Rignano, *Man not a Machine*, London, 1926.

it may be part of the spiritual aspect of reality, of the meaning of the whole process.

Another answer was given by Lawrence Henderson, who points out that the environment bears as much the mark of teleology as does the organism.[1] Life, at all events as we know it, is only possible because of the exceptional chemical properties of carbon, hydrogen and oxygen, and the physical properties of water. Also it can only appear within the narrow range of conditions found in a world like our own where temperature, moisture and similar circumstances are suitable. Thus organic teleology is merged in universal teleology.

In spite of the great and growing success of biophysicists and bio-chemists in interpreting the phenomena of life in terms of physical and chemical conceptions, there may be an error in mechanism as a philosophy. From Descartes onwards, mechanists assumed that physical science reveals reality, whereas it is only an abstraction, looking at reality from one point of view. Hence, as a complete representation of reality, mechanism is periodically seen to fail, and naturally leads to vitalism—the idea that a spirit or soul, temporarily or permanently connected with the body, controls or even suspends physical laws to some appointed end.

The error of the vitalists seems to be that they have tried to apply the idea of purpose to the limited scientific problems of physiology, which by their nature can only be attacked by the analytical methods of physical science, whereas purpose, if purpose there be, can only work in the organism as a whole, and perhaps only be revealed by a metaphysical study of reality, to which the whole of existence is relevant.[2]

Yet it must be pointed out that the recent changes in physics, which began in 1925, seemed, in later years, likely to weaken the argument from mechanical determinism itself. Philosophy has been wont to draw its strongest evidence for scientific determinism from physics, where it was thought that there was a closed circuit of mathematical necessity. But as will be explained later, the new wave-mechanics seem to suggest that there is a principle of indeterminacy at the base of the ultimate units or electrons, which makes an exact measure of *both* position and velocity for ever impossible. By this, some argue, the scientific evidence for philosophic determinism has been broken down, while others hold that the principle of indeterminacy is merely a failure of our system of measurements to deal with such entities.

[1] *The Fitness of the Environment.* Quoted by Needham, *loc. cit.*
[2] J. S. Haldane, *The Sciences and Philosophy*, London, 1929.

As the continued study of fossil records strengthened our confidence in the accuracy of the broad theory of the evolution of plants and animals, so the palaeontological discoveries made in the early years of the twentieth century confirmed the truth of the general conclusions of Lyell, Darwin and Huxley about man's place in nature. Moreover, much new evidence came to light about the origin of the anthropoid apes and of the different varieties of man himself. It was gradually recognized that apes and men were probably differentiated from each other as early as the middle of Miocene times, while physiological evidence of their present close connection was given by new information about the similarity of their blood.

In 1901 C. W. Andrews discovered in the Egyptian Fayum fossils probably representing ancestors of existing mammals, and his prediction that early forms of anthropoid apes would also be found there was verified by Schlosser in 1911. In the foothills of the Himalayas, Pilgrim found fossil apes with peculiarities of structure which suggested that they were the ancestors of the *hominidae*. In 1912 Dawson and Woodward discovered at Piltdown in Sussex man-like remains in early Pleistocene deposits associated with crude flint implements.

Knowledge of Neanderthal man, whose bones were first discovered in the valley of that name in 1856, has been increased by the finding of similar remains in other places. They suggest a being with a large flattened head, prominent eyebrow ridges, a coarse face, and a brain which, though large, was deficient in the frontal region. Neanderthal man represented a species preceding and more brutal than that called *homo sapiens*, which includes all present races.

The Neanderthal men were followed in Europe by the tall, long-skulled Cro-Magnon race, a true variety of *homo sapiens*. The flint implements of these people are of much better type, and their paintings on the walls of caves show considerable artistic power. Other races, contemporary or succeeding, can be distinguished, and have been given names—Solutrian, Magdalenian, and so on. Then came the Neolithic peoples, who, in their wanderings, brought to Western Europe the great world-civilization of Egypt and Mesopotamia.

At the beginning of the twentieth century it was generally believed in England and France that civilizations resembling each other could arise quite independently among different races in separate parts of the world, and this belief produced a curious blindness to illuminating points of similarity. On the other hand, an important German school initiated by Ratzel (1886), and supported later by the work of Schmidt (1910) and Graebner (1911), traced the origin of similar artistic cultures to the intermingling of peoples. This point of view was reached independently by W. H. R. Rivers, in his classical study of relationships, social organization and language in the islands of the Pacific. Rivers, whose early death was a serious loss to anthropology, called attention in 1911[1] to the German work, and since then this theory has been adopted by observers of other arts, particularly by Elliot Smith in his study of embalming. Indeed, the widespread custom of erecting monoliths and other stone structures, orientated in relation to the Sun or stars, and similar to Egyptian models, is alone almost enough to show a common origin, not necessarily of race, but of civilization.

Physical Anthropology

If physical anthropology in the twentieth century has followed in the main the lines laid down by Darwin and Huxley, social anthropology has struck out new roads. This is due, firstly, to a more intimate knowledge of the psychology of primitive peoples obtained by men like Rivers from long sojourn among them; secondly, to the study of Greek religion made by such authors as Jane Harrison and F. M. Cornford; and, thirdly, to the exhaustive collection of world-wide data made by such anthropologists as Frazer, Rivers and Malinowski. Rivers' work was important, not only for the facts of primitive life which he collected, but also for a revolution in method introduced by him. He found that the general terms in which older enquirers put their questions were quite unintelligible to a primitive mind. It is useless to ask, let us say, whether or why a man may marry his deceased wife's sister. One must first ask: "Can you marry that woman?" and then: "What relation are you to her and she to you?"; general rules must be slowly put together from single examples. From his researches in Oceania, Rivers concluded that a vague sense of awe and mystery, generally called *mana*, is probably a more primitive source of magic and religion than the animism described by Tylor.

Social Anthropology

The prolonged study of primitive forms of religion, still or lately extant in savage lands, led to a complete change of outlook.[2] The old view, both among believers and sceptics, was that religion was a body of doctrine, theology if the religion is our own, or mythology if it is that of other people. Ritual, when considered at all, was thought to be merely a form in which beliefs, already defined and fixed, were publicly expressed, while, for the most part, that "inward spiritual grace" which, from one point of view, constitutes the essence of

---

[1] *Presidential Address, Section H, British Association*, 1911.
[2] For example, see *Darwin and Modern Science*, Cambridge, 1909; *The Study of Religions*, by Jane Ellen Harrison, p. 494.

religion, was ignored or confused with doctrine. Further, the dogmas of the faith formed a complete and unalterable body of doctrine revealed once for all to mankind, and safeguarded by an infallible Book or an infallible Church. Man's only duty was to accept its creeds and obey its precepts.

But as Miss Harrison says:[1]

> Religion always contains two factors. First a theoretical factor, what a man thinks about the unseen—his theology, or, if we prefer so to call it, his mythology. Second, what he does in relation to the unseen—his ritual. These factors rarely if ever occur in complete separation; they are blended in very varying proportions. Religion we have seen was in the last century regarded mainly in its theoretical aspect as a doctrine. Greek religion for example meant to most educated persons Greek mythology. Yet even a cursory examination shows that neither Greek nor Roman had any creed or dogma, any hard and fast formulation of belief. In the Greek Mysteries[2] only we find what we should call a *Confiteor*; and this is not a confession of faith, but an avowal of rites performed. When the religion of primitive peoples came to be examined, it was speedily seen that, though vague beliefs necessarily abound, definite creeds are practically non-existent. Ritual is dominant and imperative.
>
> This predominance and priority of ritual over definite creed was first forced upon our notice by the study of savages, but it promptly and happily joined hands with modern psychology. Popular belief says, I think, therefore I act; modern scientific psychology says, I act (or rather, react to outside stimulus) and so I come to think. Thus there is set going a recurrent series: act and thought become in their turn stimuli to fresh acts and thoughts.

The real "heathen in his blindness" does not "bow down to wood and stone". He is busy practising magic. He does not ask a god to send sun or rain: he dances a sun-dance, or croaks like a frog to bring the rain he has learnt to associate with that noise. In many totemistic beliefs he is closely related to some animal, which becomes endowed with sanctity. Sometimes the animal becomes *taboo* and may not be touched; sometimes by eating its flesh the savage acquires its courage or its strength. Rhythmic dancing, with or without the help of alcohol, leads to ecstasy, which seems to give freedom to the will, and a sense of power transcending ordinary limits. The savage does not pray, he wills.

The relations of magic to religion and to science are still subjects of controversy. Magic attempts to compel outward things to obey man's will. Religion in primitive form tries to influence outward things by the help of God or gods. Science, with clearer insight than is possessed by magic, humbly studies nature's laws, and by obeying

[1] "Darwin and Modern Science," *loc. cit.* p. 498.
[2] For details see J. E. Harrison, *Prolegomena to the Study of Greek Religions*, Cambridge, 1903, p. 155.

them gains that control of nature which magic falsely imagines itself *Social* to have acquired. Whatever be the exact relation between the three, *Anthropology* magic seems to be the primitive matrix out of which both religion and science emerged.

Having thus, in his desire to work his will, developed a ritual, the savage uses it, in conjunction with his primitive ideas, to frame a mythology. He has not our distinction of subjective and objective: everything he experiences—sensation, thought, dream, or even a memory—is real and objective, though it may have different degrees of reality.

Herbert Spencer argued that when a savage dreamed a dream of his dead father he sought to account for it, and so invented a spirit-world. But primitive man has not Spencer's sophisticated rationality. The dream is real to him; not so real, perhaps, as his mother who is still alive, but yet real. He does *not* seek to account for it, he accepts it as true, and his father as in some sense still living. He feels a life-power within himself: he cannot touch it, but it is real, and his father who is dead must have had it too. When his father died it ceased to inhabit his body, but it comes back in dreams: it is a breath, an image, a shade, a ghost. It is a mixture of life-essence and separable phantom.[1]

Tylor[2] has shown how the efforts of a savage to classify common objects, and thus to arrive at the idea of a class, lead to the belief that a species is a family of beings, with a tribal god to protect them and a name which, in some mystic way, contains their common essence. Number, too, to the savage is part of the super-sensuous world, and essentially mysterious and religious. "We can touch and see seven apples, but seven itself, that wonderful thing that shifts from object to object, giving it its sevenness. . .is a fit denizen of the upper world."

With this confused, super-sensuous region of dream and phantom, of name, image and number, is mingled the mystical experience of ritual, magic and rhythmic dance. The elements act and react, and out of the mixture of feeling and action the savage perhaps develops some idea of a god.

The most striking collection of data in social anthropology is to be found in J. G. Frazer's great book, *The Golden Bough*. The first edition of two volumes published in 1890 was followed by a second edition in 1900, and eventually the two volumes were expanded into twelve.

---

[1] Körperseele or Psyche. See Wundt, *Völkerpsychologie*, Leipzig, vol. II, 1900, p. 1; Jane Harrison, *loc. cit.* p. 501.
[2] *Primitive Culture*, vol. II, 4th ed. London, 1903, p. 245.

In this monumental work Frazer describes primitive custom, ritual and belief, with examples culled from archaeological inscriptions, ancient and mediaeval historians, modern travellers, missionaries, ethnologists and anthropologists—sources of varying value. Whereas some authorities hold that magic is the common origin of religion and science, Frazer believes that they come in sequence. When the direct control over nature sought by magic is found to fail, man turns to gods to give it to him, trying to influence them by worship and prayer; when these too prove vain, and man begins to recognize a uniformity in nature, he comes to the threshold of science.

On the other hand, Bronislaw Malinowski[1] holds that primitive people keep the simple operations, which can be dealt with by empirical observation and handed on by tradition, distinct from the incalculable happenings beyond their direct control, which need the intervention of magic, ritual and myth. The origin of religion, according to Malinowski, is to be sought in man's reaction to death, and its essential contents are a belief in an ethical Providence and a hope of survival. Science arises only from slowly increasing experience gained in the arts and crafts of life. But others hold that to a primitive mind, our sharp distinction between the natural and the supernatural is unknown. The control over his thoughts, which man feels himself to possess, is extended by the savage till he thinks he can control things also. The shadowy beings which appear in his dreams of his dead parents rise into shadowy gods, who must be able to control things too, perhaps even more effectively than he can. In the excitement of wine or the dance he feels his powers expand; his soul has become inspired by these gods. Other men may be more inspired; his kings and priests themselves become gods.

Sympathetic magic, which attempts to produce natural phenomena by imitating them or their effects, leads on to the many symbolic rituals of primitive religion. Most widespread of all is the drama of the year: seed-time, growth, destruction at harvest and resurrection of life in the spring, are symbolized in countless forms through many ages and in many lands. Man first performed ceremonies and cast spells to make the rain to fall, the sun to shine, and plants and animals to multiply. Then he saw that some deeper, more mysterious cause must be at work, and imagined that growth and decay must be effects of the waxing and waning strength of divine beings.

Such gods and their rites were specially celebrated in the lands which border the Eastern Mediterranean, under such names as Osiris,

[1] *Foundations of Faith and Morals*, Oxford, 1936.

Tammuz, Adonis and Attis. Tammuz of the Babylonians and Syrians *Social* became the Adonis of the Greeks. Tammuz appears as the spouse of *Anthropology* Ishtar, the great mother goddess of fertility, and Adonis is the lover of Astarte or Aphrodite. Their union is necessary for the fertility of the Earth, and is celebrated by rites and mysteries in their temples. Similarly, Attis was the son of Cybele, the Great Mother, Mother of the Gods, who had her chief home in Phrygia, and was brought to Rome in 204 B.C. Such a cult for instance is revealed by the excavations at Ras Shamra in Syria, and Palestine seems to have been influenced thereby.[1] But the writer in Genesis holds that, since God has set his bow in the sky, such rites are unnecessary: "While the earth remaineth, seed time and harvest, and cold and heat, and summer and winter, and day and night shall not cease."

With varieties in detail, the ceremonies of the magic cults bore a general resemblance to each other. Every year the death of the god, perhaps symbolized by the slaying of a human or animal victim, was mourned, and his resurrection acclaimed, sometimes on the following day, sometimes at a different season of the year. In some cults, the birth of the new year, of the Sun, or of a virgin-born god representing the Sun, was celebrated at the winter solstice.

More complex are the stories of the Egyptian Isis and Osiris as told by Plutarch and Herodotus, though the underlying ideas and symbolism seem to have been much the same. In Hellenistic times the chief Egyptian deities were Isis, Anubis, the god who conducted souls to the realm of immortal life, and Serapis, who was "deliberately created by Ptolemy I...the only god ever successfully made by a modern man". Serapis was Osiris combined with Greek elements meant to unite Greeks and Egyptians in a common worship. The Egyptians would have none of him; but he became the Greek god of Alexandria, he and his consort Isis being represented on earth by the royal Ptolemaic pair.[2]

Again, the mystery religion of Mithras, an old Persian deity, bore strong resemblances to that of Cybele on the one hand and to Christianity on the other, a similarity which the early Christian Fathers could only regard as a wile of the devil. The Mithraic religion was a formidable rival to Christianity, combining as it did a solemn ritual with aspirations after moral purity and a hope of immortality. Indeed, the issue of the conflict between the two faiths for the conquest of the Roman world seems to have hung for a time in the balance.

---

[1] *The Religious Background of the Bible*, J. N. Schofield, London, 1944.
[2] W. W. Tarn, *Hellenistic Civilization*, London, 1927, p. 294.

Other mystery religions, resembling that of Mithras, helped it to fill the place left by the decay of belief in classical mythology, a decay which marked the centuries just before and after the birth of Christ. These religions all sought mystic union with the divine through rites of initiation and communion, clearly derived from those of more primitive cults. After a full discussion of innumerable instances of ceremonies of communion, and their connection with totemism and nature-rites among primitive peoples in many lands, Sir James Frazer writes:

> It is now easy to understand why a savage should desire to partake of the flesh of an animal or man whom he regards as divine. By eating the body of the god he shares in the god's attributes and powers. And when the god is a corn-god, the corn is his proper body; when he is a wine-god, the juice of the grape is his blood; and so, by eating the bread and drinking the wine, the worshipper partakes of the real body and blood of his god. Thus the drinking of wine in the rites of a vine-god like Dionysos is not an act of revelry, it is a solemn sacrament.[1]

Though beliefs change, the ancient ritual persists, and is sublimated in the sacraments of higher religions. Then comes the critical mind, either of a Roman philosopher or of a Protestant Reformer. Cicero says:

> When we call corn Ceres and wine Bacchus, we use a common figure of speech, but do we imagine that anyone is so foolish as to believe the thing he feeds upon is a god?

The mistake of the critical mind is in thinking it possible that man's ritual and beliefs should depend on reason alone, when his instincts are the inheritance of a million years of magic and animistic ancestors. In its practice, the Roman Church has never made this mistake, though in theory it has based its philosophy, both in the late Middle Ages and in the nineteenth century, on the rationalism of Saint Thomas Aquinas.

Besides the formal religions and philosophies of the first Christian century, there was a deep and pervading undercurrent of these more primitive heathen rituals and beliefs mingled with the sacrificial ideas which are found both in these beliefs and in some of the Hebrew rites set forth in the Old Testament. In trying to understand the mental atmosphere of the time which saw the early development of Christianity, we must not ignore this under-current of primitive and Eastern ideas.

[1] *The Golden Bough*, 3rd ed. Part v; *Spirits of the Corn and Wild*, vol. ii, p. 167 ff. For a short account of the subject see *Primitive Sacramentalism*, by H. J. D. Astley, *Modern Churchman*, vol. xvi, 1926, p. 294.

Frazer's opinion of the Oriental elements with which Christianity became entangled is shown by what follows:[1] *Social Anthropology*

> The ecstatic frenzies, which were mistaken for divine inspiration, the mangling of the body, the theory of a new birth and the remission of sins through the shedding of blood, have all their origin in savagery, and they naturally appealed to peoples in whom the savage instincts were still strong.... The religion of the Great Mother, with its curious blending of crude savagery with spiritual aspirations, was only one of a multitude of similar Oriental faiths which in the later days of paganism spread over the Roman Empire, and by saturating the European peoples with alien ideals of life gradually undermined the whole fabric of ancient civilization. Greek and Roman society was built on the conception of the subordination of the individual to the community, of the citizen to the state; it set the safety of the commonwealth as the supreme aim of conduct, above the safety of the individual whether in this world or in a world to come.... All this was changed by the spread of Oriental religions which inculcated the communion of the soul with God and its eternal salvation as the only objects worth living for, objects in comparison with which the prosperity and even the existence of the state sank into insignificance.... This obsession lasted for a thousand years. The revival of Roman law, of the Aristotelian philosophy, of ancient art and literature at the close of the Middle Ages, marked the return of Europe to native ideals of life and conduct, to saner, manlier views of the world. The long halt in the march of civilization was over. The tide of Oriental invasion had turned at last.

Those who take a different view may reasonably point out that this passage begs the question at issue. If the underlying assumption of the mystic happens to be true, the communion of human souls with God *is* more important than states or nationalities. But, whatever may be each man's choice between these opposite ideals of life, the opinion of one who, like Frazer, has done so much to advance this branch of knowledge, must needs command attention and respect.

The deeper and more important question of the bearing of modern historical and anthropological research on the problem of the origin and meaning of Christianity itself still remains a matter of discussion, in which inherited and acquired pre-conceptions, one way or the other, very often condition the action of reason. It is clear that many of the doctrines of traditional Christianity can be paralleled closely by similar beliefs in the religions that preceded and accompanied its rise, and that many Christian rites are the equivalents of corresponding heathen mysteries. Some hold that such similarities indicate that Christianity is to be classed with the mystery religions of the first century. Others point out that the consequences of recent anthropology may be exaggerated. New light has certainly been thrown on the connection of the mystery religions with earlier and more primitive cults, but the existence and nature of the mystery religions themselves

[1] *Loc. cit.* pp. 356 *et seq.*

have always been familiar to historians and theologians. Similarity in form does not necessarily connote identity in origin and meaning.

Whether we take an orthodox or an unorthodox view of Christianity, we must admit that modern anthropology has helped us better to understand the connections between psychology and fundamental religion—the direct consciousness of unseen divine power—on the one hand, and between primitive beliefs and more developed forms of theology on the other.

CHAPTER X

THE NEW ERA IN PHYSICS

The New Physics—Cathode Rays and Electrons—Positive or Atomic Rays—
Radio-activity—X-Rays and Atomic Numbers—Table of Elements—The Quan-
tum Theory—The Structure of the Atom—Bohr's Theory—Quantum Mechanics
—Relativity—Relativity and Gravitation—Recent Physics—The Nuclear Atom—
Chemistry.

PHYSICAL science continued to follow the course of development *The New* traced in Chapter VI until the last decade of the nineteenth century. *Physics*[1] It seemed as though the main framework had been put together once for all, and that little remained to be done but to measure physical constants to the increased accuracy represented by another decimal place, and to carry further those investigations which had seemed at intervals to be on the point of solving the problem of the structure of the luminiferous aether. This Newtonian system interpenetrated the newer physical theories during the first thirty years of the twentieth century, and was used, first exclusively and then concurrently, to interpret the experimental results. Only gradually was it found that entirely fresh concepts were needed.

The new physics may be said to have begun in 1895 with the discovery of X-rays by Professor Wilhelm Konrad Röntgen of Munich (1845–1923). Before that date many experiments had been made on electric discharge through gases, especially by Faraday, Hittorf, Geissler, Goldstein, Crookes, and then by J. J. Thomson (1856–1940), later Sir Joseph Thomson, Master of Trinity College, Cambridge. But these experiments seemed of importance only to those with exceptional insight; Röntgen's work first focused on them the chief attention of physicists.

Great discoveries are made accidentally less often than the populace likes to think. Nevertheless it was an accident, bound indeed sometime to occur, yet none the less an accident, that put Röntgen on the track of X-rays. Photographic plates, though protected from light, were found to become fogged and spoilt when kept in the neighbourhood of highly exhausted glass tubes or bulbs through which electric discharges were passing. Hence rays of some kind which could penetrate the coverings of the plates came from such discharge tubes.

[1] For a general account, the successive editions (1904–1924) of the author's book *The Recent Development of Physical Science* may be consulted.

Röntgen found that a screen covered with a phosphorescent substance, such as potassium-platino-cyanide, became luminous near
such a tube, and that a thick slab of metal cast a heavy shadow when
interposed between the tube and the phosphorescent screen, while
light substances such as thin aluminium or wood, though opaque to
light, with these new rays cast shadows hardly visible. The absorption
of the rays seemed roughly proportional to the thickness and density
of the absorbent, and the rays became more penetrating the higher
the exhaustion of the gas in the vacuum tube. Rays of an appropriate
"hardness" were found to throw a shadow of the bones within the
living flesh on a phosphorescent or photographic plate, and, when the
right technique had been elaborated, this fact proved invaluable in
surgery.

From the point of view of pure science, a discovery of more importance was made by J. J. Thomson and others as soon as the
existence of X-rays was announced.[1] When the rays pass through a
gas, they make it a conductor of electricity. In this field of investigation the ionic theory of liquid electrolytes, founded by Faraday
and developed chiefly by Kohlrausch, Van't Hoff and Arrhenius,[2]
had suggested a similar mechanism for conduction in gases, and
a corresponding theory of gaseous ions now proved even more
successful.

When X-rays were passed through a gas and then cut off, the conductivity of the gas was found to persist for a time but gradually to
die away. Thomson and Rutherford also discovered that when a gas,
made conducting by X-rays, was passed through glass-wool, or
between two oppositely electrified plates, the conductivity disappeared,
indicating that it was due to charged particles which were discharged
by contact with the glass-wool or one of the electrified plates. Rutherford found that, in a conducting gas, the current was first proportional
to the applied electromotive force, but, as that force was raised, the
current increased more slowly, and finally reached a maximum or
saturation value. From such experiments it became clear that, while
ions were part of the ordinary and permanent constitution of a liquid
electrolyte, they exist in gases only when X-rays or other ionizing
agencies are acting. Left to themselves, the ions gradually re-combine
and disappear. The large surface of glass-wool absorbs the ions, or
helps them to re-combine, and, when subject to a high electromotive
force, the ions are swept to the electrodes as fast as they are formed,

[1] Camb. Phil. Soc. See *University Reporter*, February 4th, 1896.
[2] See chap. VI, pp. 247–251.

and accordingly no further increase in electromotive force can increase the current.

Röntgen's discovery led also to another field of research—that of radio-activity. X-rays produce marked effects on phosphorescent substances, and it was natural to enquire if these or any other natural bodies produce anything like X-rays in turn. In this search, the first success fell to Henri Becquerel, who, in February 1896, found that the double sulphate of potassium and uranium, and later that uranium itself and all its compounds, emit rays which affect a photographic plate through black paper and other substances opaque to light.

The next year, 1897, was marked by the great discovery of ultra-atomic corpuscles, particles far lighter than the atoms of any chemical element. The new era in physics had begun.

As a glass tube with platinum electrodes is gradually evacuated with an air-pump, an electric discharge through it undergoes many changes in character, and finally produces phosphorescent effects on the glass walls of the tube or on other solid bodies within it, which then become the source of X-rays. In 1869, Hittorf showed that obstacles, placed between the negative electrode or cathode and the glass, throw a shadow thereon. Goldstein, who confirmed this result in 1876, and introduced the name *Kathodenstrahlen*, or cathode rays, regarded them as aethereal waves of the same nature as light. On the other hand Varley and Crookes gave evidence, such as the deflection of the rays in a magnetic field, to show that they were electrified particles shot out from the cathode and producing phosphorescence by bombardment. In 1890 Schuster measured the ratio of the charge to the mass of these hypothetical particles by observing the deflection in a magnetic field, and estimated the ratio to be about 500 times the value for the hydrogen ion in liquids.[2] Assuming that the particles were of atomic dimensions, he inferred that the charge on gaseous ions was much greater than that on liquid ions. Hertz, in 1892, found that cathode rays would penetrate thin gold leaf or aluminium, which seemed difficult to reconcile with the idea that the particles were streams of ordinary atoms or molecules. In 1895 Perrin showed that they gave a negative electric charge to an insulated conductor when

[1] J. J. Thomson, *Conduction of Electricity through Gases*, Cambridge, 1903 and 1906. J. S. E. Townsend, *Electricity in Gases*, Oxford, 1915.

[2] A moving electrified particle is equivalent to a current, and will consequently be deflected by a magnet (see p. 218). If a magnetic field of intensity H be applied, the mechanical force on the particle is Hev. The force acts at right angles to the magnetic field and to the direction of motion of the particle at each instant. This is what is wanted to produce circular motion (see p. 152), the force Hev representing the centripetal force mv^2/r. Thus $r = mv/eH$. In the experiment, only a small segment of a circle is described, and the deflection from a straight path will be $S_m = l^2/2r = l^2 He/2vm$.

deflected on to it. The problem of their nature was solved during the year 1897, when the velocity and the ratio of the charge e to the mass m of the particles were determined by several physicists.[1] In January Wiechert showed that the velocity of some of the rays was about one-tenth that of light, and that e/m was 2000 to 4000 times as great as the value for the hydrogen atom in liquid electrolytes. He measured the velocity in terms of the time of oscillation of a condenser, and then e/m by the magnetic deflection. In July there appeared an account of experiments by Kaufmann, in which the energy of the particles was deduced from the potential difference between the electrodes, and again the magnetic deflection observed. Meanwhile J. J. Thomson measured the charge by directing the rays into an insulated cylinder, and the kinetic energy by observing the heat which the rays gave to a thermo-couple. Finally, in October, he found that in high vacua the cathode rays could be deflected by an electric field as well as by a magnetic field, and measured both these deflections.[2]

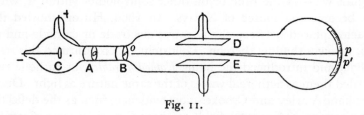

Fig. 11.

Fig. 11 shows the apparatus used by Thomson in the last named historic experiments. A highly exhausted glass tube contained metallic electrodes—a cathode C and an anode A pierced by a slit. Some of the cathode rays from C traversed the slit, and were still further cut down by a second slit in B. The narrow pencil of rays thus obtained fell on a fluorescent screen or a photographic plate at the other end of the tube, passing between two insulated plates D and E on the way. These plates could be connected with the opposite poles of a high tension electric battery, and an electric field was thus set up between them. The whole apparatus was fixed between the poles of a powerful electro-magnet, so that a magnetic field also could be applied to the rays.

On the assumption that the rays consist of flights of negatively electrified particles, a simple calculation shows that the electric deflections like the magnetic depend on v, the velocity of the particles in

---

[1] For the history of these researches, see Townsend, pp. 453 *et seq.*
[2] *Phil. Mag.* vol. XLIV, 1897, p. 293.

the rays, and on e/m, the ratio of their electric charge to their mass.[1] *Cathode Rays and Electrons* Hence two measurements—those of the electric and magnetic deflections—give values for both v and e/m.

Thomson found that, while the velocity of the particles varied about a value of one-tenth the speed of light, the quantity e/m was the same whatever was the pressure, or the nature of the gas or of the electrode. In liquid electrolytes,[2] e/m is greatest for the hydrogen ion, for which its value is about 10,000 or 10^4. In gases Thomson found $e/m = 7 \cdot 7 \times 10^6$, that is 770 times as great as e/m for the liquid hydrogen ion, while, in December 1897, Kaufmann gave the much more accurate value of $1 \cdot 77 \times 10^7$. These results might mean that, in cathode ray particles in gases, either the charge was much greater than in the hydrogen atom as Schuster held, or the mass was much less. Thomson provisionally took the view that the particles were smaller than atoms. He gave them the Newtonian name of corpuscles, and suggested that they were the long-sought common constituents of different elements. But there was as yet no clear evidence that the electric charge on the corpuscles was not greater than that on electrolytic univalent ions, so that the mass could not be determined. This question of the electric charge was clearly the next problem.

In 1898 and 1899 Thomson measured the charge on the ions produced in gases by X-rays. He used a method discovered by C. T. R. Wilson, who in 1897 had shown that ions, like dust particles, act as cloud nuclei for the condensation of drops of moist air. The size of the drops can be estimated by the rate at which the clouds fall against the resistance of the air. The total volume of water condensed gives the number of the drops, and the electric current produced by a known electromotive force gives the total charge carried. Shortly afterwards Townsend measured the rates of diffusion of ions through gases, and from the result calculated the charge. The proof was complete in 1899 when Thomson measured both e by the cloud method and e/m by magnetic deflection for the same particles—those obtained when ultra-violet light falls on a zinc plate. In all these measurements the value obtained agreed with the charge on a univalent liquid ion within the limits of the experimental error—indeed, in

---

[1] If a uniform electric field of intensity f acts at right angles to the direction of motion of a particle of mass m and charge e, the acceleration α is fe/m and the displacement in the direction of the electric force is $S_e = \frac{1}{2}\alpha t^2 = \frac{1}{2}\dfrac{fe}{m} t^2$. During the time t, the particle traverses with its original velocity v a distance $l = vt$. Hence t^2 is l^2/v^2, and the displacement at right angles to the original motion is $S_e = fel^2/2mv^2$.

[2] See chap. VI, p. 217.

more recent experiments by Millikan, the two figures agreed within less than a fourth of one per cent.

Therefore it became certain that it is not the electric charge which is greater than the charge on the liquid hydrogen ion, but the mass which is smaller. Corpuscles are parts of atoms, and are the same whatever the nature of the substance. From Thomson's original experiments it appeared that each corpuscle possessed a mass equal to about the 1/770th part of that of a hydrogen atom. But a better result might have been obtained from the measurements of e/m by Kaufmann described above. Since that date many new determinations of the electronic charge and thus of e/m have been made, especially by Millikan, who in 1910 improved Wilson's cloud method, and in 1911 measured the velocity of minute drops of oil falling through ionized air. As a drop caught an ion, the velocity could be seen to change suddenly. In this way the charge on an ion was estimated as $4·775 \times 10^{-10}$ electrostatic units, which indicates that the mass of the corpuscle or electron is the 1830th part of that of the hydrogen atom.[1] The mass of a single hydrogen atom, as calculated from the kinetic theory of gases, is about $1·66 \times 10^{-24}$ gramme. It follows that the mass of a single corpuscle is about 9×10^{-28} gramme.

This great discovery has solved at last the problem—old as the Greeks—whether different kinds of matter have a common basis. It also gave a meaning to electrification. Thomson thus expressed his own views at the time:

I regard the atom as containing a large number of smaller bodies which I will call corpuscles; these corpuscles are equal to each other; the mass of a corpuscle is the mass of the negative ion in a gas at low pressure, i.e. about 3×10^{-28} of a gramme. In the normal atom, this assemblage of corpuscles forms a system which is electrically neutral. Though the individual corpuscles behave like negative ions, yet when they are assembled in a neutral atom the negative effect is balanced by something which causes the space through which the corpuscles are spread to act as if it had a charge of positive electricity equal in amount to the sum of the negative charges on the corpuscles. Electrification of a gas I regard as due to the splitting up of some of the atoms of the gas, resulting in the detachment of a corpuscle from some of the atoms. The detached corpuscles behave like negative ions, each carrying a constant negative charge, which we shall call for brevity the unit charge, while the part of the atom left behind behaves like a positive ion with the unit positive charge, and a mass large compared with that of the negative ion. On this view, electrification essentially involves the splitting up of the atom, a part of the mass of the atom getting free and becoming detached from the original atom.[2]

[1] R. A. Millikan, *Trans. American Electrochemical Society*, vol. XXI, 1912, p. 185. Also Townsend, *loc. cit.* p. 244.
[2] *Phil. Mag.* ser. 5, vol. LXVIII, 1899, p. 565.

These new developments are connected with a somewhat older line of research. On Maxwell's theory, light, being a system of electromagnetic waves, must be emitted by vibrating electric systems.[1] As spectra are characteristic of elements and not of their compounds, the vibrators must be atoms or parts of atoms. On these lines an electric theory of matter was being built up by Lorentz in the years just preceding Thomson's discovery. It involved the expectation that a magnetic field would affect the appearance of spectra, and this expectation was realized by Zeeman, who, in 1896, observed a broadening of the lines in the sodium spectrum when the source of light was placed in the magnetic field of a powerful electro-magnet. With still stronger fields he succeeded later in resolving single spectral lines into two or more components. Measurement of these separations supplied data which, by Lorentz's theory, gave a new value for e/m, the ratio of the electric charge to the mass of the vibrating particle. It appeared to be of the order of 10^7 electromagnetic units, and more exact determinations have led to a figure of about $1 \cdot 77 \times 10^7$, in good agreement with the value obtained from observations on cathode rays and otherwise.

Lorentz used Johnstone Stoney's name of "electrons" for these vibrating electric particles, and the discovery and measurement of the Zeeman effect showed that they were identical with Thomson's corpuscles. They may be taken as isolated units of negative electricity. As suggested by Larmor, the electrons must possess, by virtue of their electric energy, an inertia which is equivalent to mass. Lorentz's theory thus becomes an electronic theory of matter, and coalesces completely with the view which follows from Thomson's discovery. But, while Thomson explained electricity in terms of matter, Lorentz expressed matter in terms of electricity.

It is well to point out that one tacit assumption was made which was not justified by later work. It was naturally assumed that the corpuscles or electrons in the atom move in accordance with Newtonian dynamics, and, even at first, the atom was likened to a solar system in miniature, electrons revolving within it as planets swing round the Sun. But by 1930 it was clear that the idea of planetary orbits does not necessarily follow from the facts, and indeed must be given up.

It was soon found that corpuscles or electrons could be obtained in many other ways: for instance, they are emitted by substances at high temperatures, and by metals under the influence of ultra-violet light. These effects were investigated by Lenard, Elster and Geitel,

---

[1] See chap. VI, p. 243.

O. W. Richardson, Ladenburg and others, and since then the heat effect has become of practical importance in the thermionic valves used in wireless telegraphy and telephony.

Cathode rays, as described, proceed from the negative electrode (or cathode) in a vacuum tube through which an electric discharge is passed. The corresponding positive rays from the anode were detected in 1886 by Goldstein. They can be examined by boring holes through a cathode placed directly opposite the anode. When the discharge passes, luminous rays which have traversed the holes are seen beyond the cathode. The magnetic and electric deflection of these *Kanalstrahlen* were first measured by Wien in 1898, and soon afterwards by Thomson. The value of e/m showed that the rays consist of positive particles which possess masses comparable with those of ordinary atoms and molecules.

The investigation was carried further by Thomson in 1910 and 1911. By using a large apparatus very highly exhausted, and fixing a long narrow tube through the cathode, he obtained a very small pencil of rays, the position of which could be recorded on a photographic plate inside the apparatus. The magnetic and electric forces were so arranged that the deflections produced were at right angles to each other. The magnetic deflection is inversely proportional to the velocity of the particles and the electric deflection inversely to its square. Thus, if identical particles of differing velocities are found in the rays, a parabolic curve will be photographed on the plate. The lines which actually appear depend on the nature of the residual gas in the apparatus. In hydrogen, the fundamental line gives a value of 10^4 for e/m or 10^{-4} for m/e, the same as the value for the hydrogen ion in liquid electrolytes. A second line has double this value for m/e, and indicates a hydrogen molecule with twice the mass of the atom carrying a single electric charge. Other elements give more complex systems of many parabolic lines. The ratio of m/e for any element to its value for the hydrogen atom was called by Thomson the "electric atomic weight".

In examining the element neon (atomic weight 20·2) Thomson found two lines, indicating weights of 20 and 22 respectively. This suggested that neon, as ordinarily prepared, might consist of a mixture of two elements, identical in chemical properties, but of different atomic weights. Such elements are indicated and explained by certain radio-active phenomena, and were called by Soddy "isotopes" (ἰσοτόπος, i.e. occupying the same place in the chemical table).

Thomson's experiments were taken up and carried further by

F. W. Aston (1877–1945),[1] who, with an improved apparatus, obtained *Positive or* regular "mass spectra" of different elements. The isotopic nature of *Atomic Rays* neon was confirmed, and chlorine, with an atomic weight of 35·46 which had long puzzled chemists, was shown to consist of a mixture of atoms with weights 35 and 37. Aston obtained similar results with other elements. If the atomic weight of oxygen be taken arbitrarily as 16, the atomic weights of all other elements which have been examined are now known to be very nearly whole numbers, the greatest divergence being that of hydrogen, which, instead of being unity, is 1·0081. Small differences from whole numbers depend on the close packing of positive and negative units in the nucleus of the atom and will be considered more fully later.

Thus Aston cleared up another ancient problem. The work of Newlands and Mendeléeff showed that the different properties of elements were connected in some way with successive increments in atomic weight, and suggested inevitably that the weights themselves should lie in a simple ascending series. Prout's hypothesis, that they are all multiples of that of hydrogen, has now been proved to be nearly true, the slight discrepancy, as we shall see, being both explicable by and of surpassing interest in the modern theory of the atom.

Becquerel's original observation of the radio-active properties of *Radio-activity*[2] uranium was soon followed by the discovery that, like X-rays, uranium rays produced electric conductivity in air and other gases. Compounds of thorium, too, were found to possess similar properties. In the year 1900, M. and Mme Curie made a systematic search for these effects in chemical elements and compounds and in natural products. They found that pitchblende, and several other minerals which contain uranium, were more active than the element itself. The constituents of pitchblende were separated chemically, the radio-activity itself being used as a guide, and salts of three very active substances, which were named radium, polonium and actinium, were isolated by different observers, the most active of those substances being radium, which was separated by the Curies working with Bémont. The quantity of radium in pitchblende is extremely small, many tons of the mineral yielding, after long and tedious labour, only a small fraction of a gramme of a salt of radium.

In 1899 Professor Rutherford of Montreal, later Lord Rutherford of Nelson, professor at Cambridge, discovered that, of the radiation

[1] F. W. Aston, *Isotopes*, London, 1922, 1924, 1942.
[2] E. Rutherford, *Radio-activity*, Cambridge, 1904 and 1905. J. Chadwick, *Radio-activity*, London, 1921.

Radio-activity from uranium, one part was unable to pass through more than about the fiftieth of a millimetre of aluminium foil, while the other part would pass through about half a millimetre before its intensity was reduced by one-half. The first named, which Rutherford called α rays, produce the most marked electric effects, while the more penetrating, or β rays, are those which affect a photographic plate through opaque screens. At a later date a third type of still more penetrating radiation, known as γ rays, was detected. These last rays can traverse plates of lead a centimetre thick, and still produce photographs and discharge electroscopes. In proportion to its general activity, radium evolves all three types of radiation much more freely than uranium, and is best employed for their investigation.

The moderately penetrating, or β rays, can be deflected easily by a magnet; and Becquerel, who deflected them by an electric field as well, conclusively proved that they were projected particles charged with electricity. Further investigation showed that the β rays behave in all respects like cathode rays, although they possess velocities greater than those of any cathode rays theretofore examined, velocities which have different values varying from 60 to 95 per cent. of the velocity of light. The β rays, then, are negative corpuscles or electrons.

Magnetic and electric fields which are strong enough to deflect considerably the β rays produce no effect on the easily absorbed α rays. Although it had become very probable by about the year 1900 that the α rays were positively charged particles with masses greater than those of the particles which constitute the negative β rays, it was not till some time afterwards that their magnetic and electric deviations were demonstrated experimentally, and shown to be in the direction opposite to that observed with β rays. Rutherford's experiments on α particles in 1906 gave for the ratio e/m of the charge to the mass a value of $5\cdot1 \times 10^3$. The value of e/m for the hydrogen ion in liquid electrolytes is about 10^4. Since there is evidence (given later) to show that the α particles consist of helium, it follows that they are helium atoms (atomic weight 4) carrying double the univalent ionic charge. Their velocity is about one-tenth of that of light.

The very penetrating or γ rays cannot be deflected by magnetic or electric forces. They are different in kind from other types, and, like the X-rays, consist of waves of the same nature as light though of much shorter wave-lengths, which have been measured by A. H. Compton and by C. D. Ellis and Fräulein Meitner. Further, it seems that, like some X-rays, they consist of monochromatic constituents characteristic of the emitting body.

In the year 1900 Sir William Crookes found that, if uranium were *Radio-activity* precipitated from solution by means of ammonium carbonate, and the precipitate were dissolved in an excess of the reagent, a small quantity of insoluble residue remained. This residue, to which Crookes gave the name of uranium-X, was found to be intensely active when examined photographically, while the re-dissolved uranium was photographically inert. Similar results were obtained by Becquerel, who found that, when put aside for a year, the active residue had lost its activity, while the inactive uranium had regained its original radiating properties.

In 1902 Rutherford and Soddy discovered a corresponding effect with thorium, which, they found, could be deprived of part of its activity by precipitation with ammonia. The filtrate, when evaporated, yielded a residue which was very radio-active. After a month's interval, however, this activity had disappeared, while that of the thorium had regained its initial value. The active residue, thorium-X, was seen to be a distinct chemical substance, for it is only separated completely by ammonia. Other reagents which precipitate thorium do not separate it from thorium-X. On these grounds it was concluded that the X compounds are separate bodies, which are produced continuously from the parent substances, and lose their activity with time.

In 1899 Rutherford had discovered that the radiation from thorium was very capricious, being affected especially by slight currents of air passing over the surface of the active material. He traced this effect to the emission of a substance which behaved like a heavy gas having temporary radio-active properties. This emanation, as it was called, is to be distinguished clearly from the radiations previously described, which travel in straight lines with high velocities. The emanation diffuses slowly through the atmosphere, as would the vapour of a volatile liquid. It acts as an independent source of straight line radiations, but suffers a decay of activity with time. Similar emanations are evolved by radium and actinium, but not by uranium or polonium. The radium emanation is a gas chemically inert like neon and argon, and is now called radon.

The amount of emanation evolved by radio-active substances is extremely small. A minute bubble was obtained in 1904 by Ramsay and Soddy from some decigrammes of radium bromide, but, in ordinary cases, the amount is much too small to affect the pressure in an exhausted vessel, or to be detected otherwise than by its property of radio-activity. It is usually obtained mixed with a large quantity of air, and can only be transferred from one vessel to another with the air.

M. and Mme Curie noticed in 1899 that if a rod be exposed to the emanation of radium, it will itself acquire radio-active properties. The same result was obtained with thorium by Rutherford in the same year and details investigated. When withdrawn from the vessel containing the emanation, and placed in a testing cylinder, the rod is found to ionize the gas. If a platinum wire which has become active by exposure to thorium emanation be washed with nitric acid, it is unaffected. With sulphuric or hydrochloric acid, however, it loses nearly all its activity, while the acid, when evaporated, gives a radio-active residue. This result indicates that the activity on the wire is due to the deposit of some new type of radio-active matter, which has definite reactions with different chemical reagents, and is a product of the disintegration of the emanation from which it is formed.

The rate of decay of the activity of thorium-X was investigated by Rutherford and Soddy in 1902, and the important discovery was made that the rate during each short interval of time is proportional to the amount of activity at the beginning of that interval. Similar phenomena appear with uranium-X.[1] The process is illustrated in Fig. 12. It shows the same law as does the decrease in the amount of a chemical compound which is dissociating molecule by molecule into simpler products. When a chemical change is brought about by the interaction of two or more molecules, different laws hold good. (See p. 245.)

In 1903 Curie and Laborde drew attention to the remarkable fact that compounds of radium constantly emit heat. They calculated from their experiments that one gramme of pure radium would yield about 100 gramme-calories of heat per hour. Later work showed that one gramme of radium in equilibrium with its products gives 135 calories per hour. The rate at which this energy is emitted is unchanged by exposing the radium salt to high temperatures, or to the low temperature of liquid air, and certainly is not diminished even at the temperature of liquid hydrogen.

The emission of heat was correlated by Rutherford with the radioactivity. Radium freed from its stored emanation recovers its radioactivity as measured electrically at the same rate as its power of evolving heat, and the separated emanation shows variations in the heat developed corresponding with those observed in its radio-activity. The electric effects of the radio-activity are chiefly due to the α rays,

---

[1] If I be the intensity of radio-activity $-dI/dt = \lambda I$. Putting I_0 for the original activity and integrating, we get $\log_e (I/I_0) = -\lambda t$, or $I/I_0 = e^{-\lambda t}$, the logarithmic or exponential law of a mono-molecular chemical reaction.

and the heat effect also is chiefly dependent upon the emission of α particles. In the above-named total of 135 calories per hour, only 5 calories are due to β and 6 calories to γ radiation. The heat effect of the α and β rays is clearly due to the kinetic energy of the projected particles.

The demonstration of the continual development of heat by compounds of radium led to many attempts to explain the source of this

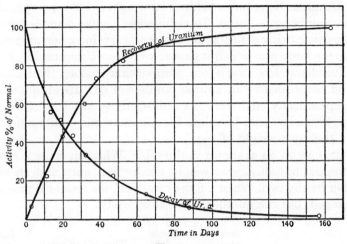

Fig. 12.

apparently unfailing supply of energy, and focused attention on the problem of radio-activity itself.

The facts to be explained may be summarized thus: (1) whenever there is radio-activity there is chemical change, new bodies appearing; (2) the chemical change is a dissociation of single particles and not a combination; (3) the activity is proportional to the mass of the radio-active element whether free or combined, so that the dissociating particles must be atoms and not molecules; (4) the amount of energy liberated is many thousand times more than that associated with the most violent chemical reaction known.

As a result of their experiments on the emanations and the deposited activity produced thereby, in 1903 Rutherford and Soddy explained all known facts by the theory that radio-activity is due to an explosive disintegration of the elementary atoms. Here and there one atom out of many millions suddenly explodes; an α particle, or a β particle and a γ ray, are ejected, and a different atom is left behind. If an α particle

Radio-activity has been thrown out, this new element will be less in atomic weight by the four units of a helium atom.

The pedigree of the radium family, as first worked out, is set forth below. It has since been modified by more recent work. It began with uranium, a heavy element which has an atomic weight of 238 and an atomic number of 92, which, as explained later, is the number of electrons in the outer part of the atom.

Uranium emits an α particle, a helium atom of mass 4 and charge $+2$. Uranium X_1 remains behind: its weight is $238 - 4 = 234$, and its atomic number $92 - 2 = 90$. Its radio-activity gives β and γ rays only; the β particle being of negligible mass and carrying a negative charge. Hence the body into which it passes, known as Uranium X_2, has one negative charge less, that is, one positive charge more, than Uranium X_1 and consequently an atomic number of 91. Its atomic weight, 234, is practically unaltered. Its radio-activity also consists of β and γ rays; hence its child, Uranium II, has an atomic number of 92 and, again, the same weight of 234.

And so we go on as shown in the table. When an α ray is emitted, the product has an atomic weight less by four units and an atomic number less by two. When a β ray comes off, the weight is practically unchanged, but the number is raised by unity.

	Atomic number	Atomic weight	Time of half decay	Radio-activity
Uranium I	92	238	$4 \cdot 5 \times 10^9$ years	α
↓				
Uranium X_1	90	234	$24 \cdot 5$ days	β, γ
↓				
Uranium X_2	91	234	$1 \cdot 14$ minutes	β, γ
↓				
Uranium II	92	234	10^6 years	α
↓				
Ionium	90	230	$7 \cdot 6 \times 10^4$ years	α
↓				
Radium	88	226	1600 years	α
↓				
Radium Emanation	86	222	$3 \cdot 82$ days	α
↓				
Radium A	84	218	$3 \cdot 05$ minutes	α
↓				
Radium B	82	214	$26 \cdot 8$ minutes	β, γ
↓				
Radium C	83	214	$19 \cdot 7$ minutes	α, β, γ
↓				
Radium C'	84	214	10^{-6} second	α
↓				
Radium D	82	210	25 years	β, γ
↓				
Radium E	83	210	5 days	β, γ
↓				
Radium F (Polonium)	84	210	136 days	α
↓				
Lead	82	206	Inactive	

The last known descendant of the family is lead, and its atomic weight has been found by Richards and Hönigschmit to be 206, while the atomic weight of ordinary lead is 207. Similarly it can be shown that the end product of the thorium series is also lead, and its atomic weight has been found by Soddy to be 208. Again, Aston has found for actinium lead the normal value 207, while a radio-active lead appears in the uranium pedigree as Radium D, with an atomic weight of 210. These four types of lead possess identical chemical properties and are to be regarded as isotopes.

The atomic theory was established by the chemical work of Dalton, but for a hundred years it was impossible to point to any demonstration of the existence of single atoms; they could be treated only statistically by millions. But radio-activity now makes it possible to trace the effect of single α particles. This was first done by Crookes, who observed with a magnifying lens scintillations on a fluorescent screen of zinc sulphide exposed to a speck of radium bromide, and other methods of detection are now available.

A gas at a pressure of a few millimetres of mercury, when acted on by an electric field just weaker than that needed to cause a spark, is in a very sensitive state. An α particle, owing to its immense velocity, will produce many thousand ions by collision with the molecules of gas. These ions, being subject to the strong electric field, are set in rapid motion, and thereupon produce other ions by collision. Hence the total effect of a single α particle is multiplied, and the needle of a sensitive electrometer may be made to give a throw of 20 millimetres or more on the scale. By using a very thin film of active matter, Rutherford reduced the throws to three or four a minute, and counted the number of α particles projected. The life of radium may thus be estimated. The calculation shows that a mass of radium would diminish by one half in about 1600 years.

Another method is due to C. T. R. Wilson. When shot through air saturated with water-vapour, α particles produce ions, which act as nuclei of condensation. Cloud-tracks are thus formed in the air, showing the path of each α particle, and these cloud-tracks may be photographed.

Rutherford's work on radio-activity at length demonstrated the possibility of the transmutation of matter, the dream of the mediaeval alchemist. Till later, no human means were discovered of hastening, still less of controlling, these changes. They depend on chance happenings within the atom, and their frequency conforms to the well-known laws of probability. But Rutherford discovered in 1919 that a bombardment by α rays will induce atomic transformations in certain elements such as nitrogen. Nitrogen has an atomic weight of 14; its atom is made up of three helium nuclei weighing 12, and two odd hydrogen nuclei. When struck by an α particle, the nitrogen nucleus is shattered, and, of its constituents, hydrogen nuclei are shot out with great velocity. Here, then, we first saw the possibility of inducing at will a breakdown of the atom, a transmutation in one direction, and this process has been vastly extended in later years. But it is easier to destroy than to build up: it did not follow that we could construct the heavier and more complex atoms from the lighter and simpler. The evidence showed that the complex radio-active atoms emitted energy, and it was thought at first that the course of the evolution of matter was in one direction, and involved the breaking up of complex atoms into simpler atoms and radiant energy. But later work indicates that, while heavy atoms give out energy as they break up, light atoms emit energy as they are formed. (See pp. 391, 422.)

The X-rays discovered by Röntgen are not refracted like ordinary light, and very little trace of regular reflection or of polarization can be detected. But, on the other hand, they are not deflected by magnetic or electric forces like cathode rays, or α and β particles. For some time their nature was a subject of discussion, but in 1912 Laue made the suggestion that, if X-rays were aethereal waves of very short wave-length, the regular arrangement of atoms in a crystal might be found to diffract X-rays as a surface ruled with large numbers of parallel scratches is used as a grating to diffract ordinary light. Laue worked out the complex mathematical theory, and Friedrich and Kipping successfully tested his theory experimentally. X-rays were thus shown to be electro-magnetic waves, shorter than the waves of light, and this discovery opened a new field for research into the structure of crystals, a field which was first explored chiefly by Sir William Bragg and his son Sir Lawrence Bragg. Taking rock-salt, a simple cubic crystal, they showed by these diffraction phenomena that the distance between the planes of atoms parallel to the natural faces of rock-salt was $2 \cdot 81 \times 10^{-8}$ centimetre, and that the characteristic X-rays emitted when a target of palladium was bombarded with cathode rays had a wave-length of $0 \cdot 576 \times 10^{-8}$ centimetre, only the one ten-thousandth part of the wave-length of sodium light. Radiation was thus made known from the long waves of wireless telegraphy to the short waves of X-rays and γ rays, a range of about 60 octaves, over each of which the frequency is doubled. Of these, only about one octave consists of visible light.

[1] Sir William and W. L. Bragg, *X-Rays and Crystal Structure*, London, 1915, 5th ed. 1925. G. W. C. Kaye, *X-Rays*, London, 1914, 4th ed. 1923.

The diffraction spectra of X-rays produced by crystals used as gratings were shown by the work of Sir William Bragg, Moseley, Sir C. G. Darwin, and G. W. C. Kaye, to consist of a mixture of diffuse radiation of all wave-lengths within certain limits, and of more intense radiation of definite frequency superimposed as spectral "lines" upon it. This characteristic line radiation is a diffraction phenomenon similar to the line spectra obtained with visible light, and with it a very important discovery was made in 1913 and 1914 by a young Oxford man, H. G. J. Moseley,[1] who was killed soon afterwards in the War—an incalculable loss to physical science.

When the target bombarded by cathode rays was changed from one metal to another, and the spectrum of the resultant X-rays was examined by using a crystal of potassium ferro-cyanide as a grating, Moseley found that the frequency of vibration of the characteristic lines in the spectrum undergoes a simple change. The square root of the number n, expressing the number of vibrations per second corresponding to the strongest line in the X-ray spectrum, increases by the same amount on passing from element to element in the periodic table. If $n^{\frac{1}{2}}$ be multiplied by a constant, so as to bring this regular increase to unity, we get a series of atomic numbers, ranging regularly for all solid elements examined, from aluminium 13 to gold 79. Filling in the other known elements, it was found that, from hydrogen 1 to uranium 92, there were only two or three places left for undiscovered elements. Most or all of these have since been discovered (see p. 426).

Atomic No.	Element	Symbol	Atomic Weight	Atomic No.	Element	Symbol	Atomic Weight
1	Hydrogen	H	1·008	22	Titanium	Ti	48·1
2	Helium	He	4·00	23	Vanadium	V	51·0
3	Lithium	Li	6·94	24	Chromium	Cr	52·0
4	Beryllium	Be	9·1	25	Manganese	Mn	54·93
5	Boron	B	11·0	26	Iron	Fe	55·84
6	Carbon	C	12·005	27	Cobalt	Co	58·97
7	Nitrogen	N	14·01	28	Nickel	Ni	58·68
8	Oxygen	O	16·00	29	Copper	Cu	63·57
9	Fluorine	F	19·0	30	Zinc	Zn	65·37
10	Neon	Ne	20·2	31	Gallium	Ga	69·9
11	Sodium	Na	23·00	32	Germanium	Ge	72·5
12	Magnesium	Mg	24·32	33	Arsenic	As	74·96
13	Aluminium	Al	27·1	34	Selenium	Se	79·2
14	Silicon	Si	28·3	35	Bromine	Br	79·92
15	Phosphorus	P	31·04	36	Krypton	Kr	82·92
16	Sulphur	S	32·06	37	Rubidium	Rb	85·45
17	Chlorine	Cl	35·46	38	Strontium	Sr	87·63
18	Argon	A	39·88	39	Yttrium	Y	88·7
19	Potassium	K	39·10	40	Zirconium	Zr	90·6
20	Calcium	Ca	40·07	41	Niobium	Nb	93·5
21	Scandium	Sc	44·1	42	Molybdenum	Mo	96·0

[1] *Phil. Mag.* 1913, 1914, ser. 6, vol. xxvi, pp. 210, 1024, and vol. xxvii, p. 703.

Table of Elements

Atomic No.	Element	Symbol	Atomic Weight	Atomic No.	Element	Symbol	Atomic Weight
43	—	—	—	69	Thulium	Tm	168·5
44	Ruthenium	Ru	101·7	70	Ytterbium	Yb	173·5
45	Rhodium	Rh	102·9	71	Lutecium	Lu	175·0
46	Palladium	Pd	106·7	72	Hafnium	Hf	—
47	Silver	Ag	107·88	73	Tantalum	Ta	181·5
48	Cadmium	Cd	112·40	74	Tungsten	W	184·0
49	Indium	In	114·8	75	—	—	—
50	Tin	Sn	118·7	76	Osmium	Os	190·9
51	Antimony	Sb	120·2	77	Iridium	Ir	193·1
52	Tellurium	Te	127·5	78	Platinum	Pt	195·2
53	Iodine	I	126·92	79	Gold	Au	197·2
54	Xenon	Xe	130·2	80	Mercury	Hg	200·6
55	Caesium	Cs	132·81	81	Thallium	Tl	204·0
56	Barium	Ba	137·37	82	Lead	Pb	207·2
57	Lanthanum	La	139·0	83	Bismuth	Bi	208·0
58	Cerium	Ce	140·25	84	Polonium	Po	210·0
59	Praseodymium	Pr	140·9	85	—	—	—
60	Neodymium	Nd	144·3	86	Radon (Radium emanation)		222·0
61	—	—	—				
62	Samarium	Sm	150·4	87	—	—	—
63	Europium	Eu	152·0	88	Radium	Ra	226·0
64	Gadolinium	Gd	157·3	89	Actinium	Ac	—
65	Terbium	Tb	159·2	90	Thorium	Th	232·0
66	Dysprosium	Ds	162·5	91	Proto-actinium	Pa	—
67	Holmium	Ho	163·5	92	Uranium	U	238·2
68	Erbium	Er	167·7				

The Quantum Theory[1]

In 1923 Compton found that, when X-rays are scattered by matter, the frequency of the waves becomes less. He explained this effect by the theory of a photon unit of radiation, comparable with the electron and proton units of matter or electric charge. The movement of an electron in an atomic orbit would naturally involve the radiation of energy, and, on Newton's dynamics, the orbit would contract, with a consequent quickening of the period of rotation and of the frequency of the waves emitted. Atoms at all stages of this process would exist, and therefore in all spectra radiation of every frequency should be found, instead of the radiation of only a few definite and unchanging frequencies such as that seen in the line spectra of many chemical elements.

Even in the continuous spectrum of an incandescent solid, the energy is not evenly distributed but is greatest between certain frequencies, and this range of maximum radiation moves up the spectrum from red to violet as the temperature rises. It is difficult to see how this could be explained on the older theory of atomic or electronic radiation. Indeed, mathematical investigation indicates that oscillators of high frequency should radiate more energy than those of low frequency, so that visible light should always give more

[1] For a summary, see J. H. Jeans, *Report on Radiation and the Quantum Theory*, 2nd ed. London, 1924.

heat than the invisible infra-red rays, and ultra-violet rays more than light. All this is contrary to well-known fact.

To meet these difficulties, Planck in 1901 devised a "Quantum Theory",[1] according to which radiation is not continuous, but, like matter, can be dealt with only in individual units or atoms. The emission and absorption of these units will depend on the principles of probability which have been used in other branches of physics and physical chemistry. The units of energy radiated are not all the same size, but are of sizes proportional to the frequency of the oscillation. Hence high-frequency ultra-violet oscillations can be possessed and radiated by the oscillators only when there is a large amount of energy available, and therefore the chance of many such units being available and radiated is small, as is likewise the total energy emitted. The low-frequency oscillations, on the other hand, emit small units, and therefore the probability is great that many units will be available and radiated; but, since each unit is very small, the total amount of energy is small also. For some special range of intermediate frequency, where the unit is of medium size, the chances will be favourable, the number radiated may be fairly large, and the total energy a maximum.

To explain the facts, Planck's quantum of energy ϵ must be supposed proportional to the frequency, that is, inversely proportional to the period of vibration. Hence we see that

$$\epsilon = h\nu = \frac{h}{T},$$

where ν is the frequency, T the period and h a constant. Hence Planck's constant h is ϵT, the product of energy and time, the quantity which is called Action. This constant unit of action is, of course, independent of the frequency, indeed of everything variable. It is a true natural unit, analogous to the natural unit of matter and electricity found in the electron.

A theory made specially to suit one definite set of facts can be adjusted to fit those facts, and, however good the fit and fashionable the cut, the evidence for the theory being universally applicable is not perhaps very strong. But, if an entirely different set of phenomena can be explained by the same theory, especially if no rational account of them has been given otherwise, the value of the evidence is greatly strengthened, and we begin to feel confident that we may rely on the theory to co-ordinate still more relations.

[1] *Annalen der Physik*, vol. IV, 1901, p. 553.

Planck's theory was introduced to meet the facts of radiation. As it involved a breach with orthodox dynamics, it was rightly viewed with caution, if not scepticism. But, when it was applied by Einstein, by Nernst and Lindemann,[1] and even more successfully by Debye,[2] to explain the phenomena of specific heat, the probability of its extended usefulness was very much increased.

The ordinary kinetic theory suggests that monatomic molecules in solids should have an atomic heat of three times the gas constant, or about six calories per degree, and that this quantity should be independent of temperature. Metals contain monatomic molecules; at ordinary temperatures their atomic heats are roughly constant and equal to 6. But at lower temperatures the value diminishes.

This was first successfully explained by Einstein, who pointed out that, if energy could only be absorbed in definite units or quanta, the rate of absorption would depend on the size of the unit, and therefore on the frequency of vibration and thus on the temperature. Debye calculated from the quantum theory a formula, which gave results agreeing with observation—markedly so in the case of carbon, which, even at ordinary temperatures, has a variable atomic heat, much below the value for metals.

On this quantum theory, light at the moments of emission and absorption is neither the steady aethereal wave of Fresnel nor the continuous electro-magnetic undulation of Clerk Maxwell and Hertz. It seems to consist of a stream of minute gushes of energy which may almost be regarded as atoms of light, equivalent to, though different in kind from, Newton's corpuscles. The reconciliation of this conception with the phenomena of interference was left as a difficulty to be dealt with in the future. If a ray of light be divided, and the two parts taken over paths which differ in length, interference bands are seen where the two parts of the ray finally meet, even though the difference in path may be many thousand wave-lengths. Again, the diffraction pattern seen with the image of a star in a large telescope indicates that the light from each atom fills the whole object-glass. These facts were taken as proving that light advances in steady trains of waves uniform for a distance of many thousand wave-lengths and extending transversely over a space enough to fill a telescope.

But, if light from the same star falls on a film of potassium, it will eject electrons each with the energy of the quantum which corresponds to the particular light. Here the light acts not as a wave but

---

[1] *Solvay Congress*, Brussels, 1912, pp. 254, 407.
[2] *Annalen der Physik*, vol. XXXIX, 1912, p. 789.

as a bullet with its energy localized. As distance is increased, the number of bullets hitting a given area is less, but they still strike with the same momentum. Another doubt was cast on the older theory by conclusions drawn from the phenomena of the ionization of gases by X-rays. If the wave-front were uniform, its effect on all molecules in its path would be the same, whereas in reality perhaps only one molecule in a million is ionized. There are reasons which make it improbable that this is due to a very few molecules being unstable, and among others J. J. Thomson argued that such facts indicate that X-rays and light travel not in broad wave-fronts but as waves along localized filaments of aether—Faraday's tubes of force.

The Quantum Theory

Then came the quantum theory, again suggesting that light was discontinuous in another way. Thomson tried to explain all the facts and to reconcile conflicting views by imagining light to consist of particles, each made of a closed ring of electric force and accompanied by a train of waves. Prince Louis Victor de Broglie used recent conceptions to frame a theory in which the properties of waves and particles are combined in a new form of wave-mechanics. A moving particle behaves as a group of waves, of which the velocity v and the wave-length λ are related to the speed v and corresponding mass m of the particle by the equation $\lambda = h/mv$, where h is Planck's constant. The wave-velocity is c^2/v, where c is the velocity of light and v that of both the particle and the wave-group. It is impossible not to notice the similarity of these modern theories of light with the combined corpuscles and waves imagined by Newton.

The modern theory of the atom began in the year 1897 with the discovery of the negatively electrified corpuscle common to all elements, and its identification with the electron. That discovery also made it clear that the electrical properties of atoms were to be explained in terms of an excess or defect in the normal number of electrons, and their optical properties to be explained in terms of electronic vibration.

The Structure of the Atom[1]

An earlier observation made by Lenard, who showed that cathode rays could pass out of the vacuum tube through an aluminium window, enabled him to prove in 1903, by experiments on absorption, that swift cathode rays could pass through thousands of atoms. On the semi-materialist ideas then prevalent, it followed that the greater part

[1] N. Bohr, *The Theory of Spectra and Atomic Constitution*, Cambridge, 2nd ed. 1924. A. Sommerfeld, *Atombau und Spektrallinien*, 4th ed. 1924. E. N. da C. Andrade, *The Structure of the Atom*, London, 1923, 3rd ed. 1927. B. Russell, *The A.B.C. of Atoms*, London, 1923.

o

of the volume of an atom must be empty space, the solid matter being estimated only about 10^{-9} (or one thousand millionth) of the whole. Lenard imagined the "solid matter" to consist of a number of doublets of positive and negative electricity scattered about in the empty space within the atom.

This way of providing the necessary positive charge did not prove satisfactory, and a more systematic attempt to describe atomic mechanism was made by J. J. Thomson.

He suggested that the atom consists of a sphere of uniform positive electricity in which negative electrons are revolving. Following up an investigation by Alfred Mayer on the equilibrium of floating magnets, Thomson showed that a ring of rotating electrons will be stable till the number exceeds a definite limit. Two rings will then be formed, and so on. Thus periodic likenesses in structure are produced by the addition of electrons, and the recurrence of the physical and chemical properties of the elements in Mendeléeff's Periodic Table might perhaps be explained.

But in 1911 work by Geiger and Marsden on the scattering of α rays when they strike matter led Rutherford to another view of the nature of the atom. The cloud tracks of α particles are usually straight, but occasionally a sharp change in direction is seen. The forces exerted by negative electrons on an α particle must be too small to produce such scattering, but the effect is explained if it be supposed that an atom, a complex body of open structure, has a positive charge concentrated in a minute nucleus, with negative electrons revolving round it in space. Since a normal atom is electrically neutral, the positive charge in the nucleus must be equal as well as opposite to that on all the electrons together, and, since the mass of the electrons is small compared with that of an atom, nearly all the mass must be concentrated in the nucleus.

With the general ideas current when this theory was formulated, the atom resembles the solar system, a heavy nucleus or Sun forming the centre, with lighter planetary electrons circling round. Nagaoka had investigated the stability of a similar system in 1904, but Rutherford was the first to bring experimental evidence to support the idea. Lenard's work on absorption of cathode rays and other later experiments showed that, if the atom were supposed to resemble a miniature solar system in which electrons take the place of the planets, the empty spaces in the atom must be proportionately as large as the empty spaces in the sky. In this theory of planetary electrons, the preconceptions implanted in our minds by Newtonian physics perhaps led us further than the facts warranted, but the atom, nevertheless, as far as penetration by cathode rays and radio-active particles is concerned, is certainly a very open structure.

A moving electric charge carries a field of electro-magnetic force with it; and this, since it has energy, must possess inertia. Hence an electric charge has something which behaves like mass, and may be of the essence of the underlying substance in that which we call matter. If a small sphere be drawn round the charge to represent the electron, the electro-magnetic mass is associated with the field which is outside the sphere. J. J. Thomson showed by mathematical analysis that, unless the charge is moving with very great speed, the electric mass is $2e^2/3r$, where e is the charge and r the radius. Thus, on the assumption that all the electro-magnetic energy is outside the electron, the radius could be calculated from the known values of the mass and the charge; for an electron it appeared to be somewhere about 10^{-13} of a centimetre. By making the radius r small, that is by concentrating the charge, the effective mass could be increased.[1] The nucleus of hydrogen, which is a positive unit, is called a "proton". Its mass, which is practically the mass of the atom, is 1800 times the mass of a negative electron. Therefore, if all the mass is assumed to be electrical and the nucleus a sphere surrounding a point charge of positive electricity, the radius of the nucleus will be only the 1800th part of the radius of an electron, that is, it will be of the order of 5×10^{-17} cm. It must be emphasized that these estimates of size depend on an arbitrary assumption as to the distribution of the electric charge. They are now of doubtful value.

These concepts, helpful at the time, have been modified, but a hydrogen atom may still be regarded as consisting of a unit positive nucleus or proton, with a single negative electron, whatever that may be, somewhere outside it. The helium nucleus is pictured as four protons with two electrons binding them together. Since the atomic weight of hydrogen is 1·008, and the atomic mass of helium as measured by Aston is 4·002, the formation of this complex nucleus involves a destruction of mass of $(4 \times 1\cdot008) - 4\cdot002$ or about ·03 and an equivalent emission of energy. The radio-active disintegration of heavy atoms, such as those of uranium, gives an output of energy, and it had therefore been assumed that all atoms contain a store of energy available when they break up. But the reasoning here given shows that the resolution of helium into hydrogen would involve an absorption of energy—work would have to be done to break up the helium

[1] But see newer work described below.

nucleus. It seems then that light atomic nuclei give out energy when they are formed, and heavy nuclei when they break up. This may explain why heavy atoms are radio-active, and why no atom heavier than uranium exists naturally: it would be unstable.[1] As α rays are flights of helium atoms, it is probable that helium atoms are some of the bricks of which the nuclei of other heavier atoms are built. The helium atoms themselves, each made up of four protons or hydrogen nuclei, are too firmly knit to be separated even in the adventurous life of an α particle. Thus it is probable that other atoms are made of a complex nucleus containing a number of positive units, probably helium nuclei with, in some cases, hydrogen protons, bound together by a certain smaller number of negative electrons, thus leaving a net positive charge on the nucleus of *n*, Moseley's atomic number. Other electrons exist outside this centre, and, for neutral atoms, *n* also represents the total number of these outer electrons, since the total negative charge on those electrons must neutralize the equal net positive charge in the nucleus.

Since atoms can be ionized, and given one, two, three or possibly four unit charges in accordance with their chemical valency, a small number of electrons can be added to or subtracted from an atom with no fundamental change in its nature. We may suppose these electrons to be placed in outer rings, while others are in inner rings, and yet others form an essential and, in general, a stable part of the nucleus.

As already explained, most radio-active transformations are associated with the ejection of an α particle, which is a helium atom of mass four, carrying two units of positive electricity. Such transformations must therefore involve a catastrophic change in the nucleus. The residue will be four units lighter, and two negative electrons must be discarded to re-establish neutrality: a new atom, a new element, will result.

The application of Planck's quantum theory to the problem of atomic structure was first made in 1913 by Niels Bohr of Copenhagen, while working in Rutherford's laboratory at Manchester. He based his work on the theory of planetary electrons then generally accepted by physicists.

It was already known that regularities appear in the complex spectrum of hydrogen if we consider, not the usual wave-lengths of its luminous lines, but the number of waves in a centimetre. It had been found that these so-called vibration numbers can all be expressed as the difference between two terms. The first term, known from its

[1] E. Rutherford, *Proc. Roy. Soc.* A, cxxiii, 1929, p. 373.

discoverer as Rydberg's constant, is 109,678 waves per centimetre.[1]

Now these relations are quite empirical. They were obtained by guessing at arithmetical rules till one was found to fit the results of experiment. But Bohr was able to explain them on the quantum theory. He pointed out that if "action" is absorbed in units, only a certain number of all the orbits in which an electron might revolve will be possible. In the smallest orbit the action would be one unit or h, in the next orbit $2h$, and so on.

Bohr supposed that the one electron of the hydrogen atom has four possible stable orbits, corresponding to increasing units of action, as illustrated in Fig. 13, where the circles represent the four stable orbits and the radii the six possible jumps from one orbit to another. At this point Bohr left Newtonian dynamics. It is remarkable that the law of inverse squares can be applied to electrons which are supposed to be circulating in orbits round the nucleus of atoms, but the orbits themselves show quite new relations. A planet might revolve round the Sun in any one of an infinite number of orbits, the actual path being adjusted to its velocity. An electron, on the other hand, Bohr supposed, can only move in one of a few paths. If it leaves one path, it must jump instantaneously to another, apparently without passing over the intervening space. This assumption led to theoretical results in conformity with the empirical rules then accepted for the vibration numbers.[2] Furthermore, it is possible to calculate the absolute value

---

[1] The other terms are obtained from Rydberg's constant by dividing it by four (2×2), nine (3×3), sixteen (4×4), and so on. If we subtract these terms from the constant R, we get vibration numbers

$$R - \frac{R}{4} = \frac{3R}{4}, \quad R - \frac{R}{9} = \frac{8R}{9}, \text{ etc.}$$

and these numbers are found to correspond with the vibration numbers of hydrogen lines in the ultra-violet part of the spectrum.

If we begin again with the first derived term, one-fourth of 109,678 or 27,420, and subtract from it the higher derived terms, we get another series of numbers

$$\frac{R}{4} - \frac{R}{9} = \frac{5R}{36}, \quad \frac{R}{4} - \frac{R}{16} = \frac{3R}{16}, \text{ etc.}$$

These numbers are found to correspond with the visible lines of hydrogen known as Balmer's series. Yet another group derived from one-ninth of R was found in the infra-red by Paschen.

[2] Mathematical investigation shows that the energy of motion in the second orbit is a quarter of that in the first, in the third orbit it is one-ninth, and in the fourth one-sixteenth. As an electron falls in from an outer to an inner orbit or level, it loses energy of position and gains energy of motion. The total loss of energy may be shown to be equal to the gain in energy of motion. Hence if ϵ be the energy of motion in the innermost level, the loss in passing from the second level to the first is $\epsilon - \epsilon/4$ or $3\epsilon/4$, and in passing from the third to the second $8\epsilon/9$. With longer passages the electron will give another series of numbers; thus passing from the third orbit to the first, it gives $1/4 - 1/9$ or $5\epsilon/36$.

In leaping from one orbit or energy-level to the next, the electron absorbs or radiates of the constant R as 109,800 waves per centimetre, a remarkable agreement with the latest observed value of Rydberg's constant given above. Bohr's theory at this stage showed every promise of a long and successful career.

The various types of radiation can be referred to different parts of the atomic structure. X-ray spectra are, for the most part, inde-

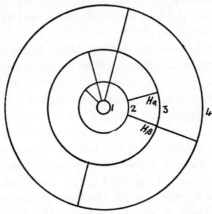

Fig. 13.

pendent of the temperature or the state of chemical combination of an atom, on both of which the details of optical spectra depend. Radio-activity, as explained above, is due to an explosive disruption of the nucleus. The evidence now given goes to show that X-rays proceed from the inner layers of the electrons outside the nucleus, while light comes from the outermost electrons, which are more easily detached and are concerned in cohesion and in chemical action.

Chemical combination might well be explained if one or more electrons were common to the combining atoms. The difficulties in representing such unions on the theory of electrons whirling round a nucleus led, in the years 1916 to 1921, to attempts to construct a statical model of the atom, especially by Kossel and by Lewis and Langmuir. Such models successfully explained valency and other chemical properties, but artificial assumptions had to be made to coax an explanation of spectra out of them. The physicist, at all events, at that time preferred Bohr's dynamic atom.

energy $h\nu$, where h is Planck's unit of action and ν the frequency of vibration. Since the energies lost are $3\epsilon/4$, $8\epsilon/9$, etc. and h is constant, the frequencies ν_1, ν_2, etc. must be in the ratios $3/4$, $8/9$, etc. in accordance with the known lines of the ultra-violet spectrum, while another series, corresponding with leaps to further orbits, gives frequencies beginning with $5/36$, agreeing with Balmer's series.

Whatever atomic model be accepted, we meet strong evidence for *Bohr's Theory* the fundamental idea of different energy-levels in the facts of ionization potential. In 1902 Lenard first showed that an electron must possess a certain minimum energy before it would produce ionization as it passed through a gas. The energy is measured by the electric potential in volts through which the electron must fall to acquire its velocity, and more recent experiments, such as those of Franck and Hertz on mercury vapour (1916–1925), show that sharp maxima of ionization occur at multiples of a definite voltage. Simultaneous changes in the spectrum of the gas are observed. For instance, Franck and Hertz showed that the electrons with the velocity produced by 4·9 volts caused low-pressure mercury vapour to emit a spectrum of a single line, which may be supposed to correspond with the leap back to normal from the first outer level in Bohr's atom. Since then a large number of critical potentials have been found for lines or groups of lines which suddenly appear, in agreement with the predictions which can be made on Bohr's theory. The effect on spectra of temperature and of pressure were investigated by Saha, H. N. Russell, R. H. Fowler, E. A. Milne and others, who have applied these new conceptions by means of thermo-dynamic methods. Their results have proved of the greatest importance in astro-physics, and have opened a new chapter in the measurement of stellar temperatures.

The circular orbits shown in Fig. 13 give only an elementary model of a hydrogen atom. Both Bohr and Sommerfeld showed that the same series spectra would be produced by elliptic orbits, and described more complex atomic systems, though the mathematical difficulties were great, since the motion of even three mutually attracting bodies cannot be expressed in finite terms.

The literature on the subject of Bohr's atom is voluminous, and much progress was made. The general concordance of the results with the coarser structure of spectra gave much confidence that the theory was proceeding on the right lines. Nevertheless, while it accounted for the line spectrum of hydrogen and of ionized helium, it failed with the finer detail of the spectra of neutral helium and with all the tremendous complexity of heavier atoms. The concordance between the number of spectrum lines and the number of possible jumps of electrons from one level to another ceased to hold good. By 1925 it was becoming clear that Bohr's theory of the atom, so successful for a time, was breaking down.

Bohr's atomic model, with its circling planetary electrons, goes *Quantum* further from the observed facts than it is safe to venture. We can only *Mechanics* examine atoms from outside, keeping note of what goes in and what comes out, radiation or radio-active particles. Bohr has described one mechanism which will produce some, at all events, of the atomic properties. But it is possible that other types of mechanism might work equally well. If we could see only the outside of a clock, we might imagine a train of wheels which would move the hands as they are observed to move, but somebody else might describe another set of wheels quite as effective as ours, and no one could decide between us. Again, the science of thermo-dynamics, which deals only with the changes in heat and energy of a system, makes no use of pictures of intimate mechanism such as are given by atomic conceptions.

In 1925 Heisenberg framed a new theory of quantum mechanics based only on what can be observed, that is, on the radiation absorbed and emitted by the atom.[1] We cannot assign to an electron a position in space at a given time, or follow it in its orbit, and consequently we have no right to assume that Bohr's planetary orbits exist. The fundamental observable magnitudes are the frequencies and amplitudes of the emitted radiation, and the energy levels of the atomic system; it is on these data that the mathematical formulation of the new theory depends. The theory has already been rapidly developed by Heisenberg, Born and Jordan and, from another point of view, by Dirac, and shown to lead to the Balmer formula for the hydrogen spectrum and the observed effects on that spectrum of electric and magnetic fields.

In 1926 Schrödinger attacked the problem from another angle.[2] Following up the work of de Broglie on phase-waves and light-quanta, Schrödinger was led to a theory mathematically equivalent to that of Heisenberg from the view that "material points consist of, or are nothing but, wave systems".[3] The medium carrying the waves is supposed to be dispersive, as transparent matter is to light, or as the layers, high up in the atmosphere, are to wireless waves (p. 413). Thus

---

[1] *Zeitschrift für Physik*, 33. 12, 1925, p. 879, and 35. 8–9, 1926, p. 557. For abstracts, see H. S. Allen, *The Quantum*, London, 1928; A. S. Eddington, *The Nature of the Physical World*, Cambridge, 1928, p. 206.

[2] *Annalen der Physik*, vol. LXXIX, 1926, pp. 361, 734.

[3] The mathematics of Heisenberg and Schrödinger lead to similar equations. By Hamiltonian principles they arrive at a formula

$$qp - pq = ih/2\pi,$$

where h is the quantum of action and i the square root of -1. p and q are called co-ordinates and momenta, though the words are used in unusual senses. For Born and Jordan p is a matrix—an infinite number of quantities arranged in symmetrical array. For Dirac p has no numerical significance, though at the end numbers appear from the equations. For Schrödinger the momentum p is an operator, a signal to carry out a mathematical operation on what follows. Whatever physical meaning is given to it, the above equation, as Eddington says, seems to lie at, or nearly at, the root of everything in the physical world (*loc. cit.* p. 207).

the shorter the period the faster the speed, and it becomes possible for waves of two frequencies to be present together.

As in water, the velocity of an individual wave is not the same as the velocity of a group of waves or a storm. Schrödinger found that the mathematical equations which give the motion of a wave-group with two given frequencies are the same as the usual equations of motion of a particle with corresponding kinetic and potential energies. Thus wave-groups or storms manifest themselves to us as particles, and the frequencies manifest themselves as energies. This leads at once to the constant relation between frequency and energy which first appeared in Planck's constant h.

Two waves with vibrations too quick to be visible may by their interference produce "beats" which appear as light, just as two sounds of nearly equal pitch produce beats of much lower pitch than either. In a hydrogen atom with one proton and one electron, waves will exist in accordance with the equation, and Schrödinger found that solutions of the equations are only possible for definite frequencies, which correspond to the observed spectral lines. In more complex atoms, where Bohr's theory broke down, Schrödinger again gets the right number of frequencies to explain the phenomena of the spectra.

When one of Schrödinger's wave-groups is small, there is no doubt where to locate the electron which is its manifestation. But, as the group expands, the electron can be placed anywhere within it. There is a certain indeterminacy of position. In 1927 these principles were extended by Heisenberg and then by Bohr. They found that, the more accurately they attempted to specify the position of a particle, the less accurately could the velocity or momentum be determined, and vice versa. The necessary uncertainty in our knowledge of position multiplied by the uncertainty in our knowledge of momentum was, approximately at any rate, found to be equal to the quantum constant h. The idea of simultaneous certainty of the two seems to correspond to nothing in nature. Eddington called this result the principle of indeterminacy and assigns to it an importance equal to that of the principle of relativity.[1] It is now more usually called the principle of uncertainty.

The new quantum mechanics produced a revolution in physical science, already used to revolutions. The mathematical formulations of Heisenberg, of Schrödinger, and of some other exponents, are equivalent to each other, and, if we remain content with mathematical equations, we may feel considerable confidence in the theory. But the ideas from which the equations have been derived, and the

[1] A. S. Eddington, *loc. cit.* p. 220.

interpretations which some have given to them, are fundamentally different. We can hardly expect these ideas and interpretations to last long, though the mathematics which express them are a permanent gain.

Classical mechanics are seen to be a limiting case of quantum mechanics. The failure of classical mechanics to deal with atomic structure is due to the wave-length being comparable with the dimensions of the atom, just as the straight rays of geometrical optics fail when the breadth of the ray or the size of obstacles in its path becomes comparable with the wave-length. Even then there seemed some possibility of connecting quantum mechanics with classical dynamic theory, with Maxwell's electro-magnetic equations, and with gravitational relativity. Such a wide co-ordination of knowledge would take its place as one of the great historic generalizations of natural science.

Schrödinger's theory must be considered in relation to experiments on electrons which prove that, as de Broglie's theory indicates, a moving electron is accompanied by a series of waves. The Thomsonian corpuscle was first envisaged as a structureless material particle, and then as an electron, a simple unit of negative electricity, whatever that meant. But in 1923 Davisson and Kunsman, and in 1927 Davisson and Germer, working in America, reflected slowly moving electrons from the surfaces of crystals, and found them to possess some of the diffractive properties of wave systems.[1] Later in 1927, Sir George Thomson, Sir J. J. Thomson's son, made experiments which consisted in passing a ray of electrons through an exceedingly thin sheet of metal—thinner than the finest gold leaf. A stream of particles would produce a blurred patch on a photographic plate beyond the sheet, but waves comparable in length with the thickness of the sheet would give a series of bright and dark rings like the diffusion patterns obtained when light passes through thin glass plates or soap films. Such rings were actually obtained, and indicate that a moving electron is accompanied by a train of waves, the wave-length being, like those of fairly penetrating X-rays,[2] only about the millionth part of the wave-length of visible light.

Theory indicates that, if the electron be accompanied by a train of waves, it must be vibrating in unison with the waves. It follows that the electron must have a structure, and thus, even experimentally, it ceases to be the ultimate unit either of matter or of electricity. A vista is opened into even more minute parts. Mathematical investigation

---

[1] *Physical Review*, XXII, 1923, p. 243; and *Nature*, CXIX, 1927, p. 558.
[2] G. P. Thomson, *Proc. Roy. Soc.* A, CXVII, 1928, p. 600. See also Sir J. J. Thomson, *Beyond the Electron*, Cambridge, 1928.

shows that the energy of the electron is proportional to the frequency of the waves, and that the product of the momentum of the electron and the wave-length is constant. Since in the atom there are only certain wave-lengths and frequencies, its electronic momentum can only have certain values, and must increase not continuously but by jumps. This indication of discontinuity leads us back to the quantum theory.

Quantum Mechanics

The interpretation of Sir George Thomson's experiments involved a dual nature for the electron—a particle (or electric charge) and a train of waves. Schrödinger, as we have seen, goes further, and resolves the electron itself into a wave system. The nature of the waves is uncertain. They must conform to certain equations, but may not involve mechanical motion. The equations may merely correspond to alternations of probability—the term, which in a normal wave measures the displacement, giving the chance of an electron appearing at a given spot.

Thus, after the third of a century, the electron was resolved into an unknown source of radiation or a disembodied wave-system. The last trace of the old, hard, massy particle has disappeared, and the ultimate conceptions of physics seem to be reduced to mathematical equations. Experimental physicists, especially if they be Englishmen, never feel comfortable with such abstractions, and already attempts are being made to devise atomic models which represent in mechanical or electrical terms the meaning of these equations. But, as Newton saw, the ultimate basis which underlies mechanics cannot be mechanical.

The discovery that light needed time for its propagation was made by the Danish astronomer Olaus Römer in 1676. Römer found that the intervals between the successive eclipses of one of the satellites of the planet Jupiter were longer when the Earth was receding from Jupiter and shorter when the Earth was approaching. He estimated the velocity of light as 192,000 miles a second.

Relativity[1]

Fifty years later, James Bradley, the Astronomer Royal, got a concordant result from the aberration of the light from the fixed stars. As seen from a distant star in the plane of the Earth's orbit, the Earth would seem to oscillate from side to side once a year, moving in opposite directions in successive six months. The rays shot from the star to hit the Earth must always be aimed a little in front of it, as we shoot in front of a driven partridge or a rocketing pheasant, and so, if the star now shoots to the right of the Earth's true position, in six

[1] A. Einstein, *Vier Vorlesungen über Relativitätstheorie*, Braunschweig, 1922; *The Meaning of Relativity*, London, 1922. A. S. Eddington, *The Mathematical Theory of Relativity*, Cambridge, 1923 and 1924.

months it must aim to the left. This means that the rays by which the star is seen from the Earth at different times are not parallel to each other, but that the star appears to move backwards and forwards in space as the years revolve. From this apparent movement, the ratio of the velocity of light to the velocity of the Earth in its orbit may be calculated.

The first determination of the velocity of light over short distances on the Earth was made in 1849 by Fizeau, who passed a beam of light through one of the gaps in a toothed wheel, and reflected it back on its path by a mirror three or four miles away. When the wheel was at rest, the return beam passed back through the same gap and was visible on the other side, but, when the wheel was rotated rapidly, a speed could be found at which the return way was blocked by the next tooth. The time occupied by the wheel in spinning through this small part of a revolution is clearly the time required for light to travel to the distant mirror and back again.

A better method is that devised by L. Foucault. A beam of light from a slit S is made very slightly convergent and then reflected from the plane mirror R to a focus on a concave mirror M. It returns along its path and, if the mirror R is at rest, forms an image of the slit on the slit itself. The mirror R is then rotated rapidly at a known speed. It moves through a small angle while the light travels from R to M and back again, and therefore the return path RS' is not coincident with RS, but will be turned through twice the angle of rotation of the mirror R. The distance between S and S' is then measured and the time occupied by the light in travelling from R to M and back again is calculated.

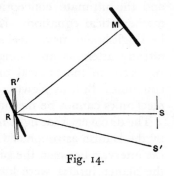

Fig. 14.

The best modern results for the velocity of light, rather less than older ones, give a value of 186,300 miles or $2 \cdot 998 \times 10^{10}$ centimetres a second *in vacuo*, or 3×10^{10} to one part in a thousand.[1]

If there be anything in the nature of a luminiferous aether, its effect on light travelling through it should apparently make possible the determination of its motion. If the Earth moves through the aether without disturbing it, the Earth and the aether will be in relative motion. In that case, light should be found to travel faster when it moves with the aether than when it moves against it, and on

[1] M. E. J. G. de Bray, "The Velocity of Light", *Isis*, No. 70, 1936, p. 437.

the whole faster when it travels to and fro across the aether stream than when it passes first in the direction of the stream and then against it. It is quicker to swim across a river and back again, than to swim an equal distance up and down stream.

That is the essence of the famous experiment made by Michelson and Morley in 1887. They mounted their apparatus on a stone floating in mercury to prevent vibration. A beam of light SA is partly reflected and partly transmitted at the glass A (Fig. 15). The two parts are reflected by mirrors at B and D. If $AB = AD$, the paths are equal

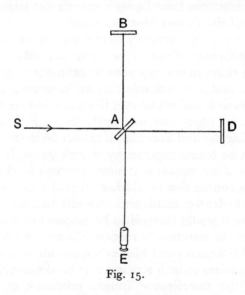

Fig. 15.

in length and interference effects will be seen in a telescope by an eye at E. Let us imagine that the Earth is moving in the direction SAD but not carrying the aether with it, so that the aether is moving through the laboratory as the wind through a grove of trees. This will introduce a difference in the time of transmission over the paths ABA and ADA, and the interference fringes will not occupy the same place as they would if the aether were relatively at rest. Next let the apparatus be floated round through a right angle. AB is now in the direction of motion and AD across it. The interference fringes should now move in the opposite direction, the whole displacement being twice that suggested above.

But Michelson and Morley could observe no measurable displacement of the interference fringes, and concluded that there is no appreciable relative motion of the Earth and the aether. A repetition of their experiment showed that, on their assumptions, the relative motion is certainly less than the tenth part of the Earth's velocity in its orbit. The Earth seems to drag the aether with it.

But in calculating the velocity of light from aberration, it is assumed that the aether is undisturbed by the motion of the Earth through it. Moreover, Lodge in 1893 could find no change in the velocity of light between two heavy steel plates spinning at (or beyond) the highest safe speed. Hence masses of this size do not drag the neighbouring aether with them. Thus both the theory of aberration and the deductions from Lodge's experiment seem quite inconsistent with Michelson's and Morley's result.

Whenever we get a discrepancy of this kind, if we are to hold our belief in the uniformity of nature, we may conclude that something must be wrong either in our experiments or in our conceptions of the causes at work, and it is probable that an interesting and necessary revolution in ideas is under our eyes if we can but see it.

The first useful suggestion was made by G. F. FitzGerald, and developed by Larmor and Lorentz. If matter be electrical in essence, or, indeed, if it be bound together by electric forces, it may contract in the direction of the motion as it moves through an electromagnetic aether. Such a contraction would not otherwise be observed, firstly because it would be too small, and secondly because any scales we used to measure it would themselves be subject to the same contraction, so that, in the direction of motion, the unit of length would be shorter. Thus Michelson's and Morley's apparatus as it rotated might change in dimensions in such a manner as to compensate for the displacement of the interference fringes produced by the Earth's movement through the aether.

It is easy to calculate the contraction necessary. A body would contract in the direction of the aether stream in the ratio $(1 - v^2/c^2)^{\frac{1}{2}}$, where v is the relative velocity of the body and the aether, and c the constant velocity of light.

The velocity of the Earth in its orbit is $1/10,000$ the velocity of light. If, at some time of the year, this be its velocity through the aether, Michelson's and Morley's apparatus would contract by one part in 200 million when turned through a right angle, and that minute change would explain their result.

There the subject rested for some years. Whatever the cause, every attempt to measure the velocity of light, whether with or against a supposed aether stream, led to the same result, no change in the measured velocity could be detected.

In 1905 an entirely new direction was given to thought on this *Relativity* subject by Professor A. Einstein, who pointed out that the ideas of absolute space and time were figments of the imagination—metaphysical concepts not derived directly from the observations and experiments of physics. The only space we can experience is that measured in terms of a standard unit of length, defined as the distance between two scratches on a bar, and the only time is that measured by some clock set by astronomical events. If changes such as the FitzGerald contraction take place in our standards, they will be quite inappreciable to us who move with them and suffer corresponding changes, but they might be measurable by an observer who was moving differently. Time and space, therefore, are not absolute, but merely relative to the observer.

From this point of view, no explanation is needed of the fact that the velocity of light, as measured by any apparatus and in any circumstances, is always the same. That result must be accepted as the first discovered law of the new physics. Time and space are thus shown to be such that light always travels relatively to any observer with the same measured velocity.

This measured velocity is constant, but neither space nor time nor mass measured separately show the constancy we are accustomed to expect. Michelson's and Morley's apparatus, tested by our constant standard, the speed of light, shows no change in linear dimensions as it rotates. But that is because we are moving with it. If however we could measure accurately enough the length of a bullet as it flew past us, we should find that it appeared shorter than when at rest, and, if its speed approached that of light, it would seem still shorter.

This experiment is not practicable; but it is easy to show, on the principle of relativity, that the mass of the bullet will appear to an observer at rest to be increased, and increased in the same ratio as the length is shortened. If m_0 be the mass at slow speeds, that at a high velocity v is $m_0/\sqrt{1 - v^2/c^2}$, where c is the velocity of light. Hence, at the velocity of light, mass would become infinite. The change in mass may be examined experimentally. Among the marvels of modern science is the measurement of the mass of projectiles which are moving past us with speeds of the same order as that of light. The β particles, shot forth by exploding radio-active atoms, can be directed through electric and magnetic fields of force, and their velocity and their mass can thus be determined, just as the velocity and mass of a cathode ray particle have been determined. If the mass of a β particle moving at moderate speeds be called unity, the following table gives in the second column the mass (calculated on the principle of relativity) of other β particles, the velocity of which approaches that of light, and in the third column their mass as measured by Kauffman experimentally.

Velocity of corpuscle in cm. per second	Ratio of mass to the mass of a slowly moving corpuscle	
	Calculated	Observed
$2 \cdot 36 \times 10^{10}$	1·65	1·5
$2 \cdot 48 \times 10^{10}$	1·83	1·66
$2 \cdot 59 \times 10^{10}$	2·04	2·0
$2 \cdot 72 \times 10^{10}$	2·43	2·42
$2 \cdot 85 \times 10^{10}$	3·09	3·1

These β particles are negative electrons, and, when moving, are equivalent to an electric current. Hence they create an electro-magnetic field of force, which possesses both energy and inertia. The increase of mass with velocity was also calculated on these lines by J. J. Thomson and by G. F. C. Searle with the same result. Therefore the increase of mass, like FitzGerald's contraction, is in accordance with electro-magnetic theory.

Again, on the principle of relativity, mass and energy are equivalent, a mass m, when expressed as energy, being mc^2, where c is the velocity of light. This too is in conformity with Maxwell's theory of electro-magnetic waves, which possess momentum equal to E/c where E is their energy. Momentum being mc, we get again that $E = mc^2$.

It is clear at once that these principles lead to remarkable and unexpected results. If we could travel in an airplane (or an aether-plane) with a speed comparable with that of light, our length in the direction of motion as measured by an observer on the earth would appear to be contracted, our mass would seem greater, and our time scale slower than usual. But we ourselves should be unconscious of these changes. Our foot rule might have shrunk, but, as we and all our surroundings would have shrunk also, we should not perceive the change. Our pound weight might have a greater mass, but so should we. Our clocks might go slower, but the atoms of our brains would move more slowly also, and again we should not know.

But, since motion is only relative, the observer on the Earth is moving relatively to us at the same rate as we are to him. Hence we should find on measuring them that his scales of length, mass and time had changed to us as ours had to him. He would seem to us to have suffered an unseemly contraction in the direction of motion, to have a mass out of proportion to his size, and to be ludicrously slow in mind and body. And all the while he would be thinking the same thoughts about us. We both should be unconscious of our own imperfections, but we each should see clearly the sad changes in the *Relativity* other.

It is impossible to say that either of these observers is wrong. Indeed both are right. Length, mass and time are not absolute quantities. Their true physical values are what the measurements indicate. The fact that they are not the same to everybody shows that they can only be defined relatively to one specified observer. The ideas of absolute length, of absolute space, and of an absolute and even flow of time, are metaphysical concepts, which go far beyond what is indicated or justified by observation or experiment.

Nevertheless, as Bergson has pointed out, philosophically it is probable that the only time that is lived, the time that measures what goes on in a system to one moving with it, or in it, is of special, indeed, of unique, importance. But physically space and time, considered individually, are relative quantities depending on the position of the observer. It was, however, pointed out in 1908 by Minkowski that the changes in space and time compensate each other, so that a combination of the two is, even in this new world, the same for all observers. The space of which we are accustomed to think has three dimensions—length, breadth and thickness, and, taught by Minkowski, we must look on time as a fourth dimension in this combination of space and time, one second corresponding to the 186,000 miles which light travels in that time. Just as the distance between two points in the continuous space of Euclidean geometry is the same however measured, so, in the new continuum of space-time, two events may be said to be separated by an "interval", involving both space and time, which has a true absolute value whoever measures it. We feel that here we have found something firm in a shifting world, and we are led to search for other quantities that remain absolute in the realm of relativity. Of quantities already known to us, we find that there still remain as absolutes: number; thermodynamic entropy; and also action, that product of energy and time which gives us the quantum.

In the old world of independent space and time, men had been accustomed to think of the whole of three-dimensional space as passing from moment to moment simultaneously, the past of the world being as it were separated from the future by the dividing plane of the present, which stretched everywhere at the same moment through space. But when, in 1676, Römer discovered that light travelled with a finite velocity, it must have been realized that the stars, visible simultaneously at one moment, were really seen as they existed at times in the past depending on their distances—simultaneity had disappeared. The absolute "now" of former beliefs had become a merely relative "seen-now".

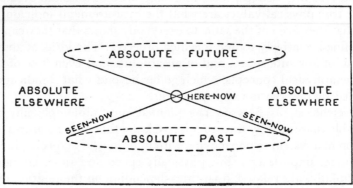

Fig. 16.

The recent developments in science have increased this relativity. If a traveller, moving with the velocity of light, takes a trip among the stars and returns to Earth after one of our years, to us, as we watch his flight, his mass will seem infinite and the movements of his brain infinitesimally slow. While we feel a year older, to him no time seems to have elapsed; he is still in the "now" of our last year. Thus the analogy of a plane, the same for all men at all places, separating past and future, must be given up. From the point which Sir Arthur Eddington called "here-now", lines of "seen-now" must be drawn through space, making an angle with the axis of time of which the tangent is equal to the velocity of light.[1] Anywhere within the three-dimensional surface thus generated, a surface analogous to a double cone or hour-glass in two dimensions, we get an absolute past or an absolute future. Outside it, things can co-exist simultaneously at what must seem to any one observer different times. The neutral wedge, which separates past and future, can be called the absolute present or the absolute elsewhere, according as we regard it in terms of time or of space.

The passage of time from past to future, which we interpret intuitively in terms of consciousness, has no counterpart in reversible physics. The equations of motion of ordinary dynamical systems, whether terrestrial or astronomic, can be read either way; we cannot

---

[1] A. S. Eddington, *The Nature of the Physical World*, Cambridge, 1928. I am indebted to Sir Arthur Eddington for permission to use the diagram.

tell from Newton's formulae in which direction a planet revolves *Relativity* round the Sun.

But, in the second law of thermodynamics and the irreversible rise of the entropy of an isolated system towards a maximum, we have a physical process which can only proceed in one direction. The random scattering of molecules by their mutual collisions can only lead them to approach the distribution velocities given by the law of error. Unless we call up Maxwell's daemon and gain control of individual molecules, or wait long enough for chance conjunctions of molecules to give groups by pure coincidence, this process of shuffling can only be reversed by a reversal in time itself. If we saw molecules collecting more and more into groups of equal velocities, we should have to conclude that time was moving backward. The second law of thermodynamics, the principle of the increase in entropy, describes the one, all important process of nature which corresponds with the remorseless march of time in the human mind.

In 1894 G. F. FitzGerald of Dublin wrote: "Gravity is probably *Relativity and* due to a change in structure of the aether, produced by the presence *Gravitation* of matter."[1] This sentence, in the language of the older physics, expresses the result of applying a general form of relativity to gravitation, which was done by Einstein in 1915. He proved that the properties of space, and especially the phenomena of the propagation of light, show that Minkowski's space-time continuum resembles Riemann's space and not Euclid's, except in infinitely small regions.[2]

In this space-time, there are natural paths, like the straight paths in three-dimensional space along which we are accustomed to imagine bodies moving when not acted on by a force. Since a projectile falls to the Earth and the planets circle round the Sun, we see that near matter these paths must be curved, and consequently near matter there must be something analogous to a curvature of space-time. Another body entering this curved region tends to move towards or round the matter in a definite path. Indeed, as long as we think in terms of mass and not electricity, the only meaning of matter

---

[1] *Scientific Writings*, p. 313.

[2] The distance between two points depends on the co-ordinate differences $dx\ dy$. If the form of the dependence is

$$ds^2 = g_{11} \cdot dx^2 + 2g_{12} \cdot dx\,dy + g_{22} \cdot dy^2,$$

it is a Riemannian metric. A special case of this is given by

$$ds^2 = dx^2 + dy^2,$$

the theorem of Pythagoras, when the continuum is Euclidean.

The quantities g_{11}, g_{12}, g_{22} determine not only the metric of the continuum but also the gravitational field. By investigating the simplest mathematical forms to which these quantities can be subjected, Einstein discovered the new laws of gravity.

nowadays is a region in space-time where this curvature occurs. If we prevent the second body from moving freely, holding it up perhaps by the bombardment of the molecules of a chair or of the surface of the ground, we exert force on it, which seems to the body to be due to its own "weight".

This effect is well shown by a lift. When the lift starts upwards, it is subject to an acceleration which appears to the occupants as a temporary increase of their weight, an increase which may indeed be measured like ordinary weight by a spring balance. The effect of the acceleration is identical with the effect of a temporary increase in the so-called gravitational field, and it is impossible to distinguish between these two causes by any experiment known to us.

But if a lift were allowed to fall freely, the occupants would not be conscious of motion. If one of them released an apple held in his hand, it would not fall faster than the lift, but would remain poised by the observer. This principle of equivalence, which first turned the subject towards gravitation, was set forth by Einstein in 1911, and the great mathematical difficulties were overcome during the next few years.[1]

It then became clear that Newton's hypothesis of a gravitational attraction may be unnecessary. The movement of a body towards the Earth, or round it in an orbit, may merely be the tracing of its natural path in a curved region of space-time.

Calculation shows that the consequences of this theory are nearly the same as Newton's—quite the same to the usual order of accuracy of observation. Yet, in one or two phenomena, it is just possible to devise a crucial experiment. Of these the most famous is the deflection of a ray of light by the Sun, which, on Einstein's principle, is twice what the Newtonian theory would indicate. The only way in which these minute deflections can be observed is to photograph during an eclipse of the Sun the image of a star which appears just outside the Sun's disc. This was done during the eclipse of 1919 by Eddington at Principe in the Gulf of Guinea and by Crommelin in Brazil. Compared

---

[1] See above, footnotes to pp. 179 and 203, Lagrange, Laplace and Hamilton. Einstein developed general equations which reduced to those of Laplace in the special case where neither matter nor energy is present at the point considered and to those of Poisson when the energy is entirely in the form of matter.

A small particle moving in a statical field, in general relativity has its motion determined by the Lagrangian differential equation

$$\frac{d}{dt}\left(\frac{\delta L}{\delta \dot{x}_r}\right) - \frac{dL}{dx_r} = 0,$$

though L is not here, as in classical dynamics, a simple difference of terms of kinetic and potential energy.

with stars farther away from the Sun, it was found that the image of *Relativity and* the nearer star was displaced, and displaced to the amount required *Gravitation* by Einstein.

Secondly, the discrepancy of 42 seconds of arc per century in the orbit of Mercury, left over by the Newtonian theory, was at once explained by Einstein, who calculated a change of 43 seconds of arc.

Thirdly, on the principle of relativity, an atom should vibrate more slowly in a gravitational field. Hence, on the average, the lines in the spectrum of the Sun, where gravity is more intense, should be displaced towards the red compared with the lines in corresponding terrestrial spectra. The shift to be expected is barely perceptible, but the balance of experimental evidence now goes to show that it exists. It should be larger in the spectra of dense stars, and, its truth being assumed, it has been used to measure the density of such stars.

Thus it seems that, as an exact account, Newton's theory must give place to Einstein's. In two directions—in the quantum theory and in the theory of relativity—recent physics seem to be breaking away from the fundamental conceptions by which they have been guided successfully since the days of Galileo. The new thought needs new vehicles for its expression. In some ways, it is clear, the dynamics of Newton, which ushered in two glorious centuries of modern science, are proving inadequate to the tasks imposed by present knowledge. Even matter, the concept of which underlies classical dynamics, has now vanished. The essential idea of a substance, as something extended in space and persistent in time, is now meaningless, since neither space nor time is either absolute or real. A substance has become a mere series of events, connected in some unknown and perhaps casual way, taking place in space-time. Relativity thus reinforces the results which follow from the latest theory of the atom. Newton's dynamics still suffice to predict physical happenings to a high degree of accuracy, and to solve the practical problems of the astronomer, the physicist and the engineer. But, as ultimate physical concepts, his theories pass with an honoured name into history.

Perhaps the best way of deriving the laws of nature from the general principle of relativity is by the minimum principle applied by Hilbert in 1915. Hero of Alexandria discovered that reflected light travels by the path which makes the total distance traversed a minimum. This was extended by Fermat in the seventeenth century into a general principle of least time. A hundred years later, Maupertuis, Euler and Lagrange developed the dynamical principle of least action, and in 1834 Hamilton showed that all gravitational, dynamical and electrical laws could be represented as minimum problems. Hilbert proved that, on the principle of relativity, gravitation acts so as to make the total curvature of space-time a minimum[1] or, as Sir E. T. Whittaker puts it, "gravitation simply represents a continual effort of the universe to straighten itself out".[2]

The general theory of relativity at once abolished the idea of a mechanical force due to gravitational attraction: gravity became a metric property of space-time. But electrified or magnetic bodies had still to be regarded as acted on by forces. Attempts were made by Weyl and others to bring them into line, but without complete success. But in 1929 Einstein announced that he had devised a new Unitary Field Theory which, taking space to be something between the space of Euclid and that of Riemann, makes electro-magnetism also a metric property of space-time.[3]

Another co-ordination of different concepts was announced by Eddington in 1928.[4] The electronic charge e appears in the wave-equation for two electrons in the combination $hc/2\pi e^2$, where h is the quantum of action, and c the velocity of light. On the principles of quanta and relativity, Eddington calculates the numerical value of this combination as 136. Millikan's value for e gives for the same quantity the figure 137·1. The discrepancy is greater than probable experimental errors, but the approximation is of great interest. Indeed, it became increasingly probable that all these modern concepts might be brought together in a new physical synthesis.

The basic principles of thermodynamics, as set forth in Chapter VI, led to Thomson and Joule's experiment on the free expansion of gases, to the absolute scale of temperature and to the liquefaction of hydrogen and helium (p. 234). In later years these methods have been developed on the engineering scale. They have given large quantities of liquid air and other gases to industry, and have placed excessively low temperatures at the disposal of the physicist, the chemist, and the engineer. The boiling point at atmospheric pressure of hydrogen is $-252\cdot5$ C. and of helium $-268\cdot7$ C. It may be of interest to note that P. L. Kapitza devised a new type of adiabatic apparatus in 1931–1933 for liquefying hydrogen and helium. It consists of a reciprocating engine with a loosely fitting piston. The gas

---

[1] All physical happenings, gravitational, electrical, etc. are determined by a scalar world function $\mathfrak{H}$, being such as to annul the variation of the integral

$$\iiiint \mathfrak{H} \, dx_0 \, dx_1 \, dx_2 \, dx_3.$$

[2] *British Association Report*, 1927, Address to Section A, p. 23.
[3] A. Einstein, two articles in *The Times* of February 3rd and 5th, 1929.
[4] A. S. Eddington, *Proc. Roy. Soc.* A, vol. CXXII, 1928, p. 358.

is cooled in liquid air or nitrogen, compressed to 25–30 atmospheres in the engine, and allowed to escape through the gap between piston and cylinder. It is thus further cooled and finally liquefied by the Thomson-Joule method. With modern apparatus, temperatures within a fraction of a degree of the absolute zero can be obtained.

The properties of matter in bulk, with all its irregularities and turbulences, have been studied both mathematically and experiment- ally by Sir Geoffrey Taylor, and an approach to a complete theory reached. His results have many applications, particularly to meteoro- logy and aeronautics, to the flow of turbulent fluids through pipes and to the plastic deformation of crystals.

A new method of investigating the magnetic properties of metals and other magnetic effects was developed in 1924, 1927, and suc- ceeding years by P. L. Kapitza, working first at Cambridge and then in Moscow.[1] The essential feature of the method is the passing of an intense electric current through a coil for a small fraction of a second, during which the experiment is carried out by means of automatic machinery, the object of this rapid working being to prevent over- heating. The currents were at first obtained by charging slowly and discharging quickly a battery of accumulators; but later a 2000 kilo- watt electrical generator of the single phase turbo-alternator type was used, the energy being stored as kinetic energy in the rotor of the generator, and liberated as electrical energy when the machine was short-circuited through the coil. An automatic switch made the circuit when the electromotive force was zero, and broke it when the current next vanished. Only one half-cycle of the alternating current was used, and this half-cycle was performed in about $\frac{1}{100}$ second, the windings being arranged to give a current-wave with a flat top, so that the magnetic field was nearly constant for the short time involved. It reached a value of several hundred thousand gauss. The plant had to be made on the large engineering scale at great cost, and a special laboratory built to contain it. The coil was 20 metres away from the alternator, and the whole experiment was over before the shock of the short-circuit, which travelled through the ground at 2000–3000 metres per second, reached the apparatus.

With the first plant, Kapitza and H. W. B. Skinner reinvestigated the Zeeman effect in a field of 130,000 gauss, and, with the second, Kapitza measured the specific resistances of bismuth and gold crystals. It was found that the change in weak magnetic fields followed a

[1] *Proc. Roy. Soc.* A, 1924, 1927.

square law, and in strong fields a linear one; measurements on 35 metallic elements were made at room temperature and down to that of liquid air. In 1931–1933 the magnetic susceptibilities of many substances were determined throughout a wide range of temperature by the use of the new apparatus for liquefying hydrogen and helium which Kapitza had devised.

On p. 376 a description was given of the initial work on thermionics. Sir O. W. Richardson was the first to study in detail the escape of electrons from hot bodies in a vacuum, and to give a full interpretation thereof, while his work on photo-emission did much to explain the interaction between matter and radiation. He has also investigated the electron emission associated with chemical action, and contributed towards filling the gap between ultra-violet and X-ray spectra. More recently Richardson has applied the new quantum mechanics to the problems of the hydrogen spectrum and of the structure of the hydrogen molecule.

Among the new kinds of apparatus which have been invented to conduct modern physics, and have in turn led to fresh problems and their solutions, we must mention the electron microscope. As we have seen above, streams of electrons are deflected from a straight path by a magnetic force, just as rays of light are deflected by a lens. And, as lenses can be arranged to give a magnified image with light, so magnetic forces can be used to give a pattern on a photographic plate. Since the wave-lengths of the waves associated with electrons are only one millionth part of the wave-lengths of light, good definition can be obtained with minute objects. Virus particles have been photographed, and an approach made to molecular dimensions.

The theory of electro-magnetic waves is due to Clerk Maxwell (1870) and their first detection to Hertz (1887). Their use in radio-telegraphy and telephony was made possible by two practical inventions—the application by Marconi of an aerial wire or antenna to despatch and collect the signals and put enough energy into action, and the application of the work described above in the thermionic valve.

The waves used by Hertz and other early experimenters consisted of electric oscillations from an induction coil, heavily damped and rapidly dying away. But for radio-transmission a train of continuous, undamped waves is necessary. If a hot wire be connected with the negative terminal of a battery, and a metal plate inside the bulb with the positive terminal, **a** continuous negative current will pass from wire to plate, carried by the emitted electrons, though, if the terminals be reversed, no appreciable current will flow; thus the thermionic valve can act as a rectifier, letting one half of the wave pass and stopping the other. If a grid of wire gauze be put between the hot wire and the plate, and be positively electrified, it will help the emission of electrons and increase the thermionic current, but when negative, decrease it. When it alternates in potential, the current will oscillate, superposing an alternating current on a direct one. These alternations are passed through the primary circuit of a transformer, and from the secondary back to give the grid its proper alternating potential and thus maintain the action of the apparatus. Hence a thermionic valve may be used both to emit a steady, undamped train of waves, and to rectify them when received. By interrupting these rectified currents from 100 to 10,000 times a second and passing them through a telephone, a sound of corresponding pitch is produced, and radio-speech becomes possible.

Recent Physics

The energy radiated from an antenna can be divided into an earth wave, gliding over the surface of the ground, and a sky-wave which starts above the horizontal. The latter waves retain their energy at much greater distances than would be expected if the sky-wave travelled freely through space. The long-distance transmission is due to ionization of the earth's upper atmosphere by rays from the sun, making it a conductor. This part of the atmosphere is called the ionosphere or the Kennelly-Heaviside layer from those who first suggested its existence. The electric waves, entering the conducting region, are reflected or refracted back to earth, and, if the distance is great enough, again from earth to ionosphere, perhaps several times, and thus travel as through a channel. By examining the behaviour of long-distance radio-waves, much information about the ionosphere layer or layers has been obtained, first by Sir Edward Appleton and Barnet and, in 1925, by means of short pulses of radio-waves, by Breit and Tuve in America. Then, in 1926, Appleton showed there was another reflecting, or refracting layer, some 150 miles above the ground, electrically stronger than the other. This reflection enables radio-waves to bend and pass round the Earth. Similar principles underlie the practice of radio-location, now called radar.

Solid bodies reflect radio-waves and thus give an echo at the place of projection. The great value of this principle for the operations of war led to an amazing development of radar in all directions during the years 1939–1945.[1]

[1] *Radar, Governments of the United States of America and Great Britain*, 1945.

For most purposes the pulse method is used; an electric oscillator emits a burst of radiation with wave-lengths measured in centimetres —bursts which sometimes last only for the millionth of a second. Enough power is obtained by a magnetron—a valve in which the electrons are controlled magnetically—a device produced by a team of workers in the University of Birmingham. By means of antennae, the energy is concentrated into a clearly defined beam, which can search space as does a visual search-light, revealing distant objects— ships, aeroplanes, flying bombs, ground-contours, even the collection of rain-drops which heralds an approaching storm. The echoes are caught by a heterodyne receiver and displayed on a cathode ray tube indicator.

In 1940 British radar disclosed enemy planes as their attack developed, and, by helping to win the Battle of Britain, enabled the few to save the many. Co-operation with the United States confirmed the superiority of the Allies' radar and went far to win the war.

Naval tactics and indeed navigation have been revolutionized, for radar can see and locate ships at a distance, and fight a fleet action when the enemy is out of visual sight. Radar is independent of darkness; it can guide vessels through fog into harbour, and bring aeroplanes to their target and home again.

The Nuclear Atom

It has been stated above that, while the cloud tracks of the positively electrified particles emitted by radio-active substances are usually straight, occasionally a sharp change in direction is seen. In 1911 Rutherford had deduced the occurrence of these rare deflections from less direct observations and had imagined that the core of an atom consists in a minute positive nucleus which repels the α particle on collision.[1]

At first the atom was pictured as a planetary system with negative electrons circling round the nucleus in Newtonian paths, but, as explained, the invention and application of the quantum theory brought about a revolution in atomic concepts. The main features of the new theory were established in the period already covered. But, in later years, a second revolution in ideas has followed, a revolution which depends chiefly on the discovery of new kinds of sub-atomic particles, and new methods of producing, counting, and using them.

---

[1] N. Feather, *Nuclear Physics*, Cambridge, 1936; Lord Rutherford, *The Newer Alchemy*, Cambridge, 1937; G. Gamow, *Atomic Nuclei*, Oxford, 1937; E. N. da C. Andrade, *The Atom and its Energy*, London, 1947; Sir George Thomson, *The Atom*, Oxford, 1947.

Before dealing with these new particles, we must trace the great
advance made by Aston and others in our knowledge of atomic
weights of the atoms of elements and their isotopes.[1] Aston's mass
spectrograph, the first model of which is now in the Science Museum,
South Kensington, was based on the principle of Sir J. J. Thomson's
apparatus for examining positive rays. The glass bulb B, kept at low
pressure by a mercury pump, contains either a volatile compound of
the element to be examined or an anode of one of its halide salts. The
anode is at A, and the cathode C is pierced by a slit S_1. A second slit
S_2 serves to give a narrow beam of positive rays, coming from the
anode and passing through the pierced cathode. This narrow beam

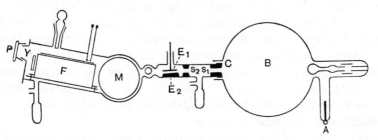

Fig. 17.

is led between two insulated plates E_1 and E_2, connected with the
opposite poles of a battery of 200–500 volts, and is thereby spread out
into an electric spectrum. Next, by means of two diaphragms, one
part of the spectrum is isolated, and then passed between the poles of
an electric magnet M. Two earthed brass plates F protect the rays
from any stray electric field, and the rays, giving a focused image of
the slit, then fall on to the photographic plate. The deflections produced by the electric and magnetic forces focus rays of different
velocities but of the same value of e/m (the ratio of charge to mass) on
to a single spot of the plate.

Taking one spectrum line as known and comparing it with others in
unknown electric and magnetic fields, the relative masses of the atomic
projectiles can be determined. Or again, keeping the magnetic field
constant, and adjusting the electric field till the unknown line occupies
the former position of the known line, the relative mass can be
calculated from the strength of the electric field. In either way, the
masses of known and unknown particles can be compared; the instrument gives measurements depending on mass alone, and can rightly
be called a mass spectrograph. In its first form it gave masses accurate

[1] F. W. Aston, *Mass Spectra and Isotopes*, London, 1933.

to 1 part in 1000, and in a second and improved form to 1 in 10,000. Another kind of apparatus, in which the rays were bent into a semi-circle by the magnetic field, was invented by Dempster of Chicago. Yet another mass spectrograph has been devised by Bainbridge of Harvard, and very accurate measurements made.

As soon as Aston's first mass spectrograph was brought into operation in 1919, results poured out in a rapid stream. Two definite spectrum lines confirmed Thomson's result for neon, and, for a time, a new isotope was discovered almost every week. In 1933 Aston could say in his book *Mass Spectra and Isotopes*: "At the present time out of all the elements known to exist in reasonable quantities, only eighteen remain without analysis", and by 1935 about 250 stable isotopes were known. The most complex element seems to be tin, with eleven isotopes ranging in mass numbers from 112 to 124. By these experiments the atomic law of whole numbers, first suggested by Prout, has been confirmed, and for practically every number up to 210 a stable elementary atom is known. Many places are filled twice over and a few three times with "isobars", that is, atoms of the same weight but different chemical properties.[1]

As explained above, the nature of the α and β particles was established in Rutherford's early work on radio-activity. The α particle is a helium nucleus; it possesses, according to Aston's measurement, a nuclear mass of 4·0029 (oxygen being 16), and a positive electric charge $+2e$, twice the negative charge $-e$ on the electron. The α particle moves with a velocity ranging round 2×10^9 centimetres, or 10,000 miles a second. The hydrogen nucleus, or proton, was then given a mass of 1·0076 and a positive charge of $1e$. Birge pointed out that the facts indicated the existence of a heavy isotope of hydrogen, while Giauque and Johnson, by observations on band spectra, and later Mecke, obtained evidence of heavy oxygen of mass 17 and 19.

In 1932 Urey, by a process of fractionization, discovered that an isotope of hydrogen with mass 2, double the normal, is present to the amount of one part in 4000 in ordinary hydrogen.[2] This heavy hydrogen (^2H) was named "deuterium" (D), and, if an electric discharge be passed through it, some of the atoms lose an electron and become positive ions, now called "deuterons". They are, it seems, made of a proton and neutron linked together. By electrolysing ordinary water, Washburn obtained a new substance, heavy water,

[1] F. W. Aston, "Forty Years of Atomic Theory", in *Background to Modern Science*, Cambridge, 1938.
[2] *Phys. Review*, XL, 1932, p. 1.

in which ordinary hydrogen is replaced by the isotope. The heavy water was isolated by Lewis; it is about 11 per cent. denser than ordinary water, and has different freezing and boiling points. Now that deuterium is available, the mass of neutral hydrogen (^{1}H) can be determined more accurately, and is found to be 1·00812. *The Nuclear Atom*

Yet other penetrating rays, which are always passing through the atmosphere, can be detected in a Wilsonian cloud chamber. They seem to be of cosmic origin, and have been much studied in recent years, especially by R. A. Millikan and his colleagues.[1] The subject may be said to have begun in 1909 by Göckel, and followed later by Hess and Kolhörster, all of whom found that an electroscope discharged faster when taken up in a balloon than on the earth's surface, indicating an increase in the number of ionizing rays. In 1922 these experiments were extended to 55,000 feet by Bowen and Millikan, and in 1925 Millikan and Cameron sank electroscopes to depths of 70 feet in radium-free water, and noted a continuous decrease in the rate of discharge. In later years other observers have gone to greater depths. These rays, then, are more penetrating than any terrestrial ray. The magnetic effect of the earth on the rays is irreconcilable with the idea of a source in the upper atmosphere. Moreover, the rays are of the same intensity day and night, so they cannot come from the Sun, and they still arrive in the southern hemisphere when the Milky Way is not visible; therefore they cannot originate in our galaxy, but must come from bodies beyond it or from free space.

The energies of these rays, estimated roughly by their penetration, were first measured more accurately by Carl Anderson and Millikan by passing them through a very intense magnetic field and observing the deflections. The energies ranged round 6 thousand million electron-volts in a fairly definite band. With this apparatus Carl Anderson in 1932 discovered positive particles with the mass of negative electrons, the existence of which had been foretold theoretically by Dirac. To these particles the name of positrons has been given. It will be remembered that previously the smallest positive particle known was the nucleus of the hydrogen atom, or proton, with a mass about 2000 times greater than that of the electron; thus our concept of matter was once more radically changed.

In their passage through matter, the positrons, like other electrified particles, give rise to electro-magnetic waves, and in cosmic rays the

[1] R. A. Millikan, *Cosmic Rays*, Cambridge, 1939. R. A. Millikan and H. V. Neher, *Energy Distribution of Incoming Cosmic Ray Particles*, American Philosophical Society, 1940.

frequencies, higher than those of X and γ rays, range from 10^{22} to 10^{24} per second, visible light being about 10^{14}. These frequencies are measured, not directly, but by the energy divided by Planck's constant h.

In 1923, on the lines of the quantum theory, Compton put forward the idea of a unit of radiation comparable with the electron and proton; he called it a photon. When a photon impinges with enough energy on the nucleus of an atom, especially a heavy atom, a positive-negative electron pair appears in the cloud chamber. This was suggested by Blackett and Occhialini in 1933, and soon afterwards confirmed by Anderson. The kinetic energy of such a pair of created electrons was about 1·6 million electron-volts, when the energy of the incident photon was 2·6 million e-volts. The difference of 1 million e-volts measures the "proper" energy of the electron pair, materialized from photons of radiant energy, a conversion of radiation into matter. Conversely, if a positive and negative electron annihilate each other, two photons of electro-magnetic radiation, each of energy half a million e-volts, shoot out in opposite directions. This was proved experimentally in 1933 by Thibaud and by Joliot.

In cosmic rays, energies of 3 or 4 thousand million (10^9) e-volts have been found at sea-level. The rays often appear in showers, more often if measured at the elevation of the 14,000 feet of Pike's Peak. According to the Bethe-Heitler theory of shower formation, an incoming electron of high energy first transforms that energy into an "impulse photon"; this produces an electron pair, each electron of which repeats the process till all the energy is degraded into lower energy photons and electrons. It is probable that the positives that come in from outside do not get down to sea-level, and that the high energy positives and negatives observed in cloud chambers are secondaries produced in the atmosphere. Anderson and Neddermeyer assumed in 1934 that the highly penetrating tracks are those of particles of mass intermediate between electrons and protons, particles which Anderson hence called mesotrons. They confirmed their supposition in 1938, and, measuring the mass, found 220 electron masses, while other observers in 1939 obtained 200 electron masses, the proton being about 2000. It will be seen what a complex picture is now necessary to represent the structure of matter.

For the most part, the particles found in cosmic rays are electrons, the number of protons being small. This indicates that the rays cannot have come through an appreciable amount of matter before entering the solar system; thus again it seems that they cannot originate within the stars of our stellar galaxy, but must come from *The Nuclear* outer space. *Atom*

The mode or cause of origin of the cosmic rays is still a matter of speculation. Suggestions have been made that they are produced (1) by the fall of electrons through some celestial electrostatic field, or (2) through the magnetic fields of double stars, or (3) by the complete or partial transformation of the mass of atoms into cosmic radiation in accordance with Einstein's equation $mc^2 = E$. The most abundant elements would release energies ranging from 11 to 28 thousand million e-volts, and half the energy should shoot away in one direction, and half in the opposite direction. Thus one half would give a band between 5 and 14×10^9 e-volts, and these are about the observed values.

It will be remembered that in 1919 Rutherford discovered that bombardment with α rays induces atomic transformation in certain elements such as nitrogen, with the emission of fast moving hydrogen nuclei or protons, a discovery soon afterwards confirmed by Blackett, who photographed the paths of the protons in a Wilsonian cloud chamber. This discovery was the starting point of an immense development in controlled atomic transformations which gave surprising results. When beryllium of mass 9 was so bombarded by Bothe, he obtained a new radiation even more penetrating than the hardest γ rays from radium. In 1932 (Sir) James Chadwick proved that the main part of this radiation was not of γ-ray type, but consisted of a stream of swift, uncharged particles about equal in mass to hydrogen atoms. They can conveniently be obtained by mixing some milli-grammes of a radium salt with powdered beryllium in a sealed tube, through the walls of which the particles escape. On account of the absence of charge these particles, now called neutrons, pass freely through atoms in their paths and produce no ionization.

The following is a list of particles known in 1944; doubtless more may be discovered.

Name	Mass in electron units	Electric charge
Electron or β particle	1	$-e$
Positron	1	$+e$
Mesotron	200	$\pm e$
Proton	1800	$+e$
Neutron	1800	0
Deuteron	3600	$+e$
α particle	7200	$+2e$

Besides these particles, reckoned as material, there is the photon, the unit of radiation. The Universe is indeed complex and mysterious.

As Feather, Harkins and Fermi have shown, neutrons, especially slow neutrons, though they do not cause ionization, are very effective in inducing nuclear transformations. They are not repelled by a positively charged nucleus, as are α particles, and therefore easily enter a dense nucleus and change its nature. For instance, when the experiment is performed with a photographic plate impregnated with a lithium salt, the opposite tracks are visible in a microscope. Similar transformations are found with boron and especially with a lighter isotope of uranium.

When these light atoms were bombarded directly with α rays, M. and Mme Curie-Joliot obtained new radio-active substances. For instance, when boron was bombarded by α rays for a time, it was afterwards found to emit a stream of positrons. The activity decays, as does normal radio-activity, in a geometrical progression with the time, falling to half value in 11 minutes. The transmutation may be indicated by a chemical equation

$$^{10}B + {}^{4}He \rightarrow {}^{14}N \rightarrow {}^{13}N + \text{neutron.}$$

The nitrogen nucleus ^{14}N, owing to excess of energy, is unstable, breaking into the more stable ^{13}N and a neutron. Then the ^{13}N passes more slowly into stable carbon and a positron.

$$^{13}N \rightarrow {}^{13}C + \Sigma^{+}.$$

The radio-nitrogen can be collected as a radio-active gas with the chemical properties of nitrogen.

A large number of substances have been made radio-active by α particles, fast protons, and especially slow neutrons, which latter are effective even with the heaviest elements. But hitherto we have described only the controlled transmutation of elements by bombarding them with particles of different kinds, all derived directly or indirectly from radio-active substances. The number of such particles which can be obtained by these processes is very small, and for many years physicists hoped that artificial means of producing intense streams of effective particles might be invented. At a later date these hopes were realized.

By passing an electric discharge through hydrogen or its isotope deuterium, a copious supply of protons and deuterons can be obtained, but, to give them the high velocities needed to cause transmutations, they must be accelerated in an enormously strong electric field. Large-scale engineering apparatus is necessary to give voltages up to a million, with modern high-speed pumps to maintain a good vacuum.

In their pioneer experiments in Cambridge, Cockcroft and Walton multiplied the voltage of a transformer by a system of condensers and rectifiers, and it is now expected to obtain, with a gigantic apparatus, a direct current having a voltage of 2 million, which should give a spark about 20 feet long. Again, an electrostatic apparatus has been devised by Van de Graaff of Washington, in which a conveyor continually puts charges into a hollow metal insulated ball till a potential of some 5 million volts is reached.

Professor E. Lawrence of California has invented an accelerating apparatus, called a "cyclotron", in which ions pass through an alternating electric field and also through a magnetic field at right angles, an arrangement which makes the proton or deuteron describe a spiral path of steadily increasing radius, entering and leaving the electric field at intervals. For a particular frequency of the alternating potential the ions always arrive in the electric field at a moment when the electric force is in the direction to accelerate them further. In this way Lawrence obtained intense streams of protons and deuterons with energies as high as 16 million volts, carrying a current of 100 micro-amperes. This is equivalent to the projection of α particles which would proceed from about 16 kilogrammes of pure radium.

Such apparatus puts very powerful weapons in the hands of experimenters; but Cockcroft and Walton showed that lithium and boron could be transformed artificially with protons of the order of a mere 100,000 volts. From that voltage to the millions of the cyclotrons, our laboratories are now supplied with a wide range of transmuting projectiles.

Lithium consists of two isotopes with masses 6 and 7. Under proton bombardment, a proton occasionally enters a ^{7}Li nucleus. The resulting ^{8}Be is unstable and instantly breaks up into two fast α particles, that is helium nuclei, moving in opposite directions. If we use deuterons instead of protons as projectiles, the capture of a deuteron by ^{6}Li again gives a ^{8}Be nucleus, but with a great excess of energy. This explodes as before into two α particles, but these have greater speed than those derived by a proton from ^{7}Li. The capture of a deuteron by ^{7}Li forms ^{9}Be, which at once disintegrates into two α particles and a neutron.

These transmutations are merely examples, first studied by Oliphant and Harteck. They can be obtained with as little as 20,000 volts to accelerate the deuteron projectile. Many far more complicated changes have been worked out. From the experiments, new isotopes such as hydrogen of mass 3 (^{3}H) and helium also of mass 3 (^{3}He) have

P

emerged. The masses of these two isotopes can be calculated from a knowledge of the energies released:

$$^2H \quad + ^2H \quad = ^1H \quad + ^3H + E$$
$$2 \cdot 0147 + 2 \cdot 0147 = 1 \cdot 0081 + ^3H + 0 \cdot 0042.$$

The atomic masses of hydrogen and deuterium are those found by Aston with the mass spectrograph. The value of E is obtained from the observed range of the protons in air, $14 \cdot 70$ centimetres, indicating an energy of $2 \cdot 98$ million volts. Three quarters of the energy released are due to the kinetic energy of the proton, and thus the total of E is $3 \cdot 97$ million volts. On Einstein's theory, mass and energy are equivalent, and a decrease dm in mass corresponds to a release of energy c^2dm, where c is the velocity of light in centimetres per second, 3×10^{10}. Thus $3 \cdot 97$ million volts are equivalent to a mass $0 \cdot 0042$, and the mass of ^3H is $3 \cdot 0171$.

Lawrence and his colleagues, using the very fast deuterons with energies up to 16 million volts obtained with a cyclotron, have bombarded bismuth, and converted it into a radio-active isotope identical with the natural radio-active product radium E, a result of great interest. Similarly, sodium of mass 23 or its salts, bombarded by fast deuterons, yields a radio-active isotope of mass 24. This radio-sodium breaks up with the emission of a β particle and forms stable nuclei of magnesium of mass also 24, the half-period of decay being 15 hours. Intense sources of radio-sodium have thus been obtained by Lawrence; they may possibly be used as a substitute for radium in therapeutic work.

By the use of γ radiation Chadwick and Goldhaber have broken up the deuteron ^2D into a proton and neutron, and Szilard has converted beryllium of mass 9 into ^8Be and a neutron. The development of this method depends on obtaining intense γ rays of high energy.

In the course of this recent work more than 250 new radio-active substances have been recorded. It is possible that such unstable isotopes of the elements may have existed in the Sun, and in the Earth as it separated from the Sun, but vanished as the Earth cooled down, leaving the long period substances uranium and thorium as the sole survivors.

Some of the energy changes in these forced transformations are even greater than those in natural radio-active disintegration. For instance, a deuteron of energy 21,000 volts will transform an atom of lithium with an emission of energy of $22 \cdot 5$ million volts. There is, therefore, a large gain of energy, and at first sight it looks as though we had in this way a limitless source of atomic power. But only about one deuteron in 10^8 is effective, so that on balance, more energy had to be supplied than was emitted, and, in the case of neutrons, the neutrons themselves could only be obtained by very inefficient processes. In 1937 it certainly seemed that the outlook for gaining useful energy from the atoms by artificial processes of transformation did not look promising. On this one can only remark that before now in the history of applied science prospects of even less promise have confounded the prophets. Indeed, in 1939 Hahn and Meitner found that, when an atom of uranium was struck by a neutron, its nucleus divided into two main parts, each about half the mass of the whole, and accompanied by two, three or four other neutrons. At first sight, this seems to be the cumulative process sought, but it is only a lighter isotope of uranium, with an atomic weight of 235 instead of 238, which dissociates to any useful extent, and it is present only in small quantities. The 235 isotope was first detected by Dempster, and its dissociation investigated by Nier of Minnesota and by Booth, Dunning and Grosse of Columbia, New York.[1] Similar processes occur with thorium. The separation of isotopes was actively pursued in many laboratories; but the difficulties were great, and it needed the stimulus of war to carry the enquiry to its climax. First the lighter isotope, Ur 235, had to be separated from the greatly preponderating Ur 238, by a process of diffusion through small holes or by Aston's mass spectograph. With small quantities of material, a chain reaction does not start because the neutrons escape: the substance is stable and quite safe. But if two harmless lumps are put together and exceed a critical amount, the dissociation becomes cumulative and a stupendous explosion occurs.

While chemical actions are brought about by changes in the outer electrons of the atoms, these explosions are due to a shattering of the nucleus—a much more portentous happening. The nuclear energy emitted by one pound of uranium equals the thermal energy given by the burning of many tons of coal.

Uranium of atomic weight 238 can be used to capture neutrons of medium energy and emit electrons. This process forms an element hitherto unknown to which the name of plutonium has been given.

For peaceful purposes it may be necessary to control and slow down the nuclear reaction by absorbing in "moderators" some of the neutrons liberated. Such moderators are found in light atoms—

---

[1] Aston, *Mass Spectra and Isotopes*, London, 1942; *The Atomic Bomb*, Stationery Office, 1945.

carbon in the form of graphite or the isotope of hydrogen in "heavy water" described above. Uranium 238 can be inserted into the "pile" of a moderator, and heat liberated be used to develop power.

In the war of 1939–45, physicists, chemists and engineers in the United States and Great Britain pooled their knowledge, worked together, and won the deadly race with the Germans for an atomic bomb. The huge and complex factories needed were erected in one of the wide open spaces of America, and two bombs, dropped on Japan in 1945, finished the war. It remains for Statesmen of all nations so to control the use of nuclear energy that it may prove a blessing and not a curse to mankind. Deadly dangers confront us, but perhaps nuclear power may frighten the nations into the paths of peace. The abolition of war would be the greatest triumph of science.

Meanwhile, peaceful applications of atomic research are already being made by Sir Henry Dale and others. One of the most striking is the use of so-called "tracer elements"—substances of which the presence and motion can be followed by observing their properties. Perhaps the best of these are certain radio-active bodies, and now that immensely larger quantities are available as by-products of the atomic pile, their uses are developing fast. Radio-active atoms may be fed to animals in organic compounds and the movement of the constituents may be followed in metabolites by a Geiger-Müller counter.[1] It is not too much to say that radio-active tracer elements have opened a completely new field in bio-physics and bio-chemistry, and in medicine have given a new method of diagnosis.

Again, the large-scale production of radio-active substances has made radiation therapy both easier and cheaper, as, for instance, in the destruction of cancerous tissue.

The effectiveness of agricultural fertilizers can be measured by mixing a tracer with the fertilizer, and estimating the radio-activity which appears in a plant of the crop. The uses of tracer elements are almost illimitable.

Recent developments of physical theory have usually made it easier to obtain the equations which give the mathematics of a phenomenon than to interpret them in physical terms. For instance, the quantum mechanics of Heisenberg and Schrödinger were first worked out for simple examples, from which a general mathematical scheme was constructed, leading to physical interpretations such as the super-

---

[1] In the Geiger-Müller counter a fine wire is stretched along the axis of a conducting cylinder. A difference of electric potential of about 1000 volts between wire and cylinder enables the observer to detect the entry of a single electron.

position of states and the principle of indeterminacy, and so to a *The Nuclear* satisfactory non-relativistic quantum theory. *Atom*

To make the theory relativistic, Dirac again finds the mathematics easy to work out, but difficulties arise in the interpretation, which can best be expressed in terms of initial and transitional chances.[1] Thus physics, as always, has to be left as an exercise in probability.

An advance towards the new physical synthesis for which we have been waiting has been made by Eddington. He has linked gravitation with electricity and quantum theory by comparing the theoretical with the observed values of physical constants such as the masses of the proton and electron and their charges of electricity, obtaining most striking agreement.[2] A summary of the problems of modern physics has been given by J. Frenkel.[3]

The kinetics of chemical change have been the subject of continued study in modern times. Arrhenius was the first to suggest that in a *Chemistry*[4] given mass there is only a certain number of active molecules, increasing as the temperature is raised—a theory now doubtful. It is now thought that these molecules become fast moving, and therefore active, by virtue of "collisions",[5] even perhaps in the case of monomolecular reactions.[6]

Ammonia and nitrates are needed for agricultural fertilizers, and nitrates for explosives in mining and warfare. Fears were once expressed, especially by Crookes, that, with the exhaustion of the Chili nitrate beds, fertilizers, and with them the world's supply of wheat, might become inadequate. We have seen this happen as a result of war, but not in normal peace: plant breeders have produced varieties of wheat that will grow farther north and so over larger areas, and chemists have synthesized ammonia and nitrates.

Cavendish passed an electric spark through air and obtained acids, and a hundred years later the process was developed on the large scale by Birkeland and Eyde in Norway. Again, Nernst and Jost, and later Haber and Le Rossignol, investigated the equilibrium between ammonia, nitrogen and hydrogen under different temperatures and pressures, and, with the help of various catalysts, from these investigations a laboratory process for the making of ammonia from air was worked out about 1905, and by 1912 the Haber process had become

[1] Royal Society, Bakerian Lecture, 1941.
[2] *Proc. Physical Society*, LIV, 1942, p. 491.   [3] *Nature*, Sept. 30 and Oct. 7, 1944.
[4] Alexander Findlay, *A Hundred Years of Chemistry*, London, 1937. A. J. Berry, *Modern Chemistry*, Cambridge, 1946.
[5] C. N. Hinshelwood, *The Kinetics of Chemical Change in Gaseous Systems*.
[6] F. A. Lindemann (Lord Cherwell), Faraday Soc. 1922.

Chemistry　an industrial and military success, which was enormously stimulated by the demand for nitrates in Germany before and during the war of 1914–1918. Nitrogen and hydrogen were circulated over a catalyst at a pressure of 200 atmospheres or more and a temperature of 500° C. The ammonia is converted into ammonium sulphate by interaction with sulphuric acid or calcium sulphate, or into nitrates by passing heated ammonia and air over a catalyst such as platinum sponge.

Catalysts, first observed more than a hundred years ago, are now of the greatest importance, both in the theory of chemical kinetics and many chemical industries. Catalysts have long been employed in such reactions as the Haber process, and in recent years their use has been very much extended.[1] By passing hydrogen through hot liquid oil in presence of finely divided nickel, the oil is hydrogenated, and a fat, of higher melting point and often of more edible nature, is obtained. Again, hydrogen may be passed under pressure into a hot paste of powdered coal and tar; in presence of a suitable catalyst, hydrogenation occurs, and the product when distilled yields motor spirit, a middle oil, and a heavy oil. Endless other examples of the use of catalysts might be given.[1]

The gaps in Moseley's Table have now nearly all been filled. In 1925 W. and I. Nodack, using X-ray analysis, discovered the elements 43 and 75, which were named masurium and rhenium, and in 1926 B. S. Hopkins announced element 61—illinium, perhaps not yet fully confirmed. The last element but one for which there is room in the Table—eka-iodine—has recently been obtained by Corson, Mackenzie and Segré of the University of California by the bombardment of bismuth with α particles from a cyclotron.

The Rutherford-Bohr theory of the atom, as afterwards modified, gives us an electronic conception of chemical structure. The orbits or energy levels which an electron can occupy are defined by the principal quantum numbers $n = 1, 2, 3$, etc., which also denote the number of electrons in the shell. The maximum number of electrons which can exist at these energy levels is given by the series $2 + 1^2$, $2 + 2^2$, $2 + 3^2$, etc., i.e. Rydberg's series, and the maximum number of electrons in an outer layer is 8. This octet is particularly stable, and occurs in all the inert gases except helium, which has two extra-nuclear electrons at $n = 1$, while hydrogen has only one such electron. Passing to sodium, a new shell of electrons with quantum number 3 begins to be formed,

---

[1] Rideal and Taylor, *Catalysis in Theory and Practice*, London, 1926. Carleton Ellis, *The Hydrogenation of Oils*, London (U.S.A. pr.), 1931.

and becomes complete with argon, which has the electron structure *Chemistry* 2, 8, 8.

This theory gives a physical basis for the doctrine of valency. Chemical combination may be regarded as the transfer of electrons from one atom to another. The valency is the number of electrons which an atom must gain or lose to form a system with the structure of the nearest inert gas, or a system with an outer shell of eight electrons. Combination can also occur by the sharing of electrons between two atoms; the valency is then called co-valency. This theory of valency has been developed especially by N. V. Sidgwick of Oxford.

If the orbits of two atoms share two electrons, the atoms are combined by what is called a co-valent link. If the two electrons are not shared equally, one atom will have an excess of positive and the other of negative electricity. The molecule will be polar, and possess a dipole moment, equal to one charge multiplied by the distance between the two charges. These moments can be estimated from the di-electric constant, or from the deviation of a magnetic beam in a non-homogeneous magnetic field. They have been studied by Wrede, by Debye, and also by Sidgwick and Bowen, as a guide to chemical structure. Elementary molecules, for example H_2, O_2, have no dipole moment, so that there is uniform sharing of electrons, but HCl has a moment of $1 \cdot 03 \times 10^{-18}$ electrostatic units, the distance between the atoms being $1 \cdot 28$ Angström units, and so on with other compounds.

Wave mechanics have proved of importance in chemistry as well as in physics, especially in the principle of resonance, which comes into play when a molecule passes from one electronic structure to another, and shows some of the properties of both.

Atoms emit simple line spectra, but band spectra can be obtained from molecules, and their molecular configuration determined. Again, a beam of monochromatic light is scattered when passed through a transparent substance, and radiations of different frequencies given out, characteristic of the scattering medium—the Smekal-Raman effect. Lately it has been shown by W. N. Hartley and others that compounds with similar constitution have similar absorption spectra in the ultra-violet. The infra-red absorption spectra have also been investigated from the point of view of molecular constitution.

The examination of crystal structure by X-rays, suggested by Laue and first carried out by Friedrich and Kipping and by Sir William and Sir Lawrence Bragg (p. 384), showed that the cubic crystals of sodium chloride consist of sodium ions each surrounded by six chloride ions, and, similarly, each chloride ion by six sodium ions. In the diamond each carbon atom is at the centre of a regular tetra-hedron and bound to four others at the corners. This strong arrange-ment accounts for the hardness of the diamond. X-ray analysis of crystals of diphenyl, etc. suggests the existence of rings of six carbon atoms, as Kekulé inferred from chemical evidence in benzene and its derivatives. Recently the method of Fourier series has been applied, as by J. M. Robertson for naphthalene and anthracene, to determine the mutual orientation of the constituent atoms of many compounds and the nature of the chemical bonds. Also X-rays have been used to examine alloys, inorganic and organic compounds, and have thrown light on all.

The analysis of crystal structure may be effected not only by X-rays but also by means of electron diffraction, for, as we have seen, a moving electron carries with it a train of waves, which show inter-ference, etc. The results agree with those obtained by X-rays. Debye used X-rays on crystalline powders, and later found that, by similar methods, interference patterns could be obtained with liquids and gases, and inter-atomic distances measured. Better methods were used by Wierl in 1930.

Kekulé's ring-formula for benzene (p. 254), and Van't Hoff and Le Bel's theory of the tetrahedral carbon atom (p. 255) have become the basis of a vast superstructure of stereo-chemistry. If the tetra-hedral arrangement of the four valencies of a carbon atom is accepted, the angle between the valency bonds will be 109° 28'. If a ring is formed, since the angles of a pentagon are 108°, the end members of a series of 5 carbon atoms must come near together, and a ring be formed with very little straining of the bonds and consequent great stability. W. H. Perkin (Junior) prepared compounds with rings of 3, 4, 5, and 6 carbon atoms, and, in recent years it has been shown, for example by Thorpe and Ingold,[1] that the natural angle at which two valencies emerge from a carbon atom is notably affected by attached groups, such as two methyl groups; thus the strain may be reduced and the stability increased. Such rings are found in many natural products. As Van't Hoff predicted, optical activity is found in asymmetric molecules, though an asymmetric carbon atom is not present. This has been proved by Maitland and Mills for compounds of the allene type, in which the molecules possess no plane of symmetry.[2] All this branch of chemistry has been greatly developed by the applica-

[1] See Ingold, *J. Chem. Soc.* 1921.   [2] *Nature*, vol. cxxxv, 1935; vol. cxxxvii, 1936.

tion of X-ray analysis, which gives such vivid pictures of atomic and *Chemistry* molecular structure.

The chemical industry based on coal tar, now of enormous extent, arose from, and has had much repercussion on the theoretical science. Unverdorben, and later Hofmann, isolated from tar a substance which was named aniline. Hofmann also proved the presence of benzene in tar. W. H. Perkin (Senior) in 1856 treated aniline sulphate with potassium dichromate, and obtained aniline purple or mauve—the first aniline dye, soon followed by many others. Their chemical constitution was first clearly elucidated by Emil and Otto Fischer in 1878 on the basis laid down by Couper and Kekulé. They showed that the parent of rosaniline, magenta, etc., was a hydrocarbon, triphenyl-methane. This work led to many new dyes, and to intermediate products needed in their synthesis. Then Griess produced "diazo" compounds, containing the azo group —N:N— , which pointed to a new series of azo dyes.

The dye alizarin, Turkey red, was synthesized in 1868, and was followed by other derivatives of anthraquinone. About 1897 industrial indigotin, produced from phenylglycine, began to drive natural indigo off the market and ruin the Indian planters.

If dyes are important industrially, drugs have, through medicine, more bearing on human welfare. The period of synthetic organic drugs began with febrifuges such as antipyrine (1883), the analgesic phenacetin (1887), and acetylsalicylic acid or aspirin (1899). These discoveries led to a modern school of chemotherapy, chiefly founded by Paul Ehrlich (1854–1915), who produced a cure for horse disease, and an arsenic compound named salvarsan (1912) which destroys the micro-organism *Spirochaete pallida*, the cause of syphilis in man. A complex derivative of carbamide, prepared by Fourneau in 1924, destroys the parasite of sleeping sickness. In later years a series of synthetic drugs based on sulphanilamide (para-amino-benzene-sulphonamide) and other sulphonamides such as sulphapyridine, prepared by May and Baker and introduced as M. and B. 693, have been found efficacious in controlling the group of diseases due to streptococcus and pneumococcus infection both in human beings and in animals,[1] and sulphaguanidine has been found to be a specific remedy for dysentery.

At first no theoretic basis for these drugs was available, but in 1940 Fildes, Woods and Selbie showed that sulphanilamide acted by preventing the pathogenic bacteria from obtaining another closely related substance, para-amino-benzoic acid, essential to their growth. This

---

[1] *Reports of Medical Research Council*, 1930–40; *J. R. Agric. Soc.* 1940.

success indicated that the direction of further research should be in the study of bacterial metabolism, to discover what substances are needed by bacteria, and how the bacteria can be prevented from using them.[1]

Penicillin, first prepared and named by Sir A. Fleming, in 1929 from the mould penicillium, has recently been studied by Florey and others at Oxford, and shown to be even more powerful than the sulphonamides.[1]

In the Manchester Laboratories of Imperial Chemical Industries, a drug effective against malaria, now called paludrine, was discovered in 1945. Insecticides were also examined, and one called gammaxane, deadly to insects but harmless to man and higher animals, was prepared.

The recent study of vitamins is dealt with in general in the section on Biochemistry, but an account of their constitution and synthesis naturally falls into place here under Chemistry. Vitamin A, necessary for growth, has the composition $C_{20}H_{30}O$, and Karrer suggested a structural formula which explained its chemical reactions and its relation with its precursor carotene. Vitamin B_1, with anti-neuritic properties, has been synthesized by Williams of Columbia University. The anti-scorbutic vitamin C, present in green vegetables and citrus fruits, has the relatively simple structure shown in Fig. 18; it was isolated and in 1933 synthesized by Haworth in Birmingham, and is now known as ascorbic acid.

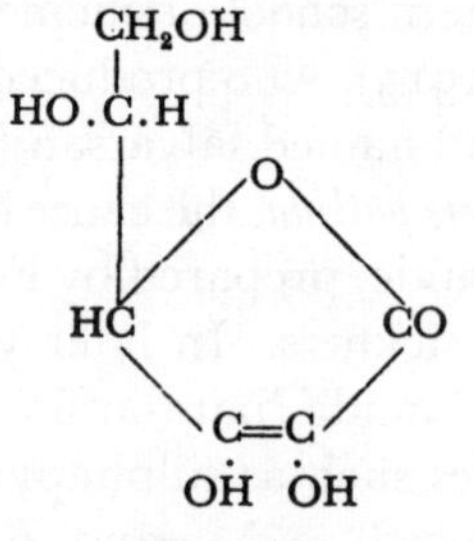

$$
\begin{array}{c}
CH_2OH \\
HO.C.H \\
\end{array}
$$

Fig. 18.

As already said, organic chemistry depends on the power of carbon to combine with itself in complicated structures. Somewhat similar powers are possessed by silicon, and have lately become of importance.

In 1872 von Baeyer observed that phenol mixed with formaldehyde gave a resinous material, and in 1908 Baekeland found that when this resin was heated with an alkaline catalyst, it yielded a substance of a plastic nature. This substance was named Bakelite, and other plastic

[1] *Britain To-day*, vol. LXXIX, 1942, p. 15.

materials have been obtained from reactions based on formaldehyde. *Chemistry* They are used as varnishes, enamels and for moulding articles ranging from gramophone records to aeroplane fuselages.

India-rubber was first synthesized by way of isoprene by Tilden in 1892. In 1910 Matthews found that metallic sodium hastened the polymerization of isoprene, but instead of isoprene the hydrocarbon butadiene or chloroprene is now used, the synthetic being generally added to the natural product.

The synthetic organic chemist has also done much for photography, firstly in producing developers of the photographic image (pyrogallol, etc.), and then dyes which make the film sensitive to different rays of light in the visible and in the invisible parts of the spectrum. Photographic emulsions sensitive to infra-red light give, even at a distance of many miles, clear photographs of objects that would not show with ordinary photographic films. Photography is now of great benefit to many branches of science, from astronomy to micro-biology.

The fundamental work of Emil Fischer on mono-saccharide sugars (p. 253) has been continued by many investigators. Fischer proposed an open chain formula, but ring formulae of a six-membered type are now accepted from the work of Haworth. Also Irvine and Haworth and, in America, C. S. Hudson, developed an attack on the problem of di-saccharides such as cane sugar, using especially methyl ethers.[1] It was Fischer too who began modern work on amino-acids. Complex polypeptides have been synthesized, and the structures of a number of proteins have been ascertained; these include the globin of haemoglobin, and the pancreatic hormone insulin.

Modern physical and chemical apparatus is much more complex than that of fifty years ago. Few single individuals can now afford the expense of a laboratory, and the day of the amateur, who in the past has done so much for science, seems to be over. Most civilized Governments now subsidize research. In Great Britain grants are given to Universities and to the Royal Society for fundamental work, while more technical problems are remitted to the Department of Scientific and Industrial Research, the Medical Research Council or the Agricultural Research Council.

[1] Irvine, *Chem. Rev.* 1927; Haworth, *B.A. Report*, 1935.
[2] Vickery and Osborne, *Physiol. Rev.* 1928; Astbury, *Trans. Faraday Soc.* 1933.

CHAPTER XI

THE STELLAR UNIVERSE

The Solar System—The Stars—Double Stars—Variable Stars—The Galaxy—
The Nature of Stars—Stellar Evolution—Relativity and the Universe—Recent
Astro-physics—Geology.

*The Solar
System*[1] As said above, Kepler's observations on the Sun and planets gave
a model of the solar system, but the scale of the model was not known
till one distance was measured in terrestrial units. This was done by
Richer in 1672–3 (see p. 150) and with modern accuracy in several
ways: (1) The "aberration" of the light of a distant star when the
Earth moves across the path of the light and six months later moves in
the opposite direction, was discovered by Bradley in 1728. It was
then used to prove that light travelled with a finite velocity, but, since
the velocity of light can now be measured in other ways, aberration
can conversely be used to give the Earth's velocity, and therefore the
size of its orbit. (2) When the planet Venus passes between the
Earth and the Sun, its time of transit at two stations on the Earth
gives a method of measuring the distance of the Sun by trigonometry.
(3) The distance of the small planet Eros when it passed near the
Earth in 1900 was measured by triangulation.

The three methods agreed in giving the following dimensions to the
solar system. The distance from the Earth to the Sun is 92·8 (later
corrected to 93) million miles, a distance which light, moving at
186,000 miles a second, traverses in 8·3 minutes. The Sun's diameter
is 865,000 miles, its mass 332,000 times that of the Earth, and its mean
density 1·4 grammes per cubic centimetre compared with 5·5 for the
Earth.

Our knowledge of the solar system was increased in 1930 by Tom-
baugh, who discovered a new planet, with an orbit beyond that of
Neptune. A deliberate search of the likely regions of the sky was made
from the Flagstaff Observatory in Arizona, and, by comparison of
two photographic plates at a few days' interval, a point of light
showed movement, indicating that it was a planet. This new planet
revolves round the Sun in 248 years, at a mean distance of 3675

---

[1] F. J. M. Stratton, *Astronomical Physics*, London, 1925. Sir J. H. Jeans, *Astronomy and
Cosmogony*, Cambridge, 1928. A. S. Eddington, *Stars and Atoms*, Oxford, 1927. T. C. Chamberlin, *The Two Solar Families*, Chicago, 1928.

million miles. It was given the name of Pluto. The diameter of Pluto's *The Solar*
orbit, 7350 million miles, may be taken as the size of the solar system *System*
as known in 1946.

At different times discussion has occurred on the possibility of life
on other worlds, a problem which reduces to a consideration of the
conditions on the other planets of the solar system.[1] Among these
conditions one of the most important is the nature of the atmospheres
round the planets. The atmospheres depend on the "velocity of
escape"—the speed with which the molecules of gas must move in
order to escape from the gravitational attraction of the planet. This
velocity has the value of $V^2 = 2GM/a$, where G is the gravitational
constant, M the mass, and a the radius of the planet. For the Earth
$V = 7.1$, for the Sun 392, and, at the other extreme, the Moon 1.5,
miles a second. The fastest molecules are those of hydrogen, which
move about 1.15 miles a second at 0° C. Jeans calculates that if the
velocity of escape is 4 times the average molecular velocity, the
atmosphere would be practically lost in fifty thousand years, if 5 times,
the rate of loss is negligible. Thus the Moon has in effect no atmosphere, while the large planets—Jupiter, Saturn, Uranus and Neptune
—have much more than the Earth, and Mars and Venus have
atmospheres comparable with that of the Earth. On Venus carbon
dioxide is plentiful; but apparently there is no vegetation and no
oxygen; the conditions do not yet make life possible, while on Mars
it seems that the chances of life are over or drawing to a close.

Beyond the orbit of Pluto lies a great gulf of space. By careful *The Stars*
observation, the nearest stars may be seen to move against the background of those more distant, as the Earth passes in six months from
one side of its orbit to the other. Another six months brings them back
again, save for any small shift due to the real movements of the stars
themselves. Corrected for this latter change and for the aberration
of light, a star's six-months' parallax gives its distance by triangulation,
since we know the diameter of the Earth's orbit.

An observation of the parallax of a fixed star was made by Henderson at the Cape of Good Hope in 1832, and accurate measurements
by Bessel and by Struve followed in 1838. The nearest star, a faint
speck called Proxima Centauri, is thus found to be 24 million million
(2.4×10^{13}) miles away from us—a distance traversed by light in 4.1
years, and three thousand times the diameter of Pluto's orbit. The
bright dog-star, Sirius, is 5×10^{13} miles or 8.6 light-years away. The

[1] H. Spencer Jones, *Life on Other Worlds*, London, 1940.

distances of about 2000 stars have thus been determined with fair accuracy, but at present this method of measurement is only applicable within a distance of about ten light-years.

On a clear night, the eye may see a few thousand stars. Others become visible as we use telescopes more and more powerful, but the number revealed does not increase in proportion to the power of the instrument, and therefore it may be concluded that the total number is not infinite. The 100-inch reflector of the Mount Wilson Observatory in America, the largest telescope existing in 1928, shows a number estimated at 100 million, and it would seem that in our stellar system the total is some number which has been variously estimated from 1500 million to 30,000 million. A 200-inch reflecting telescope is now under construction.

Stars were classified by Hipparchus in six "magnitudes" according to their brightness, and the scale is now continued to include faint stars beyond the twentieth magnitude, whose brightness is only about the one hundred millionth part of that of stars of the first magnitude. This scale depends, of course, on the apparent brightness of the stars as seen from the Earth. For a star whose distance is known, we can calculate the apparent magnitude which it would have if moved to a standard distance, and this we call its absolute magnitude.

When classed according to their absolute magnitudes, we find stars of all values, but, as pointed out by Hertzsprung and confirmed by H. N. Russell, there are more in the higher and lower than in the intervening magnitudes. Those in the more populous groups have been called "Giant" and "Dwarf" stars respectively. They will be dealt with more fully later.

Stars of the same spectral type whose distances are known show a regular connection between absolute magnitude and the relative intensity of certain spectral lines. Hence a careful examination of these critical lines gives a value for the absolute magnitudes of other stars at unknown distances. Then, from their apparent magnitude, their distances may be estimated, even when it is too great to be measured by parallax. This calculation gives one of several indirect methods of estimating stellar distances.

Many stars which look single to the naked eye are seen through a telescope to be double. The individual stars in some of these pairs may be far from each other, and only seem near because they are almost in the same line of sight. But the number of double stars is much too great for such chance conjunctions to explain them all. In most cases there must be some connection between the two. William Herschel

began observing double stars in 1782, and by 1793 he was able to *Double Stars*
trace enough of the paths of some binaries, to prove that they describe
elliptic orbits about the common centre of gravity in one focus. He
thus showed that double stars move in accordance with the laws of
gravity demonstrated by Newton for our solar system.

For a few double stars, both the distances and the orbits have
been determined, and from these results the masses have been
calculated. They are generally found to range from about half to
about three times the mass of the Sun, in agreement with other
evidence which shows that the difference in mass between various
stars is not very great, though the differences in size and density are
enormous.

Some double stars are too near each other to be separated by
a telescope, but can be resolved spectroscopically. If their orbits are
seen edge-on, and the line joining the two stars is perpendicular to the
line of sight, one star will be approaching us and one receding. Hence
by Doppler's principle the lines in one spectrum will be shifted
towards the blue and those in the other towards the red, and, in the
actual spectrum of the double star, the lines will be doubled. When
the stars are one behind the other, they will be moving nearly across
the line of sight and no doubling will appear. By observing these
changes in the spectra, the period of revolution and the velocities may
be estimated, and the ratio of the masses calculated. Hence, if visual
as well as spectroscopic measurements are possible, the individual
masses can be determined.

It was in 1889 that E. C. Pickering first detected a double star
spectroscopically. He announced that the doubling of some of the
lines in the spectrum of ζ Ursa Majoris indicated that it was a binary
star with a period of 104 days. Since then many hundreds of spectroscopic binaries have been discovered, chiefly by astronomers working
in the clear air and with the great telescopes and spectroscopes of
American and Canadian observatories.

The light of many stars varies in strength from time to time. When *Variable*
it varies irregularly, the changes may possibly be due to recurrent *Stars*
outrushes of incandescent gas, but very often the period of change is
quite regular, and the cause of variation may be referred to the eclipse
of the bright star by an invisible companion, which cuts off some or
all of the light at intervals as the two stars revolve round each other.
Sometimes this interpretation can be confirmed spectroscopically, the
spectral lines being displaced periodically when the bright star is
approaching or receding radially from the Earth. From a curve of

variation of light with time, combined with spectrum measurements, a very complete description of the system can often be obtained, as, for instance, with the stars named Algol and β Lyrae.

The number of double stars is immense, and still more complex systems, multiple stars, can be recognized and examined by the same methods. For example, the well-known "Pole Star" has been found spectroscopically to comprise two stars revolving round each other in four days, a third star with a period of twelve years, and a fourth star revolving in some such time as twenty thousand years.

Other variable stars, such as δ Cephei, cannot easily be explained by eclipses. They flash out to several times their minimum brightness at intervals of hours or days. When of short period these "Cepheid" stars show a definite relation between the period of variation and the luminosity or absolute magnitude, a relation discovered by Miss Leavitt of Harvard in 1912. The value of this discovery was seen at once by Hertzsprung and by Shapley, then of Mount Wilson. The phenomenon is so regular that measurement of the period of other similar stars at unknown distances can be used as a means of estimating their absolute magnitudes. An observation of the apparent magnitude of the star then gives the distance—another method applicable to stars too far away to show any parallax.

Stars are most numerous in a band of varying width, called the Galaxy or Milky Way, which stretches round the heavens in a great circle. In places the numbers are so great that star-clouds appear, only to be resolved into individual stars by good telescopes, while interspersed are irregular nebulae which cannot be resolved. The great plane, which cuts the Milky Way as nearly as may be in the middle of the band of stars, is called the galactic plane. It may be looked upon as a plane of symmetry in the stellar system. Towards it the stars seem to crowd, especially the hotter stars and also those fainter stars, which, on the average, are farther away.

This indicates that our stellar system is flattened in the galactic plane. It seems to form a vast lens-shaped collection of stars. We are within it, but not at the centre. We see more stars in the Milky Way, chiefly because, when looking at it, we are looking towards the edge of the lens, where the depth of star-strewed space is much greater than elsewhere.

Besides star-clouds and irregular nebulae, there are also known about a hundred globular clusters of stars which are most numerous just outside the central zone of the Milky Way. They contain Cepheid variables, and, from the period of variability and by other indirect methods, the distances of the clusters from us have been estimated by Shapley to range from 20,000 to 200,000 light-years.

It appears then that our stellar system has a longest diameter which it would take light at least 300,000 years to traverse. Our Sun lies about 60,000 light-years from the centre of the whole system, somewhat to the north of the central plane. Observation over many years of the apparent movements of the stars shows that the Sun is travelling towards the constellation called Hercules with a speed of about 13 miles a second, and that, taking this drift as a line of reference, there are two main streams of stars moving through space.

The most stupendous objects in the sky are the great spiral nebulae, which, as we shall see later, are probably star-systems or galaxies in the making. These nebulae are colossal in size: though made of tenuous gas, one of them may contain enough matter to make a thousand million Suns. Their numbers are enormous: Dr Hubble, of Mount Wilson Observatory, California, estimates that about two million are visible in the large 100-inch telescope of that Observatory. The distances of some are gigantic: estimates of 500,000 to 140 million light-years have been made, and it is probable that they are far beyond the confines of our stellar system. Space seems to contain an immense number of galaxies, "island Universes" as Shapley calls them, of which our own galaxy is but one.

In 1904, Kapteyn of Groningen, in studying stellar statistics, discovered that in our galaxy there are two main streams of stars moving in somewhat different directions. In modern discussions this star-streaming has to be considered in conjunction with another discovery made by Oort of Leyden: a rotation of the whole galaxy about a centre lying 10,000 parsecs[1] away from us in the direction of the constellation Sagittarius, the rate of rotation decreasing outwards in accordance with the principle of gravitation. In our region, the orbital speed is about 250 kilometres per second, and the time of a revolution about 250 million years. The mass of the whole system is about 150 thousand million times that of the Sun, and, considering that the average mass of a star is about equal to that of the Sun, the system probably contains approximately that number of stars, some ten times the number found by extrapolating counts.

A system of classification of stars depending on their spectra was begun in Rome by Father Secchi about 1867 and was much improved and extended at Harvard Observatory in America. Even the visual

[1] A parsec is the distance corresponding to a parallax of one second of arc, 3·26 light-years or about 2×10^{13} miles.

colours of stars differ, and, since photography is more sensitive to the violet end of the spectrum, photographic magnitudes are not the same as those estimated by eye, the differences between them giving a scale of colour. These differences are further exemplified in the spectra. A series of spectral lines can be found, passing into each other by insensible gradations, but showing definite characteristics which were distinguished at Harvard by the letters *O, B, A, F, G, K, M, N, R*, a list in which the bluer stars come first.

The spectra of type *O* give a faint continuous background on which bright lines appear. In some spectra the hydrogen and helium lines are strong. Type *B* spectra show dark lines with helium very prominent. Type *A* show hydrogen, and also calcium and other metals, which increase in importance in type *F*. Type *G* includes our Sun; the spectra show dark lines on a bright ground, and the stars are yellow in colour. In type *K*, bands due to hydrocarbons appear for the first time. Type *M* stars give broad absorption bands, especially those of titanium oxide. Type *N* spectra show broad absorption lines due to carbon monoxide and cyanogen, and the stars are red in colour. Type *R* stars also show the absorption bands found in *N*, though the colour is not so red.

These observations on spectra were used to estimate the effective temperatures of different types of stars. If a black body, which may be regarded as a perfect radiator, is gradually heated, the character as well as the intensity of the radiation changes. For each temperature there is a characteristic curve between radiant energy and wavelength, showing a maximum at some particular wave-length. As the temperature rises, the position of this maximum shifts towards the blue end of the spectrum, and thus indicates the temperature. The distribution of energy has been investigated in several ways, both photographically and by studying variations in the character of the radiation. Furthermore, the effect of temperature and ionization on spectra can be examined in the laboratory within the ranges under our control. The appearance of certain absorption lines in stellar spectra have thus been used to estimate the temperatures of the absorbing atoms by Saha (1920) and by R. H. Fowler and E. A. Milne (1923).

The various methods of estimating stellar temperatures agree well. For stars just visible they are about 1650°, while in the hottest stars known they reach some 23,000° C. These temperatures are of course those of the radiating layer; the inside parts of a star must be much hotter, with temperatures rising to many million degrees.

When considering their absolute magnitudes we saw that stars mostly fell into two groups, "giants" and "dwarfs", one with much greater luminosity than the other, though intermediate stars are not unknown. Now it is remarkable that this division into groups is only clear in the cooler stars of types K onwards, with temperatures not above 4000° C. In the hotter stars the division is less marked, and in type B it has quite disappeared; these stars are all "giants" with luminosities from 40 to 1600 times that of our Sun.

These facts were thought to point to a definite conclusion, namely, that all stars go through a course of evolution roughly identical. Each star was thought to begin as a comparatively cool body, gradually to rise in temperature, to attain a maximum depending on its size, and then to pass down the same temperature scale as it became cool again.

While ascending in this scale, a star emits a very large amount of light, which means that it must be of enormous size. Therefore it was classed as a "giant" star. As it cools, its atmosphere passes through the same range of temperature in the reverse order, and so it goes through the same spectral types in its descent as in its rise, though certain differences in detail are observed. But now the absolute magnitude of the star, that is its luminosity, is much less, a fact which, since the temperature is the same as in its rise, shows that it is much smaller. The star has become a "dwarf".

This process of stellar evolution, traced by Russell, was in accordance with the dynamics of a mass of gravitating gas, as worked out by Lane and Ritter. If the mass be large enough, gravity will cause it to contract. It will give out heat and grow hotter. But, as it shrinks, the rate of contraction must decrease. At a certain critical density, the heat developed by this colossal mass of glowing vapour becomes less than that radiated, and the mass begins to cool. As we saw when considering the age of the Sun, this process cannot explain all the heat evolved, but even then it was thought possible that other sources of energy, such as atomic disintegration, might depend on temperature and go through a similar history.

This theory of stellar evolution, as expected, has been modified by more recent research, which has applied to astro-physics our new knowledge of atomic structure. Man, from his strategic position mid-way between an atom and a star,[1] has learnt to study each in the light of information obtained from the other.

Knowing the size and average density of the Sun or any star and

[1] As Eddington has pointed out, about 10^{27} atoms go to build a man's body, and 10^{28} times as many as that make an average star.

assuming that the whole mass is gaseous, it is possible to calculate
mathematically the rate of increase of pressure with depth beneath
the surface, and this has been done by Eddington. For gaseous stars
Eddington found that the luminosity depends mainly on the mass,
and, between limits, the luminosity would be roughly proportional
to it. At any given level within the star, the pressure above is supported
by the elasticity of the gas below, supplemented by the pressure of its
radiation. By the kinetic theory, the elasticity is due to impacts of the
gaseous particles the velocities of which depend on the temperature.
Thus the temperature inside a star can be determined. To support
the enormous pressure within the Sun and other similar stars, the
temperature must be about 40 or 50 million degrees centigrade. If
the star were much larger, Eddington suggested that the pressure of
radiation inside it might become so great that the star would become
unstable, and fly to pieces. Thus may be fixed a natural upper limit
to the size of stars.

A region, even a large region, inside a star is practically a constant-
temperature enclosure, and the total radiation will therefore vary as
the fourth power of the absolute temperature. Furthermore, as the
temperature rises, the radiation of maximum energy will pass up the
spectrum into waves of shorter lengths, in accordance with known
laws. When the temperature runs to millions of degrees, the maximum
energy is far beyond the visible spectrum, and consists of X-rays or
radiation of even shorter wave-length. Such radiation would be converted into longer waves as it continually collided and interacted with
atoms on its way towards the outer layers of the star; it would eventually
emerge as light and heat. But it is a remarkable fact that extremely
penetrating rays have been detected by McLennan, Millikan, Kolhörster and others, rays which, though minute in quantity, seem to
be always passing through our atmosphere and coming from space.
As Jeans says: "In a sense this radiation is the most fundamental
physical phenomenon of the whole universe, most regions of space
containing more of it than of visible light or heat. Our bodies are
traversed by it night and day...it breaks up several million atoms in
each of our bodies every second. It may be essential to life or it may
be killing us".[1] It was suggested that this penetrating radiation is
emitted by the mutual annihilation of protons and electrons, or the
conversion of hydrogen into larger atoms, in places such as the
nebulae or the excessively tenuous cloud which seems to fill open

[1] Sir J. H. Jeans, *Eos or the Wider Aspects of Cosmogony*, London, 1928, p. 46; also *The
Universe Around Us*, New York and Cambridge, 1929, p. 134, also 1944.

space, where the resultant energy has not to fight its way through the superincumbent mass of a star.

We know that X-rays, and the even more penetrating γ rays, are a very effective ionizing agency. It therefore follows that the atoms within a star will be highly ionized, that is stripped of their outer electrons; an idea propounded by Jeans in 1917 and worked at by many others. The volume filled by an ordinary atom, the volume within which other complete atoms cannot penetrate, is the volume occupied by the orbits of these outer electrons. When the outer electrons are stripped off, the effective volume of the atom becomes much smaller, becomes, in fact, the volume of the nucleus and its closely attendant rings of electrons, with orbits considerably smaller than those of the outer electrons. The result is that, inside the stars, atoms are very much smaller and therefore interfere with each other far less than they do in our laboratories; even at high densities stellar matter acts as a "perfect" gas, conforming to Boyle's law.

Assuming that a star is gaseous, it is possible to calculate mathematically the relation between the mass of a star and the amount of light and heat which leaks out—that is, how bright it will be. In 1924 Eddington calculated that the greater the mass of a star the more it should radiate. He deduced a theoretical relation, and, by adjusting a numerical factor, brought the relation into accordance with facts. It even held for some stars which are so dense that in 1924 they were assumed to be liquid or solid, so that the theory was thought not to be applicable. But Eddington holds that even the Sun, denser than water, and other stars, denser than iron, are in effect gaseous; that their atoms, stripped of outer electrons, are small, and for most of their time outside each other's reach.

Moreover a new discovery has increased the range of possible densities. Sirius, the brightest star in the sky, was found by Bessel in 1844 to describe an elliptic orbit, and an invisible companion star was invented for Sirius to move round, with a mass about 4/5th of that of the Sun. Eighteen years later this star was seen by Alvan Clark; in modern telescopes it is easily visible, and is found to give out 1/360th of the Sun's light. It was assumed to be a dying star, only just red-hot; but in 1914 Adams saw from Mount Wilson that it was not red-hot but white-hot. Its small total emission of light must therefore be due to a very small size; it cannot be much larger than the Earth. This large mass and small size together indicate a density of about a ton to the cubic inch—an amazing result, which at the time seemed quite incredible.

But later on new evidence appeared. Einstein's theory requires that the frequency of emitted radiation should depend on the mass and the size, so that spectral lines should be shifted towards the red by an amount proportional to the mass divided by the radius. Adams succeeded in measuring the spectrum of the Companion of Sirius, and again got indications of the same high density, about two thousand times that of platinum. A few other stars have now been found to have similar or higher densities. In these stars, Jeans holds, the matter must have ceased to be gaseous and resemble a liquid. The atoms probably consist of nuclei only, stripped bare of even the innermost rings of electrons. More normal stars like Sirius and the Sun probably consist of atoms with one ring of electrons left round the nucleus. An explanation is thus found in the theory of atomic structure for the fact that stars fall into distinct groups, each group containing stars within certain limits of size. Terrestrial atoms would be completely broken up at such temperatures, and, to retain these different sizes, the atoms in the unknown depths of the stars must be heavier than those known to us on the Earth, while lighter atoms like our own float to the surface and form the radiating layer.

The ages of stars can be estimated in three ways. (1) The orbits of binary stars should begin as circles and be slowly deformed by the forces of passing stars. The probable frequency of such influences can be calculated, and so, from the actual shapes, the probable age can be deduced. (2) Groups of bright stars moving through space gradually lose their smaller constituents, and the time required to produce the observed scattering can be calculated. (3) Like molecules in a gas, the energies of motion of stars must tend to an equality, and those stars near the Sun have been found by Seares to have nearly reached this stage. From kinetic theory we can calculate the time needed to produce this equality. The three methods agree in indicating some five to ten millions of millions of years as the probable average age of stars in our stellar system.

To provide for such lives as these, enormous supplies of radiant energy are needed, far more than gravitational contraction or even radioactivity will explain. Einstein's theory naturally led to the view that the source might be found in the mutual annihilation of positive protons and negative electrons, an idea suggested by Jeans in 1904 as an explanation of radio-active energy.[1] This theory was worked out in detail. It is certain that stars lose mass. Radiation causes pressure of known amount, and therefore possesses a calculable momentum or

[1] *Nature*, vol. LXX, 1904, p. 101.

mass-velocity. The Sun is radiating fifty horse-power from each square inch of surface, which means that the Sun as a whole is losing mass at the rate of 360,000 million tons a day, and the mutual cancellation of protons and electrons suggested a mechanism by which this loss may occur. The Sun must have lost mass more quickly when it was larger and younger, and thus an upper limit can be fixed for its age, a limit of somewhere about eight million million years. This agrees well with the independent estimates for the stars, but is doubtful in the light of later work. *The Nature of Stars*

Having estimated the age of stars, it is natural to ask how they are born. Even in the largest telescope, a star has no visible dimensions— the nearest is too far away. But areas of luminosity, called nebulae, have long been known. One, the great nebula in the constellation Andromeda, being visible to the naked eye, was observed before the invention of the telescope, and another, situated in Orion, was discovered by Huygens in 1656. *Stellar Evolution*

There are three chief classes of nebulae:

(1) Irregularly shaped nebulae such as that in Orion.

(2) Planetary nebulae, smaller bodies of regular shape.

(3) Spiral nebulae, like great whirlpools of light.

The greatest number of nebulae are of spiral form. As already stated, it seems that about two million are visible in modern telescopes. Their spectra are continuous, with superposed absorption lines— spectra which resemble those of stars of classes F to K, including our Sun. Some nebulae are masses of dispersed glowing vapour, others contain definite formed stars. The nebulae also show evidence of rapid rotation. Those which we see edge-on can be examined spectroscopically, and some of those which are at right angles to us, when photographed year after year, show measurable rotation, indicating a rate of one revolution in some millions of years. This may seem slow, but very high linear velocities have been observed, so that the long period of rotation is due to colossal size rather than to slow movement.

If we assume that different nebulae rotate with velocities of the same order, a comparison of the radial speed of edge-on nebulae measured spectroscopically with the annual angular rotation of nebulae with planes across the line of sight gives an estimate of distance. Cepheid variables are to be seen in the arms of spiral nebulae, and their period of variation in brightness may be assumed to be connected with their absolute brightness in the usual way; a measurement of the apparent brightness then gives another estimate of the distance. From this evidence, values have been obtained ranging from hundreds of thousands to millions of light-years. Most spiral nebulae, therefore, are very far away, and lie outside our system of stars.

The nebular theory of stellar evolution was first suggested by Kant and then again by Laplace at the end of the eighteenth century, in an attempt to explain the origin of the solar system. Laplace began with the idea of a gaseous nebula, which filled the space comprised in Neptune's orbit, and possessed a motion of rotation. Under its own gravitation, the nebula contracted, and therefore, since the angular momentum was constant, it moved with increasing velocity. At various stages as it shrank it left behind rings of matter, which condensed into the planets and their satellites, revolving round the central mass which formed the Sun.

Now there are several difficulties in this interpretation. F. R. Moulton showed in 1900 that the breaking of a ring into a globe was unlikely, and T. C. Chamberlin gave evidence that for a mass of gas of the required dimensions, gravity would not overcome the diffusive effects of molecular velocities and radiation pressure. Again, Jeans has shown by other reasoning that planetary condensations would not be formed.

But the spiral nebulae are bodies a million times larger than that imagined by Laplace, and on this scale the whole course of development is different. Gravitation is now more effective than both gas pressure and radiation pressure, and the nebula, instead of scattering, contracts and spins faster as Laplace supposed. The explanation fails for the comparatively small solar system, but succeeds for a gigantic stellar galaxy.

Jeans has proved mathematically that a mass of gravitating gas, set in rotation perhaps by the tidal action of other masses, will gradually assume the form of a double convex lens. As it spins faster, the edge must eventually become unstable, and break up into two arms. Local condensations will occur in the arms, each of the appropriate size to form a star within the somewhat narrow limits of size we find stars to possess. This theoretical prediction has been confirmed by Hubble, who, from observation, classified nebulae in the different groups foretold by Jeans. In spiral nebulae, then, we see new stellar systems in the making far in the depths of space beyond our own system of stars.

Will tiny globules on the arm of a spiral nebula form a solar system such as ours? Jeans's mathematics indicate that it is not probable. If the rotation of the globule be fast enough to cause disruption, it seems that a double star with the two partners waltzing round each other should result. Thus double stars probably show one normal course of stellar life, an alternative to that of solitary single stars.

But Moulton, Chamberlin and Jeans have given speculative accounts of the origin of the solar system. If, at an early period, two gaseous stars came near each other, tidal waves would appear. If the stars approached within a certain critical distance, such a wave would shoot out a long arm of matter, which might break up into bodies of appropriate size and character to form the Earth and other planets. But this would happen rarely, and Jeans calculates that planetary systems such as ours may only accompany one star in about a hundred thousand.

The new theory of stellar evolution can now be described. Stars are flung into space from the arms of spiral nebulae as masses of vapour of approximately equal size. They radiate and therefore lose mass, and, as they radiate faster when large, their masses gradually approach nearer to equality.

The youngest stars are heaviest and generate most energy, irrespective of temperature and pressure. This would not be so if they were made entirely of terrestrial atoms, which radiate more as the temperature and pressure rise. Such evidence again indicates that the bulk of the energy for radiation comes from types of intensely active matter unknown to us, which vanish as the star ages, probably by atomic transmutations, and the consequent annihilation of matter and its conversion into gushes of electro-magnetic radiation. The energy thus liberated is enormous: as stated in the section on Relativity, that given by the annihilation of a mass m will be mc^2, where c is the velocity of light, 3×10^{10} cm. per second, so that if a gramme of matter passes into radiation, its energy will be equal to 9×10^{20} ergs. The energy produced by the annihilation of matter, or even by its appropriate transmutation, is very great. (See pp. 451–2.)

This recent theory of astro-physics recalls Newton's query 30 in his book of *Opticks*: "Are not gross bodies and light convertible into one another . . . the changing of bodies into light, and light into bodies, is very conformable to the course of Nature, which seems delighted with transmutations".

Stars may be passing into radiation, and the fate of the matter of the Universe is either to pass directly into the radiation of space or to become such inert, non-active stuff as that of which our world is chiefly made. Terrestrial matter consists of 92 elements, 90 of which are known, ranging from hydrogen with an atomic number of 1 to uranium 92. If other elements exist, they must be isotopes or have higher atomic numbers, and be more complex than uranium. One at least has now been discovered and named plutonium. They would be intensely radioactive and unstable, and perhaps most have already passed out of existence. It was formerly thought that spectroscopic evidence indicated an evolution of matter from simple to complex, from hydrogen in an older star to calcium in a younger. But this evidence was later interpreted otherwise, merely as showing that the conditions of the stars favour the appearance of hydrogen or calcium in their atmospheres, and the emission of radiation from them. Stellar evolution is thought by some astronomers to be accompanied by a breaking down of complex atoms, most of which are transformed directly into radiation, a fraction of the whole passing into the inert ash which, though but a bye-product of cosmic change, is the substance of our bodies and our world. Uranium and radium are perhaps an intermediate type of matter between the last traces of such active primaeval atoms left on the Earth and the non-active elements of which we are made.

Life seems only possible in conditions which closely resemble our own. Planetary systems are probably rare, and our planets seem not likely to support "life on other worlds".

Kelvin's principle of dissipation of energy indicated a final state of things in which matter and energy would be uniformly distributed and no more motion possible. Modern thought has modified the process, but arrived at a similar conclusion. The final state towards which the Universe seems to be tending, is the passing of active stellar atoms into the radiation of space and into inert matter in extinct Suns or frozen Earths. The radiation derived from the annihilation of all the matter in the Universe would only raise the temperature of space by a few degrees. Jeans calculates that space would only become saturated with radiation and re-precipitate matter if the temperature rose to $7 \cdot 5 \times 10^{12}$ degrees. The probability against any atoms of active matter surviving, or of radiation concentrating in any region by chance till matter re-precipitates, is fantastically great. Yet however long we should have to wait for such a chance to occur, eternity is longer, and it has been suggested by J. B. S. Haldane, and also, Professor Eddington told me, in conversation by Professor Sterne of Hamburg, that such chance concentrations may produce a re-creation of a Universe after our own has vanished away—perhaps may have created ours after aeons of diffused radiation. I must add that both Sir James Jeans and Sir Arthur Eddington told me that they were not convinced by this argument. Other happenings are so much more probable, that they would precede and prevent this excessively unlikely contingency.

It seems impossible that we should ever reach definite evidence about such problems. But history teaches us to be cautious; our present outlook in astro-physics has only been opened during the last few years, and what we know is little compared with what there is yet to learn.

The new outlook on nature given by the theory of relativity must, as it unfolds, affect profoundly our views about the physical Universe. The replacement of the idea of attractive force as an explanation of gravitation by the theory of natural tracks, which appear to us curved in gravitational fields, not only leads to slightly different results in the exact experiments already described, but must change completely our ideas about the confines of the Universe.

With Euclidean space and Newtonian time, we naturally thought of existence as infinite. Space stretched indefinitely beyond the farthest stars, and time, both before and after us, flowed on uniform and eternal.

But, if our new space-time continuum be curved owing to the presence of matter, we enter on another range of thought. Time may still run from everlasting to everlasting in a never ending series of moments, but the curvature of space means a Universe finite in its space dimensions. If we travel long enough with a ray of light we shall meet a limit, or perhaps return to our starting point. Dr Hubble estimates that the whole of space is about a thousand million times as large as the part which is visible in the big telescope at Mount Wilson, which discloses some two million nebulae outside our stellar system. This indicates that light would take something like 10^{11}, that is a hundred thousand million, years to travel round the Universe. Einstein described a three-dimensional space curved in a way which, in two dimensions, we should call cylindrical. Time is like the axis of the cylinder. De Sitter imagined a spherical space-time. If we travel outwards, and trace ever wider spheres, we come to one of maximum size. Here time observed from the Earth seems to stand still. As Eddington says: "Like the Mad Hatter's tea-party, it is always six o'clock and nothing whatever can happen however long we wait". But if we could get to this conservative paradise we should find nevertheless that time as experienced on the spot was still running on, though in another direction—whatever that may mean.

One slight indication of such a slowing down of time as observed from the Earth has been pointed out by de Sitter. Some of the spiral nebulae are the most remote bodies known to us. Their spectral lines are displaced compared with the same lines in terrestrial spectra, and, as Hubble has found, in a large preponderance of cases at least, the displacements are towards the red. This has been usually interpreted as being due to very great velocities of recession—greater than any others observed in celestial bodies—a phenomenon sometimes described as an expanding Universe. But it is just possible that we are here observing the slowing down of atomic vibration as seen from the Earth, a change in the rate of Nature's clock, a variation in the scale of time.

Evidence has now accumulated to show the presence of tenuous matter in interstellar space. The star δ *Orionis* is one of a doublet, and, as with other doublets described above, shows its nature by the movement of the spectral lines in time with its revolution round its partner. But in 1904 Hartmann noticed that the calcium lines H and K do not share in this periodic motion, and, in the spectra of other double stars, the sodium line D also appears nearly stationary. Nevertheless Plaskett and Pearce observed that these lines are not truly stationary, but show movement corresponding to the rotation of our galaxy of stars. These nearly stationary lines are only visible in the spectra of stars more than about 1000 light-years away from us, and the greater the distance the stronger the lines; they are clearly due to calcium and sodium scattered through space, and condensing in places into cosmic clouds or gaseous nebulae. The density of this interstellar matter is extremely small; for an average region about 10^{-24}, one atom to the cubic centimetre, and, at the centre of a typical nebula, e.g. the great nebula in Orion, 10^{-20}, only the millionth part of the density in the highest vacuum we can create in the laboratory. Owing to the rarity of collisions, the particles in a cosmic cloud do not lose much heat, and maintain a temperature of about 15,000° C., whereas the temperature of a meteorite in space would fall to about −270° C., or 3° above the absolute zero.

The gaseous nebulae do not shine by their own light, but by rays from any very hot stars which lie within them, the light stimulating the nebular particles to give out light of a different period, that is, producing a fluorescent effect. Dark nebulae are also known, which prevent the rays from more distant stars from coming through. It is possible that such dark nebulae are of the same nature as the luminous

[1] H. Spencer Jones, *General Astronomy*, London, 1934. Sir Arthur Eddington, *The Expanding Universe*, Cambridge, 1933; *New Pathways in Science*, Cambridge, 1935. Sir James Jeans, *The Universe Around Us*, Cambridge, 1933, 1944.

ones, but possess within their boundaries no stars hot enough to force them into activity. They may consist of particles comparable in size with the wave-length of light; such particles would have very high absorbing power.

The spectra of luminous nebulae consist of bright lines, chiefly of ionized hydrogen and helium, and lines unknown in the laboratory, e.g. two green lines of which the presumed source was named nebulium. But in 1927 I. S. Bowen found that this strange light was produced by doubly ionized oxygen, in which satellite electrons are passing from one orbit to another by paths closed to them in the comparatively tumultuous life on earth, but open in the extended time of a quiescent nebula. Other lines are due to singly ionized nitrogen, whose electrons are also using 'forbidden transitions''. Thus space is peopled by oxygen and nitrogen—our familiar air—as well as by sodium and calcium.

Homer Lane in 1869 calculated the theoretical temperature of the Sun on the assumption that the particles behave as those of a perfect gas and that the internal heat is material. But Eddington has pointed out the importance of radiation, which, coming from within, is caught by the atoms and electrons in the outer layers, and stepped down from X-rays to visible light, so that the energy only slowly escapes. Thus in recent years it has been realized that at high temperatures the ratio of radiant to material heat is greater than was thought, that, indeed, the two are approximately equal. At a temperature of 5000° C., the radiation pressure is about $\frac{1}{20}$ oz. per square foot, while at 20 million degrees, the temperature at the centre of the Sun, it rises to 3 million tons to the square inch.[1]

We can obtain an estimate of the internal temperature required to keep the Sun at its observed volume by considering the calculated pressure of its freely moving particles, which were at first thought to be ordinary atoms or molecules. But we must now bring our new atomic theories into action.

As Newall first suggested to Eddington, the high temperatures within the Sun or a star must ionize the atoms, that is, detach their electrons. For instance, with an oxygen atom, the atomic weight is 16 and the number of satellite electrons is 8, so that, with the nucleus, the number of particles is 9, and their average weight is $\frac{16}{9}$ or 1·78. From lithium 1·75 to gold 2·46 these weights range closely round 2, but with hydrogen the atom is broken only into two particles, a proton and an electron, and the average weight of the particles is $\frac{1}{2}$ instead

[1] Eddington, *Internal Constitution of the Stars*, 1927.

of 2. Thus, speaking broadly, for the temperature problem we can divide particles into hydrogen and not-hydrogen, and the more hydrogen the less the calculated luminosity. It seems that, from the observed luminosities, a proportion by weight of $\frac{1}{3}$ hydrogen and $\frac{2}{3}$ not-hydrogen fits the observed properties of most stars investigated. Robert Atkinson and Fritz Houtermans pointed out in 1929 that the very high temperatures inside the Sun might be expected to be destructive even to nuclei if they were bare and uncushioned by electrons.

The idea of ionization in the material of stars is also supported by the quantum theory. This was first indicated by Eggert (1919) and as regards the outer layers by Saha (1921) who thus started modern views on stellar spectra.

Taking all the new atomic knowledge into reckoning, astronomers, returning to Lane's theory, now assume the particles of a star to behave as a perfect gas, even in the dense stars described above. In these dense stars the atoms are stripped bare of electrons, so that their nuclei and the detached electrons behave as isolated particles.

Sir R. H. Fowler applied to the phenomena of dense stars the theoretical principles of wave-mechanics, on lines due to Fermi and Dirac. The application is based on Pauli's quantum law, which states that two electrons in an atom cannot occupy the same orbit. But in very dense matter some electrons have to stay in orbits of high energy; the pressure needed to decrease the volume is then greatly increased, and the internal temperature of any star necessary to balance the pressure is less—for the centre of the Sun, say, some 20 million degrees.

Beyond our galaxy lie others, at enormous distances, visible to us as spiral nebulae. In the 100-inch reflecting telescope at Mount Wilson, California, it is reckoned by sampling that about ten million spiral nebulae are visible, the most distant of them being perhaps 500 million light-years away. A 200-inch reflector is now under construction; this should probe twice as far, and show eight times as many nebulae, if they are evenly scattered through space and there is no absorption of light. It will be remembered that the cosmic rays described above come from these outer regions, either from interstellar space or from the spiral nebulae.

As already stated, the spectrum lines of spiral nebulae are displaced towards the red compared with the corresponding terrestrial lines. This indicates a recession of the nebulae, a recession which grows faster in proportion to the distance, and is now accepted as indicating the continual expansion of the Universe. De Sitter's theory of space, linked by the mathematical investigations of A. Friedmann and Abbé G. Lemaître with that of Einstein, also requires an expansion of the Universe, so that we may say that theory and observation agree.

E. A. Milne has pointed out that if initially the galaxies, endowed with their present speeds, were concentrated in a small volume, those with highest speeds would by now have travelled farthest, and we should get the observed relation between distance and speed of retrogression. In 1932 Eddington estimated this speed as 528 kilometres per second per megaparsec[1] distance; the dimensions will be doubled in 1500 million years. This gives the initial radius of the Universe as 328 megaparsecs, or 1068 million light-years; the total mass of the Universe as $2 \cdot 14 \times 10^{55}$ grammes, or $1 \cdot 08 \times 10^{22} \times$ the Sun's mass, and the number of protons or number of electrons in the Universe as $1 \cdot 29 \times 10^{79}$. The basic number 528 may need to be increased. The consideration of an irreversible, or one way, process such as this, raises questions similar to those inherent in the continual increase of entropy under the second law of thermodynamics; both point to a definite beginning, and a steady running down in the availability of energy towards an end. But it has been suggested that our present thermodynamics may be a peculiarity of an expanding Universe; indeed Tolman has formulated a scheme of relativistic thermodynamics in which the second law is reversed in a contracting Universe. Energy would then become more and more available, and the re-formation of matter from radiation would be possible. On these lines we may speculate about a pulsating Universe, in which we chance to be living in a phase of expansion, and need not contemplate a beginning or an end.

The final problem is: what is the source of the energy radiated by the Sun and other stars? It has to maintain an internal temperature of tens of millions of degrees, so it cannot come from without, and some form of sub-atomic energy seems necessary. Einstein's relation between energy and mass—that 1 gramme represents 9×10^{20} ergs of energy—gives the Sun's total stock of energy as $1 \cdot 8 \times 10^{54}$ ergs. This is about 15 billion[2] ($1 \cdot 5 \times 10^{13}$) years' supply at the present rate of output, but it would be more as the mass and therefore the output grows less. The calculation gives to the Sun an age of about 5 billion (5×10^{12}) years. It assumes that protons and electrons cancel each

---

[1] A megaparsec is a million parsecs or $3 \cdot 26 \times 10^6$ light-years.
[2] This is the English billion, equal to a million million or 10^{12}.

other, but, as explained above, the discovery of positrons makes this a less likely explanation, as does Aston's work.

Aston's accurate determination in 1920 of the atomic weight of hydrogen revealed the large amount of energy to be obtained by the transmutation of hydrogen into other elements, and offered an alternative source of supply, which, in these later years, is more probable. Indeed it seems likely that the process is carried on by the conversion of hydrogen into helium by the catalytic action of carbon and nitrogen.[1]

The amount of energy to be thus obtained is, of course, less than on the annihilation theory, which uses up the whole mass of the Sun, but, by the transmutation of 10 per cent. of its mass from hydrogen to not-hydrogen, the radiation of the Sun would be kept going for some ten thousand million (10^{10}) years, a period long enough to satisfy the geologists, though less than the millions of millions offered us by annihilation. It seems also that the age of the stars is not likely to be more than a small multiple of the recession time of the galaxies, so again we get an indication of an age of some thousand millions of years, say 2×10^9. This figure would be somewhat increased by the heat liberated by gravitational contraction and radio-activity. The stability which the theory indicates for the Sun and stars is a point in its favour.

We may compare with these figures the age of the Earth as reckoned from the relative amounts of the radio-active elements uranium and thorium and their disintegration products in different rocks. Such investigations lead to the inference that the solid crust of the Earth was formed not later than $1 \cdot 6 \times 10^9$ years ago.

According to relativity theory, space, or rather space-time, has a certain natural curvature which is increased in the neighbourhood of matter or in an electro-magnetic field. The natural curvature is the relativity equivalent of a cosmical repulsion, and the cosmical repulsion at unit distance is the cosmical constant, usually written as λ. Its value can be estimated by the rate of recession of the stellar galaxies, allowance being made for the simultaneous gravitational attraction. Taking Eddington's figures, the speed of recession of a galaxy is proportional to the distance, and is about 500 kilometres per second per megaparsec. At a distance of 150 million light-years the speed is 15,000 miles a second. At 1900 million light-years the speed works out at 190,000 miles a second, but, as this is greater than the velocity of light, there is apparently something wrong.

[1] G. Gamow, *The Birth and Death of the Sun*, London, 1941.

Perhaps Einstein's or de Sitter's closed space-time, in which there are no distances beyond a certain amount, may save our theories from disaster.

Recent Astro-physics

The most important advances in Geology during recent years have been obtained by the study of Geophysics, in which physical methods of research have shown that the figure of the Earth is not an exact spheroid, but an irregular form, given the name of geoid. Physical methods also have given information about regions of the Earth lying below the surfaces of land and sea.

Geology[1]

The accurate measurement of gravity from place to place shows anomalies which Jeffreys thinks must indicate that mountains are supported not entirely from below but partially by the strength of the Earth's crust, sometimes under considerable stress. Meinesz and others, working in a submarine vessel near the East Indies, have found indications that a narrow belt of the Earth's crust is here buckled sharply downwards in unstable equilibrium. Bullard has shown gravitational anomalies along the floor of the Great Rift Valley in Africa, suggesting that the lighter matter of the crust is held down by the inward thrust of the flanks of the valley.

Seismic observations include those on both near and distant earthquakes. The waves due to near earthquakes travel mainly in the outer parts or crust of the Earth, while those from distant disturbances traverse deeper regions, some even passing near the Earth's centre. The study of near earthquakes indicates, according to Jeffreys, that the Earth's crust is of relatively small thickness—perhaps about 25 miles—and composed of differing materials arranged in stratified layers. Besides the main condensational and distortional waves, which have long been recognized, other waves with lower velocities have now been detected. Observations on these various waves show reflection and refraction at different places, indicating discontinuities in the material of the Earth's crust. Distant earthquakes, starting waves which traverse the interior of the Earth, give evidence of an Earth-core with a radius more than half that of the Earth itself. The distortional waves, which need a solid medium for their transmission, do not reappear beyond the core; hence it seems probable that the core is liquid, composed, Jeffreys thinks, of iron or nickel-iron.

Charges of high explosives, fired a few feet below the ground, set

[1] H. Jeffreys, *The Earth*, Cambridge, 1929; *Earthquakes and Mountains*, London, 1935. O. T. Jones, "Geophysics", *Proc. Inst. Civil Engineers*, 1936. E. C. Bullard, "Geophysical study of submarine geology", *Nature*, 1940, p. 764. E. G. R. Taylor, *Historical Association Pamphlet*, No. 126.

Geology up a series of waves like those of natural earthquakes. The times of arrival of waves of different types at chosen spots are recorded by means of a seismograph, and thus the velocities are measured. Some waves pass down through unconsolidated formations to be reflected at a relatively solid floor, giving an "echo", the time of which shows the depth of the floor. Similar methods are useful in locating oil-bearing strata, and in submarine geology in constructing contoured maps of the sea bottom. The Geodetic Survey of the United States has developed a method of determining the distance of a ship from a fixed buoy: a small bomb is thrown from the ship and the moment recorded; the sound travels through the sea, and actuates a microphone and wireless transmitter on the buoy, the signal from which is also recorded on the ship; the time interval between the records gives the distance. Most of the coast waters of the United States have thus been mapped; a sharp demarcation is found between the continental shelf and the slope at its outer edge. Useful information is also found by observing the reflection of waves from interfaces between soft rocks, where the wave-velocity is comparatively slow, and hard rocks where it is quick. The British Isles have igneous and well-consolidated sedimentary rocks on land, and, in the neighbouring waters, softer, more recent sediments which reach a depth of 8000 feet at the hundred-fathom line, about 150 miles out at sea.

CHAPTER XII

SCIENTIFIC PHILOSOPHY AND
ITS OUTLOOK

Philosophy in the Twentieth Century—Logic and Mathematics—Induction—The Laws of Nature—The Theory of Knowledge—Mathematics and Nature—The Evanescence of Matter—Free-Will and Determinism—The Concept of Organism —Physics, Consciousness and Entropy—Cosmogony—Science, Philosophy and Religion.

THE various threads of philosophic thought, which in Chapter VIII were traced through the nineteenth century, must now be followed into the twentieth.

Philosophy in the Twentieth Century

The philosophy bequeathed by the French Encyclopaedists was based on Newtonian science, and, as already explained, was combined later on with *Darwinismus* to form German materialism. But, before that time, Kant, Hegel and their followers had developed an alternative system of idealism, which, although predominant among academic philosophers, repelled men of science, who, for the most part, ignored philosophy for a hundred years.

The Papal Encyclical of 1879, whereby Leo XIII re-established the Wisdom of Saint Thomas Aquinas as the official philosophy of the Church of Rome, led to a revival of Thomism in Catholic schools of thought. Attempts were made to interpret mediaeval Scholasticism in terms of modern knowledge, or as much of such knowledge as could be accepted by orthodox theologians.[1] The results can be said perhaps to have made terms between Scholasticism and some branches of science, rather than to have accepted the scientific spirit in its entirety. Consequently they lie off the main road of enquiry which we are following, and we must turn to other developments.

At the beginning of the twentieth century, the majority of men of science held unconsciously a naïve materialism, or, if they thought at all about such problems, inclined to the phenomenalism of Mach and Karl Pearson, or the evolutionary monism of Haeckel or of W. K. Clifford.

Evolution, which in the modest mind of Darwin was only a scientific theory, perhaps partially explained by the hypothesis of

---

[1] *A Manual of Modern Scholastic Philosophy*, chiefly by Cardinal Mercier, Eng. trans. 2nd ed. 2 vols. London, 1917.

natural selection, had become a philosophy, indeed to some men almost a creed. The real lesson which evolutionary biology teaches to general thought is that continuous change must be expected in all things, and that selection of some sort may stop the change proceeding far in directions unsuited to the environment. We have already seen how that lesson was learned by one department of thought after another, and how it widened and deepened them all. But such a legitimate effect of a scientific development stops very far short of exalting it into a philosophic system, the basis and meaning of reality. Biology and palaeontology indicate an evolution during a few million years from a simple ancestry to many differentiated and complex species, but the evolutionary philosophers from Herbert Spencer onwards assumed that this progress was a universal law of being. Hence evolutionism, though linked at first with materialist determinism, became for a time an optimist philosophy. Even if death were the end of each man, he could feel that he was one link in a chain leading to continual improvement in organic nature, perhaps also in cosmic structure.

In more recent years, evolutionary philosophy has shown new tendencies, especially in a desire to use biology as a road of escape from that mechanical view of things which is apparently imposed by physics. Bergson went even further, and tried to sweep away not only physics but also logic with its fixed principles.[1] To him life is a universal stream of becoming, in which divisions are illusory, and reality can be lived but not reasoned about. He accepts a doctrine of final causes, but causes which, unlike those of the old, predetermined finalism, are moulded anew as creative evolution proceeds.

Hence Bergson exalts instinct and intuition as against reason, which he holds was developed by natural selection as a mere practical advantage in the struggle for life. Such an argument seems to apply even more strongly to instinct, which is, as a matter of fact, strongest in those primitive and practical needs which have most survival value. Reason, and the fertile combination of intuition and reason by which advances in knowledge are made, seem chiefly useful at a later stage and for purposes of no clear significance in natural selection. For instance, they are certainly necessary for science, even for the construction of the theory of natural selection which Bergson invoked, and for philosophy, even that of the variety of creative evolution which he formulated.

William James's pragmatism shows another form of evolutionary

---

[1] *Évolution Créatrice*, Paris, 1907; Eng. trans. London, 1911.

philosophy, in which one test of truth in a belief is whether it is useful. Pragmatism evades both scientific and religious agnosticism. It meets the difficulty about the validity of induction by pointing out that we must assume induction to be valid in order that we ourselves should survive. Unless we use our past observation as a guide to the future, disaster will overtake us. On the full theory of natural selection, since religion is so widespread, it is probable that some religious beliefs have survival value and are therefore, according to pragmatic definition, "true". Perhaps it is fair to remark that a pragmatist who adjusted his beliefs to give survival value through the reigns of Henry VIII, Edward VI, Mary and Elizabeth would have had his ideas of "truth" effectively enlarged. It may be, as William James held, that many beliefs, both in science and in everyday life, are only true in this same sense—that they work in practice. But others can clearly be put to another test, that of direct observation or experiment, and thus a criterion unrecognized by strict pragmatism can be brought to bear.

Although evolutionism spread out from science and philosophy till it became a popular guide to history, sociology and politics, yet all the time most academic philosophers maintained some form of the classical tradition, still derived ultimately from Plato through German idealism, either Kantian or Hegelian. Hegel imagined that a knowledge of the real world could be obtained *a priori* by logic, and in England this opinion was modernized by Bradley, whose book, *Appearance and Reality*, was published in 1893. According to Bradley, the world of appearance, expressed by science in terms of time and space, is self-contradictory and therefore illusory; the world of reality must be logically self-consistent, and therefore ultimately reduces to a timeless and boundless Absolute. Such ideas echo down the ages from Parmenides, Zeno and Plato.

About 1900 a reaction against this Hegelian mode of thought became clear even among philosophers. On one side logicians like Husserl found fallacies in Hegel, and denied Bradley's belief that relations and plurality, time and space, are self-contradictory. In this their work linked up with that of mathematicians who came to similar conclusions. On the other side, those who revolted against the constraint of reason, or the classical formalism of a logical world, accepted Bergson's exaltation of intuition or instinct, or followed William James either into pragmatism or into radical empiricism, in which ideas about reality are founded on experience alone. The last line of thought and that of the mathematicians have clearly the closest affinity with the scientific outlook, and from them arose a new

Philosophy in the Twentieth Century

development to weld physical science and philosophy together once more.

The ideas adopted by Mach in his analysis of experience[1] reappear in James' radical empiricism. Combined with new views in logic, in the theory of knowledge and in the principles of mathematics,[2] they led to a mode of thought which is sometimes called new realism. This philosophy, largely developed at Harvard, gives up the idea of a comprehensive system, based on some theory of the Universe as a whole, as science gave up that idea when breaking away from Scholasticism in the seventeenth century; it fits knowledge together piecemeal when investigating general problems, as science does when studying special ones, and formulates hypotheses where observational or experimental evidence is not yet available. In its theory of knowledge, it abandons the belief that reality necessarily depends in some way on our thoughts: in this it departs from idealism. But it goes beyond Mach's pure phenomenalism, and holds that science is concerned in some way with persisting realities, not merely with sensations and mental concepts. In logic, according to the new realism, the intrinsic character of one thing does not enable us to deduce its relations to other things. In both logic and theory of knowledge, therefore, the new philosophy is thrown back on an analytic method. But the greatest effect was produced by its connection with the principles of mathematics. Russell says:

> Ever since Zeno the Eleatic, philosophers of an idealistic caste have sought to throw discredit on mathematics by manufacturing contradictions which were designed to show that mathematicians had not arrived at real metaphysical truth, and that the philosophers were able to supply a better brand. There is a great deal of this in Kant, and still more in Hegel. During the nineteenth century the mathematicians destroyed this part of Kant's philosophy. Lobatchevski, by inventing non-Euclidean geometry, undermined the mathematical argument of Kant's transcendental aesthetic. Weierstrass proved that continuity does not involve infinitesimals; Georg Cantor invented a theory of continuity and a theory of infinity which did away with all the old paradoxes upon which philosophers had battened. Frege showed that arithmetic follows from logic, which Kant had denied. All these results were obtained by ordinary mathematical methods, and were as indubitable as the multiplication table. Philosophers met the situation by not reading the authors concerned. Only the new philosophy assimilated the new results, and thereby won an easy argumentative victory over the partisans of continued ignorance.[3]

Now the full details of this revolution in philosophic thought can be appreciated only by those able to follow the very technical and

[1] E. Mach, *Die Analyse der Empfindungen*, Jena, 1886; 6th ed. 1911.
[2] Bertrand Russell, *Sceptical Essays*, London, 1928. pp. 54–79.
[3] *Sceptical Essays*, p. 71. For fuller treatment see Russell, *Our Knowledge of the External World*, Chapters v and vi. London, 1914; 2nd ed. 1926.

difficult mathematics involved. But the general result is plain. Philosophy can no longer stand on its own base; it is once more linked with other knowledge. But whereas in the Middle Ages and in many of the philosophic systems of modern times other subjects were deduced from and fitted into a preconceived philosophic scheme of the Universe, the new realism has taught philosophy now, as in the days of Newton, to take account of mathematics and science before building its own temple. Moreover, it must build that temple stone by stone, and not try to bring it down as a complete finished whole from cloud-cuckoo-land. *Philosophy in the Twentieth Century*

The new realism uses mathematical logic as its means of construction, and is thus able to trace the philosophic meaning of fresh knowledge in science in a way impossible before. Consequently, although the new method arose chiefly from developments in mathematics, its most important data are now obtained from physics—from relativity, the quantum theory and wave-mechanics. An attempt will now be made to give in non-technical terms some account of this latest of all the philosophies which have been founded on science.

Logic is the general science of inference, and so includes all types of reasoning, though, owing to historical accident, it began as the theory of deduction. The great Greek discovery of deductive geometry led Aristotle, in founding logic, to lay too much stress on deductive inference generally. Francis Bacon, on the other hand, in a natural reaction produced by his vision of the possibilities of the new experimental method, insisted on the unique importance of induction. Nevertheless, he distinguished three kinds of inference—from particular to particular, from particular to general, and from general to particular. Mill pointed out that true scientific method involved both induction and deduction, and thus combined the work of Aristotle with that of Bacon. *Logic and Mathematics*[1]

Metaphysics may be considered as the study of being in general—of things which are or may be apprehended by the mind. Psychology is the study of mind in general, including its operations, one of which is inference or reasoning. Thus by classification logic is a department of psychology, though its importance, and the possibility of studying it in separation from other branches of psychology, have made it practically an independent subject.

[1] See T. Case, art. "Logic", in *Encyclopaedia Britannica*, 11th ed.; and Bertrand Russell, *Our Knowledge of the External World*.

Till recently, much of formal logic was little more than an account of the technical terms and syllogistic rules bequeathed by Aristotle and the mediaeval Schoolmen. Luckily, informal methods of reasoning grew up among practical men of science. In their combination of induction and deduction, these methods began with Galileo, and even in deduction developed into processes not contemplated by the syllogism, while logicians still kept to the old ways.

In 1920 it was pointed out by N. R. Campbell that, to a man of science, even the logistic syllogism seems to depend on induction.[1] Take, for instance, the familiar case—all men are mortal; Socrates is a man; therefore Socrates is mortal. By observation and experiment we find that certain bodily and mental properties are uniformly associated; this law is expressed in the concept "man". That concept is also found to be associated with the property of mortality, and we state another law that the association is universal. It is a fair inference that the law will hold for the individual, and Socrates prove to be mortal. But the argument as thus put involves induction. Of course the pure logician will say that the premises are supposed to be given, and that logic is only concerned with deductions from them. Campbell thinks that if reasoning be really without any inductive element, it carries no conviction to a scientific mind.

Traditional logic holds that every proposition must necessarily consist in ascribing a predicate to a subject, and this assumption led philosophers like Hegel and Bradley to some of their characteristic conclusions, such as that there can be only one real subject, the Absolute, for if there were two, the proposition that there were two would not ascribe a predicate to either. Thus the separate objects of sense, it is argued, are illusory, and merge in a single Absolute. This assumption of the logical universality of the subject-predicate form led also to the refusal to admit the reality of relations, and to the attempt to reduce them to properties of the apparently related terms. Thus the object of science (which is chiefly the study of relations), like the objects of sense, became illusory.

Perhaps a symmetrical relation, such as equality or inequality between two things, may be regarded as an expression of properties, but with an asymmetrical relation, where, for instance, one thing is greater than or before another, the attempt breaks down. It appears then that we must admit the reality of relations, and thus this purely logical ground for supposing the world illusory vanishes.

Probably such verbal arguments will carry little weight, one way

[1] N. R. Campbell, *Physics, The Elements*, Cambridge, 1920, p. 235.

or another, to those used to the more concrete reasoning of science. But they lead up to the mathematical evidence which we must now try to describe.

Modern mathematical logic began in 1854 with Boole, who invented a mathematical symbolism for deducing consequences from premises. Then Peano and Frege showed by mathematical analysis that many propositions regarded by traditional logic as of the same form, such as "this man is mortal" and "all men are mortal" were fundamentally different. The old confusion had obscured the relation of things to their qualities, of concrete existence to abstract concepts and of the world of sense to that of Platonic ideas.

Mathematical logic enables the enquirer to deal easily with abstract conceptions, and suggests new hypotheses which otherwise would be overlooked. It has led to a theory of physical concepts, and also to a new theory of number, discovered by Frege in 1884 and independently by Russell some twenty years later. Russell says:[1]

Most philosophers have thought that the physical and the mental between them exhausted the world of being. Some have argued that the objects of mathematics were obviously not subjective, and therefore must be physical and empirical; others have argued that they were obviously not physical, and therefore must be subjective and mental. Both sides were right in what they denied, and wrong in what they asserted; Frege has the merit of accepting both denials, and finding a third assertion by recognising the world of logic, which is neither mental nor physical.

Frege distinguishes things merely objective, such as the Earth's axis, from those that are also actual and spatial, like the Earth itself. In this sense number, and indeed all mathematics and logic, are neither spatial and physical nor subjective, but are non-sensible and objective. This leads to the conclusion that we must regard numbers as classes—the number 2 as the class of all couples, the number 3 as the class of all triads, and so on. As Russell defines it: "the number of terms in a given class is the class of all classes that are similar to the given class". This is found to satisfy the formulae of arithmetic, and applies to 0 and to 1 and to infinite numbers, all of which present difficulties to other theories. It does not matter if classes are fictitious and do not exist; the definition works equally well if for "class" is substituted the hypothesis of anything having the defining property of the class. Then, though numbers become unreal, they remain equally effective logical forms.

One of the grounds on which some philosophers have questioned the reality of the sensible world is the supposed self-contradiction and

---

[1] *Our Knowledge of the External World*, p. 205.

therefore the impossibility of infinity and continuity. No conclusive empirical evidence can be adduced in favour of infinity or continuity in the physical world, but for mathematical reasoning they are necessary, and the supposed contradictions are now known to be illusory.

The problem of continuity is essentially the same as that of infinity, for a continuous series must have an infinite number of terms. The question arose with Pythagoras, who discovered that the square on the hypotenuse of a right-angled triangle is equal to the sum of the squares on the sides, and, if the sides are equal, the square on the diagonal is double the square on either side. But the Pythagoreans soon proved that the square of one whole number cannot be double that of another, so that, measuring in whole numbers, the length of the side and the length of the diagonal are incommensurable. The Pythagoreans, who believed that the essence of the world was number, are said to have made this discovery with dismay and to have tried to keep it secret. Geometry was reconstructed on the basis adopted by Euclid, which did not involve arithmetic and thus evaded the difficulty.

Cartesian geometry returned to arithmetical methods, and was soon developed by the use of "irrational" numbers, which give the ratios of incommensurable lengths. These numbers were found to conform with the rules of arithmetic and came to be used with complete confidence long before satisfactory definitions of them were given in recent years and the problem of incommensurables solved.

We can also indicate, in a general way, how modern mathematicians have produced a theory of infinity, which has cleared up the difficulties that, from Zeno onwards, have given philosophers so much to talk about. The problem is essentially mathematical, and, until mathematical processes were sufficiently advanced, could not be attacked or even formulated successfully.

Infinite series and infinite numbers appeared at an early stage in modern mathematics. Some of their properties appeared unfamiliar, but, instead of concluding that the ideas of infinity were illusory, mathematicians continued to employ them, and, in the sequel, found a logical basis for their methods.

The difficulties about infinity are partly misunderstandings about the meanings of words, caused by the confusion of the mathematical infinities with the somewhat vague ideas of infinity imagined by non-mathematical philosophers—ideas which are irrelevant to mathematical problems. Etymologically, "infinite" means having no ends, but some infinite series (e.g. the series of past moments terminating now, or the infinite number of points in a finite line) have ends, and some other infinite series have not, while some collections are infinite without being serial.

Other difficulties are due to the attempt to apply to infinite numbers certain properties of finite numbers, such as the property of being countable. Infinite series may be known by the qualities of their own class, though their terms cannot be enumerated. Again, an infinite number is not increased by adding to it or even doubling it, or lessened by subtracting from or dividing it. If all numbers 1, 2, 3, ..., etc. be written in one row and all even numbers 2, 4, 6, ..., etc. in a second row beneath the first, the number of figures in the two rows is the same, yet the second row results from taking away the infinite number of odd numbers from the infinite collection of all numbers. The whole apparently is not greater than the part. Such contradictions led philosophers to deny the existence of infinite numbers. But the word "greater" is ambiguous. Here it means "containing a greater number of terms", and in this sense the whole can be equal to its part without self-contradiction.

The modern theory of infinity was developed by Georg Cantor in 1882–3. He showed that there is an infinite number of different infinite numbers, and that in general the idea of greater and less can be applied to them. In some cases, where this apparently fails, new questions arise. For instance, the number of mathematical points is the same in a long line as in a short one; but here greater and less are not purely arithmetical; they involve new geometrical conceptions.

The difficulties of philosophers have largely arisen from assuming that the properties of finite numbers could be assigned to those that are infinite. Zeno's arguments might be valid if finite times and spaces consisted of a finite number of instants and points. We can escape from his paradoxes either (1) by denying the reality of time and space; or (2) by denying that space and time consist of points and instants at all; or (3) by maintaining that if space and time consist of points and instants, the number of them is infinite. Zeno and many of his followers chose the first mode of escape; others like Bergson the second.

But on other grounds the existence of infinite numbers and series, and infinite collections in which no terms are consecutive, must be admitted. For instance, we can arrange a series of fractions less than unity, in the order 1/2, 1/4, 1/8, etc., but between any two of them there are others, e.g. 7/16, 3/8. No two fractions in the series are

Logic and
Mathematics

consecutive, but the total number of them is infinite. Yet beyond the sum of them all is unity, so that we must admit the existence of numbers beyond the sum of an infinite series. Much of what Zeno says of points in a line applies to this collection of fractions. We cannot deny that there are fractions, so that, effectively to escape Zeno's paradoxes, we must find some tenable theory of infinite numbers.

Beyond all the numbers which can be reached by counting are the infinite numbers of mathematics. No succession of steps from one number to the next will reach them. They exist in classes, which can only be defined in mathematical terms and examined by mathematical processes. But all those competent to judge are satisfied that mathematical logic and the mathematical theory of infinity have been developed on right lines. The old logical arguments for the illusory nature of the objects of sense and the laws of science have been proved invalid; the problem remains open and must therefore be attacked by other methods. In spite of the teaching of so many idealist philosophers, it is impossible to deduce the nature of the external world by *a priori* mental processes. The observational and inductive methods of science are necessary.

Induction

The part of logic that deals with the process by which general laws are discovered from particular phenomena—the process of induction —is of special importance for experimental science. It was studied, as we have seen in former chapters, by many philosophers, among whom Aristotle and Francis Bacon were perhaps the most famous.

Bacon, in his exaltation of experiment, held that, by an almost mechanical process, general laws can be established with complete certainty. The sceptical Hume pointed out that if an induction is used to obtain new knowledge, i.e. if it is to fulfil its proper purpose, it may sometimes lead to erroneous results, so that the laws obtained by its means are merely more or less probable, but cannot claim certainty. But, in spite of Hume, most men of science and some philosophers still regarded induction as a road to absolute truth. Even Mill held this belief, founding induction on a "law of causality", which he regarded as proved by the enumeration of large numbers of instances in which events can be shown to have causes. Whewell pointed out that experience alone might prove generality but not universality. Nevertheless, he held that universality could be reached by the additional use of necessary truths, such as the rules of arithmetic and the axioms and deductions of geometry. This was of course before the days of non-Euclidean space.[1] In spite of Whewell's caution, it is probable that Mill expressed the general belief of his time. As Henri Poincaré writes:[2]

Pour un observateur superficiel, la verité scientifique est hors des atteintes du doute; la logique de la science est infallible et, si les savants se trompent quelquefois, c'est pour avoir méconnu les règles.

The function of science is to trace relations between phenomena, or rather between the concepts in which phenomena are expressed. But when, for instance, we have discovered that an increase of pressure in a gas produces a decrease in volume, we can equally well say that a decrease in volume produces an increase in pressure.[3] Whichever variable is thought of first seems to the mind to act as cause. Here the ambiguity of the ideas of cause and effect is clear; it is when the element of time is involved—when one of the related events follows the other—that the mind instinctively identifies *post hoc* with *propter hoc*. But then it is impossible to isolate the real cause of an event from a long train of antecedent circumstances—all necessary for its happening. Moreover, relativity has shown that an event in the "here-now" can only cause events in the absolute future and be caused by events in the absolute past; the events in the neutral zones of Fig. 16 (see p. 406 above) can have no causal connection with a "here-now" event, because the influence would have to be transmitted with a speed faster than light.[4] Again, if the principle of causation is to be used to establish the validity of induction as a guide to absolute truth, it cannot logically itself be established by a process of induction. Thus the basis of Mill's argument is discredited.

Indeed, while the *method* of induction is easy to describe, its logical *validity* is difficult to establish. Its method is certainly not Baconian. Whewell pointed out that induction depends for its success on having the right idea to start with. Insight, imagination, and perhaps genius, are required firstly to pick out the best fundamental concepts and to classify the phenomena in a way that makes induction possible,[5] and then to frame a tentative "law" as a working hypothesis which can be tested by further observation and experiment.

[1] It is possible that Whewell was right about arithmetic; the relations of integral numbers still seem to involve absolute truth. Perhaps, as Kronecker says: "Die ganzen Zahlen hat Gott gemacht; alles anderes ist Menchenwerk."
[2] H. Poincaré, *La Science et l'Hypothèse*, Paris, p. 1.
[3] W. C. D. Dampier-Whetham, *The Recent Development of Physical Science*, 1st ed. London, 1904, p. 29.
[4] A. S. Eddington, *The Nature of the Physical World*, Cambridge, 1928, p. 295.
[5] H. Poincaré, *loc. cit.*; N. R. Campbell, *loc. cit.*; A. D. Ritchie, *Scientific Method*, London, 1923, p. 62.

Induction   Let us take some examples. Aristotle's ideas of substance and qualities, natural places, etc. were useless as concepts for dynamics, and only led, if they led anywhere, to false conclusions, such as that heavier things fall faster. No advance was possible till Galileo and Newton, discarding the whole Aristotelian scheme, picked out from the chaos as new fundamental concepts distance or length, time and mass, and thus were able to think in terms of matter and motion.

With distance and time to work with, and their derivative velocity, Galileo, after one failure, guessed the right relation between the velocity of a falling body and the time of fall, deduced its mathematical consequences and verified them experimentally. Adding the concept of mass, implicit in Galileo's work, Newton formulated the laws of motion, and deduced from them the science of dynamics, abundantly verified by observation and experiment.

The importance of right concepts is clear, and of right definitions of them when formed. Thus Poincaré holds that our measurement of time from noon to noon, instead of, for example, from sunrise to sunrise, was chosen unconsciously because it, and it alone, made Newtonian dynamics possible.[1] Those who dispute this, for instance Whitehead and Ritchie, do so by accepting consciousness as arbiter, and our direct sense of the equality of times as the basis of measurement.[2]

Having chosen the right fundamental concepts, it is probable that relations between some of them soon appear, as to Galileo. The relations, or logical deductions from them, can be tested experimentally, and some of them will be confirmed. Thus simple laws are established, and the new subject begins to take shape. Each new relation proved suggests new experiments, and the growth in experimental knowledge needs and suggests new hypothetical relations. Insight and imagination are needed to formulate probable hypotheses; logical and sometimes mathematical power is needed to deduce their consequences; patience, perseverance and experimental skill are needed to test their validity. In fact, as N. R. Campbell says, induction is an art and science the noblest of arts.

In the light of the recent work in physiology and psychology, as set forth in Chapter ix, some people, such as those who hold "behaviourist" views, think that the fundamental process which underlies induction, is closely allied to the "conditional reflex" of psychology. A child touches fire and is hurt; he avoids fire for the future. If the fire was

---

[1] *La Valeur de la Science*, Chap. ii.
[2] A. N. Whitehead, *Concept of Nature*, pp. 121 *et seq.*; A. D. Ritchie, *Scientific Method*, London, 1923, p. 140.

in a fireplace, he may equally avoid fireplaces also, even when empty. *Induction* In the first case his induction was right, in the second wrong, though logically each was an unjustified generalization from one special case. Similar results are found to occur in animals; but, whether in animals or men, they are at first merely instinctive; the theory of the process, its expression in words, comes much later, and may be what the Freudians call a "rationalization"—an invention of reasons, good or bad, to prove that what we have acquired a habit of doing is rational. Some think that these simple cases may throw light on, even explain, the more complex inductions which science needs. These ideas are in a sense an extension of "behaviourism" in psychology, and will probably stand or fall with those somewhat mechanical views of mental processes generally.

And now let us consider the validity of the process of induction. The mathematical theory of probability has been applied in recent years to the problem, especially by J. M. (afterwards Lord) Keynes.[1] Keynes' chief question is: Can induction be based on a mere number of instances, as held by Mill?

Keynes comes to the conclusion that the probability of an induction does increase with the number of instances, not for the simple reason given by Mill, but because the more numerous the instances are, the more likely it is that no third variable is present throughout, so that it becomes increasingly probable that the instances have nothing in common but the characteristics under consideration. For this strengthening in the validity of the induction, it is necessary also that each new instance should be independent, that is, must not necessarily follow from the former instances. An induction may approach certainty with an increasing number of instances, but for this to hold we must first prove or assume that the intrinsic probability of the generalization we are seeking to establish is not itself infinitely small.

In examining this assumption, Keynes is led to the view that the qualities of objects, like certain Mendelian units, cohere in groups, so that the number of possible independent variables is much less than the total number of qualities. This principle is needed also to establish laws by the use of statistics, indeed for all scientific knowledge, except that given by pure mathematics. Thus, according to Keynes, we need to assume a finite probability that an object has only a finite number of independent qualities, or, according to Nicod, a number less than some assigned finite number.[2]

---

[1] J. M. Keynes, *Treatise on Probability*, London, 1921.
[2] Bertrand, Earl Russell, *An Outline of Philosophy*, London, 1927, p. 284.

Induction   Induction has also been treated by the methods of probability by C. D. Broad, who has tried to show that unless some realist belief is held—some such assumption made as that scientific "laws" are concerned with persistent objects underlying perceptions and concepts—"it is impossible to justify the confidence which we feel in the results of 'well-established' inductions".[1] The thorough-going empiricist or phenomenalist might perhaps reply that such confidence, though useful as a guide to what is probable in future, has often proved to be mistaken.

The Laws   If an induction is successful, it gives us a working hypothesis, which,
of Nature   if confirmed by observation or experiment, becomes an accepted theory and finally takes rank as a natural law.

The exaggeration of the philosophic importance of the Laws of Nature, an exaggeration for which the French Encyclopaedists of the eighteenth century were largely responsible, lasted till about the end of the nineteenth. Then, chiefly under the influence of Mach, the pendulum of scientific thought swung in the other direction, and natural laws became mere short-hand statements of experience, of routines of sensation.

Modern views lie between these two extremes. For instance, in 1920 N. R. Campbell, in a critical analysis of the meaning of hypotheses, laws and theories, gave reasons for believing that, in spite of the common slightly contemptuous contrast of theories with facts, an empirical law, which rests on "facts" alone, does not inspire much confidence, but that confidence follows the explanation of the law by an accepted theory.[2] Such a law may be more than a mere routine of sensation.

According to Campbell, laws are of two kinds: (1) uniform associations of properties such as those connoted by the concepts "man" or "silver"; and (2) relations, often mathematical in form, between concepts.[3] Mill and his followers only deal with the second kind of law. "They occupy long treatises in explaining how we discover the law that sparks cause explosions in gases, but do not think the inquiry how we discover the laws that there are sparks, explosions and gases (the knowledge of which is assumed in their discussions) worth a moment's attention; and yet these laws are almost infinitely more important for science."[4] Those who have not themselves spent their lives doing scientific work have little sense of the relative importance of different laws.

[1] C. D. Broad, *Scientific Thought*, London, 1923, p. 403.
[2] N. R. Campbell, *Physics, The Elements*, p. 153.   [3] *Ibid.* p. 43.   [4] *Ibid.* p. 101.

Again, the critical examination of the process of induction, from the work of Hume to that of Keynes, has shown that inductive science, though often unconscious of its limitations, can only draw conclusions which are more or less probable. Sometimes the probability in favour of a generalization is enormous, but the infinite probability of certainty is never reached. A few years ago, the exact accuracy of Newton's law of gravity and the permanence of the chemical elements were thought to be quite certain, and, in fact, the probability in favour of those principles was so great that we all should have been willing to bet our last shilling at long odds on their truth. Yet Einstein and Rutherford have proved that we were wrong, and our money would have gone to that rash gambler who had the apparent (nay real) folly to take our bets.

Thus experience confirms modern theories, and goes to show that the generalizations or laws established by induction, even when universally accepted as true, should be regarded only as probabilities. Since much of the evidence for philosophic determinism rests on a belief in the universal validity of natural laws, this question is of importance. Indeed, the word "law" used in this connection is misleading, and has had an unfortunate effect. It imparted a kind of moral obligation, which bade the phenomena "obey the law" and led to the notion that, when we have traced a law, we have discovered an ultimate cause.

In view of the firm position held at the beginning of the twentieth century by the laws or generalizations known as the persistence of matter and the conservation of energy, and the change in outlook which has since taken place, the following quotation from a book by the present writer, first published in 1904, may perhaps be of interest:[1]

> While fully recognizing the importance of these generalizations from the physical point of view, we must be careful how we give them any metaphysical significance. Under certain limiting conditions, other physical quantities besides mass and energy may be conserved. Thus in pure mechanics we recognize the conservation of momentum—a name for the mathematical quantity obtained by multiplying together the measures of mass and velocity. Again, in reversible systems, where physical or chemical changes may occur in either direction with equal freedom, thermodynamics indicates the conservation of another quantity, named by Clausius entropy. Momentum and entropy are only conserved under restricted conditions; in physical systems the momentum of visible masses is often destroyed, while in irreversible processes entropy always tends to increase.
>
> Mass and energy may seem to be conserved in the conditions known to us, and we are justified in extending the principle of their conservation to all cases where those conditions apply. It does not follow, however, that conditions unknown to

[1] *Recent Development of Physical Science*, 1st ed. London, 1904, p. 39; 5th ed. 1924.

us may not exist, in which mass and energy might disappear or come into existence. A wave, travelling over the surface of the sea, seems to persist. It keeps its form unchanged and the quantity of water in it remains unaltered. We might talk about the conservation of waves, and, perhaps, in so doing, be as near the truth as when we talk of the persistence of the ultimate particles of matter. But the persistence of waves is an apparent phenomenon. The form of the wave indeed truly persists, but the matter in it is always changing—changing in such a way that successive portions of matter take, one after another, an identical form. Indications are not wanting that only in some such sense as this is mass persistent.

Moreover, as the author used to teach many years ago in his lectures on Heat and Thermodynamics, there is yet another reason which makes it dangerous to assign too much philosophic importance to these principles of persistence. When the mind is groping in a welter of unclassified phenomena and trying to find a basis for order, such concepts as mass and energy naturally present themselves *because* they are constant quantities, and remain unchanged throughout a series of processes. The mind picks them out of the confusion as convenient physical concepts on which to build a scheme of knowledge, and thus they enter into the structure of our physical theories. Then comes the experimentalist, Lavoisier or Joule, and, with great ingenuity and labour, rediscovers their constancy, and establishes the law of the persistence of matter or the conservation of energy.

These ideas, somewhat unusual at the time, are now very generally accepted. The present forms of some of them have already been described, and new evidence for others will appear in the following pages.

Campbell says that science starts by selecting for consideration those judgments concerning which universal agreement can be obtained and those regions where order can be discovered, though, at every stage of the reasoning to which they are submitted, a personal or relative element is introduced which brings in the possibility of error, but leads to the highest achievements in science as in art.[1]

Eddington has analysed the result which relativity must have on the meaning of our model of nature and its laws.[2] We express its structure in terms of *relations* and of things to be related or *relata*, and its possible configuration in a number of co-ordinates. To get from the equations containing these co-ordinates a model of the physical world adapted to our minds, we find the best mathematical operation is that invented by Hamilton. Eddington says it "is virtually the symbol for the creation of an active world out of a formless back-

[1] *Physics, The Elements*, p. 22.
[2] A. S. Eddington, *The Nature of the Physical World*, Cambridge, 1928, p. 295.

ground". There seems nothing in the basal relations which calls for *The Laws* this particular operation, but, by following it, we construct things *of Nature* which satisfy the law of conservation. These things are selected by the mind, which ever seeks what is permanent—hence arise the concepts of substance, energy, waves.

In this way we do not touch atoms, electrons or quanta; but, as regards field physics, the structure is fairly complete. The field laws, conservation of energy, mass, momentum and electric charge, the law of gravitation and the electromagnetic equations, describe the phenomena in virtue of the way they have been formulated. They are truisms or identities. Thus Eddington justifies by deeper and more general analysis the contention put forward many years ago by the present writer in the special cases of the conservation of mass and energy.

Eddington divides natural laws into three classes.

(1) Identical laws—those like the conservation of mass or energy which are mathematical identities owing to the way they have been built up.

(2) Statistical laws—those which describe the behaviour of crowds, whether of atoms or of men. Much of our sense of mechanical necessity has arisen because till recently we have dealt with atoms only statistically in vast numbers. The uniformity of nature is a uniformity of averages. The mind has commanded a model of nature to satisfy these laws.

(3) Transcendental laws—those which are not obvious identities, implied in our scheme of model-making. They are concerned with the individual behaviour of atoms, electrons, and quanta. They do not necessarily lead to things that are permanent, but to things like action, forced on our attention, but somewhat repugnant, because unintelligible to our minds.

Eddington suggests that perhaps what seem to us the brutal crudity and unintelligibility of concepts like action are signs that we have touched reality at last. If so, we are almost brought back in science to the theological dictum of Tertullian—*Credo quia impossibile.*

Logic, traditional and mathematical, leads to a study of induction *The Theory* and of the validity of the natural laws established by its means. Now, *of Knowledge* in the light of the information thus gained, we must turn to examine the general theory of knowledge. In Chapter VIII we saw how Mach and Karl Pearson once more brought the problem of knowledge to the notice of men of science, and attempted to convert the prevalent crude realism into sensationalism or phenomenalism, a belief that knowledge is made up of sensations and complexes of sensations, that science gives only a conceptual model of phenomena and enables us only to trace a routine of sensations.

This was of course little more than a revival of the ideas of Locke, Hume and Mill, but it came as a new discovery to many. Men of science, ignoring the philosophers, had for the most part taken the naïve view of common-sense realism about the meaning of their work, but some of them listened to physicists and mathematicians like Mach and Pearson, and, at the end of the nineteenth, and in the early years of the twentieth century, phenomenalism began to have a certain vogue.

Yet not everyone carried it as far as Mach. For instance, in 1904 the present writer pointed out that, while science by its own methods cannot escape from phenomenalism, yet metaphysics can fairly use the results of science as a valid argument for a form of realism.[1]

Science itself can only carry out its observations and make its measurements from impressions on our ordinary senses:

> Though, for instance, the galvanometer seems at first to supply us with a new electrical sense, on further thought we see that it merely translates the unknown into a language our sense of sight can appreciate, as a spot of light moves over a scale.[2]

In modern phraseology, physical science can only deal with what are, or are equivalent to, pointer-readings, and the connections it traces, either experimentally or by mathematical deduction, are those between one pointer-reading and another.

The division of science into subjects is arbitrary; the different subjects are, as it were, sections through our conceptual model of nature —or rather, perhaps, plane diagrams from which our idea of a solid model is derived. One phenomenon may be regarded in different ways. A stick to the schoolboy is a long elastic rod; to the botanist it is a bundle of fibres and cell walls; to the chemist a collection of complex molecules; to the physicist, a swarm of nuclei and electrons. A nerve-impulse may be considered in a physical, a physiological or a psychological aspect, and none is more real than another. The idea that a mechanical explanation of every phenomenon is both possible and fundamental arose from the facts that mechanics happened to be the earliest of the physical sciences, and that its concepts, methods and conclusions are fairly intelligible to the ordinary man. Yet mechanics is no more fundamental than other sciences, indeed, even in 1904, matter was being resolved into electricity.

---

[1] *Recent Development of Physical Science*, 1st ed. 1904, pp. 12 *et seq.*   [2] *Ibid.* p. 14.

Thus the work of inductive science is to put together a conceptual model of nature, and science, by its own methods, cannot touch the problem of metaphysical reality. But the possibility of constructing a consistent model of phenomena is strong metaphysical evidence that an equally consistent reality underlies the phenomena, though, in its essence, it may be very different from our model of it, for, by the limitations of our faculties and the nature of our minds, the model must be conventional and not realistic. Though the age-long attempts to prove by verbal logic that the objects of sense and the pictures of science are illusory have been shown to be fallacious, the crude realism, which believed that science, or even common sense, saw things as they actually are, is clearly untenable. But, as Campbell holds, the scientific idea of reality is different from the metaphysical, and, for science, its own concepts are real enough.

The controversy between realism and phenomenalism as formerly carried on involved some confusion between a perception and its object, as is shown by G. E. Moore in his *Refutation of Idealism*.[1] Moore insists on the truism that, when one perceives, one perceives something, and that what one does perceive cannot be the same as the perception of it. He also shows that this truism refutes most of the then current arguments for idealism. As Broad puts it: "What we perceive exists and has the qualities that it is perceived to have.... The worst that can be said of it, is that it is not also *real*, i.e. that it does not exist when it is not the object of someone's perception, not that it does not exist at all."[2] The thing that one perceives may be a stick, which physicists, by regarding strictly from the analytical point of view, have resolved into electrons or wave-groups; but these physical concepts are not one's perception of the stick. The long, elastic rod certainly exists while the schoolboy perceives it. Thus Moore and Broad lead us away by another road from the idealism of Hegel and the phenomenalism of Mach, not, it is true, back to the naïve realism of common-sense and nineteenth century science, but to a more sophisticated form of realism, which accepts the existence of the objects perceived by the senses as they are perceived, and yet is consistent with the philosophy built on modern mathematics and physics.

Bertrand Russell and A. N. Whitehead published their great work *Principia Mathematica* during the years 1910 to 1914, and in later books they developed further the view of nature which follows. Perhaps

---

[1] *Philosophical Studies*, London, 1922, p. 1.
[2] *Perception, Physics and Reality*, Cambridge, 1914, p. 3.

The Theory
of Knowledge
that view may be summarized in some such very shortened form as this. Our knowledge of the physical world is only an abstraction. We can construct a model of that world, and trace the relations between its parts. By these methods we cannot reveal the intrinsic nature of reality; but we can infer that something exists independently of our thoughts about it, and that, in some unknown way, the relations between its parts correspond with those of our model.

This new realism traces its origin to Locke, who first appealed to psychology, and began enquiries into philosophic problems of limited scope. Modern realists also no longer start by assuming complete systems of philosophy and deducing from them special applications. Using mathematics, physics, biology, psychology, ethics—whatever comes to hand—they study isolated problems, and only slowly fit together their results as does inductive science. Thus in philosophy, as in science, the only test of validity is self-consistency.

Mathematics
and Nature
To complete our account of recent contributions to the theory of knowledge as applied to science, we have to deal not only with induction, but with mathematical deduction also. How is it that mathematics has obtained its ideal abstractions of points, planes, particles and momentary configurations from the rough facts of mensuration and the mechanical arts, in which no such ideal things occur, and how can it apply the knowledge won by analysis from the abstractions to the elucidation of that rough world again, as it does with such success in mathematical physics?

This and other problems in the philosophy of natural science have been much advanced by A. N. Whitehead, especially by his "principle of extensive abstraction".[1] Some account of this work is here given, but those who are not interested in the principles of mathematics can omit this section with no loss of continuity in the book.

Science is not concerned with the inner nature of any of the terms used, but only with their mutual relations. It follows that any set of terms with a set of mutual relations is equivalent to any other set of terms with the same mutual relations. Irrational quantities like $\sqrt{2}$ and $\sqrt{3}$ can be treated in mathematics as numbers, because they obey the same laws of addition and multiplication that integral numbers obey. Therefore, for these purposes they *are* numbers.

Again, $\sqrt{2}$ and $\sqrt{3}$ are usually defined as the limits of the series of rationals whose squares are less than 2 or less than 3. But we cannot prove that these series have limits, and the definitions might stand

---

[1] *Principles of Natural Knowledge. Concept of Nature.* For simplified account see Broad, *Scientific Thought*, pp. 39 *et seq.*

for nothing at all. On the other hand, if we define $\sqrt{2}$ and $\sqrt{3}$, not as the limits of series, but as these series themselves, we get quantities which contain unexpected internal structure, but yet certainly exist, and can be shown to bear to each other and to other mathematical quantities the same relations as do $\sqrt{2}$ and $\sqrt{3}$ as usually defined. The new definitions can therefore be substituted for the old ones.

Whitehead showed that the principles first discovered for irrational mathematical quantities could be applied also to geometry and physics. For instance, there is an old difficulty about points. For some purposes it would be useful to define a point as the limit of a series of smaller and smaller concentric spheres, one inside the other. But volumes, however small, are always volumes, and this definition conflicts with that needed for other purposes, which describes a point as having position but no magnitude.

If we define a point, not as the limit of a series of volumes, but as that series itself, the point so defined being what would usually be called the centre of the system, we get quantities which may be shown to bear to each other the same relations that points do when defined in *either* of the two older ways. Thus the discrepancy of definition is evaded, and the complex internal structure which these new points possess does not matter, because science is concerned not with inner structure, but with outer mutual relations.

In this way Whitehead showed the connection between what can be perceived but cannot be used mathematically, such as actual volumes, rods or particles, and what can be dealt with mathematically but cannot be perceived, such as points without volume and lines with no breadth, in terms of which geometry and physics must be expressed.

Such considerations remind us of the long-established methods of thermodynamics, in which the internal structure and changes of a system are treated as irrelevant, and indeed are so. Account is only taken of the heat and other forms of energy which enter and leave the system. Molecular theory gives one description of the inner nature of the system, but thermodynamics has nothing to say for or against that description. If another theory could be devised to give the same external relations, for thermodynamics it would do just as well. A good example is seen in the theory of solution.[1]

Van't Hoff proved thermodynamically that the osmotic pressure of solutions must have the same value and obey the same physical laws as the ordinary pressure of gases, whereupon many physical chemists assumed that van 't Hoff's theory required that the cause of

[1] See above, p. 247.

the pressure should be the same, namely, the bombardment of molecules. The thermodynamic relation was of course consistent with any "cause"—with chemical affinity or with molecular bombardment.

In the most recently opened field of physical research, to take another example, the mathematics of Heisenberg are equivalent to those of Schrödinger, although the former approaches atomic structure from the electrons and energy-levels of Bohr while discarding his electronic orbits, and the latter has formulated them on the fundamental ideas of wave-mechanics. Here two views of the inner nature of atoms are expressed in similar mathematical equations, and, for the ultimate purposes of science, are identical, though they arise from different physical conceptions.

The philosophic lesson which these results inculcate is that, while we must accept provisionally and with caution the mental models which are made from time to time to represent the *relata*, the quantities between which physical relations hold, we can use freely and feel growing confidence in the ever-increasing knowledge of those relations which science gives us. That knowledge is an affair of probability, but the odds in favour of much of it are very high, and, for the most part, rising rapidly. It is quite good enough to act upon; the truth of the relations does not depend on the reality of the *relata*.

Towards the close of the nineteenth century, Newton's hard, massy particles, which, as nineteenth-century atoms, bore to Clerk Maxwell the stamp of manufactured goods, had shown signs of failure to account for the facts. Kelvin's vortex atoms and Larmor's centres of aethereal strain were attempts to express in more fundamental terms what had hitherto been regarded as ultimate scientific concepts.

Maxwell's proof that light is electro-magnetic radiation foreshadowed the end of the elastic solid theory of a luminiferous aether, and the identification of J. J. Thomson's corpuscles with the electrons of Lorentz and Larmor similarly turned matter into electricity. Indubitably the world became less intelligible. Men had thought that they knew what was meant by massive atoms and transverse waves in the aether of space: they had to confess that they knew little about the intrinsic nature of electricity or the meaning of electro-magnetic undulations.

During the next stage, electrons and protons were used with increasing success in new physical theories. We grew so accustomed to handling them in thought that they became familiar ideas, till Bohr and Sommerfeld almost persuaded us that their wonderful atomic models represented physical, though not of course metaphysical, reality. Before they had quite done so, their theory broke down, while Heisenberg's work showed how much unverified assumption underlay the idea of planetary electrons, and that we had been carrying over into atomic physics the preconceptions of Newtonian astronomy. All that we really know about atoms concerns what goes into them or what comes out. They are to us mere sources and absorbers of radiation, and we can only detect and study them at their moments of discontinuous emission of energy. For us they *are* radiation, and that is all about it. From another angle, de Broglie and Schrödinger also resolved them or their parts into systems of waves by a process mathematically equivalent to that of Heisenberg, and the waves may be merely alternations of probability.

The Evanescence of Matter

We must not, however, forget the lessons of history. Thermodynamics dispensed with atomic conceptions, and Ostwald finally proposed to discard such conceptions in favour of energetics shortly before the new physics began to use atomic ideas in an extreme form. It is possible that we may some day get new evidence on the problem of the structure of the atom. But there are indications that we are approaching the limit of physical models of nature. For the time the new quantum mechanics hold the field, and we have to leave our explanation of the phenomena in the form of mathematical equations.

On the old idea of substance, matter was resolved into molecules and atoms, and then atoms were analysed into protons and electrons. These in turn have now been dissolved into sources of radiation or into wave-groups: into a mere set of events which proceed outward from a centre. About what exists at the centre, or about the medium which carries the waves (if indeed wave-equations connote waves in a medium), we know nothing. Moreover, there seems a fundamental limit to the accuracy of possible knowledge about these wave-systems which constitute electrons. If, from the equations, we calculate the exact position of an electron, its velocity becomes uncertain. If we calculate its exact velocity, we cannot specify its position accurately. This uncertainty is connected with the relation between the size of the electron and the wave-length of the light by which it might be observed. With long wave-lengths, no exact definition can be obtained. When the wave-length is decreased enough to give definition, the radiation knocks the electron out of its position. There seems here an ultimate impossibility of exact knowledge, a fundamental indeterminacy behind which we cannot go. It looks as though the final limits of human knowledge were near.

Similar results have been reached by way of the doctrine of Relativity. To the philosopher of old, matter was in essence something extended in space which persisted through time. But space and time are now relative to the observer, and there is no one cosmic space or cosmic time. Instead of persistent lumps of matter or electrons in a three-dimensional space, we have a series of "events" in a four-dimensional space-time, events, some of which seem to be connected so as to present an air of persistence as does a wave on the sea or a musical note. Forces at a distance, especially gravitational forces, and the need of "explaining" them, have alike gone. There are only differential relations which connect together neighbouring events in space-time. Physical reality is reduced to a set of Hamiltonian equations. The old materialism is dead, and even the electrons, which for a time replaced particles of matter, have become but disembodied ghosts, mere wave-forms. They are not even waves in our familiar space, or in Maxwell's aether, but in a four-dimensional space-time, or in a scheme of probability, which our minds cannot picture in comprehensible terms.

Moreover, even as disembodied ghosts, their careers are short. The only known cause which will explain the vast output of radiant energy from the Sun and other stars is the mutual annihilation of protons and electrons or the transmutation of hydrogen into other atoms. The matter of our Earth may consist of dead ashes, but in stars and inter-stellar space such changes may occur, and some of the substance of the Universe be passing into radiation. Thus matter, which seemed so familiar, resistant and eternal, has become incredibly complex; it is scattered as minute electrons or other kinds of "particles" in space or round the nuclei of atoms, or as wave-groups which somehow pervade the whole of them, and, moreover, are vanishing into radiation, even from our Sun alone at the rate of 250 million tons a minute.

The problem whether or no man is a machine was discussed from the modern biological point of view in Chapter IX. Some biologists still hold that the activities of life are not completely explicable in terms of mechanics, physics and chemistry, but show a co-ordination or integration of functions special to the living organism. The mechanists retort by pointing out that one region after another of physiology and psychology is annexed by bio-physics and bio-chemistry, and that there seems no limit to this process. Yet a third opinion accepts physical and chemical mechanism as a necessary assumption for scientific advance in knowledge, but either merges neo-vitalist teleology in a wider, universal teleology, or takes a subjectionist view of the problem, regarding physics, biology and psychology as different aspects from which the whole being of man must be viewed according to the immediate question at issue.

From the historical standpoint, we have seen vitalism and mechanism alternating with each other, even from the days of the Greek philosophers. But, though no conclusion has been reached, we have now more evidence than ever before on the true nature of the problem; if we cannot solve it, we may at least formulate it more clearly.

As Ritchie says,[1] life is curiously conditioned by its physical environment, and yet in some respects is independent of the environment and unlike anything not living. The first thing a reasonable man must do is to be content with a very little knowledge and a very great deal of ignorance:

It is natural for anybody of a sanguine temperament who is impressed by the dependence of life on physical circumstances...to think that he is only a short way from the solution of every problem. He thinks he is delivering a final assault on the very citadel of Life itself; then, when the heat of the combat is over and he can look round at what he has accomplished, he finds that it is only an insignificant and almost undefended out-work that he has taken, and the citadel is as far off as ever.

Nevertheless, as Ritchie goes on to explain, "the important point is that the 'mechanical' method gives us some knowledge and in fact gives us nearly all we have". For successful research in physiology, perhaps even in psychology, it is necessary to assume that the next problems can be attacked by mechanical, physical or chemical methods, though that assumption need not prejudice our view of the whole philosophic, or even of the biological question. The neo-vitalist can still claim that the processes of life are controlled so as to secure the maintenance or reproduction of the normal state for each organism in a way beyond the power of physics or chemistry. Others, such as Professor J. S. Haldane, can still argue that, while mechanism is inadequate as a complete explanation, the control emphasized by the vitalist is a consequence of a mechanical environment. Thus mechanism and vitalism both fail. But the inner nature of reality involves an integration or co-ordination, especially manifested in living beings.[2] The idea of adaptation, used so fruitfully by Claude Bernard and his followers, may prove as fundamental in physiology

[1] *Scientific Method*, p. 177.
[2] J. S. Haldane, *The Sciences and Philosophy*, London, 1929.

as are the principles of conservation of matter and energy in physical chemistry.[1]

Turning from biology to physical science, we find a quite new light recently thrown on the old problem of determinism. Philosophic determinism, which was re-built in modern times on Newton's work, and was so strong in eighteenth- and nineteenth-century thought, gains less support from physics nowadays. The old laws of science, about which so much was said, prove to be either truisms inserted by ourselves into our model of nature, or statements of probability; the most a man of science can do, even in that part of his subject which deals either with large-scale or with statistical phenomena, is to bet long odds on his predictions being verified, while he cannot foretell the action of single atoms or quanta.

Accepting the well-known laws as expressions of probable tendencies, they are found to be concerned, not with individual molecules, atoms or electrons, but with statistical averages only. If we heat a gas through one degree, we know by how much the average energy of large numbers of molecules will be increased. But the energy of any one molecule depends on chance collisions, which at present are not calculable. We can predict how many atoms in a milligramme of radium will disintegrate in a minute, and it is very probable that our prediction will be verified within narrow limits of error. But we cannot tell when any one individual atom will explode. We know how many electrons will emit a quantum of energy at a given temperature, but not when any one electron will fall into a new orbit and therefore radiate. It is possible that at some future time a new theory of mechanics may be developed, and individual molecules, atoms and electrons become determinate. But as yet there is no sign of such a theory.

Indeed, present tendencies point the other way. The principle of indeterminacy seems to introduce a new kind of incalculability into nature. The uncertainties hitherto described might possibly be due to ignorance, and might pass into determinism again as knowledge increased. It is dangerous to build on them a philosophy of free-will. But, as Eddington has pointed out, the work of Schrödinger and Bohr indicates that there is an uncertainty in the nature of things. The alternative uncertainties that, if we try to calculate the position of an electron, its velocity becomes incalculable, and if we wish to determine its velocity its position becomes indeterminate, have been thought by some to indicate that, in ultimate analysis, the scientific argument for

[1] C. Lovatt Evans, *Brit. Assoc. Rep.* 1928, p. 163.

determinism breaks down. But others hold that this indeterminacy merely expresses the inadequacy of our system of measurements to deal with problems outside the realm of physics.

It is impossible to miss the analogy of the first kind of these uncertainties with those which beset the study of living organisms. We can predict, within narrow limits, how many infants will die in England in a year, or the expectation of life for a man of a given age. But we cannot foretell whether one particular baby will live or die, or when a certain insurance policy will become payable. Here too, increased knowledge and skill may conceivably give us new powers of prophecy some day, but again, there is no sign of it yet.

It must not be forgotten that, for effective freedom of will, nature must be orderly. No condition is so servile as that of him who is subject to a capricious and incalculable tyrant. To be masters of our lives, we must be able to steer our course over well-charted seas, as well as have power to control the rudder. According to present knowledge, mankind may be statistically the slaves of fate, but for the individual the mechanism to which he is subject may be orderly though undetermined, and there may still be room for free-will. It is possible that future investigation may show that this result is premature and inconsistent with wider knowledge, just as further work in quantum mechanics may determine the lives of individual atoms. The next stage in the evolution of science may be another swing towards a mechanical philosophy. But, for the time, at all events, the analogy from physics, for what it is worth, points in the other direction.

This problem is closely connected with the old controversy about mind and matter. Till the seventeenth century it was universally assumed that man's soul was material, of the same nature as a gas. But Descartes drew the distinction between mind and matter which has lasted till our own day, and has assumed the form of psychophysical parallelism. To avoid Descartes' dualism, two ways seemed open. The materialists took matter as the sole reality, and held mind to be an illusion. The idealists or mentalists believed with Berkeley that mind was real and matter an illusion. In the work of phenomenalists such as Hume and Mach, a new view appears—that the concepts of mind and matter are different ways of looking at our picture of nature, or, as perhaps we may better say, different plane diagrams from which science constructs a solid model of nature. These ideas have been developed into what is called "neutral monism" by many recent philosophers from William James to Bertrand, Earl

Russell. According to this theory, mind and matter are both composed of something more primitive, which is neither mental nor material.

While we know nothing of the intrinsic nature of the reality (if any) for which our model of the physical world stands, we do know something about the intrinsic nature of the mental world, and, as far as direct knowledge goes, the mental world is the more real. Physics cannot show that the intrinsic nature of the physical world differs from that of the mental world: mental and physical events may well form one causal whole.

That they are connected is certain. Neurology and experimental psychology show the joint physical and mental concomitants of nervous action; bio-chemistry has proved that secretion from the ductless glands may change the mental character of a man. Adrenalin when injected produces the physical symptoms of fear, though we have Lord Russell's experimental testimony that the mental emotion of fear does not necessarily accompany those symptoms.[1] But these obvious connections between the mental and physical worlds do not disclose the ultimate nature of either.

In comparing the two we recognize that physics, at all events, can only give us a knowledge of relations and conceptual *relata* for them to connect, and such knowledge can only be acquired by and exist in mind. In this sense, mind is certainly more real than matter, and may be more real than mechanism, since determinate mechanism seems now only to hold good in those macroscopic phenomena which depend on the statistical average action of multitudes of units, and to fail when the ultra-microscopic detail of individual atoms, electrons and quanta are considered.

When light from a star reaches our eyes, it is the end of a long train of events which can be traced by physics. But the sensation of sight is the only event in the whole series about which we can say anything not purely abstract and mathematical. A blind man might know all physics, but never the sensation of seeing. A knowledge that things are pleasant or unpleasant is not physics. Hence it is clear that there is knowledge which is not included in physical science—a knowledge of our own mental sensations.

And of these sensations one of the most vivid and most persistent is that of volition and free-will. Hitherto the strongest argument against its validity has been the mechanical determinism which seemed to some to follow inevitably from physical science. But

---

[1] *Outline of Philosophy*, London, no date, p. 226.

Eddington holds that if philosophic determinism is still to be defended, it must now be on metaphysical evidence. Its advocates can no longer call science to witness in its favour. Scientific determinism has broken down, and broken down in the very citadel of its power—the inner structure of the atom.[1]

It is not yet time for men of science to investigate possible modes of action by which conscious will might control matter. But philosophers may well speculate on such questions. Eddington points out that volition might control the undetermined quantum jumps of a few atoms, possibly of a single atom, and thus by a nervous impulse switch the material world from one course to another. This he regards as improbable, and he prefers to suggest that the mind may act by changing the conditions of probability of a crowd of undetermined atoms. He says:

I do not wish to minimize the seriousness of admitting this difference between living and dead matter. But I think that the difficulty has been eased a little, if it has not been removed. To leave the atom constituted as it was, but to interfere with the probability of its undetermined behaviour, does not seem quite so drastic an interference with natural law as other modes of mental interference that have been suggested.

The suggestions of Eddington must be treated with all respect. But it is, of course, obvious that the problem of the mechanism of the connection between mind and brain is one of surpassing difficulty, and it would be rash to pin one's faith to any guess, however shrewd, at its solution. For the time, it may be better to leave this problem in its earlier form. Experience comprises many aspects: physical science is one of them; psychology is another; and psychology must recognize as part of its data aesthetic, moral and religious emotion.

Science makes abstractions from the world of phenomena, and formulates concepts which contain in themselves logical implications. Thus, between the concept and all possible valid deductions there is an unbreakable chain. Scientific determinism, therefore, is due to the fact that science is a process of abstraction.[2] Mechanics, for example, frames abstract concepts—space, time, matter—from the ideas called up by sensations, and on them builds up a logical, deterministic scheme from which there can only emerge abstractions of the same nature as those put in. From the point of view of mechanics, nature is inevitably mechanical, and, from the point of view of any abstract

[1] Eddington, *loc. cit.*

[2] Compare R. G. Collingwood, *Speculum Mentis*, Oxford, 1924, p. 166, and Whitehead, *loc. cit.*

and logical science, it is deterministic. But there are other points of view, which exact science cannot reach.

Again, the question is bound up with that of causation. If causation is held to be *a priori*, a necessity of thought, its validity does not depend on science, and science is not responsible for its consequences. If, on the other hand, causation is held to be proved empirically, its law has only been verified in certain cases. Though in other cases there is no positive evidence against it, neither is there proof of its universality, and we are not justified in concluding that it must necessarily control human volitions which are very different from the phenomena in which it has perhaps been proved to hold.[1]

Much of the repugnance felt to determinism, according to Russell, is due to inadequate analysis, which leads to confusion between the impersonal causation, which is all science suggests, and the idea of human volition. We should hate to feel that we were compelled to act by an alien power against our will; but as our will, even on the determinist theory, is in agreement with the causes of our actions, this can never happen. As Russell says:[2] "Freedom, in short, in any valuable sense, demands only that our volitions shall be, as they are, the result of our own desires, not of an outside force compelling us to will what we would rather not will....Free-will, therefore, is true in the only form which is important."

Another development of philosophic thought which involves this same question must now be considered. The usual method of natural science is that of analysis in a search for simplicity. Psychologists try to analyse and express their results in terms of physiological causes, physiologists in those of physics and chemistry. Physicists in turn dissect matter into atoms and electrons, and there they have now been brought up against the failure of all mechanical models, and a principle, apparently fundamental, of uncertainty. Perhaps they may once more form a successful model of the atom, but in the end the construction of models must prove impossible, and ultimate physical concepts be left in terms of mathematical equations.

But physics is not the only science, and science itself is not the only mode of experience. Biology, it is true, comprises analytic physiology, which reduces what it can to chemical and physical terms, but it deals also with natural history, in which living organisms are viewed as wholes. Psychology is concerned not only with the experimental analysis of sensations and feelings, but with the inner consciousness

[1] See Bertrand Russell, *Our Knowledge of the External World*, p. 236.
[2] *Ibid.* p. 239.

of mind and of integral personality. The synthetic method of approach to reality may be as valid as the analytic. Such reasons have led Whitehead to insist that a further stage of provisional realism is required, in which the scientific scheme is recast and founded upon the ultimate concept of organism.[1]

The seventeenth century discovered that the world could be represented with amazing success as a series of instantaneous configurations of matter, which determined their own changes and thus formed a logically closed circle, a complete mechanistic system. Idealistic minds from Berkeley to Bergson have revolted against this system, and, not understanding the real issue, usually got the worst of the controversy. There is an error, but not where it has generally been imagined to be. It is really the error that has been pointed out so often in this book, the error of mistaking for concrete reality the abstractions inherently necessary for science, the error which Whitehead calls the Fallacy of Misplaced Concreteness. Abstractions are necessary for analysis, but they involve the ignoring of the rest of nature and of experience, from which the abstractions are made. Thus they give an incomplete picture even of science, and a still more incomplete one of the whole of existence. The doctrine of deterministic mechanism only applies to very abstract entities, the product of logical analysis. The concrete enduring entities of the world are complete organisms, so that the structure of the whole influences the character of the parts. An atom may behave differently when it forms part of a man; its conditions are determined by the nature of the man as an organism. Mental states enter into the structure of the total organism, and thus modify the plans of the subordinate parts right down to the electrons. An electron blindly runs, but within the body it blindly runs as conditioned by the whole plan of the body, including the mental state. We may strengthen this argument by pointing out that an electron within an atom is conditioned by the structure of the atom as a whole, and is very different from an electron outside travelling through "empty" space. Thus Whitehead replaces scientific determinism by an alternative doctrine of organism. He approaches the problem from the side opposite to that taken by Eddington, who, as we have seen, attacks determinism from a basis of atoms, electrons and quanta—the ultimate products of physical analysis. Whitehead argues that analysis, by its essence, is misleading in philosophic questions, and founds his doctrine on the synthetic concept of the complete organism. His ultimate appeal is to naïve experience, which

[1] A. N. Whitehead, *Science and the Modern World*, Cambridge, 1927, p. 80.

R

The Concept of Organism

tells us "that we are *within* a world of colours, sounds and other sense objects, related in space and time to enduring objects such as stones, trees and human bodies. We seem to be ourselves elements of this world in the same sense as are the other things which we perceive". Thus by the light of the new realism, which he himself has done much to formulate, Whitehead takes much the same view as Moore and Broad, and seems to restore to us a scientific theory of the world of beauty and moral values, a theory which Burtt holds was taken from us by Galileo. For Whitehead, the ultimate unit of natural occurrence is the event, and, as with Bergson, the essence of reality is *becoming*, that is, it is a continual and active process, a creative evolution.

Physics, Consciousness and Entropy

In discussing the meaning of exact science, Eddington emphasizes the point that it is concerned only with the readings of some physical instrument. In calculating, for instance, the time taken by a body to slide down a hill, we put into our calculation pointer-readings like the mass of the body, the slope of the hill and the acceleration of gravity, and we get out another pointer-reading—the position of a hand on the dial of our watch. Using this method, physics has constructed a logically closed circle of knowledge, which contains only physical concepts connected with each other. In old terms matter and its configuration determined the forces, and the forces determined the future configuration. In modern terms the series runs: potential, interval, scale, matter, stress, potential...and so on for ever. The only way of escape from the circle is to recognize the undoubted fact that the concordance of the logical scheme with the actual world can only be tested by the action of the mind. Physics alone might trace a disturbance in its closed circle till it became the motion of matter in a brain, and might observe that motion objectively from without. But, if the brain disturbance is translated into consciousness, we touch reality. "There is no question about consciousness being real or not; consciousness is self-knowing, and the epithet 'real' adds nothing to that."

Here we are brought back to the problem of the nature of the self or *ego*, considered in Chapters VIII and IX. Is the self an entity existing before and independently of experience, as in the older philosophies, or is it a composite, secondary structure, put together by the very action of sensations, perceptions and other mental activities, as some modern psychologists hold? The question cannot be answered by general agreement, but perhaps it need not be answered. However formed, the self is conscious, and in Eddington's sense is self-knowing and therefore real.

Physics, Consciousness and Entropy

The ordinary equations of reversible physics say nothing about the direction in which motion takes place; the planets might go round the Sun the other way as far as formal dynamics can tell us. Again, it is only our consciousness which, in a reversible world, could enable us to distinguish between past and future. In the physical world, however, there is one criterion not involving consciousness. The physical world is non-reversible, and the second law of thermodynamics tells us that, in an irreversible system, the energy is continually becoming less available as time goes on, the entropy increasing. Is it possible that it is irreversible processes going on in our brains which produce in our minds the sense of the passage of time?

This increase of entropy is analogous to shuffling a pack of cards, originally in order of numbers and suits, by a mechanical shuffler. The shuffling can never be undone, save by conscious sorting, or by the indescribably remote chance of the cards happening to fall into their original order again. If the number of cards were much larger, the process of shuffling would need a long time. The stage of shuffling reached would then be a measure of the time, and, since the process is irreversible, it would also serve as a pointer giving its direction. If, on examination, the shuffling is found to be becoming more perfect, time is going forward; if the cards are of themselves getting into order, we must be tracing time backward.

And so, in the physical world, entropy, as Eddington says, is time's arrow. If temperature inequalities are decreasing, energy becoming dissipated and less available, entropy increasing, the process of time is positive: we are moving towards the future. If, in our equations, we find that entropy is diminishing and energy becoming more available, we should know that we were tracing a process backward from its end towards its beginning.

The kinetic theory of gases enables us to translate into molecular terms the process by which entropy increases. If we began with two vessels with an equal number of molecules in each, one vessel being hot and the other cold, the average energy and velocity of the molecules in the first would be greater than in the second. If the vessels were put into communication, molecular collisions would equalize the average molecular energies, till the distribution of velocities was that of the law discovered by Maxwell and Boltzmann. This represents the final state, and can only be undone by conscious action, such as that imagined to be carried on by Maxwell's daemon, or by the almost incredibly unlikely chance that all fast-moving molecules should happen to be in one vessel together. In infinite time, however, this unlikely chance might possibly occasionally occur, unless, as indeed is more likely, something else less improbable happened first to upset the whole system.

Once the Earth has been dethroned from its central position in space and the stars have been recognized as distant Suns, a mere increase in our estimates of size is of little real human importance. Moreover, the problems of cosmogony are those of science and not those of philosophy. Yet the mind is naturally impressed by the immense advances in knowledge which have been made in astrophysics, and it may be worth while here to recapitulate some of the results which have been reached.

Our galaxy contains some thousands of millions of stars, and light would take perhaps 300,000 years to flash between those farthest from each other. Across the vast gulfs of space that lie beyond our stellar system are millions of spiral nebulae—new galaxies of stars in the making, some so distant that their light travels for about 140 million years to reach our eyes.

Yet space, boundless to Newton, now seems to be finite, curved by the presence of scattered matter. If light travels outwards for some thousands of millions of years, it may return to its starting-point.

Men became men perhaps some millions of years ago. The age of the Earth may be some thousands of millions of years. The Sun and stars, with internal temperatures of tens of millions of degrees, may have radiated energy for thousands or millions of millions of years.

Our ninety chemical elements might be destroyed by the heat within the stars. Unknown radio-active atoms may there exist, and by their disintegration, by the clash of protons and electrons, or by other transmutations, matter may pass into radiation, and supply the energy for stellar lives. Terrestrial atoms, of which the Earth and our bodies are made, may be but dead, inert ash, a bye-product of this cosmic process.

The nebular hypothesis has been shown to be competent to explain the formation of gigantic galaxies of stars, though it fails to account for the birth of our modest solar system. For the origin of our system we must look to some rare occurrence, such as tidal waves on two bodies which chance to pass near each other in the liquid or gaseous state. Thus the conditions necessary for life as we know it may be rare if not unique in the present Universe. Life, it seems, may be regarded either as a negligible accident in a bye-product of the cosmic process, or as the supreme manifestation of the high effort of creative evolution, for which the Earth alone, in the chances of time and space, has given a fitting home. Science can frame these alternative appreciations of the position, but, in its present state at all events, it cannot decide between them.

And what of the future of the Universe? Kelvin's principle of dissipation of energy, Clausius' increase of entropy towards a maximum, suggested a final, dead state of equilibrium, in which heat is uniformly diffused, and matter for ever at rest. Recent views modify the details, but leave the result unchanged. Active matter passes into radiation which will finally wander through a space far too vast to become saturated with radiation and precipitate matter again. Jeans calculates that the chance against a single active atom surviving is $10^{420,000,000,000}$ to one. It seems that the Universe is running down into uniformly distributed radiation.

But, if it is still running down, it must at some definite time have been wound up; it cannot have been going for ever, or it would have reached the final state of equilibrium. Jeans says:

Everything points with overwhelming force to a definite event, or series of events, of creation at some time or times, not infinitely remote. The universe cannot have originated by chance out of its present ingredients, and neither can it have been always the same as now. For in either of these events no atoms would be left save such as are incapable of dissolving into radiation; there would be neither sunlight nor starlight but only a cool glow of radiation uniformly diffused through space. This is, indeed, so far as present-day science can see, the final end towards which all creation moves, and at which it must at long last arrive.[1]

To some minds, the final death of the Universe is an intolerable thought. It is perhaps unlikely that the Universe will be kept alive to please them, but (of natural means) there seems one possible way out of its final destruction, suggested by Haldane and Sterne. If infinite time is available, all unlikely things may happen. Chance concentrations of molecules might reverse the action of random shuffling, and undo the deadly work of the second law of thermodynamics. Chance concentrations of radiant energy might saturate a part of space, and new matter, perhaps one of our spiral nebulae, crystallize out. Are we and all our myriad stars perchance one of such accidental happenings?

However fantastically great Jeans' probability against it, infinity is greater. However long it is necessary to wait for a chance to happen,

[1] Sir J. H. Jeans, *Eos, or the Wider Aspects of Cosmogony*, London, 1928, p. 55.

Cosmogony eternity is longer. It is possible that one of the incredible chances which may happen in infinite time, a new "fortuitous concourse of atoms", may explain the *modus operandi* of past creation, and again bring about a new beginning when the present Universe has passed, apparently for ever, into a "cool glow of radiation".

We cannot say that this is probable, for we are treading on or beyond the limits of knowledge. Indeed, as with a swarm of molecules, it is more likely that some other chance would intervene, and prevent such an improbable contingency from coming to pass. All such suggestions are but random speculation.

Science, Philosophy and Religion In earlier parts of this book we traced the change in philosophic outlook from the naïve realism of nineteenth-century physics to the sensationalism of Mach and Karl Pearson, which held that science gave only a conceptual model of phenomena, and so, through more recent history, to the mathematical semi-realism of Russell and Whitehead.

During recent years, following this historical development, a philosophy ultimately derived from Hume and Kant has been revived and applied to modern science, especially to that part of science which can be formulated mathematically as physical theory,[1] but many of those who study other branches of science and their history are not convinced that this philosophy is on the right road,[2] some contending for systematized common sense.[3]

The fundamental principles of physical science have been profoundly modified by relativity and quantum theory. In 1930 epistemology or the theory of knowledge might have been (and generally was) based on the supposed nature of the physical universe, while in 1939 Eddington argued that it is better conversely to found our concepts of the universe on the theory of physical knowledge. For developing modern theories of matter and radiation, a definite epistemological outlook is desirable; in the search for knowledge it is helpful to understand the nature of the knowledge we seek. But others hold that this procedure is merely a return to the *a priori* methods of Greeks and Mediaevalists.[2]

The sources of knowledge are our sensations and the changes in consciousness which they evoke. Simple awareness is not only sentient but may be a means of acquiring single items of knowledge. But

---

[1] Sir Arthur Eddington, *Philosophy of Physical Science*, Cambridge, 1939.
[2] H. Miller, "Philosophy of science", *Isis*, vol. XXX, 1939, p. 52.
[3] W. S. Merrill, *The New Scholasticism*, vol. XVII, 1943, p. 79.

consciousness is a whole, and, though it can, if we wish, be analysed into parts, this whole indicates a picture or structure.

Evidence accumulates that similar structures appear in the consciousness of other people, and this is a sign that an original structure exists in a realm outside the individual consciousness. Thus the synthesis is transferred to an external world, where the pieces of the puzzle stand ready to be fitted together by physical science; but it is only lately that physical theory has become in form, as well as in fact, a theory of mathematical group-structure.[1]

According to the new views, there is a philosophy implicit in the method by which advances in science are made. The method accepts observation as the final court of appeal, but also takes account of quantities which exist but cannot be observed, such as aether velocity in the Michelson-Morley experiment, or its modern equivalent distant simultaneity in the theory of relativity, and the uncertainty in position or velocity of electrons in Heisenberg's quantum wave-mechanics.

Even if we take empirical observation as the sole basis of physical knowledge, we thereby select subjectively the kind of knowledge to be admitted as physical; the Universe so discovered cannot be wholly objective. Epistemological science investigates the meaning of knowledge instead of a supposed entity, the external world, and its symbols stand for elements of knowledge. We thus reach a selective subjectivism, in which the laws and constants of nature are wholly subjective.

But what do we really observe? The old physics assumed that we observed directly real things. Relativity theory says we observe "relations", and these must be relations between physical concepts, which are subjective. According to quantum theory we only observe probabilities; future probabilities can be determined, but future observational knowledge is essentially indeterministic, though the betting in favour of a particular happening may be so high that it becomes a practical certainty. But science cannot make any prediction about future happenings without an appeal to the laws of chance.

The regularities of science may be put into it by our procedure of observation or experiment. White light is an irregular disturbance, into which regularity is introduced by our examination with prism or grating; an atom can only be examined by gross interference which must disturb its normal structure; Rutherford may have created the nucleus he thought he was discovering. Substance vanishes, and we come to form, in quantum, waves, and in relativity, curvature. The

---

[1] Eddington, *loc. cit.* p. 209.

form or pattern of the picture of nature we are accustomed to is the one we most easily accept for new ideas, and because they are taken into it they become "laws of nature"—subjective laws which have grown out of the subjective aspect of physical knowledge. Thus the epistemological method leads us to study the nature of the accepted frame of thought. We can predict *a priori* certain characteristics which any knowledge must have, merely because it is in the frame, though physicists may rediscover its characteristics *a posteriori*.

And so with the mathematics we use—they are not in our scheme of physics till we put them there. The success of the operations whereby mathematics can be introduced depends on the extent to which our experiences can be related to each other. Mathematically the process needed is contained in what is called the Theory of Groups and Group Structure.

The ultra-microscopic laws of atomic structure (now merged in quantum wave-mechanics) converge towards the molar laws of classical physics (now expressed in relativity) as the number of particles becomes large, and has to be dealt with statistically; the ultra-microscopic laws ideally cover the whole of physics and give a frame for our knowledge in atomic terms.

Miller holds that if any form of subjective philosophy prospers, it will weaken and finally destroy observational science. In its passage during two thousand years from rationalism to empiricism, science has passed through three stages. Greek science sought to reach definitions by way of intellectual or rational insight. It believed the definitions to describe a universal form or structure, and was transcendental because it regarded this structure as something else than the changing actualities of particular occurrence. Science, in the seventeenth, eighteenth, and early nineteenth centuries, dropped the Greek transcendentalism, retained universality, and modified the rationalism, allowing no discrepancy between theory and particular fact. Darwin and Lyell discredited the idea of universal, immutable natural laws by a demonstration of the variability of organic species, thus introducing an evolutionary historical analysis, and, it is said, reaching a truly empirical science. It is this which empiricists oppose to the recently revived epistemological philosophies. But physical theory has been little affected by evolutionary conceptions, and thus still gives an opportunity for epistemological methods.

When the last section in the first edition of this book was written, it appeared that the greatest danger to science was the growth of such movements as popular anti-evolutionary "fundamentalism" in the United States. But a greater danger has appeared. Between the rise and fall of Nazi power in Germany, the freedom of science to pursue the open search for knowledge, like other forms of freedom, was, in that country and in other lands under its control, destroyed by a rampant nationalism, which banished men like Einstein and Haber from prejudice of race, and used applied science and all other activities to further first secret military preparation and then open predatory warfare as the chief, almost the only, object; pure science, the search of knowledge for its own sake, was in abeyance. Unfortunately the idea that science is mainly concerned with economic development has spread to other lands and again freedom is in danger. Science is primarily a free search for pure knowledge, and if practical advantages follow, they are secondary, even if discovered by subsidized research. If free, pure science is neglected, applied science, sooner or later, will wither and die.

Science, Philosophy and Religion

The influence of relativity and quanta on the theory of physics has been studied by P. W. Bridgman[1]. New experiments disclose new facts and require new physical concepts; these depend on the operations by which they are discovered and examined; thus they are relative to the observer. Once this is realized, we need not fear the effects of future revolutions in thought like those produced by Einstein and Planck; we shall have no further need to alter our attitude towards nature. But we must learn that logic, mathematics and physical theory are only our inventions for formulating in compact and manageable form what we already know, and cannot achieve complete success.

The history of science in its relations with philosophy and religion cannot but be helpful when we attempt to describe present conditions and to survey the future outlook. Indeed, it is doubtful whether an attempt to do so could be of much value without a preliminary historical study. Those working at specific problems have perhaps no need for history, but those who try to understand the deeper meaning of science itself, and its connection with other subjects of human thought and activity, must know something of the story of its development.

The triumphs of science are clear to all men. Its practical applications in engineering, industry, medicine, affect more and more the lives. of modern nations. Its misuse in machines of destruction

[1] *The Logic of Modern Physics*, New York, 1928. *The Nature of Physical Theory*, Princeton, 1936.

threatens civilization with catastrophe should the world be foolish and wicked enough to allow another great war. Pure science is continually improving and extending our model of nature from the microcosm of the atom to the macrocosm of the visible Universe of spiral nebulae and galaxies of stars. The relations between the older parts of the model are ever becoming better known, and new parts are continually being added, added indeed so fast that there is no time for the adventurous builders to fit them into, or even on to, the older structure. When the pace slackens a little, the next generation, like the last, can co-ordinate and complete the work; the present generation is in too great a hurry to waste time in doing so.

The men of the Middle Ages sought as the goal of philosophy and religion the attainment of a complete rational harmony of the understanding, and, for the most part, felt that they had reached it in the Scholastic synthesis of Thomas Aquinas. The physics of Galileo and Newton upset this consistent scheme of knowledge; science took the attitude of a common-sense realism based on mechanics, and was used to support a mechanical, deterministic philosophy, while for daily life men still held an unshaken belief that they were self-determining organisms controlled by their own free-will. Many attempts to reconcile these conflicting views having failed, men were forced either to choose the one and despise the other, or to accept both provisionally, while waiting for further enlightenment.

Then, as we have seen in these pages, philosophers came to understand that science could only disclose certain aspects of reality, could only draw plane diagrams, sketches for a model of nature, and that it was by its own definitions, axioms and underlying assumptions that science was necessarily mechanical and deterministic.

All this time science, though it had broken away from the synthesis of Scholasticism, was at least consistent with itself, indeed, as the pieces of the puzzle were fitted together, self-consistency had come to be regarded as the only test of validity. But now, temporarily perhaps but none the less clearly, the inconsistency which science introduced into the world of general thought has invaded, not indeed the super-structure, but the ultimate physical concepts underlying science itself.

Physical research in recent years is in a peculiar state, or let us say, in a state unfamiliar since the seventeenth century. Its classical setting, in the dynamics of Newton and the electro-magnetism of Clerk Maxwell, is still used and is still yielding results of great value. Yet in the most striking discoveries of to-day—those in the theory of atomic structure—the classical laws have broken down, and we are forced to accept the ideas of relativity and quanta. As Sir William Bragg said, we use the classical theory on Mondays, Wednesdays and Fridays, and the quantum theory on Tuesdays, Thursdays and Saturdays. For the time, at all events, consistency has gone by the board, and we take either set of ideas to get results, according to the subject in hand. This discrepancy probably always appears to some extent when a great intellectual revolution is being made, as for example when the ideas of Aristotle and Galileo strove for the mastery, but the present instance seems to illustrate the tendency in an extreme form. It may possibly even allow us to hold a third set of ideas on Sundays, for which Bragg omitted to provide a theory.

Science, Philosophy and Religion

Science must admit the psychological validity of religious experience. The mystical and direct apprehension of God is clearly to some men as real as their consciousness of personality or their perception of the external world. It is this sense of communion with the Divine, and the awe and worship which it evokes, that constitute religion—to most a vision seen only at moments of exaltation, but to the Saints an experience as normal, all-pervading and perpetual as the breath of life. It is not necessary, indeed it is impossible, to define what is meant by God; those who know Him will want no definition.

Weak humanity needs imagery in which to clothe its vision, creates ritual, accepts dogma, theology, mythology if you will. Such systems may be true or false, but religion itself does not stand or fall with any set of doctrines. They are exposed to historical, philosophic or scientific criticism, and have often fared badly in the encounter. But true religion is a deeper thing—founded on the impregnable rock of direct experience. Some may be colour-blind, but others see the bright hues of sunrise. Some may have no religious sense, but others live and move and have their being in the transcendent glory of God.

For most men dogma of some kind is necessary for religious life, and it is useless to ignore the fact, or try to establish new religions without a doctrinal framework. But, in the realm of doctrinal theology, from time to time a clash has come with science, history or anthropology. The trouble is that "religion always mistakes what it says for what it means. And rationalism, so to speak, runs about after it pointing out that what it says is untrue".[1] Yet, even here, there is a slow approach going on between the different modes of thought.

[1] R. G. Collingwood, *Speculum Mentis*, p. 148.

Christian theology had to relinquish the belief in an immediate Second Coming, which seemed essential to the Apostolic Age. In later days, it had to accept the Copernican system, and abandon a whole presentation of dogma founded on a fixed and central Earth, with the Gates of Heaven just above the sky and the Abyss of Hell close beneath the ground. It had to accept evolution at the hands of Darwin, and to consent to trace the pedigree of men from apes instead of angels. When it realizes the implications of modern anthropology, it may have to abandon other beliefs, which to some timid souls seem as necessary now as the doctrines of a central Earth and special acts of creation seemed to our forefathers.

It is unfortunate that theology opposes each change when first it comes. As Whitehead says: [1]

Religion will not regain its old power until it can face change in the same spirit as does science. Its principles may be eternal, but the expression of those principles requires continual development.... Religious thought develops into an increasing accuracy of expression, disengaged from adventitious imagery, and the interaction between religion and science is one great factor in promoting this development.

Science has been slower to move towards theology—indeed, for long it seemed to force philosophy into mechanical determinism. Moreover, nineteenth-century determinism, taking the prevalent ideas of the inevitable "progress" of mankind, showed a somewhat shallow optimism; but its twentieth-century counterpart is frankly pessimistic. Lord Russell says: [2]

That man is the product of causes which had no prevision of the end they were achieving; that his origin, his growth, his hopes and fears, his loves and his beliefs, are but the outcome of accidental collocations of atoms; that no fire, no heroism, no intensity of thought and feeling can preserve an individual life beyond the grave; that all the labours of all the ages, all the devotion, all the inspiration, all the noonday brightness of human genius are destined to extinction in the vast death of the solar system, and that the whole temple of man's achievement must inevitably be buried beneath the debris of a universe in ruins—all these things, if not quite beyond dispute, are yet so nearly certain that no philosophy which rejects them can hope to stand.

On the other hand, this pessimistic determinism increases the importance of religion to those who still admit its validity. It would, of course, be easy to quote from any number of orthodox theologians. But, as we are only concerned with the effects of scientific thought, let us turn to another great philosophic mathematician. Whitehead writes: [3]

[1] A. N. Whitehead, *Science and the Modern World*, Cambridge, 1927, pp. 234, 236.
[2] *Mysticism and Logic*, p. 47.   [3] Whitehead, *loc. cit.* p. 238.

The fact of the religious vision, and its history of persistent expansion, is our one ground for optimism. Apart from it, human life is a flash of occasional enjoyments lighting up a mass of pain and misery, a bagatelle of transient experience.

Again, to some philosophers, such as Eddington, it seems that a better understanding of the theory of knowledge and recent developments in fundamental physics have weakened the support given by science to philosophic determinism.

However that may be, men are coming to see more clearly both the power and the limits of science. Science may (save perhaps in atomic theory and quantum mechanics) be in itself deterministic. But that is because it is by its nature concerned with regularities in nature, and can only work where it finds them. In these pages we have often found reason to suggest that the concepts of science are but models and not reality. Let us quote Eddington once more:

> The symbolic nature of the entities of physics is generally recognized; and the scheme of physics is now formulated in such a way as to make it almost self-evident that it is a partial aspect of something wider....The problem of the scientific world is part of a broader problem—the problem of all experience....We all know that there are regions of the human spirit untrammelled by the world of physics. In the mystic sense of the creation around us, in the expression of art, in a yearning towards God, the soul grows upward and finds the fulfilment of something implanted in its nature....Whether in the intellectual pursuits of science or in the mystical pursuits of the spirit, the light beckons ahead and the purpose surging in our nature responds. Can we not leave it at that? Is it really necessary to drag in the comfortable word "reality"?

Our scientific model of nature is so successful that we gain increasing confidence in believing that reality is something like it. But it remains a model, and a model which can only be examined in sections, cut to suit our own minds. Man, regarded mechanically, is naturally a machine, but, regarded spiritually, he may still be a rational mind and a living soul. Science, recognizing its true meaning, no longer tries to bind the spirit of man in fetters of Law, but leaves him free to approach the Divine in whatever way his soul demands.

To trace the reactions of modern knowledge on systems of theology, and on the Churches which hold them as Creeds, is a problem far less fundamental than that involved in the deep questions of reality and religion with which we have been concerned. To deal with such practical and active controversies is perhaps outside the proper scope of this book. Yet it has been impossible to avoid them when considering past times, and perhaps something may be said without offence in regard to the present and the future, though it may be impossible to avoid all bias due to personal opinion.

The vast extension, both of scientific knowledge and of scientific modes of thought, which, though helpful to essential religion, are antagonistic to the mental attitude of some religious people, has doubtless done much to increase the drift away from the organized Christian Churches—a drift characteristic of the present age. A growing number of both the critically minded and the careless ignore the Churches, leaving in them those who, for one reason or another, accept the familiar doctrines, literally and with a whole heart fervently. Meanwhile, the unintelligent and uninstructed, who form the majority in any section of the community, obtain more and more power, both ecclesiastical and civil, with increasing measures of self-government and popular representation.[1] The process of segregation becomes cumulative, men with different views drift further and further apart, even in Anglo-Saxon countries, where hitherto lines of division have been less sharp than in lands where Roman Catholicism is predominant. Those who try to reconcile theological thought with modern knowledge are attacked from both sides. "What have modern knowledge and criticism to do with the faith once delivered to the Saints?" cries a prominent Anglo-Catholic. "How can men who understand parts of their creed in a symbolic sense dare to profess and call themselves Christians?" ask both the "fundamentalist" and the crude unbeliever. Hence "modernists" who attempt reconciliation find it a difficult and thankless task.

But there is yet another way of combining necessary freedom of thought with a recognition of man's religious needs. It is possible to accept the fundamentals both of science, and of religion, as enshrined in the form natural to each man, and wait patiently for time to resolve discrepancies. This attitude, held consciously or sub-consciously by more people than is generally realized, can be defended on logical and on historical grounds. From recent anthropology and psychology it appears that rite and ritual are prior to and more essential than dogma, and are themselves of more spiritual value. On this theory, if a Church have a dignified and worthy liturgy, there is no need to trouble overmuch about the exact doctrines which that liturgy enshrines. Slowly, and lagging somewhat behind, they adapt themselves to the changing outlook of each succeeding age. There is

---

[1] For the effect in Holland of a more democratic form of Church Government in favouring "fundamentalism" at the expense of "modernism", see Kirsopp Lake, *The Religion of Yesterday and Tomorrow*, 1925, p. 63.

abundant justification in history for a waiting attitude towards the divergencies between other branches of learning and even the most liberal theology—a waiting attitude so characteristic of English ways of thought. Meanwhile, as regards the liturgy itself, we may well follow the authoritative advice "to keep the mean between the two extremes, of too much stiffness in refusing, and of too much easiness in admitting any variation from it". Indeed, from this point of view, our people are fortunate among the nations: while every man is free to worship as he pleases, the Church of England gives that historic order and dignified ritual, that established place in the structure of the State, necessary to keep religion in organic contact with the whole of life. By its very constitution it is unable to enforce uniformity, and must find room within its fold for the Catholic, the Protestant, the Modernist and the religiously minded Agnostic. Some regard this comprehensiveness as a weakness; but to others it seems a supreme safeguard of religious liberty.

Science, Philosophy and Religion

The prospect, both in science and religion, is not without signs of danger. Outbreaks of "fundamentalism" in America, such as that which tried to suppress the teaching of evolution in the schools, and the recrudescence of artificial mediaevalism in England, are matched on the other side by religious persecutions in many countries of Europe, where freedom of thought and expression is suppressed. Even in other lands, sections of the people display from time to time a distinct hatred of science for its own sake—indeed, the balanced, dispassionate, scientific mind is still repellent to the many who cannot hold their judgment in suspense while as yet there is no valid evidence on which a judgment can be formed. Such dangers may grow if the world becomes more swayed by emotion than by reason.

Even excluding ignorance and prejudice, there is an honest and intelligible divergence of view. To the scholar or the theologian, the man of science sometimes seems to be busy about little facts and trivial problems in an entirely superficial way. On the other hand, to the philosopher or the man of science, if they ignore the underlying verities and look only to literal interpretations, it seems that, as Hume said, "popular theology has a positive appetite for absurdity". Here again the historical method enables us to get beneath surface trivialities, see the deep secrets of nature that may lie hid in the movements of the needle of a galvanometer or the markings on a butterfly's wing, and trace the gropings of man's soul after true religion in the exclusiveness of the Catholic or the incredible beliefs of the "fundamentalist". *Tout comprendre, c'est tout pardonner.*

In spite of ignorance, folly and passion, the scientific method has won field after field since the days of Galileo. From mechanics it passed to physics, from physics to biology, from biology to psychology, where it is slowly adapting itself to unfamiliar ground. There seems no limit to research, for, as has been well and truly said, the more the sphere of knowledge grows, the larger becomes the surface of contact with the unknown.

Physicists, dealing with ultimate concepts, have always been more conscious of this outer darkness. Biologists have tended to think that, when a phenomenon is described in physical terms, in matter, force, energy, or whatever be the concepts in use at the time, an ultimate explanation has been found. Physicists know that the difficulties of interpretation are then but beginning. Biologists are right to reduce their problems to physics where this is possible. But biology has a fundamental unit of its own. Whitehead has shown the philosophic importance both in physics and biology of the concept of organism, which was used in old days in natural history, and in more recent times in the study of evolution. The organism is the biological unit; but, since the organism is conditioned by physical and chemical laws, we must continue to examine it analytically also, and, where possible, express its activities in physical terms.

Meanwhile, physical science, though now more fully conscious than ever of the mystery underlying its ultimate concepts, is becoming even surer of its power over its proper kingdom. Sometimes, it strikes out into new regions in the ardent spirit of youth seeking adventure, with no time as yet to reduce the fresh-won territory to order. Then a great synthesis of knowledge, such as that which seems coming now, reconciles different ideas and gives unity instead of confusion. And so physical science continually widens our knowledge of the phenomena of the natural world, and of the relations between the concepts, final or proximate, that we use to interpret the phenomena. On its new lands it builds more temples for the human mind. But also it has dug so deep that, before the eyes of this generation, it seems to have exposed its foundations, and to have reached the unknown ground beneath, which necessarily is of a nature different from that of the superstructure. As Newton said, "The Business of Natural Philosophy is to argue from Phenomena...and to deduce causes from effects, till we come to the very first Cause, which certainly is not mechanical." In electrons, wave-groups and quanta of action we reach ideas which certainly are not mechanical. We are loth to give up the familiar conceptual mechanism which, for two hundred and fifty years, has interpreted the structure of the natural world with such marvellous success. Within its own realm science will continue to use that mechanism to expand man's power over nature, and to gain a yet wider survey of and insight into the wonderful complexity of the inter-relations of natural phenomena. Possibly the present difficulties will be overcome, and physicists formulate a new atomic model which for a time will satisfy our minds. But, now or later, intelligible mechanism will fail, and we shall be left face to face with the awful mystery which is reality.

Science,
Philosophy
and Religion

POSTSCRIPT

By I. BERNARD COHEN

A WHOLE generation of scientists and students of the history of science has been introduced to the panorama of scientific development through the pages of Sir William Cecil Dampier's *History of Science*. In a day when histories of science all too often tended to become mere chronological catalogues, this book managed to convey some of the excitement of the scientific intellectual adventure by stressing the relations between science and philosophy and between science and religion. Many a reader will long remember the thrilling presentations Dampier gave of such subjects as: the Newtonian epoch, the rise of the new physics, or science and philosophy in the nineteenth century.

When Dampier's *History of Science* was first published in 1929, the history of science scarcely existed as an academic discipline. By the time of the third edition in 1942, the author could draw attention, as he did in the preface, to the needs of revision that had arisen from two separate circumstances: the scientific discoveries made during the decade 1930–40, and the advancement of "the history of science itself [which] has become an accepted subject of study, in which systematic research has thrown new light on the past". In the fourth and last edition, 1948, the major revisions were organizational, with the result that in some matters of detail and interpretation, Dampier's *History of Science* is no longer wholly in accord with every aspect of current scholarly thought. For instance, the reader will find a reference to "Piltdown man", recently shown to have been a hoax. Again, the presentations of Egyptian and Mesopotamian (pre-Greek) exact science, and of dynamics in late medieval Europe, do not reflect the exciting results of the incisive research now going on in these areas. Nor is there any mention made of the exciting discovery concerning the work of Ibn al-Nafīs (thirteenth century) on the circulation of the blood.

The readers of this book will find the basic presentation to be as valuable today as did previous generations, while teachers and students will still enjoy the masterful exposition of the main developments in science from early times to the all-but-present past. So that each student may make for himself the major revisions required by the ever-advancing research in what has become a lively subject in so many colleges and universities, the following list of readings has been prepared. In the first of the categories below are to be found guides and bibliographical tools to initiate the reader into research, and to indicate the ways of keeping abreast of new work in the history of science. In the second category are listed the main general articles and books (primarily in English) needed to orient the reader with respect to recent discoveries and new points of view in the history of science, and also a few selected specialized presentations for those who may wish to explore in some depth a significant episode.

Considering the aim of this supplement, the omission of any work from the following lists—perhaps because it is too specialized for the general reader, or perhaps because it is not readily available, or perhaps because in large measure the choice of entries was made chiefly to include books primarily in English—is in no way to be considered a reflection on its intrinsic merit. Naturally, other historians of science would make a choice different from mine, although some entries would be common to all lists. Yet I believe it true that almost all historians of science would agree that the major trends in the history of science of the last two decades are all represented.

GUIDES AND BIBLIOGRAPHIES: GENERAL WORKS

The primary bibliographical tool of the history of science is the set of Critical Bibliographies now published annually in *Isis: an International Review devoted to the History of Science and its Cultural Influences* (official quarterly journal of the History of Science Society). The first seventy-nine Critical Bibliographies were edited by George Sarton and published from 1913 to 1953, numbers 80–84 were prepared by I. Bernard Cohen and published from 1955 to 1959, and numbers 85 *et seq.* are being prepared and edited by Harry Woolf. These bibliographies contain titles of books, pamphlets, and journal articles in all major languages, classified by subject and historical period.

Some major guides to the subject are:

George Sarton, *Horus: A Guide to the History of Science: a First Guide for the Study of the History of Science, with Introductory Essays on Science and Tradition* (Waltham, Mass.: Chronica Botanica Company, 1952).

> Following three introductory essays, the author presents lists of books (generally excluding articles in journals), with emphasis on works in English, and other information, classified under the following main heads: *A*, History; *B*, Science (including such topics as scientific methods, catalogues of scientific literature, abstracting and review journals); *C*, History

of science (including chief reference books on the history of science, scientific instruments, history of science in special countries, history of special sciences, journals and serials concerning the history and philosophy of science); *D*, Organization of the study and teaching of the history of science. A briefer earlier version, entitled *The Study of the History of Science* (Cambridge: Harvard Uni̊v. Press, 1936) has been reprinted by Dover Publications together with Sarton's *The Study of the History of Mathematics* (Cambridge: Harvard Univ. Press, 1936).

Henry Guerlac, *Science in Western Civilization: a Syllabus* (New York: The Ronald Press, 1952).

An outline of a course of ninety-two lectures, each followed by a set of suggested readings, with a supplement of general references.

F. Russo, *Histoire des sciences et des techniques: bibliographie* (Paris: Hermann et Cie, 1954).

A classified bibliography containing journal articles as well as books in all major languages (but with emphasis on French works or translations into French). Some attempt has been made (chiefly for the Middle Ages, the sixteenth–seventeenth–eighteenth centuries, the nineteenth–twentieth centuries) to list some original editions and translations or reprints of major scientific figures, together with a selection of secondary works relating to each.

Walter Artelt, *Index zur Geschichte der Medizin, Naturwissenschaft und Technik*, Erster Band (München und Berlin: Urban und Schwarzenberg, 1953).

This first volume contains two major bibliographies, each covering the period 1945–8: history of medicine, history of science. These are further subdivided into: history of medicine, history of dentistry, history of pharmacy; and history of exact science and technology, history of biology. Each of these major subdivisions is broken up further by subject and by chronological period. Included are books, articles, and pamphlets, in the major languages. Produced and published "im Auftrag der Deutschen Vereinigung für Geschichte der Medizin, Naturwissenschaft und Technik, unter Mitwirkung von Johannes Steudel, Willy Hartner, und Otto Mahr", a second volume is shortly to appear, covering the period 1949–56.

There are several other extremely useful publications. *Current Work in the History of Medicine* is a bibliographical bulletin issued quarterly by The Wellcome Historical Medical Museum, London, and contains items from the general history of science ancillary to the history of medicine, as does the annual list in the *Bulletin of the History of Medicine*, published by the Institute of the History of Medicine at the Johns Hopkins University. Some historical materials are also presented in the abstracting journals of the several scientific disciplines, e.g. *Mathematical Reviews* (American Mathematical Society); *Zentralblatt für Mathematik und ihre Grenzgebiete* (Deutsche Akademie der Wissenschaften zu Berlin); *Biological Abstracts*; etc.

Special attention may be called to the bibliographical publications of the Centre de Documentation du Centre National de la Recherche Scientifique, Paris, primarily a *Bulletin Signalétique* for each of the main divisions of knowledge (in which the titles of some historical books and articles appear under the separate sciences), and of which the *Bulletin Signalétique* (formerly called *Bulletin Analytique*): *Philosophie* contains a subsection "Histoire des sciences et des techniques".

Readers interested in the more general aspects of the history of science may wish to consult a volume composed of articles reprinted from the *Journal of the History of Ideas*:

Philip P. Wiener and Aaron Noland (eds.), *Roots of Scientific Thought, a Cultural Perspective* (New York: Basic Books, 1957).
> Among the contributions contained in this volume are John Herman Randall, Jr., on "Scientific method in the school of Padua", Alexandre Koyré on "Galileo and Plato", Ernest A. Moody on "Galileo and Avempace: dynamics of the Leaning Tower experiment" [one half only], Marjorie Nicolson on "Kepler, the *Somnium* and John Donne", Ludwig Edelstein on "Recent trends in the interpretation of ancient science", and I. Bernard Cohen on "Some recent books on the history of science".

Of a wholly different kind is a magnificent study that illuminates many facets of the history of scientific thought from antiquity to the end of the seventeenth century, available only in the original Dutch version and in a German translation (but of which an English version has been prepared):

E. J. Dijksterhuis, *Die Mechanisierung des Weltbildes*, ins Deutsche übertragen von H. Habicht (Berlin–Göttingen–Heidelberg: Springer-Verlag, 1956).

Two large-scale works, one completed and one in process, that have been undertaken since the above three guides were prepared and that should be known to everyone interested in the history of science, are:

Charles Singer, E. J. Holmyard, A. R. Hall and Trevor I. Williams, *A History of Technology*, 5 vols. (Oxford: at the Clarendon Press, 1954–8).
> Contains chapters by specialists on each major aspect of the subject, with brief bibliographies. Vol. 1, From early times to fall of ancient empires; vol. 2, The Mediterranean civilizations and the Middle Ages c. 700 B.C. to A.D. c. 1500; vol. 3, From the Renaissance to the industrial revolution c. 1500 to c. 1750; vol. 4, the industrial revolution c. 1750 to c. 1850; vol. 5, the late nineteenth century c. 1850 to c. 1900.

Joseph Needham, with the collaboration of Wang Ling, *Science and Civilisation in China* [7 vols. planned; 3 vols. published by 1960] (Cambridge: at the University Press, 1954–9).
> Following two volumes of an introductory nature, vol. 3 deals with particular sciences: mathematics and the sciences of the heavens and the earth.

READINGS FOR CHAPTER I:
SCIENCE IN THE ANCIENT WORLD

The best introduction for the general reader to the results of research on the mathematics and astronomy of ancient Mesopotamia and Egypt is:

O. Neugebauer, "Ancient Mathematics and Astronomy", ch. 31, pp. 785–803, of vol. 1 of *A History of Technology*, ed. by C. Singer *et al.* (cited above).

This is based on the author's more detailed summary, with important notes and bibliography:

O. Neugebauer, *The Exact Sciences in Antiquity* (Copenhagen: Ejnar Munksgaard, 1951, also issued by Oxford Univ. Press and Princeton Univ. Press; revised ed., Providence, R.I.: Brown Univ. Press, 1957).

A splendidly written history of Egyptian, Babylonian, and Greek mathematics is:

B. L. Van der Waerden, *Science Awakening*, English translation by Arnold Dresden (Groningen, Holland: P. Noordhoff, Ltd, 1954).

New views on primitive and ancient medicine may be found in:

J. B. de C. M. Saunders, *The Transition from Egyptian to Greek Medicine* (Lawrence: Univ. of Kansas Press, in the press).

Chauncey D. Leake, *The Old Egyptian Medical Papyri* (Lawrence: Univ. of Kansas Press, 1952).

Henry E. Sigerist, *A History of Medicine*, vol. 1, Primitive and archaic medicine (New York: Oxford Univ. Press, 1951).
    Includes sections on Egypt and on Mesopotamia.

A general view of ancient science and culture is presented in:

George Sarton, *A History of Science*, vol. 1, Ancient science through the golden age of Greece (Cambridge: Harvard Univ. Press, 1952); vol. 2, Hellenistic science and culture in the last three centuries B.C. (Cambridge: Harvard Univ. Press, 1959).

For an account of the main features of Greek science, with a valuable discussion of science in late antiquity, see:

Marshall Clagett, *Greek Science in Antiquity* (New York: Abelard-Schuman, 1955).

Two most useful collections of original material are:

M. R. Cohen and I. E. Drabkin, *Source Book in Greek Science* (revised ed., Cambridge: Harvard Univ. Press, 1958).
    A collection of annotated extracts in English translation, arranged in a variety of subject categories, in historical sequence within each.

G. S. Kirk and J. E. Raven, *The Presocratic Philosophers* (Cambridge: at the University Press, 1957).
    Gives Greek texts, English translations, and historical and interpretative comments.

Two challenging views of aspects of Greek science are:

Owsei Temkin, "Greek Medicine as Science and Craft", *Isis*, **44** (1953), 213–25.
S. Sambursky, *The Physical World of the Greeks* (London: Routledge and Kegan Paul; New York: The Macmillan Co., 1956).

Views on the prehistory of science and on general aspects of pre-Greek culture may be found in:

V. Gordon Childe, *The Prehistory of European Society* (Harmondsworth, Middlesex: Penguin Books, 1958).
V. Gordon Childe, *Man Makes Himself* (revised ed., London: Watts, 1941).
Kenneth P. Oakley, *Man the Tool-maker* (2nd ed., London: British Museum [Natural History], 1950; reprinted by Univ. of Chicago Press).
Henri Frankfort, *The Birth of Civilization in the Near East* (Bloomington: Indiana Univ. Press, 1951; reprinted by Doubleday Anchor Books).
Henri Frankfort et al., *The Intellectual Adventure of Ancient Man* (Chicago: Univ. of Chicago Press, 1946; reprinted by Penguin Books).

READINGS FOR CHAPTER II: THE MIDDLE AGES

Despite a considerable amount of important research, there are no recent general works on Islamic science, presenting the new findings for the non-specialist reader, on the level of:

Max Meyerhof, "Science and Medicine", pp. 311–55 of the *Legacy of Islam*, ed. by Sir Thomas Arnold and Alfred Guillaume (Oxford: at the Clarendon Press, 1931).

Some samples of the recent monographic literature of Islamic science are:

Aydin Sayili, *The Observatory in Islam, and its Place in the General History of the Observatory* (Ankara: Publications of the Turkish Historical Society, 1960).
E. S. Kennedy, *The Planetary Equatorium of Jamshīd Ghiyath al-Dīn al-Kāshī*, with translation and commentary (Princeton: Princeton Univ. Press, 1960).
Max Meyerhof, "Ibn al-Nafīs (XIIIth cent.) and his theory of the lesser circulation", *Isis*, **23** (1935), 100–20; Joseph Schacht, "Ibn al-Nafīs, Servetus and Colombo", *Al-Andalus: Revista de las Escuelas de Estudios Arabes de Madrid y Granada*, **22** (1957), 317–31 (contains a complete guide to the secondary literature and an appendix of selections from Servetus, Valverde, and Columbus, to document the possible transmission of Ibn al-Nafīs' concepts to the West); Charles D. O'Malley, "A Latin Translation of Ibn Nafīs (1547) related to the problem of the circulation of the blood", pp. 716–20 of vol. 2 of *Actes du VIIIe Congrès International d'Histoire des Sciences*, Florence–Milan, 3–9 Septembre 1956 (Paris: Hermann et Cie, 1958).

The best introduction to the problem of the transmission of Graeco-Arabic science and learning to the West is still:

Charles Homer Haskins, *Studies in the History of Medieval Science* (2nd ed., Cambridge: Harvard Univ. Press, 1927).

Supplemented by:

George Sarton, *Introduction to the History of Science*, 3 vols. in 5, from Homer to the end of the fourteenth century (Baltimore: Williams and Wilkins, 1927–31–47).

READINGS FOR CHAPTER III: THE RENAISSANCE

Major aspects of some new views on Renaissance science in general are presented in a brilliant fashion in:

Herbert Butterfield, *The Origins of Modern Science 1300–1800* (London: G. Bell and Sons; New York: The Macmillan Co., 1949; revised ed., 1957).

Another presentation is given in:

A. R. Hall, *The Scientific Revolution 1500–1800, the Formation of the Modern Scientific Attitude* (London: Longmans, Green and Co., 1954; Boston: The Beacon Press, 1956).

See also:

A. R. Hall, "The Scholar and the Craftsman in the Scientific Revolution", pp. 3–32 of *Critical Problems in the History of Science*, ed. by Marshall Clagett (cited above); Giorgio de Santillana; "The Role of Art in the Scientific Renaissance", *ibid.* pp. 33–78.

Essential for an understanding of the implications of the scientific revolution for both science and philosophy is:

Alexandre Koyré, *From the Closed World to the Infinite Universe* (Baltimore: Johns Hopkins Press, 1957; reprinted by Harper Torchbooks).

Some other studies are:

"The William Harvey Issue" of *Journal of the History of Medicine and Allied Sciences*, vol. 12, no. 2 (April 1957).
Angus Armitage, *Copernicus, the Founder of Modern Astronomy* (New York, London: Thomas Yoseloff, 1957).
Marie Boas, *Robert Boyle and Seventeenth-century Chemistry* (Cambridge: at the University Press, 1958).
Max Caspar, *Kepler*, translated and ed. by C. Doris Hellman (London, New York: Abelard-Schuman, 1959).
Thomas S. Kuhn, *The Copernican Revolution* (Cambridge: Harvard Univ. Press, 1957; reprinted by Modern Library Paperbacks).
Oystein Ore, *Cardano, the Gambling Scholar* (Princeton: Princeton Univ. Press, 1953).
Charles E. Raven, *English Naturalists from Neckam to Ray* (Cambridge: at the University Press, 1947); *John Ray, Naturalist: his Life and Works* (Cambridge: at the University Press, 1942).
Edward Rosen, *The Naming of the Telescope* (New York: Henry Schuman, 1947).
Giorgio de Santillana, *The Crime of Galileo* (Chicago: Univ. of Chicago Press, 1955).
J. F. Scott, *The Scientific Work of René Descartes* (London: Taylor and Francis, 1952).
Richard S. Westfall, *Science and Religion in Seventeenth-century England* (New Haven: Yale Univ. Press, 1958).

See also:

Charles Singer and Dorothea Waley Singer, "The Jewish Factor in Medieval Thought", pp. 173–282 of *The Legacy of Israel*, ed. by Edwyn R. Bevan and Charles Singer (Oxford: at the Clarendon Press, 1927).

New views on science in medieval Europe are presented in:

A. C. Crombie, *Augustine to Galileo: the History of Science A.D. 400–1650* (London: Falcon Books; Cambridge: Harvard Univ. Press, 1953).

> A revised 2nd ed. (1959) is republished under the title *Medieval and Early Modern Science*, vol. 1, Science in the Middle Ages: v–xiii centuries; vol. 2, Science in the later Middle Ages and early modern times: xiii–xvii centuries (Doubleday Anchor Books).

This may be supplemented by:

Paul Vignaux, *Philosophy in the Middle Ages: an Introduction*, translated from the French by E. C. Hall (New York: Meridian Books, 1959).

An admirable summary of the current notions concerning the significance of the advances in statics and dynamics during the Middle Ages may be found in:

E. J. Dijksterhuis, "The Origins of Classical Mechanics from Aristotle to Newton", pp. 163–96 of *Critical Problems in the History of Science*, ed. by Marshall Clagett (Madison: Univ. of Wisconsin Press, 1959).

A more detailed analysis, together with the major texts in both Latin and English, is presented in:

Marshall Clagett, *The Science of Mechanics in the Middle Ages* (Madison: Univ. of Wisconsin Press, 1959).

A useful presentation of the technical aspects of Ptolemaic astronomy and some medieval developments is given in:

Derek J. Price, *The Equatorie of the Planetis* (Cambridge: at the University Press, 1955).

READINGS FOR CHAPTER IV: THE NEWTONIAN EPOCH

During the past two decades an enormous literature has been produced concerning the life and work of Newton and his times. A useful, though incomplete, bibliographical guide is:

A Descriptive Catalogue of the Grace K. Babson Collection of the Works of Sir Isaac Newton, and the Material relating to him in the Babson Institute Library (New York: Herbert Reichner, 1950). A *Supplement* was published by the Babson Institute in 1955.

A survey of the main features of Newtonian scholarship since World War II is to be found in:

I. Bernard Cohen, "Newton in the Light of Recent Scholarship", *Isis*, **51** (1960). (In the Press.)

The major new collection of Newton source material is the Royal Society's edition of Newton's correspondence, of which two volumes have thus far appeared:

H. W. Turnbull (ed.), *The Correspondence of Isaac Newton*, vol. 1, 1661–1675, vol. 2, 1676–1687 (Cambridge: at the University Press, 1959, 1960).

For a readable biography see:

E. N. da C. Andrade, *Sir Isaac Newton* ("Brief Lives", London: Collins, 1954; reprinted by Doubleday Anchor Books).

Some other texts and interpretative studies are:

Sir Isaac Newton, *Theological Manuscripts*, ed. by H. McLachlan (Liverpool: at the University Press, 1950).

Sir Isaac Newton, *Opticks*, with a foreword by Albert Einstein, an introduction by Sir Edmund Whittaker, a preface by I. Bernard Cohen, and an analytical table of contents prepared by Duane H. D. Roller (New York: Dover Publications, 1952).

I. Bernard Cohen and Robert E. Schofield (eds.), *Isaac Newton's Papers and Letters on Natural Philosophy, and Related Documents*, with explanatory prefaces by Marie Boas, Charles Coulston Gillispie, Thomas S. Kuhn and Perry Miller (Cambridge: Harvard Univ. Press; Cambridge: at the University Press, 1958).

E. N. da C. Andrade, "Robert Hooke", Wilkins Lecture delivered 15 Dec. 1949, *Proc. Roy. Soc.* A, **201** (1950), 439–73; "Newton and the Science of his Age", *Proc. Roy. Soc.* A, **181** (1943), 227–43.

A. E. Bell, *Christian Huygens and the Development of Science in the Seventeenth Century* (London: Edward Arnold; New York: Longmans Green, 1947).

I. Bernard Cohen, *The Birth of a New Physics* (Garden City, New York: Doubleday Anchor Books; Columbus, Ohio: Wesleyan Univ. Press, 1960).

Sir John Craig, *Newton at the Mint* (Cambridge: at the University Press, 1946).

Margaret 'Espinasse, *Robert Hooke* (London: William Heinemann, 1956).

Sir Harold Hartley (ed.), *Notes and Records of the Royal Society of London*, Tercentenary number, vol. 15 (1960).

> Contains an essay on the origins and foundations of the Royal Society (by Douglas McKie), and studies of King Charles II, fundator et patronus (by E. S. de Beer), and of the following founding Fellows: John Wilkins (by E. J. Bowen and Sir H. Hartley), John Wallis (by J. F. Scott), Jonathan Goddard (by W. S. C. Copeman), Sir William Petty (by Sir Irvine Massey and A. J. Youngson), Thomas Willis (by Charles Symonds), Sir Christopher Wren (by Sir John Summerson), "Wren the Mathematician" (by Derek T. Whiteside), Laurence Rooke (by C. A. Ronan), The Hon. Robert Boyle (by John F. Fulton), Robert Hooke (by E. N. da C. Andrade), William, Viscount Brouncker (by J. F. Scott and Sir H. Hartley), Sir Paul Neile (by C. A. Ronan and Sir H. Hartley), William Ball (by Angus Armitage), Abraham Hill (by R. E. W. Maddison), Henry Oldenburg (by R. K. Bluhm), Sir Kenelm Digby (by John F. Fulton), William Croone (by L. M. Payne, Leonard G. Wilson and Sir H. Hartley), Elias Ashmole (by C. H. Josten), John Evelyn (by E. S. de Beer), Sir Robert Moray (by D. C. Martin), Alexander Bruce (by A. J. Youngson).

Alexandre Koyré, "The significance of the Newtonian synthesis", *Archives Internationales d'Histoire des Sciences*, no. 29 (1950), 291–311; "An Unpublished Letter of Robert Hooke to Isaac Newton", *Isis*, **43** (1952), 312–37.

Robert K. Merton, "Puritanism, Pietism, and Science", and "Science and Economy of 17th-century England", pp. 574–628 of *Social Theory and Social Structure* (revised and enlarged ed., Glencoe, Illinois: The Free Press, 1957); based on the author's now classic monograph, "Science, Technology and Society in Seventeenth Century England", *Osiris*, **4** (part 2), (1938), 360–632.

The Royal Society, *Newton Tercentenary Celebrations, 15–19 July 1946* (Cambridge: at the University Press, 1947).

> Contains lectures and addresses on various aspects of Newton's life and work by E. N. da C. Andrade, G. M. Trevelyan, Lord Keynes, J. Hadamard, S. I. Vavilov, N. Bohr, H. W. Turnbull, W. Adams, J. C. Hunsaker.

J. F. Scott, *The Mathematical Work of John Wallis* (London: Taylor and Francis, 1938).

H. W. Turnbull, *The Mathematical Discoveries of Newton* (London and Glasgow: Blackie and Son, 1945).

READINGS FOR CHAPTER V: THE EIGHTEENTH CENTURY

Studies of the science of the eighteenth century have tended to be monographic, and have cast much new light on such subjects as the scientific work of Lavoisier, chemistry in the industrial revolution, Newtonian experimental science in the eighteenth century, science and the Enlightenment, the beginnings of international co-operation, the importance of scientific instruments, experimental and conceptual progress in biology. The following list includes representative samples on these subjects, and some others.

John R. Baker, *Abraham Trembley, Scientist and Philosopher* (London: Edward Arnold, 1952).

G. R. de Beer, *Sir Hans Sloane and the British Museum* (London, New York: Oxford Univ. Press, 1953).

E. St John Brooks, *Sir Hans Sloane: the Great Collector and his Circle* (London: The Batchworth Press, 1954).

H. C. Cameron, *Sir Joseph Banks, the Autocrat of the Philosophers 1744–1820* (London: The Batchworth Press, 1952).

Centre International de Synthèse, L' *"Encyclopédie" et le progrès des sciences et des techniques* (Paris: Presses Universitaires de France, 1952).

> A collection of articles originally published in the *Revue d'Histoire des Sciences et de leurs applications*.

Archibald and Nan Clow, *The Chemical Revolution: a Contribution to Social Technology* (London: The Batchworth Press, 1952).

> A milestone in the literature of the relation of scientific discovery to technology.

I. Bernard Cohen, *Franklin and Newton: an Inquiry into Speculative Newtonian Experimental Science, and Franklin's Work in Electricity as an Example Thereof* (Philadelphia: The American Philosophical Society, 1956—Memoirs of the American Philosophical Society, vol. 43).

POSTSCRIPT — 513

Maurice Daumas, *Lavoisier, théoricien et expérimentateur* (Paris: Presses Universitaires de France, 1955).

> M. Daumas is editing for publication an important collection of papers in French and in English on the chemical revolution of the latter half of the eighteenth century; these papers were read at a "colloque" held in Paris at the Conservatoire Nationale des Arts et Métiers in September 1959.

Maurice Daumas, *Les instruments scientifiques aux XVIIe et XVIIIe siècles* (Paris: Presses Universitaires de France, 1953).

> A monumental pioneering study, handsomely presented with 60 plates.

Allan Ferguson (ed.), *Natural Philosophy through the 18th Century and Allied Topics* (London: Taylor and Francis, 1948—Commemoration number to mark the 150th anniversary of the *Philosophical Magazine*).

Norah Gourlie, *The Prince of Botanists, Carl Linnæus* (London: H. F. and G. Witherby, 1953).

Henry Guerlac: "Some French Antecedents of the Chemical Revolution", *Chymia*, 5 (1959), 73–112; "The Origin of Lavoisier's Work on Combustion", *Archives Internationales d'Histoire des Sciences*, 12 (1959), 113–35. A volume of these and other of Professor Guerlac's studies on the chemical revolution will shortly be published by Cornell Univ. Press.

Knut Hagberg, *Carl Linnaeus*, trans. from the Swedish by Alan Blair (London: Jonathan Cape, 1952).

Sir Philip J. Hartog, "The Newer Views of Priestley and Lavoisier", *Annals of Science*, 5 (1941), 1–56.

Douglas McKie and N. H. de V. Heathcote, "Cleghorn's *De igne* (1779) with Translation and Annotations", *Annals of Science*, 14 (1958), 1–82. (Reprinted in book form, London: Taylor and Francis, 1960.) An important supplement to the authors' *Discovery of Specific and Latent Heats* (London: Edward Arnold, 1935).

Leonard M. Marsak, *Bernard de Fontenelle, the Idea of Science in the Enlightenment* (Philadelphia: American Philosophical Society, 1959).

Boris N. Menshutkin, *Russia's Lomonosov: Chemist, Courtier, Physicist, Poet*, trans. from the Russian by Jeanette Eyre Thall and Edward J. Webster (Princeton: Princeton Univ. Press, 1952).

J. R. Partington and Douglas McKie, "Historical Studies on the Phlogiston Theory", *Annals of Science*, 2 (1937), 361–404; 3 (1938), 1–58, 337–71; 4 (1939), 113–49.

Stuart Piggott, *William Stukeley, an Eighteenth-century Antiquary* (Oxford: at the Clarendon Press, 1950).

Robert E. Schofield, "Josiah Wedgwood & a Proposed XVIIIth Century Industrial Research Organization", *Isis*, 47 (1956), 16–19.

Professor Schofield is completing for publication a history of the Lunar Society of Birmingham and a volume of life and letters of Joseph Priestley.

Sir Charles Sherrington, *Goethe on Nature & on Science* (Cambridge: at the University Press, 1942; revised and considerably expanded version, 1949).

Owsei Temkin, "German Concepts of Ontogeny and History around 1800", *Bulletin of the History of Medicine*, 24 (1950), 227–46.

Aram Vartanian, *Diderot and Descartes: a Study of Scientific Naturalism in the Enlightenment* (Princeton: Princeton Univ. Press, 1953).

J. S. Wilkie, "The Idea of Evolution in the Writings of Buffon", *Annals of Science*, **12** (1956), 48–62, 212–7, 255–66.

Harry Woolf, *The Transits of Venus: a Study of Eighteenth-century Science* (Princeton: Princeton Univ. Press, 1959).

READINGS FOR CHAPTERS VI–VIII:
THE NINETEENTH CENTURY

No one has yet attempted to produce again a full-scale account of the growth of the sciences in the nineteenth century of the dimensions of John Theodore Merz's two fat volumes in his *History of European Thought in the Nineteenth Century* (3rd ed., Edinburgh, London: William Blackwood and Sons, 1907). Vol. 3 of the collaborative history of science being edited in French by Professor René Taton will be a major effort in this direction: *Histoire générale des sciences*, of which vol. 1 presents "La science antique et médiévale" and vol. 2 "La science moderne (de 1450 à 1800)" (Paris: Presses Universitaires de France, 1957, 1958).

The most significant recent works dealing in whole or in some major part with the science of the nineteenth century are:

Sir Eric Ashby, *Technology and the Academics: an Essay on Universities and the Scientific Revolution* (London: Macmillan, 1958).

J. D. Bernal, *Science and Industry in the Nineteenth Century* (London: Routledge and Kegan Paul, 1953).

Ernst Cassirer, *The Problem of Knowledge: Philosophy, Science, and History since Hegel*, trans. by William H. Woglom and Charles W. Hendel (New Haven: Yale Univ. Press, 1950).

Herbert Dingle (ed.), *A Century of Science 1851–1951* (London, New York: Hutchinson's Scientific and Technical Publications, 1951).

Contains twenty chapters, each written by a specialist author.

Herbert M. Evans (ed.), *Men and Moments in the History of Science* (Seattle: Univ. of Washington Press, 1959).

Five of the nine essays deal with nineteenth-century science.

Charles Coulston Gillispie, *The Edge of Objectivity: an Essay in the History of Scientific Ideas* (Princeton: Princeton Univ. Press, 1960).

A stimulating presentation of major scientific concepts from Galileo to Maxwell, with an epilogue on Einstein: but of special value for insights into nineteenth-century science.

F. Sherwood Taylor, *The Century of Science* (London: William Heinemann, 1942).

Special attention may be called to the "100 Years Series" (London: Gerald Duckworth; New York: The Macmillan Co.), including *A Hundred Years of Astronomy* by R. L. Waterfield; *A Hundred Years of Archaeology*, by Glyn Daniel; ...*of Chemistry* by Alexander Findlay;

...*of Biology* by Ben Dawes; *of Philosophy* by J. A. Passmore. Some more specialized works, and studies of individuals of significance are:

Erwin H. Ackerknecht, *Rudolf Virchow: Doctor, Statesman, Anthropologist* (Madison: Univ. of Wisconsin Press, 1953).

Angus Armitage, *A Century of Astronomy* (London: Sampson Low, 1950).

D. S. L. Cardwell, *The Organization of Science in England: a Retrospect* (London: William Heinemann, 1957).

G. S. Carter; *A Hundred Years of Evolution* (London: Sidgwick and Jackson, 1957).

C. D. Darlington, *Darwin's Place in History* (Oxford: Basil Blackwell, 1959).

Charles Darwin, *Evolution and Natural Selection*, edited with an introductory essay by Bert James Loewenberg (Boston: Beacon Press, 1959).

Charles Darwin and Alfred Russell Wallace, *Evolution by Natural Selection* (Cambridge: at the University Press, 1958).

René J. Dubos, *Louis Pasteur, Free Lance of Science* (Boston: Little, Brown, 1950).

C. Waldo Dunnington, *Carl Friedrich Gauss, Titan of Science: a Study of his Life and Work* (New York: Exposition Press, 1955; reprinted by Hafner Pub. Co., N.Y., 1959).

A. Hunter Dupree, *Asa Gray 1810–1888* (Cambridge: Harvard Univ. Press, 1959).

A. S. Eve and C. H. Creasey, *Life and Work of John Tyndall* (London: Macmillan, 1945).

Charles Coulston Gillispie, *Genesis and Geology: a Study in the Relations of Scientific Thought, Natural Theology, and Social Opinion in Great Britain* (Cambridge: Harvard Univ. Press, 1951; reprinted by Harper Torchbooks).

H. Bentley Glass, Owsei Temkin, William Straus, Jr. (eds.), *Forerunners of Darwin 1745–1859* (Baltimore: The Johns Hopkins Press, 1959).

Sir Gordon Gordon-Taylor and E. W. Walls, *Sir Charles Bell, his Life and Times* (Edinburgh, London: E. and S. Livingstone, 1958).

L. F. Haber, *The Chemical Industry during the Nineteenth Century: a Study of the Economic Aspect of Applied Chemistry in Europe and North America* (Oxford: at the Clarendon Press, 1958).

Helmut de Terra, *The Life and Times of Alexander von Humboldt 1769–1859* (New York: Alfred A. Knopf, 1955).

Thomas S. Kuhn, "The Caloric Theory of Adiabatic Compression", *Isis*, **49** (1958), 132–40; "Energy Conservation as an Example of Simultaneous Discovery", pp. 321–56 of *Critical Problems in The History of Science* (cited above).

Edward Lurie, *Louis Agassiz, a Life in Science* (Chicago: Univ. of Chicago Press, 1960).

J. M. D. Olmsted, *Claude Bernard, Physiologist* (New York, London: Harper and Brothers, 1938).

J. M. D. Olmsted, *François Magendie, Pioneer in Experimental Physiology and Scientific Medicine in XIX Century France* (New York: Henry Schuman, 1944).

Oystein Ore, *Niels Henrik Abel, Mathematician Extraordinary* (Minneapolis: Univ. of Minnesota Press; London: Oxford Univ. Press, 1957).

Robert C. Stauffer, "*On the Origin of Species:* an Unpublished Version", *Science*, **130** (1959), 1449–52.

Owsei Temkin, "Materialism in French and German Physiology of the early Nineteenth Century", *Bulletin of the History of Medicine*, **20** (1946), 322–7.

Sir Edmund Whittaker, *History of the Theories of Æther and Electricity:* I, "The Classical Theories" (London, Edinburgh: Thomas Nelson and Sons, 1951).

Alexander Wood and Frank Oldham, *Thomas Young, Natural Philosopher 1773–1829* (Cambridge: at the University Press, 1954).

READINGS FOR CHAPTERS IX–XI:
THE TWENTIETH CENTURY

It is still too early for comprehensive histories of the development of science during the first half of the twentieth century, but one collective history has been attempted in English:

A. E. Heath (ed.), *Scientific Thought in the Twentieth Century* (London: Watts, 1951; New York: Frederick Ungar Publ. Co., 1954).
> Contains essays on each of the several branches of science, and also on philosophy of science, statistics, various departments of medicine, psychology, social anthropology, and sociology.

Another method of writing the history of twentieth-century science is the collection of classic papers in each field, as is being done in the second series of Source Books, of which only one has appeared to date:

Harlow Shapley (ed.), *Source Book in Astronomy 1900–1950* (Cambridge: Harvard Univ. Press, 1960).

The following books comprise chiefly autobiographies or books of reminiscences, with a few major biographies and collections of source material. (Attention is called to the fact that some of the books listed in the previous section deal with the period 1850–1950.)

Robert T. Beyer, *Foundations of Nuclear Physics* (New York: Dover Publications, 1949).
> Contains facsimile reprints of thirteen fundamental studies as they were originally reported in the scientific journals, together with an extensive classified bibliography of nuclear physics.

Max Born, *Physics in my Generation* (London and New York: Pergamon Press, 1956).

T. W. Chalmers, *A Short History of Radio-activity* (London: "The Engineer", 1951).

Arthur Holly Compton, *Atomic Quest, a Personal Narrative* (New York: Oxford Univ. Press, 1956).

Leslie C. Dunn (ed.), *Genetics in the 20th Century: Essays in the Progress of Genetics during its First 50 Years* (New York: The Macmillan Co., 1951).

A. S. Eve, *Rutherford: being the Life and Letters of the Rt Hon. Lord Rutherford, O.M.* (Cambridge: at the University Press, 1939).

Eduard Farber, *Nobel Prize Winners in Chemistry 1901–1950* (New York: Henry Schuman, 1953).

Laura Fermi, *Atoms in the Family, my Life with Enrico Fermi* (Chicago: Univ. of Chicago Press, 1954).

Philipp Frank, *Einstein, his Life and Times* (New York: Alfred A. Knopf, 1947).

Richard B. Goldschmidt, *Portraits from Memory, Recollections of a Zoologist* (Seattle: Univ. of Washington Press, 1956); *In and Out of the Ivory Tower, the Autobiography of Richard B. Goldschmidt* (Seattle: Univ. of Washington Press, 1960).

Otto Hahn, *New Atoms: Progress and some Memories* (New York, Amsterdam, London: Elsevier Publishing Co., 1950).

Niels H. de V. Heathcote, *Nobel Prize Winners in Physics 1901–1950* (New York: Henry Schuman, 1953).

Robert Jungk, *Brighter than a Thousand Suns, a Personal History of the Atomic Scientists*
(London: Victor Gollancz, Rupert Hart-Davis; New York: Harcourt, Brace,
1958).

>Although the latter part of this book has been severely criticized, the earlier
>part is the best account in print of the history of atomic and nuclear physics
>between World War I and World War II.

[Robert A. Millikan], *The Autobiography of Robert A. Millikan* (New York: Prentice-
Hall, 1950).

Max Planck, *Scientific Autobiography and Other Papers*, trans. from the German by
Frank Gaynor (New York: Philosophical Library, 1949).

Lord Rayleigh, "Some Reminiscences of Scientific Workers of the Past Generation
and their Surroundings", *Proceedings of the Physical Society*, **48** (1936), 217–46.

Lord Rayleigh, *The Life of J. J. Thomson* (Cambridge: at the University Press,
1942).

Paul Arthur Schilpp (ed.), *Albert Einstein, Philosopher-Scientist* (Evanston, Illinois:
The Library of Living Philosophers, 1949; reprinted by Harper Torchbooks).

>Contains a collection of essays on Einstein's work and its influence, a biblio-
>graphy of Einstein's writings, and Einstein's "autobiographical notes".
>(For a bibliography see E. Weil, *Albert Einstein, a Bibliography of his Scientific
>Papers* [published by the compiler], 1960.)

H. D. Smyth, *A General Account of Methods of using Atomic Energy for Military Purposes
under the Auspices of the United States Government 1940–1945* (Washington: U.S.
Government Printing Office, 1945: reissued by Princeton Univ. Press).

>The historic first general official presentation, since known as the "Smyth
>Report".

Lloyd G. Stevenson, *Nobel Prize Winners in Medicine and Physiology 1901–1950*
(New York: Henry Schuman, 1953).

Sir J. J. Thomson, *Recollections and Reflections* (London: G. Bell and Sons, 1936).

Sir Edmund Whittaker, *History of the Theories of Æther and Electricity*, II, "1900–
1926" (London, Edinburgh: Thomas Nelson and Sons, 1953).

READINGS FOR CHAPTER XII:

SCIENTIFIC PHILOSOPHY AND ITS OUTLOOK

To assist the reader in exploring this subject through the recent
literature, the following list is divided into two parts. The first
contains books presenting both classical and current approaches to
philosophy of science or concepts of scientific method in historical
perspective or by a discussion of case histories drawn from the history
of science. Also to be found here are anthologies containing selections
illustrating the changing views concerning the philosophical aspects
of science.

Ralph M. Blake, Curt J. Ducasse and Edward H. Madden, *Theories of Scientific
Method: the Renaissance through the Nineteenth Century* (Seattle: Univ. of Washington
Press, 1960).

J. Bronowski, *The Common Sense of Science* (London: William Heinemann, 1951:
Cambridge: Harvard Univ. Press, 1953; reprinted by Modern Library Paperbacks).

S

G. Burniston Brown, *Science: its Method and its Philosophy* (London: Allen and Unwin; New York: W. W. Norton, 1950). Chapters, among others, on Aristotle, Bacon, and Newton.

James B. Conant, *Science and Common Sense* (New Haven: Yale Univ. Press, 1951). Uses a number of historical "case histories".

Arthur Danto and Sidney Morgenbesser (eds.), *Philosophy of Science: Readings* (New York: Meridian Books, 1960).

Paul Edwards and Arthur Pap (eds.), *A Modern Introduction to Philosophy: Readings from Classical and Contemporary Sources* (Glencoe, Illinois: The Free Press, 1957).

Herbert Feigl and May Brodbeck (eds.), *Readings in the Philosophy of Science* (New York: Appleton-Century-Crofts, 1953).

Norwood Russell Hanson, *Patterns of Discovery: an Inquiry into the Conceptual Foundations of Science* (Cambridge: at the University Press, 1958).
> Among the special virtues of this book is the emphasis on examples embodying historical source material, notably the early seventeenth-century discussions of accelerated motion, Kepler's work on planetary orbits, classical and modern particle physics.

Gerald Holton (ed.), *Science and the Modern World View* (Boston: Beacon Press, 1958 —originally published as the winter issue of *Daedalus, Proceedings of the American Academy of Arts and Sciences*, vol. 87, no. 1).
> Contributions by Henry Guerlac, Harcourt Brown, Giorgio de Santillana, Philipp Frank, Robert Oppenheimer, Jerome S. Bruner, P. W. Bridgman, Charles Morris, Howard Mumford Jones, Kirtley F. Mather.

J. A. Passmore, *A Hundred Years of Philosophy* (London: Gerald Duckworth, 1957).

Hans Reichenbach, *The Rise of Scientific Philosophy* (Berkeley and Los Angeles: Univ. of California Press, 1951; reprinted by Doubleday Anchor Books).

René Taton, *Reason and Chance in Scientific Discovery*, trans. by A. J. Pomerans (London: Hutchinson and Co.; New York: Philosophical Library, 1957).
> Rich in historica. material.

Philip P. Weiner (ed.), *Readings in Philosophy of Science: Introduction to the Foundations and Cultural Aspects of the Sciences* (New York: Charles Scribner's Sons, 1953).

Some recent works in the philosophy of science, and the reflections concerning scientific methodology, are:

Agnes Arber, *The Mind and the Eye: a Study of the Biologist's Standpoint* (Cambridge: at the University Press, 1954).

W. I. B. Beveridge, *The Art of Scientific Investigation* (Melbourne: Heinemann; New York: W. W. Norton, 1950 [revised in 1957]).

Max Born, *Experiment and Theory in Physics* (Cambridge: at the University Press, 1943); *Natural Philosophy of Cause and Chance* (Oxford: at the Clarendon Press, 1949).

P. W. Bridgman, *The Nature of some of our Physical Concepts* (New York: Philosophical Library, 1952); *Reflections of a Physicist* (revised ed., New York: Philosophical Library, 1955).

Walter B. Cannon, *The Way of an Investigator, a Scientist's Experiences in Medical Research* (New York: W. W. Norton, 1945).

Herbert Dingle, *The Source of Eddington's Philosophy* (Cambridge: at the University Press, 1954).

Philipp Frank, *Philosophy of Science, the Link between Science and Philosophy* (Englewood Cliffs, N.J.: Prentice-Hall, 1957).

Mary B. Hesse, *Science and the Human Imagination: Aspects of the History and Logic of Physical Science* (London: S.C.M. Press, 1954; New York: Philosophical Library, 1955).

S. Körner, M. H. L. Pryce (eds.), *Observation and Interpretation, a Symposium of Philosophers and Physicists* (London: Butterworths Scientific Publications; New York: Academic Press, 1957).

J. Robert Oppenheimer, *Science and the Common Understanding* (New York: Simon and Schuster, 1953).

Michael Polanyi, *Personal Knowledge: Towards a Post-critical Philosophy* (Chicago: Univ. of Chicago Press, 1958).

Karl R. Popper, *The Logic of Scientific Discovery* (London: Hutchinson; New York: Basic Books, 1959).

S. Ramón y Cajal, *Precepts and Counsels on Scientific Investigation: Stimulants of the Spirit*, trans. by J. Ma. Sanchez-Perez, edited and annotated by Cyril B. Courville (Mountain View, California: Pacific Press Publishing Association, 1951).

Hans Reichenbach, *Modern Philosophy of Science: Selected Essays*, trans. and ed. by Maria Reichenbach (London: Routledge and Kegan Paul; New York: Humanities Press, 1959).

Sir Charles Sherrington, *Man on his Nature* (Cambridge: at the University Press, 1940; reprinted by Doubleday Anchor Books).

Stephen Toulmin, *The Philosophy of Science, an Introduction* (London, New York: Hutchinson's University Library, 1953).

Hermann Weyl, *Philosophy of Mathematics and Natural Science* (Princeton: Princeton Univ. Press, 1949).

E. Bright Wilson, Jr., *An Introduction to Scientific Research* (New York: McGraw-Hill Book Company, 1952).

J. H. Woodger, *Biology and Language: An Introduction to the Methodology of the Biological Sciences, including Medicine* (Cambridge: at the University Press, 1952).

J. Z. Young, *Doubt and Certainty in Science: a Biologist's Reflections on the Brain* (Oxford: at the Clarendon Press, 1951).

INDEX

[Figures in heavy type refer to main entries under marginal headings]